KB182765

통계로 보는 생활물가정보 2023

생활물가총람

고물가 시대 속 현명한 소비를 위한 지표

가격을 알면 물가 흐름이 보인다!

사단법인 한국물가정보

먹고 사는 문제보다 중요한 건 없습니다!

독자 여러분 안녕하십니까?

여러분들도 아시다시피 최근의 물가 오름세가 심상치 않습니다. 특히 우리가 먹고사는 것과 직접적으로 관련된 생활물가는 매년 가파르게 상승하는 추세입니다.

본사는 이미 5년마다 발행하는 「종합물가총람」을 통해 생활물가 관련 정보를 제공해 왔지만, 멈출 기미 없이 오르기만 하는 생활물가에 대한 우려와 관심, 여기에 관계기관 및 언론사, 그리고 물가정보 회원과 일반 독자들의 의견을 받아들여 올해부터 생활물가만을 전문으로 다루는 「생활물가총람」을 발행하게 되었습니다.

「생활물가총람」은 전년 11월부터 당해년 10월까지 본사가 발행한 「종합물가정보」와 「종합적산정보」, 그리고 홈페이지에 게재된 내용 중 생활물가 관련 자료를 발췌해 매년 11월에 발행할 예정입니다. 따라서 이 책은 지난 2022년 11월부터 올해 2023년 10월까지의 자료를 바탕으로 하고 있습니다.

책의 구성은 1부와 2부 총 두 개 파트로 나뉘어지며, 1부 〈생활물가〉 편에서는 전통시장 및 대형마트 가격정보, 3대 구매처 생활용품 가격 비교, 기타 일반 생필품 가격정보 등을, 2부 〈공공·서비스요금〉 편에는 유관기관의 자료를 바탕으로 노임단가와 공공요금, 교통 운임 등 각종 공공 및 서비스 요금을 게재하고 있습니다. 또한 그때그때의 이슈들을 선정해 한국물가정보 홈페이지에 업로드하는 〈KPI리포트〉도 일부 수록하였으니 참고하시기 바랍니다.

모쪼록 「생활물가총람」이 우리네 장바구니 경제와 생활물가 안정에 일조할 수 있기를 기대하며, 아울러 지난 50여 년간 변함없는 마음으로 지지해주시는 「종합물가정보」 회원사 및 독자 여러분들에게도 이 자리를 빌려 다시 한번 감사의 말씀을 전합니다.

2023년 11월

발행인 노 승 권

Contents

KPI Report

Chapter I 생활물가 가격정보

Chapter II 공공·서비스요금및기타

Contents

I 생활물가 가격정보

II 공공·서비스요금및기타

사단법인 한국물가정보

Since 1970

도전과 혁신을 멈추지 않겠습니다

(사)한국물가정보는 공정, 신속, 정확을 신념으로 쉼 없이 달려왔습니다.
기존의 사업영역과 IT기술의 융합을 통해 데이터 중심의 혁신적인 서비스를
제공하여 대한민국 경제의 도약에 이바지하도록 하겠습니다.

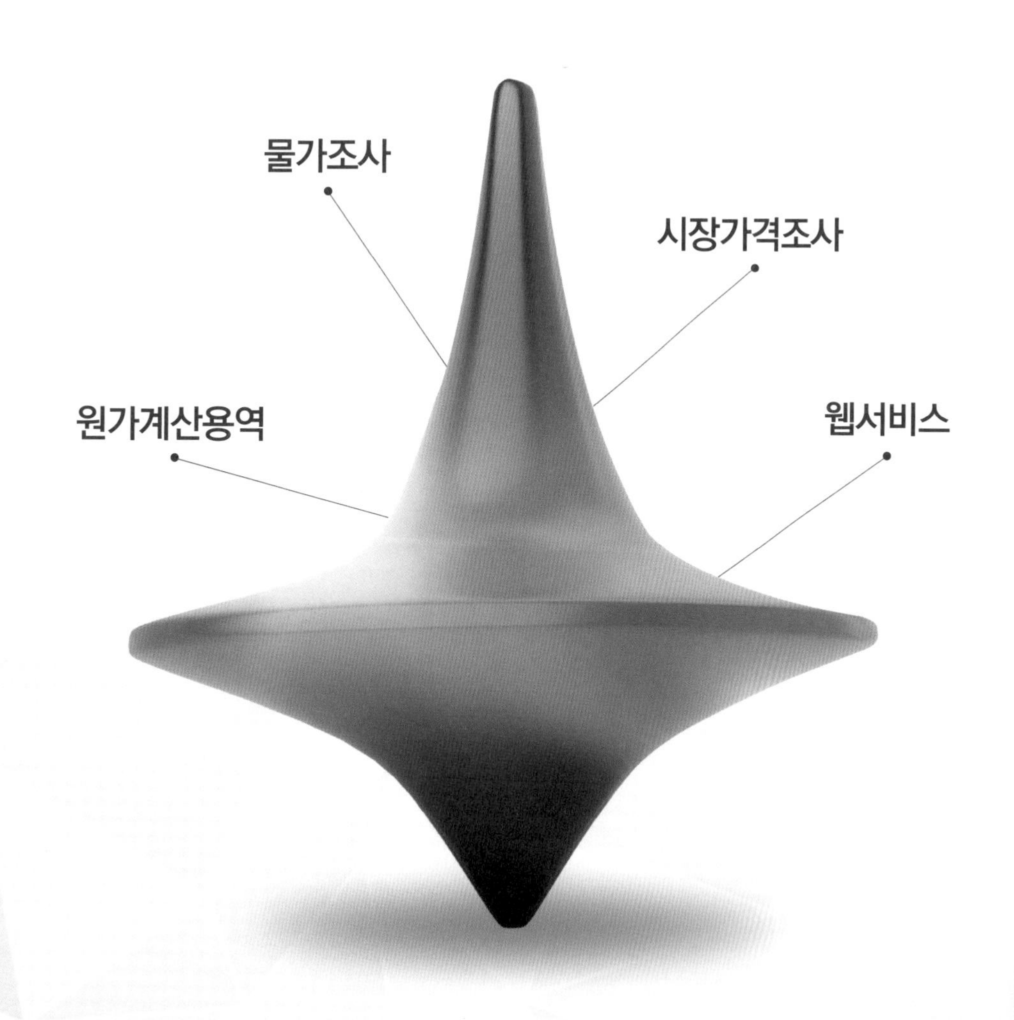

겨울간식 가격동향

찬 바람이 불면 생각나는 붕어빵은 퇴근길 주머니 속 천 원짜리 두어 장으로 허기를 달랠 수 있는 겨울철 대표 '서민 간식' 중 하나였다. 하지만 가파른 물가 상승으로 붕어빵이 서민 간식이라는 말도 이제 옛말이 되고 있다. 붕어빵이 갈수록 비싸지는 원인은 무엇인지 알아본다.

지역별 가격 조사

붕어빵 지역별 가격 조사 결과

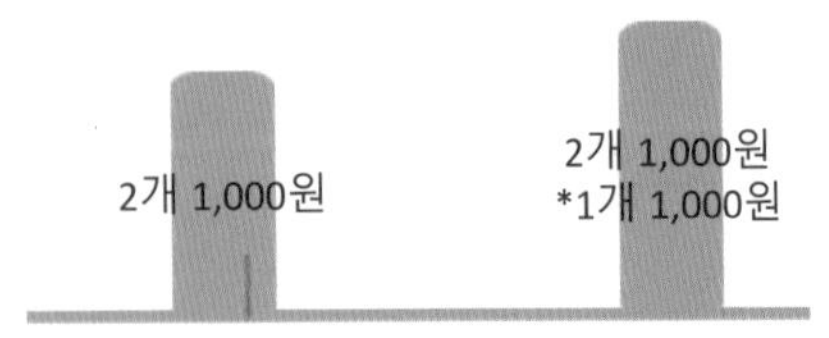

주요 각 5개 지역
경기도, 전라도, 경상도, 충청도, 강원도

서울
*일부 지역

- ■ 대부분 지역 2개 1,000원
- ■ 서울 일부 지역 1개 1,000원
- ■ 수도권 지역 3개 2,000원

지역별 겨울 간식 가격 정보

지역	개수	가격	지역	개수	가격
강원도	2개	1,000원	경상동	2.5개	1,000원
전라도	2개	1,000원	충청도	2개	1,000원
경기도	3개	2,000원	서울	2개	1,000원
전체 평균 2개 1,000원					

주재료 가격 조사

겨울 대표 간식(붕어빵) 주재료 가격 조사 결과

■ 2022 기준 5년 전과 비교했을 때 주재료 값 49.2% 상승

■ 지난해와 비교했을 때 18.4% 상승

■ 특히 팥(수입산) 경우 5년 전보다 100% 상승

→ 붕어빵, 계란빵, 호떡 등 가장 많이 쓰이는 주재료 기본 단위 조사 결과, 실제 반죽 등 쓰이는 재료량이나 품목별 추가 재료가 있을 경우 더 큰 차이가 발생할 수 있다고 분석된다.

지역별 겨울 간식 가격 정보

단위: 원

품목	규격	2017년	2022년	상승률(%)	2021년	2022년	상승률(%)
밀가루(중력)	1kg	1,280	1,880	46.9	1,590	1,880	18.2
붉은 팥(수입)	800g	3,000	6,000	100.0	5,000	6,000	20.0
설탕	1kg	1,630	1,980	21.5	1,790	1,980	10.6
식용유	900ml	3,890	5,180	33.2	4,090	5,180	26.7
LPG가스	1kg	1,927	2,455	27.4	2,312	2,455	6.2
합계		**11,727**	**17,495**	**49.2**	**14,782**	**17,495**	**18.4**

업체 동향

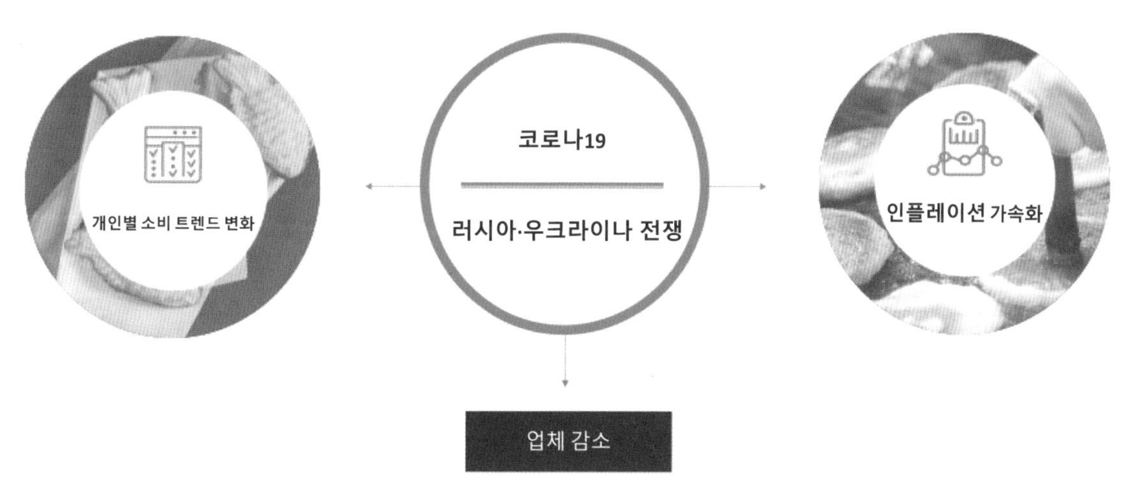

■ 급부상한 원·달러 환율 문제와 올해 초 발발한 러시아-우크라이나 전쟁으로 인한 국제 곡물 가격 상승

■ 작년 기상 악재로 인해 세계적으로 농산물 가격 상승, 코로나19로 인한 각종 원자재 가격 상승

→ 서울시 한 발표에 의하면, 5년 전 7천여 개였던 노점상이 올해 5천여 개로 감소했다고 발표했다.

거리가게(노점상) 현황

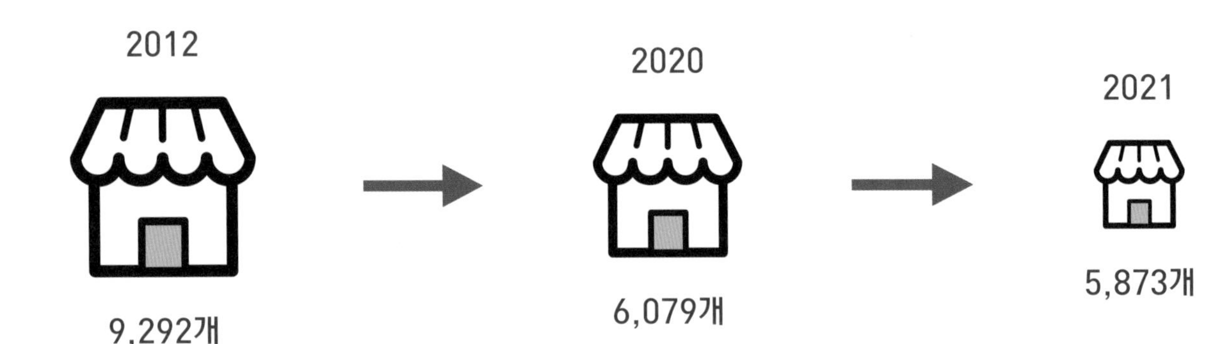

거리가게 감소 현황

■ 2012 → 2020 3,213개 감소
■ 2020 → 2021 206개 감소

*서울정보소통광장 거리가게 현황 발표 자료 참고

트렌드 변화

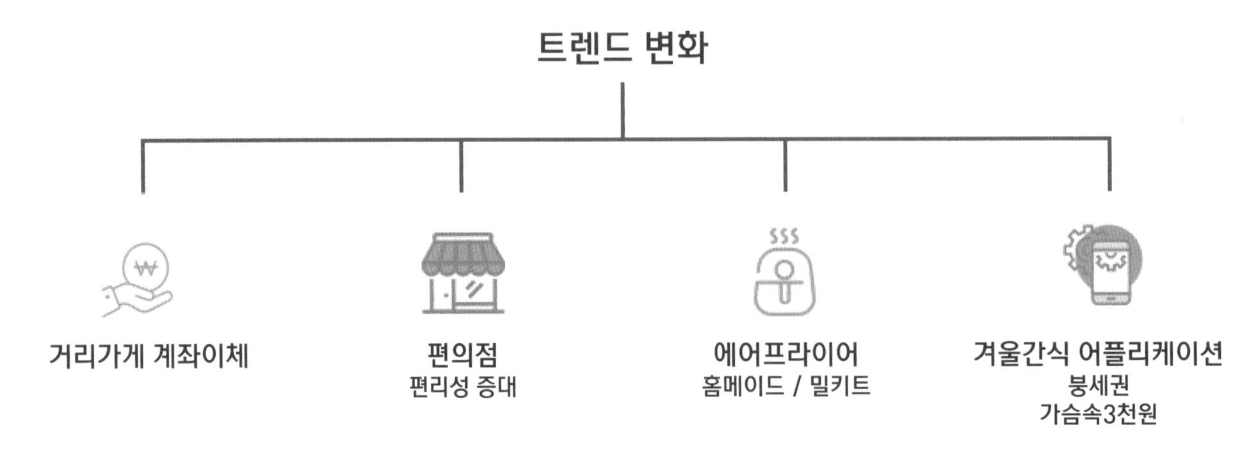

 # 편리성 추구 소비 문화 확대

■ 과거 대부분 거리가게 현금 지급 → 카드 사용 증가로 현금 미소지에 따른 계좌이체 요구
■ 집 근처 편의점 이용 → 군고구마, 호빵 판매
■ 에어프라이어 사용률 증가 → 코로나19로 인한 외출 자제로 홈메이드 요리 / 밀키트 활성화
■ 거리가게 어플리케이션 등장 → 사라지는 노점상을 찾아 헤매는 사람들을 위한 어플리케이션 활성화

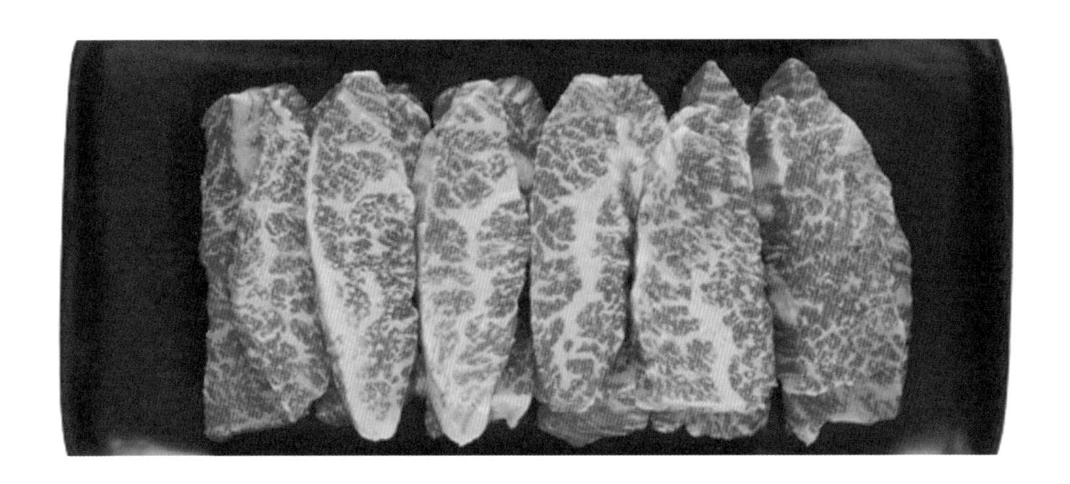

소고기 가격동향

'비싼 음식'하면 일반적으로 소고기를 생각한다. 그중에서도 한우는 특히 더 비싼 음식으로 취급받고 있다. 한우는 도축 마릿수와 유통량에 따라 가격이 변동되지만, 도축 수가 크게 증가해도 생산과 유통비용 상승으로 가격 하락 폭은 크지 않은 게 사실이다. 최근의 한우 가격 동향을 알아보도록 한다.

사육 및 도축 현황

사육마릿수 & 도축마릿수

■ 3월과 6월 한우 사육마릿수 전년 대비 2~3% 증가 전망
■ 2023 한우 사육마릿수 역대 최대 수준 기록 전망
■ 2023년 사육마릿수는 357만 마리로 증가세 지속 전망
- 1세 미만 마릿수 감소하나, 가임암소 및 누적된 사육 마릿수 영향으로 증가세 지속

■ 1~2분기 한우 도축마릿수 전년 대비 9~10% 증가 전망
■ 2023년 한우 도축마릿수 사육 증가로 90만 마리 이상 전망
■ 2023년 도축마릿수는 사육 증가로 전년(86만 9천) 대비 8.5%, 평년(77만 4천) 대비 21.8% 증가한 94만 마리 내외 전망

→ 한우 공급 과잉 단계 시작, 가격 하락세 지속 전망
→ 중장기 경영 안정화를 위해 송아지 입식 자제 및 자율적인 수급 조절 필요

출처: 한국농촌경제연구원

한우 도매가격 추이

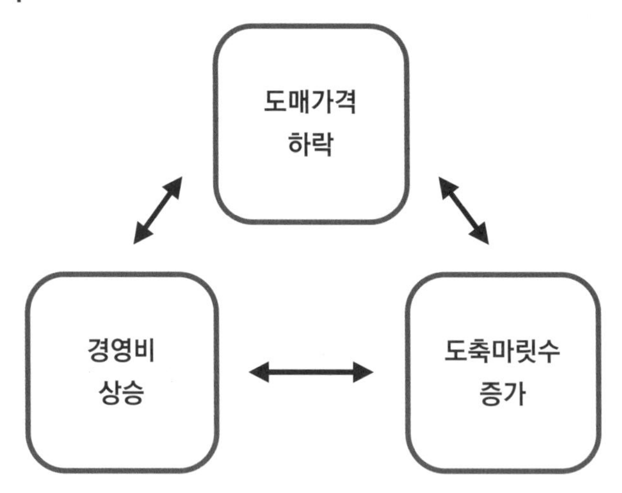

도축 마릿수 증가 및 소비 위축으로 한우 도매가격 하락

■ 1월 한우 도매가격(거세우) : 1만 7,672원/kg(전년 대비 16.4% 하락)

■ 2월 한우 도매가격(거세우) : 1만 8,353원/kg(전년 대비 11.2% 하락)

*2월, 수요 촉진 행사 영향으로 전월 대비 상승

출처: 한국농촌경제연구원

→ 한우 가격은 공산품이 아니기 때문에 생산비를 감안해서 가격이 책정되지 않음

→ 올해 도축되는 한우는 2021년 최고가였던 송아지로 지난해 사료값 상승과 맞물려 경영비가 가장 비싼 상황에서 키워졌지만, 도축 마릿수 증가로 싼 값에 팔아야 하는 현황

출처: YTN(23.02.22)

한우 가격 동향

소고기 가격 정보

단위: 원, 기준일: 3월 1주

	품목	규격	2018년	변동률(%)	2019년	변동률(%)	2020년	변동률(%)	2021년	변동률(%)	2022년	변동률(%)	2023년	변동률(%)
전통시장	소고기(등심, A1+)	1근(600g)	45,000	-	48,000	▲ 6.67	48,000	-	65,000	▲ 35.42	70,000	▲ 7.69	73,000	▲ 4.29
	소고기(양지, A1+)	1근(600g)	23,000	▲ 4.55	23,000	-	23,000	-	33,000	▲ 43.48	33,000	-	33,000	-
	소고기(홍두깨, A1+)	1근(600g)	-	-	-	-	-	-	33,000	▽ -	33,000	-	35,000	▲ 6.06
	소고기(우둔살, A1+)	1근(600g)	-	-	-	-	-	-	30,000	▽ -	30,000	-	30,000	-
	소고기(살치살, A1+)	1근(600g)	-	-	-	-	-	-	70,000	▽ -	70,000	-	88,000	▲ 25.71
	소고기(차돌박이, A1+)	1근(600g)	-	-	-	-	-	-	30,000	▽ -	30,000	-	35,000	▲ 16.67
대형마트	소고기(등심, A1+)	1근(600g)	49,200	-	67,200	▲ 36.59	60,660	▽ -9.73	89,940	▲ 48.27	93,540	▲ 4.00	87,540	▽ -6.41
	소고기(양지, A1+)	1근(600g)	40,800	-	57,600	▲ 41.18	54,000	▽ -6.25	59,940	▲ 11.00	58,920	▽ -1.70	64,920	▲ 10.18

변동률

단위: %, 기준연도: 2023

	품목	규격	2018 대비 변동률	2019 대비 변동률	2020 대비 변동률	2021 대비 변동률	2022 대비 변동률
전통시장	소고기(등심, A1+)	1근(600g)	62.22	52.08	52.08	12.31	4.29
	소고기(양지, A1+)	1근(600g)	43.48	43.48	43.48	-	-
	소고기(홍두깨, A1+)	1근(600g)	-	-	-	6.06	6.06
	소고기(우둔살, A1+)	1근(600g)	-	-	-	-	-
	소고기(살치살, A1+)	1근(600g)	-	-	-	25.71	25.71
	소고기(차돌박이, A1+)	1근(600g)	-	-	-	16.67	16.67
대형마트	소고기(등심, A1+)	1근(600g)	77.93	30.27	44.31	-2.67	-6.41
	소고기(양지, A1+)	1근(600g)	59.12	12.71	20.22	8.31	10.18

전통시장

2018 대비 ▲ 62.22%

작년 대비 ▲ 4.29%

대형마트

2018 대비 ▲ 77.93%

작년 대비 ▽ -6.41%

* 대형마트 판매 특성상 수입산과의 경쟁력 강화 및 대량 공급 계약으로 인한 할인 행사로 하락

서울 소재 유명 한우(고깃집) 물가정보

단위: 원

지역	지구	업체	품목	규격	2018	2019	변동률(%)	2020	변동률(%)	2021	변동률(%)	2022	변동률(%)	2023	변동률(%)	2018 대비 변동률(%)
서울	강남구	뚝OO	등심	100g	15,750	15,750	-	24,667	▲ 56.6	27,333	▲ 10.8	30,000	▲ 9.8	31,333	▲ 4.4	▲ 98.9
			안심		19,500	19,500	-	30,000	▲ 53.8	35,333	▲ 17.8	38,666	▲ 9.4	38,666	-	▲ 98.3
서울	강남구	네OO	등심	100g	26,000	26,000	-	36,000	▲ 38.5	39,330	▲ 9.3	43,340	▲ 10.2	43,340	-	▲ 66.7
			안심		28,670	28,670	-	39,330	▲ 37.2	43,330	▲ 10.2	46,000	▲ 6.2	46,000	-	▲ 60.4
서울	강남구	육OO	등심	100g	22,000	22,000	-	24,000	▲ 9.1	41,000	▲ 70.8	51,000	▲ 24.4	55,000	▲ 7.8	▲ 150.0
			안심		23,000	24,000	▲ 4.3	26,000	▲ 8.3	41,000	▲ 57.7	51,000	▲ 24.4	55,000	▲ 7.8	▲ 139.1
서울	강남구	삼OO	등심	100g	50,000	50,000	-	52,308	▲ 4.6	52,308	-	52,310	▲ 0.0	53,850	▲ 2.9	▲ 7.7
			안심		50,000	50,000	-	52,308	▲ 4.6	52,308	-	60,000	▲ 14.7	61,540	▲ 2.6	▲ 23.1
서울	강남구	마OO	등심	100g	26,600	32,500	▲ 22.2	32,500	-	40,834	▲ 25.6	45,830	▲ 12.2	45,830	-	▲ 72.3
			안심		32,500	36,600	▲ 12.6	36,600	-	54,167	▲ 48.0	62,500	▲ 15.4	62,500	-	▲ 92.3
서울	강남구	우OO	등심	100g	26,000	29,230	▲ 12.4	32,308	▲ 10.5	32,308	-	34,615	▲ 7.1	35,385	▲ 2.2	▲ 36.1
			안심		28,666	29,230	▲ 2.0	33,077	▲ 13.2	33,077	-	36,923	▲ 11.6	37,692	▲ 2.1	▲ 31.5
서울	강남구	ROO	등심	100g	35,000	35,000	-	35,000	-	39,000	▲ 11.4	42,000	▲ 7.7	42,000	-	▲ 20.0
			안심		37,000	37,000	-	37,000	-	40,000	▲ 8.1	42,000	▲ 5.0	42,000	-	▲ 13.5
서울	강남구	창OO	등심	100g	35,300	38,000	▲ 7.6	39,333	▲ 3.5	39,333	-	40,467	▲ 2.9	40,667	▲ 0.5	▲ 15.2
			안심		31,300	32,670	▲ 4.4	35,333	▲ 8.2	43,846	▲ 24.1	45,385	▲ 3.5	45,385	-	▲ 45.0
서울	종로구	평OO	등심	100g	34,670	36,000	▲ 3.8	36,000	-	40,000	▲ 11.1	40,000	-	47,333	▲ 18.3	▲ 36.5
			안심		31,330	33,330	▲ 6.4	33,330	-	40,000	▲ 20.0	51,333	▲ 28.3	52,666	▲ 2.6	▲ 68.1
서울	종로구	한OO	등심	100g	26,000	26,000	-	22,000	▽ -15.4	22,666	▲ 3.0	30,000	▲ 32.4	30,000	-	▲ 15.4
			안심		27,300	27,300	-	32,000	▲ 17.2	32,666	▲ 2.1	41,538	▲ 27.2	41,538	-	▲ 52.2
서울	마포구	마OO	등심	100g	23,333	23,333	-	25,333	▲ 8.6	28,000	▲ 10.5	29,333	▲ 4.8	30,666	▲ 4.5	▲ 31.4
			안심		23,333	23,333	-	25,333	▲ 8.6	28,000	▲ 10.5	29,333	▲ 4.8	30,666	▲ 4.5	▲ 31.4
서울	중구	한OO	등심	100g	27,340	28,670	▲ 4.9	28,670	-	32,670	▲ 14.0	39,300	▲ 20.3	39,300	-	▲ 43.7
			안심		29,340	30,670	▲ 4.5	30,670	-	32,670	▲ 6.5	39,300	▲ 20.3	39,300	-	▲ 33.9
서울	강서구	설OO	등심	100g	26,000	26,000	-	28,000	▲ 7.7	28,000	-	30,000	▲ 7.1	31,330	▲ 4.4	▲ 20.5
			안심		28,666	28,666	-	30,666	▲ 7.0	30,666	-	34,666	▲ 13.0	36,000	▲ 3.8	▲ 25.6
서울	영등포구	동OO	등심	100g	20,000	22,666	▲ 13.3	22,666	-	27,333	▲ 20.6	30,000	▲ 9.8	30,000	-	▲ 50.0
			안심		21,333	24,666	▲ 15.6	24,666	-	31,333	▲ 27.0	34,666	▲ 10.6	34,666	-	▲ 62.5
서울	영등포구	민OO	등심	100g	30,000	30,000	-	30,000	-	38,667	▲ 28.9	46,923	▲ 21.4	46,923	-	▲ 56.4
			안심		30,000	30,000	-	30,000	-	38,667	▲ 28.9	45,384	▲ 17.4	45,384	-	▲ 51.3
평균			등심	100g	28,266	29,410	▲ 4.0	31,252	▲ 6.3	35,252	▲ 12.8	39,008	▲ 10.7	40,197	▲ 3.0	▲ 42.2
			안심		29,463	30,376	▲ 3.1	33,088	▲ 8.9	38,471	▲ 16.3	43,913	▲ 14.1	44,600	▲ 1.6	▲ 51.4

한우 가격 조사 결과 (서울 15개 업체 평균값 기준)

단위: 100g/원

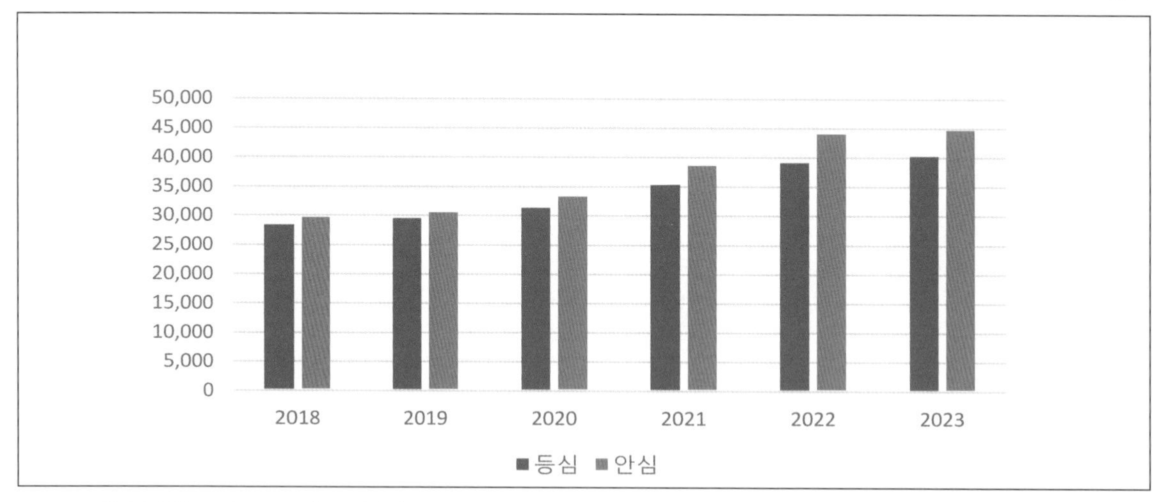

2018 대비 등심 ▲ 42.2% / ▲ 안심 51.4%
작년 대비 등심 ▲ 3% / 안심 ▲ 1.6%

※ 2020 → 2021 등심 ▲ 12.8 % / 안심 ▲ 16.3%
※ 2021 → 2022 등심 ▲ 10.7 % / 안심 ▲ 14.1%

유통 실태

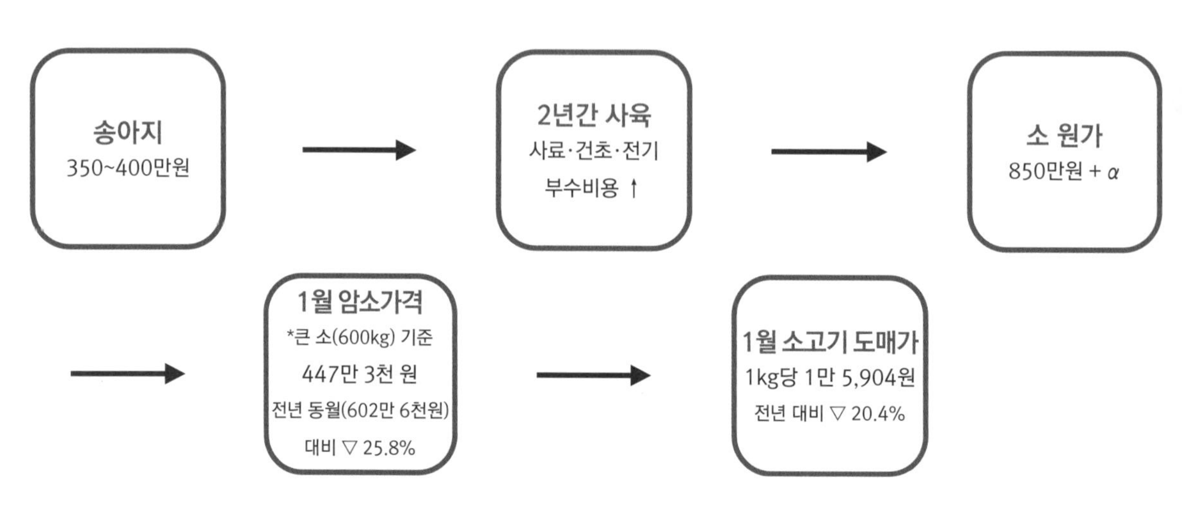

■ 소 값은 하락, 소고기 판매비용은 요지부동 원인은 유통비용 증가
유통과정 ▷ 농장출하 → 도축장 → 경매장 → 도 ·소매상 → 소비자
- 유통 과정 시 물류비, 인건비 / 전기 ·수도요금 등 최대 인상분 반영
결론 ▷ 소비자는 소 값이 떨어져도 비싼 값에 소고기를 구매해야 하는 악순환 반복

서민 음식 짜장면의 반란

대한민국 대표 '서민 음식'을 꼽으라고 하면 주저 없이 짜장면을 꼽을 것이다. 하지만 최근 멈출 줄 모르는 물가 상승에 짜장면도 더 이상 서민 음식이라고 부를 수 없게 되었다. 짜장면의 역사부터 연도별 가격 변화, 인상 요인까지 두루 살펴보며 왜 대표 서민 음식 자리가 위협받게 되었는지 알아본다.

짜장면의 역사

작장면(炸醬麵)

19세기 말

인천항을 통해 국내로 유입된 산둥반도의 중국인 노동자들이 고국의 음식인 작장면(炸醬麵) 을 재현하여 먹던 것에서부터 출발

춘장 개발

1948 영화장유 창업

짜장면용 면장을 공급하기 시작, 50년대 중반 춘장에 캐러멜을 첨가하고 '사자표 춘장' 출시 → 본격적인 한국 짜장면 탄생

전성기

1960~1970 분식장려운동

대한민국 정부가 펼친 분식장려운동과 조리 시간이 비교적 짧은 점이 산업화 시대와 맞아떨어지면서 짜장면의 전성기 시작

짜장면 주재료

주재료 가격

짜장면 재료 가격 정보

단위: 원

	품목	규격	2018년	2019년	2020년	2021년	2022년	2023년	2018 대비 변동률(%)
	춘장(도매기준)	14kg	26,000	27,500	27,500	33,000	34,500	34,500	▲ 32.7
대형 마트	식용유	900ml	3,890	3,580	3,980	3,900	4,600	5,180	▲ 33.2
	밀가루	1kg	1,280	1,280	1,280	1,190	1,590	1,880	▲ 46.9
	설탕	1kg	1,630	1,680	1,350	1,790	1,790	1,980	▲ 21.5
전통 시장	양파	1망(2kg)	2,250	3,500	5,000	8,000	5,000	6,000	▲ 166.7
	대파	1단(1kg)	2,800	1,300	1,500	6,000	2,500	3,000	▲ 7.1
	청오이	10개(2kg)	4,000	8,000	8,000	10,000	10,000	15,000	▲ 275.0
	돼지고기(상등급)	600g	10,000	10,000	10,000	13,000	15,000	13,000	▲ 30.0
	합 계		51,850	56,840	58,610	76,880	74,980	80,540	▲ 55.3
	짜장면	1그릇	5,011	5,201	5,276	5,438	6,025	6,361	▲ 26.9

▶ 짜장면에 들어가는 주재료 8개 평균 55.3% 상승

연도별 가격

짜장면 가격 정보

단위: 원

연도	지수	가격	연도	지수	가격	연도	지수	가격	연도	지수	가격
1970	1.89	100	1987	14.12	676	2000	50.16	2,533	2013	82.35	4,345
1975	2.89	138	1988	15.88	759	2001	50.79	2,583	2014	83.40	4,400
1976	3.19	151	1989	18.78	899	2002	53.79	2,917	2015	85.70	4,522
1977	4.08	194	1990	22.72	1,073	2003	59.41	3,083	2016	88.11	4,649
1978	4.28	203	1991	27.51	1,299	2004	60.81	3,222	2017	90.93	4,798
1979	5.2	277	1992	30.73	1,450	2005	61.07	3,222	2018	94.98	5,011
1980	7.29	348	1993	33.23	1,569	2006	61.87	3,264	2019	98.59	5,201
1981	9.86	470	1994	36.64	1,734	2007	64.18	3,386	2020	100.00	5,276
1982	11.05	529	1995	39.06	2,176	2008	72.58	3,829	2021	103.07	5,438
1983	11.02	528	1996	42.46	2,279	2009	73.85	3,896	2022	114.20	6,025
1984	11.91	572	1997	44.95	2,500	2010	75.77	3,945	2023	120.57	6,361
1985	12.88	616	1998	51.27	2,500	2011	80.00	4,220			
1986	13.48	647	1999	49.46	2,533	2012	80.94	4,270			

자료: 종합물가총람, 통계청(소비자 물가지수)

짜장면 가격 조사 결과 (1970-2023 가격 기준)

단위: 원

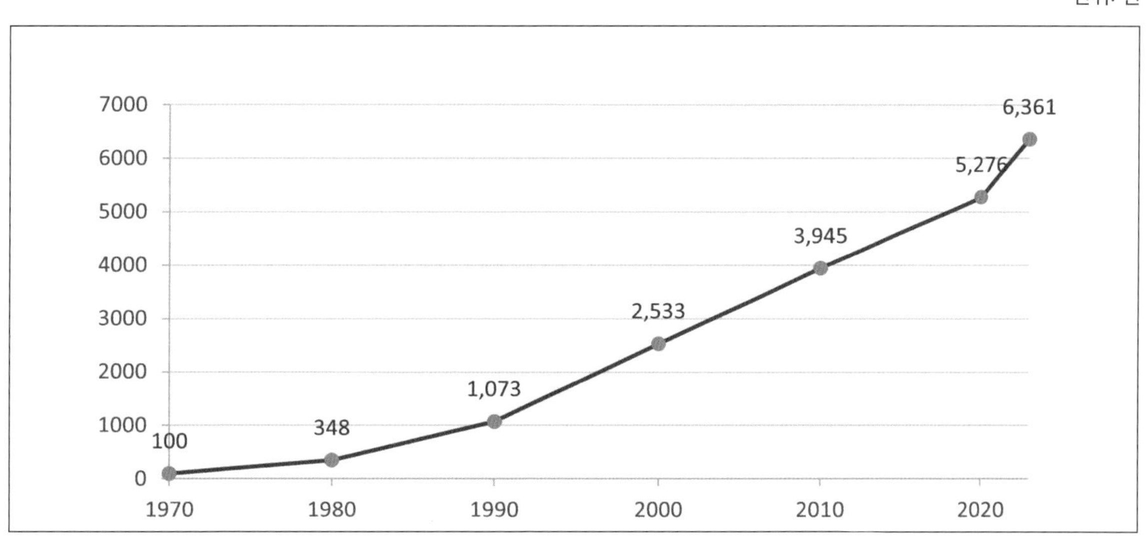

2023 - 6,361원(평균) 기준

■ 1970 - 100원 ▲ 6261%　■ 2013 - 4,345원 ▲ 46.4%　■ 2018 - 5,011원 ▲ 26.9%

가격 인상 요인

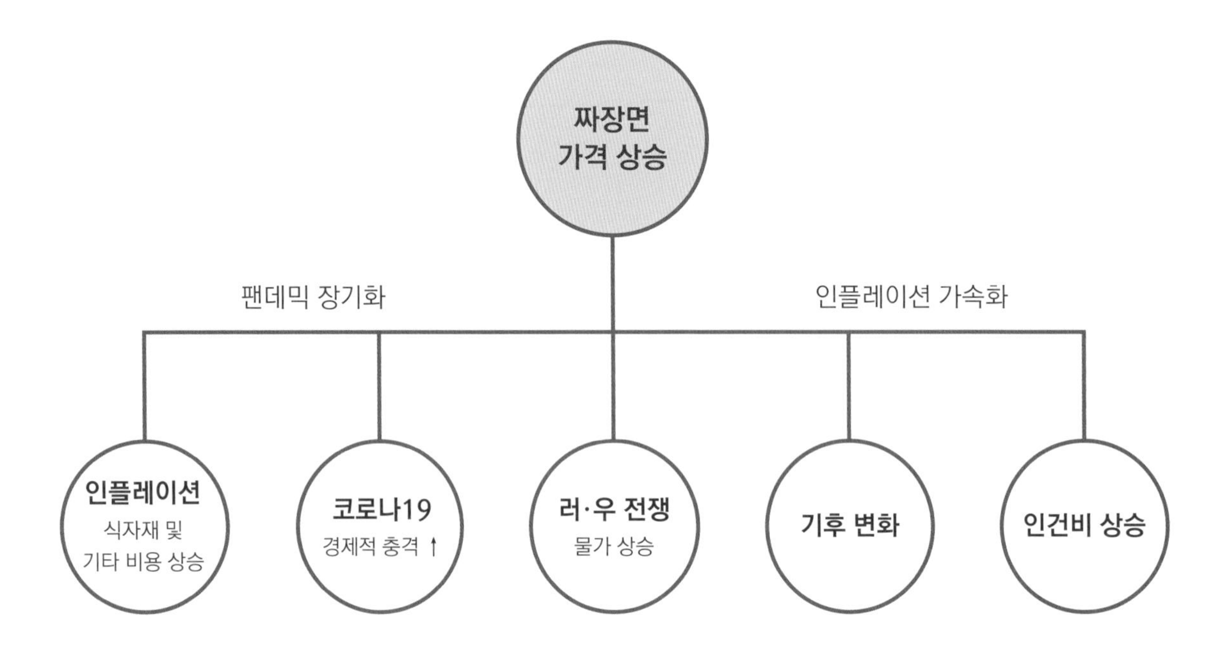

누들플레이션

누들플레이션이란?

■ 현재 냉면 1만 원, 짜장면 6천 원 이상의 시대(수도권 8,000원 이상)
■ 누들플레이션(noodleflation)은 누들(noodle, 국수)과 인플레이션(inflation)의 합성 용어
■ 밀가루 등 원재료 가격이 크게 올라 서민 음식의 대표 메뉴인 국수류 값이 크게 오른 것을 뜻하는 신조어

관련 기사문

외식업계는 밀가루 등 원재료 가격이 치솟으면서 칼국수·자장면·냉면 등의 면 요리가 가격 인상 압박을 크게 받고 있는 것으로 보고 있다. '누들플레이션'(누들+인플레이션)이라는 말이 나올 정도다. 여기에 인건비가 오르고, 사회적 거리두기 해제로 '외식 수요'가 늘어난 것이 종합적으로 가격 인상에 영향을 미친 것으로 풀이된다.

출처: 중앙일보(22.05.06)

현황

■ 짜장면 1그릇에 배달비까지 1만 원이 넘는 금액에 소비자들의 외식 물가 부담 증가로 소비 위축
■ 집에서 짜장면을 직접 만들어 먹거나, 가격이 저렴한 음식으로 외식 대체
■ 일각에서는 고물가 시대에 0.5인분 메뉴를 판매하는 중식당 등장

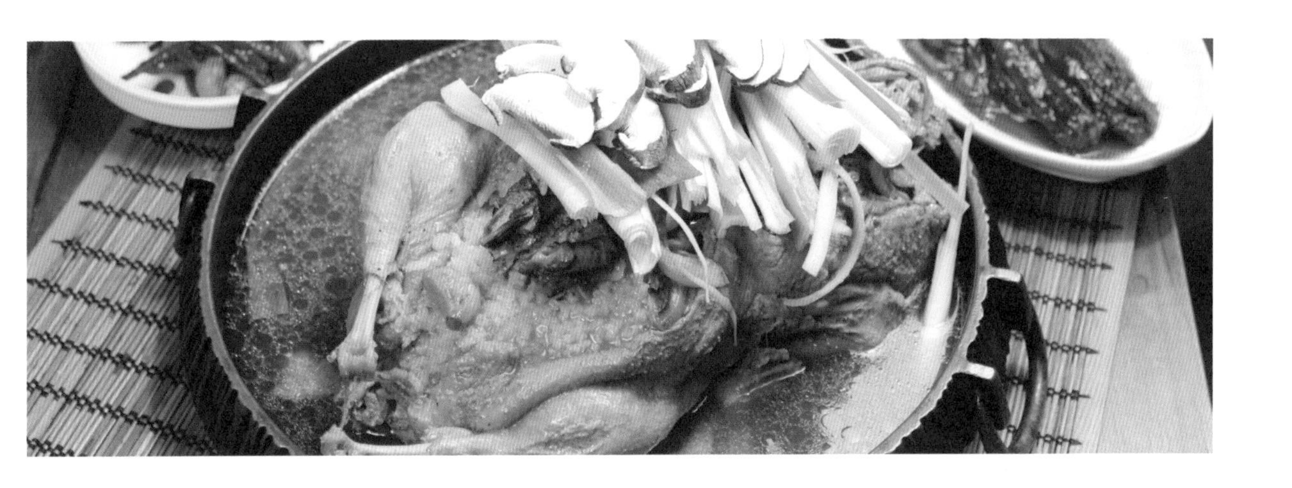

복날 삼계탕 가격동향

언제부터인가 '복날엔 역시 삼계탕'이라는 말이 공식처럼 사용되기 시작했다. 하지만, 최근 천정부지로 오른 삼계탕 가격에 세 번이나 있는 복날을 매번 챙기기도 어렵게 되었다. 어떤 요인으로 삼계탕 가격이 올랐는지 살펴본다.

삼계탕 주재료 가격 조사

삼계탕 가격 정보

4인 기준, 단위:원

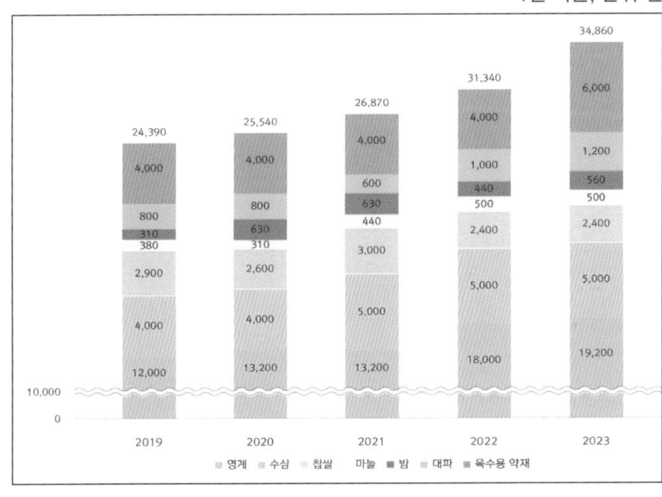

삼계탕 주재료 가격 변동률

2023년 기준

2019년 대비	작년 대비
영계 ▲ 60%	영계 ▲ 6.7%
수삼 ▲ 25%	수삼 동결
찹쌀 ▽ 17.2%	찹쌀 동결
마늘 ▲ 31.6%	마늘 동결
밤 ▲80.6%	밤 ▲ 27.3%
대파 ▲ 50%	대파 ▲ 20%
육수용 약재 ▲ 50%	육수용 약재 ▲ 50%

삼계탕 주재료 가격

삼계탕 연도별 가격 변동률 2023 - 34,860원 기준

■ 2019년 대비 ▲42.9% ■ 작년 대비 ▲11.2%

4인 기준, 단위:원

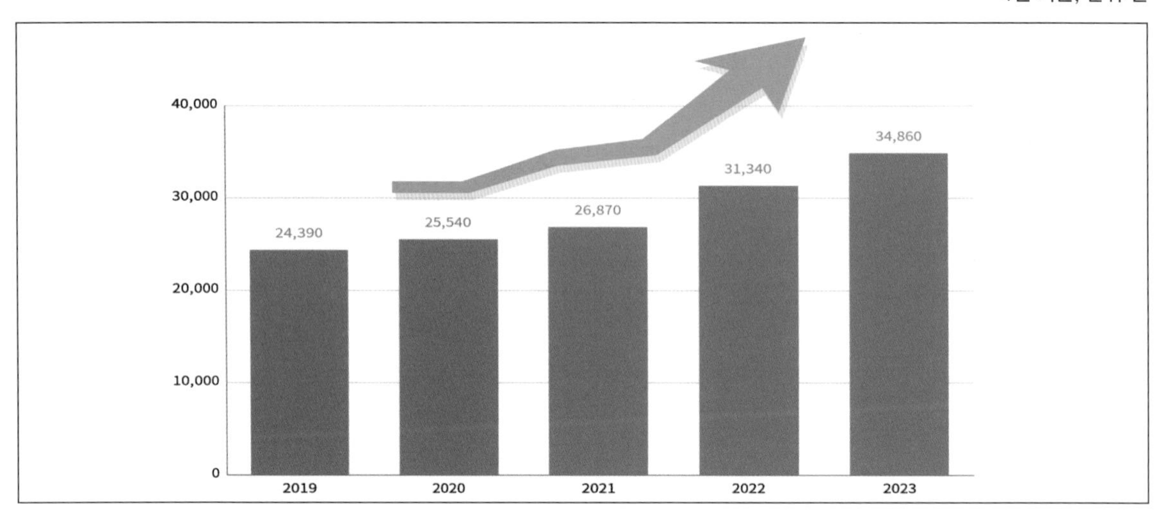

가격 추이

영계 가격 추이

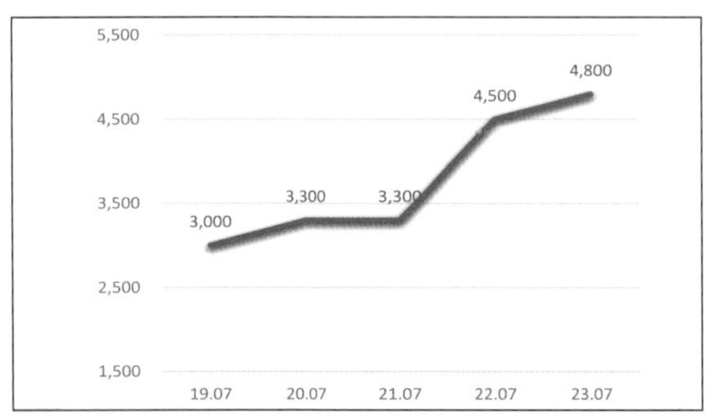

단위: 원(영계 1마리 기준)

품목	2019 대비 변동률	2020 대비 변동률	2021 대비 변동률	2022 대비 변동률
영계	60.0	45.5	45.5	6.7
합 계	60.0	45.5	45.5	6.7

생산비 상승으로 인해 사육 규모 감소

▶ 닭고기 가격 꾸준히 상승

삼계탕 가격 추이

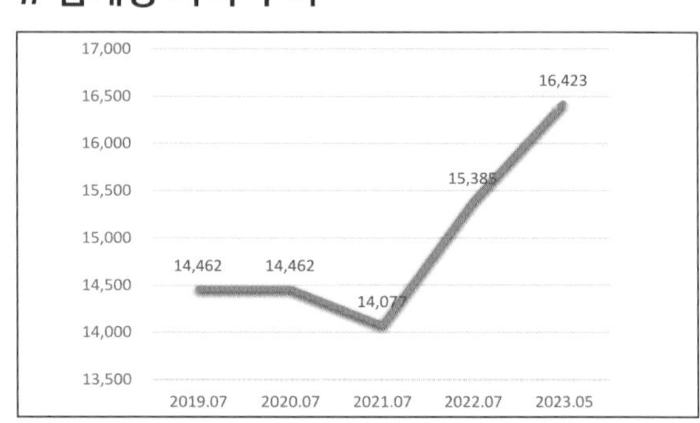

단위: 원(서울 지역 1인분 평균가 기준) *2023 5월 기준

지역	2019 대비 변동률	2020 대비 변동률	2021 대비 변동률	2022 대비 변동률
서울	13.6	13.6	16.7	6.7
합 계	13.6	13.6	16.7	6.7

육계가격 상승과 최근 인상된 전기세, 인건비 반영

▶ 삼계탕 외식 물가 상승

가격 인상 요인

사육 및 도축 마릿수 감소

■ 사료값, 전기세, 생산비용 등이 전반적으로 상승하며 농가의 사육 규모 감소
■ 고병원성 조류인플루엔자(AI) 영향으로 사육 마릿수 감소
→ 농림축산식품부 올해 집계에 따르면 도축한 육계는 6,442만 마리로 전년 동기(6,817만 마리) 대비 5.5% 감소

육계 가격 인상

■ 축산물품질평가원에 따르면 지난달 말일 기준 닭고기(육계) 도매가격 kg당 3,753원으로 지난해 (3,620원) 대비 3.7% 상승, 소매 가격 kg당 6,271원으로 지난해(5,655원) 비교해 10.9% 상승

부자재 가격 인상

■ 인건비, 물류비, 에너지 비용이 상승되며 닭을 주재료로 하는 대표 보양식 삼계탕 가격에도 영향을 미침

삼계탕 가격 인상

■ '참가격'에 따르면 지난 9일 전국 삼계탕 가격은 1만5,572원(5월 기준)으로 지난해 같은 달(1만4,224원)보다 10% 인상, 서울 소재 음식점의 삼계탕 1인분 가격은 평균 1만6,423원으로 전년 동월(1만4,577원) 대비 12.7% 인상

정부 대책

■ 농림식품부 삼계탕용 닭 공급량 1년 전 대비 19.9% 확대
농가 측에 육계 생산을 위한 병아리 입식을 늘려달라고 주문(입식 자금 추가 지원 예정)

■ 공급량을 늘리는 동시에 가격 할인 행사 지원
지난달 말부터 이달 초까지 대형마트 6곳에서 닭고기를 40% 이상 할인 판매

■ 닭고기를 수입 시 매기는 세금을 면제하는 할당관세 조치 시행 중
올해 상반기에는 6만t에 대해 20~30%의 관세율을 0%로 낮춤, 이달부터 3만t을 할당관세 물량에 추가

추석 차례상 동향

모처럼 온 가족이 모여 차례를 지내고 함께 식사를 지내는 우리 고유의 명절. 하지만 언제부터인가 계속해서 오르는 추석 차례상 비용에 부담을 느끼며 이제 차례상마저 간소화되고 있다. 2023년 추석 차례상 물가는 어떠했을지 알아보도록 한다.

전통시장 / 대형마트 추석 물가 비교

전통시장 / 대형마트 추석 물가 비교

단위: 원

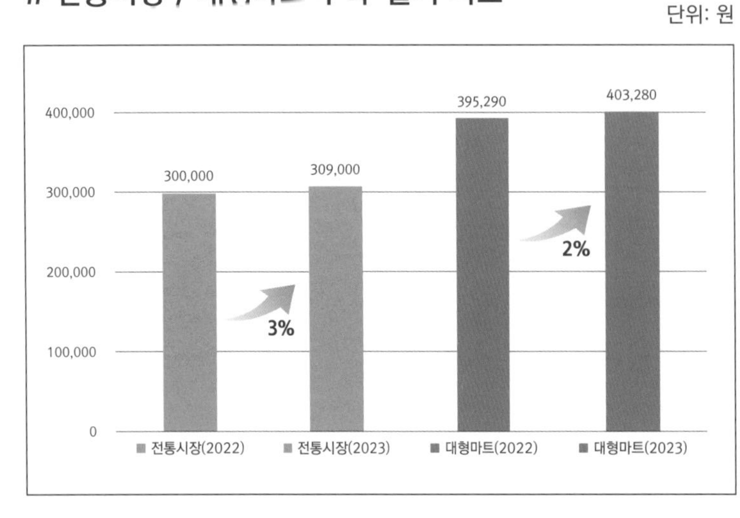

차례상 합계 금액 비교

▶ 전통시장 23년(309,000원)으로 22년(300,000원) 대비 3% 상승

▶ 대형마트 23년(403,280원)으로 22년(395,290원) 대비 2% 상승

추석 차례상 물가정보

2023년 추석 차례상 물가정보

단위: 원

종류	품목	규격	전통시장			대형마트			전통시장 대형마트 비교표(%)
			2022.8.22.	2023.9.11.	변동률(%)	2022.8.22.	2023.9.11.	변동률(%)	
과일류	사과(홍로)	3개	15,000	20,000	▲ 33.33	14,900	19,600	▲ 31.54	▽ -2.00
	배(신고)	3개	17,000	15,000	▽ -11.76	19,350	17,630	▽ -8.89	▲ 17.53
	소계		32,000	35,000	▲ 9.38	34,250	37,230	▲ 8.70	▲ 6.37
견과류	곶감	10개	13,000	13,000	-	13,900	13,900	-	▲ 6.92
	대추	400g	8,000	7,000	▽ -12.50	12,560	11,960	▽ -4.78	▲ 70.86
	밤	800g	7,000	8,000	▲ 14.29	10,760	11,680	▲ 8.55	▲ 46.00
	소계		28,000	28,000	-	37,220	37,540	▲ 0.86	▲ 34.07
나물류	숙주	400g	1,500	1,500	-	2,290	2,290	-	▲ 52.67
	고사리	400g	6,000	6,000	-	17,120	15,920	▽ -7.01	▲ 165.33
	(깐)도라지	400g	6,000	6,000	-	13,920	15,920	▲ 14.37	▲ 165.33
	시금치	1단	8,000	8,000	-	9,250	9,400	▲ 1.62	▲ 17.50
	소계		21,500	21,500	-	42,580	43,530	▲ 2.23	▲ 102.47
수산물	조기(중국산 부세조기)	3마리(25cm)	10,000	12,000	▲ 20.00	15,800	19,990	▲ 26.52	▲ 66.58
	북어포(러시아산)	1마리	5,000	5,000	-	6,980	6,980	-	▲ 39.60
	동태(어탕용, 러시아산)	1마리	7,000	7,000	-	10,000	9,990	▽ -0.10	▲ 42.71
	동태포(어전용, 러시아산)	800g	10,000	10,000	-	13,920	13,800	▽ -0.86	▲ 38.00
	다시마	300g	7,000	10,000	▲ 42.86	7,980	7,980	-	▽ -20.20
	소계		39,000	44,000	▲ 12.82	54,680	58,740	▲ 7.43	▲ 33.50
육란류	소고기(국거리 양지살A1+)	600g	35,000	35,000	-	41,280	41,280	-	▲ 17.94
	소고기(산적용 우둔살A1+)	600g	35,000	35,000	-	38,400	38,400	-	▲ 9.71
	돼지고기(육전용 앞다리살)	600g	7,000	7,000	-	11,280	11,280	-	▲ 61.14
	닭고기(손질 육계)	1.5kg	7,000	7,500	▲ 7.14	15,990	16,990	▲ 6.25	▲ 126.53
	달걀	10개	3,000	3,000	-	4,980	4,980	-	▲ 66.00
	소계		87,000	87,500	▲ 0.57	111,930	112,930	▲ 0.89	▲ 29.06
채소류	무	1개	3,000	3,000	-	2,890	2,790	▽ -3.46	▽ -7.00
	배추	1포기	10,000	7,000	▽ -30.00	14,400	9,800	▽ -31.94	▲ 40.00
	애호박	1개	3,000	2,000	▽ -33.33	2,980	2,490	▽ -16.44	▲ 24.50
	대파	1단	3,000	2,500	▽ -16.67	4,290	3,690	▽ -13.99	▲ 47.60
	소계		19,000	14,500	▽ -23.68	24,560	18,770	▽ -23.57	▲ 29.45
과자류	약과	1봉지(9개)	5,000	5,000	-	6,050	6,500	▲ 7.44	▲ 30.00
	산자(유과)	1봉지	7,000	7,000	-	6,080	6,880	▲ 13.16	▽ -1.71
	제리	1봉지	2,000	3,000	▲ 50.00	4,980	4,980	-	▲ 66.00
	사탕	1봉지	2,000	3,000	▲ 50.00	4,980	4,980	-	▲ 66.00
	소계		16,000	18,000	▲ 12.50	22,090	23,340	▲ 5.66	▲ 29.67
주류	청주	1병(1.8ℓ)	11,000	11,000	-	10,600	10,800	▲ 1.89	▽ -1.82
	소계		11,000	11,000	-	10,600	10,800	▲ 1.89	▽ -1.82
기타	식혜	1.5ℓ	5,000	5,000	-	3,580	3,700	▲ 3.35	▽ -26.00
	햅쌀	2kg	5,000	6,000	▲ 20.00	8,450	9,990	▲ 18.22	▲ 66.50
	송편	1kg	10,000	10,000	-	14,900	14,900	-	▲ 49.00
	시루떡	1kg(3장)	13,000	13,000	-	15,900	15,900	-	▲ 22.31
	밀가루	2.5kg	4,000	4,000	-	4,580	4,420	▽ -3.49	▲ 10.50
	두부	3모	6,000	7,500	▲ 25.00	6,420	7,940	▲ 23.68	▲ 5.87
	소면	900g	3,500	4,000	▲ 14.29	3,550	3,550	-	▽ -11.25
	소계		46,500	49,500	▲ 6.45	57,380	60,400	▲ 5.26	▲ 22.02
합계			300,000	309,000	▲ 3.00	395,290	403,280	▲ 2.02	▲ 30.51

전통시장 22년 가격 대비 ▲3%

채소류 ▽ -23.68%
과일류 ▲ 9.38 %
수산물류 ▲ 12.82%
육란류 ▲ 0.57%
과자류 ▲ 12.50%
기타 ▲ 6.45%

*견과류, 나물류, 주류 가격 작년과 동결

대형마트 22년 가격 대비 ▲3%

채소류 ▽ -23.57%
과일류 ▲ 8.70 %
견과류 ▲ 0.86%
나물류 ▲ 2.23%
수산물류 ▲ 7.43%
육란류 ▲ 0.89%
과자류 ▲ 5.66%
주류 ▲ 1.89%
기타 ▲5.26%

전통시장 / 대형마트 비교 ▲30.51%

과일류 ▲ 6.37%
수산물류 ▲ 33.50%
과자류 ▲ 29.67%
견과류 ▲ 34.07%
육란류 ▲ 29.06%
주류 ▽ -1.82%
나물류 ▲ 102.47%
채소류 ▲ 29.45%
기타 ▲ 22.02 %

품목별 가격 변동 요인

과일류 / 견과류 ▲

■ 장기간 이어진 장마와 태풍 등 악천후로 생육 환경이 좋지 않아 공급량 감소
→ 과일 중 사과 가격 급상승
→ 견과류 중 밤 공급량 감소

나물류 / 채소류 ▽

■ 날씨 안정되며 품질 회복 및 공급량 증가
→ 여름철 채소류 주요 산지인 중부지역과 강원도 고랭지 지역 태풍 피해가 적어 채솟값 하락에 일조

육란류 ▲

■ 사룟값 상승, 유가 급등 영향 등으로 생산 비용이 증가돼 지속적으로 높은 가격대 형성

수산물 / 과자류 / 주류 / 기타 ▲

■ 원부자재 및 인건비 상승 반영
→ 기타 중 쌀 재배면적 올해 통계 작성 이후 역대 최소치, 기상 악화로 생산량 감소
→ 수산물류 중 조기 수입량 감소, 다시마 생육 부진으로 생산량 급감

추석 민생 안전 대책

성수품 물가 안정

▶ 20대 성수품 물가 전년 대비 5% 이상 낮은 수준으로 관리
▶ [공급 확대] 20대 성수품 역대 최대규모(16만톤) 공급
*정부 공급 기준 22년 15만톤 → 23년 16만톤, 평시 대비 1.6배
*농산물〈3.4배〉, 축산물〈1.3배〉, 임산물〈4.1배〉, 수산물〈1.7배〉
▶ [가격 할인] 주요 성수품 및 가격불안 품목에 대한 농축수산물 할인지원에 최대 670억 원 투입, 업체 자체 할인 등과 연계해 30%* 이상 체감 가격 인하
*정부 할인지원 및 마트 자체할인 적용 시 가격(품목별로 가격 할인 폭 상이)

내수 활성화

▶ 추석연휴 기간(9.28~10.1) 고속도로 통행료 면제
▶ KTX·SRT 역귀성(30~40%) 및 가족 동반석 할인
▶ 숙박쿠폰 2배 확대(30→60만장) 및 조기 배정
▶ 신규 관광지 개방 등 이색체험 기회 제공
*코리아 둘레길(동해안-서해안-남해안-DMZ) 시범 개방(10월), 무등산 정상 개방(9월), 조선왕릉 숲길 9곳 개방 등
▶ 추석당일(9.29) 프로야구 입장권 최대 50% 할인

생활물가 가격정보

서민 음식 짜장면의 반란

짜장면은 예부터 대한민국을 대표하는 '서민 음식' 중 하나이다. 하지만, 멈출 줄 모르는 물가 상승에 짜장면이 서민 음식의 대표라는 말도 이제 옛말이 되고 있다.

윤희일 | 경향신문 부국장

#사례1

올해로 만 59세인 ㄱ씨는 어릴 적부터 그림 그리기와 글쓰기를 좋아했다. 면 단위의 작은 마을에 살던 그는 초등학교(당시 초등학교)에 다닐 때부터 학교 대표로 그림 그리기 대회나 글쓰기 대회에 자주 나갔다. 대회는 늘 군청 소재지가 있는 읍 지역에서 열렸다.

그는 그림 그리기 대회나 글쓰기 대회에 나가는 것이 당시 가장 큰 행복이었다. 그림을 마음껏 그리고, 글을 신나게 쓰는 것도 좋았지만, 그가 진짜로 좋아한 것은 짜장면이었다.

당시 인솔 교사는 대회가 끝나고 나면, 함께 대회에 나간 아이들을 이끌고 '중국집'으로 갔다. 그때 사람들은 중화요리집을 '중국집'으로 불렀다.

메뉴는 따로 고를 필요가 없었다. 모든 아이들은 당연히 짜장면을 먹었다. '중국집=짜장면'이라는 등식이 성립될 정도로 그것은 너무나 당연한 일이었다.

#사례2

ㄱ씨는 얼마 전 생일을 맞았다. 만 나이로는 59세지만, 흔히 이야기하는 '우리 나이(한국식 나이)'는 60세다. 가족들이 모여 생일파티를 하기로 결정한 뒤 음식점은 주인공인 ㄱ씨가 정하도록 했다. ㄱ씨는 주저 없이 중국집을 지목했다. 전년이나 그 전년에는 아내나 아이들이 좋아하는 음식점에 갔지만, 이번만큼은 짜장면이 먹고 싶었다.

ㄱ씨 가족 4명은 동네에 있는 중국집에 갔다. 우선 아이들이 좋아하는 탕수육과 아내가 좋아하는 팔보채를 시키고 각자 요리를 주문했다. 하지만, 식사 메뉴에서는 아무런 이의도 없이 짜장면으로 정해졌다. 가족 4명이 모두 짜장면을 먹겠다는 의사를 밝힌 것이다.

'예나 지금이나 짜장면이 인기네'

ㄱ씨는 초등학교 때 대회에 나가서 선생님과 아이들이 모두 짜장면을 시켜 먹었던 생각이 났다.

우리 국민 중에서 짜장면을 싫어하는 사람이 얼마나 있을까? 아니 있기는 있을까? 이에 대한 공식적인 조사자료를 본 적은 없지만, 필자가 경험한 바로는 단 한 명도 없다. 짜장면을 싫어한다고 말하는 한국인은 단 한 번도 본 적이 없다는 얘기다. 물론 짜장면과 짬뽕을 놓고 고민하는 경우는 많다. 짬뽕이 짜장면보다 좋다는 사람도 많이 봤다. 하지만, 이런 사람도 짜장면을 싫어하지는 않는다.

그렇다. 짜장면은 우리네 서민이 가장 좋아하는 외식 메뉴다. 요즘은 봉지에 포장한 이른바 '짜장라면'도 많지만, 짜장면의 진짜 맛을 느끼려면 역시 중국집에 가야만 한다.

그렇다면, 우리 국민 '최애(最愛) 외식 메뉴'인 짜장면의 가격은 어떻게 변했을까.

한국물가정보의 가격 조사 자료를 종합해 보면, 1970년 짜장면 한 그릇의 평균 가격은 100원이었다. 지금은 '100원으로 살 수 있는 게 뭐가 있을까'라는 생각이 드는 액수이지만 당시는 짜장면 한 그릇을 먹을 수 있는 돈이었다.

위에서 제시한 〈사례1〉에서 ㄱ씨가 대회에 나갔던 1976년에는 짜장면 가격은 얼마였을까? 151원이었다. 불과 5~6년 사이에 51%나 올랐다는 얘기다.

국내 짜장면 가격이 200원대로 오른 것은 1978년이었다. 당시 짜장면 평균 가격은 203원이었다. 1980년에는 짜장면 가격이 300원대(348원)를 돌파했다. 이듬해인 1981년에는 다시 470원으로 올랐고, 그다음 해인 1982년에는 529원으로 올랐다. 500원대를 꾸준하게 유지하던 짜장면 가격이 600원대(616원)로 뛴 것은 1985년이었다. 당시 필자는 대학생이었는데, 술도 마시고 배도 채우기 위해 중국집에 가서 짜장면과 함께 '짬뽕국물'을 시켰던 기억이 난다.

필자가 대학을 다니는 동안(군대에 다녀오는 기간 포함) 짜장면 가격은 1,000원 아래였다. 서울올림픽이 열린 1988년에는 짜장면 가격이 700원대(759원)로 뛰었고, 이듬해인 1989년에는 800원대(899원)를 기록했다.

전국 평균 짜장면 가격이 1,000원대로 올라선 것은 1990년이다. 당시 전국 평균 짜장면 가격은 1,073원이었다. 1970년 100원이던 짜장면 가격이 10배 오르는 데 20년 걸린 셈이다.

5년 뒤인 1995년에는 짜장면 가격이 2,000원대(2,176원)로 뛰었다. 1997년과 1998년은 대한민국이 IMF(국제통화기금)

사태로 엄청난 시련를 겪던 시기다. 전 국민은 금 모으기에 나서는 등 국가 경제의 재건을 위해 애를 썼다. 이처럼 어려운 시절일수록 사람들은 비교적 가격이 저렴한 짜장면을 많이 찾게 된다. 1997년과 1998년 전국 평균 짜장면 가격은 2,500원이었다. 다른 해의 경우 해가 넘어가면서 짜장면 가격이 조금이라도 올랐지만, 이때만은 오르지 않았다. 갑자기 구조조정으로 직장을 잃고, 사업이 망해 어려움을 겪던 사람 중 상당수가 이때 짜장면을 먹으면서 재기의 의지를 다졌을 것이다.

여기서 잠깐 짜장면에 얽힌 이야기를 하고 넘어가겠다.

짜장면은 예나 지금이나 '서민 음식'을 대표한다. 서민들은 아이들 입학식이나 졸업식 등 행사가 있을 때 온 가족이 함께 짜장면을 즐겨왔다. 짜장면의 최대 강점은 이른바 '가성비'다. 상대적으로 저렴한 가격에 비해 맛이 좋고, 속이 든든하다. IMF 사태로 직장을 잃고 거리로 나선 사람들도 이처럼 가성비 높은 짜장면 한 그릇으로 다시 일어서겠다는 의지와 힘을 얻고는 했다.

짜장면의 유래에 관해서는 여러 가지 설이 있다. 그중 하나가 19세기 말 인천항을 통해 국내로 들어온 중국 산둥(山東)반도의 노동자들이 자국의 음식인 '작장면(炸醬麵)'을 재현해 먹던 것에서부터 짜장면이 출발했다는 설이다.

이후 약 60년이 지나면서 한국식 춘장이 개발됐고, 사실상 '한국 음식'으로 자리를 잡은 짜장면이 등장하게 됐다는 것이다.

짜장면은 1970년대 산업화 시대에 접어들면서 조리 시간이 짧고 배달이 쉽다는 장점 때문에 전성기를 맞게 됐다. 2020년 전 세계를 덮친 코로나19 시대에도 많은 서민들이 짜장면을 시켜다 먹으면서 '코로나19 없는 시대'를 기다리곤 했다.

다시 짜장면 가격 변천에 관한 이야기로 넘어가겠다.

2002년까지 짜장면 가격은 2,000원대를 꾸준히 유지했다. 하지만, 2003년으로 접어들면서 짜장면 가격은 3,000원대(3,083원)로 접어든다. 3,000원대 짜장면 가격은 2010년(3,945원)까지 이어진다. 그 사이 '리먼사태'로 불리는 글로벌 금융위기(2008년)가 있었다. 세계적 투자은행인 리먼 브라더스의 파산으로 시작된 금융 위기 사태는 세계 각국의 경제를 흔들어놨다. 한국도 예외일 수는 없었다. 이때도 많은 사람이 구조조정으로 직장에서 물러나는 등의 어려움을 겪었다. 당시도 짜장면은 이처럼 어려움을 당한 사람에게 큰 힘이 됐다. 2008년 짜장면 가격은 3,829원, 2009년 짜장면 가격은 3,896원이었다. 갑자기 직장을 잃었는데도 가족들에게 이야기도 하지 못하고 정장을 차려입고 집을 나선 적이 있다는 필자의 지인 중 한 사람은 지갑에 들어있는 몇 푼 돈을 세어보면서 3,000원대 짜장면으로 점심을 해결하고, 등산을 가거나 도서관에 가서 책을 읽다가 집에 돌아오곤 했다는 얘기를, 그런 일이 있고 나서 한참 지난 뒤 해주기도 했다. 짜장면은 이렇게 실직자를 포함한 서민들에게 삶의 희망에 대한 끈을 놓지 않게 하는 역할을 했다. 그 지인은 6개월여의 방랑 끝에 새로운 직장을 잡아 지금까지 잘 다니고 있다.

2011년 짜장면 가격은 4,000원 시대를 맞는다. 그해 전국 평균 짜장면 가격은 4,220원이었다. 그해 필자의 큰 딸이 고등학교를 졸업하고, 대학에 갔다. 큰딸이 고교를 졸업하던 그해 2월 필자의 가족은 또 동네 중국집을 찾았다. 당시 매운맛에 푹 빠져 있던 둘째 딸이 짬뽕을 시켰지만, 큰딸과 필자 부부는 역시 짜장면을 시켰다. 정확하지는 않지만, 짜장면은 4,500원, 짬뽕은 5,000원이었던 것으로 기억된다.

4,000원대를 꾸준히 유지하던 짜장면 가격이 5,000원대로 뛰어오른 것은 2018년이다. 그해 전국 평균 짜장면 가격은 5,011원이었다. 이후 짜장면이 5,000원대를 유지한 것은 2019년(5,201원), 2020년(5,276원), 2021년(5,438원)이었다.

2020년과 2021년에 어떤 일이 있었던가? 바로 코로나19 팬데믹(pandemic, 전염병이 전 세계적으로 크게 유행하는 현상)이 있었다. 모든 사람은 마스크를 써야만 했고, 음식점도 쉽게 갈 수 없는 경우가 많았다. 이때 인기를 끈 것이 바로 배달음식이었다. 많은 사람들은 치킨이나 피자와 함께 짜장면이나 짬뽕을 시켜다 먹었다. 그런데 이때부터 음식 가격에 추가되는 비용이 발생하기 시작했다. 바로 배달비용이다. 예전의 중국집은 배달을 전문으로 하는 직원 또는 사장님이 직접 오토바이를 타고 배달을 했지만, 배달료를 추가로 받지는 않았다. 하지만, 코로나19 사태 이후 수많은 배달앱과 배달업체가 생겨났고, 음식 가격에 배달료가 추가되기 시작했다. 짜장면 한 그릇이 5,000원대라고는 하지만, 여기에 몇천 원에 이르는 배달료가 붙으면서 서민들의 부담은 커졌다.

코로나19 사태가 수습 단계로 접어든 2022년에는 짜장면 가격이 6,000원대(6,025원)로 접어들었다. 2023년에는 그 가격이 6,361원으로 더 올랐다.

이는 53년 전인 1970년의 100원과 비교하면 약 64배 오른 것이다. 서민의 대표 음식인 짜장면 가격에 엄청난 변화가 있었던 것을 알 수 있다.

짜장면 가격은 최근 들어서도 계속 오르고 있다. 5년 전인 2018년(5,011원)과 비교하면 26.9% 상승했다.

그렇다면 짜장면 가격이 상승하는 이유는 뭘까? 물가정보가 2023년 4월 실시한 조사 결과를 보면, 짜장면에 들어가는 주재료 8개 품목(밀가루·식용유·양파·설탕·대파·청오이·돼지고기·춘장)의 가격이 급등한 것이 핵심 요인으로 꼽힌다. 이들 8개 품목의 가격은 5년 전에 비해 평균 55.3% 상승한 것으로 나타났다. 특히 짜장면에서 가장 큰 비중을 차지하는 밀가루·식용유·양파 가격은 2018년 대비 각각 46.9%, 33.2%. 166.7% 상승한 것으로 나타났다. 청오이의 경우는 무려 275.0%나 오른 것으로 나타났다. 물론 이들 재료의 가격은 그 시기에 따라 큰 차이가 있다.

최근 들어 짜장면 가격이 상승한 근본 원인으로 꼽히는 것은 코로나19 사태에 이은 러시아·우크라이나 전쟁을 들 수 있다. 러시아·우크라이나 전쟁은 밀가루를 포함한 주요 식량의 가격을 밀어 올리는 데 결정적인 역할을 했다. 또 기후변화도 짜장면 가격 상승의 한 요인으로 꼽힌다. 양파, 대파, 청오이 등 채소 가격의 경우는 지구온난화에 따른 기후변화의 영향을 크게 받는다. 날씨에 따라, 계절에 따라 가격 편차가 무척 크다는 얘기다.

앞에서 제시한 〈사례2〉에서 우리 나이로 60세가 되는 날을 기념하기 위해 ㄱ씨 가족이 먹은 짜장면은 얼마였을까?

본인에게 물어봤다. 짜장면은 8,000원, 짬뽕은 1만 원이었다고 했다. 60세를 기념하는 날인만큼 조금 고급스러운 중국집을 찾았기 때문에 물가정보가 조사한 전국 평균 가격보다 비쌌던 것이다.

요즘 외식 물가가 1만 원을 넘었다는 얘기가 자주 나온다. 짜장면 이외에 직장인 등이 자주 먹는 김치찌개나 냉면 등의 가격이 1만 원을 넘는 경우가 많다는 것이다. 서울 도심 등의 냉면집에서는 냉면 한 그릇을 먹으려면 2만 원 가까운 돈을 써야만 하는 경우도 있다.

하지만, 전국 곳곳에는 '착한 가격'에 음식을 내놔 서민들이 안심하고 식사를 할 수 있는 식당도 꽤 있다. 대전의 한 중국집은 짜장면 한 그릇을 2,500원에 내놓는다. 부부가 운영하는 이 중국집은 조리사 등 직원을 두지 않고 운영함으로써 인건비 지출을 최소화하고, 직접 장을 봐온 식재료를 정성스럽게 조리해 맛을 유지하는 방법으로 이 가격에 음식을 내도 손해를 보지 않는다고 한다.

세상에는 1만 원이 훨씬 넘는 짜장면을 파는 집도 있고, 2,500원짜리 짜장면을 내는 집도 있다. 높은 가격에 부담을 느끼는 고객을 위해 0.5인분 메뉴를 만들어 가격 부담을 낮춘 중국집도 있다. 기호에 따라, 주머니 사정에 따라 골라 먹는 것도 재미 중 하나다.

하지만, 영원한 서민의 음식인 짜장면만은 가격이 더 이상 오르지 않기를, 아니 오르더라도 천천히 아주 천천히 오르기를 바라는 것이 수많은 보통 사람들의 생각일 것이다.

[그림 1] 짜장면 가격 정보 (단위: 원)

연도	지수	가격	연도	지수	가격
1970	1.89	100	1999	49.46	2,533
1975	2.89	138	2000	50.16	2,533
1976	3.19	151	2001	50.79	2,583
1977	4.08	194	2002	53.79	2,917
1978	4.28	203	2003	59.41	3,083
1979	5.2	277	2004	60.81	3,222
1980	7.29	348	2005	61.07	3,222
1981	9.86	470	2006	61.87	3,264
1982	11.05	529	2007	64.18	3,386
1983	11.02	528	2008	72.58	3,829
1984	11.91	572	2009	73.85	3,896
1985	12.88	616	2010	75.77	3,945
1986	13.48	647	2011	80.00	4,220
1987	14.12	676	2012	80.94	4,270
1988	15.88	759	2013	82.35	4,345
1989	18.78	899	2014	83.40	4,400
1990	22.72	1,073	2015	85.70	4,522
1991	27.51	1,299	2016	88.11	4,649
1992	30.73	1,450	2017	90.93	4,798
1993	33.23	1,569	2018	94.98	5,011
1994	36.64	1,734	2019	98.59	5,201
1995	39.06	2,176	2020	100.00	5,276
1996	42.46	2,279	2021	103.07	5,438
1997	44.95	2,500	2022	114.20	6,025
1998	51.27	2,500	2023	120.57	6,361

자료: 종합물가총람, 통계청(소비자 물가지수)

일반미

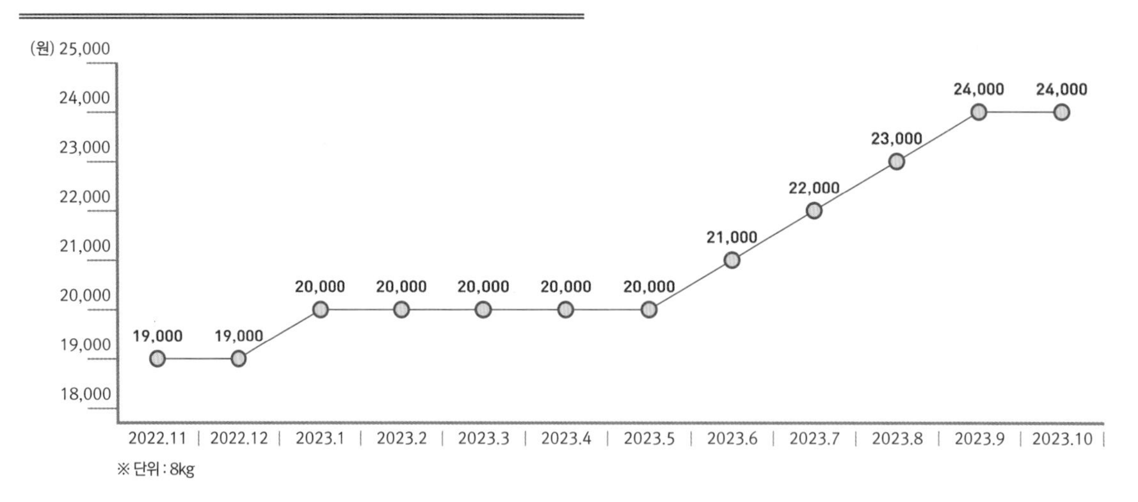

※ 단위 : 8kg

대파

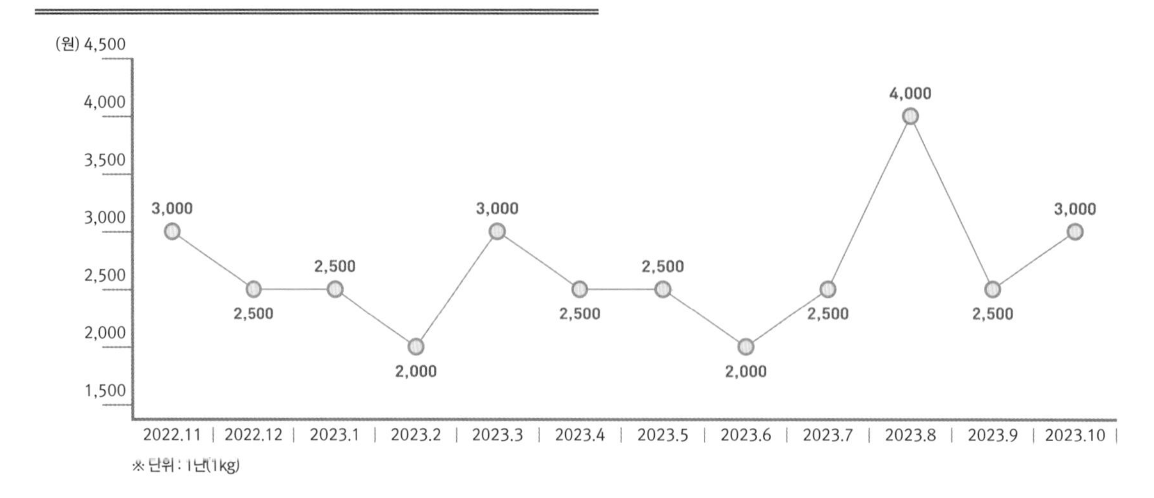

※ 단위 : 1단(1kg)

무

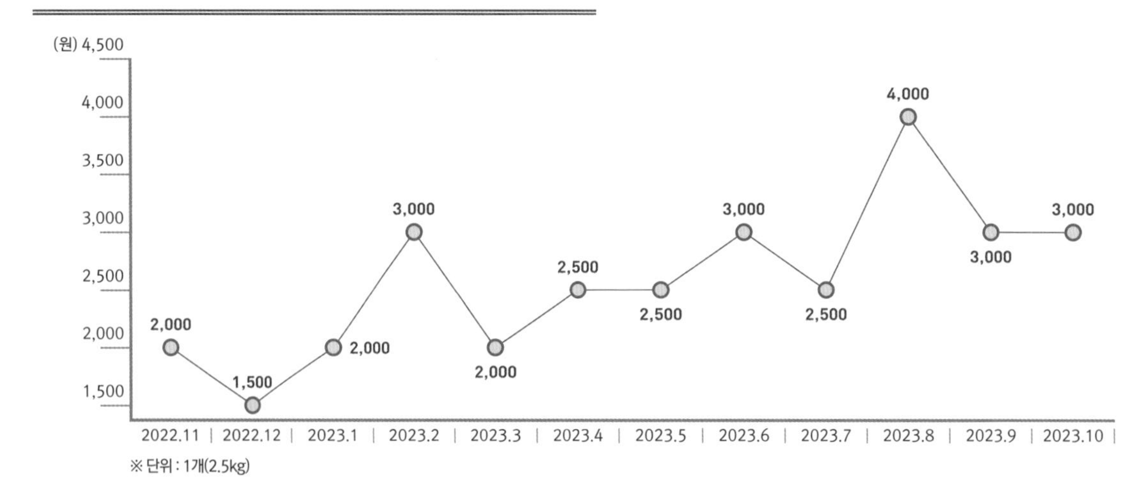

※ 단위 : 1개(2.5kg)

배추

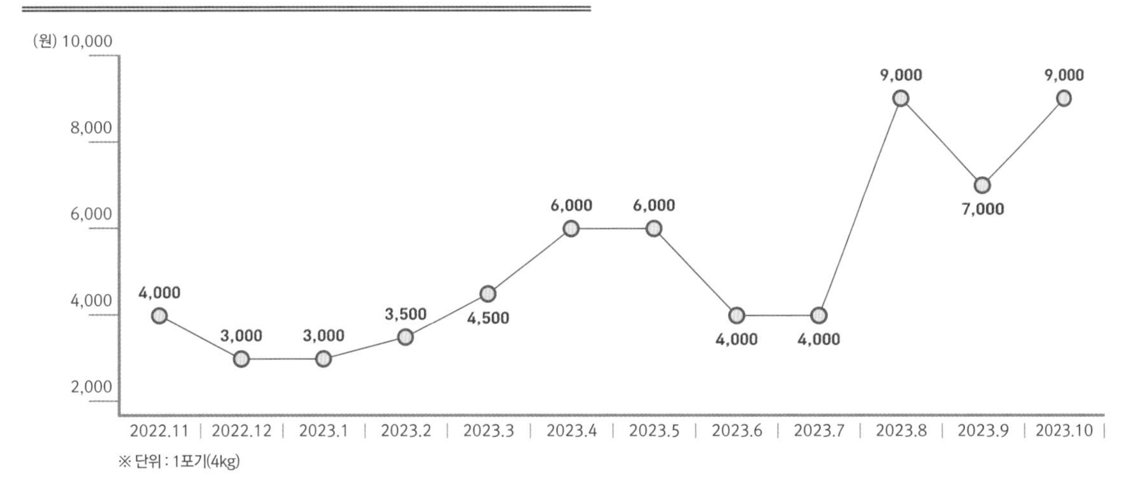

※ 단위 : 1포기(4kg)

청양고추

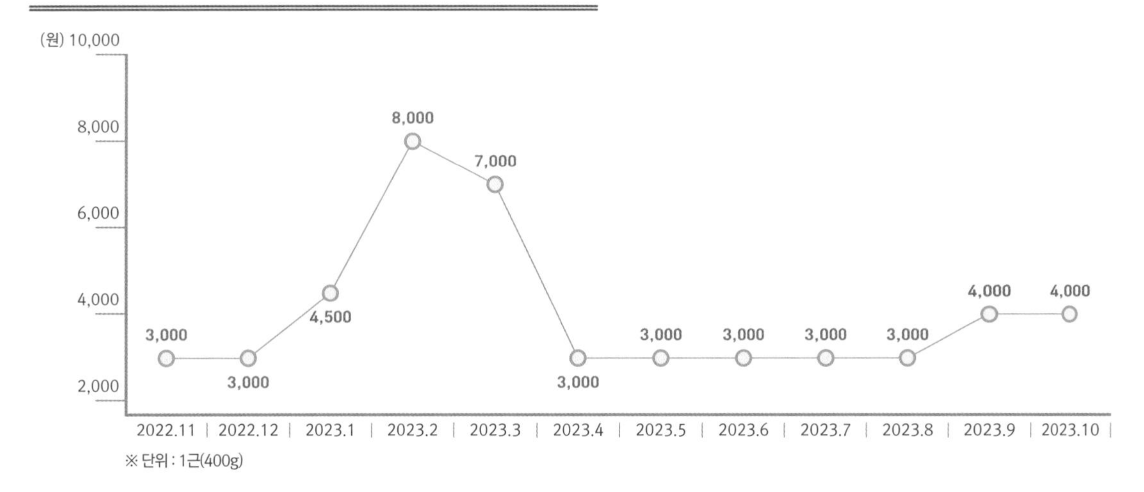

※ 단위 : 1근(400g)

상추

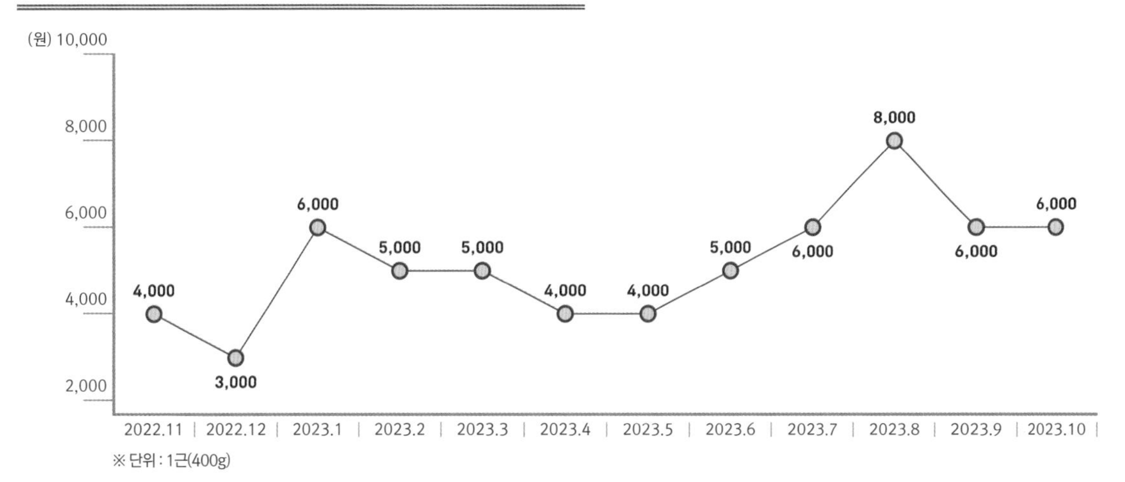

※ 단위 : 1근(400g)

깻잎

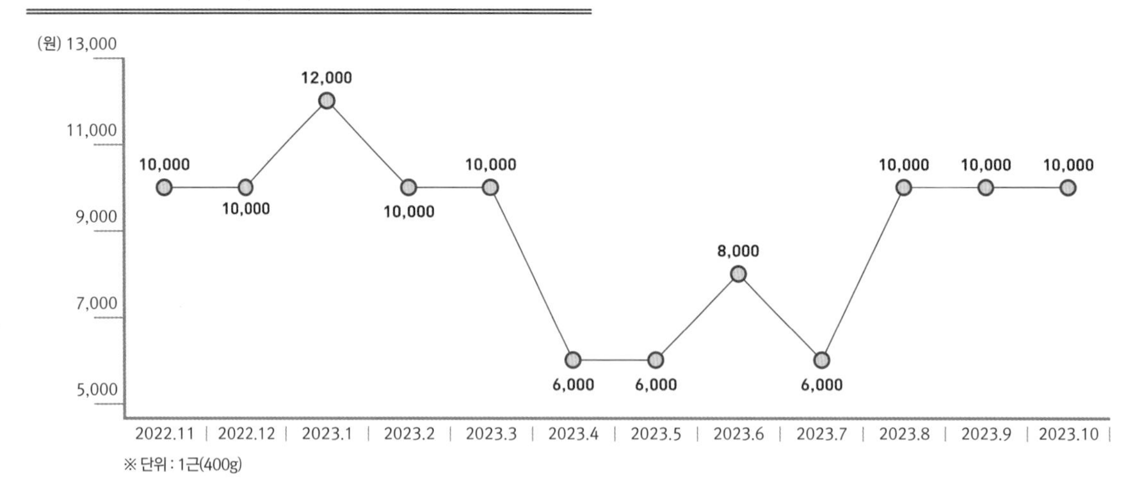

※ 단위 : 1근(400g)

사과(부사, 홍로)

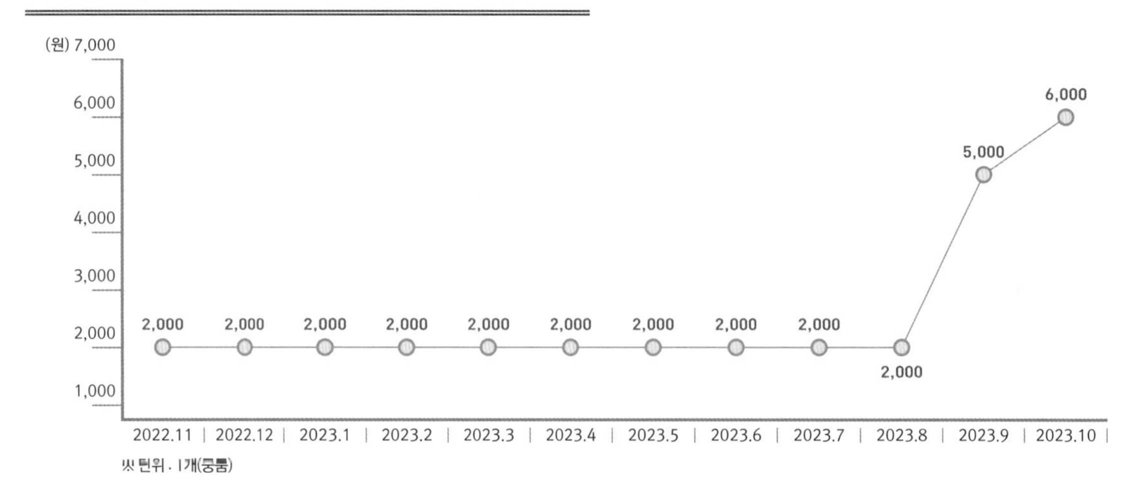

※ 단위 : 1개(중품)

수박

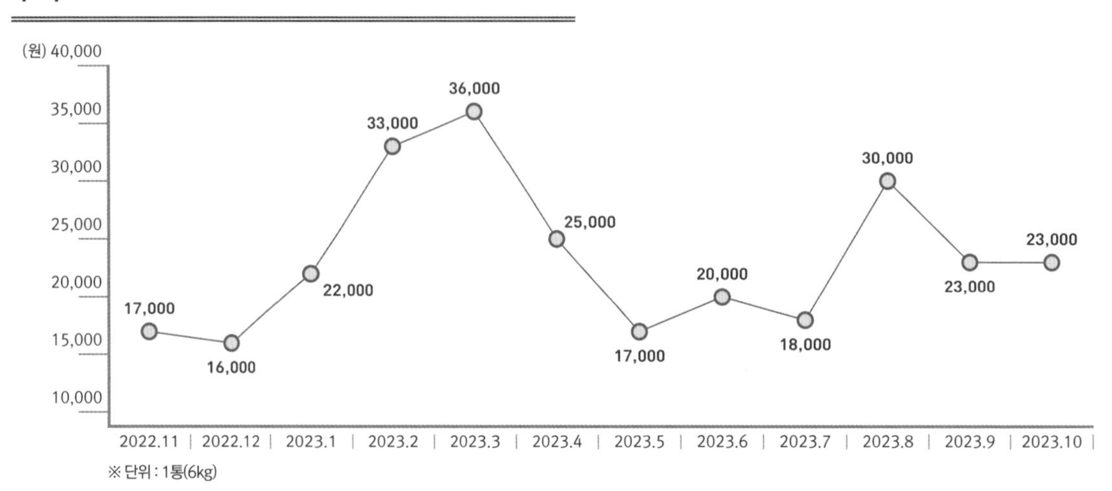

※ 단위 : 1통(6kg)

소고기(등심,A1+)

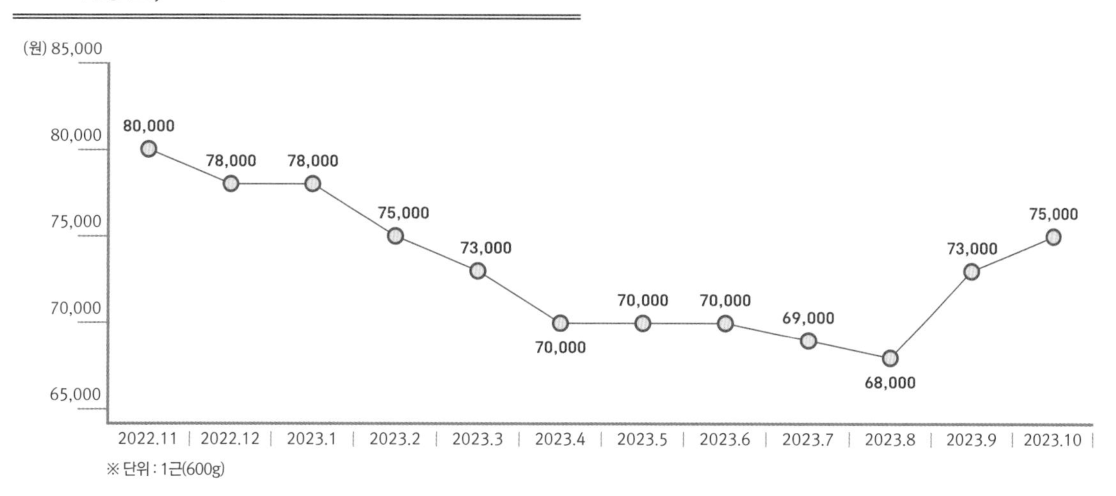

※ 단위 : 1근(600g)

돼지고기(삼겹살,상등급)

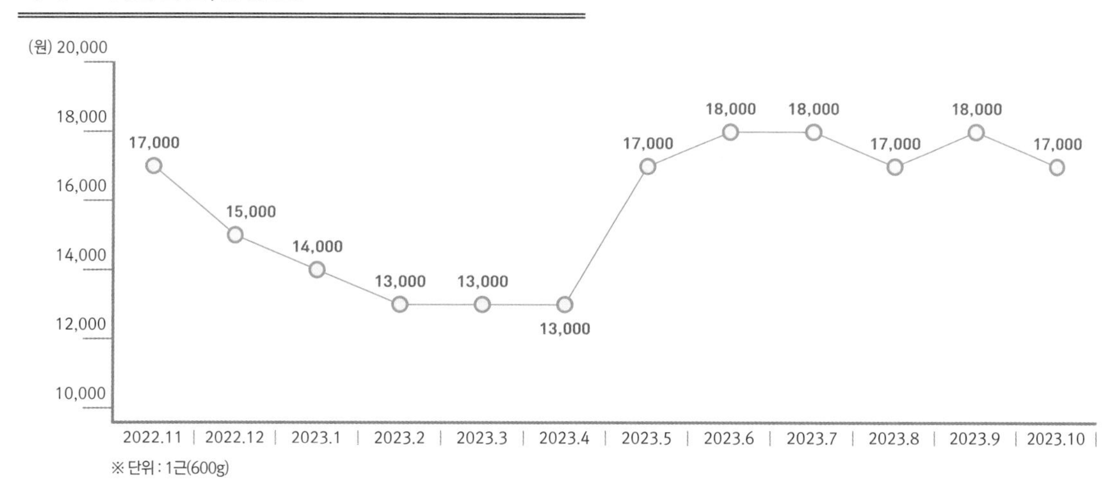

※ 단위 : 1근(600g)

닭고기

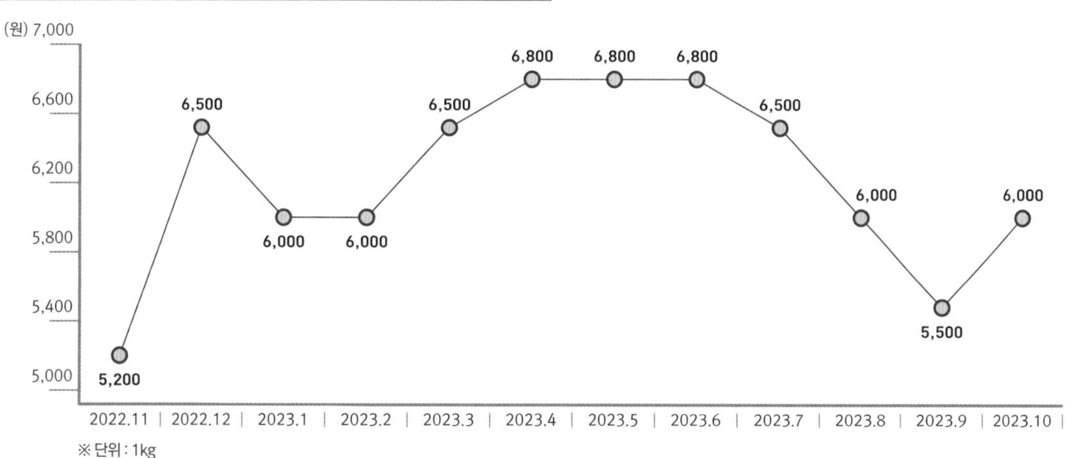

※ 단위 : 1kg

새우깡 (농심)

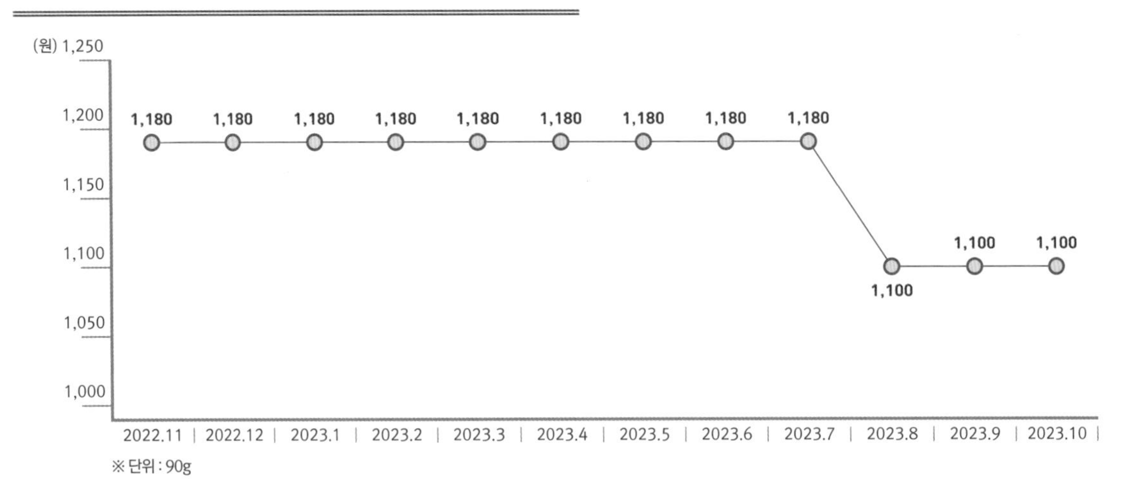

초코파이 (오리온)

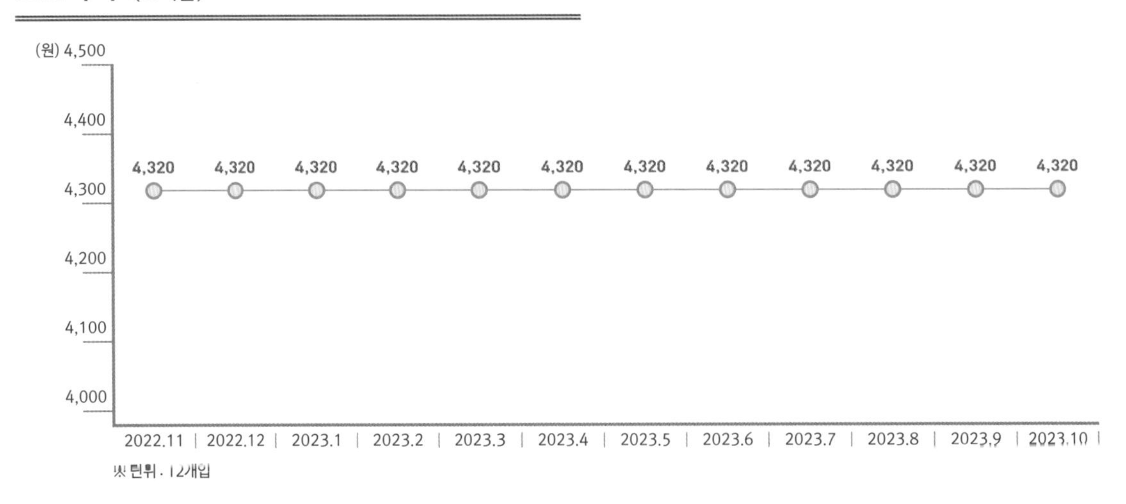

밀가루 중력 (대한 곰표)

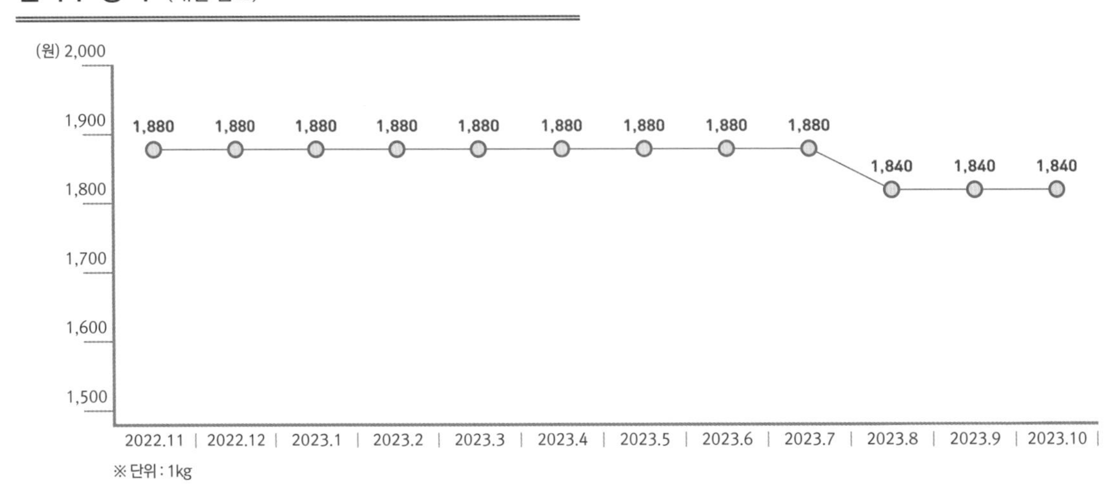

신라면 (농심)

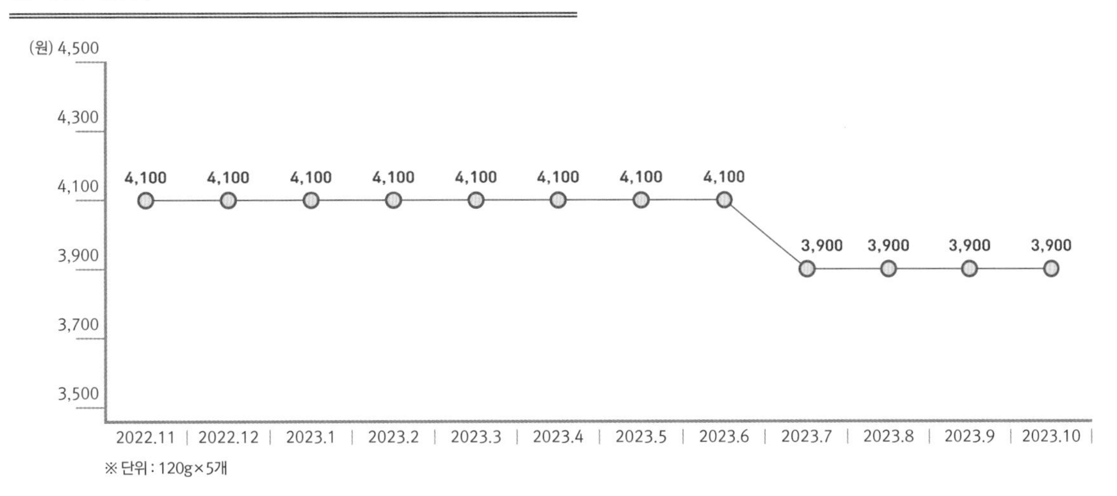

※ 단위 : 120g×5개

소주 참이슬 후레쉬 (하이트진로)

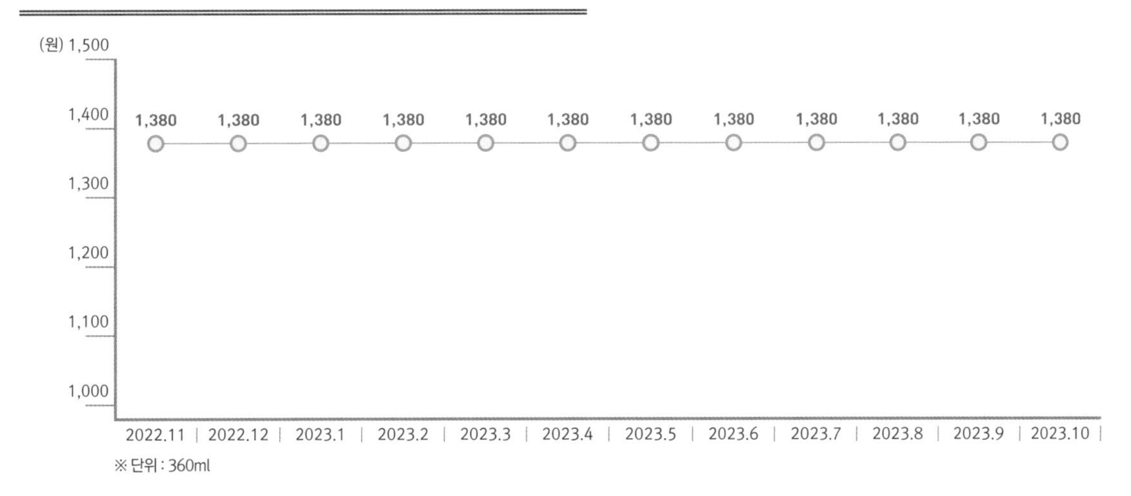

※ 단위 : 360ml

맥주 카스 후레쉬 (OB맥주)

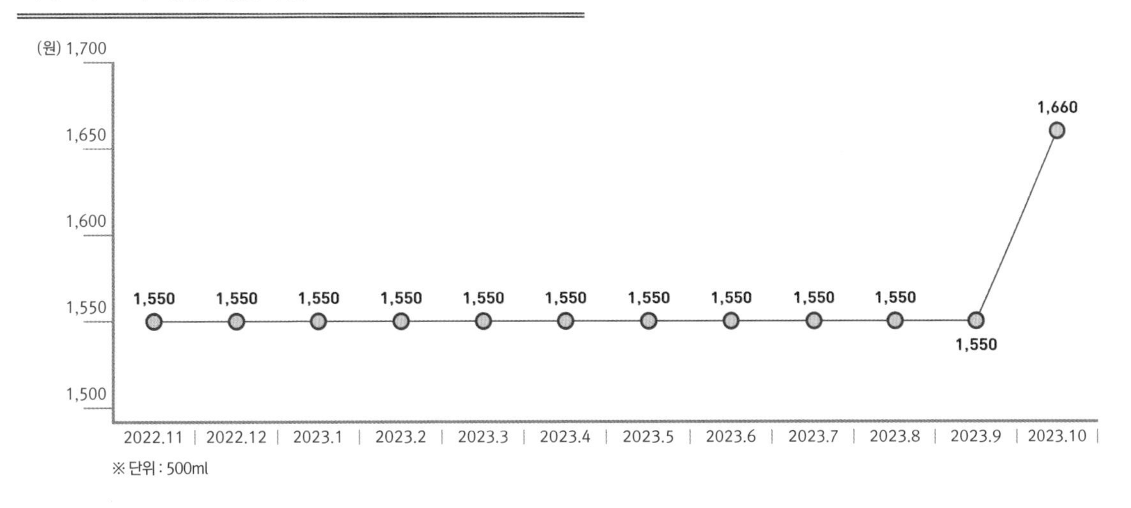

※ 단위 : 500ml

(사)한국물가정보 사옥 (파주출판도시 內)

물가의 중심을 그리다

(사)한국물가정보

사 : 경기도 파주시 회동길 354 (서패동)　TEL : (031)870-1000　FAX : (031)957-0053

울 : (02)778-7218 | 수원 · 경기남부 : (031)225-7220 | 부산 · 경남 : (051)466-3737 | 대구 · 경북 : (053)256-1487~8 | 대전 · 충남북 : (042)525-7897 | 광주 · 전남북 : (062)372-4800 | 강원 : (033)746-7220 | 제주 : (064)752-7220

농축수산물 (1)

(단위 : 원)

품명	단위	서울											
		2022년 11월	12월	2023년 1월	2월	3월	4월	5월	6월	7월	8월	9월	10월
◈채소류													
건고추(태양초)	1근(600g)	20,000	20,000	20,000	20,000	20,000	20,000	20,000	20,000	20,000	20,000	22,000	20,000
대파	1단(1kg)	3,000	2,500	2,500	2,000	3,000	2,500	2,500	2,000	2,500	4,000	2,500	3,000
무	1개(2.5kg)	2,000	1,500	2,000	3,000	2,000	2,500	2,500	3,000	2,500	4,000	3,000	3,000
총각무	1단(1.5kg)	4,000	3,000	3,000	2,500	3,000	4,000	4,000	4,000	3,500	4,000	4,000	3,000
배추	1포기(4kg)	4,000	3,000	3,000	3,500	4,500	6,000	6,000	4,000	4,000	9,000	7,000	9,000
청오이	10개(2kg)	5,000	7,000	12,000	10,000	15,000	12,000	10,000	8,000	7,000	10,000	10,000	10,000
백오이	5개(1kg)	3,500	4,000	5,000	5,000	3,500	4,000	4,000	4,000	4,000	5,000	6,000	6,000
애호박(조선)	1개(500g)	1,500	1,500	2,500	2,500	2,500	2,000	1,500	1,500	1,000	1,500	2,000	1,500
열무	1단(2kg)	3,000	3,000	4,000	5,000	6,000	3,000	4,000	3,500	6,000	6,000	7,000	4,000
시금치(포항초)	1단(400g)	3,500	2,500	3,000	2,500	3,000	3,000	-	-	-	-	-	-
시금치(섬초)	〃	-	3,000	3,000	3,500	3,500	3,000	-	-	-	-	-	-
시금치(일반)	〃	2,000	1,500	1,500	2,000	2,000	2,000	2,000	2,000	2,500	5,000	8,000	4,000
부추(조선)	1단(800g)	4,000	4,000	5,000	5,000	3,500	2,500	2,500	2,000	2,000	5,000	3,000	3,000
가지	4개(약500g)	2,000	2,000	3,000	4,000	2,500	2,500	2,000	2,000	2,000	2,500	2,000	2,000
팽이버섯	3봉지(450g)	1,000	750	1,500	1,000	1,500	1,000	1,000	1,000	1,000	1,000	1,500	2,000
양송이버섯	1근(400g)	6,000	5,000	5,000	4,000	5,000	6,000	6,000	6,000	6,000	6,000	7,000	6,000
표고버섯	〃	5,000	5,000	5,000	5,000	5,000	5,000	5,000	5,000	5,000	4,000	5,000	5,000
새송이버섯	〃	3,000	2,000	2,000	2,000	2,000	3,000	2,000	2,000	3,000	2,000	4,000	3,000
느타리버섯	〃	2,000	2,000	2,000	2,000	2,000	2,000	2,000	2,000	2,000	2,000	3,000	3,000
피망(레드)	〃	2,000	3,000	4,000	4,000	3,000	4,000	4,000	3,000	2,000	3,000	3,000	3,000
피망(그린)	〃	2,000	3,000	5,000	5,000	4,000	3,000	3,000	3,000	2,000	3,000	3,000	3,000
파프리카	1개(230g)	1,000	1,500	2,000	2,500	2,000	2,000	1,500	1,500	1,000	1,500	3,000	2,000
풋고추	1근(400g)	3,000	3,000	4,000	5,000	4,000	3,000	5,000	3,000	3,000	6,000	4,000	4,000
풋고추(롱그린)	〃	3,000	3,000	4,000	5,000	4,000	3,000	5,000	3,000	3,000	6,000	4,000	4,000
아삭이 고추(상품)	〃	3,000	3,000	4,000	5,000	4,000	3,000	4,000	3,000	3,000	3,000	4,000	3,000
청양고추	〃	3,000	3,000	4,500	8,000	7,000	3,000	3,000	3,000	3,000	3,000	4,000	4,000
꽈리고추	〃	3,000	4,000	5,000	5,000	5,000	4,000	5,000	4,000	4,000	4,500	5,000	4,000
쑥갓	〃	2,000	2,000	2,000	2,000	2,000	2,000	2,000	2,000	2,000	2,000	2,000	2,000
브로콜리	1개(1kg)	1,500	1,500	1,500	1,500	1,500	1,500	1,500	1,500	1,500	1,500	1,500	1,500
옥수수	10개	8,000	8,000	8,000	8,000	8,000	8,000	8,000	8,000	8,000	8,000	8,000	8,000
마늘(깐)	1근(400g)	5,000	5,000	5,000	5,000	5,000	4,000	4,000	4,000	4,000	4,000	4,000	4,000
양배추	1통	2,000	2,000	2,000	2,000	2,000	3,000	3,000	3,000	3,000	3,000	3,000	3,000
냉이	1근(400g)	2,000	2,000	2,000	2,000	2,000	2,000	2,000	2,000	2,000	2,000	2,000	2,000
양상추	1통	2,000	2,000	2,000	2,000	2,000	3,000	3,000	3,000	3,000	3,000	3,000	3,000
미나리	1kg	12,000	13,000	12,000	10,000	10,000	7,000	8,000	7,000	7,000	10,000	13,000	10,000
쪽파	〃	6,000	6,000	9,000	10,000	6,000	5,000	10,000	8,000	12,000	14,000	8,000	12,000
고사리	1근(400g)	6,000	6,000	6,000	6,000	6,000	6,000	6,000	6,000	6,000	6,000	6,000	6,000
도라지	〃	5,000	5,000	5,000	5,000	5,000	5,000	5,000	5,000	5,000	5,000	5,000	5,000
시래기	〃	3,000	3,000	3,000	3,000	3,000	3,000	3,000	3,000	3,000	3,000	3,000	3,000
콩나물	1kg	2,000	2,000	2,000	2,000	2,000	2,000	1,000	1,000	1,000	1,000	1,000	1,000
숙주나물	〃	2,000	2,000	2,000	2,000	2,000	2,000	2,000	2,000	2,000	2,000	2,000	2,000
상추	1근(400g)	4,000	3,000	6,000	5,000	5,000	4,000	4,000	5,000	6,000	8,000	6,000	6,000
깻잎	〃	10,000	10,000	12,000	10,000	10,000	6,000	6,000	8,000	6,000	10,000	10,000	10,000
취나물	〃	4,000	4,000	5,000	5,000	5,000	5,000	5,000	5,000	4,000	5,000	5,000	5,000
케일	〃	4,000	4,000	4,000	4,000	4,000	4,000	4,000	4,000	4,000	5,000	7,000	5,000
당귀	〃	-	-	6,000	10,000	10,000	6,000	6,000	6,000	6,000	12,000	15,000	12,000
청경채	〃	-	-	-	-	-	-	-	-	-	-	-	3,000
생강	1kg	11,000	16,000	16,000	16,000	16,000	15,000	15,000	16,000	16,000	16,000	20,000	10,000
양파	1망(2kg)	6,000	6,000	6,000	6,000	6,000	6,000	5,000	6,000	5,000	5,000	5,000	5,000
적양파	〃	6,000	6,000	6,000	6,000	6,000	6,000	5,000	6,000	5,000	5,000	5,000	5,000
고구마	1kg	6,000	6,000	6,000	6,000	6,000	6,000	6,000	6,000	6,000	6,000	6,000	6,000
감자	〃	4,000	4,000	4,000	4,000	4,000	5,000	6,000	5,000	4,000	4,000	4,000	4,000
당근	〃	3,000	3,000	3,000	3,000	3,000	3,000	3,000	3,000	3,500	3,500	6,000	4,000
마(장마)	〃	8,000	8,000	8,000	8,000	8,000	8,000	8,000	8,000	8,000	8,000	12,000	13,000
더덕(강원도산)	400g	7,000	7,000	7,000	8,000	8,000	8,000	8,000	8,000	8,000	8,000	8,000	10,000

(단위 : 원)

품명	단위	서울											
		2022년 11월	12월	2023년 1월	2월	3월	4월	5월	6월	7월	8월	9월	10월
◈낙농물													
소고기(등심,A1+)	1근(600g)	80,000	78,000	78,000	75,000	73,000	70,000	70,000	70,000	69,000	68,000	73,000	75,000
소고기(양지(국거리),A1+)	〃	35,000	34,000	34,000	33,000	33,000	33,000	33,000	33,000	30,000	30,000	34,000	34,000
소고기(홍두깨,A1+)	〃	37,000	35,000	35,000	35,000	35,000	35,000	35,000	35,000	34,000	35,000	35,000	35,000
소고기(우둔살,A1+)	〃	35,000	34,000	35,000	33,000	30,000	30,000	30,000	30,000	30,000	30,000	35,000	33,000
소고기(살치살,A1+)	〃	95,000	95,000	95,000	90,000	88,000	85,000	85,000	85,000	85,000	84,000	85,000	85,000
소고기(차돌박이,A1+)	〃	35,000	33,000	33,000	35,000	35,000	35,000	35,000	35,000	35,000	35,000	35,000	35,000
소고기(갈비살,A1+)	〃	-	-	-	-	-	-	-	-	-	-	-	85,000
사골	1kg	-	-	-	-	-	-	-	-	-	-	-	14,000
돼지고기(앞다리살,상등급)	1근(600g)	-	-	-	-	-	-	-	-	-	-	-	7,000
돼지고기(뒷다리살,상등급)	〃	-	-	-	-	-	-	-	-	-	-	-	4,500
돼지고기(목살,상등급)	〃	15,000	13,000	12,000	12,000	12,000	12,000	15,000	17,000	15,000	13,000	15,000	15,000
돼지고기(삼겹살,상등급)	〃	17,000	15,000	14,000	13,000	13,000	13,000	17,000	18,000	18,000	17,000	18,000	17,000
닭고기	1kg	5,200	6,500	6,000	6,000	6,500	6,800	6,800	6,800	6,500	6,000	5,500	6,000
달걀(왕란)	1판	7,500	7,500	7,500	7,000	7,500	7,500	7,500	7,500	7,500	7,500	7,500	8,000
◈수산물													
갈치(生)	1마리(500g)	20,000	20,000	20,000	20,000	20,000	20,000	20,000	20,000	20,000	20,000	20,000	20,000
병어	〃	12,000	12,000	12,000	12,000	12,000	12,000	12,000	12,000	12,000	12,000	12,000	12,000
가자미(호시)	1마리(中자)	7,000	7,000	7,000	7,000	7,000	7,000	7,000	7,000	7,000	7,000	7,000	7,000
부세조기(중국산)	3마리(300g)	8,000	8,000	8,000	8,000	8,000	8,000	8,000	8,000	8,000	8,000	8,000	8,000
연자돔(제주산)	1마리(500g)	12,000	10,000	10,000	10,000	10,000	10,000	10,000	10,000	10,000	10,000	10,000	10,000
고등어	〃	5,000	5,000	5,000	5,000	7,000	7,000	7,000	7,000	7,000	7,000	7,000	5,000
고등어(자반)	1손(1kg)	8,000	10,000	10,000	10,000	10,000	10,000	10,000	10,000	10,000	10,000	10,000	10,000
삼치	1마리(500g)	8,000	8,000	8,000	13,000	13,000	13,000	13,000	13,000	13,000	13,000	13,000	13,000
오징어	1마리(30cm)	5,000	6,000	6,000	6,000	6,000	6,000	6,000	6,000	6,000	6,000	6,000	6,000
꽁치(냉동)	1마리(20cm)	2,000	2,000	2,000	2,000	2,000	2,000	2,000	2,000	2,000	2,000	2,000	2,000
민어	1마리(500g)	10,000	10,000	10,000	10,000	10,000	10,000	10,000	10,000	10,000	10,000	10,000	10,000
아구	1마리(2kg)	15,000	15,000	15,000	18,000	18,000	18,000	18,000	18,000	18,000	18,000	18,000	18,000
우럭	1마리(300g)	8,000	8,000	10,000	12,000	12,000	12,000	12,000	12,000	12,000	12,000	12,000	12,000
대구(大)	1마리(60cm)	15,000	20,000	20,000	-	15,000	-	-	-	-	-	-	20,000
생태(大)	〃	10,000	10,000	10,000	12,000	12,000	-	-	-	-	-	-	-
동태	1kg	8,000	8,000	8,000	8,000	8,000	8,000	8,000	8,000	8,000	8,000	8,000	8,000
낙지	1코(4~5마리)	13,000	12,000	13,000	20,000	15,000	13,000	13,000	12,000	15,000	20,000	13,000	12,000
새우	1kg	15,000	15,000	15,000	15,000	15,000	15,000	15,000	15,000	15,000	15,000	15,000	15,000
암꽃게(生,상품)	〃	30,000	35,000	35,000	-	-	-	50,000	50,000	-	-	20,000	20,000
수꽃게(生,상품)	〃	25,000	30,000	30,000	-	-	-	30,000	25,000	-	-	20,000	20,000
암꽃게(급냉,상품)	〃	50,000	50,000	50,000	50,000	50,000	50,000	50,000	50,000	50,000	50,000	50,000	50,000
수꽃게(급냉,상품)	〃	20,000	20,000	20,000	20,000	20,000	20,000	20,000	20,000	20,000	20,000	20,000	20,000
굴(통영)	〃	25,000	25,000	20,000	20,000	20,000	18,000	18,000	18,000	18,000	18,000	18,000	18,000
조개(바지락)	〃	7,000	8,000	8,000	8,000	8,000	10,000	10,000	10,000	10,000	10,000	10,000	10,000
꼬막(상품)	〃	10,000	10,000	10,000	10,000	10,000	10,000	10,000	10,000	10,000	10,000	10,000	10,000
모시조개	〃	15,000	15,000	15,000	15,000	15,000	15,000	20,000	16,000	16,000	16,000	16,000	16,000
미더덕	〃	15,000	15,000	15,000	15,000	15,000	15,000	20,000	20,000	20,000	20,000	20,000	20,000
홍합	〃	2,000	2,000	2,000	2,000	2,000	2,000	2,000	2,000	2,000	2,000	2,000	2,000

농축수산물 (2)

(단위 : 원)

품명	단위	서울											
		2022년 11월	12월	2023년 1월	2월	3월	4월	5월	6월	7월	8월	9월	10월
◈곡물류													
일반미	8kg	19,000	19,000	20,000	20,000	20,000	20,000	20,000	21,000	22,000	23,000	24,000	24,000
찹쌀	〃	23,000	23,000	23,000	23,000	23,000	23,000	23,000	23,000	24,000	24,000	24,000	24,000
흑미	1되(800g)	3,000	3,000	3,000	3,000	3,000	3,000	3,000	3,000	3,000	3,000	3,000	3,000
현미	〃	1,800	1,800	1,800	1,800	1,800	1,800	1,800	1,800	2,000	2,000	2,000	2,000
보리쌀	1되(765g)	1,700	1,700	1,700	1,700	1,700	1,700	1,700	1,700	1,700	2,000	2,000	2,000
율무	1되(800g)	11,000	10,000	10,000	10,000	10,000	10,000	10,000	10,000	10,000	10,000	10,000	10,000
백태	1되(720g)	5,000	5,000	5,000	5,000	5,000	5,000	5,000	5,000	5,000	5,000	5,000	5,000
서리태	〃	7,000	6,000	6,000	6,000	6,000	6,000	6,000	6,000	6,000	8,000	8,000	8,000
녹두(깐)	1되(780g)	16,000	16,000	15,000	15,000	13,000	13,000	13,000	13,000	13,000	13,000	16,000	16,000
적두	1되(800g)	8,000	8,000	8,000	8,000	9,000	9,000	9,000	9,000	9,000	10,000	10,000	10,000
수수	1되(750g)	5,000	5,000	5,000	5,000	5,000	5,000	5,000	5,000	5,000	5,000	5,000	5,000
기장	1되(800g)	7,000	7,000	7,000	7,000	7,000	7,000	7,000	7,000	7,000	7,000	7,000	7,000
차조	〃	10,000	10,000	10,000	10,000	10,000	10,000	10,000	10,000	10,000	10,000	10,000	10,000
약콩	1되(720g)	6,000	6,000	6,000	6,000	6,000	6,000	6,000	6,000	6,000	7,000	7,000	7,000
겉메밀	1되(600g)	4,000	5,000	5,000	5,000	5,000	5,000	6,000	6,000	6,000	6,000	6,000	6,000
참깨	〃	16,000	16,000	16,000	16,000	16,000	16,000	14,000	14,000	13,000	14,000	16,000	16,000
거피팥	1되(800g)	11,000	11,000	11,000	10,000	10,000	10,000	10,000	10,000	10,000	10,000	10,000	10,000
밀(수입산)	1되(720g)	1,000	1,000	1,000	1,000	1,000	1,000	1,000	1,000	1,000	1,000	1,000	1,000
귀리(수입산)	〃	2,000	2,000	2,000	2,000	2,000	2,000	2,000	2,000	2,000	2,000	2,000	2,000
◈건어물													
세멸치(지리멸치)	1.5kg(상품)	35,000	35,000	35,000	35,000	40,000	40,000	40,000	40,000	40,000	35,000	35,000	40,000
자멸치(가이리)	1.5kg(특품)	35,000	35,000	35,000	35,000	35,000	35,000	40,000	45,000	45,000	30,000	35,000	40,000
햇 중멸치(오사리 주바다시)	1.5kg(상품)	30,000	30,000	30,000	30,000	30,000	30,000	30,000	30,000	35,000	35,000	35,000	35,000
죽방멸치	〃	40,000	40,000	40,000	40,000	40,000	40,000	40,000	40,000	50,000	50,000	50,000	50,000
멸치	〃	30,000	30,000	30,000	30,000	30,000	30,000	30,000	30,000	30,000	30,000	30,000	30,000
다시멸치	〃	20,000	25,000	25,000	25,000	25,000	25,000	25,000	25,000	25,000	25,000	25,000	30,000
다시멸치	1.5kg(중품)	15,000	15,000	15,000	15,000	15,000	15,000	15,000	15,000	20,000	20,000	20,000	25,000
건새우	200g(상품)	12,000	12,000	12,000	12,000	12,000	12,000	12,000	12,000	15,000	15,000	15,000	15,000
건오징어	1축(20마리)	140,000	140,000	140,000	140,000	140,000	140,000	140,000	140,000	140,000	140,000	140,000	140,000
진미(오징어채)	1kg(상품)	20,000	20,000	20,000	20,000	20,000	20,000	17,000	17,000	17,000	17,000	17,000	17,000
김(재래)	1속(상품)	10,000	10,000	10,000	10,000	10,000	10,000	10,000	10,000	10,000	10,000	10,000	10,000
돌김	〃	30,000	30,000	30,000	30,000	30,000	30,000	30,000	30,000	30,000	30,000	30,000	30,000
파래김	〃	5,000	5,000	5,000	5,000	5,000	5,000	5,000	5,000	5,000	5,000	5,000	5,000
북어(대태)	10마리(상품)	60,000	60,000	60,000	60,000	60,000	60,000	60,000	60,000	60,000	60,000	60,000	60,000
건미역	1kg(상품)	13,000	13,000	13,000	13,000	13,000	13,000	13,000	13,000	13,000	13,000	13,000	13,000
건다시마	〃	13,000	13,000	13,000	15,000	15,000	15,000	15,000	15,000	15,000	15,000	15,000	15,000
굴비	10마리(중품)	60,000	60,000	60,000	60,000	60,000	60,000	60,000	60,000	60,000	60,000	60,000	60,000
◈가공식품													
두부	1모	2,000	2,000	2,000	2,000	2,500	2,500	2,500	2,500	2,500	2,500	2,500	2,500

(단위 : 원)

품명	단위	서울											
		2022년 11월	12월	2023년 1월	2월	3월	4월	5월	6월	7월	8월	9월	10월
◈견과류													
깐은행	1되(1kg)	13,000	13,000	13,000	14,000	14,000	14,000	14,000	14,000	14,000	14,000	14,000	14,000
밤	1되(800g)	6,000	6,000	6,000	6,000	6,000	7,000	7,000	9,000	9,000	9,000	9,000	8,000
대추	1되(400g)	8,000	7,000	7,000	7,000	7,000	7,000	7,000	7,000	7,000	7,000	7,000	7,000
땅콩(볶음)	1되(600g)	11,000	11,000	11,000	11,000	11,000	11,000	11,000	11,000	11,000	11,000	11,000	14,000
땅콩(생)	〃	10,000	10,000	10,000	10,000	10,000	10,000	10,000	10,000	10,000	10,000	10,000	12,000
호두(깐)	1되(400g)	40,000	40,000	40,000	40,000	40,000	40,000	40,000	40,000	40,000	40,000	40,000	40,000
잣	1되(600g)	60,000	60,000	60,000	60,000	60,000	60,000	60,000	60,000	60,000	60,000	60,000	60,000
아몬드(미국산)	1되(400g)	6,000	6,000	6,000	6,000	6,000	6,000	6,000	6,000	6,000	6,000	6,000	6,000
해바라기씨(미국산)	1되(600g)	3,000	3,000	3,000	3,000	3,000	3,000	3,000	3,000	3,000	3,000	3,000	3,000
호박씨(중국산)	〃	5,000	5,000	5,000	5,000	5,000	5,000	5,000	5,000	5,000	5,000	5,000	5,000
◈과일류													
배(신고)	1개(중품)	5,000	5,000	5,000	5,000	5,000	5,000	5,000	5,000	5,000	5,000	5,000	5,000
사과(부사, 홍로)	〃	2,000	2,000	2,000	2,000	2,000	2,000	2,000	2,000	2,000	2,000	5,000	6,000
수박	1통(6kg)	17,000	16,000	22,000	33,000	36,000	25,000	17,000	20,000	18,000	30,000	23,000	23,000
토마토	5kg	18,000	18,000	18,000	18,000	18,000	18,000	18,000	14,000	14,000	16,000	25,000	25,000
방울토마토	1kg	5,000	5,000	5,000	5,000	5,000	5,000	3,000	5,000	3,000	5,000	7,000	9,000
참외	1개	-	-	-	-	3,500	3,500	2,000	2,000	1,500	4,000	-	-
딸기	1팩(500g)	-	10,000	10,000	9,000	7,000	3,000	2,500	2,500	-	-	-	-
파인애플	1개(6수)	7,000	7,000	7,000	7,000	7,000	7,000	7,000	7,000	7,000	7,000	7,000	10,000
감귤	10개	2,000	2,000	3,000	3,000	3,000	-	-	-	-	-	-	-
자두	〃	-	-	-	-	-	-	-	-	8,000	8,000	10,000	-
단감	1개	700	700	700	700	700	-	-	-	-	-	-	2,000
자몽(레드)	1개(36과)	-	-	-	-	-	-	-	-	-	-	-	-
자몽(청)	〃	-	-	-	-	-	-	-	-	-	-	-	-
키위(그린)	8개	6,000	6,000	6,000	6,000	6,000	6,000	6,000	6,000	6,000	6,000	6,000	6,000
키위(골드)	7개	10,000	10,000	10,000	10,000	10,000	10,000	10,000	10,000	10,000	20,000	10,000	14,000
천도복숭아	10개	-	-	-	-	-	-	-	-	10,000	10,000	-	-
석류	1개(12과)	6,000	6,000	6,000	6,000	6,000	-	-	-	-	-	-	-
살구	15개	-	-	-	-	-	-	-	-	8,000	-	-	-
모과	1개	-	-	-	-	-	-	-	-	-	-	-	-
레몬	6개	4,000	4,000	4,000	4,000	4,000	4,000	4,000	4,000	4,000	4,000	4,000	4,000
메론	1통(3수)	12,000	12,000	12,000	12,000	12,000	12,000	12,000	12,000	12,000	12,000	12,000	10,000
샤인머스켓	4송이(2kg)	-	-	-	-	-	-	-	-	-	-	-	15,000
포도	7송이(3kg)	-	-	-	-	-	-	-	-	-	-	-	25,000
바나나(수입)	1다발(6수)	6,000	6,000	6,000	6,000	6,000	7,000	7,000	7,000	7,000	7,000	7,000	7,000
체리(수입)	400g	-	-	-	-	-	-	-	-	5,000	5,000	-	-
오렌지(수입)	3개(72과)	3,000	3,000	3,000	3,000	3,000	3,000	3,000	3,000	3,000	3,000	3,000	3,000

농축수산물 (3)

(단위 : 원)

품명	단위	수원											
		2022년 11월	12월	2023년 1월	2월	3월	4월	5월	6월	7월	8월	9월	10월
◈채소류													
건고추(태양초)	1근(600g)	-	-	-	-	-	-	-	-	20,000	20,000	20,000	20,000
대파	1단(1kg)	-	-	-	-	-	-	-	-	3,000	4,000	4,000	4,000
무	1개(2.5kg)	-	-	-	-	-	-	-	-	2,500	3,500	3,500	3,500
총각무	1단(1.5kg)	-	-	-	-	-	-	-	-	4,500	5,000	5,000	5,000
배추	1포기(4kg)	-	-	-	-	-	-	-	-	5,000	7,000	8,000	7,000
청오이	10개(2kg)	-	-	-	-	-	-	-	-	10,000	10,000	10,000	10,000
백오이	5개(1kg)	-	-	-	-	-	-	-	-	6,000	6,000	6,000	6,000
애호박(조선)	1개(500g)	-	-	-	-	-	-	-	-	1,500	1,500	1,500	1,500
열무	1단(2kg)	-	-	-	-	-	-	-	-	5,000	5,000	7,000	5,000
시금치(포항초)	1단(400g)	-	-	-	-	-	-	-	-	-	-	-	-
시금치(섬초)	〃	-	-	-	-	-	-	-	-	-	-	-	-
시금치(일반)	〃	-	-	-	-	-	-	-	-	3,000	4,000	7,000	5,000
부추(조선)	1단(800g)	-	-	-	-	-	-	-	-	3,000	5,000	4,000	4,000
가지	4개(약500g)	-	-	-	-	-	-	-	-	3,000	3,000	3,000	3,000
팽이버섯	3봉지(450g)	-	-	-	-	-	-	-	-	2,000	2,000	2,000	2,000
양송이버섯	1근(400g)	-	-	-	-	-	-	-	-	4,000	6,000	6,000	6,000
표고버섯	〃	-	-	-	-	-	-	-	-	4,000	5,000	5,000	5,000
새송이버섯	〃	-	-	-	-	-	-	-	-	2,000	3,000	3,000	3,000
느타리버섯	〃	-	-	-	-	-	-	-	-	3,000	3,000	3,000	3,000
피망(레드)	〃	-	-	-	-	-	-	-	-	3,000	3,000	5,000	5,000
피망(그린)	〃	-	-	-	-	-	-	-	-	3,000	3,000	5,000	5,000
파프리카	1개(230g)	-	-	-	-	-	-	-	-	2,000	2,000	3,000	2,000
풋고추	1근(400g)	-	-	-	-	-	-	-	-	3,000	4,000	4,000	4,000
풋고추(롱그린)	〃	-	-	-	-	-	-	-	-	3,000	4,000	4,000	4,000
아삭이 고추(상품)	〃	-	-	-	-	-	-	-	-	3,000	4,000	4,000	4,000
청양고추	〃	-	-	-	-	-	-	-	-	3,000	4,000	4,000	4,000
꽈리고추	〃	-	-	-	-	-	-	-	-	3,000	4,000	4,000	4,000
쑥갓	〃	-	-	-	-	-	-	-	-	2,000	3,000	4,000	3,000
브로콜리	1개(1kg)	-	-	-	-	-	-	-	-	1,500	2,000	2,500	2,500
옥수수	10개	-	-	-	-	-	-	-	-	8,000	8,000	8,000	-
마늘(깐)	1근(400g)	-	-	-	-	-	-	-	-	4,000	4,000	4,000	4,000
양배추	1통	-	-	-	-	-	-	-	-	3,000	4,000	5,000	4,000
냉이	1근(400g)	-	-	-	-	-	-	-	-	-	-	-	-
양상추	1통	-	-	-	-	-	-	-	-	3,000	3,000	4,000	4,000
미나리	1kg	-	-	-	-	-	-	-	-	10,000	11,000	13,000	10,000
쪽파	〃	-	-	-	-	-	-	-	-	9,000	11,000	8,000	10,000
고사리	1근(400g)	-	-	-	-	-	-	-	-	5,000	5,000	5,000	5,000
도라지	〃	-	-	-	-	-	-	-	-	5,000	5,000	6,000	6,000
시래기	〃	-	-	-	-	-	-	-	-	4,000	4,000	4,000	4,000
콩나물	1kg	-	-	-	-	-	-	-	-	2,000	2,000	2,000	2,000
숙주나물	〃	-	-	-	-	-	-	-	-	2,000	2,000	2,000	2,000
상추	1근(400g)	-	-	-	-	-	-	-	-	6,000	6,000	7,000	7,000
깻잎	〃	-	-	-	-	-	-	-	-	6,000	6,000	6,000	5,500
취나물	〃	-	-	-	-	-	-	-	-	5,000	5,000	5,000	4,000
케일	〃	-	-	-	-	-	-	-	-	-	4,000	4,000	4,000
당귀	〃	-	-	-	-	-	-	-	-	-	-	-	-
청경채	〃	-	-	-	-	-	-	-	-	-	-	-	3,000
생강	1kg	-	-	-	-	-	-	-	-	15,000	15,000	15,000	15,000
양파	1망(2kg)	-	-	-	-	-	-	-	-	4,000	4,000	4,000	4,000
적양파	〃	-	-	-	-	-	-	-	-	-	5,000	5,000	5,000
고구마	1kg	-	-	-	-	-	-	-	-	6,000	7,000	7,000	5,000
감자	〃	-	-	-	-	-	-	-	-	5,000	5,000	4,000	4,000
당근	〃	-	-	-	-	-	-	-	-	3,000	3,000	4,000	4,000
마(장마)	〃	-	-	-	-	-	-	-	-	9,000	9,000	9,000	9,000
더덕(강원도산)	400g	-	-	-	-	-	-	-	-	8,000	8,000	8,000	8,000

(단위 : 원)

품명	단위	수원											
		2022년 11월	12월	2023년 1월	2월	3월	4월	5월	6월	7월	8월	9월	10월
◈낙농물													
소고기(등심,A1+)	1근(600g)	-	-	-	-	-	-	-	-	65,000	65,000	65,000	68,000
소고기(양지(국거리),A1+)	〃	-	-	-	-	-	-	-	-	32,000	30,000	30,000	33,000
소고기(홍두깨,A1+)	〃	-	-	-	-	-	-	-	-	32,000	30,000	30,000	33,000
소고기(우둔살,A1+)	〃	-	-	-	-	-	-	-	-	30,000	28,000	28,000	32,000
소고기(살치살,A1+)	〃	-	-	-	-	-	-	-	-	82,000	82,000	80,000	85,000
소고기(차돌박이,A1+)	〃	-	-	-	-	-	-	-	-	39,000	38,000	38,000	40,000
소고기(갈비살,A1+)	〃	-	-	-	-	-	-	-	-	-	-	-	85,000
사골	1kg	-	-	-	-	-	-	-	-	-	-	-	13,000
돼지고기(앞다리살,상등급)	1근(600g)	-	-	-	-	-	-	-	-	-	-	-	8,000
돼지고기(뒷다리살,상등급)	〃	-	-	-	-	-	-	-	-	-	-	-	4,000
돼지고기(목살,상등급)	〃	-	-	-	-	-	-	-	-	12,000	12,000	12,000	13,000
돼지고기(삼겹살,상등급)	〃	-	-	-	-	-	-	-	-	15,600	15,600	15,000	16,000
닭고기	1kg	-	-	-	-	-	-	-	-	8,000	8,000	8,000	7,000
달걀(왕란)	1판	-	-	-	-	-	-	-	-	8,000	8,000	8,000	8,000
◈수산물													
갈치(生)	1마리(500g)	-	-	-	-	-	-	-	-	25,000	25,000	25,000	20,000
병어	〃	-	-	-	-	-	-	-	-	13,000	13,000	-	-
가자미(호시)	1마리(中자)	-	-	-	-	-	-	-	-	7,000	7,000	6,000	7,000
부세조기(중국산)	3마리(300g)	-	-	-	-	-	-	-	-	13,000	13,000	10,000	10,000
연자돔(제주산)	1마리(500g)	-	-	-	-	-	-	-	-	8,000	8,000	-	-
고등어	〃	-	-	-	-	-	-	-	-	9,000	9,000	8,000	7,000
고등어(자반)	1손(1kg)	-	-	-	-	-	-	-	-	10,000	10,000	10,000	10,000
삼치	1마리(500g)	-	-	-	-	-	-	-	-	10,000	10,000	10,000	10,000
오징어	1마리(30cm)	-	-	-	-	-	-	-	-	5,000	6,000	6,000	7,000
꽁치(냉동)	1마리(20cm)	-	-	-	-	-	-	-	-	3,000	3,000	3,000	3,000
민어	1마리(500g)	-	-	-	-	-	-	-	-	10,000	12,000	11,000	12,000
아구	1마리(2kg)	-	-	-	-	-	-	-	-	20,000	18,000	-	-
우럭	1마리(300g)	-	-	-	-	-	-	-	-	8,000	8,000	10,000	10,000
대구(大)	1마리(60cm)	-	-	-	-	-	-	-	-	15,000	-	-	-
생태(大)	〃	-	-	-	-	-	-	-	-	10,000	-	-	-
동태	1kg	-	-	-	-	-	-	-	-	8,000	9,000	9,000	9,000
낙지	1코(4~5마리)	-	-	-	-	-	-	-	-	15,000	16,000	15,000	15,000
새우	1kg	-	-	-	-	-	-	-	-	18,000	17,000	20,000	20,000
암꽃게(生,상품)	〃	-	-	-	-	-	-	-	-	-	-	18,000	15,000
수꽃게(生,상품)	〃	-	-	-	-	-	-	-	-	-	-	18,000	15,000
암꽃게(급냉,상품)	〃	-	-	-	-	-	-	-	-	35,000	40,000	-	-
수꽃게(급냉,상품)	〃	-	-	-	-	-	-	-	-	30,000	30,000	-	-
굴(통영)	〃	-	-	-	-	-	-	-	-	20,000	18,000	18,000	18,000
조개(바지락)	〃	-	-	-	-	-	-	-	-	10,000	10,000	9,000	9,000
꼬막(상품)	〃	-	-	-	-	-	-	-	-	13,000	13,000	13,000	13,000
모시조개	〃	-	-	-	-	-	-	-	-	15,000	15,000	15,000	15,000
미더덕	〃	-	-	-	-	-	-	-	-	20,000	20,000	20,000	20,000
홍합	〃	-	-	-	-	-	-	-	-	3,000	3,000	3,000	3,000

농축수산물 (4)

(단위 : 원)

품명	단위	수원											
		2022년11월	12월	2023년1월	2월	3월	4월	5월	6월	7월	8월	9월	10월
◈곡물류													
일반미	8kg	-	-	-	-	-	-	-	-	23,000	23,000	23,000	25,000
찹쌀	〃	-	-	-	-	-	-	-	-	26,000	26,000	26,000	27,000
흑미	1되(800g)	-	-	-	-	-	-	-	-	5,000	5,000	5,000	5,000
현미	〃	-	-	-	-	-	-	-	-	3,000	3,000	3,000	3,000
보리쌀	1되(765g)	-	-	-	-	-	-	-	-	3,000	3,000	2,500	2,500
율무	1되(800g)	-	-	-	-	-	-	-	-	10,000	10,000	10,000	11,000
백태	1되(720g)	-	-	-	-	-	-	-	-	6,000	7,000	6,000	6,000
서리태	〃	-	-	-	-	-	-	-	-	8,000	8,000	8,000	8,000
녹두(깐)	1되(780g)	-	-	-	-	-	-	-	-	10,000	12,000	12,000	12,000
적두	1되(800g)	-	-	-	-	-	-	-	-	10,000	10,000	10,000	10,000
수수	1되(750g)	-	-	-	-	-	-	-	-	8,000	8,000	8,000	8,000
기장	1되(800g)	-	-	-	-	-	-	-	-	9,000	9,000	9,000	9,000
차조	〃	-	-	-	-	-	-	-	-	12,000	12,000	12,000	12,000
약콩	1되(720g)	-	-	-	-	-	-	-	-	8,000	8,000	8,000	8,000
겉메밀	1되(600g)	-	-	-	-	-	-	-	-	5,000	5,000	6,000	6,000
참깨	〃	-	-	-	-	-	-	-	-	20,000	20,000	20,000	18,000
거피팥	1되(800g)	-	-	-	-	-	-	-	-	12,000	12,000	10,000	10,000
밀(수입산)	1되(720g)	-	-	-	-	-	-	-	-	-	-	-	-
귀리(수입산)	〃	-	-	-	-	-	-	-	-	2,500	2,500	2,500	2,500
◈건어물													
세멸치(지리멸치)	1.5kg(상품)	-	-	-	-	-	-	-	-	40,000	38,000	40,000	38,000
자멸치(가이리)	1.5kg(특품)	-	-	-	-	-	-	-	-	40,000	38,000	40,000	38,000
햇 중멸치(오사리 주바다시)	1.5kg(상품)	-	-	-	-	-	-	-	-	35,000	35,000	45,000	33,000
죽방멸치	〃	-	-	-	-	-	-	-	-	-	-	-	-
멸치	〃	-	-	-	-	-	-	-	-	40,000	40,000	40,000	30,000
다시멸치	〃	-	-	-	-	-	-	-	-	30,000	30,000	30,000	25,000
다시멸치	1.5kg(중품)	-	-	-	-	-	-	-	-	25,000	25,000	25,000	20,000
건새우	200g(상품)	-	-	-	-	-	-	-	-	15,000	15,000	15,000	15,000
건오징어	1축(20마리)	-	-	-	-	-	-	-	-	130,000	130,000	130,000	130,000
진미(오징어채)	1kg(상품)	-	-	-	-	-	-	-	-	20,000	20,000	18,000	18,000
김(재래)	1속(상품)	-	-	-	-	-	-	-	-	10,000	10,000	10,000	10,000
돌김	〃	-	-	-	-	-	-	-	-	30,000	30,000	28,000	28,000
파래김	〃	-	-	-	-	-	-	-	-	6,000	6,000	6,000	6,000
북어(대태)	10마리(상품)	-	-	-	-	-	-	-	-	58,000	60,000	60,000	60,000
건미역	1kg(상품)	-	-	-	-	-	-	-	-	15,000	15,000	15,000	15,000
건다시마	〃	-	-	-	-	-	-	-	-	18,000	18,000	18,000	18,000
굴비	10마리(중품)	-	-	-	-	-	-	-	-	-	-	-	-
◈가공식품													
두부	1모	-	-	-	-	-	-	-	-	3,000	3,000	3,000	3,000

(단위 : 원)

품명	단위	수원											
		2022년 11월	12월	2023년 1월	2월	3월	4월	5월	6월	7월	8월	9월	10월
◈견과류													
깐 은 행	1되(1kg)	-	-	-	-	-	-	-	-	15,000	16,000	16,000	16,000
밤	1되(800g)	-	-	-	-	-	-	-	-	8,000	9,000	9,000	9,000
대 추	1되(400g)	-	-	-	-	-	-	-	-	10,000	10,000	10,000	10,000
땅 콩 (볶 음)	1되(600g)	-	-	-	-	-	-	-	-	11,000	11,000	11,000	11,000
땅 콩 (생)	〃	-	-	-	-	-	-	-	-	10,000	10,000	10,000	10,000
호 두 (깐)	1되(400g)	-	-	-	-	-	-	-	-	40,000	40,000	40,000	40,000
잣	1되(600g)	-	-	-	-	-	-	-	-	60,000	62,000	62,000	64,000
아 몬 드 (미 국 산)	1되(400g)	-	-	-	-	-	-	-	-	8,000	8,000	8,000	7,000
해 바 라 기 씨 (미 국 산)	1되(600g)	-	-	-	-	-	-	-	-	4,000	4,000	4,000	4,000
호 박 씨 (중 국 산)	〃	-	-	-	-	-	-	-	-	6,000	6,000	6,000	6,000
◈과일류													
배 (신 고)	1개(중품)	-	-	-	-	-	-	-	-	4,000	4,000	4,000	4,000
사 과 (부 사 , 홍 로)	〃	-	-	-	-	-	-	-	-	4,000	4,000	5,000	5,000
수 박	1통(6kg)	-	-	-	-	-	-	-	-	18,000	20,000	25,000	23,000
토 마 토	5kg	-	-	-	-	-	-	-	-	15,000	15,000	25,000	30,000
방 울 토 마 토	1kg	-	-	-	-	-	-	-	-	5,000	8,000	11,000	12,000
참 외	1개	-	-	-	-	-	-	-	-	3,000	3,000	4,000	-
딸 기	1팩(500g)	-	-	-	-	-	-	-	-	-	-	-	-
파 인 애 플	1개(6수)	-	-	-	-	-	-	-	-	6,000	7,000	8,000	9,000
감 귤	10개	-	-	-	-	-	-	-	-	8,000	10,000	10,000	8,000
자 두	〃	-	-	-	-	-	-	-	-	8,000	10,000	12,000	12,000
단 감	1개	-	-	-	-	-	-	-	-	-	-	-	1,500
자 몽 (레 드)	1개(36과)	-	-	-	-	-	-	-	-	-	-	-	-
자 몽 (청)	〃	-	-	-	-	-	-	-	-	-	-	-	-
키 위 (그 린)	8개	-	-	-	-	-	-	-	-	7,000	7,000	8,000	8,000
키 위 (골 드)	7개	-	-	-	-	-	-	-	-	10,000	10,000	12,000	12,000
천 도 복 숭 아	10개	-	-	-	-	-	-	-	-	12,000	12,000	15,000	15,000
석 류	1개(12과)	-	-	-	-	-	-	-	-	-	-	-	-
살 구	15개	-	-	-	-	-	-	-	-	10,000	-	-	-
모 과	1개	-	-	-	-	-	-	-	-	-	-	-	-
레 몬	6개	-	-	-	-	-	-	-	-	4,000	4,000	4,000	4,000
메 론	1통(3수)	-	-	-	-	-	-	-	-	10,000	10,000	14,000	15,000
샤 인 머 스 켓	4송이(2kg)	-	-	-	-	-	-	-	-	-	-	-	30,000
포 도	7송이(3kg)	-	-	-	-	-	-	-	-	-	-	-	20,000
바 나 나 (수 입)	1다발(6수)	-	-	-	-	-	-	-	-	6,000	6,000	7,000	7,000
체 리 (수 입)	400g	-	-	-	-	-	-	-	-	8,000	8,000	8,000	-
오 렌 지 (수 입)	3개(72과)	-	-	-	-	-	-	-	-	3,000	3,000	3,000	3,000

농축수산물 (5)

(단위 : 원)

품명	단위	인천											
		2022년 11월	12월	2023년 1월	2월	3월	4월	5월	6월	7월	8월	9월	10월
◈채소류													
건고추(태양초)	1근(600g)	-	-	-	-	-	-	-	-	20,000	20,000	20,000	20,000
대파	1단(1kg)	-	-	-	-	-	-	-	-	4,000	4,000	4,000	4,000
무	1개(2.5kg)	-	-	-	-	-	-	-	-	2,000	4,000	4,000	3,000
총각무	1단(1.5kg)	-	-	-	-	-	-	-	-	4,000	5,000	5,000	5,000
배추	1포기(4kg)	-	-	-	-	-	-	-	-	5,000	6,000	7,000	7,000
청오이	10개(2kg)	-	-	-	-	-	-	-	-	10,000	10,000	12,000	11,000
백오이	5개(1kg)	-	-	-	-	-	-	-	-	6,000	6,000	6,000	5,000
애호박(조선)	1개(500g)	-	-	-	-	-	-	-	-	2,000	2,000	2,000	2,000
열무	1단(2kg)	-	-	-	-	-	-	-	-	6,000	6,000	8,000	5,000
시금치(포항초)	1단(400g)	-	-	-	-	-	-	-	-	-	-	-	-
시금치(섬초)	〃	-	-	-	-	-	-	-	-	-	-	-	-
시금치(일반)	〃	-	-	-	-	-	-	-	-	4,000	4,000	8,000	5,000
부추(조선)	1단(800g)	-	-	-	-	-	-	-	-	3,000	4,000	4,000	3,000
가지	4개(약500g)	-	-	-	-	-	-	-	-	3,000	3,000	3,000	3,000
팽이버섯	3봉지(450g)	-	-	-	-	-	-	-	-	1,500	2,000	2,000	2,000
양송이버섯	1근(400g)	-	-	-	-	-	-	-	-	5,000	7,000	7,000	5,000
표고버섯	〃	-	-	-	-	-	-	-	-	5,000	5,000	5,000	5,000
새송이버섯	〃	-	-	-	-	-	-	-	-	2,000	3,000	3,000	3,000
느타리버섯	〃	-	-	-	-	-	-	-	-	3,000	3,000	3,000	3,000
피망(레드)	〃	-	-	-	-	-	-	-	-	3,000	3,000	3,000	3,000
피망(그린)	〃	-	-	-	-	-	-	-	-	3,000	3,000	3,000	3,000
파프리카	1개(230g)	-	-	-	-	-	-	-	-	2,000	2,000	3,000	3,000
풋고추	1근(400g)	-	-	-	-	-	-	-	-	4,000	4,500	5,000	5,000
풋고추(롱그린)	〃	-	-	-	-	-	-	-	-	4,000	4,500	4,500	4,500
아삭이 고추(상품)	〃	-	-	-	-	-	-	-	-	4,000	4,500	4,500	4,500
청양고추	〃	-	-	-	-	-	-	-	-	4,000	4,000	4,000	4,000
꽈리고추	〃	-	-	-	-	-	-	-	-	4,000	4,000	4,000	4,000
쑥갓	〃	-	-	-	-	-	-	-	-	3,000	4,000	5,000	3,000
브로콜리	1개(1kg)	-	-	-	-	-	-	-	-	2,000	2,000	3,000	3,000
옥수수	10개	-	-	-	-	-	-	-	-	8,000	8,000	8,000	8,000
마늘(깐)	1근(400g)	-	-	-	-	-	-	-	-	4,000	4,000	5,000	5,000
양배추	1통	-	-	-	-	-	-	-	-	4,000	4,000	5,000	5,000
냉이	1근(400g)	-	-	-	-	-	-	-	-	-	-	-	-
양상추	1통	-	-	-	-	-	-	-	-	3,000	3,000	4,000	4,000
미나리	1kg	-	-	-	-	-	-	-	-	8,000	10,000	12,000	9,000
쪽파	〃	-	-	-	-	-	-	-	-	9,000	11,000	8,000	10,000
고사리	1근(400g)	-	-	-	-	-	-	-	-	6,000	6,000	6,000	6,000
도라지	〃	-	-	-	-	-	-	-	-	6,000	6,000	7,000	6,000
시래기	〃	-	-	-	-	-	-	-	-	3,000	3,000	3,000	3,000
콩나물	1kg	-	-	-	-	-	-	-	-	2,000	2,000	2,000	2,000
숙주나물	〃	-	-	-	-	-	-	-	-	2,000	2,000	2,000	2,000
상추	1근(400g)	-	-	-	-	-	-	-	-	5,000	5,000	5,000	5,000
깻잎	〃	-	-	-	-	-	-	-	-	6,000	6,000	7,000	4,000
취나물	〃	-	-	-	-	-	-	-	-	4,000	4,000	5,000	4,000
케일	〃	-	-	-	-	-	-	-	-	-	4,000	4,000	4,000
당귀	〃	-	-	-	-	-	-	-	-	-	-	-	-
청경채	〃	-	-	-	-	-	-	-	-	-	-	-	3,000
생강	1kg	-	-	-	-	-	-	-	-	17,000	17,000	17,000	16,000
양파	1망(2kg)	-	-	-	-	-	-	-	-	5,000	5,000	5,000	5,000
적양파	〃	-	-	-	-	-	-	-	-	5,000	5,000	5,000	5,000
고구마	1kg	-	-	-	-	-	-	-	-	5,000	6,000	6,000	6,000
감자	〃	-	-	-	-	-	-	-	-	5,000	5,000	5,000	5,000
당근	〃	-	-	-	-	-	-	-	-	4,000	4,000	4,000	3,000
마(장마)	〃	-	-	-	-	-	-	-	-	10,000	10,000	10,000	10,000
더덕(강원도산)	400g	-	-	-	-	-	-	-	-	9,000	9,000	9,000	9,000

(단위 : 원)

품명	단위	인천											
		2022년 11월	12월	2023년 1월	2월	3월	4월	5월	6월	7월	8월	9월	10월
◈낙농물													
소고기(등심,A1+)	1근(600g)	-	-	-	-	-	-	-	-	66,000	64,000	64,000	68,000
소고기(양지(국거리),A1+)	〃	-	-	-	-	-	-	-	-	27,000	30,000	30,000	32,000
소고기(홍두깨,A1+)	〃	-	-	-	-	-	-	-	-	30,000	30,000	30,000	32,000
소고기(우둔살,A1+)	〃	-	-	-	-	-	-	-	-	30,000	30,000	30,000	32,000
소고기(살치살,A1+)	〃	-	-	-	-	-	-	-	-	86,000	86,000	85,000	88,000
소고기(차돌박이,A1+)	〃	-	-	-	-	-	-	-	-	42,000	42,000	40,000	43,000
소고기(갈비살,A1+)	〃	-	-	-	-	-	-	-	-	-	-	-	83,000
사골	1kg	-	-	-	-	-	-	-	-	-	-	-	12,000
돼지고기(앞다리살,상등급)	1근(600g)	-	-	-	-	-	-	-	-	-	-	-	8,000
돼지고기(뒷다리살,상등급)	〃	-	-	-	-	-	-	-	-	-	-	-	5,000
돼지고기(목살,상등급)	〃	-	-	-	-	-	-	-	-	12,600	12,600	12,600	14,000
돼지고기(삼겹살,상등급)	〃	-	-	-	-	-	-	-	-	15,000	15,000	15,000	16,000
닭고기	1kg	-	-	-	-	-	-	-	-	9,000	8,000	8,000	8,000
달걀(왕란)	1판	-	-	-	-	-	-	-	-	8,500	8,500	8,500	9,000
◈수산물													
갈치(生)	1마리(500g)	-	-	-	-	-	-	-	-	25,000	23,000	23,000	20,000
병어	〃	-	-	-	-	-	-	-	-	15,000	15,000	15,000	12,000
가자미(호시)	1마리(中자)	-	-	-	-	-	-	-	-	9,000	9,000	7,000	7,000
부세조기(중국산)	3마리(300g)	-	-	-	-	-	-	-	-	10,000	10,000	9,000	9,000
연자돔(제주산)	1마리(500g)	-	-	-	-	-	-	-	-	10,000	10,000	9,000	9,000
고등어	〃	-	-	-	-	-	-	-	-	7,000	7,000	7,000	6,000
고등어(자반)	1손(1kg)	-	-	-	-	-	-	-	-	10,000	9,000	9,000	9,000
삼치	1마리(500g)	-	-	-	-	-	-	-	-	9,000	10,000	11,000	9,000
오징어	1마리(30cm)	-	-	-	-	-	-	-	-	5,000	5,000	5,000	5,000
꽁치(냉동)	1마리(20cm)	-	-	-	-	-	-	-	-	3,000	3,000	3,000	3,000
민어	1마리(500g)	-	-	-	-	-	-	-	-	10,000	10,000	10,000	10,000
아구	1마리(2kg)	-	-	-	-	-	-	-	-	15,000	15,000	15,000	15,000
우럭	1마리(300g)	-	-	-	-	-	-	-	-	10,000	10,000	11,000	12,000
대구(大)	1마리(60cm)	-	-	-	-	-	-	-	-	-	-	-	-
생태(大)	〃	-	-	-	-	-	-	-	-	-	-	-	-
동태	1kg	-	-	-	-	-	-	-	-	10,000	10,000	10,000	10,000
낙지	1코(4~5마리)	-	-	-	-	-	-	-	-	15,000	15,000	17,000	17,000
새우	1kg	-	-	-	-	-	-	-	-	18,000	18,000	20,000	20,000
암꽃게(生,상품)	〃	-	-	-	-	-	-	-	-	-	-	20,000	18,000
수꽃게(生,상품)	〃	-	-	-	-	-	-	-	-	-	-	20,000	18,000
암꽃게(급냉,상품)	〃	-	-	-	-	-	-	-	-	35,000	40,000	-	-
수꽃게(급냉,상품)	〃	-	-	-	-	-	-	-	-	20,000	25,000	-	-
굴(통영)	〃	-	-	-	-	-	-	-	-	17,000	17,000	17,000	17,000
조개(바지락)	〃	-	-	-	-	-	-	-	-	8,500	9,000	9,000	9,000
꼬막(상품)	〃	-	-	-	-	-	-	-	-	10,000	11,000	11,000	11,000
모시조개	〃	-	-	-	-	-	-	-	-	15,000	15,000	15,000	15,000
미더덕	〃	-	-	-	-	-	-	-	-	18,000	18,000	18,000	18,000
홍합	〃	-	-	-	-	-	-	-	-	3,000	3,000	3,000	3,000

농축수산물 (6)

(단위 : 원)

품명	단위	인천											
		2022년 11월	12월	2023년 1월	2월	3월	4월	5월	6월	7월	8월	9월	10월
◈곡물류													
일반미	8kg	-	-	-	-	-	-	-	-	23,000	24,000	25,000	27,000
찹쌀	〃	-	-	-	-	-	-	-	-	25,000	26,000	27,000	27,000
흑미	1되(800g)	-	-	-	-	-	-	-	-	4,000	4,000	5,000	5,000
현미	〃	-	-	-	-	-	-	-	-	3,000	3,000	3,000	3,000
보리쌀	1되(765g)	-	-	-	-	-	-	-	-	2,500	2,500	3,000	3,000
율무	1되(800g)	-	-	-	-	-	-	-	-	-	-	-	-
백태	1되(720g)	-	-	-	-	-	-	-	-	6,000	6,000	6,000	6,000
서리태	〃	-	-	-	-	-	-	-	-	7,000	7,000	8,000	8,000
녹두(깐)	1되(780g)	-	-	-	-	-	-	-	-	15,000	14,000	14,000	14,000
적두	1되(800g)	-	-	-	-	-	-	-	-	9,000	9,000	10,000	10,000
수수	1되(750g)	-	-	-	-	-	-	-	-	7,000	7,000	8,000	8,000
기장	1되(800g)	-	-	-	-	-	-	-	-	8,000	8,000	8,000	8,000
차조	〃	-	-	-	-	-	-	-	-	10,000	10,000	10,000	10,000
약콩	1되(720g)	-	-	-	-	-	-	-	-	7,000	7,000	7,000	7,000
겉메밀	1되(600g)	-	-	-	-	-	-	-	-	6,000	6,000	7,000	7,000
참깨	〃	-	-	-	-	-	-	-	-	16,000	16,000	13,000	14,000
거피팥	1되(800g)	-	-	-	-	-	-	-	-	-	-	-	-
밀(수입산)	1되(720g)	-	-	-	-	-	-	-	-	-	-	-	-
귀리(수입산)	〃	-	-	-	-	-	-	-	-	2,500	2,500	2,500	2,500
◈건어물													
세멸치(지리멸치)	1.5kg(상품)	-	-	-	-	-	-	-	-	35,000	34,000	35,000	35,000
자멸치(가이리)	1.5kg(특품)	-	-	-	-	-	-	-	-	40,000	38,000	38,000	38,000
햇 중멸치(오사리 주바다시)	1.5kg(상품)	-	-	-	-	-	-	-	-	30,000	30,000	35,000	35,000
죽방멸치	〃	-	-	-	-	-	-	-	-	35,000	34,000	35,000	35,000
멸치	〃	-	-	-	-	-	-	-	-	30,000	30,000	30,000	30,000
다시멸치	〃	-	-	-	-	-	-	-	-	20,000	23,000	23,000	23,000
다시멸치	1.5kg(중품)	-	-	-	-	-	-	-	-	18,000	23,000	23,000	20,000
건새우	200g(상품)	-	-	-	-	-	-	-	-	12,000	12,000	12,000	13,000
건오징어	1축(20마리)	-	-	-	-	-	-	-	-	120,000	120,000	120,000	120,000
진미(오징어채)	1kg(상품)	-	-	-	-	-	-	-	-	22,000	20,000	20,000	20,000
김(재래)	1속(상품)	-	-	-	-	-	-	-	-	8,000	8,000	8,000	10,000
돌김	〃	-	-	-	-	-	-	-	-	25,000	25,000	25,000	25,000
파래김	〃	-	-	-	-	-	-	-	-	6,000	6,000	6,000	7,000
북어(대태)	10마리(상품)	-	-	-	-	-	-	-	-	60,000	60,000	60,000	60,000
건미역	1kg(상품)	-	-	-	-	-	-	-	-	18,000	18,000	18,000	18,000
건다시마	〃	-	-	-	-	-	-	-	-	18,000	18,000	18,000	18,000
굴비	10마리(중품)	-	-	-	-	-	-	-	-	-	-	-	-
◈가공식품													
두부	1모	-	-	-	-	-	-	-	-	3,000	3,000	3,000	3,000

(단위 : 원)

품명	단위	인천											
		2022년 11월	12월	2023년 1월	2월	3월	4월	5월	6월	7월	8월	9월	10월
◈견과류													
깐은행	1되(1kg)	-	-	-	-	-	-	-	-	17,000	17,000	17,000	18,000
밤	1되(800g)	-	-	-	-	-	-	-	-	8,000	8,000	8,000	8,000
대추	1되(400g)	-	-	-	-	-	-	-	-	8,000	8,000	8,000	8,000
땅콩(볶음)	1되(600g)	-	-	-	-	-	-	-	-	14,000	14,000	14,000	14,000
땅콩(생)	〃	-	-	-	-	-	-	-	-	13,000	13,000	13,000	13,000
호두(깐)	1되(400g)	-	-	-	-	-	-	-	-	38,000	40,000	40,000	40,000
잣	1되(600g)	-	-	-	-	-	-	-	-	60,000	63,000	63,000	62,000
아몬드(미국산)	1되(400g)	-	-	-	-	-	-	-	-	6,000	6,000	6,000	6,000
해바라기씨(미국산)	1되(600g)	-	-	-	-	-	-	-	-	4,000	4,000	4,000	4,000
호박씨(중국산)	〃	-	-	-	-	-	-	-	-	6,000	6,000	6,000	6,000
◈과일류													
배(신고)	1개(중품)	-	-	-	-	-	-	-	-	4,000	4,000	4,000	5,000
사과(부사, 홍로)	〃	-	-	-	-	-	-	-	-	3,000	3,000	5,000	4,000
수박	1통(6kg)	-	-	-	-	-	-	-	-	20,000	20,000	25,000	20,000
토마토	5kg	-	-	-	-	-	-	-	-	20,000	20,000	30,000	32,000
방울토마토	1kg	-	-	-	-	-	-	-	-	5,000	7,000	10,000	13,000
참외	1개	-	-	-	-	-	-	-	-	2,000	3,000	4,000	-
딸기	1팩(500g)	-	-	-	-	-	-	-	-	-	-	-	-
파인애플	1개(6수)	-	-	-	-	-	-	-	-	7,000	7,000	9,000	10,000
감귤	10개	-	-	-	-	-	-	-	-	9,000	9,000	9,000	8,000
자두	〃	-	-	-	-	-	-	-	-	7,000	8,000	10,000	-
단감	1개	-	-	-	-	-	-	-	-	-	-	-	-
자몽(레드)	1개(36과)	-	-	-	-	-	-	-	-	-	-	-	-
자몽(청)	〃	-	-	-	-	-	-	-	-	-	-	-	-
키위(그린)	8개	-	-	-	-	-	-	-	-	7,000	7,000	8,000	8,000
키위(골드)	7개	-	-	-	-	-	-	-	-	12,000	12,000	13,000	13,000
천도복숭아	10개	-	-	-	-	-	-	-	-	12,000	12,000	14,000	15,000
석류	1개(12과)	-	-	-	-	-	-	-	-	-	-	-	-
살구	15개	-	-	-	-	-	-	-	-	10,000	-	-	-
모과	1개	-	-	-	-	-	-	-	-	-	-	-	-
레몬	6개	-	-	-	-	-	-	-	-	5,000	4,000	4,000	4,000
메론	1통(3수)	-	-	-	-	-	-	-	-	12,000	11,000	13,000	15,000
샤인머스켓	4송이(2kg)	-	-	-	-	-	-	-	-	-	-	-	30,000
포도	7송이(3kg)	-	-	-	-	-	-	-	-	-	-	-	25,000
바나나(수입)	1다발(6수)	-	-	-	-	-	-	-	-	6,000	6,000	7,000	8,000
체리(수입)	400g	-	-	-	-	-	-	-	-	7,000	7,000	7,000	-
오렌지(수입)	3개(72과)	-	-	-	-	-	-	-	-	3,000	3,000	3,000	3,000

농축수산물 (7)

(단위 : 원)

품명	단위	부산											
		2022년 11월	12월	2023년 1월	2월	3월	4월	5월	6월	7월	8월	9월	10월
◈채소류													
건고추(태양초)	1근(600g)	19,000	19,000	19,000	19,000	20,000	19,000	20,000	20,000	20,000	21,000	21,000	21,000
대파	1단(1kg)	3,000	2,500	3,000	3,000	3,000	2,500	3,000	2,000	2,500	4,000	3,500	4,000
무	1개(2.5kg)	2,000	2,000	2,000	3,000	3,000	2,500	3,000	3,000	3,000	3,500	3,000	3,000
총각무	1단(1.5kg)	5,000	3,000	3,000	3,000	4,000	4,000	4,000	4,000	4,000	5,000	5,000	3,000
배추	1포기(4kg)	6,000	3,000	3,000	3,000	4,000	4,000	6,000	3,000	5,000	8,000	8,000	9,000
청오이	10개(2kg)	5,000	7,000	11,000	14,000	15,000	12,000	10,000	8,000	8,000	10,000	10,000	10,000
백오이	5개(1kg)	4,000	5,000	5,000	6,000	6,000	6,000	5,000	4,000	4,000	4,500	5,000	5,000
애호박(조선)	1개(500g)	2,000	2,000	2,000	2,000	2,000	2,000	2,000	1,500	1,500	1,500	1,500	1,500
열무	1단(2kg)	4,000	4,000	3,500	4,500	5,500	4,000	4,000	3,500	5,000	6,000	6,500	5,500
시금치(포항초)	1단(400g)	-	-	-	-	3,000	-	-	-	-	-	-	-
시금치(섬초)	〃	-	-	-	-	3,000	-	-	-	-	-	-	-
시금치(일반)	〃	3,000	2,000	2,000	2,000	2,000	2,000	2,000	2,000	3,000	5,500	6,000	3,500
부추(조선)	1단(800g)	4,000	4,000	4,000	4,000	5,000	3,500	3,000	2,000	2,000	5,000	3,000	3,000
가지	4개(약500g)	3,000	2,000	3,000	4,000	3,000	4,000	3,000	2,000	2,000	3,000	2,000	2,000
팽이버섯	3봉지(450g)	1,500	1,000	1,000	1,000	1,500	1,500	1,500	1,500	1,500	1,500	2,000	1,500
양송이버섯	1근(400g)	5,000	5,000	5,000	5,000	4,000	4,000	5,000	5,000	5,000	5,000	6,000	5,000
표고버섯	〃	5,000	5,000	5,000	5,000	4,000	4,000	5,000	5,000	5,000	5,000	5,500	5,500
새송이버섯	〃	2,000	2,000	2,000	2,000	2,000	2,000	2,000	2,000	3,000	3,000	3,500	3,000
느타리버섯	〃	2,000	2,000	2,000	2,000	2,000	2,000	2,000	2,000	3,000	3,000	4,000	3,000
피망(레드)	〃	3,000	2,000	3,000	4,000	4,000	4,000	3,000	3,000	3,000	4,000	4,000	4,000
피망(그린)	〃	3,000	2,000	4,000	4,000	4,000	4,000	3,000	3,000	3,000	3,000	4,000	4,000
파프리카	1개(230g)	2,000	2,000	2,000	2,000	2,000	2,000	2,000	2,000	2,000	2,000	2,000	2,000
풋고추	1근(400g)	3,000	2,500	4,000	5,000	5,000	4,000	3,000	3,000	3,500	4,000	4,000	4,000
풋고추(롱그린)	〃	3,000	2,500	4,000	5,000	5,000	4,000	3,000	3,000	3,500	4,000	4,000	4,000
아삭이 고추(상품)	〃	4,000	2,500	4,000	5,000	5,000	4,000	3,000	3,000	3,500	3,000	3,500	3,500
청양고추	〃	4,000	3,000	4,000	5,000	7,000	4,000	3,000	3,000	3,500	3,000	3,500	3,500
꽈리고추	〃	4,000	3,000	4,000	5,000	6,000	5,000	4,000	3,000	3,500	3,500	4,000	3,500
쑥갓	〃	2,000	2,000	2,000	2,000	2,000	2,000	2,000	2,000	2,000	2,000	3,000	3,000
브로콜리	1개(1kg)	2,000	2,000	2,000	2,000	2,000	2,000	2,000	2,000	2,000	1,500	2,000	2,000
옥수수	10개	7,000	7,000	7,000	7,000	7,000	7,000	7,000	7,000	7,000	8,000	8,000	8,000
마늘(깐)	1근(400g)	5,000	5,000	5,000	5,000	5,000	5,000	5,000	5,000	5,000	5,000	4,500	4,500
양배추	1통	3,000	3,000	3,000	3,000	3,000	3,000	3,000	3,000	3,000	4,000	4,000	4,000
냉이	1근(400g)	-	-	2,000	-	-	-	2,000	2,000	-	-	-	-
양상추	1통	2,000	2,000	2,000	2,000	2,000	2,000	2,000	2,000	2,000	2,500	3,500	3,500
미나리	1kg	12,000	13,000	13,000	13,000	11,000	9,000	9,000	8,000	8,000	9,000	9,000	11,000
쪽파	〃	7,000	6,000	7,000	9,000	7,000	6,000	10,000	8,000	11,000	12,000	12,000	13,000
고사리	1근(400g)	6,000	6,000	6,000	6,000	6,000	6,000	6,000	6,000	6,000	7,000	8,000	8,000
도라지	〃	5,000	5,000	5,000	5,000	5,000	5,000	5,000	5,000	5,000	6,000	7,000	7,000
시래기	〃	3,000	3,000	3,000	3,000	3,000	3,000	3,000	3,000	3,000	3,000	3,500	3,500
콩나물	1kg	2,000	2,000	2,000	2,000	2,000	2,000	1,500	1,500	1,500	1,500	2,000	2,000
숙주나물	〃	2,000	2,000	2,000	2,000	2,000	2,000	2,000	2,000	2,000	2,000	2,500	2,500
상추	1근(400g)	5,000	4,000	5,500	5,000	6,000	4,000	4,000	4,000	4,000	7,000	7,000	7,000
깻잎	〃	8,000	8,000	11,000	9,000	9,000	6,000	6,000	6,000	6,000	7,000	6,500	6,500
취나물	〃	4,000	4,000	5,000	5,000	5,000	4,000	4,000	4,000	4,000	4,000	5,000	5,000
케일	〃	5,000	4,000	4,000	4,000	4,000	4,000	4,000	4,000	4,000	4,000	4,000	4,000
당귀	〃	-	-	-	-	-	-	-	-	-	-	-	-
청경채	〃	-	-	-	-	-	-	-	-	-	-	-	3,000
생강	1kg	8,000	13,000	15,000	15,000	13,000	13,000	13,000	14,000	14,000	14,000	15,000	11,000
양파	1망(2kg)	6,000	6,000	6,000	6,000	6,000	6,000	5,000	5,000	5,000	5,000	5,000	5,000
적양파	〃	6,000	6,000	6,000	6,000	6,000	6,000	5,000	5,000	5,000	5,000	5,500	5,500
고구마	1kg	5,000	5,000	5,000	5,000	5,000	5,000	6,000	6,000	6,000	7,000	7,000	7,000
감자	〃	4,000	4,000	4,000	4,000	4,000	4,000	5,000	5,000	5,000	6,000	5,000	5,000
당근	〃	4,000	3,000	3,000	3,000	3,000	3,000	3,000	3,000	3,000	3,000	3,000	3,000
마(장마)	〃	9,000	9,000	9,000	9,000	9,000	9,000	9,000	9,000	9,000	10,000	10,000	11,000
더덕(강원도산)	400g	7,000	7,000	8,000	8,000	8,000	8,000	8,000	8,000	8,000	8,000	9,000	9,000

(단위 : 원)

품 명	단위	부산											
		2022년 11월	12월	2023년 1월	2월	3월	4월	5월	6월	7월	8월	9월	10월
◈낙농물													
소고기(등심,A1+)	1근(600g)	79,000	79,000	79,000	76,000	74,000	72,000	71,000	71,000	70,000	70,000	72,000	73,000
소고기(양지(국거리),A1+)	〃	35,000	35,000	36,000	34,000	33,000	33,000	33,000	33,000	31,000	33,000	34,000	34,000
소고기(홍두깨,A1+)	〃	36,000	36,000	37,000	35,000	34,000	34,000	34,000	34,000	32,000	32,000	33,000	33,000
소고기(우둔살,A1+)	〃	34,000	34,000	35,000	33,000	31,000	31,000	31,000	31,000	30,000	31,000	32,000	32,000
소고기(살치살,A1+)	〃	87,000	90,000	90,000	88,000	86,000	84,000	84,000	84,000	84,000	84,000	85,000	85,000
소고기(차돌박이,A1+)	〃	35,000	35,000	35,000	35,000	34,000	34,000	34,000	34,000	34,000	35,000	36,000	36,000
소고기(갈비살,A1+)	〃	-	-	-	-	-	-	-	-	-	-	-	80,000
사골	1kg	-	-	-	-	-	-	-	-	-	-	-	10,000
돼지고기(앞다리살,상등급)	1근(600g)	-	-	-	-	-	-	-	-	-	-	-	6,000
돼지고기(뒷다리살,상등급)	〃	-	-	-	-	-	-	-	-	-	-	-	4,000
돼지고기(목살,상등급)	〃	15,000	15,000	15,000	12,000	12,000	12,000	14,000	16,000	16,000	15,000	14,000	14,000
돼지고기(삼겹살,상등급)	〃	15,000	16,000	16,000	13,000	13,000	13,000	15,000	17,000	17,000	16,000	15,000	15,000
닭고기	1kg	6,000	6,000	6,000	6,000	6,000	6,000	6,000	6,000	7,000	8,000	8,000	7,000
달걀(왕란)	1판	8,000	8,000	8,000	7,000	7,000	7,000	8,000	8,000	8,000	8,500	8,500	7,500
◈수산물													
갈치(生)	1마리(500g)	20,000	20,000	20,000	20,000	20,000	20,000	20,000	20,000	20,000	20,000	22,000	22,000
병어	〃	11,000	11,000	11,000	11,000	11,000	11,000	11,000	11,000	11,000	10,000	11,000	11,000
가자미(호시)	1마리(中자)	8,000	8,000	7,000	7,000	7,000	7,000	7,000	7,000	7,000	7,000	8,000	8,000
부세조기(중국산)	3마리(300g)	8,000	8,000	8,000	8,000	8,000	8,000	8,000	8,000	8,000	8,000	8,000	8,000
연자돔(제주산)	1마리(500g)	-	-	-	-	-	-	-	-	-	-	-	-
고등어	〃	6,000	6,000	6,000	6,000	7,000	7,000	7,000	7,000	7,000	6,000	7,000	7,000
고등어(자반)	1손(1kg)	8,000	10,000	10,000	10,000	9,000	9,000	9,000	9,000	9,000	9,000	10,000	10,000
삼치	1마리(500g)	8,000	-	-	-	-	10,000	11,000	11,000	11,000	12,000	12,000	12,000
오징어	1마리(30cm)	5,000	5,000	6,000	6,000	6,000	6,000	6,000	6,000	6,000	4,000	6,000	6,000
꽁치(냉동)	1마리(20cm)	1,500	1,500	2,000	2,000	2,000	2,000	2,000	2,000	2,000	2,000	3,000	3,000
민어	1마리(500g)	10,000	10,000	10,000	10,000	10,000	10,000	10,000	10,000	10,000	11,000	11,000	11,000
아구	1마리(2kg)	13,000	13,000	13,000	16,000	16,000	16,000	16,000	16,000	16,000	16,000	17,000	17,000
우럭	1마리(300g)	7,000	7,000	9,000	11,000	11,000	11,000	11,000	11,000	11,000	11,000	12,000	12,000
대구(大)	1마리(60cm)	-	-	-	-	-	-	-	-	-	-	-	-
생태(大)	〃	-	-	-	-	-	-	-	-	-	-	-	-
동태	1kg	7,000	7,000	7,000	8,000	8,000	8,000	8,000	8,000	8,000	10,000	10,000	10,000
낙지	1코(4~5마리)	13,000	15,000	15,000	17,000	19,000	17,000	17,000	15,000	15,000	13,000	14,000	14,000
새우	1kg	15,000	15,000	15,000	15,000	15,000	15,000	15,000	15,000	15,000	14,000	15,000	15,000
암꽃게(生,상품)	〃	23,000	28,000	28,000	-	-	-	45,000	40,000	-	-	15,000	15,000
수꽃게(生,상품)	〃	23,000	25,000	25,000	-	-	-	25,000	25,000	-	-	20,000	20,000
암꽃게(급냉,상품)	〃	50,000	50,000	50,000	50,000	50,000	50,000	50,000	50,000	46,000	47,000	45,000	45,000
수꽃게(급냉,상품)	〃	25,000	23,000	23,000	23,000	23,000	23,000	25,000	22,000	22,000	23,000	25,000	25,000
굴(통영)	〃	15,000	20,000	18,000	18,000	18,000	18,000	18,000	18,000	18,000	18,000	18,000	18,000
조개(바지락)	〃	8,000	8,000	8,000	8,000	8,000	8,000	10,000	10,000	9,000	10,000	10,000	10,000
꼬막(상품)	〃	10,000	10,000	10,000	10,000	10,000	10,000	10,000	10,000	10,000	8,000	10,000	10,000
모시조개	〃	12,000	12,000	12,000	12,000	14,000	14,000	18,000	15,000	15,000	15,000	16,000	16,000
미더덕	〃	13,000	13,000	13,000	13,000	14,000	14,000	18,000	18,000	18,000	16,000	18,000	18,000
홍합	〃	2,000	2,000	2,000	2,000	2,000	2,000	2,000	2,000	2,000	3,000	4,000	3,000

농축수산물 (8)

(단위 : 원)

품명	단위	부산											
		2022년 11월	12월	2023년 1월	2월	3월	4월	5월	6월	7월	8월	9월	10월
◈곡물류													
일반미	8kg	20,000	20,000	20,000	20,000	20,000	20,000	20,000	21,000	21,000	21,000	22,000	25,000
찹쌀	〃	25,000	25,000	25,000	25,000	25,000	25,000	24,000	24,000	24,000	25,000	26,000	26,000
흑미	1되(800g)	4,000	3,000	3,000	3,000	3,000	3,000	3,000	3,000	3,000	5,000	5,000	5,000
현미	〃	2,000	2,000	2,000	2,000	2,000	2,000	2,000	2,000	2,000	3,500	4,000	4,000
보리쌀	1되(765g)	2,000	2,000	2,000	2,000	2,000	2,000	2,000	2,000	2,000	2,000	2,500	2,500
율무	1되(800g)	14,000	13,000	13,000	13,000	12,000	12,000	11,000	11,000	12,000	12,000	12,000	12,000
백태	1되(720g)	6,000	6,000	6,000	6,000	6,000	6,000	6,000	6,000	6,000	5,000	6,000	6,000
서리태	〃	9,000	7,000	7,000	7,000	6,000	6,000	6,000	6,000	6,000	7,000	7,000	7,000
녹두(깐)	1되(780g)	17,000	17,000	17,000	17,000	15,000	15,000	13,000	13,000	13,000	14,000	14,000	16,000
적두	1되(800g)	8,000	8,000	8,000	8,000	9,000	9,000	9,000	9,000	9,000	9,000	10,000	10,000
수수	1되(750g)	6,000	5,000	5,000	5,000	5,000	5,000	5,000	5,000	5,000	6,000	6,000	6,000
기장	1되(800g)	8,000	7,000	7,000	7,000	7,000	7,000	7,000	7,000	8,000	9,000	9,000	9,000
차조	〃	12,000	11,000	11,000	11,000	11,000	11,000	11,000	11,000	11,000	12,000	12,000	12,000
약콩	1되(720g)	6,000	6,000	6,000	6,000	6,000	7,000	7,000	7,000	7,000	7,000	7,000	7,000
겉메밀	1되(600g)	4,000	5,000	5,000	5,000	5,000	5,000	6,000	6,000	6,000	7,000	7,000	7,000
참깨	〃	17,000	17,000	17,000	17,000	16,000	16,000	16,000	15,000	15,000	14,000	15,000	16,000
거피팥	1되(800g)	11,000	11,000	11,000	11,000	10,000	10,000	10,000	10,000	10,000	10,000	10,000	10,000
밀(수입산)	1되(720g)	-	-	-	-	-	-	-	-	-	-	-	-
귀리(수입산)	〃	2,000	2,000	2,000	2,000	2,000	2,000	2,000	2,000	2,000	2,000	2,500	2,500
◈건어물													
세멸치(지리멸치)	1.5kg(상품)	35,000	35,000	35,000	35,000	38,000	38,000	38,000	39,000	39,000	40,000	41,000	41,000
자멸치(가이리)	1.5kg(특품)	33,000	35,000	35,000	35,000	35,000	35,000	35,000	40,000	37,000	38,000	40,000	40,000
햇 중멸치(오사리 주바다시)	1.5kg(상품)	23,000	30,000	30,000	30,000	30,000	30,000	30,000	30,000	32,000	33,000	35,000	35,000
죽방멸치	〃	-	-	-	-			-	-	-	-	-	-
멸치	〃	30,000	30,000	30,000	30,000	30,000	30,000	30,000	30,000	30,000	30,000	31,000	30,000
다시멸치	〃	20,000	23,000	23,000	23,000	23,000	23,000	23,000	23,000	23,000	25,000	25,000	25,000
다시멸치	1.5kg(중품)	15,000	15,000	15,000	15,000	15,000	15,000	15,000	15,000	18,000	20,000	20,000	20,000
건새우	200g(상품)	11,000	11,000	11,000	11,000	11,000	11,000	11,000	11,000	14,000	15,000	15,000	15,000
건오징어	1축(20마리)	130,000	130,000	130,000	130,000	130,000	130,000	130,000	130,000	130,000	140,000	140,000	140,000
진미(오징어채)	1kg(상품)	19,000	19,000	19,000	19,000	19,000	19,000	17,000	17,000	17,000	17,000	18,000	18,000
김(재래)	1속(상품)	10,000	10,000	10,000	10,000	10,000	10,000	10,000	10,000	10,000	12,000	11,000	11,000
돌김	〃	30,000	30,000	30,000	30,000	30,000	30,000	30,000	30,000	30,000	30,000	31,000	31,000
파래김	〃	6,000	6,000	6,000	6,000	6,000	6,000	6,000	6,000	6,000	8,000	8,000	8,000
북어(대태)	10마리(상품)	60,000	60,000	60,000	60,000	60,000	60,000	60,000	60,000	60,000	70,000	60,000	60,000
건미역	1kg(상품)	13,000	13,000	13,000	13,000	13,000	13,000	13,000	13,000	13,000	15,000	15,000	15,000
건다시마	〃	13,000	13,000	13,000	14,000	14,000	14,000	14,000	14,000	14,000	15,000	15,000	15,000
굴비	10마리(중품)	-	-	-	-	-	-	-	-	-	-	-	-
◈가공식품													
두부	1모	2,000	2,000	2,000	2,000	2,000	2,000	2,000	2,000	2,000	2,000	2,000	2,000

(단위 : 원)

품명	단위	부산											
		2022년 11월	12월	2023년 1월	2월	3월	4월	5월	6월	7월	8월	9월	10월
◈견과류													
깐은행	1되(1kg)	13,000	13,000	13,000	13,000	13,000	13,000	13,000	13,000	13,000	14,000	15,000	15,000
밤	1되(800g)	7,000	7,000	7,000	7,000	7,000	7,000	7,000	7,000	7,000	7,000	9,000	9,000
대추	1되(400g)	7,000	7,000	7,000	7,000	7,000	7,000	7,000	7,000	7,000	8,000	10,000	10,000
땅콩(볶음)	1되(600g)	11,000	11,000	11,000	11,000	11,000	11,000	11,000	11,000	11,000	12,000	12,000	12,000
땅콩(생)	〃	10,000	10,000	10,000	10,000	10,000	10,000	10,000	10,000	10,000	11,000	11,000	11,000
호두(깐)	1되(400g)	38,000	38,000	38,000	38,000	38,000	38,000	38,000	38,000	38,000	40,000	40,000	40,000
잣	1되(600g)	60,000	60,000	60,000	60,000	60,000	60,000	60,000	60,000	60,000	60,000	62,000	62,000
아몬드(미국산)	1되(400g)	6,000	6,000	6,000	6,000	6,000	6,000	6,000	6,000	6,000	5,000	6,000	6,000
해바라기씨(미국산)	1되(600g)	4,000	4,000	4,000	4,000	4,000	4,000	4,000	4,000	4,000	5,000	5,000	5,000
호박씨(중국산)	〃	5,000	5,000	5,000	5,000	5,000	5,000	5,000	5,000	5,000	5,000	5,500	5,500
◈과일류													
배(신고)	1개(중품)	5,000	4,000	3,500	3,500	4,000	4,000	4,000	4,000	4,000	5,000	6,000	5,000
사과(부사, 홍로)	〃	2,000	2,000	2,000	2,000	2,000	2,000	2,000	2,000	2,500	4,000	5,000	4,000
수박	1통(6kg)	18,000	16,000	20,000	-	-	30,000	21,000	21,000	18,000	20,000	21,000	25,000
토마토	5kg	17,000	17,000	18,000	18,000	18,000	18,000	18,000	15,000	15,000	17,000	25,000	25,000
방울토마토	1kg	7,000	5,000	5,000	5,000	5,000	5,000	4,000	5,000	5,000	6,000	8,000	9,000
참외	1개	-	-	-	-	-	3,000	2,000	1,000	1,000	3,000	3,500	-
딸기	1팩(500g)	-	10,000	10,000	10,000	8,000	5,000	4,000	3,000	-	-	-	-
파인애플	1개(6수)	6,000	6,000	6,000	6,000	6,000	6,000	6,000	6,000	6,000	7,000	7,000	9,000
감귤	10개	4,000	3,000	3,000	3,000	3,000	-	-	-	-	-	-	-
자두	〃	-	-	-	-	-	-	-	-	10,000	11,000	11,000	11,000
단감	1개	1,000	1,000	1,000	1,000	1,000	-	-	-	-	-	-	1,500
자몽(레드)	1개(36과)	-	-	-	-	-	-	-	-	-	-	-	-
자몽(청)	〃	-	-	-	-	-	-	-	-	-	-	-	-
키위(그린)	8개	7,000	7,000	7,000	7,000	7,000	7,000	7,000	6,000	6,000	7,000	7,000	7,000
키위(골드)	7개	10,000	10,000	10,000	10,000	10,000	10,000	10,000	10,000	10,000	11,000	11,000	11,000
천도복숭아	10개	-	-	-	-	-	-	-	-	13,000	15,000	15,000	-
석류	1개(12과)	-	-	-	-	-	-	-	-	-	-	-	-
살구	15개	-	-	-	-	-	-	-	-	10,000	-	-	-
모과	1개	-	-	-	-	-	-	-	-	-	-	-	-
레몬	6개	4,000	4,000	4,000	4,000	4,000	4,000	4,000	4,000	4,000	4,000	3,000	3,000
메론	1통(3수)	12,000	12,000	12,000	12,000	12,000	12,000	12,000	12,000	12,000	13,000	13,000	13,000
샤인머스켓	4송이(2kg)	-	-	-	-	-	-	-	-	-	-	-	25,000
포도	7송이(3kg)	-	-	-	-	-	-	-	-	-	-	-	22,000
바나나(수입)	1다발(6수)	5,000	5,000	5,000	5,000	5,000	8,000	8,000	8,000	7,000	7,000	7,500	7,500
체리(수입)	400g	-	-	-	-	-	-	-	-	5,000	6,000	8,000	-
오렌지(수입)	3개(72과)	3,000	3,000	3,000	3,000	3,000	3,000	3,000	3,000	3,000	3,000	3,500	3,500

농축수산물 (9)

(단위 : 원)

품명	단위	울산											
		2022년 11월	12월	2023년 1월	2월	3월	4월	5월	6월	7월	8월	9월	10월
◈채소류													
건고추(태양초)	1근(600g)	-	-	-	-	-	-	-	-	21,000	22,000	22,000	22,000
대파	1단(1kg)	-	-	-	-	-	-	-	-	3,000	4,000	3,500	4,000
무	1개(2.5kg)	-	-	-	-	-	-	-	-	3,000	4,000	3,000	3,000
총각무	1단(1.5kg)	-	-	-	-	-	-	-	-	4,000	5,000	5,000	3,500
배추	1포기(4kg)	-	-	-	-	-	-	-	-	5,500	9,000	8,500	9,000
청오이	10개(2kg)	-	-	-	-	-	-	-	-	8,500	10,000	10,000	10,000
백오이	5개(1kg)	-	-	-	-	-	-	-	-	5,000	5,000	5,000	5,000
애호박(조선)	1개(500g)	-	-	-	-	-	-	-	-	1,500	1,500	1,500	1,500
열무	1단(2kg)	-	-	-	-	-	-	-	-	5,000	6,000	6,000	5,500
시금치(포항초)	1단(400g)	-	-	-	-	-	-	-	-	-	-	-	-
시금치(섬초)	〃	-	-	-	-	-	-	-	-	-	-	-	-
시금치(일반)	〃	-	-	-	-	-	-	-	-	3,000	6,000	6,000	4,000
부추(조선)	1단(800g)	-	-	-	-	-	-	-	-	3,000	5,000	4,000	4,000
가지	4개(약500g)	-	-	-	-	-	-	-	-	2,500	3,000	2,500	2,500
팽이버섯	3봉지(450g)	-	-	-	-	-	-	-	-	1,500	1,500	1,500	1,500
양송이버섯	1근(400g)	-	-	-	-	-	-	-	-	5,000	5,000	5,000	5,000
표고버섯	〃	-	-	-	-	-	-	-	-	5,000	5,000	6,000	6,000
새송이버섯	〃	-	-	-	-	-	-	-	-	2,500	3,000	3,500	3,500
느타리버섯	〃	-	-	-	-	-	-	-	-	2,500	2,500	4,500	3,500
피망(레드)	〃	-	-	-	-	-	-	-	-	4,000	4,000	4,000	4,000
피망(그린)	〃	-	-	-	-	-	-	-	-	4,000	4,000	4,000	4,000
파프리카	1개(230g)	-	-	-	-	-	-	-	-	2,000	2,000	2,500	2,500
풋고추	1근(400g)	-	-	-	-	-	-	-	-	4,000	4,000	4,000	4,000
풋고추(롱그린)	〃	-	-	-	-	-	-	-	-	4,000	4,000	4,000	4,000
아삭이 고추(상품)	〃	-	-	-	-	-	-	-	-	4,000	3,000	4,000	3,000
청양고추	〃	-	-	-	-	-	-	-	-	4,000	3,500	3,500	3,500
꽈리고추	〃	-	-	-	-	-	-	-	-	4,000	3,500	3,500	3,500
쑥갓	〃	-	-	-	-	-	-	-	-	2,000	2,000	3,500	3,500
브로콜리	1개(1kg)	-	-	-	-	-	-	-	-	2,000	2,000	2,000	2,000
옥수수	10개	-	-	-	-	-	-	-	-	7,000	8,000	8,000	8,000
마늘(깐)	1근(400g)	-	-	-	-	-	-	-	-	5,000	5,000	5,000	5,000
양배추	1통	-	-	-	-	-	-	-	-	3,000	3,000	3,500	3,500
냉이	1근(400g)	-	-	-	-	-	-	-	-	-	-	-	-
양상추	1통	-	-	-	-	-	-	-	-	2,000	2,500	3,000	3,000
미나리	1kg	-	-	-	-	-	-	-	-	8,000	10,000	10,000	12,000
쪽파	〃	-	-	-	-	-	-	-	-	10,000	13,000	12,000	13,000
고사리	1근(400g)	-	-	-	-	-	-	-	-	6,000	7,000	8,000	8,000
도라지	〃	-	-	-	-	-	-	-	-	5,000	6,000	7,000	7,000
시래기	〃	-	-	-	-	-	-	-	-	3,000	3,000	3,000	3,000
콩나물	1kg	-	-	-	-	-	-	-	-	1,500	1,500	1,500	1,500
숙주나물	〃	-	-	-	-	-	-	-	-	2,000	2,000	2,000	2,000
상추	1근(400g)	-	-	-	-	-	-	-	-	4,000	8,000	6,000	6,000
깻잎	〃	-	-	-	-	-	-	-	-	6,000	7,000	6,000	6,000
취나물	〃	-	-	-	-	-	-	-	-	4,000	4,000	4,000	4,000
케일	〃	-	-	-	-	-	-	-	-	4,000	4,000	4,000	4,000
당귀	〃	-	-	-	-	-	-	-	-	-	-	-	-
청경채	〃	-	-	-	-	-	-	-	-	-	-	-	3,000
생강	1kg	-	-	-	-	-	-	-	-	14,000	14,000	16,000	12,000
양파	1망(2kg)	-	-	-	-	-	-	-	-	5,000	5,000	5,000	5,000
적양파	〃	-	-	-	-	-	-	-	-	5,000	5,000	5,000	5,000
고구마	1kg	-	-	-	-	-	-	-	-	5,000	6,000	7,000	7,000
감자	〃	-	-	-	-	-	-	-	-	4,000	5,000	6,000	6,000
당근	〃	-	-	-	-	-	-	-	-	3,000	3,000	3,000	3,000
마(장마)	〃	-	-	-	-	-	-	-	-	9,000	10,000	10,000	12,000
더덕(강원도산)	400g	-	-	-	-	-	-	-	-	8,000	8,000	8,000	8,000

(단위 : 원)

품 명	단위	울산											
		2022년 11월	12월	2023년 1월	2월	3월	4월	5월	6월	7월	8월	9월	10월
◈낙농물													
소고기(등심,A1+)	1근(600g)	-	-	-	-	-	-	-	-	71,000	71,000	72,000	74,000
소고기(양지(국거리),A1+)	〃	-	-	-	-	-	-	-	-	32,000	35,000	35,000	35,000
소고기(홍두깨,A1+)	〃	-	-	-	-	-	-	-	-	33,000	33,000	34,000	34,000
소고기(우둔살,A1+)	〃	-	-	-	-	-	-	-	-	31,000	32,000	32,000	32,000
소고기(살치살,A1+)	〃	-	-	-	-	-	-	-	-	85,000	85,000	85,000	85,000
소고기(차돌박이,A1+)	〃	-	-	-	-	-	-	-	-	35,000	36,000	37,000	37,000
소고기(갈비살,A1+)	〃	-	-	-	-	-	-	-	-	-	-	-	79,000
사골	1kg	-	-	-	-	-	-	-	-	-	-	-	13,000
돼지고기(앞다리살,상등급)	1근(600g)	-	-	-	-	-	-	-	-	-	-	-	7,000
돼지고기(뒷다리살,상등급)	〃	-	-	-	-	-	-	-	-	-	-	-	5,000
돼지고기(목살,상등급)	〃	-	-	-	-	-	-	-	-	14,000	16,000	15,000	15,000
돼지고기(삼겹살,상등급)	〃	-	-	-	-	-	-	-	-	16,000	17,000	16,000	16,000
닭고기	1kg	-	-	-	-	-	-	-	-	7,900	9,000	8,500	7,000
달걀(왕란)	1판	-	-	-	-	-	-	-	-	7,000	7,500	7,500	7,500
◈수산물													
갈치(生)	1마리(500g)	-	-	-	-	-	-	-	-	20,000	20,000	21,000	21,000
병어	〃	-	-	-	-	-	-	-	-	11,000	10,000	11,000	11,000
가자미(호시)	1마리(中자)	-	-	-	-	-	-	-	-	7,000	7,000	8,000	8,000
부세조기(중국산)	3마리(300g)	-	-	-	-	-	-	-	-	8,000	8,000	8,500	8,500
연자돔(제주산)	1마리(500g)	-	-	-	-	-	-	-	-	-	-	-	-
고등어	〃	-	-	-	-	-	-	-	-	7,000	6,000	7,000	7,000
고등어(자반)	1손(1kg)	-	-	-	-	-	-	-	-	9,000	9,000	9,000	9,000
삼치	1마리(500g)	-	-	-	-	-	-	-	-	11,000	12,000	12,000	12,000
오징어	1마리(30cm)	-	-	-	-	-	-	-	-	6,000	5,000	6,000	6,000
꽁치(냉동)	1마리(20cm)	-	-	-	-	-	-	-	-	2,000	2,500	2,500	2,500
민어	1마리(500g)	-	-	-	-	-	-	-	-	10,000	10,000	10,000	10,000
아구	1마리(2kg)	-	-	-	-	-	-	-	-	16,000	17,000	17,000	17,000
우럭	1마리(300g)	-	-	-	-	-	-	-	-	11,000	11,000	11,000	11,000
대구(大)	1마리(60cm)	-	-	-	-	-	-	-	-	-	-	-	-
생태(大)	〃	-	-	-	-	-	-	-	-	-	-	-	-
동태	1kg	-	-	-	-	-	-	-	-	8,000	8,000	9,000	9,000
낙지	1코(4~5마리)	-	-	-	-	-	-	-	-	15,000	14,000	14,000	14,000
새우	1kg	-	-	-	-	-	-	-	-	15,000	14,000	15,000	15,000
암꽃게(生,상품)	〃	-	-	-	-	-	-	-	-	-	-	15,000	15,000
수꽃게(生,상품)	〃	-	-	-	-	-	-	-	-	-	-	20,000	20,000
암꽃게(급냉,상품)	〃	-	-	-	-	-	-	-	-	48,000	48,000	45,000	45,000
수꽃게(급냉,상품)	〃	-	-	-	-	-	-	-	-	24,000	25,000	25,000	25,000
굴(통영)	〃	-	-	-	-	-	-	-	-	18,000	18,000	19,000	19,000
조개(바지락)	〃	-	-	-	-	-	-	-	-	9,000	10,000	10,000	10,000
꼬막(상품)	〃	-	-	-	-	-	-	-	-	10,000	9,000	9,000	9,000
모시조개	〃	-	-	-	-	-	-	-	-	15,000	15,000	15,000	15,000
미더덕	〃	-	-	-	-	-	-	-	-	18,000	17,000	17,000	17,000
홍합	〃	-	-	-	-	-	-	-	-	2,000	3,000	4,000	3,000

농축수산물 (10)

(단위 : 원)

품 명	단 위	울산											
		2022년 11월	12월	2023년 1월	2월	3월	4월	5월	6월	7월	8월	9월	10월
◈곡물류													
일 반 미	8kg	-	-	-	-	-	-	-	-	21,000	21,000	22,000	25,000
찹 쌀	〃	-	-	-	-	-	-	-	-	24,000	26,000	26,000	26,000
흑 미	1되(800g)	-	-	-	-	-	-	-	-	3,000	5,000	5,000	5,000
현 미	〃	-	-	-	-	-	-	-	-	2,000	3,000	3,000	3,000
보 리 쌀	1되(765g)	-	-	-	-	-	-	-	-	2,000	2,000	3,000	3,000
율 무	1되(800g)	-	-	-	-	-	-	-	-	12,000	12,000	12,000	12,000
백 태	1되(720g)	-	-	-	-	-	-	-	-	5,000	4,000	5,000	5,000
서 리 태	〃	-	-	-	-	-	-	-	-	6,000	7,000	7,000	7,000
녹 두 (깐)	1되(780g)	-	-	-	-	-	-	-	-	12,000	13,000	13,000	15,000
적 두	1되(800g)	-	-	-	-	-	-	-	-	9,000	9,000	9,000	9,000
수 수	1되(750g)	-	-	-	-	-	-	-	-	6,000	6,000	6,500	6,500
기 장	1되(800g)	-	-	-	-	-	-	-	-	9,000	10,000	10,000	10,000
차 조	〃	-	-	-	-	-	-	-	-	11,000	12,000	12,000	12,000
약 콩	1되(720g)	-	-	-	-	-	-	-	-	7,000	7,000	7,000	7,000
겉 메 밀	1되(600g)	-	-	-	-	-	-	-	-	7,000	8,000	8,000	8,000
참 깨	〃	-	-	-	-	-	-	-	-	14,000	13,000	14,000	15,000
거 피 팥	1되(800g)	-	-	-	-	-	-	-	-	10,000	10,000	10,000	10,000
밀 (수 입 산)	1되(720g)	-	-	-	-	-	-	-	-	-	-	-	-
귀 리 (수 입 산)	〃	-	-	-	-	-	-	-	-	2,000	2,000	2,000	2,000
◈건어물													
세 멸 치 (지 리 멸 치)	1.5kg(상품)	-	-	-	-	-	-	-	-	40,000	40,000	40,000	41,000
자 멸 치 (가 이 리)	1.5kg(특품)	-	-	-	-	-	-	-	-	38,000	39,000	39,000	39,000
햇 중멸치(오사리 주바다시)	1.5kg(상품)	-	-	-	-	-	-	-	-	33,000	34,000	34,000	34,000
죽 방 멸 치	〃	-	-				-	-	-	-	-	-	-
멸 치	〃	-	-	-	-	-	-	-	-	32,000	32,000	32,000	31,000
다 시 멸 치	〃	-	-	-	-	-	-	-	-	25,000	26,000	26,000	26,000
다 시 멸 치	1.5kg(중품)	-	-	-	-	-	-	-	-	19,000	21,000	21,000	21,000
건 새 우	200g(상품)	-	-	-	-	-	-	-	-	15,000	16,000	16,000	16,000
건 오 징 어	1축(20마리)	-	-	-	-	-	-	-	-	130,000	140,000	140,000	140,000
진 미 (오 징 어 채)	1kg(상품)	-	-	-	-	-	-	-	-	17,000	17,000	18,000	18,000
김 (재 래)	1속(상품)	-	-	-	-	-	-	-	-	9,000	11,000	11,000	11,000
돌 김	〃	-	-	-	-	-	-	-	-	29,000	30,000	30,000	30,000
파 래 김	〃	-	-	-	-	-	-	-	-	6,000	8,000	8,000	8,000
북 어 (대 태)	10마리(상품)	-	-	-	-	-	-	-	-	60,000	70,000	60,000	60,000
건 미 역	1kg(상품)	-	-	-	-	-	-	-	-	13,000	15,000	15,000	15,000
건 다 시 마	〃	-	-	-	-	-	-	-	-	14,000	15,000	15,000	15,000
굴 비	10마리(중품)	-	-	-	-	-	-	-	-	-	-	-	-
◈가공식품													
두 부	1모	-	-	-	-	-	-	-	-	2,000	2,000	2,000	2,000

(단위 : 원)

품 명	단위	울산											
		2022년 11월	12월	2023년 1월	2월	3월	4월	5월	6월	7월	8월	9월	10월
◈견과류													
깐은행	1되(1kg)	-	-	-	-	-	-	-	-	13,000	14,000	14,000	14,000
밤	1되(800g)	-	-	-	-	-	-	-	-	7,500	8,000	8,500	8,500
대추	1되(400g)	-	-	-	-	-	-	-	-	7,500	9,000	8,500	8,500
땅콩(볶음)	1되(600g)	-	-	-	-	-	-	-	-	13,000	14,000	13,000	13,000
땅콩(생)	〃	-	-	-	-	-	-	-	-	11,000	12,000	12,000	12,000
호두(깐)	1되(400g)	-	-	-	-	-	-	-	-	39,000	39,000	39,000	39,000
잣	1되(600g)	-	-	-	-	-	-	-	-	61,000	60,000	61,000	61,000
아몬드(미국산)	1되(400g)	-	-	-	-	-	-	-	-	6,000	5,000	5,000	5,000
해바라기씨(미국산)	1되(600g)	-	-	-	-	-	-	-	-	4,000	5,000	5,000	5,000
호박씨(중국산)	〃	-	-	-	-	-	-	-	-	5,000	5,000	5,000	5,000
◈과일류													
배(신고)	1개(중품)	-	-	-	-	-	-	-	-	4,000	5,000	6,000	5,000
사과(부사, 홍로)	〃	-	-	-	-	-	-	-	-	2,500	4,000	5,000	4,000
수박	1통(6kg)	-	-	-	-	-	-	-	-	19,000	20,000	20,000	25,000
토마토	5kg	-	-	-	-	-	-	-	-	15,000	17,000	27,000	27,000
방울토마토	1kg	-	-	-	-	-	-	-	-	5,000	7,000	9,000	10,000
참외	1개	-	-	-	-	-	-	-	-	1,000	3,000	3,000	-
딸기	1팩(500g)	-	-	-	-	-	-	-	-	-	-	-	-
파인애플	1개(6수)	-	-	-	-	-	-	-	-	7,000	8,000	8,000	10,000
감귤	10개	-	-	-	-	-	-	-	-	-	-	-	-
자두	〃	-	-	-	-	-	-	-	-	10,000	11,000	11,000	11,000
단감	1개	-	-	-	-	-	-	-	-	-	-	-	1,500
자몽(레드)	1개(36과)	-	-	-	-	-	-	-	-	-	-	-	-
자몽(청)	〃	-	-	-	-	-	-	-	-	-	-	-	-
키위(그린)	8개	-	-	-	-	-	-	-	-	7,000	7,000	7,000	7,000
키위(골드)	7개	-	-	-	-	-	-	-	-	11,000	12,000	12,000	12,000
천도복숭아	10개	-	-	-	-	-	-	-	-	13,000	15,000	15,000	-
석류	1개(12과)	-	-	-	-	-	-	-	-	-	-	-	-
살구	15개	-	-	-	-	-	-	-	-	-	-	-	-
모과	1개	-	-	-	-	-	-	-	-	-	-	-	-
레몬	6개	-	-	-	-	-	-	-	-	4,000	4,000	3,000	3,000
메론	1통(3수)	-	-	-	-	-	-	-	-	12,000	12,000	13,000	13,000
샤인머스켓	4송이(2kg)	-	-	-	-	-	-	-	-	-	-	-	25,000
포도	7송이(3kg)	-	-	-	-	-	-	-	-	-	-	-	23,000
바나나(수입)	1다발(6수)	-	-	-	-	-	-	-	-	8,000	9,000	8,500	8,500
체리(수입)	400g	-	-	-	-	-	-	-	-	6,000	7,000	9,000	-
오렌지(수입)	3개(72과)	-	-	-	-	-	-	-	-	3,000	3,000	3,000	3,000

농축수산물 (11)

(단위 : 원)

품명	단위	대구											
		2022년 11월	12월	2023년 1월	2월	3월	4월	5월	6월	7월	8월	9월	10월
◈채소류													
건고추(태양초)	1근(600g)	19,000	19,000	19,000	19,000	19,000	19,000	19,000	19,000	19,000	19,000	20,000	20,000
대파	1단(1kg)	2,000	2,000	2,500	2,500	3,000	2,500	2,500	2,500	3,000	4,000	3,000	3,000
무	1개(2.5kg)	2,000	2,500	2,500	3,000	3,000	3,000	3,500	3,000	2,500	3,500	3,500	3,500
총각무	1단(1.5kg)	5,000	3,500	3,500	3,000	3,500	3,500	3,500	3,500	3,000	3,000	4,000	3,500
배추	1포기(4kg)	4,000	3,500	3,500	3,500	4,000	4,000	5,000	4,000	5,000	10,000	8,000	9,000
청오이	10개(2kg)	6,000	8,000	12,000	15,000	15,000	13,000	10,000	9,000	8,000	10,000	10,000	10,000
백오이	5개(1kg)	3,000	4,000	6,000	7,000	7,000	7,000	7,000	6,000	5,000	6,000	6,000	6,000
애호박(조선)	1개(500g)	1,500	1,000	1,500	2,000	2,500	2,000	2,000	2,000	1,500	1,500	1,500	1,500
열무	1단(2kg)	3,500	3,500	3,500	4,000	5,000	4,000	4,500	4,000	5,000	6,000	6,000	6,000
시금치(포항초)	1단(400g)	-	-	-	-	-	-	-	-	-	-	-	-
시금치(섬초)	〃	-	-	-	-	-	-	-	-	-	-	-	-
시금치(일반)	〃	2,000	1,500	2,000	3,000	3,000	3,000	3,000	3,000	3,000	6,500	7,000	4,000
부추(조선)	1단(800g)	3,500	3,500	3,500	4,500	4,500	3,000	3,000	2,500	2,500	4,500	3,500	3,500
가지	4개(약500g)	2,500	2,500	4,000	4,000	4,000	4,000	3,000	3,000	3,000	3,000	2,000	2,000
팽이버섯	3봉지(450g)	1,500	1,000	1,300	1,300	1,300	1,300	1,300	1,300	1,300	1,300	1,300	1,300
양송이버섯	1근(400g)	6,000	5,500	5,500	6,000	5,000	5,000	5,000	5,000	5,000	5,000	5,000	4,000
표고버섯	〃	4,500	4,500	4,500	5,000	5,000	5,000	5,000	5,000	5,000	5,000	6,000	6,000
새송이버섯	〃	2,000	2,000	2,000	2,000	2,000	2,000	1,500	1,500	2,000	2,000	3,000	3,000
느타리버섯	〃	2,000	2,000	2,000	2,000	2,000	2,000	2,000	2,000	2,000	2,000	2,000	2,000
피망(레드)	〃	2,500	2,500	4,000	5,000	5,000	4,500	4,500	4,000	4,000	4,000	4,000	4,000
피망(그린)	〃	2,500	2,500	4,000	5,000	5,000	4,500	4,500	4,000	4,000	4,000	4,000	4,000
파프리카	1개(230g)	1,500	1,500	1,500	2,000	2,500	2,500	2,500	2,000	2,000	2,000	3,000	3,000
풋고추	1근(400g)	3,500	2,500	4,000	5,500	4,500	3,000	4,000	3,500	3,500	4,500	4,500	4,500
풋고추(롱그린)	〃	3,500	2,500	4,000	5,500	4,500	3,000	4,000	3,500	3,500	4,500	4,500	4,500
아삭이 고추(상품)	〃	3,000	2,500	3,500	5,000	4,500	3,000	4,000	3,500	3,500	4,000	4,500	4,000
청양고추	〃	3,500	3,000	5,000	6,500	6,000	3,000	4,000	3,500	3,500	3,500	4,000	4,000
꽈리고추	〃	4,000	3,500	5,000	5,000	5,500	4,500	4,500	4,000	4,000	4,000	5,000	4,000
쑥갓	〃	2,000	2,000	2,000	2,000	2,000	2,000	2,000	2,000	2,000	2,000	2,000	2,000
브로콜리	1개(1kg)	2,000	2,000	2,000	2,000	2,000	1,500	1,500	1,500	1,500	1,500	1,500	1,500
옥수수	10개	7,000	7,000	7,000	7,000	7,000	7,000	7,000	7,000	7,000	7,000	7,000	7,000
마늘(깐)	1근(400g)	5,000	5,000	5,000	5,000	5,000	5,000	5,000	5,000	5,000	5,000	5,000	5,000
양배추	1통	3,000	3,000	3,000	3,000	3,000	3,000	3,000	3,000	3,000	3,000	3,000	3,000
냉이	1근(400g)	-	-	-	-	-	-	-	-	-			
양상추	1통	2,000	2,000	2,000	2,000	2,000	2,000	2,000	2,000	2,000	2,000	2,000	2,000
미나리	1kg	13,000	14,000	13,000	13,000	12,000	8,500	9,000	8,000	8,000	10,000	10,000	10,000
쪽파	〃	9,000	7,000	8,000	9,000	8,000	6,000	9,000	8,000	10,000	13,000	13,000	16,000
고사리	1근(400g)	6,000	6,000	6,000	6,000	6,000	6,000	6,000	6,000	6,000	6,000	6,000	6,000
도라지	〃	6,000	6,000	6,000	6,000	6,000	6,000	6,000	6,000	6,000	6,000	6,000	6,000
시래기	〃	2,500	2,500	2,500	2,500	2,500	2,500	2,500	2,500	2,500	2,500	2,500	2,500
콩나물	1kg	2,000	2,000	2,000	2,000	2,000	2,000	2,000	1,500	1,500	1,500	1,500	1,500
숙주나물	〃	2,000	2,000	2,000	2,000	2,000	2,000	2,000	2,000	2,000	2,000	2,000	2,000
상추	1근(400g)	3,500	3,500	5,500	4,500	4,500	4,000	4,000	4,000	4,000	9,000	7,000	7,000
깻잎	〃	8,000	8,000	10,000	9,000	9,000	7,000	7,000	7,000	6,000	9,000	9,000	9,000
취나물	〃	4,000	4,000	4,000	4,000	4,000	4,000	4,000	4,000	3,500	4,000	4,000	4,000
케일	〃	4,000	4,000	4,000	4,000	4,000	4,000	4,000	4,000	4,000	5,000	5,000	5,000
당귀	〃	-	-	-	-	-	-	-	-	-	-	-	-
청경채	〃	-	-	-	-	-	-	-	-	-	-	-	2,000
생강	1kg	8,000	13,000	13,000	13,000	13,000	13,000	13,000	14,000	14,000	14,000	17,000	12,000
양파	1망(2kg)	6,000	6,000	6,000	6,000	6,000	6,000	6,000	6,000	5,000	5,000	5,000	5,000
적양파	〃	6,000	6,000	6,000	6,000	6,000	6,000	6,000	6,000	5,000	5,000	5,000	5,000
고구마	1kg	5,000	5,000	5,000	5,000	5,000	5,000	5,000	5,000	5,000	5,000	5,000	5,000
감자	〃	4,000	4,000	4,000	4,000	4,000	4,000	5,000	5,000	4,000	4,000	4,000	4,000
당근	〃	3,500	3,000	3,000	3,000	3,000	3,000	3,000	3,000	3,000	3,000	5,000	4,000
마(장마)	〃	10,000	10,000	10,000	10,000	10,000	10,000	10,000	10,000	10,000	10,000	10,000	10,000
더덕(강원도산)	400g	8,000	8,000	8,000	8,000	8,000	8,000	8,000	8,000	8,000	8,000	8,000	8,000

(단위 : 원)

품명	단위	대구											
		2022년 11월	12월	2023년 1월	2월	3월	4월	5월	6월	7월	8월	9월	10월
◈낙농물													
소고기(등심,A1+)	1근(600g)	77,000	77,000	77,000	75,000	73,000	71,000	71,000	71,000	70,000	69,000	72,000	73,000
소고기(양지(국거리),A1+)	〃	34,000	34,000	34,000	33,000	33,000	33,000	33,000	33,000	31,000	31,000	33,000	33,000
소고기(홍두깨,A1+)	〃	35,000	35,000	35,000	34,000	34,000	34,000	34,000	34,000	34,000	34,000	34,000	34,000
소고기(우둔살,A1+)	〃	33,000	33,000	33,000	32,000	30,000	30,000	30,000	30,000	30,000	30,000	34,000	34,000
소고기(살치살,A1+)	〃	88,000	90,000	90,000	87,000	87,000	86,000	86,000	86,000	86,000	86,000	86,000	86,000
소고기(차돌박이,A1+)	〃	34,000	34,000	34,000	34,000	34,000	34,000	34,000	34,000	34,000	34,000	34,000	34,000
소고기(갈비살,A1+)	〃	-	-	-	-	-	-	-	-	-	-	-	83,000
사골	1kg	-	-	-	-	-	-	-	-	-	-	-	13,000
돼지고기(앞다리살,상등급)	1근(600g)	-	-	-	-	-	-	-	-	-	-	-	6,000
돼지고기(뒷다리살,상등급)	〃	-	-	-	-	-	-	-	-	-	-	-	4,000
돼지고기(목살,상등급)	〃	14,000	14,000	14,000	13,000	13,000	13,000	14,000	15,000	15,000	14,000	15,000	15,000
돼지고기(삼겹살,상등급)	〃	16,000	17,000	16,000	15,000	15,000	15,000	17,000	18,000	18,000	17,000	18,000	17,500
닭고기	1kg	5,000	6,000	6,000	6,000	6,500	6,500	6,500	6,500	6,500	6,500	6,500	6,500
달걀(왕란)	1판	7,000	7,000	7,000	6,500	7,000	7,000	7,000	7,000	7,000	7,000	7,000	7,000
◈수산물													
갈치(生)	1마리(500g)	22,000	22,000	22,000	22,000	22,000	22,000	22,000	22,000	22,000	22,000	22,000	22,000
병어	〃	12,000	12,000	12,000	12,000	12,000	12,000	12,000	12,000	12,000	12,000	12,000	12,000
가자미(호시)	1마리(中자)	6,000	6,000	6,000	6,000	6,000	6,000	6,000	6,000	6,000	6,000	6,000	6,000
부세조기(중국산)	3마리(300g)	8,000	8,000	8,000	8,000	8,000	8,000	8,000	8,000	8,000	8,000	8,000	8,000
연자돔(제주산)	1마리(500g)	-	-	-	-	-	-	-	-	-	-	-	-
고등어	〃	5,000	5,000	5,000	5,000	6,000	6,000	6,000	6,000	6,000	6,000	6,000	6,000
고등어(자반)	1손(1kg)	8,000	9,000	9,000	9,000	9,000	9,000	9,000	9,000	9,000	9,000	9,000	9,000
삼치	1마리(500g)	8,000	8,000	8,000	8,000	12,000	12,000	12,000	12,000	12,000	12,000	12,000	12,000
오징어	1마리(30cm)	5,000	6,000	6,000	6,000	6,000	6,000	6,000	6,000	6,000	6,000	6,000	6,000
꽁치(냉동)	1마리(20cm)	1,500	1,500	1,500	1,500	1,500	1,500	1,500	1,500	1,500	1,500	2,000	2,000
민어	1마리(500g)	10,000	10,000	10,000	10,000	10,000	10,000	10,000	10,000	10,000	10,000	10,000	10,000
아구	1마리(2kg)	12,000	12,000	12,000	15,000	15,000	15,000	15,000	15,000	15,000	15,000	15,000	15,000
우럭	1마리(300g)	10,000	10,000	11,000	12,000	12,000	12,000	12,000	12,000	12,000	12,000	12,000	12,000
대구(大)	1마리(60cm)	-	-	-	-	-	-	-	-	-	-	-	-
생태(大)	〃	-	-	-	-	-	-	-	-	-	-	-	-
동태	1kg	7,000	7,000	7,000	7,000	7,000	7,000	7,000	7,000	7,000	7,000	7,000	7,000
낙지	1코(4~5마리)	12,000	13,000	13,000	15,000	16,000	15,000	16,000	15,000	15,000	15,000	12,000	14,000
새우	1kg	14,000	14,000	14,000	16,000	16,000	16,000	16,000	16,000	16,000	16,000	16,000	16,000
암꽃게(生,상품)	〃	25,000	25,000	25,000	-	-	-	35,000	35,000	-	-	15,000	15,000
수꽃게(生,상품)	〃	20,000	20,000	20,000	-	-	-	25,000	25,000	-	-	20,000	20,000
암꽃게(급냉,상품)	〃	45,000	45,000	45,000	45,000	45,000	45,000	45,000	45,000	45,000	45,000	45,000	45,000
수꽃게(급냉,상품)	〃	25,000	25,000	25,000	25,000	25,000	25,000	25,000	25,000	25,000	25,000	25,000	25,000
굴(통영)	〃	19,000	21,000	18,000	18,000	18,000	18,000	18,000	18,000	18,000	18,000	18,000	18,000
조개(바지락)	〃	6,000	6,000	7,000	7,000	7,000	7,000	7,000	8,000	8,000	8,000	8,000	8,000
꼬막(상품)	〃	10,000	10,000	10,000	10,000	10,000	10,000	10,000	10,000	10,000	10,000	10,000	10,000
모시조개	〃	12,000	12,000	12,000	12,000	12,000	12,000	15,000	13,000	13,000	13,000	13,000	13,000
미더덕	〃	14,000	14,000	14,000	14,000	14,000	14,000	18,000	18,000	18,000	18,000	18,000	18,000
홍합	〃	2,000	2,000	2,000	2,000	2,000	2,000	2,000	2,000	2,000	2,000	2,000	2,000

농축수산물 (12)

(단위 : 원)

품 명	단위	대구											
		2022년 11월	12월	2023년 1월	2월	3월	4월	5월	6월	7월	8월	9월	10월
◈곡물류													
일반미	8kg	19,000	19,000	19,000	19,000	19,000	19,000	19,000	20,000	20,000	20,000	20,000	23,000
찹쌀	〃	23,000	23,000	23,000	23,000	23,000	23,000	23,000	23,000	23,000	23,000	23,000	23,000
흑미	1되(800g)	3,500	3,500	3,500	3,500	3,500	3,500	3,500	3,500	3,500	3,500	3,500	3,500
현미	〃	2,000	2,000	2,000	2,000	2,000	2,000	2,000	2,000	2,000	2,000	2,000	2,000
보리쌀	1되(765g)	2,200	2,200	2,200	2,200	2,200	2,200	2,200	2,200	2,200	2,200	2,200	2,200
율무	1되(800g)	13,000	13,000	13,000	13,000	13,000	13,000	13,000	13,000	13,000	13,000	13,000	13,000
백태	1되(720g)	5,000	5,000	5,000	5,000	5,000	5,000	5,000	5,000	5,000	5,000	5,000	5,000
서리태	〃	7,000	6,000	6,000	6,000	6,000	6,000	6,000	6,000	6,000	6,000	6,000	6,000
녹두(깐)	1되(780g)	-	-	-	-	-	-	-	-	-	-	-	-
적두	1되(800g)	8,000	8,000	8,000	8,000	9,000	9,000	9,000	9,000	9,000	9,000	9,000	9,000
수수	1되(750g)	6,000	6,000	6,000	6,000	6,000	6,000	6,000	6,000	6,000	6,000	6,000	6,000
기장	1되(800g)	8,000	8,000	8,000	8,000	8,000	8,000	8,000	8,000	8,000	8,000	8,000	8,000
차조	〃	10,000	10,000	10,000	10,000	10,000	10,000	10,000	10,000	10,000	10,000	10,000	10,000
약콩	1되(720g)	7,000	7,000	7,000	7,000	7,000	7,000	7,000	7,000	7,000	7,000	7,000	7,000
겉메밀	1되(600g)	-	-	-	-	-	-	-	-	-	-	-	-
참깨	〃	15,000	15,000	15,000	15,000	15,000	15,000	15,000	14,000	13,000	14,000	12,000	12,000
거피팥	1되(800g)	10,000	10,000	10,000	10,000	10,000	10,000	10,000	10,000	10,000	10,000	10,000	10,000
밀(수입산)	1되(720g)	-	-	-	-	-	-	-	-	-	-	-	-
귀리(수입산)	〃	1,500	1,500	1,500	1,500	1,500	1,500	1,500	1,500	1,500	1,500	1,500	1,500
◈건어물													
세멸치(지리멸치)	1.5kg(상품)	35,000	35,000	35,000	35,000	40,000	40,000	40,000	40,000	40,000	36,000	36,000	40,000
자멸치(가이리)	1.5kg(특품)	30,000	32,000	32,000	32,000	32,000	32,000	32,000	36,000	36,000	31,000	36,000	40,000
햇 중멸치(오사리 주바다시)	1.5kg(상품)	23,000	29,000	29,000	29,000	29,000	29,000	29,000	29,000	33,000	33,000	33,000	33,000
죽방멸치	〃	-	-			-	-	-	-	-	-	-	-
멸치	〃	35,000	33,000	33,000	33,000	33,000	33,000	33,000	33,000	33,000	33,000	33,000	33,000
다시멸치	〃	-	-	-	-	-	-	-	-	-	-	-	-
다시멸치	1.5kg(중품)	14,000	14,000	14,000	14,000	14,000	14,000	14,000	14,000	20,000	20,000	20,000	25,000
건새우	200g(상품)	12,000	12,000	12,000	12,000	12,000	12,000	12,000	12,000	14,000	14,000	14,000	14,000
건오징어	1축(20마리)	130,000	130,000	130,000	130,000	130,000	130,000	130,000	130,000	130,000	130,000	130,000	130,000
진미(오징어채)	1kg(상품)	19,000	19,000	19,000	19,000	19,000	19,000	17,000	17,000	17,000	17,000	17,000	17,000
김(재래)	1속(상품)	8,000	8,000	8,000	8,000	8,000	8,000	8,000	8,000	8,000	8,000	8,000	8,000
돌김	〃	28,000	28,000	28,000	28,000	28,000	28,000	28,000	28,000	28,000	28,000	28,000	28,000
파래김	〃	6,000	6,000	6,000	6,000	6,000	6,000	6,000	6,000	6,000	6,000	6,000	6,000
북어(대태)	10마리(상품)	60,000	60,000	60,000	60,000	60,000	60,000	60,000	60,000	60,000	60,000	60,000	60,000
건미역	1kg(상품)	15,000	15,000	15,000	15,000	15,000	15,000	15,000	15,000	15,000	15,000	15,000	15,000
건다시마	〃	12,000	12,000	12,000	13,000	13,000	13,000	13,000	13,000	13,000	13,000	13,000	13,000
굴비	10마리(중품)	-	-	-	-	-	-	-	-	-	-	-	-
◈가공식품													
두부	1모	2,000	2,000	2,000	2,000	2,000	2,000	2,000	2,000	2,000	2,000	2,000	2,000

(단위 : 원)

품 명	단 위	대구											
		2022년 11월	12월	2023년 1월	2월	3월	4월	5월	6월	7월	8월	9월	10월
◈견과류													
깐 은 행	1되(1kg)	14,000	14,000	14,000	14,000	14,000	14,000	14,000	14,000	14,000	14,000	14,000	14,000
밤	1되(800g)	7,000	7,000	7,000	7,000	7,000	7,000	8,000	8,000	8,000	8,000	8,000	8,000
대 추	1되(400g)	8,000	8,000	8,000	8,000	8,000	8,000	8,000	8,000	8,000	8,000	8,000	8,000
땅 콩 (볶 음)	1되(600g)	12,000	12,000	12,000	12,000	12,000	12,000	12,000	12,000	12,000	12,000	12,000	12,000
땅 콩 (생)	〃	11,000	11,000	11,000	11,000	11,000	11,000	11,000	11,000	11,000	11,000	11,000	11,000
호 두 (깐)	1되(400g)	35,000	35,000	35,000	35,000	37,000	37,000	37,000	37,000	37,000	37,000	37,000	37,000
잣	1되(600g)	68,000	63,000	63,000	63,000	63,000	63,000	63,000	63,000	63,000	63,000	63,000	63,000
아 몬 드 (미 국 산)	1되(400g)	6,000	6,000	6,000	6,000	6,000	6,000	6,000	6,000	6,000	6,000	6,000	6,000
해 바 라 기 씨 (미 국 산)	1되(600g)	4,000	4,000	4,000	4,000	4,000	4,000	4,000	4,000	4,000	4,000	4,000	4,000
호 박 씨 (중 국 산)	〃	5,000	5,000	5,000	5,000	5,000	5,000	5,000	5,000	5,000	5,000	5,000	5,000
◈과일류													
배 (신 고)	1개(중품)	4,000	4,000	4,000	4,000	4,000	4,000	4,000	4,000	4,000	4,000	4,000	4,000
사 과 (부 사 , 홍 로)	〃	2,500	2,500	2,500	2,500	2,500	2,500	2,500	2,500	2,500	2,500	5,000	5,000
수 박	1통(6kg)	20,000	17,000	20,000	28,000	32,000	27,000	20,000	22,000	20,000	21,000	21,000	25,000
토 마 토	5kg	18,000	17,000	17,000	17,000	17,000	17,000	17,000	15,000	15,000	17,000	22,000	22,000
방 울 토 마 토	1kg	8,000	6,000	6,000	6,000	6,000	6,000	5,000	6,000	6,000	7,000	8,000	8,000
참 외	1개	-	-	-	-	4,000	3,000	3,000	3,000	2,000	4,000	-	-
딸 기	1팩(500g)	-	10,000	11,000	10,000	9,000	5,000	4,000	3,500	-	-	-	-
파 인 애 플	1개(6수)	7,000	7,000	7,000	7,000	7,000	7,000	7,000	7,000	7,000	7,000	7,000	9,000
감 귤	10개	3,000	2,500	3,000	3,000	3,000	-	-	-	-	-	-	-
자 두	〃	-	-	-	-	-	-	-	-	10,000	10,000	12,000	12,000
단 감	1개	1,000	500	500	500	500	-	-	-	-	-	-	1,500
자 몽 (레 드)	1개(36과)	-	-	-	-	-	-	-	-	-	-	-	-
자 몽 (청)	〃	-	-	-	-	-	-	-	-	-	-	-	-
키 위 (그 린)	8개	7,000	7,000	7,000	7,000	7,000	7,000	7,000	7,000	7,000	7,000	7,000	7,000
키 위 (골 드)	7개	10,000	10,000	10,000	10,000	10,000	10,000	10,000	10,000	10,000	10,000	10,000	10,000
천 도 복 숭 아	10개	-	-	-	-	-	-	-	-	11,000	11,000	14,000	-
석 류	1개(12과)	-	-	-	-	-	-	-	-	-	-	-	-
살 구	15개	-	-	-	-	-	-	-	-	-	-	-	-
모 과	1개	-	-	-	-	-	-	-	-	-	-	-	-
레 몬	6개	4,000	4,000	4,000	4,000	4,000	4,000	4,000	4,000	4,000	4,000	4,000	4,000
메 론	1통(3수)	11,000	11,000	11,000	11,000	11,000	11,000	11,000	11,000	11,000	11,000	11,000	11,000
샤 인 머 스 켓	4송이(2kg)	-	-	-	-	-	-	-	-	-	-	-	19,000
포 도	7송이(3kg)	-	-	-	-	-	-	-	-	-	-	-	23,000
바 나 나 (수 입)	1다발(6수)	5,000	5,000	5,000	5,000	5,000	7,000	7,000	7,000	7,000	7,000	7,000	7,000
체 리 (수 입)	400g	-	-	-	-	-	-	-	-	-	-	-	-
오 렌 지 (수 입)	3개(72과)	3,000	3,000	3,000	3,000	3,000	3,000	3,000	3,000	3,000	3,000	3,000	3,000

농축수산물 (13)

(단위 : 원)

품명	단위	구미											
		2022년 11월	12월	2023년 1월	2월	3월	4월	5월	6월	7월	8월	9월	10월
◈채소류													
건고추(태양초)	1근(600g)	-	-	-	-	-	-	-	-	18,000	18,000	20,000	20,000
대파	1단(1kg)	-	-	-	-	-	-	-	-	3,000	4,000	3,000	3,000
무	1개(2.5kg)	-	-	-	-	-	-	-	-	3,000	4,000	4,000	4,000
총각무	1단(1.5kg)	-	-	-	-	-	-	-	-	3,500	4,500	4,500	4,000
배추	1포기(4kg)	-	-	-	-	-	-	-	-	5,500	10,000	7,500	8,000
청오이	10개(2kg)	-	-	-	-	-	-	-	-	8,000	9,000	9,000	9,000
백오이	5개(1kg)	-	-	-	-	-	-	-	-	4,000	5,000	5,000	5,000
애호박(조선)	1개(500g)	-	-	-	-	-	-	-	-	1,500	1,500	1,500	1,500
열무	1단(2kg)	-	-	-	-	-	-	-	-	4,000	5,000	5,000	5,000
시금치(포항초)	1단(400g)	-	-	-	-	-	-	-	-	-	-	-	-
시금치(섬초)	〃	-	-	-	-	-	-	-	-	-	-	-	-
시금치(일반)	〃	-	-	-	-	-	-	-	-	2,000	6,000	7,000	3,000
부추(조선)	1단(800g)	-	-	-	-	-	-	-	-	2,000	4,000	3,000	3,000
가지	4개(약500g)	-	-	-	-	-	-	-	-	3,000	3,000	2,000	2,000
팽이버섯	3봉지(450g)	-	-	-	-	-	-	-	-	1,000	1,000	1,000	1,000
양송이버섯	1근(400g)	-	-	-	-	-	-	-	-	5,000	5,000	5,000	4,000
표고버섯	〃	-	-	-	-	-	-	-	-	5,000	5,000	5,000	5,000
새송이버섯	〃	-	-	-	-	-	-	-	-	2,500	2,000	2,500	2,500
느타리버섯	〃	-	-	-	-	-	-	-	-	3,000	3,000	3,000	3,000
피망(레드)	〃	-	-	-	-	-	-	-	-	4,000	4,000	4,000	4,000
피망(그린)	〃	-	-	-	-	-	-	-	-	4,000	4,000	4,000	4,000
파프리카	1개(230g)	-	-	-	-	-	-	-	-	2,000	2,000	3,000	3,000
풋고추	1근(400g)	-	-	-	-	-	-	-	-	3,000	4,000	4,000	4,000
풋고추(롱그린)	〃	-	-	-	-	-	-	-	-	3,000	4,000	4,000	4,000
아삭이 고추(상품)	〃	-	-	-	-	-	-	-	-	3,000	3,500	4,000	3,500
청양고추	〃	-	-	-	-	-	-	-	-	3,000	3,200	3,500	3,500
꽈리고추	〃	-	-	-	-	-	-	-	-	3,500	3,500	4,000	3,500
쑥갓	〃	-	-	-	-	-	-	-	-	2,000	2,000	2,000	2,000
브로콜리	1개(1kg)	-	-	-	-	-	-	-	-	2,000	2,000	2,000	2,000
옥수수	10개	-	-	-	-	-	-	-	-	7,000	7,000	7,000	7,000
마늘(깐)	1근(400g)	-	-	-	-	-	-	-	-	4,000	4,000	4,000	4,000
양배추	1통	-	-	-	-	-	-	-	-	2,500	2,500	2,500	2,500
냉이	1근(400g)	-	-	-	-	-	-	-	-	-		-	-
양상추	1통	-	-	-	-	-	-	-	-	2,000	2,000	2,000	2,000
미나리	1kg	-	-	-	-	-	-	-	-	8,000	9,000	9,000	9,000
쪽파	〃	-	-	-	-	-	-	-	-	10,000	12,000	12,000	16,000
고사리	1근(400g)	-	-	-	-	-	-	-	-	6,000	6,000	6,000	6,000
도라지	〃	-	-	-	-	-	-	-	-	5,000	5,000	5,000	5,000
시래기	〃	-	-	-	-	-	-	-	-	2,000	2,000	2,000	2,000
콩나물	1kg	-	-	-	-	-	-	-	-	1,000	1,000	1,000	1,000
숙주나물	〃	-	-	-	-	-	-	-	-	2,000	2,000	2,000	2,000
상추	1근(400g)	-	-	-	-	-	-	-	-	4,000	8,500	7,000	7,000
깻잎	〃	-	-	-	-	-	-	-	-	5,000	8,000	8,000	8,000
취나물	〃	-	-	-	-	-	-	-	-	3,000	4,000	4,000	4,000
케일	〃	-	-	-	-	-	-	-	-	4,000	4,500	4,500	4,500
당귀	〃	-	-	-	-	-	-	-	-	-	-	-	-
청경채	〃	-	-	-	-	-	-	-	-	-	-	-	2,000
생강	1kg	-	-	-	-	-	-	-	-	14,000	14,000	16,000	11,000
양파	1망(2kg)	-	-	-	-	-	-	-	-	5,000	5,000	5,000	5,000
적양파	〃	-	-	-	-	-	-	-	-	5,000	5,000	5,000	5,000
고구마	1kg	-	-	-	-	-	-	-	-	5,000	5,000	5,000	5,000
감자	〃	-	-	-	-	-	-	-	-	3,500	3,500	3,500	3,500
당근	〃	-	-	-	-	-	-	-	-	3,500	3,500	5,000	4,000
마(장마)	〃	-	-	-	-	-	-	-	-	9,000	9,000	9,000	10,000
더덕(강원도산)	400g	-	-	-	-	-	-	-	-	9,000	9,000	9,000	9,000

(단위 : 원)

품 명	단 위	구미											
		2022년 11월	12월	2023년 1월	2월	3월	4월	5월	6월	7월	8월	9월	10월
◈낙농물													
소고기(등심,A1+)	1근(600g)	-	-	-	-	-	-	-	-	70,000	68,000	72,000	73,000
소고기(양지(국거리),A1+)	〃	-	-	-	-	-	-	-	-	30,000	30,000	33,000	33,000
소고기(홍두깨,A1+)	〃	-	-	-	-	-	-	-	-	33,000	33,000	33,000	33,000
소고기(우둔살,A1+)	〃	-	-	-	-	-	-	-	-	30,000	30,000	33,000	33,000
소고기(살치살,A1+)	〃	-	-	-	-	-	-	-	-	84,000	84,000	84,000	84,000
소고기(차돌박이,A1+)	〃	-	-	-	-	-	-	-	-	33,000	33,000	33,000	33,000
소고기(갈비살,A1+)	〃	-	-	-	-	-	-	-	-	-	-	-	83,000
사골	1㎏	-	-	-	-	-	-	-	-	-	-	-	12,000
돼지고기(앞다리살,상등급)	1근(600g)	-	-	-	-	-	-	-	-	-	-	-	6,000
돼지고기(뒷다리살,상등급)	〃	-	-	-	-	-	-	-	-	-	-	-	3,500
돼지고기(목살,상등급)	〃	-	-	-	-	-	-	-	-	15,000	14,000	14,000	14,000
돼지고기(삼겹살,상등급)	〃	-	-	-	-	-	-	-	-	17,000	16,000	17,000	17,000
닭고기	1㎏	-	-	-	-	-	-	-	-	6,000	6,000	6,000	6,000
달걀(왕란)	1판	-	-	-	-	-	-	-	-	7,000	7,000	7,000	7,000
◈수산물													
갈치(生)	1마리(500g)	-	-	-	-	-	-	-	-	20,000	20,000	20,000	20,000
병어	〃	-	-	-	-	-	-	-	-	-	-	-	-
가자미(호시)	1마리(中자)	-	-	-	-	-	-	-	-	6,000	6,000	6,000	6,000
부세조기(중국산)	3마리(300g)	-	-	-	-	-	-	-	-	9,000	9,000	9,000	9,000
연자돔(제주산)	1마리(500g)	-	-	-	-	-	-	-	-	-	-	-	-
고등어	〃	-	-	-	-	-	-	-	-	6,000	6,000	6,000	6,000
고등어(자반)	1손(1㎏)	-	-	-	-	-	-	-	-	8,000	8,000	8,000	8,000
삼치	1마리(500g)	-	-	-	-	-	-	-	-	12,000	12,000	12,000	12,000
오징어	1마리(30㎝)	-	-	-	-	-	-	-	-	6,000	6,000	6,000	6,000
꽁치(냉동)	1마리(20㎝)	-	-	-	-	-	-	-	-	2,000	2,000	2,000	2,000
민어	1마리(500g)	-	-	-	-	-	-	-	-	10,000	10,000	10,000	10,000
아구	1마리(2㎏)	-	-	-	-	-	-	-	-	15,000	15,000	15,000	15,000
우럭	1마리(300g)	-	-	-	-	-	-	-	-	11,000	11,000	11,000	11,000
대구(大)	1마리(60㎝)	-	-	-	-	-	-	-	-	-	-	-	-
생태(大)	〃	-	-	-	-	-	-	-	-	-	-	-	-
동태	1㎏	-	-	-	-	-	-	-	-	8,000	8,000	8,000	8,000
낙지	1코(4~5마리)	-	-	-	-	-	-	-	-	15,000	15,000	12,000	13,000
새우	1㎏	-	-	-	-	-	-	-	-	15,000	15,000	15,000	15,000
암꽃게(生,상품)	〃	-	-	-	-	-	-	-	-	-	-	15,000	15,000
수꽃게(生,상품)	〃	-	-	-	-	-	-	-	-	-	-	20,000	20,000
암꽃게(급냉,상품)	〃	-	-	-	-	-	-	-	-	50,000	50,000	50,000	50,000
수꽃게(급냉,상품)	〃	-	-	-	-	-	-	-	-	25,000	25,000	25,000	25,000
굴(통영)	〃	-	-	-	-	-	-	-	-	-	-	-	-
조개(바지락)	〃	-	-	-	-	-	-	-	-	8,000	8,000	8,000	8,000
꼬막(상품)	〃	-	-	-	-	-	-	-	-	9,000	9,000	9,000	9,000
모시조개	〃	-	-	-	-	-	-	-	-	15,000	15,000	15,000	15,000
미더덕	〃	-	-	-	-	-	-	-	-	18,000	18,000	18,000	18,000
홍합	〃	-	-	-	-	-	-	-	-	2,000	2,000	2,000	2,000

농축수산물 (14)

(단위 : 원)

품명	단위	구미											
		2022년 11월	12월	2023년 1월	2월	3월	4월	5월	6월	7월	8월	9월	10월
◈곡물류													
일반미	8㎏	-	-	-	-	-	-	-	-	20,000	20,000	20,000	23,000
찹쌀	〃	-	-	-	-	-	-	-	-	23,000	23,000	23,000	23,000
흑미	1되(800g)	-	-	-	-	-	-	-	-	3,000	3,000	3,000	3,000
현미	〃	-	-	-	-	-	-	-	-	2,000	2,000	2,000	2,000
보리쌀	1되(765g)	-	-	-	-	-	-	-	-	2,000	2,000	2,000	2,000
율무	1되(800g)	-	-	-	-	-	-	-	-	11,000	11,000	11,000	11,000
백태	1되(720g)	-	-	-	-	-	-	-	-	5,000	5,000	5,000	5,000
서리태	〃	-	-	-	-	-	-	-	-	6,000	6,000	6,000	6,000
녹두(깐)	1되(780g)	-	-	-	-	-	-	-	-	-	-	-	-
적두	1되(800g)	-	-	-	-	-	-	-	-	9,000	9,000	9,000	9,000
수수	1되(750g)	-	-	-	-	-	-	-	-	6,000	6,000	6,000	6,000
기장	1되(800g)	-	-	-	-	-	-	-	-	8,000	8,000	8,000	8,000
차조	〃	-	-	-	-	-	-	-	-	10,000	10,000	10,000	10,000
약콩	1되(720g)	-	-	-	-	-	-	-	-	7,000	7,000	7,000	7,000
겉메밀	1되(600g)	-	-	-	-	-	-	-	-	-	-	-	-
참깨	〃	-	-	-	-	-	-	-	-	12,000	13,000	13,000	13,000
거피팥	1되(800g)	-	-	-	-	-	-	-	-	10,000	10,000	10,000	10,000
밀(수입산)	1되(720g)	-	-	-	-	-	-	-	-	-	-	-	-
귀리(수입산)	〃	-	-	-	-	-	-	-	-	1,500	1,500	1,500	1,500
◈건어물													
세멸치(지리멸치)	1.5㎏(상품)	-	-	-	-	-	-	-	-	40,000	35,000	35,000	40,000
자멸치(가이리)	1.5㎏(특품)	-	-	-	-	-	-	-	-	35,000	30,000	35,000	40,000
햇 중멸치(오사리 주바다시)	1.5㎏(상품)	-	-	-	-	-	-	-	-	35,000	35,000	35,000	35,000
죽방멸치	〃	-	-	-	-			-	-	-	-	-	-
멸치	〃	-	-	-	-	-	-	-	-	35,000	35,000	35,000	35,000
다시멸치	〃	-	-	-	-	-	-	-	-	-	-	-	-
다시멸치	1.5㎏(중품)	-	-	-	-	-	-	-	-	20,000	20,000	20,000	25,000
건새우	200g(상품)	-	-	-	-	-	-	-	-	13,000	13,000	13,000	13,000
건오징어	1축(20마리)	-	-	-	-	-	-	-	-	130,000	130,000	130,000	130,000
진미(오징어채)	1㎏(상품)	-	-	-	-	-	-	-	-	17,000	17,000	17,000	17,000
김(재래)	1속(상품)	-	-	-	-	-	-	-	-	9,000	9,000	9,000	9,000
돌김	〃	-	-	-	-	-	-	-	-	28,000	28,000	28,000	28,000
파래김	〃	-	-	-	-	-	-	-	-	7,000	7,000	7,000	7,000
북어(대태)	10마리(상품)	-	-	-	-	-	-	-	-	60,000	60,000	60,000	60,000
건미역	1㎏(상품)	-	-	-	-	-	-	-	-	15,000	15,000	15,000	15,000
건다시마	〃	-	-	-	-	-	-	-	-	13,000	13,000	13,000	13,000
굴비	10마리(중품)	-	-	-	-	-	-	-	-	-	-	-	-
◈가공식품													
두부	1모	-	-	-	-	-	-	-	-	2,000	2,000	2,000	2,000

(단위 : 원)

품 명	단위	구미											
		2022년 11월	12월	2023년 1월	2월	3월	4월	5월	6월	7월	8월	9월	10월
◈견과류													
깐은행	1되(1kg)	-	-	-	-	-	-	-	-	15,000	15,000	15,000	15,000
밤	1되(800g)	-	-	-	-	-	-	-	-	8,000	8,000	8,000	8,000
대추	1되(400g)	-	-	-	-	-	-	-	-	7,000	7,000	7,000	7,000
땅콩(볶음)	1되(600g)	-	-	-	-	-	-	-	-	11,000	11,000	11,000	11,000
땅콩(생)	〃	-	-	-	-	-	-	-	-	10,000	10,000	10,000	10,000
호두(깐)	1되(400g)	-	-	-	-	-	-	-	-	38,000	38,000	38,000	38,000
잣	1되(600g)	-	-	-	-	-	-	-	-	60,000	60,000	60,000	60,000
아몬드(미국산)	1되(400g)	-	-	-	-	-	-	-	-	6,000	6,000	6,000	6,000
해바라기씨(미국산)	1되(600g)	-	-	-	-	-	-	-	-	3,500	3,500	3,500	3,500
호박씨(중국산)	〃	-	-	-	-	-	-	-	-	5,000	5,000	5,000	5,000
◈과일류													
배(신고)	1개(중품)	-	-	-	-	-	-	-	-	5,000	5,000	5,000	5,000
사과(부사, 홍로)	〃	-	-	-	-	-	-	-	-	2,000	2,000	4,500	4,500
수박	1통(6kg)	-	-	-	-	-	-	-	-	18,000	20,000	20,000	24,000
토마토	5kg	-	-	-	-	-	-	-	-	14,000	16,000	22,000	22,000
방울토마토	1kg	-	-	-	-	-	-	-	-	4,000	5,500	7,000	8,000
참외	1개	-	-	-	-	-	-	-	-	2,000	4,000	-	-
딸기	1팩(500g)	-	-	-	-	-	-	-	-	-	-	-	-
파인애플	1개(6수)	-	-	-	-	-	-	-	-	7,000	7,000	7,000	9,000
감귤	10개	-	-	-	-	-	-	-	-	-	-	-	-
자두	〃	-	-	-	-	-	-	-	-	10,000	10,000	12,000	12,000
단감	1개	-	-	-	-	-	-	-	-	-	-	-	1,000
자몽(레드)	1개(36과)	-	-	-	-	-	-	-	-	-	-	-	-
자몽(청)	〃	-	-	-	-	-	-	-	-	-	-	-	-
키위(그린)	8개	-	-	-	-	-	-	-	-	7,000	7,000	7,000	7,000
키위(골드)	7개	-	-	-	-	-	-	-	-	10,000	10,000	10,000	10,000
천도복숭아	10개	-	-	-	-	-	-	-	-	12,000	12,000	15,000	-
석류	1개(12과)	-	-	-	-	-	-	-	-	-	-	-	-
살구	15개	-	-	-	-	-	-	-	-	-	-	-	-
모과	1개	-	-	-	-	-	-	-	-	-	-	-	-
레몬	6개	-	-	-	-	-	-	-	-	4,000	4,000	4,000	4,000
메론	1통(3수)	-	-	-	-	-	-	-	-	11,000	11,000	11,000	11,000
샤인머스켓	4송이(2kg)	-	-	-	-	-	-	-	-	-	-	-	17,000
포도	7송이(3kg)	-	-	-	-	-	-	-	-	-	-	-	22,000
바나나(수입)	1다발(6수)	-	-	-	-	-	-	-	-	7,000	7,000	7,000	7,000
체리(수입)	400g	-	-	-	-	-	-	-	-	-	-	-	-
오렌지(수입)	3개(72과)	-	-	-	-	-	-	-	-	3,000	3,000	3,000	3,000

농축수산물 (15)

(단위 : 원)

품명	단위	광주											
		2022년 11월	12월	2023년 1월	2월	3월	4월	5월	6월	7월	8월	9월	10월
◈채소류													
건고추(태양초)	1근(600g)	16,000	16,000	16,000	18,000	18,000	17,000	18,000	18,000	18,000	20,000	19,000	19,000
대파	1단(1kg)	3,000	3,000	2,000	3,000	3,000	3,000	3,000	3,000	3,000	4,000	5,000	5,000
무	1개(2.5kg)	3,000	2,000	2,000	2,000	2,000	2,000	2,000	2,000	2,000	3,000	3,000	3,000
총각무	1단(1.5kg)	4,000	3,000	4,000	5,000	5,000	4,000	5,000	4,000	5,000	5,000	5,000	5,000
배추	1포기(4kg)	4,000	3,000	3,000	3,000	3,000	3,000	4,000	4,000	4,000	8,000	8,000	6,000
청오이	10개(2kg)	7,500	11,000	10,000	12,000	12,000	12,000	12,000	10,000	10,000	12,000	12,000	12,000
백오이	5개(1kg)	5,000	6,000	5,000	6,000	6,000	6,000	5,000	5,000	5,000	5,000	5,000	5,000
애호박(조선)	1개(500g)	1,500	1,500	2,000	2,000	2,000	2,000	2,000	1,500	1,500	2,000	1,500	1,500
열무	1단(2kg)	4,500	4,500	3,000	4,000	4,000	4,500	4,000	4,000	4,000	4,000	5,000	5,000
시금치(포항초)	1단(400g)	-	-	-	-	-	-	-	-	-	-	-	-
시금치(섬초)	〃	-	4,000	3,000	2,000	2,000	-	-	-	-	-	-	-
시금치(일반)	〃	3,000	3,000	2,000	1,500	2,000	2,000	2,000	2,000	3,000	4,000	6,000	5,000
부추(조선)	1단(800g)	3,000	3,000	3,000	4,000	4,000	4,000	4,000	3,000	3,000	3,000	4,000	4,000
가지	4개(약500g)	3,000	3,000	3,000	3,000	3,000	3,000	3,000	3,000	3,000	3,000	2,000	2,000
팽이버섯	3봉지(450g)	2,000	2,000	2,000	2,000	2,000	2,000	1,500	1,500	1,500	2,000	2,500	2,000
양송이버섯	1근(400g)	6,000	6,000	6,000	5,000	5,000	5,000	5,000	5,000	5,000	5,000	5,000	5,000
표고버섯	〃	5,000	5,000	5,000	4,500	4,500	5,000	5,000	5,000	5,000	5,000	5,000	5,000
새송이버섯	〃	2,000	2,000	2,000	2,000	2,000	2,000	2,000	2,000	2,000	3,000	2,000	3,000
느타리버섯	〃	3,000	2,500	3,000	3,000	3,000	3,000	3,000	3,000	3,000	3,000	3,000	4,000
피망(레드)	〃	3,000	3,000	3,000	4,000	4,000	4,000	4,000	4,000	4,000	4,000	4,000	4,000
피망(그린)	〃	3,000	3,000	3,000	4,000	4,000	4,000	4,000	4,000	4,000	4,000	4,000	4,000
파프리카	1개(230g)	2,000	2,000	2,000	2,000	2,000	2,000	2,000	2,000	2,000	2,000	2,000	2,000
풋고추	1근(400g)	5,000	3,000	5,000	5,000	5,000	4,000	5,000	5,000	4,000	5,000	5,000	5,000
풋고추(롱그린)	〃	5,000	3,000	5,000	5,000	5,000	4,000	5,000	5,000	4,000	5,000	5,000	5,000
아삭이 고추(상품)	〃	5,000	5,000	5,000	5,000	5,000	4,000	5,000	5,000	4,000	5,000	5,000	5,000
청양고추	〃	4,000	4,000	3,500	5,000	5,000	5,000	5,000	5,000	4,000	5,000	4,000	4,000
꽈리고추	〃	4,000	4,000	4,000	4,000	4,000	5,000	4,000	4,000	4,000	4,000	4,000	4,000
쑥갓	〃	3,000	3,000	3,000	-	-	2,000	2,000	2,000	2,000	3,000	2,000	2,000
브로콜리	1개(1kg)	2,000	2,000	2,000	1,500	1,500	1,500	1,500	1,500	1,500	2,000	2,000	2,000
옥수수	10개	-	-	-	-	-	-	8,000	8,000	8,000	8,000	8,000	8,000
마늘(깐)	1근(400g)	4,000	4,000	4,000	4,000	4,000	4,000	4,000	4,000	4,000	4,000	4,000	4,000
양배추	1통	4,000	4,000	5,000	3,000	4,000	2,000	4,000	3,000	3,000	5,000	5,000	4,000
냉이	1근(400g)	-	-		3,000	3,000	3,000	3,000	3,000	-	-	-	-
양상추	1통	3,000	3,000	3,000	3,000	3,000	2,000	3,000	3,000	3,000	5,000	4,000	4,000
미나리	1kg	9,000	13,000	11,000	11,000	11,000	10,000	11,000	10,000	10,000	10,000	10,000	10,000
쪽파	〃	6,000	6,000	6,000	8,000	6,000	6,000	8,000	8,000	8,000	11,000	10,000	10,000
고사리	1근(400g)	6,000	6,000	6,000	6,000	6,000	6,000	6,000	6,000	6,000	6,000	6,000	6,000
도라지	〃	5,000	5,000	5,000	4,000	6,000	6,000	6,000	6,000	6,000	6,000	6,000	6,000
시래기	〃	3,000	3,000	3,000	-	-	3,000	3,000	3,000	3,000	3,000	4,000	4,000
콩나물	1kg	2,000	2,000	2,000	1,500	1,500	1,500	1,500	1,500	1,500	2,000	2,000	2,000
숙주나물	〃	2,000	2,000	2,000	2,000	2,000	2,000	2,000	2,000	2,000	2,000	3,000	2,000
상추	1근(400g)	3,000	3,000	4,000	4,000	4,000	4,000	4,000	4,000	4,000	7,000	7,000	5,000
깻잎	〃	7,000	7,000	8,000	9,000	9,000	8,000	9,000	7,000	7,000	7,000	8,000	5,000
취나물	〃	4,000	4,000	4,000	4,000	3,000	4,000	3,000	3,000	3,000	3,000	3,000	3,000
케일	〃	4,000	4,000	4,000	-	-	4,000	-	4,000	4,000	4,000	4,000	4,000
당귀	〃	-	-	-	-	-	15,000	12,000	-	-	-	-	-
청경채	〃	-	-	-	-	-	-	-	-	-	-	-	3,500
생강	1kg	9,000	12,000	11,500	12,000	12,000	12,000	13,000	13,000	14,000	14,000	18,000	15,000
양파	1망(2kg)	5,000	5,000	5,000	5,000	5,000	6,000	5,000	5,000	5,000	5,000	5,000	5,000
적양파	〃	6,000	6,000	6,000	6,000	6,000	6,000	6,000	5,000	5,000	5,000	5,000	5,000
고구마	1kg	5,000	5,000	4,000	5,000	5,000	5,000	5,000	5,000	5,000	6,000	6,000	6,000
감자	〃	4,000	4,000	3,500	4,000	4,000	4,000	4,000	4,000	4,000	5,000	6,000	4,000
당근	〃	4,000	4,000	3,000	4,000	4,000	4,000	3,000	3,000	3,000	3,000	3,000	3,000
마(장마)	〃	10,000	10,000	10,000	10,000	10,000	10,000	10,000	10,000	10,000	10,000	9,000	9,000
더덕(강원도산)	400g	10,000	8,000	10,000	9,000	9,000	9,000	9,000	9,000	9,000	9,000	8,000	8,000

(단위 : 원)

품 명	단 위	광주											
		2022년 11월	12월	2023년 1월	2월	3월	4월	5월	6월	7월	8월	9월	10월
◈낙농물													
소고기(등심,A1+)	1근(600g)	80,000	80,000	80,000	78,000	76,000	76,000	69,000	66,000	62,000	67,000	65,000	70,000
소고기(양지(국거리),A1+)	〃	35,000	35,000	36,000	36,000	35,000	35,000	35,000	34,000	32,000	35,000	30,000	34,000
소고기(홍두깨,A1+)	〃	-	-	36,000	-	-	-	-	-	-	-	34,000	34,000
소고기(우둔살,A1+)	〃	-	-	-	33,000	33,000	33,000	33,000	30,000	29,000	29,000	30,000	30,000
소고기(살치살,A1+)	〃	90,000	85,000	85,000	85,000	85,000	85,000	85,000	85,000	81,000	81,000	85,000	85,000
소고기(차돌박이,A1+)	〃	35,000	35,000	36,000	35,000	35,000	35,000	33,000	33,000	30,000	30,000	35,000	35,000
소고기(갈비살,A1+)	〃	-	-	-	-	-	-	-	-	-	-	-	85,000
사골	1kg	-	-	-	-	-	-	-	-	-	-	-	12,000
돼지고기(앞다리살,상등급)	1근(600g)	-	-	-	-	-	-	-	-	-	-	-	8,000
돼지고기(뒷다리살,상등급)	〃	-	-	-	-	-	-	-	-	-	-	-	5,000
돼지고기(목살,상등급)	〃	15,000	15,000	14,000	13,000	10,000	10,000	13,000	13,000	15,000	14,000	14,000	14,000
돼지고기(삼겹살,상등급)	〃	14,000	14,000	15,000	14,000	12,000	12,000	15,000	15,000	18,000	16,000	15,000	15,000
닭고기	1kg	6,000	8,000	6,000	6,000	6,000	6,000	7,000	7,000	7,000	7,000	8,000	5,500
달걀(왕란)	1판	7,000	9,000	7,000	7,000	7,000	6,500	7,000	7,000	7,000	7,000	7,000	7,000
◈수산물													
갈치(生)	1마리(500g)	20,000	20,000	20,000	20,000	20,000	20,000	20,000	20,000	20,000	20,000	20,000	20,000
병어	〃	12,000	12,000	15,000	11,000	12,000	12,000	13,000	13,000	13,000	13,000	12,000	12,000
가자미(호시)	1마리(中자)	6,000	6,000	6,000	-	-	8,000	-	8,000	8,000	8,000	8,000	8,000
부세조기(중국산)	3마리(300g)	8,000	8,000	5,000	7,000	7,000	7,000	8,000	8,000	8,000	8,000	8,000	8,000
연자돔(제주산)	1마리(500g)	-	-	-	-	-	-	-	-	-	-	-	-
고등어	〃	5,000	4,000	4,000	6,000	5,000	5,000	5,000	6,000	7,000	8,000	7,000	6,000
고등어(자반)	1손(1kg)	8,000	8,000	8,000	8,000	8,000	8,000	8,000	8,000	9,000	10,000	10,000	10,000
삼치	1마리(500g)	8,000	6,000	7,000	8,000	8,000	8,000	8,000	10,000	8,000	10,000	10,000	10,000
오징어	1마리(30cm)	5,000	5,000	5,500	6,000	6,000	6,000	6,000	6,000	6,000	6,000	5,000	5,000
꽁치(냉동)	1마리(20cm)	1,500	1,500	1,500	1,500	1,500	1,500	1,500	1,500	1,500	1,500	2,000	2,000
민어	1마리(500g)	12,500	11,000	-	-	-	10,000	10,000	10,000	10,000	10,000	10,000	10,000
아구	1마리(2kg)	15,000	15,000	-	14,000	14,000	15,000	15,000	15,000	15,000	18,000	16,000	16,000
우럭	1마리(300g)	10,000	10,000	10,000	12,000	12,000	12,000	12,000	12,000	12,000	12,000	13,000	13,000
대구(大)	1마리(60cm)	-	-	-	-	20,000	-	20,000	-	-	-	-	-
생태(大)	〃	-	-	-	10,000	10,000	10,000	10,000	-	-	-	-	-
동태	1kg	8,000	8,000	8,000	7,000	10,000	10,000	10,000	8,000	8,000	8,000	8,000	8,000
낙지	1코(4~5마리)	15,000	15,000	10,000	15,000	15,000	15,000	15,000	15,000	15,000	15,000	17,000	17,000
새우	1kg	20,000	16,000	20,000	18,000	18,000	18,000	18,000	18,000	18,000	18,000	19,000	19,000
암꽃게(生,상품)	〃	25,000	30,000	35,000	-	-	40,000	40,000	40,000	-	-	-	15,000
수꽃게(生,상품)	〃	25,000	-	-	-	-	25,000	30,000	30,000	-	-	25,000	15,000
암꽃게(급냉,상품)	〃	45,000	45,000	45,000	-	45,000	20,000	25,000	25,000	35,000	35,000	-	-
수꽃게(급냉,상품)	〃	-	-	-	-	-	15,000	20,000	20,000	20,000	20,000	20,000	-
굴(통영)	〃	-	-	15,000	13,000	13,000	13,000	13,000	15,000	13,000	13,000	18,000	18,000
조개(바지락)	〃	6,000	6,000	7,000	6,000	6,000	7,000	6,000	8,000	6,000	6,000	8,000	8,000
꼬막(상품)	〃	10,000	10,000	10,000	10,000	10,000	35,000	10,000	10,000	10,000	10,000	10,000	10,000
모시조개	〃	10,000	10,000	10,000	10,000	10,000	10,000	10,000	13,000	15,000	15,000	16,000	16,000
미더덕	〃	15,000	15,000	16,000	-	-	14,000	14,000	18,000	18,000	18,000	18,000	18,000
홍합	〃	4,000	4,000	6,000	3,000	3,000	3,000	3,000	3,000	3,000	3,000	2,000	3,000

농축수산물 (16)

(단위 : 원)

품 명	단위	광주 2022년 11월	12월	2023년 1월	2월	3월	4월	5월	6월	7월	8월	9월	10월
◈곡물류													
일반미	8kg	20,000	20,000	19,000	20,000	20,000	20,000	20,000	20,000	21,000	21,000	22,000	26,000
찹쌀	〃	26,000	28,000	20,000	22,000	22,000	22,000	22,000	24,000	24,000	24,000	25,000	25,000
흑미	1되(800g)	3,000	3,000	3,000	3,500	4,000	3,500	4,000	4,000	4,000	4,000	4,000	4,000
현미	〃	2,000	2,000	2,000	3,000	3,000	2,500	3,000	3,000	3,000	3,000	3,000	3,000
보리쌀	1되(765g)	2,000	2,000	2,000	2,000	2,000	2,000	2,000	2,000	2,000	2,000	2,000	2,000
율무	1되(800g)	12,000	12,000	12,000	13,000	14,000	14,000	14,000	14,000	13,000	13,000	12,000	12,000
백태	1되(720g)	6,000	6,000	6,000	-	6,000	6,000	6,000	6,000	6,000	6,000	6,000	6,000
서리태	〃	8,000	8,000	8,000	-	7,000	7,500	7,000	7,000	7,000	7,000	7,000	7,000
녹두(깐)	1되(780g)	15,000	13,000	14,000	13,000	13,000	13,000	13,000	13,000	11,000	12,000	13,000	13,000
적두	1되(800g)	9,000	9,000	8,000	9,000	9,000	9,000	9,000	9,000	9,000	9,000	9,000	9,000
수수	1되(750g)	6,000	5,000	5,000	7,000	7,000	8,000	6,000	6,000	6,000	6,000	6,000	7,000
기장	1되(800g)	8,000	8,000	8,000	7,000	8,000	8,000	8,000	8,000	8,000	8,000	8,000	8,000
차조	〃	11,000	11,000	11,000	11,000	11,000	10,000	10,000	10,000	10,000	10,000	11,000	11,000
약콩	1되(720g)	6,000	6,000	6,000	6,000	6,000	7,000	7,000	7,000	7,000	7,000	8,000	7,000
겉메밀	1되(600g)	4,000	4,000	4,000	-	-	6,000	7,000	7,000	7,000	7,000	8,000	7,000
참깨	〃	16,000	16,000	15,000	16,000	16,000	16,000	16,000	15,000	17,000	15,000	14,000	16,000
거피팥	1되(800g)	11,000	11,000	10,000	11,000	11,000	11,000	11,000	11,000	11,000	11,000	10,000	10,000
밀(수입산)	1되(720g)	-	-	-	1,500	1,500	-	1,500	1,500	1,500	-	-	-
귀리(수입산)	〃	2,000	2,000	2,000	2,000	2,000	2,000	2,000	2,000	2,000	2,000	2,000	2,000
◈건어물													
세멸치(지리멸치)	1.5kg(상품)	35,000	35,000	35,000	32,000	35,000	35,000	35,000	38,000	38,000	38,000	37,000	37,000
자멸치(가이리)	1.5kg(특품)	32,000	32,000	32,000	35,000	35,000	35,000	35,000	35,000	35,000	35,000	35,000	37,000
햇 중멸치(오사리 주바다시)	1.5kg(상품)	23,000	26,000	25,000	25,000	25,000	25,000	25,000	25,000	25,000	27,000	35,000	35,000
죽방멸치	〃	-	-		35,000	35,000	35,000	35,000	35,000	35,000	35,000	-	-
멸치	〃	30,000	30,000	30,000	30,000	30,000	30,000	30,000	30,000	30,000	30,000	35,000	30,000
다시멸치	〃	20,000	20,000	20,000	20,000	20,000	20,000	20,000	20,000	20,000	20,000	25,000	25,000
다시멸치	1.5kg(중품)	15,000	15,000	15,000	15,000	15,000	15,000	15,000	15,000	15,000	15,000	20,000	20,000
건새우	200g(상품)	12,000	12,000	12,000	11,000	14,000	14,000	14,000	14,000	14,000	14,000	15,000	15,000
건오징어	1축(20마리)	110,000	110,000	110,000	120,000	120,000	120,000	120,000	120,000	120,000	120,000	140,000	140,000
진미(오징어채)	1kg(상품)	20,000	20,000	20,000	20,000	16,000	15,000	16,000	16,000	16,000	16,000	20,000	20,000
김(재래)	1속(상품)	8,000	8,000	8,000	10,000	15,000	15,000	15,000	12,000	12,000	12,000	12,000	10,000
돌김	〃	30,000	30,000	30,000	28,000	25,000	25,000	25,000	25,000	25,000	30,000	25,000	25,000
파래김	〃	6,000	6,000	6,000	5,000	10,000	10,000	10,000	9,000	10,000	10,000	10,000	8,000
북어(대태)	10마리(상품)	60,000	60,000	60,000	65,000	65,000	65,000	65,000	65,000	65,000	60,000	65,000	60,000
건미역	1kg(상품)	16,000	16,000	16,000	16,000	16,000	16,000	16,000	15,000	15,000	14,000	15,000	15,000
건다시마	〃	13,000	13,000	13,000	13,000	13,000	13,000	13,000	13,000	13,000	13,000	18,000	18,000
굴비	10마리(중품)	60,000	60,000	60,000	60,000	60,000	50,000	60,000	60,000	60,000	60,000	60,000	60,000
◈가공식품													
두부	1모	2,000	2,000	2,000	2,000	2,000	2,000	2,000	2,000	2,000	2,000	2,000	2,000

(단위 : 원)

품명	단위	광주											
		2022년 11월	12월	2023년 1월	2월	3월	4월	5월	6월	7월	8월	9월	10월
◈견과류													
깐은행	1되(1kg)	13,000	13,000	13,000	14,000	14,000	14,000	14,000	14,000	14,000	14,000	15,000	15,000
밤	1되(800g)	7,000	7,000	7,000	8,000	8,000	8,000	8,000	8,000	8,000	8,000	9,000	9,000
대추	1되(400g)	8,000	8,000	8,000	8,000	10,000	9,000	10,000	10,000	10,000	10,000	10,000	10,000
땅콩(볶음)	1되(600g)	12,000	12,000	11,000	12,000	12,000	12,000	12,000	12,000	12,000	12,000	12,000	12,000
땅콩(생)	〃	11,000	11,000	10,000	11,000	11,000	11,000	11,000	11,000	11,000	11,000	10,000	10,000
호두(깐)	1되(400g)	40,000	40,000	40,000	40,000	40,000	40,000	40,000	40,000	40,000	40,000	40,000	40,000
잣	1되(600g)	60,000	60,000	60,000	60,000	60,000	60,000	60,000	60,000	60,000	60,000	60,000	60,000
아몬드(미국산)	1되(400g)	6,000	6,000	6,000	6,000	6,000	6,000	6,000	6,000	6,000	6,000	5,000	5,000
해바라기씨(미국산)	1되(600g)	-	-	-	-	-	4,000	4,000	4,000	4,000	4,000	3,000	3,000
호박씨(중국산)	〃	5,000	5,000	5,000	-	-	-	5,000	5,000	5,000	5,000	5,000	5,000
◈과일류													
배(신고)	1개(중품)	4,000	4,000	3,000	3,000	3,000	3,000	4,000	4,000	4,000	4,000	4,000	5,000
사과(부사, 홍로)	〃	3,000	3,000	3,000	2,500	2,500	2,500	2,500	2,500	3,500	3,500	4,000	5,000
수박	1통(6kg)	-	-	19,000	25,000	30,000	25,000	23,000	20,000	20,000	20,000	20,000	23,000
토마토	5kg	18,000	15,000	16,000	18,000	18,000	20,000	17,000	16,000	18,000	18,000	28,000	30,000
방울토마토	1kg	8,000	10,000	8,000	7,000	7,000	8,000	7,000	6,000	6,000	8,000	11,000	12,000
참외	1개	-	-	-	-	2,500	4,000	2,000	2,000	1,500	2,000	3,000	-
딸기	1팩(500g)	-	8,000	8,000	9,500	9,500	7,000	4,500	3,500	-	-	-	-
파인애플	1개(6수)	6,500	6,500	6,500	6,500	6,500	6,500	6,500	6,500	6,500	6,500	6,500	10,000
감귤	10개	4,000	4,000	4,000	3,500	3,500	3,000	3,000	-	-	-	-	10,000
자두	〃	-	-	-	-	-	-	-	-	7,000	10,000	13,000	13,000
단감	1개	1,000	1,000	1,000	1,000	1,000	-	-	-	-	-	-	1,700
자몽(레드)	1개(36과)	-	-	-	-	-	-	-	-	-	-	-	-
자몽(청)	〃	-	-	-	-	-	-	-	-	-	-	-	-
키위(그린)	8개	7,000	7,000	7,000	6,000	6,000	6,000	6,000	6,000	6,000	6,000	6,000	6,000
키위(골드)	7개	10,000	10,000	10,000	10,000	10,000	10,000	10,000	10,000	10,000	10,000	12,000	12,000
천도복숭아	10개	-	-	-	-	-	-	-	-	15,000	15,000	16,000	16,000
석류	1개(12과)	-	-	-	-	3,500	-	-	-	-	-	-	-
살구	15개	-	-	-	-	-	-	-	-	-	-	-	-
모과	1개	-	-	-	-	-	-	-	-	-	-	-	-
레몬	6개	5,000	5,000	5,000	5,000	5,000	5,000	4,000	4,000	6,000	6,000	5,000	5,000
메론	1통(3수)	11,000	12,000	12,000	12,000	12,000	12,000	12,000	12,000	12,000	12,000	12,000	12,000
샤인머스켓	4송이(2kg)	-	-	-	-	-	-	-	-	-	-	-	30,000
포도	7송이(3kg)	-	-	-	-	-	-	-	-	-	-	-	27,000
바나나(수입)	1다발(6수)	5,000	5,000	5,000	5,000	5,000	7,000	6,000	6,000	7,000	7,000	7,000	7,000
체리(수입)	400g	-	-	-	6,000	6,000	-	6,000	-	8,000	8,000	8,000	-
오렌지(수입)	3개(72과)	-	-	-	-	-	4,000	3,000	3,000	3,000	3,000	3,000	3,000

농축수산물 (17)

(단위 : 원)

품명	단위	전주											
		2022년 11월	12월	2023년 1월	2월	3월	4월	5월	6월	7월	8월	9월	10월
◈채소류													
건고추(태양초)	1근(600g)	-	-	-	-	-	-	-	-	18,000	20,000	20,000	20,000
대파	1단(1kg)	-	-	-	-	-	-	-	-	3,000	3,000	5,000	5,000
무	1개(2.5kg)	-	-	-	-	-	-	-	-	2,000	3,500	3,000	3,000
총각무	1단(1.5kg)	-	-	-	-	-	-	-	-	5,000	5,000	5,000	5,000
배추	1포기(4kg)	-	-	-	-	-	-	-	-	4,000	8,000	7,000	7,000
청오이	10개(2kg)	-	-	-	-	-	-	-	-	10,000	12,000	11,000	11,000
백오이	5개(1kg)	-	-	-	-	-	-	-	-	5,000	5,000	5,000	5,000
애호박(조선)	1개(500g)	-	-	-	-	-	-	-	-	1,500	2,000	2,000	2,000
열무	1단(2kg)	-	-	-	-	-	-	-	-	4,000	5,000	5,000	5,000
시금치(포항초)	1단(400g)	-	-	-	-	-	-	-	-	-	-	-	-
시금치(섬초)	〃	-	-	-	-	-	-	-	-	-	-	-	-
시금치(일반)	〃	-	-	-	-	-	-	-	-	3,000	4,000	6,000	4,000
부추(조선)	1단(800g)	-	-	-	-	-	-	-	-	3,000	3,000	5,000	5,000
가지	4개(약500g)	-	-	-	-	-	-	-	-	3,000	3,000	2,000	2,000
팽이버섯	3봉지(450g)	-	-	-	-	-	-	-	-	1,500	2,000	2,500	2,500
양송이버섯	1근(400g)	-	-	-	-	-	-	-	-	5,000	5,000	5,000	5,000
표고버섯	〃	-	-	-	-	-	-	-	-	5,000	5,000	5,000	5,000
새송이버섯	〃	-	-	-	-	-	-	-	-	2,000	2,000	2,000	2,000
느타리버섯	〃	-	-	-	-	-	-	-	-	3,000	3,000	3,000	3,000
피망(레드)	〃	-	-	-	-	-	-	-	-	4,000	4,000	4,000	3,000
피망(그린)	〃	-	-	-	-	-	-	-	-	4,000	4,000	4,000	3,000
파프리카	1개(230g)	-	-	-	-	-	-	-	-	2,000	2,000	2,000	2,000
풋고추	1근(400g)	-	-	-	-	-	-	-	-	4,000	5,000	5,000	5,000
풋고추(롱그린)	〃	-	-	-	-	-	-	-	-	4,000	5,000	5,000	5,000
아삭이 고추(상품)	〃	-	-	-	-	-	-	-	-	4,000	5,000	5,000	5,000
청양고추	〃	-	-	-	-	-	-	-	-	4,000	5,000	4,000	4,000
꽈리고추	〃	-	-	-	-	-	-	-	-	4,000	4,000	4,000	4,000
쑥갓	〃	-	-	-	-	-	-	-	-	2,000	2,000	2,000	2,000
브로콜리	1개(1kg)	-	-	-	-	-	-	-	-	1,500	1,500	2,000	2,000
옥수수	10개	-	-	-	-	-	-	-	-	8,000	9,000	8,000	8,000
마늘(깐)	1근(400g)	-	-	-	-	-	-	-	-	4,000	4,000	4,000	4,000
양배추	1통	-	-	-	-	-	-	-	-	3,000	4,000	5,000	4,000
냉이	1근(400g)	-	-	-	-	-	-	-	-	-	-	-	-
양상추	1통	-	-	-	-	-	-	-	-	3,000	4,000	4,000	4,000
미나리	1kg	-	-	-	-	-	-	-	-	10,000	10,000	10,000	10,000
쪽파	〃	-	-	-	-	-	-	-	-	8,000	10,000	10,000	10,000
고사리	1근(400g)	-	-	-	-	-	-	-	-	6,000	6,000	6,000	6,000
도라지	〃	-	-	-	-	-	-	-	-	6,000	6,000	6,000	6,000
시래기	〃	-	-	-	-	-	-	-	-	3,000	4,000	4,000	4,000
콩나물	1kg	-	-	-	-	-	-	-	-	1,500	2,000	2,000	2,000
숙주나물	〃	-	-	-	-	-	-	-	-	2,000	3,000	3,000	3,000
상추	1근(400g)	-	-	-	-	-	-	-	-	4,000	6,000	7,000	7,000
깻잎	〃	-	-	-	-	-	-	-	-	7,000	7,000	7,000	6,000
취나물	〃	-	-	-	-	-	-	-	-	3,000	3,000	4,000	4,000
케일	〃	-	-	-	-	-	-	-	-	4,000	4,000	4,000	4,000
당귀	〃	-	-	-	-	-	-	-	-	-	-	-	-
청경채	〃	-	-	-	-	-	-	-	-	-	-	-	3,000
생강	1kg	-	-	-	-	-	-	-	-	14,000	15,000	16,000	16,000
양파	1망(2kg)	-	-	-	-	-	-	-	-	5,000	5,000	5,000	5,000
적양파	〃	-	-	-	-	-	-	-	-	5,000	5,000	5,000	5,000
고구마	1kg	-	-	-	-	-	-	-	-	4,000	5,000	6,000	6,000
감자	〃	-	-	-	-	-	-	-	-	4,000	5,000	6,000	6,000
당근	〃	-	-	-	-	-	-	-	-	2,000	3,000	3,000	3,000
마(장마)	〃	-	-	-	-	-	-	-	-	10,000	9,000	10,000	10,000
더덕(강원도산)	400g	-	-	-	-	-	-	-	-	9,000	8,000	8,000	8,000

(단위 : 원)

품명	단위	전주											
		2022년 11월	12월	2023년 1월	2월	3월	4월	5월	6월	7월	8월	9월	10월
◈낙농물													
소고기(등심,A1+)	1근(600g)	-	-	-	-	-	-	-	-	64,000	65,000	66,000	70,000
소고기(양지(국거리),A1+)	〃	-	-	-	-	-	-	-	-	32,000	30,000	30,000	34,000
소고기(홍두깨,A1+)	〃	-	-	-	-	-	-	-	-	34,000	34,000	35,000	35,000
소고기(우둔살,A1+)	〃	-	-	-	-	-	-	-	-	29,000	29,000	30,000	33,000
소고기(살치살,A1+)	〃	-	-	-	-	-	-	-	-	81,000	85,000	85,000	85,000
소고기(차돌박이,A1+)	〃	-	-	-	-	-	-	-	-	31,000	33,000	35,000	35,000
소고기(갈비살,A1+)	〃	-	-	-	-	-	-	-	-	-	-	-	83,000
사골	1kg	-	-	-	-	-	-	-	-	-	-	-	13,000
돼지고기(앞다리살,상등급)	1근(600g)	-	-	-	-	-	-	-	-	-	-	-	7,500
돼지고기(뒷다리살,상등급)	〃	-	-	-	-	-	-	-	-	-	-	-	4,500
돼지고기(목살,상등급)	〃	-	-	-	-	-	-	-	-	15,000	15,000	14,000	13,000
돼지고기(삼겹살,상등급)	〃	-	-	-	-	-	-	-	-	18,000	18,000	17,000	16,000
닭고기	1kg	-	-	-	-	-	-	-	-	7,000	8,000	6,500	6,000
달걀(왕란)	1판	-	-	-	-	-	-	-	-	7,000	7,000	7,500	8,000
◈수산물													
갈치(生)	1마리(500g)	-	-	-	-	-	-	-	-	20,000	20,000	20,000	18,000
병어	〃	-	-	-	-	-	-	-	-	13,000	12,000	15,000	12,000
가자미(호시)	1마리(中자)	-	-	-	-	-	-	-	-	8,000	8,000	8,000	8,000
부세조기(중국산)	3마리(300g)	-	-	-	-	-	-	-	-	8,000	8,000	8,000	8,000
연자돔(제주산)	1마리(500g)	-	-	-	-	-	-	-	-	-	-	-	-
고등어	〃	-	-	-	-	-	-	-	-	6,000	5,000	7,000	7,000
고등어(자반)	1손(1kg)	-	-	-	-	-	-	-	-	9,000	9,000	10,000	10,000
삼치	1마리(500g)	-	-	-	-	-	-	-	-	8,000	10,000	13,000	13,000
오징어	1마리(30cm)	-	-	-	-	-	-	-	-	6,000	5,000	5,000	5,000
꽁치(냉동)	1마리(20cm)	-	-	-	-	-	-	-	-	1,500	2,000	2,000	2,000
민어	1마리(500g)	-	-	-	-	-	-	-	-	10,000	10,000	10,000	10,000
아구	1마리(2kg)	-	-	-	-	-	-	-	-	15,000	15,000	12,000	12,000
우럭	1마리(300g)	-	-	-	-	-	-	-	-	13,000	13,000	-	-
대구(大)	1마리(60cm)	-	-	-	-	-	-	-	-	-	-	10,000	10,000
생태(大)	〃	-	-	-	-	-	-	-	-	-	-	-	-
동태	1kg	-	-	-	-	-	-	-	-	8,000	8,000	7,000	7,000
낙지	1코(4~5마리)	-	-	-	-	-	-	-	-	15,000	16,000	16,000	16,000
새우	1kg	-	-	-	-	-	-	-	-	18,000	18,000	20,000	20,000
암꽃게(生,상품)	〃	-	-	-	-	-	-	-	-	-	-	20,000	10,000
수꽃게(生,상품)	〃	-	-	-	-	-	-	-	-	-	-	20,000	15,000
암꽃게(급냉,상품)	〃	-	-	-	-	-	-	-	-	35,000	40,000	-	-
수꽃게(급냉,상품)	〃	-	-	-	-	-	-	-	-	20,000	20,000	20,000	-
굴(통영)	〃	-	-	-	-	-	-	-	-	13,000	18,000	18,000	18,000
조개(바지락)	〃	-	-	-	-	-	-	-	-	6,000	8,000	10,000	10,000
꼬막(상품)	〃	-	-	-	-	-	-	-	-	10,000	10,000	10,000	10,000
모시조개	〃	-	-	-	-	-	-	-	-	15,000	16,000	16,000	16,000
미더덕	〃	-	-	-	-	-	-	-	-	18,000	18,000	18,000	18,000
홍합	〃	-	-	-	-	-	-	-	-	3,000	2,000	2,000	3,000

농축수산물 (18)

(단위 : 원)

품명	단위	전주											
		2022년 11월	12월	2023년 1월	2월	3월	4월	5월	6월	7월	8월	9월	10월
◈곡물류													
일반미	8㎏	-	-	-	-	-	-	-	-	21,000	21,000	22,000	26,000
찹쌀	〃	-	-	-	-	-	-	-	-	26,000	24,000	26,000	24,000
흑미	1되(800g)	-	-	-	-	-	-	-	-	3,500	3,500	3,500	3,500
현미	〃	-	-	-	-	-	-	-	-	3,000	3,000	3,000	3,000
보리쌀	1되(765g)	-	-	-	-	-	-	-	-	3,000	3,000	2,000	2,000
율무	1되(800g)	-	-	-	-	-	-	-	-	14,000	12,000	12,000	12,000
백태	1되(720g)	-	-	-	-	-	-	-	-	7,000	7,000	6,000	6,000
서리태	〃	-	-	-	-	-	-	-	-	7,000	7,000	7,000	8,000
녹두(깐)	1되(780g)	-	-	-	-	-	-	-	-	13,000	13,000	13,000	15,000
적두	1되(800g)	-	-	-	-	-	-	-	-	9,000	9,000	9,000	9,000
수수	1되(750g)	-	-	-	-	-	-	-	-	6,000	6,000	6,000	6,000
기장	1되(800g)	-	-	-	-	-	-	-	-	8,000	8,000	8,000	8,000
차조	〃	-	-	-	-	-	-	-	-	11,000	11,000	11,000	11,000
약콩	1되(720g)	-	-	-	-	-	-	-	-	8,000	8,000	8,000	7,000
겉메밀	1되(600g)	-	-	-	-	-	-	-	-	8,000	8,000	8,000	8,000
참깨	〃	-	-	-	-	-	-	-	-	17,000	15,000	18,000	18,000
거피팥	1되(800g)	-	-	-	-	-	-	-	-	11,000	10,000	8,000	10,000
밀(수입산)	1되(720g)	-	-	-	-	-	-	-	-	1,500	-	-	-
귀리(수입산)	〃	-	-	-	-	-	-	-	-	2,000	2,000	2,000	2,000
◈건어물													
세멸치(지리멸치)	1.5㎏(상품)	-	-	-	-	-	-	-	-	39,000	40,000	37,000	38,000
자멸치(가이리)	1.5㎏(특품)	-	-	-	-	-	-	-	-	36,000	38,000	36,000	38,000
햇 중멸치(오사리 주바다시)	1.5㎏(상품)	-	-	-	-	-	-	-	-	30,000	30,000	36,000	35,000
주방멸치	〃	-	-	-	-	-	-	-	-	-	-	-	-
멸치	〃	-	-	-	-	-	-	-	-	30,000	30,000	35,000	30,000
다시멸치	〃	-	-	-	-	-	-	-	-	20,000	23,000	25,000	25,000
다시멸치	1.5㎏(중품)	-	-	-	-	-	-	-	-	14,000	18,000	20,000	20,000
건새우	200g(상품)	-	-	-	-	-	-	-	-	14,000	15,000	16,000	15,000
건오징어	1축(20마리)	-	-	-	-	-	-	-	-	120,000	130,000	140,000	140,000
진미(오징어채)	1㎏(상품)	-	-	-	-	-	-	-	-	17,000	17,000	20,000	17,000
김(재래)	1속(상품)	-	-	-	-	-	-	-	-	12,000	10,000	12,000	10,000
돌김	〃	-	-	-	-	-	-	-	-	25,000	25,000	25,000	25,000
파래김	〃	-	-	-	-	-	-	-	-	10,000	10,000	10,000	6,000
북어(대태)	10마리(상품)	-	-	-	-	-	-	-	-	65,000	65,000	65,000	60,000
건미역	1㎏(상품)	-	-	-	-	-	-	-	-	13,000	13,000	14,000	14,000
건다시마	〃	-	-	-	-	-	-	-	-	15,000	15,000	16,000	15,000
굴비	10마리(중품)	-	-	-	-	-	-	-	-	60,000	60,000	60,000	60,000
◈가공식품													
두부	1모	-	-	-	-	-	-	-	-	2,000	2,000	2,000	2,000

(단위 : 원)

품 명	단위	전주											
		2022년 11월	12월	2023년 1월	2월	3월	4월	5월	6월	7월	8월	9월	10월
◈견과류													
깐 은 행	1되(1kg)	-	-	-	-	-	-	-	-	14,000	13,000	14,000	14,000
밤	1되(800g)	-	-	-	-	-	-	-	-	8,000	9,000	9,000	9,000
대 추	1되(400g)	-	-	-	-	-	-	-	-	10,000	9,000	10,000	10,000
땅 콩 (볶 음)	1되(600g)	-	-	-	-	-	-	-	-	12,000	12,000	12,000	12,000
땅 콩 (생)	〃	-	-	-	-	-	-	-	-	11,000	10,000	10,000	10,000
호 두 (깐)	1되(400g)	-	-	-	-	-	-	-	-	40,000	40,000	40,000	40,000
잣	1되(600g)	-	-	-	-	-	-	-	-	60,000	60,000	60,000	60,000
아 몬 드 (미 국 산)	1되(400g)	-	-	-	-	-	-	-	-	6,000	6,000	6,000	6,000
해 바 라 기 씨 (미 국 산)	1되(600g)	-	-	-	-	-	-	-	-	4,000	3,000	3,000	4,000
호 박 씨 (중 국 산)	〃	-	-	-	-	-	-	-	-	5,000	5,000	5,000	5,000
◈과일류													
배 (신 고)	1개(중품)	-	-	-	-	-	-	-	-	4,000	4,000	4,000	4,000
사 과 (부 사 , 홍 로)	〃	-	-	-	-	-	-	-	-	4,000	4,000	4,000	5,000
수 박	1통(6kg)	-	-	-	-	-	-	-	-	22,000	25,000	19,000	23,000
토 마 토	5kg	-	-	-	-	-	-	-	-	19,000	20,000	30,000	30,000
방 울 토 마 토	1kg	-	-	-	-	-	-	-	-	6,000	10,000	13,000	12,000
참 외	1개	-	-	-	-	-	-	-	-	2,000	2,000	4,000	-
딸 기	1팩(500g)	-	-	-	-	-	-	-	-	-	-	-	-
파 인 애 플	1개(6수)	-	-	-	-	-	-	-	-	6,500	6,500	7,000	10,000
감 귤	10개	-	-	-	-	-	-	-	-	-	-	-	8,000
자 두	〃	-	-	-	-	-	-	-	-	7,000	8,000	14,000	14,000
단 감	1개	-	-	-	-	-	-	-	-	-	-	-	1,500
자 몽 (레 드)	1개(36과)	-	-	-	-	-	-	-	-	-	-	-	-
자 몽 (청)	〃	-	-	-	-	-	-	-	-	-	-	-	-
키 위 (그 린)	8개	-	-	-	-	-	-	-	-	6,000	6,000	6,000	7,000
키 위 (골 드)	7개	-	-	-	-	-	-	-	-	10,000	15,000	15,000	10,000
천 도 복 숭 아	10개	-	-	-	-	-	-	-	-	15,000	16,000	18,000	18,000
석 류	1개(12과)	-	-	-	-	-	-	-	-	-	-	-	-
살 구	15개	-	-	-	-	-	-	-	-	-	-	-	-
모 과	1개	-	-	-	-	-	-	-	-	-	-	-	-
레 몬	6개	-	-	-	-	-	-	-	-	6,000	6,000	5,000	5,000
메 론	1통(3수)	-	-	-	-	-	-	-	-	12,000	12,000	17,000	14,000
샤 인 머 스 켓	4송이(2kg)	-	-	-	-	-	-	-	-	-	-	-	30,000
포 도	7송이(3kg)	-	-	-	-	-	-	-	-	-	-	-	20,000
바 나 나 (수 입)	1다발(6수)	-	-	-	-	-	-	-	-	7,000	7,000	8,000	8,000
체 리 (수 입)	400g	-	-	-	-	-	-	-	-	8,000	8,000	8,000	-
오 렌 지 (수 입)	3개(72과)	-	-	-	-	-	-	-	-	3,000	3,000	3,000	3,000

농축수산물 (19)

(단위 : 원)

품명	단위	대전											
		2022년 11월	12월	2023년 1월	2월	3월	4월	5월	6월	7월	8월	9월	10월
◈채소류													
건고추(태양초)	1근(600g)	18,000	18,000	18,000	18,000	18,000	18,000	18,000	18,000	18,000	18,000	18,000	18,000
대파	1단(1kg)	3,000	3,000	3,000	2,000	3,000	2,000	2,500	2,500	2,500	3,000	3,000	3,000
무	1개(2.5kg)	4,000	3,000	3,000	3,000	3,000	2,000	2,000	2,000	2,000	3,000	3,000	3,000
총각무	1단(1.5kg)	5,000	3,000	4,000	5,000	5,000	4,000	5,000	4,000	4,000	5,000	5,000	5,000
배추	1포기(4kg)	6,000	5,000	4,000	3,000	4,000	4,000	4,000	3,000	3,000	8,000	6,000	7,500
청오이	10개(2kg)	7,000	8,000	10,000	13,000	13,000	12,000	12,000	10,000	10,000	8,000	9,000	10,000
백오이	5개(1kg)	3,000	4,000	6,000	6,000	5,000	5,000	5,000	4,000	4,000	5,000	5,000	5,000
애호박(조선)	1개(500g)	1,500	1,500	2,000	2,500	2,000	2,000	1,500	1,500	1,000	1,000	2,000	1,500
열무	1단(2kg)	5,000	4,000	4,000	5,000	5,000	4,000	4,000	4,000	6,000	5,000	6,000	4,000
시금치(포항초)	1단(400g)	-	-	-	-	-	-	-	-	-	-	-	-
시금치(섬초)	〃	-	-	-	-	-	-	-	-	-	-	-	-
시금치(일반)	〃	3,000	2,000	2,000	2,000	2,500	2,500	3,000	3,000	3,000	-	6,000	5,000
부추(조선)	1단(800g)	5,000	4,000	4,000	4,000	4,000	3,000	4,000	3,000	3,000	6,000	5,000	4,000
가지	4개(약500g)	2,000	2,500	3,000	4,000	3,000	3,000	3,000	3,000	2,000	3,000	3,000	2,000
팽이버섯	3봉지(450g)	1,500	1,000	1,500	1,500	1,500	1,500	1,500	1,500	1,000	1,000	1,500	1,500
양송이버섯	1근(400g)	5,000	5,000	5,000	4,000	3,000	4,000	3,000	4,000	4,000	5,000	5,000	5,000
표고버섯	〃	5,000	5,000	5,000	6,000	6,000	5,000	5,000	5,000	5,000	5,000	5,000	5,000
새송이버섯	〃	1,500	1,500	2,000	2,000	2,000	2,000	2,000	2,000	1,500	2,000	2,000	2,000
느타리버섯	〃	3,000	2,500	3,000	3,000	3,000	3,000	3,000	3,000	3,000	3,000	4,000	4,000
피망(레드)	〃	3,000	3,000	5,000	5,000	4,000	3,000	3,000	-	-	3,000	3,000	3,000
피망(그린)	〃	3,000	3,000	5,000	5,000	4,000	3,000	3,000	-	-	3,000	3,500	3,000
파프리카	1개(230g)	1,000	1,000	1,500	2,000	2,000	1,500	1,500	1,500	1,500	1,000	2,000	1,500
풋고추	1근(400g)	5,000	3,000	5,000	-	6,000	4,000	4,000	3,000	3,000	4,000	4,000	3,000
풋고추(롱그린)	〃	5,000	3,000	5,000	-	-	-	-	-	3,000	4,000	4,000	3,000
아삭이 고추(상품)	〃	3,000	3,000	4,000	6,000	6,000	4,000	4,000	3,000	3,000	4,000	4,000	3,000
청양고추	〃	4,000	3,000	5,000	7,000	7,000	4,000	4,000	3,000	3,000	3,000	4,000	4,000
꽈리고추	〃	5,000	4,000	5,500	6,000	6,000	5,000	6,000	4,000	4,000	4,000	5,000	5,000
쑥갓	〃	2,000	2,000	3,500	4,000	2,000	2,000	2,000	3,000	3,000	5,000	5,000	-
브로콜리	1개(1kg)	1,500	1,500	1,500	1,500	2,000	2,500	2,000	1,500	1,500	2,000	1,500	1,500
옥수수	10개	7,000	7,000	7,000	7,000	7,000	7,000	7,000	7,000	7,000	7,000	7,000	7,000
마늘(깐)	1근(400g)	4,000	4,000	4,000	4,000	4,000	4,000	3,000	4,000	4,000	4,000	4,000	4,000
양배추	1통	3,000	2,500	2,000	2,000	2,500	2,000	3,000	2,000	2,000	4,000	3,000	3,000
냉이	1근(400g)		3,500	3,000	4,000	5,000	-	-	-	-	-	-	-
양상추	1통	3,500	3,000	3,000	4,000	3,000	3,000	3,000	3,000	3,000	3,000	3,000	3,000
미나리	1kg	10,000	12,000	12,000	12,000	10,000	8,000	10,000	10,000	10,000	8,000	7,000	10,000
쪽파	〃	6,500	6,000	5,000	8,000	7,000	5,000	8,000	4,000	8,000	12,000	8,000	10,000
고사리	1근(400g)	5,000	5,000	5,000	5,000	4,000	6,000	4,000	5,000	5,000	5,000	4,000	5,000
도라지	〃	4,500	4,500	5,000	4,000	4,000	5,000	3,000	5,000	3,000	6,000	6,000	5,000
시래기	〃	2,000	1,500	1,500	3,000	2,000	2,500	2,500	2,000	2,500	1,500	2,000	2,500
콩나물	1kg	2,000	1,500	1,000	1,500	1,500	1,500	1,000	1,000	1,000	1,000	1,000	1,000
숙주나물	〃	2,000	3,000	3,000	3,000	3,000	3,000	3,000	3,000	3,000	3,000	3,000	3,000
상추	1근(400g)	4,000	3,500	5,000	4,000	4,500	3,000	3,000	3,000	3,000	6,500	5,000	5,000
깻잎	〃	7,000	8,000	8,000	8,000	8,000	6,000	5,000	6,000	5,000	6,000	7,000	5,000
취나물	〃	2,500	3,500	3,000	3,000	4,000	4,000	4,000	4,000	4,000	-	4,000	4,000
케일	〃	3,000	3,000	3,000	3,000	3,000	3,000	3,000	3,000	3,000	-	-	-
당귀	〃	-	-	-	-	-	-	-	-	-	-	-	-
청경채	〃	-	-	-	-	-	-	-	-	-	-	-	2,000
생강	1kg	9,000	11,000	12,000	13,000	13,000	12,000	12,000	14,000	14,000	14,000	16,000	11,000
양파	1망(2kg)	5,000	4,500	4,500	6,000	6,000	5,000	5,000	4,000	4,000	4,000	4,000	4,000
적양파	〃	5,000	4,500	5,500	6,000	6,000	5,000	5,000	4,000	4,000	4,000	4,000	4,000
고구마	1kg	5,000	5,000	5,000	5,000	5,000	3,000	4,000	4,000	4,000	6,000	6,000	5,000
감자	〃	4,000	4,000	5,000	5,000	4,000	5,000	5,000	5,000	4,000	4,000	4,000	3,000
당근	〃	4,000	4,000	4,000	4,000	5,000	4,000	3,500	4,000	4,000	3,000	4,000	4,000
마(장마)	〃	11,000	10,000	10,000	10,000	10,000	10,000	10,000	10,000	10,000	10,000	10,000	10,000
더덕(강원도산)	400g	-	8,000	9,000	9,000	9,000	9,000	9,000	9,000	9,000	10,000	10,000	10,000

(단위 : 원)

품 명	단 위	대 전											
		2022년 11월	12월	2023년 1월	2월	3월	4월	5월	6월	7월	8월	9월	10월
◈낙농물													
소고기(등심,A1+)	1근(600g)	75,000	78,000	78,000	78,000	75,000	75,000	76,000	70,000	70,000	70,000	70,000	70,000
소고기(양지(국거리),A1+)	〃	33,000	33,000	33,000	33,000	30,000	30,000	3,000	32,000	28,000	30,000	30,000	30,000
소고기(홍두깨,A1+)	〃	32,000	32,000	33,000	30,000	28,000	28,000	28,000	30,000	27,000	28,000	27,000	27,000
소고기(우둔살,A1+)	〃	32,000	32,000	32,000	30,000	28,000	28,000	28,000	30,000	27,000	28,000	27,000	27,000
소고기(살치살,A1+)	〃	83,000	85,000	85,000	85,000	85,000	85,000	85,000	83,000	80,000	81,000	83,000	80,000
소고기(차돌박이,A1+)	〃	33,000	33,000	33,000	33,000	33,000	33,000	33,000	33,000	33,000	33,000	33,000	33,000
소고기(갈비살,A1+)	〃	-	-	-	-	-	-	-	-	-	-	-	80,000
사골	1kg	-	-	-	-	-	-	-	-	-	-	-	15,000
돼지고기(앞다리살,상등급)	1근(600g)	-	-	-	-	-	-	-	-	-	-	-	8,000
돼지고기(뒷다리살,상등급)	〃	-	-	-	-	-	-	-	-	-	-	-	4,200
돼지고기(목살,상등급)	〃	12,000	12,000	13,000	12,000	10,000	11,000	13,000	13,000	13,500	13,500	14,000	13,000
돼지고기(삼겹살,상등급)	〃	14,000	14,000	14,000	13,500	12,000	13,000	15,000	15,000	15,000	15,000	15,000	14,000
닭고기	1kg	5,500	8,000	8,000	8,000	8,000	8,000	9,000	9,000	8,500	6,500	7,000	7,000
달걀(왕란)	1판	6,000	6,500	6,500	6,000	6,000	6,000	6,000	6,500	5,500	7,000	7,000	7,500
◈수산물													
갈치(生)	1마리(500g)	20,000	20,000	25,000	23,000	23,000	23,000	23,000	23,000	23,000	25,000	25,000	25,000
병어	〃	8,000	11,000	10,000	10,000	10,000	9,000	10,000	10,000	10,000	10,000	10,000	10,000
가자미(호시)	1마리(中자)	7,000	7,000	7,000	7,000	8,000	8,000	8,000	-	-	-	-	-
부세조기(중국산)	3마리(300g)	6,000	6,000	6,000	7,500	7,500	6,000	7,000	7,000	7,000	10,000	9,000	9,000
연자돔(제주산)	1마리(500g)	-	-	-	-	-	-	-	-	-	-	-	-
고등어	〃	5,000	5,000	6,000	6,000	6,000	6,000	6,000	6,000	5,000	6,000	6,000	5,000
고등어(자반)	1손(1kg)	10,000	10,000	8,000	10,000	7,000	10,000	9,000	10,000	10,000	10,000	10,000	10,000
삼치	1마리(500g)	8,000	8,000	9,000	10,000	15,000	10,000	12,000	10,000	10,000	13,000	12,000	12,000
오징어	1마리(30cm)	4,000	4,000	7,000	6,500	10,000	10,000	10,000	5,500	5,000	5,000	4,500	5,000
꽁치(냉동)	1마리(20cm)	-	-	-	2,000	-	-	-	2,000	2,000	2,000	2,000	2,000
민어	1마리(500g)	12,000	11,000	13,000	11,000	-	-	-	12,000	13,000	12,000	10,000	10,000
아구	1마리(2kg)	10,000	12,000	17,000	15,000	18,000	18,000	18,000	18,000	15,000	15,000	13,000	13,000
우럭	1마리(300g)	8,000	-	8,000	-	-	-	-	-	7,000	-	-	-
대구(大)	1마리(60cm)	15,000	12,000	20,000	15,000	15,000	-	-	-	-	-	-	12,000
생태(大)	〃	10,000	10,000	10,000	10,000	7,000	-	-	-	-	-	-	-
동태	1kg	5,000	7,000	6,000	6,000	6,000	6,000	6,000	6,000	6,000	6,000	6,000	7,000
낙지	1코(4~5마리)	14,000	13,000	13,000	17,000	17,000	17,000	18,000	17,000	17,000	18,000	16,000	16,000
새우	1kg	18,000	16,000	18,000	18,000	18,000	18,000	18,000	18,000	18,000	18,000	18,000	18,000
암꽃게(生,상품)	〃	25,000	30,000	40,000	30,000	50,000	45,000	45,000	-	-	-	20,000	20,000
수꽃게(生,상품)	〃	20,000	25,000	-	-	-	-	35,000	-	-	-	20,000	20,000
암꽃게(급냉,상품)	〃	40,000	40,000	35,000	45,000	35,000	30,000	30,000	30,000	40,000	40,000	40,000	35,000
수꽃게(급냉,상품)	〃	22,000	22,000	20,000	25,000	20,000	20,000	20,000	20,000	20,000	20,000	20,000	20,000
굴(통영)	〃	15,000	20,000	15,000	15,000	15,000	15,000	15,000	15,000	15,000	-	-	-
조개(바지락)	〃	7,000	7,000	7,000	8,000	8,000	8,000	8,000	8,000	8,000	6,000	6,000	6,000
꼬막(상품)	〃	10,000	10,000	10,000	10,000	10,000	10,000	10,000	10,000	-	-	-	8,000
모시조개	〃	13,000	13,000	15,000	15,000	15,000	15,000	-	-	-	-	-	13,000
미더덕	〃	17,000	17,000	16,000	15,000	15,000	15,000	20,000	20,000	20,000	15,000	20,000	20,000
홍합	〃	3,000	3,000	3,000	3,000	3,000	3,000	3,000	3,000	3,000	3,000	3,000	3,000

농축수산물 (20)

(단위 : 원)

품명	단위	대전											
		2022년 11월	12월	2023년 1월	2월	3월	4월	5월	6월	7월	8월	9월	10월
◈곡물류													
일반미	8kg	19,000	19,000	19,000	19,000	20,000	20,000	20,000	21,000	21,000	21,000	23,000	23,000
찹쌀	〃	24,000	24,000	24,000	24,000	25,000	25,000	25,000	26,000	26,000	26,000	26,000	26,000
흑미	1되(800g)	4,000	4,000	4,000	4,000	3,500	3,500	3,500	3,500	3,500	3,500	3,500	3,500
현미	〃	2,500	2,700	2,500	2,500	3,000	3,000	3,000	3,000	3,000	3,000	3,000	3,000
보리쌀	1되(765g)	2,500	2,500	2,500	2,500	3,000	3,000	3,000	3,000	3,000	3,000	3,000	3,000
율무	1되(800g)	14,000	14,000	14,000	14,000	14,000	14,000	14,000	14,000	14,000	14,000	14,000	14,000
백태	1되(720g)	7,000	7,000	7,000	7,000	7,000	7,000	7,000	7,000	7,000	7,000	7,000	7,000
서리태	〃	10,000	8,000	9,000	9,000	8,000	8,000	8,000	7,000	7,000	7,000	7,000	6,000
녹두(깐)	1되(780g)	15,000	15,000	15,000	15,000	13,000	13,000	13,000	13,000	13,000	13,000	13,000	13,000
적두	1되(800g)	9,000	9,000	9,000	9,000	10,000	10,000	10,000	10,000	10,000	10,000	10,000	10,000
수수	1되(750g)	8,000	6,000	8,000	8,000	7,000	7,000	7,000	7,000	7,000	7,000	7,000	7,000
기장	1되(800g)	9,000	8,000	9,000	8,000	8,000	8,000	8,000	8,000	8,000	8,000	8,000	8,000
차조	〃	11,000	11,000	11,000	11,000	11,000	11,000	11,000	11,000	11,000	11,000	11,000	11,000
약콩	1되(720g)	8,000	8,000	8,000	7,000	8,000	8,000	8,000	8,000	8,000	8,000	8,000	8,000
겉메밀	1되(600g)	5,000	5,000	5,000	5,000	7,000	7,000	8,000	8,000	-	-	8,000	8,000
참깨	〃	18,000	17,000	19,000	-	18,000	18,000	18,000	18,000	18,000	18,000	18,000	18,000
거피팥	1되(800g)	10,000	10,000	10,000	10,000	10,000	10,000	10,000	-	-	-	-	-
밀(수입산)	1되(720g)	1,000	1,000	1,000	1,000	1,000	-	-	-	-	-	-	-
귀리(수입산)	〃	3,000	3,000	3,000	3,000	3,000	3,000	3,000	2,500	3,000	3,000	3,000	3,000
◈건어물													
세멸치(지리멸치)	1.5kg(상품)	37,000	37,000	38,000	38,000	38,000	38,000	38,000	38,000	38,000	38,000	40,000	40,000
자멸치(가이리)	1.5kg(특품)	38,000	38,000	40,000	36,000	36,000	36,000	36,000	36,000	36,000	36,000	40,000	40,000
햇 중멸치(오사리 주바다시)	1.5kg(상품)	25,000	25,000	28,000	28,000	28,000	28,000	28,000	30,000	30,000	30,000	25,000	32,000
죽방멸치	〃	-	-	-	-	-	-	-	-	-	-	-	-
멸치	〃	37,000	33,000	35,000	33,000	36,000	36,000	36,000	36,000	36,000	36,000	36,000	32,000
다시멸치	〃	22,000	22,000	23,000	23,000	26,000	26,000	26,000	28,000	30,000	30,000	30,000	30,000
다시멸치	1.5kg(중품)	20,000	15,000	16,000	16,000	16,000	16,000	16,000	-	-	-	-	-
건새우	200g(상품)	15,000	13,000	15,000	13,000	13,000	13,000	13,000	13,000	13,000	13,000	15,000	15,000
건오징어	1축(20마리)	120,000	120,000	120,000	120,000	120,000	120,000	120,000	120,000	120,000	120,000	120,000	120,000
진미(오징어채)	1kg(상품)	22,000	20,000	22,000	20,000	20,000	20,000	20,000	20,000	20,000	20,000	20,000	20,000
김(재래)	1속(상품)	9,000	9,000	10,000	10,000	10,000	10,000	10,000	10,000	10,000	10,000	10,000	10,000
돌김	〃	35,000	30,000	32,000	32,000	30,000	30,000	30,000	30,000	30,000	30,000	30,000	30,000
파래김	〃	7,000	7,000	7,000	7,000	8,000	8,000	8,000	8,000	8,000	8,000	8,000	8,000
북어(대태)	10마리(상품)	70,000	60,000	65,000	65,000	65,000	65,000	65,000	65,000	60,000	60,000	60,000	60,000
건미역	1kg(상품)	12,000	12,000	13,000	13,000	13,000	13,000	13,000	16,000	16,000	16,000	16,000	16,000
건다시마	〃	12,000	12,000	14,000	14,000	14,000	14,000	14,000	17,000	17,000	17,000	17,000	17,000
굴비	10마리(중품)	-	-	-	-	-	-	-	-	-	-	-	-
◈가공식품													
두부	1모	3,000	3,000	3,000	3,000	3,000	3,000	3,000	2,500	3,000	3,000	3,000	3,000

(단위 : 원)

품명	단위	대전											
		2022년 11월	12월	2023년 1월	2월	3월	4월	5월	6월	7월	8월	9월	10월
◈견과류													
깐은행	1되(1kg)	15,000	15,000	15,000	15,000	15,000	15,000	15,000	14,000	15,000	15,000	15,000	15,000
밤	1되(800g)	6,000	7,000	7,000	7,000	7,000	7,000	7,000	9,000	10,000	10,000	10,000	10,000
대추	1되(400g)	8,000	8,000	7,000	7,000	8,000	8,000	8,000	8,000	8,000	8,000	8,000	8,000
땅콩(볶음)	1되(600g)	13,000	12,000	12,000	12,000	12,000	12,000	12,000	12,000	12,000	12,000	12,000	12,000
땅콩(생)	〃	11,000	10,000	10,000	10,000	10,000	10,000	10,000	10,000	10,000	10,000	10,000	10,000
호두(깐)	1되(400g)	40,000	40,000	40,000	40,000	40,000	40,000	40,000	40,000	40,000	40,000	40,000	40,000
잣	1되(600g)	65,000	63,000	64,000	65,000	65,000	65,000	65,000	63,000	65,000	65,000	65,000	65,000
아몬드(미국산)	1되(400g)	7,000	7,000	7,000	7,000	7,000	7,000	7,000	7,000	7,000	7,000	7,000	7,000
해바라기씨(미국산)	1되(600g)	4,000	4,000	5,000	5,000	6,000	6,000	6,000	5,000	6,000	6,000	6,000	6,000
호박씨(중국산)	〃	5,000	5,000	6,000	6,000	7,000	7,000	7,000	6,000	7,000	7,000	7,000	7,000
◈과일류													
배(신고)	1개(중품)	3,000	3,000	2,500	3,000	2,500	3,000	2,500	3,000	3,000	3,000	3,500	4,000
사과(부사, 홍로)	〃	2,000	2,000	2,000	2,500	2,000	2,000	2,000	2,000	3,000	2,000	3,500	4,000
수박	1통(6kg)	20,000	17,000	20,000	25,000	40,000	30,000	18,000	20,000	20,000	25,000	20,000	-
토마토	5kg	18,000	18,000	18,000	20,000	25,000	20,000	15,000	15,000	15,000	20,000	25,000	30,000
방울토마토	1kg	7,000	6,000	7,000	7,000	8,000	8,000	5,000	5,000	5,000	8,000	8,000	8,000
참외	1개	-	-	2,000	-	3,000	3,000	2,000	1,500	1,000	-	2,000	-
딸기	1팩(500g)	-	10,000	8,000	8,000	5,000	5,000	4,000	-	-	-	-	-
파인애플	1개(6수)	7,000	7,000	7,000	6,000	7,000	6,000	6,000	6,000	7,000	7,000	8,000	9,000
감귤	10개	3,000	3,000	2,500	3,000	5,000	5,000	-	-	10,000	10,000	10,000	6,000
자두	〃	-	-	-	-	-	-	-	13,000	7,000	10,000	10,000	-
단감	1개	1,000	1,000	1,000	1,000	1,000	-	-	-	-	-	2,000	2,000
자몽(레드)	1개(36과)	2,000	2,000	2,000	2,000	2,000	2,000	2,000	2,000	2,000	2,000	2,500	2,500
자몽(청)	〃	2,000	2,000	2,000	2,000	2,000	2,000	2,000	2,000	2,000	2,000	2,000	-
키위(그린)	8개	5,000	5,000	6,000	5,000	5,000	5,000	4,000	5,000	5,000	5,000	10,000	10,000
키위(골드)	7개	10,000	10,000	10,000	14,000	10,000	10,000	10,000	10,000	10,000	10,000	10,000	1,000
천도복숭아	10개	-	-	-	-	-	-	-	10,000	13,000	15,000	15,000	-
석류	1개(12과)	-	-	5,000	-	-	-	-	-	-	-	-	-
살구	15개	-	-	-	-	-	-	-	10,000	-	-	-	-
모과	1개	2,000	-	2,000	2,000	2,000	2,000	-	-	-	-	-	-
레몬	6개	5,000	5,000	4,000	4,000	4,000	4,000	4,000	4,000	5,000	5,000	5,000	5,000
메론	1통(3수)	12,000	12,000	13,000	13,000	20,000	12,000	12,000	10,000	10,000	12,000	15,000	15,000
샤인머스켓	4송이(2kg)	-	-	-	-	-	-	-	-	-	-	-	22,000
포도	7송이(3kg)	-	-	-	-	-	-	-	-	-	-	-	20,000
바나나(수입)	1다발(6수)	7,000	6,000	7,000	6,000	8,000	8,000	8,000	8,000	7,000	8,000	8,000	8,000
체리(수입)	400g	10,000	-	10,000	10,000	-	-	20,000	10,000	7,000	8,000	10,000	-
오렌지(수입)	3개(72과)	3,000	4,000	3,000	5,000	5,000	4,000	4,000	3,000	3,000	3,000	5,000	3,000

농축수산물 (21)

(단위 : 원)

품명	단위	청주											
		2022년 11월	12월	2023년 1월	2월	3월	4월	5월	6월	7월	8월	9월	10월
◈채소류													
건고추(태양초)	1근(600g)	-	-	-	-	-	-	-	-	18,000	18,000	18,000	17,000
대파	1단(1kg)	-	-	-	-	-	-	-	-	3,000	3,000	3,000	2,500
무	1개(2.5kg)	-	-	-	-	-	-	-	-	2,500	4,000	4,000	3,000
총각무	1단(1.5kg)	-	-	-	-	-	-	-	-	4,000	5,000	5,000	4,000
배추	1포기(4kg)	-	-	-	-	-	-	-	-	4,000	8,000	8,000	6,500
청오이	10개(2kg)	-	-	-	-	-	-	-	-	8,000	8,000	10,000	8,000
백오이	5개(1kg)	-	-	-	-	-	-	-	-	3,000	4,000	4,000	4,000
애호박(조선)	1개(500g)	-	-	-	-	-	-	-	-	1,000	2,000	2,000	1,500
열무	1단(2kg)	-	-	-	-	-	-	-	-	4,000	4,500	5,000	3,500
시금치(포항초)	1단(400g)	-	-	-	-	-	-	-	-	-	-	-	-
시금치(섬초)	〃	-	-	-	-	-	-	-	-	-	-	-	-
시금치(일반)	〃	-	-	-	-	-	-	-	-	3,000	5,000	6,000	4,500
부추(조선)	1단(800g)	-	-	-	-	-	-	-	-	3,000	6,000	5,000	4,000
가지	4개(약500g)	-	-	-	-	-	-	-	-	3,000	3,000	2,000	2,000
팽이버섯	3봉지(450g)	-	-	-	-	-	-	-	-	1,000	1,000	1,000	1,000
양송이버섯	1근(400g)	-	-	-	-	-	-	-	-	4,000	6,000	6,000	5,000
표고버섯	〃	-	-	-	-	-	-	-	-	4,000	5,000	5,000	4,000
새송이버섯	〃	-	-	-	-	-	-	-	-	2,000	3,000	3,000	2,000
느타리버섯	〃	-	-	-	-	-	-	-	-	3,000	3,000	3,000	3,000
피망(레드)	〃	-	-	-	-	-	-	-	-	3,000	4,000	4,000	3,000
피망(그린)	〃	-	-	-	-	-	-	-	-	3,000	4,000	4,000	3,000
파프리카	1개(230g)	-	-	-	-	-	-	-	-	1,500	1,000	1,500	1,500
풋고추	1근(400g)	-	-	-	-	-	-	-	-	3,000	4,000	3,000	3,000
풋고추(롱그린)	〃	-	-	-	-	-	-	-	-	3,000	4,000	3,000	3,000
아삭이 고추(상품)	〃	-	-	-	-	-	-	-	-	3,000	4,000	3,000	3,000
청양고추	〃	-	-	-	-	-	-	-	-	3,000	4,000	3,000	3,000
꽈리고추	〃	-	-	-	-	-	-	-	-	3,000	3,000	3,000	3,000
쑥갓	〃	-	-	-	-	-	-	-	-	3,000	6,000	5,000	4,000
브로콜리	1개(1kg)	-	-	-	-	-	-	-	-	2,000	1,500	1,500	1,500
옥수수	10개	-	-	-	-	-	-	-	-	7,000	7,000	7,000	7,000
마늘(깐)	1근(400g)	-	-	-	-	-	-	-	-	4,000	4,000	5,000	4,000
양배추	1통	-	-	-	-	-	-	-	-	2,000	5,000	5,000	4,000
냉이	1근(400g)	-	-	-	-	-	-	-	-	-	-	-	-
양상추	1통	-	-	-	-	-	-	-	-	3,000	3,000	4,000	3,000
미나리	1kg	-	-	-	-	-	-	-	-	10,000	-	7,000	9,000
쪽파	〃	-	-	-	-	-	-	-	-	9,000	10,000	9,000	11,000
고사리	1근(400g)	-	-	-	-	-	-	-	-	6,000	6,000	5,000	6,000
도라지	〃	-	-	-	-	-	-	-	-	5,000	5,000	5,000	6,000
시래기	〃	-	-	-	-	-	-	-	-	2,500	1,500	2,500	2,500
콩나물	1kg	-	-	-	-	-	-	-	-	1,000	1,000	1,000	1,000
숙주나물	〃	-	-	-	-	-	-	-	-	3,000	3,000	3,000	3,000
상추	1근(400g)	-	-	-	-	-	-	-	-	4,000	7,000	5,000	5,000
깻잎	〃	-	-	-	-	-	-	-	-	5,000	6,000	5,000	4,000
취나물	〃	-	-	-	-	-	-	-	-	5,000	5,000	5,000	5,000
케일	〃	-	-	-	-	-	-	-	-	4,000	-	-	-
당귀	〃	-	-	-	-	-	-	-	-	-	-	-	-
청경채	〃	-	-	-	-	-	-	-	-	-	-	-	2,000
생강	1kg	-	-	-	-	-	-	-	-	12,000	12,000	12,000	10,000
양파	1망(2kg)	-	-	-	-	-	-	-	-	4,000	4,000	5,000	4,000
적양파	〃	-	-	-	-	-	-	-	-	4,000	4,000	5,000	4,000
고구마	1kg	-	-	-	-	-	-	-	-	5,000	7,000	5,000	6,000
감자	〃	-	-	-	-	-	-	-	-	3,000	3,000	3,000	4,000
당근	〃	-	-	-	-	-	-	-	-	3,000	4,000	4,000	3,000
마(장마)	〃	-	-	-	-	-	-	-	-	10,000	10,000	10,000	10,000
더덕(강원도산)	400g	-	-	-	-	-	-	-	-	10,000	10,000	10,000	10,000

(단위 : 원)

품 명	단위	청주											
		2022년 11월	12월	2023년 1월	2월	3월	4월	5월	6월	7월	8월	9월	10월
◈낙농물													
소고기(등심,A1+)	1근(600g)	-	-	-	-	-	-	-	-	72,000	69,000	69,000	66,000
소고기(양지(국거리),A1+)	〃	-	-	-	-	-	-	-	-	28,000	30,000	30,000	30,000
소고기(홍두깨,A1+)	〃	-	-	-	-	-	-	-	-	-	-	30,000	30,000
소고기(우둔살,A1+)	〃	-	-	-	-	-	-	-	-	-	-	30,000	30,000
소고기(살치살,A1+)	〃	-	-	-	-	-	-	-	-	81,000	-	85,000	85,000
소고기(차돌박이,A1+)	〃	-	-	-	-	-	-	-	-	31,000	42,000	42,000	40,000
소고기(갈비살,A1+)	〃	-	-	-	-	-	-	-	-	-	-	-	-
사골	1kg	-	-	-	-	-	-	-	-	-	-	-	14,000
돼지고기(앞다리살,상등급)	1근(600g)	-	-	-	-	-	-	-	-	-	-	-	7,800
돼지고기(뒷다리살,상등급)	〃	-	-	-	-	-	-	-	-	-	-	-	3,300
돼지고기(목살,상등급)	〃	-	-	-	-	-	-	-	-	13,200	13,200	14,400	13,500
돼지고기(삼겹살,상등급)	〃	-	-	-	-	-	-	-	-	15,000	13,700	15,000	14,500
닭고기	1kg	-	-	-	-	-	-	-	-	8,000	6,000	6,000	6,000
달걀(왕란)	1판	-	-	-	-	-	-	-	-	7,000	7,500	7,500	8,000
◈수산물													
갈치(生)	1마리(500g)	-	-	-	-	-	-	-	-	15,000	15,000	15,000	18,000
병어	〃	-	-	-	-	-	-	-	-	15,000	13,000	15,000	12,000
가자미(호시)	1마리(中자)	-	-	-	-	-	-	-	-	-	-	-	-
부세조기(중국산)	3마리(300g)	-	-	-	-	-	-	-	-	10,000	10,000	10,000	10,000
연자돔(제주산)	1마리(500g)	-	-	-	-	-	-	-	-	-	-	-	-
고등어	〃	-	-	-	-	-	-	-	-	5,000	5,000	5,000	5,000
고등어(자반)	1손(1kg)	-	-	-	-	-	-	-	-	10,000	10,000	10,000	10,000
삼치	1마리(500g)	-	-	-	-	-	-	-	-	10,000	5,000	10,000	10,000
오징어	1마리(30cm)	-	-	-	-	-	-	-	-	5,000	5,000	5,000	5,000
꽁치(냉동)	1마리(20cm)	-	-	-	-	-	-	-	-	2,000	2,000	2,000	2,000
민어	1마리(500g)	-	-	-	-	-	-	-	-	-	10,000	10,000	12,000
아구	1마리(2kg)	-	-	-	-	-	-	-	-	-	10,000	12,000	12,000
우럭	1마리(300g)	-	-	-	-	-	-	-	-	-	-	-	-
대구(大)	1마리(60cm)	-	-	-	-	-	-	-	-	-	-	-	10,000
생태(大)	〃	-	-	-	-	-	-	-	-	-	-	-	-
동태	1kg	-	-	-	-	-	-	-	-	6,000	5,000	5,000	8,000
낙지	1코(4~5마리)	-	-	-	-	-	-	-	-	-	15,000	15,000	-
새우	1kg	-	-	-	-	-	-	-	-	-	15,000	15,000	18,000
암꽃게(生,상품)	〃	-	-	-	-	-	-	-	-	-	-	25,000	20,000
수꽃게(生,상품)	〃	-	-	-	-	-	-	-	-	-	-	20,000	20,000
암꽃게(급냉,상품)	〃	-	-	-	-	-	-	-	-	40,000	40,000	40,000	40,000
수꽃게(급냉,상품)	〃	-	-	-	-	-	-	-	-	20,000	15,000	15,000	15,000
굴(통영)	〃	-	-	-	-	-	-	-	-	13,000	-	-	18,000
조개(바지락)	〃	-	-	-	-	-	-	-	-	10,000	-	-	10,000
꼬막(상품)	〃	-	-	-	-	-	-	-	-	7,000	-	-	10,000
모시조개	〃	-	-	-	-	-	-	-	-	15,000	10,000	10,000	10,000
미더덕	〃	-	-	-	-	-	-	-	-	20,000	-	-	-
홍합	〃	-	-	-	-	-	-	-	-	3,000	-	-	-

농축수산물 (22)

(단위 : 원)

품 명	단위	청주 2022년 11월	12월	2023년 1월	2월	3월	4월	5월	6월	7월	8월	9월	10월
◈곡물류													
일반미	8kg	-	-	-	-	-	-	-	-	22,000	22,000	24,000	24,000
찹쌀	〃	-	-	-	-	-	-	-	-	24,000	26,000	26,000	26,000
흑미	1되(800g)	-	-	-	-	-	-	-	-	5,000	5,000	5,000	5,000
현미	〃	-	-	-	-	-	-	-	-	4,000	4,000	4,000	4,000
보리쌀	1되(765g)	-	-	-	-	-	-	-	-	3,000	3,000	3,000	3,000
율무	1되(800g)	-	-	-	-	-	-	-	-	15,000	15,000	15,000	15,000
백태	1되(720g)	-	-	-	-	-	-	-	-	6,000	6,000	6,000	6,000
서리태	〃	-	-	-	-	-	-	-	-	7,000	7,000	7,000	7,000
녹두(깐)	1되(780g)	-	-	-	-	-	-	-	-	15,000	15,000	15,000	15,000
적두	1되(800g)	-	-	-	-	-	-	-	-	10,000	10,000	10,000	10,000
수수	1되(750g)	-	-	-	-	-	-	-	-	8,000	8,000	8,000	8,000
기장	1되(800g)	-	-	-	-	-	-	-	-	9,000	9,000	9,000	9,000
차조	〃	-	-	-	-	-	-	-	-	12,000	12,000	12,000	12,000
약콩	1되(720g)	-	-	-	-	-	-	-	-	8,000	8,000	8,000	8,000
겉메밀	1되(600g)	-	-	-	-	-	-	-	-	8,000	8,000	8,000	8,000
참깨	〃	-	-	-	-	-	-	-	-	20,000	18,000	18,000	18,000
거피팥	1되(800g)	-	-	-	-	-	-	-	-	12,000	12,000	12,000	12,000
밀(수입산)	1되(720g)	-	-	-	-	-	-	-	-	-	-	-	-
귀리(수입산)	〃	-	-	-	-	-	-	-	-	3,000	3,000	3,000	3,000
◈건어물													
세멸치(지리멸치)	1.5kg(상품)	-	-	-	-	-	-	-	-	40,000	40,000	40,000	40,000
자멸치(가이리)	1.5kg(특품)	-	-	-	-	-	-	-	-	40,000	40,000	40,000	40,000
햇 중멸치(오사리 주바다시)	1.5kg(상품)	-	-	-	-	-	-	-	-	27,000	27,000	27,000	35,000
죽방멸치	〃	-	-	-	-	-	-	-	-	-	-	-	-
멸치	〃	-	-	-	-	-	-	-	-	37,000	37,000	37,000	32,000
다시멸치	〃	-	-	-	-	-	-	-	-	20,000	20,000	20,000	20,000
다시멸치	1.5kg(중품)	-	-	-	-	-	-	-	-	-	-	-	-
건새우	200g(상품)	-	-	-	-	-	-	-	-	10,000	10,000	12,000	10,000
건오징어	1축(20마리)	-	-	-	-	-	-	-	-	100,000	100,000	100,000	100,000
진미(오징어채)	1kg(상품)	-	-	-	-	-	-	-	-	24,000	24,000	22,000	22,000
김(재래)	1속(상품)	-	-	-	-	-	-	-	-	8,000	8,000	8,000	80,000
돌김	〃	-	-	-	-	-	-	-	-	29,000	29,000	29,000	19,000
파래김	〃	-	-	-	-	-	-	-	-	6,000	6,000	6,000	6,000
북어(대태)	10마리(상품)	-	-	-	-	-	-	-	-	65,000	65,000	65,000	70,000
건미역	1kg(상품)	-	-	-	-	-	-	-	-	17,000	17,000	17,000	20,000
건다시마	〃	-	-	-	-	-	-	-	-	18,000	18,000	18,000	20,000
굴비	10마리(중품)	-	-	-	-	-	-	-	-	-	-	-	-
◈가공식품													
두부	1모	-	-	-	-	-	-	-	-	3,500	3,000	3,000	3,000

(단위 : 원)

품명	단위	청주											
		2022년 11월	12월	2023년 1월	2월	3월	4월	5월	6월	7월	8월	9월	10월
◈견과류													
깐은행	1되(1kg)	-	-	-	-	-	-	-	-	16,000	16,000	16,000	16,000
밤	1되(800g)	-	-	-	-	-	-	-	-	8,000	8,000	8,000	8,000
대추	1되(400g)	-	-	-	-	-	-	-	-	6,000	6,000	6,000	6,000
땅콩(볶음)	1되(600g)	-	-	-	-	-	-	-	-	11,000	11,000	11,000	11,000
땅콩(생)	〃	-	-	-	-	-	-	-	-	-	-	-	-
호두(깐)	1되(400g)	-	-	-	-	-	-	-	-	40,000	40,000	40,000	40,000
잣	1되(600g)	-	-	-	-	-	-	-	-	65,000	65,000	65,000	65,000
아몬드(미국산)	1되(400g)	-	-	-	-	-	-	-	-	6,500	6,500	6,500	6,500
해바라기씨(미국산)	1되(600g)	-	-	-	-	-	-	-	-	6,000	6,000	6,000	6,000
호박씨(중국산)	〃	-	-	-	-	-	-	-	-	6,000	6,000	6,000	6,000
◈과일류													
배(신고)	1개(중품)	-	-	-	-	-	-	-	-	4,000	4,000	3,000	4,000
사과(부사, 홍로)	〃	-	-	-	-	-	-	-	-	3,000	3,000	2,000	4,000
수박	1통(6kg)	-	-	-	-	-	-	-	-	20,000	20,000	20,000	20,000
토마토	5kg	-	-	-	-	-	-	-	-	20,000	20,000	23,000	30,000
방울토마토	1kg	-	-	-	-	-	-	-	-	5,000	6,000	7,000	7,000
참외	1개	-	-	-	-	-	-	-	-	1,000	-	2,000	-
딸기	1팩(500g)	-	-	-	-	-	-	-	-	-	-	-	-
파인애플	1개(6수)	-	-	-	-	-	-	-	-	7,000	7,000	8,000	9,000
감귤	10개	-	-	-	-	-	-	-	-	10,000	10,000	10,000	6,000
자두	〃	-	-	-	-	-	-	-	-	8,000	10,000	10,000	-
단감	1개	-	-	-	-	-	-	-	-	-	-	-	2,000
자몽(레드)	1개(36과)	-	-	-	-	-	-	-	-	2,000	2,000	3,000	-
자몽(청)	〃	-	-	-	-	-	-	-	-	2,000	2,000	3,000	-
키위(그린)	8개	-	-	-	-	-	-	-	-	8,000	8,000	10,000	10,000
키위(골드)	7개	-	-	-	-	-	-	-	-	10,000	10,000	10,000	10,000
천도복숭아	10개	-	-	-	-	-	-	-	-	12,000	12,000	12,000	-
석류	1개(12과)	-	-	-	-	-	-	-	-	-	-	-	-
살구	15개	-	-	-	-	-	-	-	-	10,000	-	-	-
모과	1개	-	-	-	-	-	-	-	-	-	-	-	-
레몬	6개	-	-	-	-	-	-	-	-	5,000	5,000	4,000	5,000
메론	1통(3수)	-	-	-	-	-	-	-	-	-	12,000	15,000	12,000
샤인머스켓	4송이(2kg)	-	-	-	-	-	-	-	-	-	-	-	20,000
포도	7송이(3kg)	-	-	-	-	-	-	-	-	-	-	-	15,000
바나나(수입)	1다발(6수)	-	-	-	-	-	-	-	-	6,000	7,000	7,000	7,000
체리(수입)	400g	-	-	-	-	-	-	-	-	6,500	8,000	8,000	-
오렌지(수입)	3개(72과)	-	-	-	-	-	-	-	-	3,000	3,000	3,000	3,000

농축수산물 (23)

(단위 : 원)

품명	단위	강원											
		2022년 11월	12월	2023년 1월	2월	3월	4월	5월	6월	7월	8월	9월	10월
◈채소류													
건고추(태양초)	1근(600g)	18,000	18,000	18,000	18,000	19,000	18,000	18,000	18,000	19,000	19,000	20,000	20,000
대파	1단(1kg)	2,500	2,500	2,500	2,500	2,500	2,500	3,000	2,500	2,000	3,000	3,000	3,000
무	1개(2.5kg)	3,000	2,000	2,500	3,000	3,500	2,500	2,500	2,000	2,000	3,500	2,500	2,000
총각무	1단(1.5kg)	4,000	3,000	4,000	4,000	4,000	3,500	3,000	3,000	3,000	4,000	4,000	3,000
배추	1포기(4kg)	6,500	3,000	4,000	3,000	3,000	4,000	2,500	3,000	3,000	10,000	8,500	8,000
청오이	10개(2kg)	7,500	8,000	9,000	16,000	16,000	13,000	10,000	10,000	10,000	9,000	10,000	10,000
백오이	5개(1kg)	3,000	4,000	4,000	6,000	6,000	5,000	3,000	4,000	3,500	4,500	5,000	6,000
애호박(조선)	1개(500g)	2,000	1,000	1,000	2,000	2,000	2,000	1,500	1,500	1,000	1,000	1,500	1,500
열무	1단(2kg)	4,000	3,500	4,000	3,500	4,000	3,500	3,000	3,500	5,000	4,000	5,500	4,500
시금치(포항초)	1단(400g)	-	2,500	-	3,000	3,000	-	-	-	-	-	-	-
시금치(섬초)	〃	-	2,500	-	3,000	3,000	-	-	-	-	-	-	-
시금치(일반)	〃	4,000	2,500	2,500	2,000	2,000	2,000	2,500	2,500	5,000	5,000	7,000	5,000
부추(조선)	1단(800g)	3,000	4,000	4,000	5,000	5,000	4,000	2,500	2,500	2,000	2,000	4,000	3,500
가지	4개(약500g)	3,000	2,500	2,500	4,000	4,000	3,000	3,000	3,000	3,000	3,000	3,000	3,000
팽이버섯	3봉지(450g)	1,500	1,500	1,500	1,500	1,500	1,500	2,000	1,500	1,500	1,500	2,000	2,000
양송이버섯	1근(400g)	6,000	6,000	6,000	6,000	5,000	5,000	5,000	4,000	5,000	5,000	6,000	5,000
표고버섯	〃	6,000	5,000	6,000	6,000	6,000	5,000	7,000	6,000	5,000	5,000	7,000	5,000
새송이버섯	〃	2,000	2,000	2,000	2,000	2,000	1,500	2,000	2,000	2,000	2,000	3,500	4,000
느타리버섯	〃	3,000	2,500	3,000	3,000	3,000	3,000	4,000	3,000	3,000	3,000	3,500	4,000
피망(레드)	〃	4,000	3,000	4,000	5,000	5,000	5,000	4,000	3,000	4,000	4,000	4,000	5,000
피망(그린)	〃	3,000	3,000	4,000	4,500	4,500	4,500	4,000	3,000	4,000	4,000	4,000	4,000
파프리카	1개(230g)	2,000	1,500	1,500	2,000	2,000	1,500	2,000	1,500	1,500	1,500	1,500	2,000
풋고추	1근(400g)	4,000	3,000	3,500	6,000	5,500	4,000	4,000	4,000	4,000	4,000	4,500	5,000
풋고추(롱그린)	〃	4,000	3,000	3,500	6,000	5,500	4,000	4,000	4,000	3,000	3,000	3,500	5,000
아삭이 고추(상품)	〃	3,000	3,000	3,000	6,000	5,500	4,000	4,000	4,000	3,000	3,000	3,500	4,000
청양고추	〃	3,500	3,500	3,500	7,000	6,500	3,500	4,000	4,000	4,000	4,000	4,500	4,500
꽈리고추	〃	4,500	4,000	4,000	6,000	5,500	5,000	6,000	5,000	5,000	5,000	5,000	5,000
쑥갓	〃	2,000	2,000	3,000	4,000	4,000	3,000	3,000	2,000	3,000	3,000	3,000	3,000
브로콜리	1개(1kg)	2,000	2,000	2,000	1,500	1,500	1,500	2,500	2,000	2,500	2,500	2,500	3,000
옥수수	10개	6,500	6,500	6,500	7,000	7,000	7,000	7,000	7,000	7,000	7,000	-	-
마늘(깐)	1근(400g)	5,000	4,000	4,000	4,500	4,500	4,500	4,000	3,500	4,000	4,000	4,000	4,000
양배추	1통	5,000	3,000	3,000	2,000	2,000	2,000	3,000	3,000	3,000	4,000	4,000	4,000
냉이	1근(400g)	-	5,000	5,000	4,000	4,000	4,000	-	-	-	-	-	-
양상추	1통	3,500	2,500	2,500	4,500	4,500	3,000	3,000	3,000	2,000	2,000	3,000	3,000
미나리	1kg	9,000	12,000	10,000	12,000	11,000	10,000	9,000	8,000	8,000	10,000	10,000	11,000
쪽파	〃	8,000	6,000	7,000	8,000	9,000	7,000	8,000	8,000	8,000	13,000	12,000	10,000
고사리	1근(400g)	6,000	5,000	5,000	6,000	6,000	6,000	5,000	4,000	5,000	5,000	6,000	6,000
도라지	〃	5,000	4,000	4,000	5,000	5,000	5,000	4,000	4,000	4,000	4,000	5,000	5,000
시래기	〃	3,000	3,000	3,000	3,000	3,000	3,000	2,000	2,000	3,500	3,500	3,000	3,000
콩나물	1kg	2,000	1,500	1,500	2,000	2,000	2,000	1,500	1,500	1,000	1,000	1,000	1,000
숙주나물	〃	2,000	2,000	2,000	3,000	3,000	3,000	2,000	2,000	2,000	2,000	2,000	2,000
상추	1근(400g)	3,500	3,000	4,000	5,000	5,000	3,000	3,000	3,000	6,000	6,000	7,000	5,000
깻잎	〃	7,000	7,000	6,500	8,000	9,000	8,000	7,000	6,000	6,000	6,000	9,000	7,000
취나물	〃	4,000	3,500	3,000	4,000	4,000	4,000	4,000	4,000	3,000	5,000	5,000	5,000
케일	〃	4,000	4,000	4,000	4,000	4,000	4,000	3,000	3,000	3,000	3,000	4,000	5,000
당귀	〃	-	-	-	-	-	-	-	-	-	-	-	-
청경채	〃	-	-	-	-	-	-	-	-	-	-	-	2,500
생강	1kg	9,000	12,000	12,000	12,000	12,000	13,000	16,000	15,000	16,000	16,000	16,000	16,000
양파	1망(2kg)	6,000	5,000	5,000	5,000	5,000	5,000	4,000	4,000	3,000	3,000	3,000	4,000
적양파	〃	6,000	5,000	5,000	5,500	5,500	5,500	-	-	4,000	4,000	4,000	4,000
고구마	1kg	4,000	3,000	4,000	5,000	5,000	5,000	5,000	5,000	5,000	5,000	4,000	5,000
감자	〃	4,000	3,000	3,500	4,000	4,000	4,000	5,000	5,000	3,500	3,500	3,000	3,000
당근	〃	4,000	3,500	3,500	4,000	4,000	4,000	4,000	3,500	3,000	3,000	3,000	3,000
마(장마)	〃	10,000	10,000	10,000	10,000	9,000	9,000	8,000	8,000	9,000	9,000	10,000	12,000
더덕(강원도산)	400g	10,000	8,000	10,000	10,000	9,000	9,000	9,000	9,000	9,000	9,000	9,000	10,000

(단위 : 원)

품명	단위	강원											
		2022년 11월	12월	2023년 1월	2월	3월	4월	5월	6월	7월	8월	9월	10월
◈낙농물													
소고기(등심,A1+)	1근(600g)	76,000	78,000	78,000	76,000	75,000	74,000	73,000	74,000	73,000	68,000	69,000	75,000
소고기(양지(국거리),A1+)	〃	35,000	35,000	35,000	33,000	32,000	32,000	31,000	32,000	33,000	32,000	33,000	35,000
소고기(홍두깨,A1+)	〃	36,000	36,000	36,000	34,000	33,000	34,000	33,000	34,000	34,000	34,000	33,000	35,000
소고기(우둔살,A1+)	〃	35,000	35,000	35,000	33,000	33,000	31,000	30,000	30,000	30,000	30,000	30,000	30,000
소고기(살치살,A1+)	〃	85,000	88,000	88,000	88,000	87,000	87,000	86,000	86,000	86,000	86,000	86,000	90,000
소고기(차돌박이,A1+)	〃	35,000	35,000	35,000	33,000	32,000	32,000	32,000	33,000	33,000	33,000	36,000	40,000
소고기(갈비살,A1+)	〃	-	-	-	-	-	-	-	-	-	-	-	90,000
사골	1kg	-	-	-	-	-	-	-	-	-	-	-	12,000
돼지고기(앞다리살,상등급)	1근(600g)	-	-	-	-	-	-	-	-	-	-	-	9,000
돼지고기(뒷다리살,상등급)	〃	-	-	-	-	-	-	-	-	-	-	-	6,500
돼지고기(목살,상등급)	〃	15,000	15,000	15,000	12,000	12,000	12,000	13,800	14,000	15,000	13,500	14,000	15,000
돼지고기(삼겹살,상등급)	〃	18,000	17,000	17,000	14,000	14,000	14,000	16,200	17,000	18,000	15,500	16,000	16,500
닭고기	1kg	6,000	7,000	7,000	7,000	8,000	7,000	8,000	8,000	8,000	8,000	8,000	7,000
달걀(왕란)	1판	7,000	7,000	7,000	7,000	8,000	8,000	8,000	8,000	8,000	8,000	8,000	7,000
◈수산물													
갈치(生)	1마리(500g)	19,000	20,000	20,000	20,000	20,000	20,000	25,000	24,000	24,000	24,000	24,000	16,000
병어	〃	13,000	11,000	15,000	13,000	13,000	13,000	13,000	12,000	12,000	12,000	-	10,000
가자미(호시)	1마리(中자)	7,000	6,000	6,000	7,000	7,000	7,000	6,000	7,000	7,000	7,000	6,000	7,000
부세조기(중국산)	3마리(300g)	8,000	8,000	10,000	8,000	8,000	8,000	8,000	8,000	8,000	8,000	10,000	10,000
연자돔(제주산)	1마리(500g)	11,000	12,000	-	-	-	12,000	12,000	11,000	10,000	10,000	10,000	10,000
고등어	〃	4,500	6,000	6,000	6,000	6,000	6,000	6,000	6,000	7,000	7,000	6,000	5,000
고등어(자반)	1손(1kg)	7,000	9,000	9,000	9,000	9,000	9,000	9,000	9,000	10,000	10,000	9,000	10,000
삼치	1마리(500g)	8,000	8,000	8,000	8,000	8,000	9,000	9,000	10,000	12,000	12,000	10,000	10,000
오징어	1마리(30cm)	5,000	6,000	6,000	6,000	6,000	6,000	6,000	6,000	6,000	6,000	5,000	7,000
꽁치(냉동)	1마리(20cm)	1,500	1,500	1,500	2,000	2,000	2,000	2,000	2,000	2,000	1,500	2,000	1,500
민어	1마리(500g)	10,000	10,000	10,000	10,000	10,000	10,000	10,000	10,000	10,000	10,000	10,000	10,000
아구	1마리(2kg)	13,000	13,000	13,000	15,000	15,000	15,000	15,000	16,000	17,000	17,000	17,000	17,000
우럭	1마리(300g)	9,000	9,000	9,000	9,000	9,000	9,000	9,000	10,000	10,000	10,000	10,000	10,000
대구(大)	1마리(60cm)	11,000	12,000	12,000	-	5,000	15,000	15,000	15,000	15,000	-	12,000	10,000
생태(大)	〃	11,000	12,000	12,000	12,000	12,000	-	10,000	10,000	10,000	-	-	-
동태	1kg	7,000	7,000	7,000	7,000	7,000	7,000	7,000	7,000	7,000	7,000	7,000	7,000
낙지	1코(4~5마리)	15,000	16,000	16,000	16,000	16,000	16,000	16,000	16,000	16,000	16,000	16,000	16,000
새우	1kg	20,000	15,000	20,000	20,000	20,000	16,000	16,000	16,000	16,000	16,000	16,000	16,000
암꽃게(生,상품)	〃	25,000	25,000	25,000	-	-	-	30,000	35,000	-	-	15,000	15,000
수꽃게(生,상품)	〃	25,000	25,000	-	-	-	20,000	20,000	25,000	-	-	20,000	15,000
암꽃게(급냉,상품)	〃	45,000	45,000	45,000	45,000	45,000	45,000	35,000	35,000	35,000	35,000	25,000	25,000
수꽃게(급냉,상품)	〃	20,000	20,000	20,000	20,000	20,000	20,000	28,000	28,000	28,000	28,000	30,000	20,000
굴(통영)	〃	16,000	20,000	17,000	18,000	18,000	18,000	18,000	18,000	18,000	18,000	18,000	18,000
조개(바지락)	〃	7,000	7,000	7,000	7,000	7,000	7,000	8,000	9,000	9,000	6,000	6,000	7,000
꼬막(상품)	〃	9,000	9,000	9,000	9,000	9,000	9,000	9,000	10,000	10,000	9,000	9,000	9,000
모시조개	〃	13,000	13,000	13,000	13,000	13,000	13,000	15,000	18,000	18,000	15,000	15,000	15,000
미더덕	〃	15,000	15,000	15,000	15,000	15,000	15,000	15,000	18,000	18,000	18,000	18,000	18,000
홍합	〃	3,000	3,000	3,000	3,000	3,000	3,000	3,000	3,000	3,000	3,000	3,000	3,000

농축수산물 (24)

(단위 : 원)

품 명	단위	강원											
		2022년 11월	12월	2023년 1월	2월	3월	4월	5월	6월	7월	8월	9월	10월
◈곡물류													
일반미	8kg	19,000	19,000	19,000	19,000	19,000	21,000	21,000	21,000	21,000	24,000	25,000	25,000
찹쌀	〃	24,000	24,000	24,000	23,000	23,000	24,000	24,000	24,000	24,000	28,000	28,000	28,000
흑미	1되(800g)	4,000	4,000	4,000	3,000	3,000	4,000	4,000	4,000	3,500	3,500	4,000	4,000
현미	〃	3,000	3,000	3,000	2,000	2,000	2,500	2,500	2,500	2,500	2,500	3,000	3,000
보리쌀	1되(765g)	2,000	2,000	2,000	2,000	2,000	2,500	2,500	2,500	2,500	2,500	3,000	3,000
율무	1되(800g)	13,000	13,000	13,000	13,000	13,000	12,000	12,000	12,000	12,000	12,000	12,000	12,000
백태	1되(720g)	5,000	5,000	6,000	6,000	6,000	5,000	5,000	5,000	5,000	5,000	5,000	5,000
서리태	〃	7,000	7,000	8,000	8,000	8,000	7,000	7,000	7,000	7,000	7,000	7,500	7,500
녹두(깐)	1되(780g)	16,000	16,000	16,000	15,000	15,000	16,000	16,000	14,000	14,000	14,000	14,000	14,000
적두	1되(800g)	8,000	8,000	8,000	8,000	8,000	9,000	9,000	9,000	9,000	9,000	9,500	9,500
수수	1되(750g)	6,000	6,000	6,000	6,000	6,000	7,000	7,000	7,000	7,000	7,000	7,500	7,500
기장	1되(800g)	8,000	8,000	8,000	8,000	8,000	8,000	8,000	8,000	8,000	8,000	8,000	8,000
차조	〃	11,000	11,000	11,000	11,000	11,000	12,000	12,000	12,000	12,000	12,000	12,000	12,000
약콩	1되(720g)	7,000	7,000	7,000	7,000	7,000	7,000	7,000	7,000	7,000	7,000	7,500	7,500
겉메밀	1되(600g)	4,000	4,000	4,000	5,000	5,000	5,000	5,000	5,000	5,000	5,000	5,500	5,500
참깨	〃	17,000	17,000	18,000	18,000	18,000	20,000	20,000	17,000	17,000	17,000	17,500	17,500
거피팥	1되(800g)	11,000	11,000	11,000	11,000	11,000	11,000	11,000	11,000	11,000	11,000	11,000	11,000
밀(수입산)	1되(720g)	-	-	-	-	-	-	-	-	-	-	-	-
귀리(수입산)	〃	3,000	3,000	3,000	3,000	3,000	2,500	2,500	2,500	2,500	2,500	2,500	2,500
◈건어물													
세멸치(지리멸치)	1.5kg(상품)	35,000	35,000	35,000	35,000	35,000	35,000	35,000	35,000	35,000	35,000	38,000	38,000
자멸치(가이리)	1.5kg(특품)	35,000	35,000	35,000	35,000	35,000	35,000	35,000	35,000	35,000	35,000	38,000	38,000
햇 중멸치(오사리 주바다시)	1.5kg(상품)	20,000	26,000	23,000	25,000	25,000	25,000	25,000	25,000	25,000	28,000	35,000	35,000
죽방멸치	〃	30,000	30,000	30,000	30,000	30,000	30,000	30,000	30,000	30,000	30,000	38,000	38,000
멸치	〃	30,000	30,000	30,000	30,000	30,000	30,000	30,000	30,000	30,000	30,000	38,000	38,000
다시멸치	〃	20,000	20,000	20,000	25,000	25,000	25,000	25,000	25,000	25,000	25,000	25,000	25,000
다시멸치	1.5kg(중품)	15,000	15,000	15,000	15,000	15,000	15,000	15,000	15,000	15,000	15,000	20,000	20,000
건새우	200g(상품)	13,000	13,000	13,000	13,000	13,000	13,000	13,000	13,000	13,000	13,000	13,000	13,000
건오징어	1축(20마리)	100,000	100,000	100,000	100,000	100,000	100,000	100,000	100,000	100,000	100,000	100,000	100,000
진미(오징어채)	1kg(상품)	18,000	18,000	18,000	20,000	20,000	20,000	20,000	20,000	20,000	20,000	20,000	20,000
김(재래)	1속(상품)	10,000	10,000	10,000	10,000	10,000	10,000	10,000	10,000	10,000	10,000	10,000	10,000
돌김	〃	30,000	30,000	30,000	30,000	30,000	30,000	30,000	30,000	30,000	30,000	30,000	30,000
파래김	〃	6,000	6,000	6,000	6,000	6,000	6,000	6,000	6,000	6,000	6,000	6,000	6,000
북어(대태)	10마리(상품)	61,000	61,000	61,000	60,000	60,000	60,000	60,000	60,000	60,000	60,000	60,000	60,000
건미역	1kg(상품)	13,000	13,000	13,000	13,000	13,000	13,000	13,000	13,000	13,000	13,000	13,000	13,000
건다시마	〃	13,000	13,000	13,000	13,000	13,000	13,000	13,000	13,000	13,000	13,000	13,000	13,000
굴비	10마리(중품)	60,000	60,000	60,000	60,000	60,000	60,000	60,000	60,000	60,000	60,000	60,000	60,000
◈가공식품													
두부	1모	1,500	1,500	1,500	1,500	2,000	2,000	2,000	2,000	2,000	2,000	2,000	2,000

(단위 : 원)

품명	단위	강원											
		2022년 11월	12월	2023년 1월	2월	3월	4월	5월	6월	7월	8월	9월	10월
◈견과류													
깐은행	1되(1kg)	13,000	13,000	13,000	13,000	13,000	13,000	13,000	13,000	13,000	13,000	13,000	13,000
밤	1되(800g)	8,000	8,000	8,000	7,000	7,000	7,000	7,000	7,000	7,000	8,000	8,000	8,000
대추	1되(400g)	8,000	8,000	8,000	7,000	7,000	7,000	7,000	7,000	7,000	8,000	8,000	8,000
땅콩(볶음)	1되(600g)	11,000	11,000	11,000	11,000	11,000	11,000	11,000	11,000	11,000	11,000	11,000	11,000
땅콩(생)	〃	10,000	10,000	10,000	10,000	10,000	10,000	10,000	10,000	10,000	10,000	10,000	10,000
호두(깐)	1되(400g)	40,000	40,000	40,000	40,000	40,000	40,000	40,000	40,000	40,000	40,000	40,000	40,000
잣	1되(600g)	60,000	60,000	60,000	60,000	60,000	60,000	60,000	60,000	60,000	60,000	60,000	60,000
아몬드(미국산)	1되(400g)	6,000	6,000	6,000	6,000	6,000	6,000	6,000	6,000	6,000	6,000	6,000	6,000
해바라기씨(미국산)	1되(600g)	3,000	3,000	3,000	3,000	3,000	3,000	3,000	3,000	3,000	3,000	3,000	3,000
호박씨(중국산)	〃	5,000	5,000	5,000	5,000	5,000	5,000	5,000	5,000	5,000	5,000	5,000	5,000
◈과일류													
배(신고)	1개(중품)	4,000	4,000	3,000	2,500	3,000	3,000	2,000	3,000	4,000	3,000	4,000	4,000
사과(부사, 홍로)	〃	2,000	2,000	2,000	1,500	2,000	2,000	2,000	2,500	3,000	3,000	2,000	3,500
수박	1통(6kg)	20,000	16,000	20,000	27,000	30,000	28,000	15,000	15,000	18,000	20,000	23,000	20,000
토마토	5kg	17,000	17,000	17,000	15,000	15,000	15,000	15,000	15,000	15,000	18,000	25,000	25,000
방울토마토	1kg	5,000	5,000	6,000	6,000	6,000	6,000	7,000	4,000	5,000	8,000	8,000	9,000
참외	1개	-	-	-	-	2,000	3,000	1,000	1,000	1,000	-	-	-
딸기	1팩(500g)	-	8,000	8,000	8,000	8,000	7,000	3,000	3,000	-	-	-	-
파인애플	1개(6수)	7,000	7,000	7,000	7,000	7,000	7,000	8,000	8,000	8,000	8,000	7,000	10,000
감귤	10개	3,000	2,000	2,000	2,000	2,000	2,000	-	-	-	-	-	6,000
자두	〃	-	-	-	-	-	-	-	-	7,000	7,000	9,000	-
단감	1개	800	1,000	1,000	800	800	-	-	-	-	-	-	1,000
자몽(레드)	1개(36과)	3,500	2,500	2,500	2,000	2,000	2,000	1,500	1,500	1,500	1,500	2,500	3,000
자몽(청)	〃	-	-	-	-	-	-	-	-	-	-	-	-
키위(그린)	8개	5,000	5,000	5,500	5,500	6,000	6,000	-	5,000	5,000	5,000	5,500	6,500
키위(골드)	7개	8,500	8,500	8,500	12,000	11,000	11,000	10,500	9,000	12,000	12,000	14,000	14,000
천도복숭아	10개	-	-	-	-	-	-	-	-	13,000	10,000	-	-
석류	1개(12과)	-	-	-	4,000	4,500	-	-	-	-	-	-	-
살구	15개	-	-	-	-	-	-	-	-	-	-	-	-
모과	1개	-	-	-	-	-	-	-	-	-	-	-	-
레몬	6개	4,000	4,000	4,000	4,000	4,000	4,000	3,500	3,500	5,500	5,500	4,000	4,000
메론	1통(3수)	12,000	12,000	12,000	12,000	12,000	12,000	13,000	13,000	10,000	-	-	13,000
샤인머스켓	4송이(2kg)	-	-	-	-	-	-	-	-	-	-	-	20,000
포도	7송이(3kg)	-	-	-	-	-	-	-	-	-	-	-	20,000
바나나(수입)	1다발(6수)	6,000	6,000	6,000	6,000	6,000	8,000	8,000	8,000	6,000	7,000	6,000	7,000
체리(수입)	400g	-	-	12,000	8,000	-	-	-	-	6,000	8,000	-	-
오렌지(수입)	3개(72과)	4,000	4,000	4,000	4,000	3,000	3,000	3,000	3,000	4,000	5,000	3,000	3,000

농축수산물 (25)

(단위 : 원)

품명	단위	강릉											
		2022년 11월	12월	2023년 1월	2월	3월	4월	5월	6월	7월	8월	9월	10월
◈채소류													
건고추(태양초)	1근(600g)	-	-	-	-	-	-	-	-	20,000	20,000	22,000	22,000
대파	1단(1kg)	-	-	-	-	-	-	-	-	2,500	3,500	3,500	4,000
무	1개(2.5kg)	-	-	-	-	-	-	-	-	2,500	4,000	4,000	3,000
총각무	1단(1.5kg)	-	-	-	-	-	-	-	-	3,500	3,500	4,500	3,500
배추	1포기(4kg)	-	-	-	-	-	-	-	-	3,500	12,000	9,000	9,000
청오이	10개(2kg)	-	-	-	-	-	-	-	-	11,000	8,000	11,000	14,000
백오이	5개(1kg)	-	-	-	-	-	-	-	-	4,000	4,000	6,000	7,000
애호박(조선)	1개(500g)	-	-	-	-	-	-	-	-	1,500	1,500	2,000	2,000
열무	1단(2kg)	-	-	-	-	-	-	-	-	5,500	4,500	6,000	5,000
시금치(포항초)	1단(400g)	-	-	-	-	-	-	-	-	-	-	-	-
시금치(섬초)	〃	-	-	-	-	-	-	-	-	-	-	-	-
시금치(일반)	〃	-	-	-	-	-	-	-	-	5,500	5,500	7,500	6,000
부추(조선)	1단(800g)	-	-	-	-	-	-	-	-	2,500	2,500	5,000	4,000
가지	4개(약500g)	-	-	-	-	-	-	-	-	3,500	3,500	3,500	4,000
팽이버섯	3봉지(450g)	-	-	-	-	-	-	-	-	1,600	1,600	2,500	3,000
양송이버섯	1근(400g)	-	-	-	-	-	-	-	-	6,000	6,000	7,000	6,000
표고버섯	〃	-	-	-	-	-	-	-	-	7,000	7,000	7,000	6,000
새송이버섯	〃	-	-	-	-	-	-	-	-	2,500	2,500	4,000	4,000
느타리버섯	〃	-	-	-	-	-	-	-	-	3,500	3,500	4,000	4,000
피망(레드)	〃	-	-	-	-	-	-	-	-	4,500	4,500	4,500	5,000
피망(그린)	〃	-	-	-	-	-	-	-	-	4,500	4,500	4,500	5,000
파프리카	1개(230g)	-	-	-	-	-	-	-	-	1,500	1,500	2,000	3,000
풋고추	1근(400g)	-	-	-	-	-	-	-	-	4,500	4,500	6,000	5,000
풋고추(롱그린)	〃	-	-	-	-	-	-	-	-	3,500	3,500	6,000	5,000
아삭이 고추(상품)	〃	-	-	-	-	-	-	-	-	3,500	3,500	4,500	5,000
청양고추	〃	-	-	-	-	-	-	-	-	4,500	4,500	5,500	5,000
꽈리고추	〃	-	-	-	-	-	-	-	-	5,500	5,500	6,000	5,000
쑥갓	〃	-	-	-	-	-	-	-	-	3,500	3,500	4,000	4,000
브로콜리	1개(1kg)	-	-	-	-	-	-	-	-	3,000	3,000	3,000	4,000
옥수수	10개	-	-	-	-	-	-	-	-	8,000	8,000	-	-
마늘(깐)	1근(400g)	-	-	-	-	-	-	-	-	5,000	5,000	5,000	5,000
양배추	1통	-	-	-	-	-	-	-	-	3,500	3,500	4,500	5,000
냉이	1근(400g)	-	-	-	-	-	-	-	-	-	-	-	-
양상추	1통	-	-	-	-	-	-	-	-	2,500	2,500	3,500	4,000
미나리	1kg	-	-	-	-	-	-	-	-	11,000	13,000	13,000	12,000
쪽파	〃	-	-	-	-	-	-	-	-	9,000	13,000	13,000	11,000
고사리	1근(400g)	-	-	-	-	-	-	-	-	6,000	6,000	7,000	7,000
도라지	〃	-	-	-	-	-	-	-	-	4,500	4,500	5,500	6,000
시래기	〃	-	-	-	-	-	-	-	-	4,000	4,000	4,000	4,000
콩나물	1kg	-	-	-	-	-	-	-	-	1,000	1,000	1,500	1,500
숙주나물	〃	-	-	-	-	-	-	-	-	2,500	2,500	2,500	3,000
상추	1근(400g)	-	-	-	-	-	-	-	-	6,000	6,000	8,000	6,000
깻잎	〃	-	-	-	-	-	-	-	-	7,000	7,000	10,000	10,000
취나물	〃	-	-	-	-	-	-	-	-	3,500	3,500	6,000	6,000
케일	〃	-	-	-	-	-	-	-	-	3,500	3,500	5,000	5,000
당귀	〃	-	-	-	-	-	-	-	-	-	-	-	-
청경채	〃	-	-	-	-	-	-	-	-	-	-	-	3,000
생강	1kg	-	-	-	-	-	-	-	-	17,000	17,000	17,000	16,000
양파	1망(2kg)	-	-	-	-	-	-	-	-	3,500	3,500	5,500	6,000
적양파	〃	-	-	-	-	-	-	-	-	4,500	4,500	5,500	5,500
고구마	1kg	-	-	-	-	-	-	-	-	5,500	5,500	6,000	6,000
감자	〃	-	-	-	-	-	-	-	-	2,500	2,500	4,000	4,000
당근	〃	-	-	-	-	-	-	-	-	3,500	3,500	4,000	5,000
마(장마)	〃	-	-	-	-	-	-	-	-	10,000	10,000	10,000	13,000
더덕(강원도산)	400g	-	-	-	-	-	-	-	-	10,000	10,000	10,000	11,000

(단위 : 원)

품 명	단위	강 릉											
		2022년 11월	12월	2023년 1월	2월	3월	4월	5월	6월	7월	8월	9월	10월
◈낙농물													
소고기(등심,A1+)	1근(600g)	-	-	-	-	-	-	-	-	74,000	73,000	75,000	80,000
소고기(양지(국거리),A1+)	〃	-	-	-	-	-	-	-	-	34,000	34,000	35,000	38,000
소고기(홍두깨,A1+)	〃	-	-	-	-	-	-	-	-	34,000	34,000	35,000	38,000
소고기(우둔살,A1+)	〃	-	-	-	-	-	-	-	-	30,000	30,000	30,000	35,000
소고기(살치살,A1+)	〃	-	-	-	-	-	-	-	-	86,000	86,000	95,000	100,000
소고기(차돌박이,A1+)	〃	-	-	-	-	-	-	-	-	33,000	33,000	40,000	48,000
소고기(갈비살,A1+)	〃	-	-	-	-	-	-	-	-	-	-	-	96,000
사골	1kg	-	-	-	-	-	-	-	-	-	-	-	15,000
돼지고기(앞다리살,상등급)	1근(600g)	-	-	-	-	-	-	-	-	-	-	-	10,800
돼지고기(뒷다리살,상등급)	〃	-	-	-	-	-	-	-	-	-	-	-	7,200
돼지고기(목살,상등급)	〃	-	-	-	-	-	-	-	-	15,000	15,000	19,000	19,800
돼지고기(삼겹살,상등급)	〃	-	-	-	-	-	-	-	-	18,000	18,000	20,000	19,800
닭고기	1kg	-	-	-	-	-	-	-	-	8,000	8,000	8,000	8,000
달걀(왕란)	1판	-	-	-	-	-	-	-	-	8,000	8,000	8,000	8,000
◈수산물													
갈치(生)	1마리(500g)	-	-	-	-	-	-	-	-	24,000	24,000	24,000	18,000
병어	〃	-	-	-	-	-	-	-	-	11,000	11,000	11,000	11,000
가자미(호시)	1마리(中자)	-	-	-	-	-	-	-	-	7,000	7,000	7,000	6,000
부세조기(중국산)	3마리(300g)	-	-	-	-	-	-	-	-	7,000	7,000	7,000	10,000
연자돔(제주산)	1마리(500g)	-	-	-	-	-	-	-	-	9,000	9,000	9,000	9,000
고등어	〃	-	-	-	-	-	-	-	-	7,000	7,000	6,000	6,000
고등어(자반)	1손(1kg)	-	-	-	-	-	-	-	-	8,000	8,000	8,000	11,000
삼치	1마리(500g)	-	-	-	-	-	-	-	-	12,000	12,000	12,000	11,000
오징어	1마리(30cm)	-	-	-	-	-	-	-	-	5,000	5,000	5,000	6,000
꽁치(냉동)	1마리(20cm)	-	-	-	-	-	-	-	-	2,000	2,000	2,000	2,000
민어	1마리(500g)	-	-	-	-	-	-	-	-	10,000	10,000	10,000	10,000
아구	1마리(2kg)	-	-	-	-	-	-	-	-	18,000	18,000	17,000	17,000
우럭	1마리(300g)	-	-	-	-	-	-	-	-	10,000	10,000	10,000	10,000
대구(大)	1마리(60cm)	-	-	-	-	-	-	-	-	15,000	-	11,000	11,000
생태(大)	〃	-	-	-	-	-	-	-	-	10,000	-	-	-
동태	1kg	-	-	-	-	-	-	-	-	7,000	7,000	7,000	7,000
낙지	1코(4~5마리)	-	-	-	-	-	-	-	-	15,000	15,000	15,000	15,000
새우	1kg	-	-	-	-	-	-	-	-	14,000	14,000	14,000	15,000
암꽃게(生,상품)	〃	-	-	-	-	-	-	-	-	-	-	15,000	15,000
수꽃게(生,상품)	〃	-	-	-	-	-	-	-	-	-	-	20,000	15,000
암꽃게(급냉,상품)	〃	-	-	-	-	-	-	-	-	35,000	35,000	25,000	25,000
수꽃게(급냉,상품)	〃	-	-	-	-	-	-	-	-	25,000	25,000	30,000	20,000
굴(통영)	〃	-	-	-	-	-	-	-	-	18,000	18,000	18,000	18,000
조개(바지락)	〃	-	-	-	-	-	-	-	-	9,000	9,000	9,000	9,000
꼬막(상품)	〃	-	-	-	-	-	-	-	-	10,000	10,000	10,000	10,000
모시조개	〃	-	-	-	-	-	-	-	-	17,000	17,000	17,000	17,000
미더덕	〃	-	-	-	-	-	-	-	-	17,000	17,000	17,000	17,000
홍합	〃	-	-	-	-	-	-	-	-	3,000	3,000	3,000	3,000

농축수산물 (26)

(단위 : 원)

품명	단위	강릉											
		2022년 11월	12월	2023년 1월	2월	3월	4월	5월	6월	7월	8월	9월	10월
◈곡물류													
일반미	8kg	–	–	–	–	–	–	–	–	23,000	26,000	26,000	26,000
찹쌀	〃	–	–	–	–	–	–	–	–	26,000	30,000	30,000	30,000
흑미	1되(800g)	–	–	–	–	–	–	–	–	3,800	3,800	5,000	5,000
현미	〃	–	–	–	–	–	–	–	–	2,700	2,700	4,000	4,000
보리쌀	1되(765g)	–	–	–	–	–	–	–	–	2,700	2,700	4,000	4,000
율무	1되(800g)	–	–	–	–	–	–	–	–	13,000	13,000	13,000	13,000
백태	1되(720g)	–	–	–	–	–	–	–	–	5,500	5,500	6,000	6,000
서리태	〃	–	–	–	–	–	–	–	–	7,500	7,500	9,000	9,000
녹두(깐)	1되(780g)	–	–	–	–	–	–	–	–	15,000	15,000	15,000	15,000
적두	1되(800g)	–	–	–	–	–	–	–	–	10,000	10,000	10,000	10,000
수수	1되(750g)	–	–	–	–	–	–	–	–	8,000	8,000	9,000	8,000
기장	1되(800g)	–	–	–	–	–	–	–	–	8,500	8,500	9,000	9,000
차조	〃	–	–	–	–	–	–	–	–	13,000	13,000	13,000	13,000
약콩	1되(720g)	–	–	–	–	–	–	–	–	7,500	7,500	8,000	8,000
겉메밀	1되(600g)	–	–	–	–	–	–	–	–	5,500	5,500	6,000	6,000
참깨	〃	–	–	–	–	–	–	–	–	18,000	18,000	18,500	18,500
거피팥	1되(800g)	–	–	–	–	–	–	–	–	12,000	12,000	12,000	12,000
밀(수입산)	1되(720g)	–	–	–	–	–	–	–	–	–	–	–	–
귀리(수입산)	〃	–	–	–	–	–	–	–	–	2,800	2,800	3,000	3,000
◈건어물													
세멸치(지리멸치)	1.5kg(상품)	–	–	–	–	–	–	–	–	33,000	33,000	40,000	40,000
자멸치(가이리)	1.5kg(특품)	–	–	–	–	–	–	–	–	33,000	33,000	40,000	40,000
햇 중멸치(오사리 주바다시)	1.5kg(상품)	–	–	–	–	–	–	–	–	25,000	27,000	30,000	30,000
숙방멸치	〃	–	–	–	–	–	–	–	–	30,000	30,000	38,000	38,000
멸치	〃	–	–	–	–	–	–	–	–	30,000	30,000	38,000	38,000
다시멸치	〃	–	–	–	–	–	–	–	–	25,000	25,000	30,000	30,000
다시멸치	1.5kg(중품)	–	–	–	–	–	–	–	–	14,000	14,000	25,000	25,000
건새우	200g(상품)	–	–	–	–	–	–	–	–	12,000	12,000	12,000	12,000
건오징어	1축(20마리)	–	–	–	–	–	–	–	–	90,000	110,000	110,000	110,000
진미(오징어채)	1kg(상품)	–	–	–	–	–	–	–	–	20,000	20,000	20,000	20,000
김(재래)	1속(상품)	–	–	–	–	–	–	–	–	10,000	10,000	10,000	10,000
돌김	〃	–	–	–	–	–	–	–	–	30,000	30,000	30,000	30,000
파래김	〃	–	–	–	–	–	–	–	–	6,000	6,000	6,000	6,000
북어(대태)	10마리(상품)	–	–	–	–	–	–	–	–	60,000	60,000	60,000	60,000
건미역	1kg(상품)	–	–	–	–	–	–	–	–	13,000	13,000	13,000	13,000
건다시마	〃	–	–	–	–	–	–	–	–	13,000	13,000	13,000	13,000
굴비	10마리(중품)	–	–	–	–	–	–	–	–	60,000	60,000	60,000	60,000
◈가공식품													
두부	1모	–	–	–	–	–	–	–	–	2,500	2,500	2,500	2,500

(단위 : 원)

품 명	단위	강릉											
		2022년 11월	12월	2023년 1월	2월	3월	4월	5월	6월	7월	8월	9월	10월
◈견과류													
깐 은 행	1되(1kg)	-	-	-	-	-	-	-	-	14,000	14,000	14,000	14,000
밤	1되(800g)	-	-	-	-	-	-	-	-	7,500	7,500	7,500	7,500
대 추	1되(400g)	-	-	-	-	-	-	-	-	7,500	7,500	7,500	7,500
땅 콩 (볶 음)	1되(600g)	-	-	-	-	-	-	-	-	12,000	12,000	12,000	12,000
땅 콩 (생)	〃	-	-	-	-	-	-	-	-	11,000	11,000	11,000	11,000
호 두 (깐)	1되(400g)	-	-	-	-	-	-	-	-	44,000	44,000	44,000	44,000
잣	1되(600g)	-	-	-	-	-	-	-	-	66,000	66,000	66,000	66,000
아 몬 드 (미 국 산)	1되(400g)	-	-	-	-	-	-	-	-	6,500	6,500	6,500	6,500
해 바 라 기 씨 (미 국 산)	1되(600g)	-	-	-	-	-	-	-	-	3,500	3,500	3,500	3,500
호 박 씨 (중 국 산)	〃	-	-	-	-	-	-	-	-	5,500	5,500	5,500	5,500
◈과일류													
배 (신 고)	1개(중품)	-	-	-	-	-	-	-	-	4,500	4,000	5,500	5,500
사 과 (부 사 , 홍 로)	〃	-	-	-	-	-	-	-	-	3,500	3,500	3,500	5,000
수 박	1통(6kg)	-	-	-	-	-	-	-	-	17,000	22,000	25,000	20,000
토 마 토	5kg	-	-	-	-	-	-	-	-	17,000	20,000	26,000	30,000
방 울 토 마 토	1kg	-	-	-	-	-	-	-	-	5,500	8,500	8,500	10,000
참 외	1개	-	-	-	-	-	-	-	-	1,500	-	-	-
딸 기	1팩(500g)	-	-	-	-	-	-	-	-	-	-	-	-
파 인 애 플	1개(6수)	-	-	-	-	-	-	-	-	9,000	9,000	-	12,000
감 귤	10개	-	-	-	-	-	-	-	-	10,000	-	-	5,000
자 두	〃	-	-	-	-	-	-	-	-	8,000	8,000	10,000	-
단 감	1개	-	-	-	-	-	-	-	-	-	-	-	2,000
자 몽 (레 드)	1개(36과)	-	-	-	-	-	-	-	-	1,600	1,600	3,000	4,000
자 몽 (청)	〃	-	-	-	-	-	-	-	-	-	-	-	-
키 위 (그 린)	8개	-	-	-	-	-	-	-	-	5,000	5,000	6,500	9,000
키 위 (골 드)	7개	-	-	-	-	-	-	-	-	12,000	12,000	15,000	16,000
천 도 복 숭 아	10개	-	-	-	-	-	-	-	-	11,000	9,000	-	-
석 류	1개(12과)	-	-	-	-	-	-	-	-	-	-	-	-
살 구	15개	-	-	-	-	-	-	-	-	-	-	-	-
모 과	1개	-	-	-	-	-	-	-	-	-	-	-	-
레 몬	6개	-	-	-	-	-	-	-	-	6,000	6,000	6,000	6,000
메 론	1통(3수)	-	-	-	-	-	-	-	-	11,000	-	-	15,000
샤 인 머 스 켓	4송이(2kg)	-	-	-	-	-	-	-	-	-	-	-	20,000
포 도	7송이(3kg)	-	-	-	-	-	-	-	-	-	-	-	25,000
바 나 나 (수 입)	1다발(6수)	-	-	-	-	-	-	-	-	6,500	7,500	7,500	8,000
체 리 (수 입)	400g	-	-	-	-	-	-	-	-	6,500	8,500	-	-
오 렌 지 (수 입)	3개(72과)	-	-	-	-	-	-	-	-	4,500	5,500	5,000	4,000

농축수산물 (27)

(단위 : 원)

품 명	단위	제주											
		2022년 11월	12월	2023년 1월	2월	3월	4월	5월	6월	7월	8월	9월	10월
◈채소류													
건고추(태양초)	1근(600g)	17,000	17,000	19,000	19,000	19,000	19,000	19,000	19,000	19,000	19,000	20,000	20,000
대파	1단(1kg)	3,000	3,000	3,000	4,000	4,000	3,500	3,500	3,000	3,000	4,000	4,000	4,000
무	1개(2.5kg)	4,000	3,000	2,000	3,000	2,500	2,000	3,000	3,000	3,000	4,000	4,000	4,000
총각무	1단(1.5kg)	5,000	3,000	3,000	3,000	3,000	3,000	4,000	4,000	4,000	4,000	4,000	4,000
배추	1포기(4kg)	7,000	5,000	4,000	4,000	4,000	4,000	6,000	4,000	4,000	8,000	10,000	7,000
청오이	10개(2kg)	8,000	7,000	10,000	15,000	15,000	15,000	12,000	9,000	9,000	10,000	15,000	13,000
백오이	5개(1kg)	4,000	3,000	5,000	6,000	6,000	6,000	5,000	5,000	5,000	5,000	5,000	6,000
애호박(조선)	1개(500g)	2,000	2,000	2,500	2,500	3,000	2,500	2,000	2,000	2,000	2,000	3,000	2,000
열무	1단(2kg)	5,000	4,000	5,000	7,000	6,000	5,000	4,000	4,000	5,000	8,000	5,000	4,000
시금치(포항초)	1단(400g)	-	-	-	-	-	-	-	-	-	-	-	-
시금치(섬초)	〃	-	-	-	-	-	-	-	-	-	-	-	-
시금치(일반)	〃	5,000	3,000	3,000	3,500	4,000	4,000	2,500	2,500	3,000	6,000	5,000	5,000
부추(조선)	1단(800g)	3,000	3,000	3,000	5,000	5,000	4,000	3,000	2,500	2,500	5,000	4,000	4,000
가지	4개(약500g)	3,000	3,000	3,000	3,000	3,000	3,000	3,000	3,000	3,000	3,000	3,000	3,000
팽이버섯	3봉지(450g)	1,500	1,500	1,500	1,500	1,500	1,500	1,500	1,500	1,500	1,500	1,500	1,500
양송이버섯	1근(400g)	6,000	6,000	6,000	6,000	5,000	5,000	5,000	5,000	5,000	5,000	5,000	5,000
표고버섯	〃	5,000	5,000	5,000	5,000	5,000	5,000	5,000	5,000	5,000	5,000	5,000	5,000
새송이버섯	〃	2,500	2,500	2,500	2,500	2,500	2,500	2,500	2,500	2,500	2,500	2,500	4,000
느타리버섯	〃	2,500	2,500	2,500	2,500	2,500	2,500	2,500	2,500	2,500	2,500	2,500	3,000
피망(레드)	〃	5,000	3,000	3,000	4,000	4,000	4,000	4,000	4,000	4,000	4,000	4,000	4,000
피망(그린)	〃	5,000	3,000	3,000	5,000	5,000	5,000	4,000	4,000	4,000	4,000	4,000	4,000
파프리카	1개(230g)	2,000	2,000	1,500	2,000	2,000	2,000	2,000	2,000	2,000	2,000	2,000	2,000
풋고추	1근(400g)	4,000	3,000	4,000	6,000	6,000	4,000	4,000	4,000	4,000	6,000	6,000	4,000
풋고추(롱그린)	〃	4,000	3,000	4,000	6,000	6,000	4,000	4,000	4,000	4,000	5,000	5,000	3,000
아삭이 고추(상품)	〃	3,000	3,000	4,000	6,000	6,000	4,000	4,000	4,000	4,000	5,000	5,000	3,000
청양고추	〃	4,000	4,000	4,000	6,000	8,000	5,000	5,000	4,000	4,000	4,000	4,000	3,000
꽈리고추	〃	6,000	6,000	6,000	6,000	6,000	6,000	6,000	4,000	4,000	4,000	4,000	3,000
쑥갓	〃	2,000	2,000	2,000	2,000	2,000	2,000	2,000	2,000	2,000	2,000	2,000	2,000
브로콜리	1개(1kg)	2,000	1,500	1,000	2,000	2,000	2,000	2,000	2,000	2,000	2,000	2,000	2,000
옥수수	10개	-	-	-	7,000	7,000	7,000	7,000	7,000	7,000	7,000	7,000	7,000
마늘(깐)	1근(400g)	5,000	5,000	5,000	5,000	5,000	5,000	5,000	5,000	4,000	4,000	4,000	4,000
양배추	1통	4,000	3,000	3,000	3,000	3,000	3,000	3,000	3,000	3,000	4,000	5,000	4,000
냉이	1근(400g)	-	-	-	-	-	-	-	2,500	2,500	-	-	-
양상추	1통	3,500	3,500	3,500	3,500	3,500	3,500	3,500	3,500	3,500	3,500	3,500	3,500
미나리	1kg	9,000	12,000	12,000	14,000	10,000	7,000	8,000	7,000	7,000	9,000	10,000	10,000
쪽파	〃	10,000	6,000	8,000	10,000	10,000	7,000	12,000	10,000	10,000	14,000	18,000	13,000
고사리	1근(400g)	4,000	4,000	4,000	5,000	5,000	5,000	5,000	5,000	5,000	5,000	5,000	5,000
도라지	〃	4,000	4,000	4,000	5,000	5,000	5,000	5,000	5,000	5,000	5,000	5,000	5,000
시래기	〃	2,000	2,000	2,000	2,000	2,000	2,000	2,000	2,000	2,000	2,000	2,000	2,000
콩나물	1kg	1,500	1,500	1,500	1,500	1,500	1,500	1,500	1,500	1,500	1,500	1,500	1,500
숙주나물	〃	3,000	3,000	3,000	3,000	3,000	3,000	3,000	3,000	3,000	3,000	3,000	3,000
상추	1근(400g)	4,000	3,000	6,000	6,000	5,000	5,000	5,000	4,000	4,000	9,000	7,000	6,000
깻잎	〃	6,000	7,000	10,000	9,000	9,000	8,000	6,000	5,000	7,000	9,000	10,000	9,000
취나물	〃	4,000	4,000	4,000	4,000	4,000	4,000	4,000	4,000	4,000	4,000	4,000	4,000
케일	〃	-	-	-	-	-	-	-	-	-	-	-	-
당귀	〃	-	-	-	-	-	-	-	-	-	-	-	-
청경채	〃	-	-	-	-	-	-	-	-	-	-	-	4,000
생강	1kg	10,000	10,000	13,000	13,000	13,000	15,000	15,000	15,000	17,000	17,000	17,000	15,000
양파	1망(2kg)	4,000	4,000	4,000	5,000	6,000	5,000	5,000	5,000	6,000	5,000	5,000	5,000
적양파	〃	5,000	5,000	5,000	5,000	5,000	5,000	5,000	5,000	5,000	5,000	5,000	5,000
고구마	1kg	5,000	4,500	5,000	6,000	6,000	6,000	6,000	6,000	6,000	6,000	7,000	7,000
감자	〃	5,000	3,500	3,500	4,000	5,000	6,000	6,000	5,000	5,000	5,000	5,000	5,000
당근	〃	4,000	3,500	3,000	3,000	3,000	3,000	3,000	3,000	3,000	4,000	5,000	5,000
마(장마)	〃	11,000	10,000	10,000	9,000	9,000	9,000	9,000	9,000	9,000	9,000	9,000	11,000
더덕(강원도산)	400g	-	-	-	-	-	-	-	-	-	-	-	-

(단위 : 원)

품명	단위	제주											
		2022년 11월	12월	2023년 1월	2월	3월	4월	5월	6월	7월	8월	9월	10월
◈낙농물													
소고기(등심,A1+)	1근(600g)	75,000	75,000	75,000	75,000	75,000	70,000	72,000	72,000	72,000	70,000	72,000	72,000
소고기(양지(국거리),A1+)	〃	35,000	35,000	35,000	35,000	35,000	33,000	32,000	32,000	32,000	30,000	32,000	32,000
소고기(홍두깨,A1+)	〃	35,000	35,000	35,000	35,000	35,000	35,000	35,000	35,000	35,000	35,000	35,000	35,000
소고기(우둔살,A1+)	〃	33,000	33,000	33,000	33,000	33,000	30,000	30,000	30,000	30,000	30,000	30,000	30,000
소고기(살치살,A1+)	〃	85,000	85,000	85,000	85,000	85,000	85,000	85,000	85,000	85,000	85,000	85,000	85,000
소고기(차돌박이,A1+)	〃	35,000	35,000	35,000	35,000	35,000	35,000	35,000	35,000	35,000	35,000	35,000	35,000
소고기(갈비살,A1+)	〃	-	-	-	-	-	-	-	-	-	-	-	87,000
사골	1kg	-	-	-	-	-	-	-	-	-	-	-	10,000
돼지고기(앞다리살,상등급)	1근(600g)	-	-	-	-	-	-	-	-	-	-	-	9,000
돼지고기(뒷다리살,상등급)	〃	-	-	-	-	-	-	-	-	-	-	-	7,000
돼지고기(목살,상등급)	〃	16,000	16,000	16,000	14,000	14,000	16,000	16,000	18,000	18,000	18,000	18,000	18,000
돼지고기(삼겹살,상등급)	〃	18,000	18,000	18,000	16,000	16,000	18,000	18,000	19,000	19,000	19,000	19,000	19,000
닭고기	1kg	6,000	8,000	8,000	6,000	6,000	6,000	6,000	7,000	7,000	7,000	7,000	7,000
달걀(왕란)	1판	7,000	7,000	7,000	7,000	7,000	7,000	7,000	7,000	7,000	7,000	7,000	7,000
◈수산물													
갈치(生)	1마리(500g)	20,000	20,000	20,000	20,000	20,000	20,000	25,000	25,000	25,000	25,000	25,000	25,000
병어	〃	10,000	10,000	10,000	10,000	10,000	10,000	10,000	10,000	10,000	10,000	10,000	10,000
가자미(호시)	1마리(中자)	6,000	6,000	6,000	6,000	6,000	6,000	6,000	6,000	6,000	6,000	6,000	6,000
부세조기(중국산)	3마리(300g)	7,000	7,000	7,000	7,000	7,000	7,000	7,000	7,000	7,000	7,000	7,000	7,000
연자돔(제주산)	1마리(500g)	-	-	-	10,000	10,000	10,000	10,000	10,000	10,000	10,000	10,000	10,000
고등어	〃	8,000	6,000	7,000	7,000	7,000	8,000	8,000	7,000	7,000	8,000	8,000	6,000
고등어(자반)	1손(1kg)	9,000	9,000	9,000	10,000	10,000	10,000	10,000	10,000	10,000	10,000	10,000	8,000
삼치	1마리(500g)	9,000	8,000	8,000	8,000	12,000	12,000	12,000	12,000	12,000	12,000	12,000	12,000
오징어	1마리(30cm)	5,000	5,000	5,000	6,000	5,000	4,000	5,000	5,000	4,000	5,000	4,000	5,000
꽁치(냉동)	1마리(20cm)	1,500	1,500	-	-	-	-	-	-	-	-	-	3,000
민어	1마리(500g)	10,000	10,000	10,000	10,000	10,000	10,000	10,000	10,000	10,000	10,000	10,000	10,000
아구	1마리(2kg)	15,000	15,000	15,000	17,000	17,000	17,000	17,000	17,000	17,000	17,000	17,000	17,000
우럭	1마리(300g)	10,000	8,000	8,000	10,000	10,000	10,000	10,000	10,000	10,000	10,000	10,000	10,000
대구(大)	1마리(60cm)	-	-	-	-	-	-	-	-	-	-	-	-
생태(大)	〃	-	-	-	-	-	-	-	-	-	-	-	-
동태	1kg	10,000	7,000	8,000	8,000	8,000	10,000	10,000	10,000	10,000	10,000	10,000	12,000
낙지	1코(4~5마리)	15,000	15,000	15,000	16,000	18,000	18,000	18,000	14,000	14,000	14,000	14,000	14,000
새우	1kg	15,000	15,000	15,000	15,000	15,000	15,000	15,000	15,000	15,000	15,000	15,000	15,000
암꽃게(生,상품)	〃	20,000	25,000	30,000	-	-	-	55,000	50,000	-	-	20,000	20,000
수꽃게(生,상품)	〃	20,000	20,000	25,000	-	-	-	35,000	30,000	-	-	20,000	20,000
암꽃게(급냉,상품)	〃	50,000	50,000	50,000	50,000	50,000	50,000	50,000	50,000	50,000	50,000	50,000	50,000
수꽃게(급냉,상품)	〃	20,000	20,000	20,000	20,000	20,000	20,000	20,000	20,000	20,000	20,000	20,000	20,000
굴(통영)	〃	16,000	20,000	20,000	20,000	20,000	20,000	18,000	18,000	18,000	18,000	18,000	18,000
조개(바지락)	〃	6,000	6,000	6,000	7,000	7,000	7,000	9,000	9,000	9,000	9,000	9,000	9,000
꼬막(상품)	〃	10,000	10,000	10,000	10,000	10,000	10,000	10,000	10,000	10,000	10,000	10,000	10,000
모시조개	〃	14,000	14,000	14,000	14,000	14,000	14,000	18,000	18,000	18,000	18,000	18,000	18,000
미더덕	〃	14,000	14,000	14,000	14,000	14,000	14,000	18,000	18,000	18,000	18,000	18,000	18,000
홍합	〃	2,000	2,000	2,000	2,000	2,000	2,000	2,000	2,000	2,000	2,000	2,000	2,000

농축수산물 (28)

(단위 : 원)

품명	단위	제주											
		2022년 11월	12월	2023년 1월	2월	3월	4월	5월	6월	7월	8월	9월	10월
◈곡물류													
일반미	8kg	22,000	22,000	22,000	22,000	22,000	22,000	22,000	22,000	22,000	22,000	22,000	23,000
찹쌀	〃	24,000	24,000	24,000	24,000	24,000	24,000	24,000	24,000	24,000	24,000	24,000	24,000
흑미	1되(800g)	4,000	4,000	4,000	4,000	4,000	4,000	4,000	4,000	4,000	4,000	4,000	4,000
현미	〃	3,000	3,000	3,000	2,500	2,500	2,500	2,000	2,000	2,000	2,000	2,000	2,000
보리쌀	1되(765g)	2,000	2,000	2,000	2,500	2,500	2,500	2,000	2,000	2,000	2,000	2,000	2,000
율무	1되(800g)	13,000	13,000	13,000	12,000	12,000	12,000	12,000	12,000	12,000	12,000	12,000	12,000
백태	1되(720g)	6,000	6,000	6,000	6,000	6,000	6,000	6,000	6,000	6,000	6,000	6,000	6,000
서리태	〃	8,000	8,000	8,000	8,000	8,000	8,000	8,000	8,000	8,000	8,000	8,000	8,000
녹두(깐)	1되(780g)	18,000	18,000	18,000	15,000	15,000	15,000	15,000	15,000	15,000	15,000	15,000	15,000
적두	1되(800g)	9,000	9,000	9,000	9,000	9,000	9,000	9,000	9,000	9,000	9,000	9,000	9,000
수수	1되(750g)	-	-	-	-	-	-	-	-	-	-	-	-
기장	1되(800g)	-	-	-	-	-	-	-	-	-	-	-	-
차조	〃	-	-	-	-	-	-	-	-	-	-	-	-
약콩	1되(720g)	7,000	7,000	7,000	7,000	7,000	7,000	7,000	7,000	7,000	7,000	7,000	7,000
겉메밀	1되(600g)	4,500	4,500	4,500	4,500	4,500	4,500	4,500	4,500	4,500	4,500	4,500	4,500
참깨	〃	16,000	16,000	16,000	16,000	16,000	16,000	16,000	16,000	16,000	16,000	16,000	16,000
거피팥	1되(800g)	-	-	-	-	-	-	-	-	-	-	-	-
밀(수입산)	1되(720g)	-	-	-	-	-	-	-	-	-	-	-	-
귀리(수입산)	〃	-	-	-	-	-	-	-	-	-	-	-	-
◈건어물													
세멸치(지리멸치)	1.5kg(상품)	35,000	35,000	35,000	35,000	35,000	35,000	35,000	35,000	35,000	35,000	35,000	35,000
자멸치(가이리)	1.5kg(특품)	30,000	32,000	32,000	32,000	32,000	32,000	32,000	35,000	35,000	35,000	35,000	35,000
햇 중멸치(오사리 주바다시)	1.5kg(상품)	-	-	-	-	-	-	-	-	-	-	-	-
죽방멸지	〃	-	-	-	-	-	-	-	-	-	-	-	-
멸치	〃	30,000	30,000	30,000	30,000	30,000	30,000	30,000	30,000	30,000	30,000	30,000	30,000
다시멸치	〃	25,000	25,000	25,000	25,000	25,000	25,000	25,000	25,000	25,000	25,000	25,000	30,000
다시멸치	1.5kg(중품)	15,000	15,000	15,000	15,000	15,000	15,000	15,000	15,000	15,000	15,000	18,000	23,000
건새우	200g(상품)	12,000	14,000	15,000	13,000	13,000	13,000	13,000	13,000	13,000	13,000	15,000	15,000
건오징어	1축(20마리)	110,000	110,000	110,000	130,000	130,000	130,000	130,000	130,000	130,000	130,000	130,000	130,000
진미(오징어채)	1kg(상품)	18,000	18,000	18,000	18,000	18,000	18,000	15,000	15,000	15,000	15,000	15,000	15,000
김(재래)	1속(상품)	10,000	10,000	10,000	10,000	10,000	10,000	10,000	10,000	10,000	10,000	10,000	10,000
돌김	〃	30,000	30,000	30,000	30,000	30,000	30,000	30,000	30,000	30,000	30,000	30,000	30,000
파래김	〃	6,000	6,000	6,000	6,000	6,000	6,000	6,000	6,000	6,000	6,000	6,000	6,000
북어(대태)	10마리(상품)	60,000	60,000	60,000	60,000	60,000	60,000	60,000	60,000	60,000	60,000	60,000	60,000
건미역	1kg(상품)	15,000	15,000	15,000	15,000	15,000	15,000	15,000	15,000	15,000	15,000	15,000	15,000
건다시마	〃	12,000	12,000	12,000	12,000	12,000	12,000	12,000	12,000	12,000	12,000	12,000	12,000
굴비	10마리(중품)	-	-	-	-	-	-	-	-	-	-	-	-
◈가공식품													
두부	1모	2,000	2,000	2,000	2,000	2,000	2,000	2,000	2,500	2,500	2,500	2,500	2,500

(단위 : 원)

품 명	단 위	제주											
		2022년 11월	12월	2023년 1월	2월	3월	4월	5월	6월	7월	8월	9월	10월
◈견과류													
깐은행	1되(1kg)	-	-	-	-	-	-	-	-	-	-	-	-
밤	1되(800g)	10,000	8,000	8,000	8,000	10,000	10,000	10,000	10,000	10,000	10,000	10,000	10,000
대추	1되(400g)	7,000	7,000	6,000	8,000	8,000	8,000	8,000	8,000	8,000	8,000	8,000	8,000
땅콩(볶음)	1되(600g)	12,000	12,000	12,000	12,000	12,000	12,000	12,000	12,000	12,000	12,000	12,000	12,000
땅콩(생)	〃	10,000	10,000	10,000	10,000	10,000	10,000	10,000	10,000	10,000	10,000	10,000	10,000
호두(깐)	1되(400g)	40,000	40,000	40,000	40,000	40,000	40,000	40,000	40,000	40,000	40,000	40,000	40,000
잣	1되(600g)	60,000	60,000	60,000	60,000	60,000	60,000	60,000	60,000	60,000	60,000	60,000	60,000
아몬드(미국산)	1되(400g)	6,000	6,000	6,000	6,000	6,000	6,000	6,000	6,000	6,000	6,000	6,000	6,000
해바라기씨(미국산)	1되(600g)	4,000	4,000	4,000	4,000	4,000	4,000	4,000	4,000	4,000	4,000	4,000	4,000
호박씨(중국산)	〃	5,000	5,000	5,000	5,000	5,000	5,000	5,000	5,000	5,000	5,000	5,000	5,000
◈과일류													
배(신고)	1개(중품)	4,000	4,000	4,000	4,000	4,000	4,000	4,000	4,000	4,000	4,000	4,000	4,000
사과(부사, 홍로)	〃	3,000	2,000	4,000	3,000	2,500	3,000	2,500	2,500	2,500	3,000	4,000	5,000
수박	1통(6kg)	-	-	-	-	-	-	18,000	18,000	18,000	22,000	17,000	22,000
토마토	5kg	-	-	18,000	18,000	18,000	18,000	18,000	15,000	15,000	15,000	15,000	23,000
방울토마토	1kg	-	-	7,000	7,000	8,000	8,000	4,000	5,000	5,000	7,000	7,000	7,000
참외	1개	-	-	-	-	-	3,000	3,000	2,500	2,500	3,000	3,000	-
딸기	1팩(500g)	-	10,000	12,000	12,000	10,000	7,000	4,000	5,000	-	-	-	-
파인애플	1개(6수)	6,000	6,000	6,000	6,000	6,000	6,000	6,000	6,000	6,000	6,000	6,000	10,000
감귤	10개	7,000	3,000	3,000	4,000	4,000	-	-	-	-	-	-	13,000
자두	〃	13,000	-	-	-	-	-	-	-	-	8,000	10,000	10,000
단감	1개	1,000	1,000	1,000	1,000	1,000	-	-	-	-	-	-	1,500
자몽(레드)	1개(36과)	-	-	-	-	-	-	-	-	-	-	-	-
자몽(청)	〃	-	-	-	-	-	-	-	-	-	-	-	-
키위(그린)	8개	6,000	6,000	6,000	6,000	6,000	6,000	6,000	6,000	6,000	6,000	6,000	6,000
키위(골드)	7개	10,000	10,000	10,000	10,000	10,000	10,000	10,000	10,000	10,000	10,000	10,000	10,000
천도복숭아	10개	-	-	-	-	-	-	-	-	10,000	10,000	13,000	-
석류	1개(12과)	-	-	-	-	-	-	-	-	-	-	-	-
살구	15개	-	-	-	-	-	-	-	-	-	-	-	-
모과	1개	-	-	-	-	-	-	-	-	-	-	-	-
레몬	6개	4,000	4,000	4,000	4,000	4,000	4,000	4,000	4,000	4,000	4,000	4,000	4,000
메론	1통(3수)	10,000	10,000	10,000	10,000	10,000	10,000	10,000	10,000	10,000	11,000	11,000	11,000
샤인머스켓	4송이(2kg)	-	-	-	-	-	-	-	-	-	-	-	23,000
포도	7송이(3kg)	-	-	-	-	-	-	-	-	-	-	-	27,000
바나나(수입)	1다발(6수)	5,000	5,000	5,000	5,000	5,000	7,000	7,000	7,000	7,000	7,000	7,000	7,000
체리(수입)	400g	-	-	-	-	-	-	-	-	6,000	6,000	6,000	-
오렌지(수입)	3개(72과)	-	-	-	-	-	3,000	3,000	3,000	3,000	3,000	3,000	3,000

조미료

(단위 : 원)

품명	메이커	규격	단위	서울											
				2022년 11월	12월	2023년 1월	2월	3월	4월	5월	6월	7월	8월	9월	10월
◈조미료															
고춧가루	-	(1kg) 태양초	개	33,600	33,600	33,600	33,600	33,600	33,600	33,600	33,600	33,600	-	-	34,800
고 추 장	대상	(1kg)청정원순창 우리쌀 찰고추장	〃	16,830	16,830	16,830	16,830	16,830	16,830	16,830	16,830	19,000	19,000	19,000	19,000
〃	CJ	(1kg) 해찬들 태양초골드	〃	18,300	18,300	18,300	18,300	19,200	19,200	19,200	16,800	17,900	17,900	17,900	17,900
된 장	대상	(1kg) 청정원 순창	〃	8,190	8,190	8,190	8,190	8,190	8,190	8,190	8,190	8,190	9,100	9,100	9,100
〃	CJ	(1kg) 해찬들 재래식	〃	8,100	8,100	8,990	8,990	8,990	8,990	8,990	8,990	8,990	8,990	8,990	8,990
쌈 장	대상	(500g)청정원순창 양념듬뿍쌈장	〃	4,860	4,860	4,860	4,860	4,860	4,860	4,860	4,860	5,400	5,400	5,400	5,400
〃	CJ	(500g) 해찬들 사계절쌈장	〃	4,900	4,900	5,190	5,190	5,190	5,190	5,190	5,190	5,190	5,190	5,190	5,190
양조간장	샘표	(860㎖) 양조간장501	〃	7,900	7,900	7,900	-	-	-	-	7,900	7,900	7,900	7,900	7,900
〃	대상	(840㎖) 햇살담은 씨간장숙성 양조간장	〃	6,210	4,340	-	-	-	-	7,480	7,480	7,480	7,480	7,480	7,480
진 간 장	〃	(840㎖) 햇살담은 진간장 골드	〃	4,770	4,770	5,680	5,680	5,680	5,680	5,680	5,680	5,680	5,680	5,680	5,680
〃	샘표	(860㎖) 금F-3	〃	5,480	6,100	6,100	6,100	6,100	6,100	6,100	6,100	6,100	6,100	6,100	6,100
설 탕	CJ	(1kg) 백설 백설탕	〃	1,980	1,980	1,980	1,980	1,980	1,980	1,980	1,980	1,980	2,380	2,380	2,380
〃	〃	(1kg) 백설 갈색설탕	〃	2,480	2,480	2,480	2,480	2,480	2,480	2,480	2,480	2,480	2,880	2,880	2,880
〃	〃	(1kg) 백설 흑설탕	〃	2,580	2,580	2,580	2,580	-	2,580	2,580	2,580	2,580	2,980	2,980	2,980
〃	삼양	(1kg) 큐원 백설탕	〃	1,950	1,950	1,950	1,950	1,950	1,950	1,950	1,950	1,950	2,350	2,350	2,350
〃	〃	(1kg) 큐원 갈색설탕	〃	2,450	2,450	2,450	2,450	2,450	2,450	2,450	2,450	2,450	2,850	2,850	2,850
〃	〃	(1kg) 큐원 흑설탕	〃	2,550	2,550	2,550	2,550	2,550	2,550	2,550	2,550	2,550	2,950	2,950	2,950
소 금	대상	(500g) 미원 맛소금	〃	2,540	2,540	2,540	2,540	2,540	2,540	2,540	2,540	-	2,540	2,540	2,540
〃	〃	(500g)청정원 천일염구운소금	〃	5,250	5,250	5,250	5,250	5,250	5,250	5,250	5,250	-	-	-	4,990
〃	사조대림	(1kg) 해표 꽃소금	〃	1,390	1,390	1,390	1,390	1,890	1,890	1,890	1,890	-	1,890	-	2,290
〃	대상	(1kg) 미원 맛소금	〃	4,180	4,180	4,180	4,180	4,180	4,180	4,180	4,180	-	-	4,180	4,180
〃	CJ	(400g) 백설 구운 천일염	〃	4,150	4,150	4,150	4,150	4,150	4,150	4,150	4,150	-	5,380	-	-
미 원	대상	(500g) 발효 미원	〃	13,900	13,900	13,900	13,900	13,900	13,900	13,900	13,900	13,900	13,900	13,900	13,900
물 엿	〃	(1.2kg) 청정원	〃	4,180	4,180	4,180	4,180	4,180	4,180	4,180	4,180	4,180	4,180	4,180	4,180
〃	오뚜기	(1.2kg) 옛날 물엿	〃	4,680	4,680	6,480	6,780	5,190	5,190	5,190	5,190	4,680	4,680	4,680	4,680
올리고당	CJ	(1.2kg) 백설 요리올리고당	〃	5,980	5,980	5,980	5,980	6,590	6,590	6,590	5,980	5,980	6,480	6,480	6,480
〃	대상	(1.2kg) 청정원 요리올리고당	〃	5,980	5,980	5,980	5,980	5,980	5,980	5,980	5,980	5,980	5,980	5,980	5,980
케 찹	오뚜기	(500g) 토마토케찹	〃	2,880	2,880	2,880	2,880	3,180	3,180	3,180	3,180	3,180	3,180	3,180	3,180
〃	대상	(410g) 청정원 우리아이케찹	〃	2,700	2,700	3,000	3,000	3,000	3,000	3,000	3,000	3,000	3,000	3,000	3,000
마요네즈	오뚜기	(800g) 골드	〃	7,880	7,880	7,880	7,880	8,680	8,680	8,680	8,680	8,680	8,680	8,680	8,680
〃	대상	(800g)청정원고소한마요네즈	〃	6,800	6,800	7,900	7,900	7,900	7,900	7,900	7,900	7,900	7,900	7,900	7,900
마아가린	오뚜기	(200g) 옥수수 마아가린	〃	2,290	2,290	2,290	2,290	2,290	2,290	2,290	2,290	2,290	2,290	2,290	2,290
식 초	〃	(900㎖) 사과식초	〃	2,600	2,600	2,600	2,600	3,190	3,190	3,190	2,880	2,880	2,880	2,880	2,880
〃	대상	(900㎖) 청정원 사과식초	〃	2,600	2,600	2,600	2,600	2,600	2,600	2,600	2,600	2,880	2,880	2,880	2,880
〃	〃	(900㎖) 청정원 현미식초	〃	2,600	2,600	2,600	2,600	2,600	2,600	2,600	2,600	2,600	2,600	2,600	2,600
〃	오뚜기	(900㎖) 현미식초	〃	2,400	2,400	2,400	2,400	2,680	2,680	2,680	2,680	2,680	2,680	2,680	2,680
식 용 유	사조대림	(900㎖) 해표 식용유	〃	5,200	5,200	5,200	5,200	5,200	5,200	5,200	5,200	5,200	5,200	5,200	5,200
〃	CJ	(900㎖) 백설 식용유	〃	5,180	5,180	5,180	5,180	5,180	5,180	5,180	5,180	5,180	5,180	5,180	5,180
〃	〃	(900㎖) 백설 카놀라유	〃	9,500	9,500	9,500	9,500	9,500	9,500	9,500	9,500	9,500	9,500	9,500	4,750
〃	〃	(900㎖) 백설 포도씨유	〃	16,000	16,000	16,000	16,000	16,000	16,000	16,000	16,000	16,000	16,000	16,000	16,000
〃	〃	(900㎖) 백설 올리브유	〃	18,000	18,000	18,000	18,000	18,000	18,000	18,000	18,000	18,000	19,800	19,800	19,800
참 기 름	〃	(320㎖) 백설 진한 참기름	〃	7,100	7,100	7,100	8,500	8,500	8,500	8,500	8,500	8,500	8,500	8,500	8,500
〃	〃	(300㎖)백설 고소함가득 참기름	〃	7,400	8,880	8,880	8,880	8,880	8,880	8,880	8,880	8,880	8,880	8,880	8,880
〃	오뚜기	(320㎖) 고소한 참기름	〃	9,600	9,600	9,600	9,600	11,690	11,690	11,690	11,690	10,600	10,600	10,600	10,600
〃	〃	(320㎖) 옛날 참기름	〃	7,690	7,690	7,690	7,690	9,590	9,590	9,590	9,590	9,590	9,590	9,590	9,590
고추씨기름	〃	(80㎖) 옛날 고추맛기름	〃	2,180	2,180	2,180	2,180	2,180	2,180	2,180	2,180	2,180	2,180	2,180	2,180
멸치액젓	CJ	(800g) 658㎖ 하선정	〃	5,280	5,280	5,280	5,280	5,280	5,280	5,280	5,280	5,280	5,280	5,280	5,280
〃	대상	(750g)626㎖ 청정원 남해안 멸치액젓	〃	3,960	3,380	3,960	3,960	3,960	3,960	3,960	3,960	3,960	3,960	3,960	3,960
까나리액젓	〃	(750g)622㎖ 청정원 서해안 까나리액젓	〃	4,500	4,000	5,000	5,000	5,000	5,000	5,000	5,000	5,000	5,000	5,000	5,000
〃	CJ	(800g)658㎖ 하선정 서해안 까나리액젓	〃	5,280	5,280	5,280	5,280	5,280	5,280	5,280	5,280	5,280	5,280	5,280	5,280
조 미 료	〃	(500g) 백설 쇠고기 다시다	〃	11,750	11,750	11,750	11,750	12,850	13,780	13,780	13,780	13,780	13,780	13,780	12,850
〃	〃	(500g) 백설 멸치 다시다	〃	10,370	10,370	10,370	10,370	11,300	-	11,300	11,300	11,300	11,300	11,300	11,300
〃	대상	(300g) 쇠고기 감치미	〃	-	-	6,690	6,690	6,690	6,690	6,690	6,690	7,160	7,160	7,160	7,160
〃	〃	(300g) 한우 감치미	〃	8,220	8,220	8,220	8,220	8,220	8,220	8,220	8,220	8,800	8,800	-	8,800
후 추	오뚜기	(100g) 순후추	〃	5,390	5,390	5,390	5,390	6,180	6,180	6,180	6,180	6,180	6,180	6,180	6,180
〃	대상	(50g) 청정원 순후추	〃	3,340	3,340	3,340	3,340	3,340	3,340	3,340	3,340	3,680	3,680	3,680	3,680
와 사 비	오뚜기	(43g) 생와사비	〃	4,150	4,150	4,150	4,150	4,150	4,150	4,150	4,150	4,150	4,150	4,150	4,150
〃	〃	(100g) 연와사비	〃	4,150	4,150	4,150	4,150	4,150	4,150	4,150	4,150	4,150	4,150	4,150	4,150
겨 자	〃	(100g) 연겨자	〃	4,090	4,090	4,090	4,090	4,090	4,090	4,090	4,090	4,090	4,090	4,090	4,090
〃	대상	(95g) 청정원 연겨자	〃	3,190	3,190	3,190	3,190	3,190	3,190	3,190	3,190	3,190	3,190	3,190	3,190
요 리 주	롯데	(900㎖) 미림	〃	3,690	3,690	3,690	3,690	3,690	3,690	3,690	3,690	-	3,670	3,670	3,790
〃	오뚜기	(900㎖) 미향	〃	3,890	3,890	3,890	3,890	4,180	4,180	4,180	4,180	4,180	4,180	4,180	4,180
〃	CJ	(800㎖)백설 맛술 로즈마리	〃	3,650	3,980	-	3,980	3,980	3,980	3,980	3,980	3,980	3,980	3,980	3,980

김치류 · 수산품 · 낙농물

(단위 : 원)

품 명	메이커	규 격	단위	서 울											
				2022년 11월	12월	2023년 1월	2월	3월	4월	5월	6월	7월	8월	9월	10월
◈김치류															
하선정 포기김치	CJ	3kg	봉	27,700	27,700	22,900	22,900	27,700	22,900	-	-	-	-	-	-
비비고 포기배추김치	〃	3.3kg	〃	34,800	33,800	33,800	33,800	34,800	33,800	33,800	33,800	33,800	34,800	33,800	33,800
종가집 포기김치	대상	〃	〃	33,800	33,800	33,800	33,800	33,800	33,800	33,800	33,800	33,800	34,800	33,800	33,990
비비고 총각김치	CJ	1.5kg	〃	-	-	-	-	-	-	-	-	-	-	-	-
종가집 총각김치	대상	〃	〃	-	-	-	-	-	-	-	-	-	-	-	18,500
◈수산물															
生연어(횟감용)	노르웨이	100g	팩	4,990	4,950	4,950	-	5,500	5,500	5,650	5,650	6,000	5,500	5,000	5,000
生연어(구이용)	〃	〃	〃	3,790	4,450	4,450	4,450	5,000	5,000	5,000	5,000	5,500	-	4,500	4,500
부산간고등어	국산	1마리(대)	〃	-	-	3,000	-	-	-	-	-	-	-	-	-
제주생물갈치	〃	〃	〃	-	5,900	18,000	18,000	20,000	23,000	11,500	11,500	12,000	-	11,000	22,000
◈수산가공품															
명가 직화구이김	CJ	4.5g×20봉	봉	6,490	7,990	7,990	7,990	6,490	6,490	6,490	6,490	6,490	-	-	-
대 천 김	대천김	5g×20봉	〃	5,690	5,990	9,490	9,490	9,490	6,490	9,990	9,990	9,990	9,990	9,990	9,990
광 천 김	해달음	4g×20봉	〃	8,990	-	8,990	-	-	-	8,990	-	-	-	-	-
옛날미역	오뚜기	100g	〃	5,490	5,490	5,490	5,490	5,490	5,490	6,490	6,490	6,490	6,490	6,490	6,490
◈낙농물															
쇠 고 기	국산(한우)	정육(등심)상등급	100g	15,590	14,990	14,590	14,590	15,990	14,990	13,990	13,990	11,990	11,990	12,590	12,590
〃	〃	정육(양지)상등급	〃	9,820	10,820	10,820	10,820	11,910	8,150	10,820	10,820	11,660	11,660	11,660	11,660
돼지고기	국산	정육(삼겹살)상등급	〃	2,390	1,990	3,890	3,800	4,300	3,330	3,390	4,690	3,740	3,290	2,990	3,140
〃	〃	정육(목살)상등급	〃	2,190	1,990	3,890	3,800	4,300	3,330	3,390	2,990	2,590	3,290	2,990	3,140
닭 고 기	〃	육계	1kg	8,490	8,490	8,990	8,490	8,490	8,490	8,990	8,990	8,990	8,990	8,990	8,990
계 란	CJ	신선한 목초란	15구	7,990	7,990	7,990	7,990	7,990	7,990	6,990	8,490	8,490	8,490	8,490	7,990
우 유	서울우유	흰 우유(나 100%)	1 ℓ	2,710	2,890	2,890	2,890	2,890	2,890	2,890	2,890	2,890	2,890	2,890	2,980
〃	〃	목장의 신선함이 살아있는 우유	〃	3,230	3,400	3,400	3,400	3,400	3,400	3,400	3,400	3,400	3,400	3,400	3,650
〃	남양유업	맛있는 우유 GT	900mℓ	2,650	2,890	2,890	2,780	2,890	2,890	2,890	2,890	2,890	2,890	2,890	2,980
〃	매일유업	매일우유 오리지널	〃	2,610	2,700	2,850	2,850	2,850	2,890	2,890	2,890	2,890	2,890	2,890	2,970
〃	동원	덴마크 대니쉬 the건강한 우유	〃	2,380	2,780	2,680	2,680	2,680	-	-	-	-	-	-	-
〃	빙그레	바나나맛 우유 240mℓ×4	묶음	4,900	5,480	4,500	5,480	5,480	5,480	5,480	5,480	5,480	5,480	5,480	5,800
〃	서울우유	서울 요구르트 65mℓ×20	〃	1,980	2,950	2,950	2,950	2,950	2,950	2,950	2,950	2,950	2,950	2,990	3,100
〃	남양유업	남양 요구르트 65mℓ×20	〃	2,980	2,980	2,980	2,980	2,980	2,990	2,990	2,990	2,990	2,990	2,990	3,100
〃	HY	HY야쿠르트 오리지널 65mℓ×20	〃	4,400	4,400	4,400	4,400	4,400	4,400	4,400	4,400	4,400	4,400	4,400	4,400
버 터	서울우유	무가염 버터	450g	10,060	11,000	11,000	11,000	11,000	11,000	11,000	11,000	11,000	11,000	11,000	11,000
〃	파스퇴르	프리미엄 홈버터	〃	9,490	9,490	9,490	9,490	9,490	9,990	9,990	9,990	9,990	9,990	9,990	9,990
치 즈	서울우유	어린이치즈 앙팡(15매입)	개	6,980	6,980	-	6,980	6,980	6,980	6,980	6,980	6,980	6,980	6,980	6,980
〃	〃	체다치즈(20매입)	〃	8,980	8,980	7,780	8,980	8,980	8,980	-	8,980	-	8,980	8,980	-
〃	매일유업	뼈로가는 칼슘치즈(15매입)	〃	8,800	8,800	6,180	8,780	8,800	8,800	8,800	8,800	9,990	9,990	9,990	9,990
〃	〃	더블업 체다치즈	360g	6,160	6,160	6,180	6,160	8,800	8,800	8,800	8,800	9,990	9,990	9,990	7,980
햄	목우촌	주부9단 살코기햄	1kg	12,990	12,990	-	12,990	12,990	12,990	12,990	10,990	12,990	13,490	-	10,490
〃	〃	주부9단 불고기햄	300g	4,980	5,980	-	-	-	-	-	-	-	-	-	-
조제분유	남양유업	남양분유 임페리얼 XO1	800g	24,900	24,900	24,900	-	27,800	27,800	27,800	27,800	27,800	27,800	27,800	27,800
〃	〃	남양분유 임페리얼 XO2	〃	24,900	24,900	24,900	24,900	25,800	25,800	25,800	25,800	25,800	25,800	25,800	25,800
〃	〃	남양분유 임페리얼 XO3	〃	20,900	20,900	20,900	20,900	-	25,800	25,800	25,800	25,800	25,800	25,800	25,800
〃	〃	남양분유 임페리얼 XO4	〃	20,900	20,900	20,900	20,900	20,900	-	-	-	-	-	-	-
〃	매일유업	앱솔루트 센서티브 1단계	900g	36,140	36,140	36,140	36,140	36,140	36,140	36,140	36,140	36,140	36,140	36,140	36,140
〃	〃	앱솔루트 센서티브 2단계	〃	36,140	36,140	36,140	36,140	36,140	36,140	36,140	36,140	36,140	36,140	36,140	36,140
〃	〃	앱솔루트 센서티브 3단계	〃	36,140	36,140	36,140	36,140	36,140	36,140	36,140	36,140	36,140	36,140	36,140	36,140
〃	〃	앱솔루트 센서티브 4단계	〃	36,140	36,140	36,140	36,140	36,140	36,140	36,140	36,140	36,140	36,140	36,140	36,140
〃	남양유업	아이엠마더 1단계	800g	32,200	32,200	32,200	32,200	22,540	38,800	38,800	38,800	38,800	38,800	38,800	38,800
〃	〃	아이엠마더 2단계	〃	32,200	32,200	32,200	32,200	22,540	36,800	36,800	36,800	36,800	36,800	36,800	36,800
〃	〃	아이엠마더 3단계	〃	29,900	29,900	-	-	-	36,800	36,800	36,800	36,800	36,800	36,800	36,800
〃	〃	아이엠마더 4단계	〃	29,900	29,900	29,900	29,900	29,900	-	-	-	-	-	-	-
영유아식	〃	임페리얼 XO 닥터	300g	13,210	13,210	13,210	13,210	13,210	13,210	15,900	15,900	15,900	15,900	15,900	15,900
〃	매일유업	앱솔루트(아기설사)	400g	17,200	17,200	17,200	17,200	17,200	17,200	17,200	17,200	17,200	17,200	17,200	17,200

인스턴트 식품

(단위 : 원)

품명	메이커	규격	단위	서울											
				2022년 11월	12월	2023년 1월	2월	3월	4월	5월	6월	7월	8월	9월	10월
◈스낵류															
새 우 깡	농심	90g	봉	1,180	1,180	1,180	1,180	1,180	1,180	1,180	1,180	1,180	1,100	1,100	1,100
감 자 깡	〃	75g	〃	1,360	1,360	1,360	1,360	1,360	1,360	1,360	1,360	1,360	1,360	1,360	1,360
오징어집	〃	78g	〃	1,360	1,360	1,360	1,360	1,360	1,360	1,360	1,360	1,360	1,360	1,360	1,360
고구마깡	〃	83g	〃	1,360	1,360	1,360	1,360	1,360	1,360	1,360	1,360	1,360	1,360	1,360	1,360
양 파 깡	〃	〃	〃	1,360	1,360	1,360	1,360	1,360	1,360	1,360	1,360	1,360	1,360	1,360	1,360
양 파 링	〃	80g	〃	1,360	1,360	1,360	1,360	1,360	1,360	1,360	1,360	1,360	1,360	1,360	1,360
포 스 틱	〃	〃	〃	1,360	1,360	1,360	1,360	1,360	1,360	1,360	1,360	1,360	1,360	1,360	1,360
꿀꽈배기	〃	90g	〃	1,360	1,360	1,360	1,360	1,360	1,360	1,360	1,360	1,360	1,360	1,360	1,360
조청유과	〃	96g	〃	1,360	1,360	1,360	1,360	1,360	1,360	1,360	1,360	1,360	1,360	1,360	1,360
바나나킥	〃	145g	〃	2,580	2,580	2,580	2,580	2,580	2,580	2,580	2,580	2,580	2,580	2,580	2,580
콘 칩	크라운	140g	〃	2,390	2,390	2,390	2,390	2,390	2,390	2,390	2,390	2,390	2,390	2,390	2,390
오 감 자	오리온	115g	〃	2,390	2,390	2,390	2,390	2,390	2,390	2,390	2,390	2,390	2,390	2,390	2,390
포 카 칩	〃	66g	〃	1,360	1,360	1,360	1,360	1,360	-	1,360	1,360	1,360	1,360	1,360	1,360
스 윙 칩	〃	60g	〃	1,360	1,360	1,360	1,360	1,360	1,360	1,360	1,360	1,360	1,360	1,360	1,360
오징어땅콩	〃	202g	〃	2,390	2,390	2,390	2,390	2,390	2,390	2,390	2,390	2,390	2,390	2,390	2,390
맛 동 산	〃	300g	〃	4,390	4,390	4,390	4,390	4,390	4,390	4,390	4,390	4,390	4,390	4,390	4,390
꼬 깔 콘	〃	52g 고소한맛	〃	1,190	1,000	1,000	1,000	1,000	1,000	1,000	1,000	1,000	1,000	1,000	1,000
짱 구	삼양	272g	〃	2,850	2,850	2,850	2,850	2,850	2,850	2,850	2,850	2,850	2,850	2,850	2,850
죠 리 퐁	〃	74g	〃	1,190	1,190	1,190	1,190	1,190	1,190	1,190	1,190	1,000	1,000	1,000	1,000
야채타임	빙그레	70g	〃	1,190	-	-	-	-	-	-	-	-	-	-	-
도도한나쵸	오리온	92g 치즈맛	〃	1,190	1,000	1,000	1,000	1,000	1,000	1,000	1,190	1,190	1,190	1,190	1,190
꼬 북 칩	〃	64g 콘스프맛	〃	1,190	1,190	-	-	-	-	-	-	-	-	-	1,000
치 토 스	롯데	64g 매콤달콤한맛	〃	1,190	1,000	1,000	1,000	1,360	1,360	1,360	1,000	1,000	1,000	1,000	1,000
도리토스	〃	84g 나쵸치즈맛	〃	1,190	1,000	1,000	1,000	1,360	1,360	1,360	1,360	1,360	1,360	1,360	1,360
자 갈 치	농심	174g	〃	-	-	-	-	-	-	-	-	-	-	-	2,580
인디안밥	〃	83g	〃	-	-	-	-	-	-	-	-	-	-	-	1,360
벌집핏자	〃	90g	〃	-	-	-	-	-	-	-	-	-	-	-	1,360
허니버터칩	해태	44g	〃	-	-	-	-	-	-	-	-	-	-	-	1,000
카라멜콘과땅콩	크라운	72g	〃	-	-	-	-	-	-	-	-	-	-	-	1,000
꽃 게 랑	빙그레	143g	〃	-	-	-	-	-	-	-	-	-	-	-	2,880
썬 칩	오리온	66g 핫스파이시맛	〃	-	-	-	-	-	-	-	-	-	-	-	1,000
빼 빼 로	롯데	54g	〃	-	-	-	-	-	-	-	-	-	-	-	1,360
칙 촉	〃	180g	〃	-	-	-	-	-	-	-	-	-	-	-	3,840
칸 쵸	〃	196g	〃	-	-	-	-	-	-	-	-	-	-	-	3,360
버 터 링	해태	238g	〃	-	-	-	-	-	-	-	-	-	-	-	4,700
초코하임	크라운	284g	〃	-	-	-	-	-	-	-	-	-	-	-	4,790
고 래 밥	오리온	160g	〃	-	-	-	-	-	-	-	-	-	-	-	1,990
산 도	롯데	16봉입 딸기크림치즈	Box	3,980	3,980	3,980	3,980	3,980	3,980	3,980	3,980	3,980	3,980	3,980	3,980
버터와플	〃	316g	〃	4,380	4,380	4,380	4,380	4,380	4,380	4,380	4,380	4,380	4,380	4,380	4,380
국희땅콩샌드	〃	372g	〃	3,980	3,980	3,980	3,990	3,990	3,990	3,990	3,990	3,990	3,990	3,990	3,990
빅 파 이	〃	324g	〃	3,840	2,680	3,840	2,680	2,680	2,680	3,840	3,840	3,840	3,840	3,840	3,840
후렌치파이	해태	15봉입 딸기	〃	3,990	3,990	3,990	3,990	3,990	3,990	3,990	3,990	3,990	3,990	3,990	3,990
초코파이	오리온	12개입	〃	4,320	4,320	4,320	4,320	4,320	4,320	4,320	4,320	4,320	4,320	4,320	4,320
오 뜨	〃	12봉입 쇼콜라	〃	5,590	5,590	5,990	5,990	5,990	5,990	5,590	5,590	5,590	5,590	5,590	5,590
빈 츠	롯데	204g	〃	4,480	4,480	4,480	4,480	4,480	4,480	4,480	4,480	4,480	4,480	4,490	4,480
마가렛트	〃	16봉입	〃	4,790	4,790	4,790	4,790	5,290	5,290	5,290	5,290	5,290	5,290	5,290	5,290
아이비크래커	해태	12봉입	〃	2,990	3,590	3,590	3,590	3,590	3,590	3,590	3,590	3,590	3,190	3,590	3,590
몽 쉘	롯데	12개입	〃	4,790	4,790	4,790	4,790	4,790	4,790	5,290	5,290	5,290	5,290	5,290	5,290
카스타드	오리온	〃	〃	4,320	4,320	4,320	4,320	4,320	4,320	4,320	4,320	4,320	3,990	3,990	3,990
후레쉬베리	〃	6개입	〃	-	-	-	-	-	-	-	-	-	-	-	-
초코송이	〃	144g	〃	2,290	2,290	2,290	2,290	2,290	2,290	2,290	2,290	2,290	2,290	2,290	2,290
빠다코코넛	롯데	78g	〃	1,390	1,390	1,390	1,390	1,390	1,390	1,390	1,390	1,390	1,390	1,390	1,390
에 이 스	〃	364g	〃	4,000	4,000	4,000	4,000	4,000	4,000	4,000	4,000	4,000	4,000	4,000	4,000
쿠크다스	〃	128g	〃	2,390	2,390	2,390	2,390	2,390	2,390	2,390	2,390	2,390	2,390	2,390	2,390
홈 런 볼	〃	46g	봉	1,350	1,350	1,350	1,350	1,350	1,390	1,390	1,390	1,390	1,390	1,390	1,390
양 갱	〃	50g×10 밤맛	〃	5,990	5,990	6,000	6,000	6,000	6,000	6,000	6,000	6,000	6,000	6,000	6,000
맛 밤	CJ	60g×4	〃	6,990	6,990	6,990	6,990	6,990	6,990	7,990	7,190	7,190	7,990	7,990	7,990

(단위 : 원)

품 명	메이커	규 격	단위	서울											
				2022년 11월	12월	2023년 1월	2월	3월	4월	5월	6월	7월	8월	9월	10월
◈씨리얼(푸레이크)															
첵스초코	켈로그	570g	봉	7,490	-	7,490	7,990	7,990	7,990	7,990	7,990	7,990	7,990	7,990	5,500
스페셜K	〃	480g	〃	7,690	7,690	7,690	8,390	8,390	8,390	8,390	8,390	8,390	8,390	8,390	8,390
콘푸로스트	〃	600g	〃	6,270	6,270	6,590	6,990	4,690	6,700	6,990	6,990	6,990	6,990	6,990	5,000
아몬드푸레이크	〃	〃	〃	8,390	8,390	8,390	9,190	9,190	9,190	9,190	9,190	9,190	9,190	9,190	9,190
그래놀라	〃	400g 리얼 그래놀라	〃	8,890	6,290	8,890	9,690	9,690	9,690	9,690	9,690	9,690	9,690	9,690	9,690
〃	〃	500g 고소한 현미 그래놀라	〃	8,890	8,890	8,890	9,690	9,690	9,690	9,690	9,690	9,690	9,690	9,690	9,690
후루트링	〃	530g	〃	7,990	7,990	7,990	8,690	8,690	-	8,690	8,690	8,690	8,690	8,690	5,500
현미푸레이크	〃	550g	〃	8,890	8,890	8,890	9,690	9,690	9,690	9,690	9,690	9,690	9,690	9,690	9,690
콘푸라이트	포스트	600g	〃	6,690	6,690	6,690	6,690	6,690	6,690	6,690	6,690	6,690	5,860	6,380	6,690
오레오오즈	〃	500g	〃	8,690	8,690	8,690	8,690	8,790	8,690	8,680	8,680	8,690	8,680	8,680	8,680
오곡코코볼	〃	570g	〃	6,790	6,790	6,790	6,790	6,790	6,790	6,790	6,790	6,790	6,790	6,790	6,790
그래놀라	〃	570g 크랜베리 아몬드	〃	8,370	8,370	8,790	8,790	8,790	8,790	8,190	8,790	8,790	8,790	8,790	8,790
〃	〃	500g 블루베리	〃	9,390	9,390	9,390	9,390	9,990	9,390	8,790	9,390	9,390	9,390	9,390	9,390
아몬드후레이크	〃	620g	〃	8,790	8,790	8,790	8,790	8,790	8,790	8,790	8,790	8,790	8,790	8,790	8,790
골든그래놀라	〃	360g 크런치	〃	8,790	8,790	8,790	8,790	8,790	8,790	8,790	8,790	8,790	8,790	8,790	8,790
〃	〃	360g 후르츠	〃	8,760	8,790	8,790	8,790	8,790	5,900	8,790	8,790	8,790	8,790	8,790	8,790
◈면류															
밀가루	대한	1kg 곰표 중력	봉	1,880	1,880	1,880	1,880	1,880	1,880	1,880	1,880	1,880	1,840	1,840	1,840
〃	CJ	1kg 백설 중력	〃	1,900	1,900	1,900	1,900	1,900	1,900	1,900	1,900	1,900	1,900	1,900	1,900
〃	삼양	1kg 큐원 중력	〃	1,790	1,790	1,790	1,790	1,790	1,790	1,790	1,790	1,790	1,790	1,790	1,790
삼양라면	〃	120g×5개	〃	3,840	3,840	3,840	3,840	3,840	3,840	3,840	3,840	3,840	3,680	3,680	3,680
불닭볶음면	〃	140g×5개	〃	5,100	5,100	5,100	5,100	5,100	5,100	5,100	5,100	5,100	5,100	5,100	5,100
맛있는라면	〃	115g×5개	〃	4,480	4,980	4,980	4,980	4,980	4,980	4,980	4,980	4,730	4,730	4,730	4,730
신라면	농심	120g×5개	〃	4,100	4,100	4,100	4,100	4,100	4,100	4,100	4,100	3,900	3,900	3,900	3,900
너구리	〃	〃	〃	4,500	4,180	4,180	4,500	4,180	4,500	4,180	4,180	4,500	4,500	4,500	4,180
오징어짬뽕	〃	124g×5개	〃	4,380	4,880	4,880	4,880	4,880	4,880	4,880	4,880	4,880	4,880	4,880	4,880
사리곰탕면	〃	110g×5개	〃	4,880	4,880	4,880	4,880	4,880	4,880	4,880	4,880	4,880	4,880	4,880	4,880
무파마탕면	〃	122g×4개	〃	4,580	4,580	4,580	4,580	4,580	4,580	4,580	4,580	4,580	-	4,580	4,180
안성탕면	〃	125g×5개	〃	3,700	3,700	3,700	3,700	3,700	3,700	3,700	3,380	3,700	3,700	3,700	3,700
짜파게티	〃	140g×5개	〃	4,380	4,380	4,480	4,880	4,480	4,880	4,480	4,480	4,880	4,480	4,880	4,480
감자면	〃	117g×5개	〃	5,680	5,680	5,680	5,680	5,680	5,680	5,680	5,680	5,680	5,680	5,680	5,680
생생우동	〃	276g×4개	〃	7,680	8,400	8,400	8,400	8,400	8,400	8,400	8,400	8,400	8,400	8,400	8,400
사발면	〃	114g 신라면 큰사발	개	1,160	1,160	1,160	1,160	1,160	1,160	1,160	1,160	1,160	1,160	1,160	1,000
〃	〃	115g 새우탕 큰사발	〃	1,160	1,160	1,160	1,160	1,160	1,160	1,160	1,160	1,160	1,160	1,160	1,160
〃	〃	110g 육개장 큰사발	〃	1,000	1,160	1,160	1,160	1,160	1,160	1,160	1,160	1,160	1,160	1,160	1,000
컵누들	오뚜기	37.8g 매콤한맛	〃	-	-	-	-	-	-	-	-	-	-	-	1,380
열라면	〃	120g×5개	봉	3,580	3,580	3,580	3,580	3,580	3,580	3,580	3,580	3,580	3,580	3,580	3,580
진라면	〃	〃	〃	3,580	3,580	3,580	3,580	3,580	3,580	3,580	3,580	3,580	3,580	3,580	3,580
진짬뽕	〃	130g×4개	〃	5,480	6,480	5,480	6,480	6,480	6,480	6,480	6,480	6,180	6,180	6,180	5,490
참깨라면	〃	115g×4개	〃	4,680	4,680	4,680	4,680	4,680	4,680	4,680	4,680	4,480	4,480	4,480	2,980
스낵면	〃	108g×5개	〃	3,380	3,380	3,380	3,380	2,500	3,380	3,380	3,000	2,500	2,500	2,500	2,500
라면사리	〃	110g×5개	〃	-	-	-	-	-	-	-	-	-	-	-	1,750
옛날자른당면	〃	300g	〃	3,980	3,980	-	3,980	-	4,780	4,780	4,780	4,780	4,780	4,780	4,780
옛날국수(소면)	〃	900g	〃	3,550	3,550	3,550	3,550	3,550	3,550	3,550	3,550	3,550	3,550	3,550	3,550
팔도비빔면	팔도	130g×4개	〃	3,700	3,700	3,700	3,700	3,300	2,680	2,980	2,880	2,880	2,980	2,980	3,700
틈새라면	〃	120g×5개	〃	4,840	4,840	4,840	4,840	4,840	4,840	4,840	4,840	4,840	4,840	4,840	4,840
육개장칼국수	풀무원	120.9g×4개	〃	-	-	5,450	5,450	5,450	3,980	5,450	5,450	5,450	5,450	5,450	5,450
냉면	청수	540g 물냉면	〃	4,090	4,090	4,090	4,090	4,090	4,090	4,090	4,090	4,790	4,790	4,790	4,790
〃	〃	540g 비빔냉면	〃	4,090	4,090	4,090	4,090	4,090	4,090	4,090	4,090	4,790	4,790	4,790	4,790
◈즉석밥															
둥근햇반실속	CJ	210g×8개	Set	10,900	10,900	10,900	10,900	10,900	10,900	10,900	10,900	10,900	10,900	10,900	10,900
맛있는밥	오뚜기	210g×10개	〃	9,980	12,470	12,470	12,470	12,470	12,470	12,470	12,470	12,470	12,470	12,470	12,470
◈통조림															
골뱅이	유동	400g	Can	10,490	10,490	10,490	10,490	10,490	10,490	10,490	10,490	10,490	10,490	10,490	10,490
꽁치	동원	300g	〃	4,990	4,990	4,990	-	4,990	4,990	4,990	4,990	4,990	4,990	4,990	4,990
고등어	〃	400g	〃	-	-	3,490	3,490	3,490	3,490	3,490	3,490	3,490	3,490	3,490	3,490
살코기참치	〃	135g×4개 라이트스탠다드	〃	10,990	11,490	11,490	11,490	11,490	11,490	11,490	11,490	11,490	11,490	11,490	11,490
고추참치	〃	90g×4개	〃	8,990	9,490	9,490	9,490	9,490	9,490	9,490	9,490	9,490	9,490	9,490	9,490
야채참치	〃	〃	〃	8,990	9,490	9,490	9,490	9,490	9,490	9,490	9,490	9,490	9,490	9,490	9,490
리챔	〃	340g 오리지널	〃	7,190	7,190	7,190	7,190	7,190	7,190	7,190	7,190	7,190	7,190	7,590	7,590
스팸	CJ	340g 클래식	〃	7,190	7,190	7,190	7,190	7,190	7,190	7,190	7,190	7,190	7,190	7,590	7,590
스위트콘	오뚜기	340g	〃	1,980	1,980	1,980	1,980	1,980	1,980	1,980	1,980	1,980	1,980	1,980	1,980
〃	동원	〃	〃	1,980	1,980	1,980	1,980	1,980	1,980	1,980	1,980	1,980	1,980	1,980	1,980
황도	〃	400g	〃	2,580	2,580	2,580	2,580	2,580	2,580	2,580	2,580	2,580	2,580	2,580	2,990
후르츠칵테일	델몬트	850g	〃	4,990	4,990	4,990	4,990	4,990	4,990	4,990	4,990	4,990	4,990	4,990	4,990
파인애플슬라이스	〃	836g	〃	4,990	4,990	4,990	4,990	4,990	4,990	4,990	4,990	4,990	4,990	4,990	4,990
번데기	유동	130g	〃	1,590	1,590	1,590	1,690	1,690	1,690	1,690	1,690	1,690	1,690	1,690	1,690
〃	동원	〃	〃	1,380	1,380	1,380	1,380	1,690	1,690	1,690	1,690	1,690	1,690	1,690	1,690
깻잎	샘표	70g	〃	2,490	2,490	2,490	2,490	2,490	2,490	2,490	2,490	2,490	2,490	2,490	2,490

음료

(단위 : 원)

품명	메이커	규격	단위	서울											
				2022년 11월	12월	2023년 1월	2월	3월	4월	5월	6월	7월	8월	9월	10월
◈음료															
칠성사이다	롯데	1.8ℓ	Pet	3,380	3,380	3,380	3,380	-	-	-	-	3,380	3,380	3,380	3,380
칠성사이다제로	〃	1.5ℓ	〃	2,580	2,580	2,880	1,980	2,880	2,880	2,880	2,880	2,880	2,880	2,880	1,980
밀키스	〃	〃	〃	1,190	1,190	2,390	2,580	2,390	2,580	2,580	2,580	2,580	2,580	2,580	2,580
2%복숭아	〃	〃	〃	2,780	2,780	1,190	1,190	1,000	1,000	1,000	1,390	1,390	1,390	2,390	2,390
제주사랑감귤사랑	〃	〃	〃	1,290	1,290	2,780	2,980	3,980	2,980	2,980	2,980	2,980	2,980	2,980	1,980
하늘보리	웅진	〃	〃	-	-	1,290	1,290	1,380	1,380	1,380	1,380	1,380	1,380	-	-
아침햇살	〃	1.35ℓ	〃	3,480	3,480	1,980	2,080	2,200	2,200	2,200	2,200	2,200	2,200	2,200	2,200
자연은알로에	〃	1.5ℓ	〃	1,190	1,000	3,480	3,680	2,350	3,980	2,350	2,350	2,350	2,350	2,350	2,350
옥수수수염차	광동	〃	〃	1,180	1,000	1,190	2,380	2,380	2,380	2,380	2,380	2,390	2,390	2,390	2,390
헛개차	〃	〃	〃	980	980	1,180	2,380	2,380	2,380	2,380	2,380	2,390	2,390	2,390	2,390
제주삼다수	〃	2ℓ	〃	3,730	3,730	980	1,080	1,080	1,080	1,080	1,080	1,080	1,080	1,080	1,080
코카콜라	코카콜라	1.8ℓ	〃	3,150	3,150	3,730	3,730	2,780	3,730	3,730	3,730	3,730	3,730	3,730	3,730
코카콜라제로	〃	1.5ℓ	〃	2,690	2,690	3,150	3,150	3,150	3,150	3,150	3,150	3,150	3,150	3,150	3,150
스프라이트	〃	〃	〃	-	-	2,690	2,700	2,700	2,700	2,700	2,700	2,580	2,700	2,700	2,700
암바사	〃	〃	〃	2,450	1,880	2,500	2,500	2,500	2,500	2,500	2,500	2,500	2,500	2,500	2,500
환타	〃	1.5ℓ 오렌지	〃	-	-	2,450	2,450	2,450	2,450	2,460	2,460	2,460	2,460	2,460	2,460
미닛메이드	〃	〃	〃	3,390	3,390	-	-	-	-	-	-	-	-	-	-
파워에이드	〃	1.5ℓ	〃	3,390	3,390	3,620	3,620	3,620	3,620	3,620	3,620	3,620	3,620	3,620	3,620
토레타	〃	〃	〃	2,580	2,580	3,390	3,620	3,620	3,620	3,620	3,620	3,620	3,620	3,620	3,620
펩시콜라	펩시	〃	〃	-	-	2,580	2,580	2,580	2,580	2,580	2,580	2,580	2,580	2,580	2,580
마운틴듀	〃	〃	〃	2,780	2,780	-	-	-	-	-	-	-	2,580	2,580	2,580
게토레이	〃	〃	〃	-	-	3,480	2,780	3,480	3,480	3,480	3,480	3,480	3,480	3,480	3,480
포카리스웨트	동아오츠카	1.8ℓ	〃	3,380	3,380	2,380	3,780	3,780	3,780	3,780	3,780	3,780	3,780	3,780	3,780
골드오렌지	델몬트	1.89ℓ	〃	8,480	-	-	-	-	-	-	-	-	-	-	-
웰치스	웰치	1.5ℓ 포도	〃	2,180	2,500	2,500	2,500	2,500	2,500	2,500	2,500	2,500	2,500	2,500	2,500
◈차류															
보리차	동서	30개입	Box	2,080	2,080	2,180	2,190	2,290	2,180	2,180	2,180	2,180	2,180	2,180	2,180
현미녹차	〃	100개입	〃	7,600	7,600	7,980	7,980	7,980	7,980	7,980	7,980	7,140	7,140	7,140	7,980
둥글레차	〃	〃	〃	9,400	9,400	9,870	9,870	9,870	9,930	9,930	9,930	8,910	8,890	8,910	9,930
메밀차	〃	〃	〃	7,600	7,600	7,960	7,960	7,960	7,980	7,960	7,960	7,140	7,210	7,140	7,960
옥수수차	〃	30개입	〃	2,720	2,720	2,850	2,890	2,890	2,850	2,850	2,850	2,850	2,850	2,850	2,850
결명자차	〃	18개입	〃	2,090	2,090	2,200	2,290	2,290	2,300	2,300	2,300	2,300	2,300	2,300	2,200
오곡차	〃	〃	〃	-	-	2,400	-	-	-	-	-	-	-	-	-
티오아이스티	〃	40개입	〃	-	-	-	-	-	-	6,980	6,990	6,990	9,980	9,980	-
립톤아이스티	유니레버	770g 복숭아	〃	-	-	15,200	15,200	15,200	15,200	15,200	15,200	15,200	15,200	15,200	15,290
루이보스보리차	동서	100개입	〃	6,440	8,990	7,560	7,560	8,390	7,680	7,680	7,680	6,840	6,840	7,980	7,980
맥심	〃	100개입 모카골드 커피믹스	〃	14,980	14,980	16,450	16,450	16,450	16,450	16,450	16,450	16,450	16,450	16,450	16,450
〃	〃	100개입 아이스 커피믹스	〃	-	-	-	-	-	-	28,000	28,000	20,900	28,000	28,000	28,000
〃	〃	100개입 화이트골드 커피믹스	〃	15,980	15,980	17,560	17,560	17,560	17,560	17,560	17,560	17,560	17,560	17,560	17,560
카누	〃	100개입 미니 마일드 로스트	〃	20,390	20,390	22,390	22,390	22,390	22,390	22,390	22,390	22,390	22,390	22,390	22,390
〃	〃	100개입 미니 다크로스트	〃	20,390	20,390	22,390	22,390	22,390	22,390	22,390	22,390	22,390	22,390	22,390	22,390
〃	〃	100개입 미니 디카페인 아메리카노	〃	22,430	22,430	24,640	24,640	24,640	24,640	24,640	24,640	24,640	24,600	24,600	24,600
작설차	녹차원	10개입 맛있는 녹차작설	〃	4,300	-	4,300	-	4,300	4,300	-	2,980	4,300	4,300	4,300	4,300
옥수수수염차	〃	100개입	〃	7,980	7,980	7,980	7,980	7,980	7,980	7,980	7,980	7,980	7,980	7,980	7,980
호두아몬드율무차	담터	〃	〃	21,700	21,700	28,700	22,800	20,800	20,800	30,700	30,700	30,700	30,700	30,700	30,700
생강차	〃	50개입	〃	11,900	11,900	11,900	13,500	13,500	13,500	13,500	13,500	13,500	13,500	13,500	13,500
쌍화차	〃	〃	〃	11,900	11,900	13,500	11,500	11,500	11,500	13,500	13,500	13,500	13,500	13,500	-
단호박마차	〃	〃	〃	17,200	17,200	18,500	18,500	14,800	18,500	18,500	18,500	18,500	18,500	18,500	18,500
◈주류															
소주	하이트진로	360㎖ 참이슬 후레쉬	병	1,380	1,380	1,380	1,380	1,380	1,380	1,380	1,380	1,380	1,380	1,380	1,380
〃	〃	360㎖ 진로	〃	-	-	-	-	-	-	-	-	-	-	-	1,290
〃	롯데	360㎖ 새로	〃	-	-	-	-	-	-	-	-	-	-	-	1,290
〃	〃	360㎖ 처음처럼	〃	-	-	-	-	-	-	-	-	-	-	-	1,380
맥주	하이트진로	500㎖ 하이트 엑스트라콜드	〃	1,550	1,550	1,550	1,550	1,550	1,550	1,550	1,550	1,550	1,550	1,550	1,550
〃	OB	500㎖ 카스 후레쉬	〃	1,550	1,550	1,550	1,550	1,550	1,550	1,550	1,550	1,550	1,550	1,550	1,660
막걸리	서울장수	750㎖ 장수 생막걸리	〃	1,680	1,680	1,680	1,680	1,680	1,680	1,680	1,680	1,680	1,680	1,680	1,680

일용품

(단위 : 원)

품 명	메이커	규 격	단위	서 울											
				2022년 11월	12월	2023년 1월	2월	3월	4월	5월	6월	7월	8월	9월	10월
◈일용품															
▶주방용품															
주방세제	라이온	(450㎖) 참그린	개	3,990	3,990	3,990	3,990	3,990	3,990	3,990	3,990	3,990	3,990	3,990	3,990
〃	헨켈	(750㎖)프릴 베이킹소다 퓨어레몬	〃	8,900	8,900	8,900	8,900	8,900	8,900	7,900	9,500	9,500	9,500	9,500	9,500
〃	LG	(490㎖) 자연퐁 POP 솔잎	〃	-	-	5,300	5,300	5,300	5,300	5,300	5,300	5,300	5,300	5,300	5,300
키친타올	유한	크리넥스 150매×6	〃	8,600	8,600	8,600	7,700	8,600	8,600	8,600	8,600	8,600	7,400	-	8,600
행 주	〃	스카트 항균블루 행주타올45매×4	〃	16,600	18,900	13,280	16,600	13,200	13,200	13,200	11,300	11,300	11,300	18,100	18,100
냅 킨	〃	크리넥스 카카오 홈냅킨 130매×6	〃	-	-	12,100	12,100	12,100	12,100	12,100	12,100	12,100	12,100	12,100	12,100
호 일	대한	대한웰빙호일 25㎝×30m×15μ	〃	6,280	6,280	6,280	6,280	6,280	6,280	6,280	6,280	6,280	6,280	6,280	6,280
〃	크린랩	(30매) 크린 종이호일 26.7㎝	〃	3,980	3,980	3,980	3,980	3,980	3,980	3,980	3,980	3,980	3,980	3,980	3,980
〃	〃	크린 종이호일 30㎝×20m	〃	5,280	5,280	5,280	5,280	5,280	5,280	5,280	5,280	5,280	5,280	5,280	5,280
랩	〃	크린랩 22㎝×100m	〃	8,980	8,980	8,980	8,980	8,980	8,980	8,980	8,980	8,980	8,980	8,980	8,980
위생봉지	〃	(200매입)크린롤백 30㎝×40㎝	〃	7,280	7,280	7,280	7,280	7,280	7,280	7,280	7,280	7,280	7,280	7,280	-
고무장갑	〃	(2개입) 크린랩고무장갑(중)	〃	5,880	5,880	5,880	5,880	5,880	5,880	5,880	5,880	5,880	5,880	5,880	5,880
위생장갑	〃	(100매) 크린장갑	〃	4,590	4,590	4,590	4,590	4,590	4,590	4,380	4,590	4,590	4,590	4,590	4,590
종 이 컵	-	(250매) 일회용 물컵	〃	1,780	1,780	1,780	-	1,780	-	1,780	1,780	1,780	1,780	-	-
〃	-	(50개입) 고급 종이컵	〃	1,350	1,350	1,350	1,380	1,350	-	1,380	1,350	1,350	1,350	1,350	1,350
▶욕실용품															
세숫비누	LG	(140g×3개) 알뜨랑	〃	5,900	5,900	6,900	6,900	6,900	6,900	6,900	6,900	6,900	6,900	6,900	6,900
〃	유니레버	(90g×4개) 도브 비누 뷰티바	〃	7,900	7,900	7,900	7,900	7,900	7,900	7,900	7,900	7,900	7,900	7,900	7,900
손세정제	라이온	(250㎖) 아이 깨끗해 거품형	〃	6,500	6,500	6,500	6,500	6,500	6,900	6,900	6,900	6,900	6,900	6,900	6,900
〃	유니레버	(240㎖)도브 포밍핸드워시 딥모이스처	〃	-	-	5,900	4,130	5,900	5,900	5,900	5,900	5,900	5,900	5,900	5,900
샴 푸	LG	(680㎖) 엘라스틴 모이스처 샴푸	〃	12,900	12,900	12,900	12,900	12,900	12,900	12,900	12,900	12,900	12,900	11,900	12,900
〃	애경	(1,000㎖) 케라시스 퍼퓸 샴푸	〃	6,450	9,900	12,900	12,900	12,900	12,900	12,900	12,900	12,900	12,900	12,900	12,900
〃	한국피앤지	(1,200㎖) 팬틴 모이스춰 샴푸	〃	-	-	13,100	10,900	13,100	13,100	13,100	13,100	13,100	13,100	13,100	10,870
칫 솔	〃	(3개입) 오랄비 칫솔	〃	11,900	11,900	11,900	11,900	9,900	11,900	11,900	11,900	11,900	11,900	11,900	11,900
〃	LG	(4개입) 페리오 센서티브 초극세모	〃	9,900	9,900	11,900	11,900	11,900	11,900	11,900	10,900	11,900	11,900	11,900	10,900
〃	아모레	(4개입) 메디안 치석케어 칫솔	〃	-	-	-	-	-	-	-	-	-	-	-	-
치 약	애경	(130g×3개)2080 시그니처 토탈블루	〃	8,900	8,900	8,900	8,900	4,900	8,900	8,900	8,900	8,900	8,900	8,900	7,800
〃	LG	(120g×8개) 페리오 치석케어 치약	〃	10,900	10,900	10,900	10,900	6,900	10,900	10,900	10,900	10,900	10,900	10,900	10,900
〃	〃	(120g×3개) 페리오 토탈7 오리지널	〃	11,900	11,900	5,950	12,900	12,900	12,900	12,900	12,900	12,900	12,900	12,900	12,900
〃	〃	(120g×3개) 죽염 오리지날	〃	13,900	13,900	-	-	-	-	-	-	-	-	-	-
화 장 지	유한	크리넥스3겹 순수소프트 30m×30롤	〃	24,900	24,900	24,900	24,900	31,800	31,800	31,800	31,800	31,800	31,800	31,800	31,800
〃	쌍용	코디 순한 3겹데코 30m×30롤	〃	16,500	-	18,900	16,900	16,900	31,800	22,900	22,900	16,900	16,900	16,900	22,900
▶방향제															
에 어 윅	LG	(440㎖)AURA 해피브리즈 방향제(라벤더)	〃	8,900	9,800	9,800	9,800	9,800	9,800	9,800	9,800	-	-	-	-
페브리즈	한국피앤지	(275㎖) 에어공기 탈취제	〃	5,900	5,900	5,900	5,900	5,900	5,900	5,900	5,900	5,900	5,900	5,900	5,900
방 충 제	헨켈	(24개입) 컴배트 좀벌레싹 서랍장용	〃	-	-	10,900	10,900	10,900	11,400	11,400	11,400	11,400	11,400	11,400	11,400
〃	〃	(6개입) 컴배트 좀벌레싹 옷장용	〃	11,500	11,500	11,500	11,500	11,500	12,100	12,100	12,100	12,100	12,100	12,100	12,100
〃	〃	(12개입) 컴배트 좀벌레싹 콤보	〃	11,500	11,500	11,500	11,500	11,500	12,100	12,100	12,100	12,100	12,100	12,100	12,100
▶세탁용품															
세탁비누	무궁화	(230g×4) 세탁비누	〃	5,490	5,490	5,490	5,490	5,490	5,490	5,490	5,490	5,490	5,490	5,490	5,490
〃	〃	(230g×4) 살균비누	〃	7,900	7,900	7,900	7,900	7,900	7,900	7,900	7,900	7,900	7,900	7,900	7,900
락 스	유한	(3.5ℓ) 유한락스	〃	6,260	6,260	6,260	6,260	6,260	6,260	6,260	6,260	6,970	6,970	6,970	6,970
합성세제	피죤	(3ℓ)액츠 퍼펙트 액체세제	〃	12,900	9,900	7,900	15,900	16,900	-	16,900	16,900	15,900	15,900	14,900	10,900
〃	LG	(3ℓ) 테크 액체세제	〃	19,900	21,900	21,900	21,900	19,900	21,900	21,900	21,900	21,900	17,900	21,900	17,900
〃	〃	(2.7ℓ) FiJi 컬러젤	〃	29,800	31,800	28,900	31,800	31,800	31,800	31,800	-	-	-	-	-
〃	애경	(6kg) 스파크	〃	10,900	13,900	13,900	13,900	13,900	13,900	13,900	11,900	11,900	11,900	11,900	11,900
섬유유연제	피죤	(2.1ℓ) 피죤 블루 비앙카	〃	-	-	3,500	3,500	3,500	3,500	3,500	3,500	3,500	3,500	3,500	3,500
〃	한국피앤지	(2ℓ) 다우니 초고농축 퍼플	〃	-	15,400	15,400	14,800	17,900	17,900	17,900	17,900	17,900	14,800	14,800	16,200
〃	LG	(3ℓ) 샤프란 로맨틱 코튼	〃	4,250	4,850	4,450	4,450	4,450	4,450	4,850	4,850	4,850	4,450	4,450	4,850
▶세척제															
Mr.홈스타	LG	900㎖	〃	6,900	-	6,900	8,900	3,900	7,900	8,900	8,900	8,900	7,900	8,900	8,900
홈스타변기세정제	〃	40g×4개	〃	3,900	4,290	4,290	4,290	4,290	4,290	4,290	4,290	4,290	4,290	4,290	4,290
유한락스	유한	(900㎖)곰팡이제거제×2개	〃	9,900	9,900	9,900	9,900	7,900	9,900	9,900	9,900	10,900	8,380	8,380	8,380
펑 크 린	〃	1.5ℓ	〃	3,100	3,100	3,100	3,100	3,100	3,100	3,100	3,100	3,760	-	3,760	3,760
무균무때	피죤	900㎖	〃	7,900	7,900	7,900	7,900	7,900	8,900	8,900	8,900	6,900	8,900	8,900	7,900
비트찌든때제거	라이온	500㎖	〃	-	-	8,900	8,900	8,900	8,900	8,900	8,900	8,900	8,900	8,900	8,900
▶살충제															
에프킬라믹스베이트	한국존슨	바퀴살충제10개입	〃	8,720	-	10,900	10,900	10,900	10,900	10,900	9,900	9,500	9,500	9,500	9,500
컴배트에어졸	헨켈	(500㎖) 스피드	〃	5,900	-	5,900	5,900	5,900	6,200	6,200	6,200	6,200	6,200	6,200	6,200
홈매트리퀴드	〃	훈증기+29㎖ 45일×3	〃	25,900	25,900	25,900	25,900	25,900	25,900	25,900	25,200	25,200	25,200	25,200	25,200
홈 키 파	〃	(500㎖) 수성 에어졸	〃	6,500	6,500	6,500	6,500	6,500	7,200	7,200	7,200	7,200	7,200	7,200	7,200
▶기타															
면 도 기	한국피앤지	질레트 마하3	〃	8,500	8,500	8,500	8,500	8,500	8,500	8,500	8,500	8,500	8,500	8,500	8,500
쉐이빙폼	니베아	(200㎖) 포맨 센서티브	〃	5,900	5,900	5,900	5,900	-	6,500	6,500	6,500	6,500	6,500	6,500	6,500
부탄가스	썬연료	4입	〃	6,790	6,790	6,790	6,790	6,790	6,790	6,790	6,790	6,790	6,790	6,790	6,790
습기제거제	LG	홈스타 제습혁명 8P	〃	9,900	9,900	12,300	12,300	12,300	12,300	10,900	12,300	12,300	10,900	10,900	10,900

조미료

(단위 : 원)

품명	메이커	규격	단위	수원											
				2022년 11월	12월	2023년 1월	2월	3월	4월	5월	6월	7월	8월	9월	10월
◈조미료															
고춧가루	-	(1kg) 태양초	개	-	-	-	-	-	-	-	-	33,600	33,900	33,900	33,900
고 추 장	대상	(1kg)청정원순창우리쌀찰고추장	〃	-	-	-	-	-	-	-	-	19,000	19,000	19,000	19,000
〃	CJ	(1kg) 해찬들 태양초골드	〃	-	-	-	-	-	-	-	-	17,900	17,900	17,900	17,900
된 장	대상	(1kg) 청정원 순창	〃	-	-	-	-	-	-	-	-	8,190	9,100	9,100	9,100
〃	CJ	(1kg) 해찬들 재래식	〃	-	-	-	-	-	-	-	-	8,990	8,990	8,990	8,990
쌈 장	대상	(500g)청정원순창양념듬뿍쌈장	〃	-	-	-	-	-	-	-	-	5,400	5,400	5,400	5,400
〃	CJ	(500g) 해찬들 사계절쌈장	〃	-	-	-	-	-	-	-	-	5,190	5,190	5,190	5,190
양조간장	샘표	(860㎖) 양조간장501	〃	-	-	-	-	-	-	-	-	7,900	7,900	7,900	7,900
〃	대상	(840㎖)햇살담은씨간장숙성양조간장	〃	-	-	-	-	-	-	-	-	7,480	7,480	7,480	7,480
진 간 장	〃	(840㎖)햇살담은 진간장 골드	〃	-	-	-	-	-	-	-	-	5,680	5,680	5,680	5,680
〃	샘표	(860㎖) 금F-3	〃	-	-	-	-	-	-	-	-	6,100	6,100	6,100	6,100
설 탕	CJ	(1kg) 백설 백설탕	〃	-	-	-	-	-	-	-	-	1,980	2,380	2,380	2,380
〃	〃	(1kg) 백설 갈색설탕	〃	-	-	-	-	-	-	-	-	2,480	2,880	2,880	2,880
〃	〃	(1kg) 백설 흑설탕	〃	-	-	-	-	-	-	-	-	2,580	2,980	2,980	2,980
〃	삼양	(1kg) 큐원 백설탕	〃	-	-	-	-	-	-	-	-	1,950	2,350	2,350	2,350
〃	〃	(1kg) 큐원 갈색설탕	〃	-	-	-	-	-	-	-	-	2,450	2,850	2,850	2,850
〃	〃	(1kg) 큐원 흑설탕	〃	-	-	-	-	-	-	-	-	2,550	2,950	2,950	2,950
소 금	대상	(500g) 미원 맛소금	〃	-	-	-	-	-	-	-	-	-	-	2,540	2,540
〃	〃	(500g)청정원천일염구운소금	〃	-	-	-	-	-	-	-	-	-	-	-	-
〃	사조대림	(1kg) 해표 꽃소금	〃	-	-	-	-	-	-	-	-	-	-	2,290	2,290
〃	대상	(1kg) 미원 맛소금	〃	-	-	-	-	-	-	-	-	-	-	-	4,180
〃	CJ	(400g) 백설 구운 천일염	〃	-	-	-	-	-	-	-	-	-	-	-	-
미 원	대상	(500g) 발효 미원	〃	-	-	-	-	-	-	-	-	13,900	13,900	13,900	13,900
물 엿	〃	(1.2kg) 청정원	〃	-	-	-	-	-	-	-	-	4,180	-	-	-
〃	오뚜기	(1.2kg) 옛날 물엿	〃	-	-	-	-	-	-	-	-	4,680	4,680	4,680	4,680
올리고당	CJ	(1.2kg) 백설 요리올리고당	〃	-	-	-	-	-	-	-	-	5,980	6,480	6,480	6,480
〃	대상	(1.2kg) 청정원 요리올리고당	〃	-	-	-	-	-	-	-	-	5,980	5,980	5,980	5,980
케 찹	오뚜기	(500g) 토마토케찹	〃	-	-	-	-	-	-	-	-	3,180	3,180	3,180	3,180
〃	대상	(410g) 청정원 우리아이케찹	〃	-	-	-	-	-	-	-	-	3,000	3,000	3,000	3,000
마요네즈	오뚜기	(800g) 골드	〃	-	-	-	-	-	-	-	-	8,680	8,680	8,680	8,680
〃	대상	(800g)청정원고소한마요네즈	〃	-	-	-	-	-	-	-	-	7,900	7,900	7,900	7,900
마아가린	오뚜기	(200g) 옥수수 마아가린	〃	-	-	-	-	-	-	-	-	2,290	2,290	2,290	2,290
식 초	〃	(900㎖) 사과식초	〃	-	-	-	-	-	-	-	-	2,880	2,880	2,880	2,880
〃	대상	(900㎖) 청정원 사과식초	〃	-	-	-	-	-	-	-	-	2,880	2,880	2,880	2,880
〃	〃	(900㎖) 청정원 현미식초	〃	-	-	-	-	-	-	-	-	2,600	2,600	2,600	2,600
〃	오뚜기	(900㎖) 현미식초	〃	-	-	-	-	-	-	-	-	2,680	2,680	2,680	2,680
식 용 유	사조대림	(900㎖) 해표 식용유	〃	-	-	-	-	-	-	-	-	5,200	5,200	5,200	5,200
〃	CJ	(900㎖) 백설 식용유	〃		-	-	-	-	-	-	-	5,180	5,180	5,180	5,180
〃	〃	(900㎖) 백설 카놀라유	〃	-	-	-	-	-	-	-	-	9,500	9,500	9,500	9,500
〃	〃	(900㎖) 백설 포도씨유	〃	-	-	-	-	-	-	-	-	16,000	16,000	16,000	16,000
〃	〃	(900㎖) 백설 올리브유	〃	-	-	-	-	-	-	-	-	18,000	-	-	19,800
참 기 름	〃	(320㎖) 백설 진한 참기름	〃	-	-	-	-	-	-	-	-	8,500	8,500	8,500	8,500
〃	〃	(300㎖)백설 고소함가득참기름	〃	-	-	-	-	-	-	-	-	8,880	8,880	8,880	8,880
〃	오뚜기	(320㎖) 고소한 참기름	〃	-	-	-	-	-	-	-	-	10,600	10,600	10,600	10,600
〃	〃	(320㎖) 옛날 참기름	〃	-	-	-	-	-	-	-	-	9,590	9,590	9,590	9,590
고추씨기름	〃	(80㎖) 옛날 고추맛기름	〃	-	-	-	-	-	-	-	-	2,180	2,180	-	2,180
멸치액젓	CJ	(800g) 658㎖ 하선정	〃	-	-	-	-	-	-	-	-	5,280	5,280	5,280	5,280
〃	대상	(750g)626㎖ 청정원남해안 멸치액젓	〃	-	-	-	-	-	-	-	-	3,960	-	-	-
까나리액젓	〃	(750g)622㎖ 청정원 서해안 까나리액젓	〃	-	-	-	-	-	-	-	-	5,000	5,000	5,000	5,000
〃	CJ	(800g)658㎖ 하선정 서해안 까나리액젓	〃	-	-	-	-	-	-	-	-	5,280	5,280	5,280	5,280
조 미 료	〃	(500g) 백설 쇠고기 다시다	〃	-	-	-	-	-	-	-	-	13,780	12,850	12,850	12,850
〃	〃	(500g) 백설 멸치 다시다	〃	-	-	-	-	-	-	-	-	11,300	-	-	-
〃	대상	(300g) 쇠고기 감치미	〃	-	-	-	-	-	-	-	-	7,160	7,160	7,160	7,160
〃	〃	(300g) 한우 감치미	〃	-	-	-	-	-	-	-	-	8,800	8,800	8,800	8,800
후 추	오뚜기	(100g) 순후추	〃	-	-	-	-	-	-	-	-	6,180	6,180	6,180	6,180
〃	대상	(50g) 청정원 순후추	〃	-	-	-	-	-	-	-	-	3,680	3,680	3,680	3,680
와 사 비	오뚜기	(43g) 생와사비	〃	-	-	-	-	-	-	-	-	4,150	4,150	4,150	4,150
〃	〃	(100g) 연와사비	〃	-	-	-	-	-	-	-	-	4,150	4,150	4,150	4,150
겨 자	〃	(100g) 연겨자	〃	-	-	-	-	-	-	-	-	4,090	4,090	4,090	4,090
〃	대상	(95g) 청정원 연겨자	〃	-	-	-	-	-	-	-	-	3,190	3,190	3,190	3,190
요 리 주	롯데	(900㎖) 미림	〃	-	-	-	-	-	-	-	-	-	3,670	3,670	3,670
〃	오뚜기	(900㎖) 미향	〃	-	-	-	-	-	-	-	-	4,180	4,180	4,180	4,180
〃	CJ	(800㎖)백설 맛술 로즈마리	〃	-	-	-	-	-	-	-	-	3,980	3,980	3,980	3,980

김치류 · 수산품 · 낙농물

(단위 : 원)

품 명	메이커	규 격	단위	수 원											
				2022년 11월	12월	2023년 1월	2월	3월	4월	5월	6월	7월	8월	9월	10월
◈김치류															
하선정 포기김치	CJ	3kg	봉	–	–	–	–	–	–	–	–	–	–	–	–
비비고 포기배추김치	〃	3.3kg	〃	–	–	–	–	–	–	–	–	33,800	34,800	33,800	33,800
종가집 포기김치	대상	〃	〃	–	–	–	–	–	–	–	–	33,800	34,800	33,800	33,800
비비고 총각김치	CJ	1.5kg	〃	–	–	–	–	–	–	–	–	–	–	–	18,500
종가집 총각김치	대상	〃	〃	–	–	–	–	–	–	–	–	–	–	–	18,500
◈수산물															
生연어(횟감용)	노르웨이	100g	팩	–	–	–	–	–	–	–	–	6,000	5,500	5,000	5,000
生연어(구이용)	〃	〃	〃	–	–	–	–	–	–	–	–	5,500	5,000	4,500	4,500
부산간고등어	국산	1마리(대)	〃	–	–	–	–	–	–	–	–	–	5,500	–	–
제주생물갈치	〃	〃	〃	–	–	–	–	–	–	–	–	12,000	12,000	13,200	11,000
◈수산가공품															
명가 직화구이김	CJ	4.5g×20봉	봉	–	–	–	–	–	–	–	–	6,490	–	–	–
대 천 김	대천김	5g×20봉	〃	–	–	–	–	–	–	–	–	9,990	9,990	9,990	9,990
광 천 김	해달음	4g×20봉	〃	–	–	–	–	–	–	–	–	9,490	–	9,490	9,490
옛날미역	오뚜기	100g	〃	–	–	–	–	–	–	–	–	6,490	–	6,490	6,490
◈낙농물															
쇠 고 기	국산(한우)	정육(등심)상등급	100g	–	–	–	–	–	–	–	–	13,590	11,990	12,590	14,990
〃	〃	정육(양지)상등급	〃	–	–	–	–	–	–	–	–	10,820	10,820	10,820	10,990
돼지고기	국산	정육(삼겹살)상등급	〃	–	–	–	–	–	–	–	–	3,790	3,290	4,190	3,000
〃	〃	정육(목살)상등급	〃	–	–	–	–	–	–	–	–	2,590	3,290	4,190	3,000
닭 고 기	〃	육계	1kg	–	–	–	–	–	–	–	–	9,980	8,990	8,990	8,990
계 란	CJ	신선한 목초란	15구	–	–	–	–	–	–	–	–	9,490	9,490	–	–
우 유	서울우유	흰 우유(나 100%)	1 ℓ	–	–	–	–	–	–	–	–	2,890	2,890	2,890	2,980
〃	〃	목장의 신선함이 살아있는 우유	〃	–	–	–	–	–	–	–	–	3,400	3,400	3,400	3,650
〃	남양유업	맛있는 우유 GT	900mℓ	–	–	–	–	–	–	–	–	2,890	2,890	2,890	2,980
〃	매일유업	매일우유 오리지널	〃	–	–	–	–	–	–	–	–	2,890	2,890	2,890	2,970
〃	동원	덴마크 대니쉬 the건강한 우유	〃	–	–	–	–	–	–	–	–	–	–	–	–
〃	빙그레	바나나맛 우유 240mℓ×4	묶음	–	–	–	–	–	–	–	–	5,480	5,480	5,480	5,800
〃	서울우유	서울 요구르트 65mℓ×20	〃	–	–	–	–	–	–	–	–	2,950	2,950	2,990	3,100
〃	남양유업	남양 요구르트 65mℓ×20	〃	–	–	–	–	–	–	–	–	2,990	2,990	2,990	3,100
〃	HY	HY 야쿠르트 오리지널 65mℓ×20	〃	–	–	–	–	–	–	–	–	4,400	4,400	4,400	4,400
버 터	서울우유	무가염 버터	450g	–	–	–	–	–	–	–	–	11,000	11,000	11,000	11,000
〃	파스퇴르	프리미엄 홈버터	〃	–	–	–	–	–	–	–	–	9,990	9,990	9,990	9,990
치 즈	서울우유	어린이치즈 앙팡(15매입)	개	–	–	–	–	–	–	–	–	–	–	–	–
〃	〃	체다치즈(20매입)	〃	–	–	–	–	–	–	–	–	–	8,990	8,990	8,990
〃	매일유업	뼈로가는 칼슘치즈(15매입)	〃	–	–	–	–	–	–	–	–	9,990	9,990	9,990	9,990
〃	〃	더블업 체다치즈	360g	–	–	–	–	–	–	–	–	9,990	9,980	9,980	9,980
햄	목우촌	주부9단 살코기햄	1kg	–	–	–	–	–	–	–	–	–	–	12,490	12,980
〃	〃	주부9단 불고기햄	300g	–	–	–	–	–	–	–	–	4,980	4,980	5,980	–
조제분유	남양유업	남양분유 임페리얼 XO1	800g	–	–	–	–	–	–	–	–	27,800	27,800	27,800	27,800
〃	〃	남양분유 임페리얼 XO2	〃	–	–	–	–	–	–	–	–	25,800	25,800	25,800	25,800
〃	〃	남양분유 임페리얼 XO3	〃	–	–	–	–	–	–	–	–	25,800	25,800	25,800	25,800
〃	〃	남양분유 임페리얼 XO4	〃	–	–	–	–	–	–	–	–	–	–	–	–
〃	매일유업	앱솔루트 센서티브 1단계	900g	–	–	–	–	–	–	–	–	36,140	36,140	36,140	36,140
〃	〃	앱솔루트 센서티브 2단계	〃	–	–	–	–	–	–	–	–	36,140	36,140	36,140	36,140
〃	〃	앱솔루트 센서티브 3단계	〃	–	–	–	–	–	–	–	–	36,140	36,140	36,140	36,140
〃	〃	앱솔루트 센서티브 4단계	〃	–	–	–	–	–	–	–	–	36,140	36,140	36,140	36,140
〃	남양유업	아이엠마더 1단계	800g	–	–	–	–	–	–	–	–	38,800	38,800	38,800	38,800
〃	〃	아이엠마더 2단계	〃	–	–	–	–	–	–	–	–	36,800	36,800	36,800	36,800
〃	〃	아이엠마더 3단계	〃	–	–	–	–	–	–	–	–	36,800	36,800	36,800	36,800
〃	〃	아이엠마더 4단계	〃	–	–	–	–	–	–	–	–	36,800	36,800	–	–
영유아식	〃	임페리얼 XO 닥터	300g	–	–	–	–	–	–	–	–	–	–	–	–
〃	매일유업	앱솔루트(아기설사)	400g	–	–	–	–	–	–	–	–	–	–	–	–

인스턴트 식품

(단위 : 원)

품명	메이커	규격	단위	수원											
				2022년 11월	12월	2023년 1월	2월	3월	4월	5월	6월	7월	8월	9월	10월
◈스낵류															
새 우 깡	농심	90g	봉	-	-	-	-	-	-	-	-	1,100	1,100	1,100	1,100
감 자 깡	〃	75g	〃	-	-	-	-	-	-	-	-	1,360	1,360	1,360	1,360
오징어집	〃	78g	〃	-	-	-	-	-	-	-	-	1,360	1,360	1,360	1,360
고구마깡	〃	83g	〃	-	-	-	-	-	-	-	-	1,360	1,360	1,360	1,360
양 파 깡	〃	〃	〃	-	-	-	-	-	-	-	-	1,360	1,360	1,360	1,360
양 파 링	〃	80g	〃	-	-	-	-	-	-	-	-	1,360	1,360	1,360	1,360
포 스 틱	〃	〃	〃	-	-	-	-	-	-	-	-	1,360	1,360	1,360	1,360
꿀꽈배기	〃	90g	〃	-	-	-	-	-	-	-	-	1,360	1,360	1,360	1,360
조청유과	〃	96g	〃	-	-	-	-	-	-	-	-	1,360	1,360	1,360	1,360
바나나킥	〃	145g	〃	-	-	-	-	-	-	-	-	-	1,360	-	1,360
콘 칩	크라운	140g	〃	-	-	-	-	-	-	-	-	2,390	2,390	1,990	2,390
오 감 자	오리온	115g	〃	-	-	-	-	-	-	-	-	2,390	2,390	2,390	2,390
포 카 칩	〃	66g	〃	-	-	-	-	-	-	-	-	1,360	1,360	1,360	1,360
스 윙 칩	〃	60g	〃	-	-	-	-	-	-	-	-	1,360	1,360	1,360	1,360
오징어땅콩	〃	202g	〃	-	-	-	-	-	-	-	-	2,390	2,390	2,390	2,390
맛 동 산	〃	300g	〃	-	-	-	-	-	-	-	-	4,390	4,390	4,390	4,390
꼬 깔 콘	〃	52g 고소한맛	〃	-	-	-	-	-	-	-	-	1,000	1,000	1,000	1,000
짱 구	삼양	272g	〃	-	-	-	-	-	-	-	-	2,880	2,880	-	2,880
죠 리 퐁	〃	74g	〃	-	-	-	-	-	-	-	-	1,000	1,000	1,000	1,000
야채타임	빙그레	70g	〃	-	-	-	-	-	-	-	-	1,360	1,350	1,350	1,350
도도한나쵸	오리온	92g 치즈맛	〃	-	-	-	-	-	-	-	-	1,190	1,190	1,190	1,190
꼬 북 칩	〃	64g 콘스프맛	〃	-	-	-	-	-	-	-	-	1,000	1,000	1,000	1,000
치 토 스	롯데	64g 매콤달콤한맛	〃	-	-	-	-	-	-	-	-	1,000	1,000	1,000	1,000
도리토스	〃	84g 나쵸치즈맛	〃	-	-	-	-	-	-	-	-	1,360	1,360	1,360	1,360
자 갈 치	농심	174g	〃	-	-	-	-	-	-	-	-	-	-	-	2,580
인디안밥	〃	83g	〃	-	-	-	-	-	-	-	-	-	-	-	1,360
벌집핏자	〃	90g	〃	-	-	-	-	-	-	-	-	-	-	-	1,360
허니버터칩	해태	44g	〃	-	-	-	-	-	-	-	-	-	-	-	1,000
카라멜콘과땅콩	크라운	72g	〃	-	-	-	-	-	-	-	-	-	-	-	1,000
꽃 게 랑	빙그레	143g	〃	-	-	-	-	-	-	-	-	-	-	-	2,980
썬 칩	오리온	66g 핫스파이시맛	〃	-	-	-	-	-	-	-	-	-	-	-	-
빼 빼 로	롯데	54g	Box	-	-	-	-	-	-	-	-	-	-	-	1,360
칙 촉	〃	180g	〃	-	-	-	-	-	-	-	-	-	-	-	3,840
칸 쵸	〃	196g	〃	-	-	-	-	-	-	-	-	-	-	-	3,360
버 터 링	해태	238g	〃	-	-	-	-	-	-	-	-	-	-	-	4,700
초코하임	크라운	284g	〃	-	-	-	-	-	-	-	-	-	-	-	4,790
고 래 밥	오리온	160g	〃	-	-	-	-	-	-	-	-	-	-	-	2,290
산 도	롯데	16봉입 딸기크림치즈	〃	-	-	-	-	-	-	-	-	3,980	3,980	3,980	3,980
버터와플	〃	316g	〃	-	-	-	-	-	-	-	-	4,380	4,380	4,380	4,380
국희땅콩샌드	〃	372g	〃	-	-	-	-	-	-	-	-	3,990	3,990	3,990	3,990
빅 파 이	〃	324g	〃	-	-	-	-	-	-	-	-	3,840	3,180	3,840	3,990
후렌치파이	해태	15봉입 딸기	〃	-	-	-	-	-	-	-	-	3,990	3,990	3,990	3,990
초코파이	오리온	12개입	〃	-	-	-	-	-	-	-	-	4,320	4,320	4,320	4,320
오 뜨	〃	12봉입 쇼콜라	〃	-	-	-	-	-	-	-	-	4,980	5,580	5,590	5,590
빈 츠	롯데	204g	〃	-	-	-	-	-	-	-	-	4,480	4,480	4,490	4,490
마가렛트	〃	16봉입	〃	-	-	-	-	-	-	-	-	5,290	5,290	5,290	5,290
아이비크래커	해태	12봉입	〃	-	-	-	-	-	-	-	-	3,590	3,190	3,050	3,590
몽 쉘	롯데	12개입	〃	-	-	-	-	-	-	-	-	5,290	5,290	5,290	4,900
카스타드	오리온	〃	〃	-	-	-	-	-	-	-	-	4,320	4,320	4,320	4,320
후레쉬베리	〃	6개입	〃	-	-	-	-	-	-	-	-	-	-	-	-
초코송이	〃	144g	〃	-	-	-	-	-	-	-	-	2,290	2,290	1,990	2,290
빠다코코넛	롯데	78g	〃	-	-	-	-	-	-	-	-	1,000	1,000	1,000	1,000
에 이 스	〃	364g	〃	-	-	-	-	-	-	-	-	4,000	3,600	3,990	3,990
쿠크다스	〃	128g	〃	-	-	-	-	-	-	-	-	2,390	2,390	2,390	2,390
홈 런 볼	〃	46g	봉	-	-	-	-	-	-	-	-	1,390	1,390	1,390	1,390
양 갱	〃	50g×10 밤맛	〃	-	-	-	-	-	-	-	-	6,000	6,000	6,000	6,000
맛 밤	CJ	60g×4	〃	-	-	-	-	-	-	-	-	7,190	7,190	7,190	7,990

(단위 : 원)

품 명	메이커	규 격	단위	수 원											
				2022년 11월	12월	2023년 1월	2월	3월	4월	5월	6월	7월	8월	9월	10월
◈씨리얼(푸레이크)															
첵스초코	켈로그	570g	봉	–	–	–	–	–	–	–	–	7,990	7,990	7,990	7,990
스페셜K	〃	480g	〃	–	–	–	–	–	–	–	–	8,390	8,390	8,390	8,390
콘푸로스트	〃	600g	〃	–	–	–	–	–	–	–	–	6,990	6,990	6,990	6,990
아몬드푸레이크	〃	〃	〃	–	–	–	–	–	–	–	–	9,190	9,190	9,190	9,190
그래놀라	〃	400g 리얼 그래놀라	〃	–	–	–	–	–	–	–	–	9,690	9,690	9,690	9,690
〃	〃	500g 고소한 현미 그래놀라	〃	–	–	–	–	–	–	–	–	6,990	6,890	9,690	9,190
후루트링	〃	530g	〃	–	–	–	–	–	–	–	–	5,990	8,690	8,690	8,690
현미푸레이크	〃	550g	〃	–	–	–	–	–	–	–	–	9,690	9,690	9,690	9,690
콘푸라이트	포스트	600g	〃	–	–	–	–	–	–	–	–	5,010	4,680	6,380	6,690
오레오오즈	〃	500g	〃	–	–	–	–	–	–	–	–	8,690	6,980	8,680	8,680
오곡코코볼	〃	570g	〃	–	–	–	–	–	–	–	–	5,090	6,790	6,790	6,790
그래놀라	〃	570g 크랜베리 아몬드	〃	–	–	–	–	–	–	–	–	8,790	8,790	5,720	8,790
〃	〃	500g 블루베리	〃	–	–	–	–	–	–	–	–	9,390	9,390	6,990	9,390
아몬드후레이크	〃	620g	〃	–	–	–	–	–	–	–	–	8,790	8,790	8,790	8,790
골든그래놀라	〃	360g 크런치	〃	–	–	–	–	–	–	–	–	8,790	8,790	8,790	8,790
〃	〃	360g 후르츠	〃	–	–	–	–	–	–	–	–	8,790	8,790	8,790	8,790
◈면류															
밀 가 루	대한	1kg 곰표 중력	봉	–	–	–	–	–	–	–	–	1,880	1,840	1,840	1,840
〃	CJ	1kg 백설 중력	〃	–	–	–	–	–	–	–	–	1,900	1,900	–	–
〃	삼양	1kg 큐원 중력	〃	–	–	–	–	–	–	–	–	1,790	1,790	1,790	1,790
삼양라면	〃	120g×5개	〃	–	–	–	–	–	–	–	–	3,450	3,680	3,680	3,300
불닭볶음면	〃	140g×5개	〃	–	–	–	–	–	–	–	–	5,100	5,100	5,100	5,100
맛있는라면	〃	115g×5개	〃	–	–	–	–	–	–	–	–	4,730	4,730	4,730	4,730
신 라 면	농심	120g×5개	〃	–	–	–	–	–	–	–	–	3,900	3,900	3,900	3,900
너 구 리	〃	〃	〃	–	–	–	–	–	–	–	–	4,500	4,500	4,500	4,500
오징어짬뽕	〃	124g×5개	〃	–	–	–	–	–	–	–	–	4,880	4,880	4,880	4,880
사리곰탕면	〃	110g×5개	〃	–	–	–	–	–	–	–	–	4,880	4,880	4,880	4,480
무파마탕면	〃	122g×4개	〃	–	–	–	–	–	–	–	–	4,580	4,580	4,580	4,580
안성탕면	〃	125g×5개	〃	–	–	–	–	–	–	–	–	3,700	3,700	3,700	3,380
짜파게티	〃	140g×5개	〃	–	–	–	–	–	–	–	–	4,880	4,480	4,880	4,480
감 자 면	〃	117g×5개	〃	–	–	–	–	–	–	–	–	5,680	5,680	5,680	5,680
생생우동	〃	276g×4개	〃	–	–	–	–	–	–	–	–	7,680	8,400	8,400	8,400
사 발 면	〃	114g 신라면 큰사발	개	–	–	–	–	–	–	–	–	–	1,160	1,160	1,160
〃	〃	115g 새우탕 큰사발	〃	–	–	–	–	–	–	–	–	1,160	1,160	1,160	1,160
〃	〃	110g 육개장 큰사발	〃	–	–	–	–	–	–	–	–	1,160	1,160	1,160	1,160
컵 누 들	오뚜기	37.8g 매콤한맛	〃	–	–	–	–	–	–	–	–	–	–	–	1,380
열 라 면	〃	120g×5개	봉	–	–	–	–	–	–	–	–	3,580	3,580	3,580	3,580
진 라 면	〃	〃	〃	–	–	–	–	–	–	–	–	3,580	3,580	3,580	3,580
진 짬 뽕	〃	130g×4개	〃	–	–	–	–	–	–	–	–	6,180	6,180	6,180	5,490
참깨라면	〃	115g×4개	〃	–	–	–	–	–	–	–	–	4,480	4,480	4,480	3,300
스 낵 면	〃	108g×5개	〃	–	–	–	–	–	–	–	–	2,500	2,500	2,500	3,180
라면사리	〃	110g×5개	〃	–	–	–	–	–	–	–	–	–	–	–	1,750
옛날자른당면	〃	300g	〃	–	–	–	–	–	–	–	–	4,780	4,780	4,780	4,780
옛날국수(소면)	〃	900g	〃	–	–	–	–	–	–	–	–	3,550	3,550	3,550	3,550
팔도비빔면	팔도	130g×4개	〃	–	–	–	–	–	–	–	–	2,880	2,980	2,980	3,700
틈새라면	〃	120g×5개	〃	–	–	–	–	–	–	–	–	4,840	4,840	4,840	4,390
육개장칼국수	풀무원	120.9g×4개	〃	–	–	–	–	–	–	–	–	5,450	5,450	5,450	5,450
냉 면	청수	540g 물냉면	〃	–	–	–	–	–	–	–	–	4,790	4,790	4,790	4,790
〃	〃	540g 비빔냉면	〃	–	–	–	–	–	–	–	–	4,790	4,790	4,790	4,790
◈즉석밥															
둥근햇반실속	CJ	210g×8개	Set	–	–	–	–	–	–	–	–	10,900	8,990	9,480	10,900
맛있는밥	오뚜기	210g×10개	〃	–	–	–	–	–	–	–	–	11,980	9,580	10,480	9,980
◈통조림															
골 뱅 이	유동	400g	Can	–	–	–	–	–	–	–	–	10,490	10,490	10,490	10,490
꽁 치	동원	300g	〃	–	–	–	–	–	–	–	–	4,990	4,990	4,990	4,990
고 등 어	〃	400g	〃	–	–	–	–	–	–	–	–	3,490	3,490	3,490	3,490
살코기참치	〃	135g×4개 라이트 스탠다드	〃	–	–	–	–	–	–	–	–	11,490	11,490	11,490	11,490
고추참치	〃	90g×4개	〃	–	–	–	–	–	–	–	–	9,490	9,490	9,490	9,490
야채참치	〃	〃	〃	–	–	–	–	–	–	–	–	9,490	9,490	9,490	9,490
리 챔	〃	340g 오리지널	〃	–	–	–	–	–	–	–	–	7,190	7,190	7,590	7,590
스 팸	CJ	340g 클래식	〃	–	–	–	–	–	–	–	–	7,190	7,590	7,590	7,590
스위트콘	오뚜기	340g	〃	–	–	–	–	–	–	–	–	1,980	1,980	1,980	1,980
〃	동원	〃	〃	–	–	–	–	–	–	–	–	1,980	1,980	1,980	1,980
황 도	〃	400g	〃	–	–	–	–	–	–	–	–	2,580	2,580	2,980	2,980
후르츠칵테일	델몬트	850g	〃	–	–	–	–	–	–	–	–	4,990	4,990	4,990	4,990
파인애플슬라이스	〃	836g	〃	–	–	–	–	–	–	–	–	4,990	4,990	4,990	4,990
번 데 기	유동	130g	〃	–	–	–	–	–	–	–	–	1,690	1,690	1,690	1,690
〃	동원	〃	〃	–	–	–	–	–	–	–	–	1,690	1,690	1,690	1,690
깻 잎	샘표	70g	〃	–	–	–	–	–	–	–	–	2,490	2,490	2,490	2,490

음료

(단위 : 원)

품 명	메이커	규 격	단위	수원											
				2022년 11월	12월	2023년 1월	2월	3월	4월	5월	6월	7월	8월	9월	10월
◆음료															
칠성사이다	롯데	1.8ℓ	Pet	–	–	–	–	–	–	–	–	–	3,380	3,380	3,380
칠성사이다제로	〃	1.5ℓ	〃	–	–	–	–	–	–	–	–	2,880	–	2,880	2,880
밀 키 스	〃	〃	〃	–	–	–	–	–	–	–	–	2,580	2,580	2,580	2,580
2%복숭아	〃	〃	〃	–	–	–	–	–	–	–	–	1,390	1,980	1,980	1,980
제주사랑감귤사랑	〃	〃	〃	–	–	–	–	–	–	–	–	–	–	–	–
하늘보리	웅진	〃	〃	–	–	–	–	–	–	–	–	1,380	1,380	–	–
아침햇살	〃	1.35ℓ	〃	–	–	–	–	–	–	–	–	2,200	2,500	2,500	2,500
자연은알로에	〃	1.5ℓ	〃	–	–	–	–	–	–	–	–	–	–	2,350	2,350
옥수수수염차	광동	〃	〃	–	–	–	–	–	–	–	–	2,390	2,390	2,390	2,390
헛 개 차	〃	〃	〃	–	–	–	–	–	–	–	–	2,390	2,390	2,390	2,390
제주삼다수	〃	2ℓ	〃	–	–	–	–	–	–	–	–	1,080	1,080	1,080	1,080
코카콜라	코카콜라	1.8ℓ	〃	–	–	–	–	–	–	–	–	3,730	3,730	3,730	3,730
코카콜라제로	〃	1.5ℓ	〃	–	–	–	–	–	–	–	–	1,990	3,150	3,150	3,150
스프라이트	〃	〃	〃	–	–	–	–	–	–	–	–	2,580	2,700	2,690	2,700
암 바 사	〃	〃	〃	–	–	–	–	–	–	–	–	2,500	2,500	2,500	2,500
환 타	〃	1.5ℓ 오렌지	〃	–	–	–	–	–	–	–	–	2,580	2,580	2,540	2,500
미닛메이드	〃	〃	〃	–	–	–	–	–	–	–	–	4,490	4,490	4,490	3,400
파워에이드	〃	1.5ℓ	〃	–	–	–	–	–	–	–	–	3,620	3,620	3,600	3,620
토 레 타	〃	〃	〃	–	–	–	–	–	–	–	–	3,620	3,620	3,600	3,620
펩시콜라	펩시	〃	〃	–	–	–	–	–	–	–	–	2,580	2,580	2,580	2,580
마운틴듀	〃	〃	〃	–	–	–	–	–	–	–	–	–	–	–	–
게토레이	〃	〃	〃	–	–	–	–	–	–	–	–	3,480	3,480	3,480	3,480
포카리스웨트	동아오츠카	1.8ℓ	〃	–	–	–	–	–	–	–	–	2,680	2,680	2,680	2,680
콜드오렌지	델몬트	1.89ℓ	〃	–	–	–	–	–	–	–	–	–	–	–	–
웰 치 스	웰치	1.5ℓ 포도	〃	–	–	–	–	–	–	–	–	2,500	2,500	2,500	2,500
◆차류															
보 리 차	동서	30개입	Box	–	–	–	–	–	–	–	–	2,180	2,180	2,180	2,180
현미녹차	〃	100개입	〃	–	–	–	–	–	–	–	–	7,140	7,140	7,140	7,980
둥글레차	〃	〃	〃	–	–	–	–	–	–	–	–	8,910	8,890	8,910	9,930
메 밀 차	〃	〃	〃	–	–	–	–	–	–	–	–	7,140	7,210	7,140	7,960
옥수수차	〃	30개입	〃	–	–	–	–	–	–	–	–	2,850	2,850	2,850	2,850
결명자차	〃	18개입	〃	–	–	–	–	–	–	–	–	2,300	2,300	2,300	2,200
오 곡 차	〃	〃	〃	–	–	–	–	–	–	–	–	–	–	–	–
티오아이스티	〃	40개입	〃	–	–	–	–	–	–	–	–	9,980	5,980	9,980	6,900
립톤아이스티	유니레버	770g 복숭아	〃	–	–	–	–	–	–	–	–	15,200	15,200	15,200	15,290
루이보스보리차	동서	100개입	〃	–	–	–	–	–	–	–	–	6,840	7,980	7,980	7,980
맥 심	〃	100개입 모카골드 커피믹스	〃	–	–	–	–	–	–	–	–	16,450	16,450	16,450	16,450
〃	〃	100개입 아이스 커피믹스	〃	–	–	–	–	–	–	–	–	20,900	21,000	28,000	28,000
〃	〃	100개입 화이트골드 커피믹스	〃	–	–	–	–	–	–	–	–	17,560	17,560	17,560	17,560
카 누	〃	100개입 미니 마일드 로스트	〃	–	–	–	–	–	–	–	–	22,390	22,390	22,390	22,390
〃	〃	100개입 미니 다크 로스트	〃	–	–	–	–	–	–	–	–	22,390	22,390	22,390	22,390
〃	〃	100개입 미니 디카페인 아메리카노	〃	–	–	–	–	–	–	–	–	24,640	24,640	24,600	24,600
작 설 차	녹차원	10개입 맛있는 녹차작설	〃	–	–	–	–	–	–	–	–	–	–	–	–
옥수수수염차	〃	100개입	〃	–	–	–	–	–	–	–	–	–	–	–	–
호두아몬드율무차	담터	〃	〃	–	–	–	–	–	–	–	–	30,700	30,700	30,700	30,700
생 강 차	〃	50개입	〃	–	–	–	–	–	–	–	–	13,500	13,500	13,500	13,500
쌍 화 차	〃	〃	〃	–	–	–	–	–	–	–	–	13,500	13,500	13,500	13,500
단호박마차	〃	〃	〃	–	–	–	–	–	–	–	–	15,400	18,500	18,500	18,500
◆주류															
소 주	하이트진로	360㎖ 참이슬 후레쉬	병	–	–	–	–	–	–	–	–	1,380	1,380	1,380	1,380
〃	〃	360㎖ 진로	〃	–	–	–	–	–	–	–	–	–	–	–	1,290
〃	롯데	360㎖ 새로	〃	–	–	–	–	–	–	–	–	–	–	–	1,290
〃	〃	360㎖ 처음처럼	〃	–	–	–	–	–	–	–	–	–	–	–	1,290
맥 주	하이트진로	500㎖ 하이트 엑스트라콜드	〃	–	–	–	–	–	–	–	–	–	–	–	–
〃	OB	500㎖ 카스 후레쉬	〃	–	–	–	–	–	–	–	–	1,960	1,550	1,720	1,890
막 걸 리	서울장수	750㎖ 장수 생막걸리	〃	–	–	–	–	–	–	–	–	1,390	–	1,680	1,680

일용품

(단위 : 원)

품 명	메이커	규 격	단위	수원 2022년 11월	12월	2023년 1월	2월	3월	4월	5월	6월	7월	8월	9월	10월
◈일용품															
▶주방용품															
주방세제	라이온	(450㎖) 참그린	개	-	-	-	-	-	-	-	-	3,990	3,990	3,990	3,990
〃	헨켈	(750㎖)프릴 베이킹소다 퓨어레몬	〃	-	-	-	-	-	-	-	-	9,500	-	-	-
〃	LG	(490㎖) 자연퐁 POP 솔잎	〃	-	-	-	-	-	-	-	-	-	-	-	-
키친타올	유한	크리넥스 150매×6	〃	-	-	-	-	-	-	-	-	8,600	7,400	8,600	8,600
행 주	〃	스카트 항균 블루 행주타올 45매×4	〃	-	-	-	-	-	-	-	-	-	-	-	-
냅 킨	〃	크리넥스 카카오 홈냅킨 130매×6	〃	-	-	-	-	-	-	-	-	12,100	12,100	12,100	12,100
호 일	대한	대한웰빙호일 25㎝×30m×15μ	〃	-	-	-	-	-	-	-	-	6,280	6,280	6,280	6,280
〃	크린랩	(30매) 크린 종이호일 26.7㎝	〃	-	-	-	-	-	-	-	-	3,980	3,980	-	-
〃	〃	크린 종이호일 30㎝×20m	〃	-	-	-	-	-	-	-	-	5,280	5,280	5,280	5,280
랩	〃	크린랩 22㎝×100m	〃	-	-	-	-	-	-	-	-	8,980	6,280	6,280	6,280
위생봉지	〃	(200매입) 크린롤백 30㎝×40㎝	〃	-	-	-	-	-	-	-	-	7,980	7,280	7,280	7,280
고무장갑	〃	(2개입) 크린랩고무장갑(중)	〃	-	-	-	-	-	-	-	-	-	5,880	5,880	5,880
위생장갑	〃	(100매) 크린장갑	〃	-	-	-	-	-	-	-	-	4,590	4,590	4,590	4,590
종 이 컵	-	(250매) 일회용 물컵	〃	-	-	-	-	-	-	-	-	-	-	-	-
〃	-	(50개입) 고급 종이컵	〃	-	-	-	-	-	-	-	-	1,350	1,350	1,350	1,350
▶욕실용품															
세숫비누	LG	(140g×3개) 알뜨랑	〃	-	-	-	-	-	-	-	-	6,900	6,900	6,900	6,900
〃	유니레버	(90g×4개) 도브 비누 뷰티바	〃	-	-	-	-	-	-	-	-	7,900	7,900	5,530	7,900
손세정제	라이온	(250㎖) 아이 깨끗해 거품형	〃	-	-	-	-	-	-	-	-	6,900	6,900	6,900	6,900
〃	유니레버	(240㎖) 도브 포밍핸드워시 딥모이스처	〃	-	-	-	-	-	-	-	-	5,900	5,900	5,900	5,900
샴 푸	LG	(680㎖) 엘라스틴 모이스처 샴푸	〃	-	-	-	-	-	-	-	-	12,900	12,900	12,900	12,900
〃	애경	(1,000㎖) 케라시스 퍼퓸 샴푸	〃	-	-	-	-	-	-	-	-	12,900	12,900	12,900	12,900
〃	한국피앤지	(1,200㎖) 팬틴 모이스쳐 샴푸	〃	-	-	-	-	-	-	-	-	-	-	-	-
칫 솔	〃	(3개입) 오랄비 칫솔	〃	-	-	-	-	-	-	-	-	11,900	11,900	11,900	11,900
〃	LG	(4개입) 페리오 센서티브 초극세모	〃	-	-	-	-	-	-	-	-	10,900	11,900	11,900	11,900
〃	아모레	(4개입) 메디안 치석케어 칫솔	〃	-	-	-	-	-	-	-	-	-	-	-	-
치 약	애경	(130g×3개) 2080 시그니처 토탈블루	〃	-	-	-	-	-	-	-	-	8,900	8,900	8,900	3,900
〃	LG	(120g×8개) 페리오 치석케어 치약	〃	-	-	-	-	-	-	-	-	-	-	-	-
〃	〃	(120g×3개) 페리오 토탈7 오리지널	〃	-	-	-	-	-	-	-	-	12,900	12,900	12,900	12,900
〃	〃	(120g×3개) 죽염 오리지날	〃	-	-	-	-	-	-	-	-	13,900	13,900	13,900	13,900
화 장 지	유한	크리넥스 3겹 순수소프트 30m×30롤	〃	-	-	-	-	-	-	-	-	34,900	31,800	31,800	31,800
〃	쌍용	코디 순한 3겹데코 30m×30롤	〃	-	-	-	-	-	-	-	-	-	-	-	-
▶방향제															
에 어 윅	LG	(440㎖) AURA 해피브리즈 방향제(라벤더)	〃	-	-	-	-	-	-	-	-	9,800	9,800	9,800	-
페브리즈	한국피앤지	(275㎖) 에어공기 탈취제	〃	-	-	-	-	-	-	-	-	5,900	5,900	5,900	5,900
방 충 제	헨켈	(24개입) 컴배트 좀벌레싹 서랍장용	〃	-	-	-	-	-	-	-	-	-	-	-	-
〃	〃	(6개입) 컴배트 좀벌레싹 옷장용	〃	-	-	-	-	-	-	-	-	12,100	12,100	12,100	12,100
〃	〃	(12개입) 컴배트 좀벌레싹 콤보	〃	-	-	-	-	-	-	-	-	12,100	12,100	12,100	12,100
▶세탁용품															
세탁비누	무궁화	(230g×4) 세탁비누	〃	-	-	-	-	-	-	-	-	5,490	5,490	5,490	5,490
〃	〃	(230g×4) 살균비누	〃	-	-	-	-	-	-	-	-	7,900	7,900	7,900	7,900
락 스	유한	(3.5ℓ) 유한락스	〃	-	-	-	-	-	-	-	-	6,970	6,970	6,970	6,970
합성세제	피죤	(3ℓ) 액츠 퍼펙트 액체세제	〃	-	-	-	-	-	-	-	-	16,900	8,450	16,900	16,900
〃	LG	(3ℓ) 테크 액체세제	〃	-	-	-	-	-	-	-	-	21,900	21,900	21,900	21,900
〃	〃	(2.7ℓ) FiJi 컬러젤	〃	-	-	-	-	-	-	-	-	15,900	15,900	-	-
〃	애경	(6kg) 스파크	〃	-	-	-	-	-	-	-	-	11,900	11,900	11,900	11,900
섬유유연제	피죤	(2.1ℓ) 피죤 블루 비앙카	〃	-	-	-	-	-	-	-	-	7,900	3,500	3,500	3,500
〃	한국피앤지	(2ℓ) 다우니 초고농축 퍼플	〃	-	-	-	-	-	-	-	-	17,900	17,900	17,900	19,600
〃	LG	(3ℓ) 샤프란 로맨틱 코튼	〃	-	-	-	-	-	-	-	-	4,850	4,450	4,450	-
▶세척제															
Mr.홈스타	LG	900㎖	〃	-	-	-	-	-	-	-	-	8,900	8,900	8,900	8,900
홈스타변기세정제	〃	40g×4개	〃	-	-	-	-	-	-	-	-	4,290	4,290	4,290	4,290
유한락스	유한	(900㎖) 곰팡이제거제×2개	〃	-	-	-	-	-	-	-	-	10,900	8,380	8,380	-
펑 크 린	〃	1.5ℓ	〃	-	-	-	-	-	-	-	-	-	-	-	-
무균무때	피죤	900㎖	〃	-	-	-	-	-	-	-	-	8,900	8,900	8,900	8,900
비트찌든때제거	라이온	500㎖	〃	-	-	-	-	-	-	-	-	8,900	8,900	8,900	8,900
▶살충제															
에프킬라믹스베이트	한국존슨	바퀴살충제10개입	〃	-	-	-	-	-	-	-	-	9,500	9,500	9,500	9,500
컴배트에어졸	헨켈	(500㎖) 스피드	〃	-	-	-	-	-	-	-	-	6,200	6,200	6,200	6,200
홈매트리퀴드	〃	훈증기+29㎖ 45일×3	〃	-	-	-	-	-	-	-	-	25,200	25,200	25,200	25,200
홈 키 파	〃	(500㎖) 수성 에어졸	〃	-	-	-	-	-	-	-	-	7,200	7,200	7,200	7,200
▶기타															
면 도 기	한국피앤지	질레트 마하3	〃	-	-	-	-	-	-	-	-	8,500	8,500	8,500	8,500
쉐이빙폼	니베아	(200㎖) 포맨 센서티브	〃	-	-	-	-	-	-	-	-	6,500	6,500	6,500	6,500
부탄가스	썬연료	4입	〃	-	-	-	-	-	-	-	-	6,790	6,790	6,790	6,790
습기제거제	LG	홈스타 제습혁명 8P	〃	-	-	-	-	-	-	-	-	-	-	-	-

조미료

(단위 : 원)

품명	메이커	규격	단위	부산											
				2022년 11월	12월	2023년 1월	2월	3월	4월	5월	6월	7월	8월	9월	10월
◈조미료															
고춧가루	-	(1kg) 태양초	개	33,600	33,600	33,600	33,600	33,600	33,600	33,600	33,600	33,600	33,600	33,600	34,800
고 추 장	대상	(1kg) 청정원 순창 우리쌀 찰고추장	〃	16,830	16,830	16,830	16,830	16,830	16,830	16,830	16,830	19,000	19,000	9,500	19,000
〃	CJ	(1kg) 해찬들 태양초골드	〃	18,300	18,300	18,300	18,300	18,300	19,200	19,200	19,200	19,200	17,900	19,800	17,900
된 장	대상	(1kg) 청정원 순창	〃	8,190	8,190	8,190	8,190	8,190	8,190	8,190	8,190	9,100	9,100	9,100	9,100
〃	CJ	(1kg) 해찬들 재래식	〃	8,100	8,100	8,990	8,990	8,990	8,990	8,990	8,990	8,990	8,990	4,490	8,990
쌈 장	대상	(500g) 청정원 순창 양념듬뿍쌈장	〃	4,860	4,860	4,860	4,860	4,860	4,860	4,860	2,430	5,400	5,400	5,400	5,400
〃	CJ	(500g) 해찬들 사계절쌈장	〃	4,900	4,900	5,190	5,190	5,190	5,190	5,190	5,190	5,190	5,190	5,190	5,190
양조간장	샘표	(860㎖) 양조간장501	〃	7,900	7,900	7,900	7,900	7,900	7,900	7,900	7,900	7,900	7,900	7,900	7,900
〃	대상	(840㎖) 햇살담은 씨간장숙성 양조간장	〃	6,490	6,490	7,480	7,480	7,480	7,480	7,480	7,480	7,480	7,480	7,480	7,480
진 간 장	〃	(840㎖) 햇살담은 진간장 골드	〃	-	4,770	5,680	5,680	5,680	5,680	5,680	5,680	5,680	5,680	5,680	5,680
〃	샘표	(860㎖) 금F-3	〃	6,100	6,100	6,100	5,180	6,100	5,180	6,100	6,100	6,100	6,100	6,100	6,100
설 탕	CJ	(1kg) 백설 백설탕	〃	1,980	1,980	1,980	1,980	1,980	1,980	1,980	1,980	1,980	2,380	2,380	2,380
〃	〃	(1kg) 백설 갈색설탕	〃	2,480	2,480	2,480	2,480	2,480	2,480	2,480	2,480	2,480	2,880	2,880	2,880
〃	〃	(1kg) 백설 흑설탕	〃	2,680	2,680	2,580	2,580	2,580	2,580	2,580	2,580	2,580	2,980	2,980	2,980
〃	삼양	(1kg) 큐원 백설탕	〃	1,950	1,950	1,950	1,950	1,950	1,950	1,950	1,950	1,950	2,350	2,350	2,350
〃	〃	(1kg) 큐원 갈색설탕	〃	2,450	2,450	2,450	2,450	2,450	2,450	2,450	2,450	2,450	2,580	2,850	2,850
〃	〃	(1kg) 큐원 흑설탕	〃	2,550	2,550	2,550	2,550	2,550	2,550	2,550	2,550	2,550	2,950	2,950	2,950
소 금	대상	(500g) 미원 맛소금	〃	2,540	2,540	2,540	2,540	2,540	2,540	2,540	2,540	2,540	-	-	2,540
〃	〃	(500g) 청정원 천일염구운소금	〃	5,250	5,250	3,990	3,990	5,250	5,250	5,250	5,250	5,460	-	-	4,990
〃	사조대림	(1kg) 해표 꽃소금	〃	1,390	1,390	1,390	1,390	1,890	1,890	1,890	1,890	-	-	-	2,290
〃	대상	(1kg) 미원 맛소금	〃	4,180	4,180	4,180	4,180	4,180	4,180	4,180	4,380	4,180	4,180	4,180	4,180
〃	CJ	(400g) 백설 구운 천일염	〃	4,150	4,150	4,150	4,150	4,150	4,150	4,150	4,150	-	-	5,380	5,380
미 원	대상	(500g) 발효 미원	〃	13,900	13,900	13,900	13,900	13,900	13,900	13,900	13,900	13,900	13,900	13,900	13,900
물 엿	〃	(1.2kg) 청정원	〃	4,380	4,380	4,380	4,180	4,380	4,180	4,380	4,380	-	4,380	4,380	4,380
〃	오뚜기	(1.2kg) 옛날 물엿	〃	4,680	4,680	6,480	4,680	5,190	5,190	5,190	5,190	4,680	4,680	4,680	4,680
올리고당	CJ	(1.2kg) 백설 요리올리고당	〃	5,980	5,980	5,980	5,980	5,980	5,980	6,590	4,480	5,980	6,480	6,480	6,480
〃	대상	(1.2kg) 청정원 요리올리고당	〃	5,980	5,980	5,980	5,980	5,980	5,980	5,980	5,980	5,980	5,980	5,980	5,980
케 찹	오뚜기	(500g) 토마토케찹	〃	2,880	2,880	2,880	2,880	3,180	3,180	3,180	3,180	3,180	3,180	3,180	3,180
〃	대상	(410g) 청정원 우리아이케찹	〃	2,700	2,700	2,880	2,880	3,000	3,000	3,000	3,000	3,000	3,000	3,000	3,000
마요네즈	오뚜기	(800g) 골드	〃	7,880	7,880	7,880	7,880	8,680	8,680	8,680	8,680	8,680	8,680	8,680	8,680
〃	대상	(800g) 청정원 고소한 마요네즈	〃	6,800	6,800	7,900	7,900	7,900	7,900	7,900	7,900	7,900	7,900	7,900	7,900
마아가린	오뚜기	(200g) 옥수수 마아가린	〃	2,290	2,290	2,290	2,290	2,290	2,290	2,290	2,290	2,290	2,290	2,290	2,290
식 초	〃	(900㎖) 사과식초	〃	2,600	2,600	2,600	2,600	3,190	3,190	3,190	2,880	2,880	2,880	2,880	2,880
〃	대상	(900㎖) 청정원 사과식초	〃	2,600	2,600	2,600	2,600	2,600	2,600	2,600	2,600	2,880	2,880	2,880	2,880
〃	〃	(900㎖) 청정원 현미식초	〃	2,600	2,600	2,600	2,600	2,600	2,680	2,600	2,600	2,600	2,600	2,600	2,600
〃	오뚜기	(900㎖) 현미식초	〃	2,400	2,400	2,400	2,400	2,680	2,680	2,680	2,680	2,680	2,680	2,680	2,680
식 용 유	사조대림	(900㎖) 해표 식용유	〃	5,200	5,200	5,200	5,200	3,650	5,200	5,200	5,200	5,200	5,200	5,200	5,200
〃	CJ	(900㎖) 백설 식용유	〃	5,180	5,180	5,180	5,180	4,000	5,100	5,100	5,180	5,180	5,180	5,180	5,180
〃	〃	(900㎖) 백설 카놀라유	〃	7,600	9,500	7,600	9,500	6,500	9,500	9,500	9,500	9,500	9,500	4,750	4,750
〃	〃	(900㎖) 백설 포도씨유	〃	16,000	16,000	12,800	12,800	11,000	11,000	16,000	16,000	16,000	16,000	16,000	16,000
〃	〃	(900㎖) 백설 올리브유	〃	18,000	18,000	11,700	18,000	18,000	11,000	18,000	18,000	18,000	19,800	19,800	19,800
참 기 름	〃	(320㎖) 백설 진한 참기름	〃	7,100	7,100	7,100	8,500	8,500	8,500	8,500	8,500	8,500	8,500	8,500	8,500
〃	〃	(300㎖) 백설 고소함가득 참기름	〃	7,400	8,880	8,880	8,880	8,800	8,800	8,880	8,880	8,880	8,880	8,880	8,880
〃	오뚜기	(320㎖) 고소한 참기름	〃	9,600	9,600	9,600	9,600	10,600	10,600	11,690	11,690	10,600	10,600	10,600	10,600
〃	〃	(320㎖) 옛날 참기름	〃	7,690	7,690	7,690	7,690	9,590	9,590	9,590	9,590	9,590	9,590	9,590	9,590
고추씨기름	〃	(80㎖) 옛날 고추맛기름	〃	2,180	2,180	2,180	2,180	2,180	2,180	2,180	2,180	2,180	2,180	2,180	2,180
멸치액젓	CJ	(800g) 658㎖ 하선정	〃	4,750	4,750	5,280	5,280	5,280	5,280	5,280	5,280	5,280	5,280	5,280	5,280
〃	대상	(750g) 626㎖ 청정원 남해안 멸치액젓	〃	3,960	3,380	3,960	3,960	3,960	3,960	3,960	3,960	-	3,960	3,960	3,960
까나리액젓	〃	(750g) 622㎖ 청정원 서해안 까나리액젓	〃	4,500	4,500	5,000	5,000	5,000	5,000	5,000	5,000	5,000	5,000	5,000	5,000
〃	CJ	(800g) 658㎖ 하선정 서해안 까나리액젓	〃	4,750	4,750	5,280	5,280	5,280	5,280	5,280	5,280	5,280	5,280	5,280	5,280
조 미 료	〃	(500g) 백설 쇠고기 다시다	〃	11,750	11,750	11,750	11,750	12,850	12,850	12,850	12,850	12,850	12,850	12,850	12,850
〃	〃	(500g) 백설 멸치 다시다	〃	10,370	10,370	10,370	10,370	11,300	11,300	11,300	11,300	11,300	11,300	11,300	11,300
〃	대상	(300g) 쇠고기 감치미	〃	-	-	6,690	6,690	6,690	6,690	6,690	6,690	7,160	7,160	7,160	7,160
〃	〃	(300g) 한우 감치미	〃	8,560	8,560	8,560	8,560	8,580	8,220	8,580	8,580	8,800	8,800	8,800	8,800
후 추	오뚜기	(100g) 순후추	〃	5,390	5,390	5,390	5,390	6,180	6,180	6,180	6,180	6,180	6,180	6,180	3,680
〃	대상	(50g) 청정원 순후추	〃	3,480	3,480	3,480	3,480	3,340	3,340	3,340	3,340	3,680	3,680	3,680	3,680
와 사 비	오뚜기	(43g) 생와사비	〃	4,150	4,150	4,150	4,150	4,150	4,380	4,150	4,380	4,150	4,380	4,380	4,380
〃	〃	(100g) 연와사비	〃	4,380	4,150	4,150	4,150	4,150	4,380	4,150	4,380	4,150	4,380	4,380	4,380
겨 자	〃	(100g) 연겨자	〃	4,090	4,090	4,090	4,090	4,090	4,090	4,090	4,090	4,090	4,090	4,090	4,090
〃	대상	(95g) 청정원 연겨자	〃	3,190	3,190	3,190	3,190	3,190	3,190	3,190	3,190	3,190	3,190	3,190	3,190
요 리 주	롯데	(900㎖) 미림	〃	3,690	3,690	3,690	3,690	3,690	3,690	3,690	3,690	3,670	3,670	3,670	3,790
〃	오뚜기	(900㎖) 미향	〃	3,890	3,890	3,890	3,890	4,180	4,180	4,180	4,180	4,180	4,180	4,180	4,180
〃	CJ	(800㎖) 백설 맛술 로즈마리	〃	3,650	3,980	3,980	3,980	3,980	3,980	3,980	3,980	3,980	3,980	3,980	3,980

김치류 · 수산품 · 낙농물

(단위 : 원)

품명	메이커	규격	단위	부산											
				2022년 11월	12월	2023년 1월	2월	3월	4월	5월	6월	7월	8월	9월	10월
◈김치류															
하선정 포기김치	CJ	3kg	봉	-	-	-	-	-	22,900	-	-	-	-	-	-
비비고 포기배추김치	〃	3.3kg	〃	34,800	33,800	33,800	33,800	34,800	33,800	33,800	33,800	33,800	34,800	33,800	33,800
종가집 포기김치	대상	〃	〃	33,800	33,800	33,800	33,800	33,800	33,800	33,800	33,800	33,800	34,800	33,800	33,990
비비고 총각김치	CJ	1.5kg	〃	-	-	-	-	-	-	-	-	-	-	-	18,500
종가집 총각김치	대상	〃	〃	-	-	-	-	-	-	-	-	-	-	-	18,500
◈수산물															
生연어(횟감용)	노르웨이	100g	팩	3,990	4,950	4,950	4,950	5,980	5,500	5,650	5,650	6,000	5,500	5,000	5,000
生연어(구이용)	〃	〃	〃	4,580	5,380	4,450	4,780	4,480	5,680	5,680	5,680	5,680	5,480	4,980	4,980
부산간고등어	국산	1마리(대)	〃	-	-	3,000	-	-	-	6,000	-	-	-	-	-
제주생물갈치	〃	〃	〃	-	-	9,000	7,200	6,000	11,500	11,500	11,500	11,000	11,000	6,600	5,500
◈수산가공품															
명가 직화구이김	CJ	4.5g×20봉	봉	6,490	6,490	6,490	6,490	6,490	6,490	6,490	6,490	6,490	-	-	-
대 천 김	대천김	5g×20봉	〃	5,990	6,490	5,690	5,690	5,690	6,490	6,990	6,990	6,990	6,990	6,990	6,990
광 천 김	해달음	4g×20봉	〃	8,990	7,990	8,990	8,990	7,990	8,990	8,990	8,990	9,490	9,490	-	9,490
옛날미역	오뚜기	100g	〃	3,840	5,490	5,490	3,290	5,490	5,490	6,490	4,540	6,490	6,490	6,490	6,490
◈낙농물															
쇠 고 기	국산(한우)	정육(등심)상등급	100g	17,590	14,990	14,590	14,590	13,990	12,990	11,990	13,990	11,990	11,990	14,990	7,560
〃	〃	정육(양지)상등급	〃	8,910	9,910	10,820	10,820	10,910	9,910	9,910	10,820	9,910	9,910	10,820	5,940
돼지고기	국산	정육(삼겹살)상등급	〃	2,320	2,590	2,800	2,290	2,380	2,690	2,300	3,300	2,560	2,300	2,890	3,690
〃	〃	정육(목살)상등급	〃	2,320	2,590	2,800	2,290	2,380	2,690	2,590	3,300	2,560	2,300	2,890	3,690
닭 고 기	〃	육계	1kg	8,990	8,990	8,490	8,490	8,490	8,490	8,990	8,990	9,980	8,990	8,990	7,190
계 란	CJ	신선한 목초란	15구	7,990	7,990	7,990	7,990	7,990	8,990	8,480	8,480	8,480	8,480	8,480	8,480
우 유	서울우유	흰 우유(나 100%)	1 ℓ	2,710	2,890	2,890	2,890	2,890	2,890	2,890	2,890	2,890	2,890	2,890	2,980
〃	〃	목장의 신선함이 살아있는 우유	〃	3,230	3,400	3,400	3,400	3,400	3,400	3,400	3,400	3,400	3,400	3,400	3,640
〃	남양유업	맛있는 우유 GT	900㎖	2,650	2,890	2,890	2,780	2,890	2,890	2,890	2,890	2,890	2,890	2,890	2,980
〃	매일유업	매일우유 오리지널	〃	2,610	2,700	2,850	2,850	2,850	2,890	2,890	2,890	2,890	2,890	2,890	2,970
〃	동원	덴마크 대니쉬 the건강한 우유	〃	-	-	-	-	-	-	-	-	-	-	-	-
〃	빙그레	바나나맛 우유 240㎖×4	묶음	4,900	5,480	5,480	5,480	5,480	5,480	5,480	5,480	5,480	5,480	5,480	5,800
〃	서울우유	서울 요구르트 65㎖×20	〃	1,980	2,950	2,950	2,950	2,950	2,950	2,950	2,950	2,950	2,950	2,990	3,100
〃	남양유업	남양 요구르트 65㎖×20	〃	2,980	2,980	2,980	2,980	2,980	2,990	2,990	2,990	2,990	2,990	2,990	3,100
〃	HY	HY야쿠르트 오리지널 65㎖×20	〃	-	4,400	4,400	4,400	4,400	4,400	4,400	4,400	4,400	4,400	4,400	4,400
버 터	서울우유	무가염 버터	450g	10,060	11,000	11,000	11,000	11,000	11,000	11,000	11,000	11,000	11,000	11,000	11,000
〃	파스퇴르	프리미엄 홈버터	〃	9,800	9,800	9,800	9,500	9,490	9,800	9,990	9,980	9,980	9,980	9,990	9,990
치 즈	서울우유	어린이치즈 앙팡(15매입)	개	5,480	4,380	7,280	6,980	7,280	6,980	6,980	7,280	7,280	7,280	7,280	3,490
〃	〃	체다치즈(20매입)	〃	8,990	8,980	7,780	8,980	8,980	8,990	8,990	8,990	8,990	8,990	8,990	8,990
〃	매일유업	뼈로가는 칼슘치즈(15매입)	〃	8,800	8,800	6,160	8,800	8,800	8,800	8,800	8,800	9,980	9,980	9,980	9,980
〃	〃	더블업 체다치즈	360g	6,160	6,160	6,160	6,160	8,800	8,800	8,800	8,800	9,980	9,980	9,980	9,980
햄	목우촌	주부9단 살코기햄	1kg	12,990	12,990	10,490	12,990	12,990	12,990	12,990	10,990	12,990	13,490	10,490	10,490
〃	〃	주부9단 불고기햄	300g	5,280	6,280	5,280	5,980	6,280	6,280	4,980	5,980	5,980	4,980	5,980	6,180
조제분유	남양유업	남양분유 임페리얼 XO1	800g	21,160	17,980	24,900	19,000	27,800	20,900	27,800	27,800	27,800	19,000	19,000	27,800
〃	〃	남양분유 임페리얼 XO2	〃	21,160	17,980	24,900	20,300	25,800	20,300	25,800	25,800	25,800	20,300	20,300	25,800
〃	〃	남양분유 임페리얼 XO3	〃	17,760	15,090	20,900	19,800	25,800	20,000	25,800	25,800	25,800	19,800	19,800	25,800
〃	〃	남양분유 임페리얼 XO4	〃	17,760	15,090	20,900	19,800	-	20,000	25,800	-	-	20,000	20,000	-
〃	매일유업	앱솔루트 센서티브 1단계	900g	28,910	23,120	36,140	36,140	36,140	36,140	36,140	36,140	36,140	35,140	35,140	36,140
〃	〃	앱솔루트 센서티브 2단계	〃	28,910	23,120	36,140	36,140	36,140	36,140	36,140	36,140	36,140	35,140	35,140	36,140
〃	〃	앱솔루트 센서티브 3단계	〃	28,910	23,120	36,140	36,140	36,140	36,140	36,140	36,140	36,140	35,140	35,140	36,140
〃	〃	앱솔루트 센서티브 4단계	〃	28,910	23,120	36,140	36,140	36,140	36,140	36,140	36,140	36,140	35,140	35,140	36,140
〃	남양유업	아이엠마더 1단계	800g	27,370	23,260	32,200	25,970	38,800	38,800	38,800	38,800	38,800	31,000	31,000	38,800
〃	〃	아이엠마더 2단계	〃	27,370	23,260	32,200	26,720	36,800	36,800	36,800	36,800	36,800	35,800	35,800	36,800
〃	〃	아이엠마더 3단계	〃	25,410	21,590	29,900	28,800	36,800	36,800	36,800	36,800	36,800	35,800	35,800	36,800
〃	〃	아이엠마더 4단계	〃	25,410	21,590	29,900	28,800	28,800	-	-	-	-	-	-	-
영유아식	〃	임페리얼 XO 닥터	300g	13,210	13,210	13,210	13,210	13,210	13,210	15,900	15,900	15,900	15,900	15,900	15,900
〃	매일유업	앱솔루트(아기설사)	400g	17,200	17,200	17,200	17,200	17,200	17,200	17,200	17,200	17,200	17,200	17,200	17,200

인스턴트 식품

(단위 : 원)

품명	메이커	규격	단위	부산											
				2022년 11월	12월	2023년 1월	2월	3월	4월	5월	6월	7월	8월	9월	10월
◈스낵류															
새우깡	농심	90g	봉	1,180	1,180	1,180	1,180	1,180	1,180	1,180	1,180	1,100	1,100	1,100	1,100
감자깡	〃	75g	〃	1,360	1,360	1,360	1,360	1,360	1,360	1,360	1,360	1,360	1,360	1,360	1,360
오징어집	〃	78g	〃	1,360	1,360	1,360	1,360	1,360	1,360	1,360	1,360	1,360	1,360	1,360	1,360
고구마깡	〃	83g	〃	1,360	1,360	1,360	1,360	1,360	1,360	1,360	1,360	1,360	1,360	1,360	1,360
양파깡	〃	〃	〃	1,360	1,360	1,360	1,360	1,360	1,360	1,360	1,360	1,360	1,360	1,360	1,360
양파링	〃	80g	〃	1,360	1,360	1,360	1,360	1,360	1,360	1,360	1,360	1,360	1,360	1,360	1,360
포스틱	〃	〃	〃	1,360	1,360	1,360	1,360	1,360	1,360	1,360	1,360	1,360	1,360	1,360	1,360
꿀꽈배기	〃	90g	〃	1,360	1,360	1,360	1,360	1,360	1,360	1,360	1,360	1,360	1,360	1,360	1,360
조청유과	〃	96g	〃	1,360	1,360	1,360	1,360	1,360	1,360	1,360	1,360	1,360	1,360	1,360	1,360
바나나킥	〃	145g	〃	2,580	2,680	2,680	2,680	2,680	2,680	2,580	2,580	2,580	2,580	2,580	2,580
콘칩	크라운	140g	〃	2,390	2,390	2,390	2,390	2,390	2,390	2,390	2,390	2,390	2,390	1,990	2,390
오감자	오리온	115g	〃	2,030	2,390	2,390	2,390	2,390	2,390	2,390	2,390	2,390	2,390	2,390	2,390
포카칩	〃	66g	〃	1,360	1,360	1,360	1,360	1,360	1,360	1,360	1,360	1,360	1,360	1,360	1,360
스윙칩	〃	60g	〃	1,360	1,360	1,360	1,360	1,360	1,360	1,360	1,360	1,360	1,360	1,360	1,360
오징어땅콩	〃	202g	〃	2,390	2,390	2,390	2,390	2,390	2,390	2,390	2,390	2,150	2,390	2,390	2,390
맛동산	〃	300g	〃	3,510	4,390	4,390	3,510	4,390	4,390	4,390	3,950	3,950	3,950	3,950	4,390
꼬깔콘	〃	52g 고소한맛	〃	1,190	1,000	1,000	1,000	1,000	1,000	1,000	1,000	1,000	1,000	1,000	1,000
짱구	삼양	272g	〃	2,880	2,880	2,850	2,980	-	-	2,980	2,980	2,980	2,980	2,980	2,980
죠리퐁	〃	74g	〃	1,190	1,190	1,190	1,190	1,190	1,190	1,190	1,000	1,000	1,000	1,000	1,000
야채타임	빙그레	70g	〃	1,190	-	-	-	-	-	1,360	1,360	1,360	1,350	1,350	1,350
도도한나쵸	오리온	92g 치즈맛	〃	1,190	1,000	1,000	1,000	1,000	1,000	1,000	1,190	1,190	1,190	1,190	1,190
꼬북칩	〃	64g 콘스프맛	〃	-	-	-	-	1,360	1,360	-	-	1,360	1,360	1,360	1,360
치토스	롯데	64g 매콤달콤한맛	〃	1,190	1,000	1,000	1,000	1,360	1,360	1,360	1,360	1,360	1,360	1,360	1,360
도리토스	〃	84g 나쵸치즈맛	〃	1,190	1,000	-	1,000	1,360	1,360	1,360	1,360	1,360	1,360	1,360	1,360
자갈치	농심	174g	〃	-	-	-	-	-	-	-	-	-	-	-	2,580
인디안밥	〃	83g	〃	-	-	-	-	-	-	-	-	-	-	-	1,360
벌집핏자	〃	90g	〃	-	-	-	-	-	-	-	-	-	-	-	-
허니버터칩	해태	44g	〃	-	-	-	-	-	-	-	-	-	-	-	1,000
카라멜콘과땅콩	크라운	72g	〃	-	-	-	-	-	-	-	-	-	-	-	1,000
꽃게랑	빙그레	143g	〃	-	-	-	-	-	-	-	-	-	-	-	2,980
썬칩	오리온	66g 핫스파이시맛	〃	-	-	-	-	-	-	-	-	-	-	-	1,000
빼빼로	롯데	54g	Box	-	-	-	-	-	-	-	-	-	-	-	1,360
칙촉	〃	180g	〃	-	-	-	-	-	-	-	-	-	-	-	3,990
칸쵸	〃	196g	〃	-	-	-	-	-	-	-	-	-	-	-	3,360
버터링	해태	238g	〃	-	-	-	-	-	-	-	-	-	-	-	4,700
초코하임	크라운	284g	〃	-	-	-	-	-	-	-	-	-	-	-	4,790
고래밥	오리온	160g	〃	-	-	-	-	-	-	-	-	-	-	-	2,290
산도	롯데	16봉입 딸기크림치즈	〃	3,980	3,180	3,980	3,980	3,180	3,980	3,980	3,980	3,980	3,980	3,980	3,980
버터와플	〃	316g	〃	3,500	4,380	4,380	4,380	3,500	4,380	4,380	3,500	3,500	4,380	3,500	4,380
국희땅콩샌드	〃	372g	〃	3,980	3,980	2,790	3,190	3,990	3,990	3,990	3,990	3,990	3,990	3,990	3,990
빅파이	〃	324g	〃	3,840	3,070	3,840	3,070	3,840	2,680	3,840	3,070	3,260	3,180	3,840	3,190
후렌치파이	해태	15봉입 딸기	〃	3,990	3,190	3,990	2,990	3,190	3,990	3,990	3,990	3,990	2,990	3,990	3,990
초코파이	오리온	12개입	〃	4,320	4,320	4,320	4,320	4,320	4,320	4,320	4,320	4,320	4,320	4,320	4,320
오뜨	〃	12봉입 쇼콜라	〃	5,590	-	5,990	5,990	5,990	5,990	5,590	5,030	5,030	-	5,590	5,030
빈츠	롯데	204g	〃	4,030	4,480	4,480	4,480	4,480	4,480	4,480	4,480	4,480	4,480	4,490	4,490
마가렛트	〃	16봉입	〃	4,790	4,790	4,790	4,790	5,290	5,290	5,290	5,290	5,290	4,760	4,750	4,760
아이비크래커	해태	12봉입	〃	2,990	3,050	3,590	3,230	3,590	3,590	3,590	3,230	2,870	3,190	3,050	3,590
몽쉘	롯데	12개입	〃	4,310	4,310	4,790	4,790	4,310	4,780	4,780	4,780	4,780	5,290	4,780	4,780
카스타드	오리온	〃	〃	4,320	3,880	4,320	4,320	4,320	4,320	4,320	3,880	4,320	4,320	4,790	4,320
후레쉬베리	〃	6개입	〃	-	-	-	-	-	-	-	-	-	-	-	-
초코송이	〃	144g	〃	2,290	2,060	2,290	2,060	2,290	2,290	2,290	2,290	2,290	2,290	1,990	2,290
빠다코코넛	롯데	78g	〃	1,390	1,390	1,390	1,390	1,390	1,390	-	-	-	1,000	1,000	1,000
에이스	〃	364g	〃	3,200	3,600	3,600	3,600	4,000	3,600	3,600	4,000	4,000	3,600	3,590	3,990
쿠크다스	〃	128g	〃	2,000	2,390	2,390	1,910	2,390	2,390	2,390	2,390	2,390	2,390	2,390	2,390
홈런볼	〃	46g	봉	1,350	1,350	1,350	1,350	1,390	1,390	1,390	1,390	1,390	1,390	1,390	1,390
양갱	〃	50g×10 밤맛	〃	5,990	5,000	6,000	4,980	6,000	6,000	6,000	6,000	6,000	6,000	6,000	6,000
맛밤	CJ	60g×4	〃	7,990	7,990	6,990	6,990	6,990	6,990	7,990	7,190	7,190	7,190	7,190	7,990

(단위 : 원)

품 명	메이커	규 격	단위	부산											
				2022년 11월	12월	2023년 1월	2월	3월	4월	5월	6월	7월	8월	9월	10월
◈씨리얼(푸레이크)															
첵스초코	켈로그	570g	봉	7,490	5,240	7,490	7,990	7,990	7,990	7,990	7,990	7,990	7,990	7,990	5,500
스페셜K	〃	480g	〃	7,690	7,690	7,690	8,390	8,390	8,390	8,390	8,390	8,390	8,390	8,390	8,390
콘푸로스트	〃	600g	〃	6,270	4,380	4,390	6,990	4,690	6,700	6,990	6,990	4,890	6,990	6,990	5,000
아몬드푸레이크	〃	〃	〃	8,390	8,390	8,390	9,190	9,190	9,190	9,190	9,190	9,190	9,190	9,190	9,190
그래놀라	〃	400g 리얼 그래놀라	〃	8,890	6,290	8,890	9,690	9,690	9,690	9,690	9,690	9,690	9,690	9,690	9,690
〃	〃	500g 고소한 현미 그래놀라	〃	8,890	8,990	8,890	9,690	9,690	9,690	9,690	9,690	6,990	6,890	9,690	9,690
후루트링	〃	530g	〃	7,990	7,990	6,290	8,690	8,690	8,690	8,690	8,690	5,990	6,080	8,690	5,500
현미푸레이크	〃	550g	〃	8,890	8,990	8,990	9,690	9,690	9,690	9,690	9,690	9,690	9,690	9,690	9,690
콘푸라이트	포스트	600g	〃	6,690	6,990	6,690	6,690	6,690	6,690	6,690	6,690	5,010	4,680	6,380	6,690
오레오오즈	〃	500g	〃	6,980	8,680	6,980	8,690	8,790	6,980	8,680	8,680	8,680	8,680	8,680	8,680
오곡코코볼	〃	570g	〃	6,790	6,790	8,690	4,690	6,790	6,790	6,790	6,790	5,090	6,790	6,790	6,790
그래놀라	〃	570g 크랜베리 아몬드	〃	8,370	8,370	8,790	8,790	8,790	6,150	8,790	6,590	8,790	8,790	5,720	6,590
〃	〃	500g 블루베리	〃	9,390	9,390	9,390	9,390	9,990	9,390	9,390	9,390	9,390	9,390	6,990	9,390
아몬드후레이크	〃	620g	〃	8,790	8,790	8,790	6,090	8,790	8,790	8,790	8,790	8,790	8,790	8,790	8,790
골든그래놀라	〃	360g 크런치	〃	8,790	8,790	8,790	8,790	8,790	8,790	8,790	8,790	8,790	8,790	8,790	8,790
〃	〃	360g 후르츠	〃	8,790	8,790	8,790	8,790	8,790	5,900	8,790	8,790	8,790	8,790	8,790	8,790
◈면류															
밀가루	대한	1kg 곰표 중력	봉	1,880	1,880	1,880	1,880	1,880	1,880	1,880	1,880	1,880	1,840	1,840	1,840
〃	CJ	1kg 백설 중력	〃	1,900	1,900	1,900	1,900	1,900	1,900	1,900	1,900	1,900	1,900	1,900	1,900
〃	삼양	1kg 큐원 중력	〃	1,790	1,790	1,790	1,790	1,790	1,790	1,790	1,790	1,790	1,790	1,790	1,790
삼양라면	〃	120g×5개	〃	3,840	3,450	3,450	3,450	3,450	3,840	3,840	3,450	3,450	3,680	3,680	3,680
불닭볶음면	〃	140g×5개	〃	5,100	5,100	5,100	5,100	5,100	5,100	5,100	4,590	5,100	5,100	5,100	4,590
맛있는라면	〃	115g×5개	〃	4,980	4,280	4,980	4,980	4,980	4,980	4,980	4,980	4,280	4,730	4,730	4,730
신라면	농심	120g×5개	〃	4,100	4,100	4,100	4,100	4,100	4,100	4,100	4,100	3,900	3,900	3,900	3,900
너구리	〃	〃	〃	4,500	4,180	4,180	4,500	4,180	4,500	4,180	4,180	4,500	4,500	4,500	4,180
오징어짬뽕	〃	124g×5개	〃	4,380	4,880	4,880	4,880	4,880	4,880	4,880	4,880	4,880	4,880	4,880	4,880
사리곰탕면	〃	110g×5개	〃	4,880	4,880	4,880	4,880	4,880	4,580	4,880	4,880	4,880	4,880	4,880	4,880
무파마탕면	〃	122g×4개	〃	4,580	4,580	4,580	4,580	4,580	4,580	4,580	4,580	4,580	4,580	4,580	4,180
안성탕면	〃	125g×5개	〃	3,700	3,700	3,700	3,700	3,700	3,700	3,700	3,700	3,700	3,700	3,700	3,700
짜파게티	〃	140g×5개	〃	4,380	4,380	4,480	4,880	4,480	4,880	4,480	4,480	4,880	4,480	4,880	4,880
감자면	〃	117g×5개	〃	5,680	5,880	5,880	5,880	5,880	5,880	5,680	5,680	5,680	5,680	5,680	5,680
생생우동	〃	276g×4개	〃	8,400	8,400	8,400	8,400	8,400	8,400	8,400	8,400	8,400	8,400	8,400	8,400
사발면	〃	114g 신라면 큰사발	개	1,160	1,160	1,160	1,160	1,160	1,160	1,160	1,160	1,160	1,160	1,160	1,000
〃	〃	115g 새우탕 큰사발	〃	1,160	1,160	1,160	1,160	1,160	1,160	1,160	1,160	1,160	1,160	1,160	1,000
〃	〃	110g 육개장 큰사발	〃	1,000	1,160	1,160	1,160	1,160	1,160	1,160	1,160	1,160	1,160	1,160	1,000
컵누들	오뚜기	37.8g 매콤한맛	〃	-	-	-	-	-	-	-	-	-	-	-	1,380
열라면	〃	120g×5개	봉	3,580	3,580	3,580	3,580	3,580	3,580	3,580	3,580	3,580	3,580	3,580	3,580
진라면	〃	〃	〃	3,580	3,580	3,580	3,580	3,580	3,580	3,580	3,580	3,580	3,580	3,580	3,580
진짬뽕	〃	130g×4개	〃	5,480	6,480	5,480	6,480	6,480	6,480	6,480	6,480	6,180	6,180	6,180	5,490
참깨라면	〃	115g×4개	〃	4,680	4,680	4,680	4,680	4,680	3,790	4,680	4,680	4,480	4,480	4,480	2,980
스낵면	〃	108g×5개	〃	3,380	3,380	3,380	3,380	2,500	2,700	3,380	3,000	2,500	2,500	2,500	2,500
라면사리	〃	110g×5개	〃	-	-	-	-	-	-	-	-	-	-	-	1,750
옛날자른당면	〃	300g	〃	3,980	3,980	3,980	3,980	4,780	4,780	4,780	4,780	4,780	4,780	4,780	4,780
옛날국수(소면)	〃	900g	〃	3,550	3,550	3,550	3,550	3,550	3,550	3,550	3,550	3,550	3,550	3,550	3,550
팔도비빔면	팔도	130g×4개	〃	3,700	3,330	3,330	3,330	3,180	2,680	2,980	2,880	2,880	2,980	2,980	3,330
틈새라면	〃	120g×5개	〃	4,840	4,840	3,980	4,840	4,840	4,840	4,840	4,080	4,840	4,840	4,840	4,840
육개장칼국수	풀무원	120.9g×4개	〃	5,680	5,680	5,450	3,980	5,680	5,680	5,450	5,450	5,450	5,450	5,450	5,450
냉면	청수	540g 물냉면	〃	4,090	4,090	4,090	4,090	4,090	4,090	4,090	4,090	4,790	4,790	4,790	4,790
〃	〃	540g 비빔냉면	〃	4,090	4,090	4,090	4,090	4,090	4,090	4,090	4,090	4,790	4,790	4,790	4,790
◈즉석밥															
둥근햇반실속	CJ	210g×8개	Set	10,900	10,900	10,900	10,900	10,900	10,900	10,900	10,900	10,900	8,990	9,480	10,900
맛있는밥	오뚜기	210g×10개	〃	9,980	10,480	12,470	9,970	9,970	12,470	11,900	9,980	9,670	9,580	11,980	11,980
◈통조림															
골뱅이	유동	400g	Can	10,490	10,490	10,490	10,490	10,490	10,490	10,490	10,490	10,490	10,490	10,490	10,490
꽁치	동원	300g	〃	4,990	4,990	4,990	4,990	4,990	4,990	4,990	4,990	4,990	4,990	4,990	4,990
고등어	〃	400g	〃	-	-	3,490	3,490	3,490	3,490	3,490	3,490	3,490	3,490	3,490	3,490
살코기참치	〃	135g×4개 라이트 스탠다드	〃	10,990	11,490	11,490	11,490	11,490	11,490	11,490	11,490	11,490	11,490	11,490	10,340
고추참치	〃	90g×4개	〃	8,990	9,490	9,490	9,490	9,490	9,490	9,490	9,490	9,490	9,490	9,490	9,490
야채참치	〃	〃	〃	8,990	9,490	9,490	9,490	9,490	9,490	9,490	9,490	9,490	9,490	9,490	9,490
리챔	〃	340g 오리지널	〃	7,190	7,190	7,190	7,190	7,190	7,190	7,190	7,190	7,190	7,190	7,590	7,590
스팸	CJ	340g 클래식	〃	7,190	7,190	7,190	7,190	7,190	7,390	7,190	7,190	7,190	7,590	7,590	7,590
스위트콘	오뚜기	340g	〃	1,980	1,980	1,980	1,980	1,980	1,980	1,980	1,980	1,980	1,980	1,980	1,980
〃	동원	〃	〃	1,980	1,980	1,980	1,980	1,980	1,980	1,980	1,980	1,980	1,980	1,980	1,980
황도	〃	400g	〃	2,580	2,580	2,580	2,490	2,580	2,580	2,580	2,580	2,580	2,580	2,990	2,990
후르츠칵테일	델몬트	850g	〃	4,990	4,990	4,990	4,990	4,990	4,990	4,990	4,990	4,990	4,990	-	-
파인애플슬라이스	〃	836g	〃	4,990	4,990	4,990	4,990	4,990	4,990	4,990	4,790	4,990	4,990	4,990	4,990
번데기	유동	130g	〃	1,000	1,590	1,590	1,690	1,690	1,690	1,690	1,690	1,690	1,690	1,690	1,690
〃	동원	〃	〃	1,380	1,380	1,380	1,380	1,690	1,690	1,690	1,690	1,690	1,690	1,690	1,690
깻잎	샘표	70g	〃	2,490	2,490	2,490	2,490	2,490	2,490	2,490	2,490	2,490	2,490	2,490	2,490

음료

(단위 : 원)

품명	메이커	규격	단위	부산 2022년 11월	12월	2023년 1월	2월	3월	4월	5월	6월	7월	8월	9월	10월
◈음료															
칠성사이다	롯데	1.8 ℓ	Pet	3,380	3,380	2,680	3,380	3,380	3,380	3,380	3,380	3,380	3,380	3,380	3,380
칠성사이다제로	〃	1.5 ℓ	〃	2,580	2,580	2,390	2,880	2,880	2,880	2,880	2,880	2,880	2,880	2,880	2,880
밀키스	〃	〃	〃	2,080	2,080	2,390	2,580	2,580	2,580	2,580	2,580	2,580	2,580	2,580	2,580
2%복숭아	〃	〃	〃	-	-	2,080	1,190	2,080	1,980	1,980	1,980	1,980	1,980	2,390	2,390
제주사랑감귤사랑	〃	〃	〃	1,290	1,290	-	-	-	-	-	-	-	-	-	-
하늘보리	웅진	〃	〃	2,080	2,080	1,290	1,290	1,380	1,380	1,380	1,380	1,380	1,380	-	-
아침햇살	〃	1.35 ℓ	〃	3,680	3,680	2,080	2,080	2,280	2,280	2,280	2,280	2,280	2,500	2,500	2,500
자연은알로에	〃	1.5 ℓ	〃	1,010	1,000	3,680	3,680	2,480	4,180	2,350	2,350	2,350	-	2,350	2,350
옥수수수염차	광동	〃	〃	1,000	1,000	1,190	2,380	2,380	2,380	2,380	2,380	2,390	2,390	2,390	2,390
헛개차	〃	〃	〃	980	980	1,180	2,380	2,380	2,380	2,380	2,380	2,390	2,390	2,390	2,390
제주삼다수	〃	2 ℓ	〃	2,980	3,730	980	1,080	1,080	1,080	1,080	1,080	1,080	1,080	1,080	1,080
코카콜라	코카콜라	1.8 ℓ	〃	2,360	3,150	3,730	2,980	2,990	3,730	3,730	3,730	3,730	3,730	3,730	3,730
코카콜라제로	〃	1.5 ℓ	〃	2,700	2,700	3,150	3,150	3,150	3,150	3,150	2,360	1,990	3,150	3,150	2,360
스프라이트	〃	〃	〃	2,380	2,380	2,690	2,700	2,700	2,700	2,700	2,700	2,580	2,700	2,690	2,500
암바사	〃	〃	〃	2,580	2,010	2,380	2,380	2,380	2,380	2,250	2,250	2,250	2,500	2,250	2,250
환타	〃	1.5 ℓ 오렌지	〃	4,280	2,140	2,580	2,580	2,580	2,450	2,460	2,460	2,460	2,580	2,460	2,460
미닛메이드	〃	〃	〃	3,390	3,390	4,300	4,280	4,280	4,280	4,280	4,280	4,490	4,490	4,490	3,480
파워에이드	〃	1.5 ℓ	〃	3,390	3,390	3,620	3,620	3,620	3,620	3,620	3,620	3,620	3,620	3,620	3,620
토레타	〃	〃	〃	2,980	2,980	2,390	3,620	3,620	3,620	3,620	3,620	3,620	3,620	3,620	3,620
펩시콜라	펩시	〃	〃	3,390	2,680	2,580	2,980	2,980	2,980	2,980	2,980	2,980	2,580	2,580	2,580
마운틴듀	〃	〃	〃	2,780	2,780	2,680	-	-	2,680	2,680	2,680	2,680	-	2,580	2,680
게토레이	〃	〃	〃	-	-	3,480	3,480	3,480	3,480	3,480	3,480	3,480	3,480	3,480	3,480
포카리스웨트	동아오츠카	1.8 ℓ	〃	2,280	2,280	2,490	2,490	2,490	2,490	2,680	2,680	2,680	2,680	2,680	3,590
콜드오렌지	델몬트	1.89 ℓ	〃	-	-	-	-	-	-	-	-	-	-	-	-
웰치스	웰치	1.5 ℓ 포도	〃	2,280	2,600	2,600	2,600	2,580	2,580	2,500	2,500	2,500	2,500	2,500	2,500
◈차류															
보리차	동서	30개입	Box	2,080	2,080	2,180	2,190	2,190	2,180	2,180	2,180	2,180	2,180	2,180	2,180
현미녹차	〃	100개입	〃	6,000	6,600	7,900	7,180	7,980	7,980	7,980	7,980	7,140	7,140	7,140	7,980
둥글레차	〃	〃	〃	7,500	8,460	9,870	8,880	9,870	9,930	9,930	9,930	8,910	8,890	8,910	9,930
메밀차	〃	〃	〃	6,000	6,840	7,960	7,160	7,960	7,980	7,960	7,960	7,140	7,210	7,140	7,960
옥수수차	〃	30개입	〃	2,720	2,720	2,850	2,890	2,890	2,850	2,850	2,850	2,850	2,850	2,850	2,850
결명자차	〃	18개입	〃	2,090	2,090	2,200	2,290	2,290	2,300	2,300	2,300	2,300	2,300	2,300	2,200
오곡차	〃	〃	〃	2,400	2,400	2,400	2,400	2,400	-	-	-	-	-	-	-
티오아이스티	〃	40개입	〃	6,780	5,780	10,240	-	10,240	6,980	6,980	6,980	9,980	9,980	9,980	6,480
립톤아이스티	유니레버	770g 복숭아	〃	-	-	15,200	15,200	15,200	15,200	15,200	15,200	7,600	15,200	15,200	15,200
루이보스보리차	동서	100개입	〃	6,440	8,990	7,560	7,560	8,390	7,680	7,680	7,680	6,840	7,980	7,980	7,980
맥심	〃	100개입 모카골드 커피믹스	〃	14,980	14,980	16,450	16,450	16,450	16,450	16,450	16,450	16,450	16,450	16,450	16,480
〃	〃	100개입 아이스 커피믹스	〃	19,100	19,100	-	-	-	-	28,000	21,000	20,900	21,000	28,000	-
〃	〃	100개입 화이트골드 커피믹스	〃	15,980	15,980	17,560	17,560	17,560	17,560	17,560	17,560	17,560	17,560	17,560	17,580
카누	〃	100개입 미니 마일드 로스트	〃	20,390	20,390	22,390	22,390	22,390	22,390	22,390	22,390	22,390	22,390	22,390	22,390
〃	〃	100개입 미니 다크 로스트	〃	20,390	20,390	22,390	22,390	22,390	22,390	22,390	22,390	22,390	22,390	22,390	22,390
〃	〃	100개입 미니 디카페인 아메리카노	〃	22,430	22,430	24,640	24,640	24,640	24,640	24,640	24,640	24,640	24,600	24,600	24,600
작설차	녹차원	10개입 맛있는 녹차작설	〃	4,480	4,480	4,480	4,300	4,480	4,480	4,480	2,980	3,080	4,480	4,480	4,480
옥수수수염차	〃	100개입	〃	8,380	8,380	8,380	7,980	8,380	8,380	5,580	7,980	7,980	7,980	7,980	7,980
호두아몬드율무차	담터	〃	〃	21,700	21,700	30,700	22,800	20,800	20,800	30,700	30,700	30,700	30,700	30,700	30,700
생강차	〃	50개입	〃	12,800	12,800	14,400	13,500	11,600	14,800	13,500	13,500	13,500	13,500	11,800	13,500
쌍화차	〃	〃	〃	12,800	12,800	14,400	14,400	13,600	11,500	13,500	13,500	13,500	13,500	13,500	11,800
단호박마차	〃	〃	〃	17,800	17,800	19,100	18,500	19,500	19,800	19,800	19,800	19,800	19,800	19,800	19,800
◈주류															
소주	하이트진로	360㎖ 참이슬 후레쉬	병	1,380	1,380	1,380	1,380	1,380	1,380	1,380	1,380	1,380	1,380	1,380	1,380
〃	〃	360㎖ 진로	〃	-	-	-	-	-	-	-	-	-	-	-	1,290
〃	롯데	360㎖ 새로	〃	-	-	-	-	-	-	-	-	-	-	-	1,290
〃	〃	360㎖ 처음처럼	〃	-	-	-	-	-	-	-	-	-	-	-	1,380
맥주	하이트진로	500㎖ 하이트 엑스트라콜드	〃	1,550	1,550	1,550	1,550	1,550	1,810	1,550	1,550	-	-	-	-
〃	OB	500㎖ 카스 후레쉬	〃	1,550	1,550	1,550	1,550	1,550	1,810	1,550	1,550	1,550	1,550	1,550	1,660
막걸리	서울장수	750㎖ 장수 생막걸리	〃	1,680	-	-	-	-	-	-	-	-	-	1,680	1,390

일용품

(단위 : 원)

품 명	메이커	규 격	단위	부산 2022년 11월	12월	2023년 1월	2월	3월	4월	5월	6월	7월	8월	9월	10월
◈일용품															
▶주방용품															
주방세제	라이온	(450㎖) 참그린	개	3,990	3,490	3,990	3,990	3,990	3,990	3,990	3,990	3,990	3,990	3,990	3,990
〃	헨켈	(750㎖)프릴 베이킹소다 퓨어레몬	〃	8,900	8,900	8,900	7,900	8,900	8,900	8,900	-	-	5,900	5,900	5,900
〃	LG	(490㎖) 자연퐁 POP 솔잎	〃	4,900	5,300	5,300	5,300	5,300	5,300	5,300	5,300	5,300	5,300	5,300	5,300
키친타올	유한	크리넥스 150매×6	〃	6,880	7,700	8,600	7,700	6,880	6,880	6,880	6,880	6,880	7,400	6,880	8,600
행 주	〃	스카트 향균블루 행주타올45매×4	〃	10,720	-	-	-	13,400	13,400	13,400	-	13,400	13,400	13,400	13,400
냅 킨	〃	크리넥스 카카오 홈냅킨 130매×6	〃	-	-	12,100	12,100	12,100	12,100	12,100	12,100	12,100	12,100	12,100	12,100
호 일	대한	대한웰빙호일 25㎝×30m×15μ	〃	5,024	6,280	5,020	6,280	6,280	6,280	6,280	6,280	6,280	6,280	6,280	6,280
〃	크린랩	(30매) 크린 종이호일 26.7㎝	〃	3,980	2,786	3,980	3,980	3,980	3,980	3,980	3,980	3,980	3,980	3,980	3,980
〃	〃	크린 종이호일 30㎝×20m	〃	5,280	5,280	5,280	5,280	5,280	5,280	5,280	5,280	5,280	5,280	5,280	5,280
랩	〃	크린랩 22㎝×100m	〃	8,980	8,980	8,980	8,980	8,980	8,980	8,980	8,980	8,980	6,280	8,980	8,980
위생봉지	〃	(200매입)크린롤백 30㎝×40㎝	〃	7,280	7,280	7,280	7,280	7,280	7,280	7,280	7,280	7,280	7,280	7,280	5,096
고무장갑	〃	(2개입) 크린랩고무장갑(중)	〃	5,880	5,880	5,880	5,880	5,880	5,880	5,880	5,880	5,880	5,880	5,880	5,880
위생장갑	〃	(100매) 크린장갑	〃	4,590	4,590	4,590	4,590	4,590	3,210	3,210	4,590	4,590	4,590	4,590	4,590
종 이 컵	-	(250매) 일회용 물컵	〃	1,780	1,780	1,780	1,780	1,780	1,780	1,780	1,780	1,780	1,780	1,780	1,780
〃	-	(50개입) 고급 종이컵	〃	1,350	1,350	1,350	1,350	1,350	1,350	1,350	1,350	1,350	1,350	1,350	1,350
▶욕실용품															
세숫비누	LG	(140g×3개) 알뜨랑	〃	5,900	5,900	6,900	6,900	6,900	6,900	6,900	6,900	6,900	6,900	6,900	6,900
〃	유니레버	(90g×4개) 도브 비누 뷰티바	〃	7,900	7,900	-	-	7,900	7,900	5,530	7,900	7,900	7,900	-	7,900
손세정제	라이온	(250㎖) 아이 깨끗해 거품형	〃	6,500	6,500	6,500	6,500	6,170	6,900	6,900	6,900	6,900	6,900	3,450	6,900
〃	유니레버	(240㎖)도브 포밍핸드워시 딥모이스처	〃	-	-	5,900	4,130	5,900	5,900	5,900	5,900	5,900	5,900	5,900	5,900
샴 푸	LG	(680㎖) 엘라스틴 모이스처 샴푸	〃	12,900	12,900	12,900	12,900	12,900	12,900	12,900	12,900	12,900	12,900	11,900	12,900
〃	애경	(1,000㎖) 케라시스 퍼퓸 샴푸	〃	9,900	9,900	12,900	12,900	12,900	12,900	12,900	12,900	12,900	12,900	12,900	5,800
〃	한국피앤지	(1,200㎖) 팬틴 모이스처 샴푸	〃	9,900	13,100	13,100	10,900	13,100	10,870	13,100	13,100	10,870	-	13,100	13,100
칫 솔	〃	(3개입) 오랄비 칫솔	〃	11,900	11,900	11,900	11,900	11,900	11,900	11,900	12,900	11,900	11,900	5,950	5,950
〃	LG	(4개입) 페리오 센서티브 초극세모	〃	8,900	9,900	9,900	9,900	11,900	11,900	11,900	10,900	11,900	11,900	11,900	11,900
〃	아모레	(4개입) 메디안 치석케어 칫솔	〃	12,900	9,900	9,900	-	-	-	-	-	-	-	-	-
치 약	애경	(130g×3개)2080 시그니처 토탈블루	〃	8,900	8,900	8,900	8,900	4,900	8,900	8,900	8,900	8,900	8,900	8,900	8,900
〃	LG	(120g×8개) 페리오 치석케어 치약	〃	-	-	-	-	-	-	-	-	-	-	-	-
〃	〃	(120g×3개) 페리오 토탈7 오리지널	〃	8,900	11,900	5,950	12,900	12,900	11,900	6,450	12,900	12,900	12,900	12,900	12,900
〃	〃	(120g×3개) 죽염 오리지날	〃	9,900	11,900	13,900	13,900	13,900	13,900	-	-	-	13,900	-	-
화 장 지	유한	크리넥스3겹 순수소프트 30m×30롤	〃	24,900	24,900	24,900	24,900	31,800	31,800	31,800	31,800	31,800	31,800	31,800	31,800
〃	쌍용	코디 순한 3겹데코 30m×30롤	〃	16,500	18,900	18,900	16,900	16,900	31,800	22,900	22,900	16,900	16,900	16,900	22,900
▶방향제															
에 어 윅	LG	(440㎖)AURA 해피브리즈 방향제(라벤더)	〃	8,900	9,800	9,800	9,800	9,800	9,800	-	9,800	-	9,800	9,800	9,800
페브리즈	한국피앤지	(275㎖) 에어공기 탈취제	〃	5,900	5,900	5,900	5,900	6,900	5,900	5,900	5,900	5,900	5,900	5,900	5,900
방 충 제	헨켈	(24개입) 컴배트 좀벌레싹 서랍장용	〃	-	-	-	-	-	-	-	-	-	11,400	11,400	-
〃	〃	(6개입) 컴배트 좀벌레싹 옷장용	〃	11,500	11,500	11,500	11,500	11,500	12,100	12,100	12,100	12,100	12,100	12,100	12,100
〃	〃	(12개입) 컴배트 좀벌레싹 콤보	〃	11,500	11,500	11,500	11,500	11,500	12,100	12,100	12,100	12,100	12,100	12,100	12,100
▶세탁용품															
세탁비누	무궁화	(230g×4) 세탁비누	〃	5,490	5,490	5,490	5,490	5,490	5,490	5,490	5,490	5,490	5,490	5,490	5,490
〃	〃	(230g×4) 살균비누	〃	7,900	7,900	7,900	7,900	7,900	7,900	7,900	7,900	7,900	7,900	7,900	7,900
락 스	유한	(3.5ℓ) 유한락스	〃	6,260	6,260	6,260	6,260	6,260	6,260	6,260	6,260	6,970	6,970	6,970	6,970
합성세제	피죤	(3ℓ)액츠 퍼펙트 액체세제	〃	12,900	9,900	7,900	16,900	5,900	5,900	5,900	-	16,900	16,900	16,900	5,900
〃	LG	(3ℓ) 테크 액체세제	〃	19,900	21,900	21,900	21,900	21,900	21,900	21,900	21,900	19,900	21,900	21,900	17,900
〃	〃	(2.7ℓ) FiJi 컬러젤	〃	14,900	15,900	28,900	31,800	15,900	15,900	15,900	31,800	15,900	15,900	15,900	15,900
〃	애경	(6kg) 스파크	〃	10,900	13,900	13,900	13,900	13,900	13,900	13,900	11,900	11,900	11,900	11,900	11,900
섬유유연제	피죤	(2.1ℓ) 피죤 블루 비앙카	〃	-	-	3,500	3,500	2,700	3,500	3,500	3,500	3,500	3,500	3,500	3,500
〃	한국피앤지	(2ℓ) 다우니 초고농축 퍼플	〃	12,700	12,700	12,700	14,800	11,800	14,800	12,500	14,800	14,800	14,800	10,360	19,600
〃	LG	(3ℓ) 샤프란 로맨틱 코튼	〃	4,250	4,850	4,450	4,450	4,450	4,450	4,850	3,880	4,850	4,450	4,850	4,850
▶세척제															
Mr.홈스타	LG	900㎖	〃	6,900	8,900	8,900	8,900	7,900	8,900	8,900	8,900	7,900	8,900	4,450	3,950
홈스타변기세정제	〃	40g×4개	〃	3,900	4,290	4,290	4,290	4,290	4,290	4,290	4,290	4,290	4,290	4,290	4,290
유한락스	유한	(900㎖)곰팡이제거제×2개	〃	9,900	9,900	9,900	9,900	7,900	9,900	9,900	9,900	10,900	8,380	8,380	8,380
펑 크 린	〃	1.5ℓ	〃	3,100	3,100	3,100	3,100	3,100	3,100	3,100	3,100	3,760	3,760	3,760	3,760
무균무때	피죤	900㎖	〃	7,900	7,900	7,900	7,900	7,900	8,900	8,900	8,900	8,900	8,900	4,000	3,950
비트찌든때제거	라이온	500㎖	〃	-	-	8,900	8,900	8,900	8,900	8,900	8,900	8,900	8,900	8,900	8,900
▶살충제															
에프킬라믹스베이트	한국존슨	바퀴살충제10개입	〃	10,900	10,900	10,900	10,900	10,900	10,900	10,900	9,500	9,500	9,500	9,500	9,500
컴배트에어졸	헨켈	(500㎖) 스피드	〃	5,900	5,900	5,900	5,900	5,900	6,200	5,900	5,900	5,900	5,900	5,900	5,900
홈매트리퀴드	〃	훈증기+29㎖ 45일×3	〃	25,900	25,900	23,900	23,900	23,900	25,900	25,200	25,200	25,200	25,200	25,200	25,200
홈 키 파	〃	(500㎖) 수성 에어졸	〃	6,500	6,500	6,500	6,500	6,500	7,200	7,200	7,200	7,200	7,200	7,200	7,200
▶기타															
면 도 기	한국피앤지	질레트 마하3	〃	8,500	8,500	8,500	8,500	8,500	8,500	8,500	8,500	8,500	8,500	8,500	8,500
쉐이빙폼	니베아	(200㎖) 포맨 센서티브	〃	5,900	5,900	5,900	5,900	6,500	6,500	6,500	6,500	6,500	6,500	6,500	6,500
부탄가스	썬연료	4입	〃	6,790	6,790	5,430	6,790	5,430	5,430	5,430	5,430	6,790	6,790	6,790	6,790
습기제거제	LG	홈스타 제습혁명 8P	〃	-	-	-	-	-	-	-	-	-	-	-	-

조미료

(단위 : 원)

품명	메이커	규 격	단위	대구 2022년 11월	12월	2023년 1월	2월	3월	4월	5월	6월	7월	8월	9월	10월
◈조미료															
고춧가루	-	(1kg) 태양초	개	33,600	33,600	33,600	33,600	33,600	33,600	33,600	33,600	33,600	33,600	35,880	35,880
고 추 장	대상	(1kg)청정원순창우리쌀찰고추장	〃	16,830	16,830	16,830	16,830	16,830	16,830	16,830	16,830	19,000	19,000	9,500	19,000
〃	CJ	(1kg) 해찬들 태양초골드	〃	18,300	18,300	18,840	18,840	18,300	19,200	19,200	19,200	19,800	17,900	19,200	17,900
된 장	대상	(1kg) 청정원 순창	〃	8,190	8,190	8,190	8,190	8,190	8,190	8,190	8,190	9,100	9,100	9,100	9,100
〃	CJ	(1kg) 해찬들 재래식	〃	8,100	8,100	8,990	8,990	8,990	8,990	8,990	8,990	8,990	8,990	4,490	8,990
쌈 장	대상	(500g)청정원순창양념듬뿍쌈장	〃	4,860	4,860	4,860	4,860	4,860	4,860	4,860	4,860	5,400	5,400	5,400	5,400
〃	CJ	(500g) 해찬들 사계절쌈장	〃	4,900	4,900	5,190	5,190	5,190	5,190	5,190	5,190	5,190	5,190	5,190	5,190
양조간장	샘표	(860㎖) 양조간장501	〃	7,900	7,900	7,900	7,900	7,900	7,900	7,900	7,900	7,900	7,900	7,900	7,900
〃	대상	(840㎖)햇살담은씨간장숙성양조간장	〃	6,490	6,490	7,480	7,480	7,480	7,480	7,480	7,480	7,480	7,480	7,480	7,480
진 간 장	〃	(840㎖)햇살담은 진간장 골드	〃	4,770	4,770	5,680	5,680	5,680	5,680	5,680	5,680	5,680	5,680	5,680	5,680
〃	샘표	(860㎖) 금F-3	〃	6,100	6,100	6,100	6,100	6,100	6,100	6,100	6,100	6,100	6,100	6,100	6,100
설 탕	CJ	(1kg) 백설 백설탕	〃	1,980	1,980	1,980	1,980	1,980	1,980	1,980	1,980	1,980	2,380	2,380	2,380
〃	〃	(1kg) 백설 갈색설탕	〃	2,480	2,480	2,480	2,480	2,480	2,480	2,480	2,480	2,480	2,880	2,880	2,880
〃	〃	(1kg) 백설 흑설탕	〃	2,580	2,580	2,580	2,580	2,580	2,580	2,580	2,580	2,580	2,980	2,980	2,980
〃	삼양	(1kg) 큐원 백설탕	〃	1,950	1,950	1,950	1,950	1,950	1,950	1,950	1,950	1,950	2,350	2,350	2,350
〃	〃	(1kg) 큐원 갈색설탕	〃	2,450	2,450	2,450	2,450	2,450	2,450	2,450	2,450	2,450	2,850	2,850	2,850
〃	〃	(1kg) 큐원 흑설탕	〃	2,550	2,550	2,550	2,550	2,550	2,550	2,550	2,550	2,550	2,950	2,950	2,950
소 금	대상	(500g) 미원 맛소금	〃	2,540	2,540	2,540	2,540	2,540	2,540	2,540	2,540	-	-	-	2,540
〃	〃	(500g)청정원천일염구운소금	〃	5,250	3,990	3,990	3,990	5,250	3,990	3,990	3,990	-	4,380	4,380	-
〃	사조대림	(1kg) 해표 꽃소금	〃	1,390	1,390	1,390	1,390	1,890	1,890	1,890	1,890	1,890	-	-	-
〃	대상	(1kg) 미원 맛소금	〃	4,180	4,180	4,180	4,180	4,180	4,180	4,180	4,180	4,180	4,180	4,180	4,180
〃	CJ	(400g) 백설 구운 천일염	〃	4,150	4,150	4,150	4,150	4,150	4,150	4,150	4,150	4,150	-	-	5,380
미 원	대상	(500g) 발효 미원	〃	13,900	13,900	13,900	13,900	13,900	13,900	13,900	13,900	13,900	13,900	13,900	13,900
물 엿	〃	(1.2kg) 청정원	〃	4,380	4,380	4,380	4,180	4,380	4,380	4,380	4,380	4,380	4,380	4,380	4,380
〃	오뚜기	(1.2kg) 옛날 물엿	〃	4,680	4,680	6,480	4,680	5,190	5,190	5,190	5,190	4,680	4,680	4,680	4,680
올리고당	CJ	(1.2kg) 백설 요리올리고당	〃	5,980	5,980	5,980	5,980	5,980	6,590	6,590	4,480	5,980	6,480	6,480	6,480
〃	대상	(1.2kg) 청정원 요리올리고당	〃	5,980	5,980	5,980	5,980	5,980	5,980	5,980	5,980	5,980	5,980	5,980	5,980
케 찹	오뚜기	(500g) 토마토케찹	〃	2,880	2,880	2,880	2,880	3,180	3,180	3,180	3,180	3,180	3,180	3,180	3,180
〃	대상	(410g) 청정원 우리아이케찹	〃	2,700	2,700	3,000	3,000	3,000	3,000	3,000	3,000	3,000	3,000	3,000	3,000
마요네즈	오뚜기	(800g) 골드	〃	7,880	7,880	7,880	7,880	8,680	8,680	8,680	8,680	8,680	8,680	8,680	8,680
〃	대상	(800g)청정원고소한마요네즈	〃	6,800	6,800	7,900	7,900	7,900	7,900	7,900	7,900	7,900	7,900	7,900	7,900
마아가린	오뚜기	(200g) 옥수수 마아가린	〃	2,290	2,290	2,290	2,290	2,290	2,290	2,290	2,290	2,290	2,290	2,290	2,290
식 초	〃	(900㎖) 사과식초	〃	2,600	2,600	2,600	2,600	2,880	3,190	3,190	2,880	2,880	2,880	2,880	2,880
〃	대상	(900㎖) 청정원 사과식초	〃	2,600	2,600	2,600	2,600	2,600	2,600	2,600	2,600	2,880	2,880	2,880	2,880
〃	〃	(900㎖) 청정원 현미식초	〃	2,600	2,600	2,600	2,600	2,600	2,600	2,600	2,600	2,600	2,600	2,600	2,600
〃	오뚜기	(900㎖) 현미식초	〃	2,400	2,400	2,400	2,400	2,680	2,680	2,680	2,680	2,680	2,680	2,680	2,680
식 용 유	사조대림	(900㎖) 해표 식용유	〃	5,200	5,200	5,200	5,200	5,200	5,200	5,200	5,200	5,200	5,200	5,200	5,200
〃	CJ	(900㎖) 백설 식용유	〃	5,180	5,180	5,180	5,180	5,180	5,180	5,180	5,180	5,180	5,180	5,180	5,180
〃	〃	(900㎖) 백설 카놀라유	〃	7,600	9,500	9,500	9,500	9,500	9,500	9,500	9,500	9,500	9,500	4,750	9,500
〃	〃	(900㎖) 백설 포도씨유	〃	16,000	16,000	16,000	16,000	16,000	16,000	16,000	16,000	16,000	16,000	16,000	16,000
〃	〃	(900㎖) 백설 올리브유	〃	18,000	18,000	18,000	18,000	18,000	18,000	18,000	9,000	18,000	19,800	19,800	19,800
참 기 름	〃	(320㎖) 백설 진한 참기름	〃	7,100	7,100	7,100	8,500	8,500	8,500	8,500	8,500	-	8,500	8,500	8,500
〃	〃	(300㎖)백설고소함가득참기름	〃	7,400	8,880	8,880	8,880	8,880	8,880	8,880	8,880	8,880	8,880	8,880	8,880
〃	오뚜기	(320㎖) 고소한 참기름	〃	9,600	9,600	9,600	9,600	11,690	11,690	11,690	11,690	10,600	10,600	10,600	10,600
〃	〃	(320㎖) 옛날 참기름	〃	7,690	7,690	7,690	7,690	9,590	9,590	9,590	9,590	9,590	9,590	9,590	9,590
고추씨기름	〃	(80㎖) 옛날 고추맛기름	〃	2,180	2,180	2,180	2,180	2,180	2,180	2,180	2,180	2,180	2,180	2,180	2,180
멸치액젓	CJ	(800g) 658㎖ 하선정	〃	4,750	5,280	5,280	5,280	5,280	5,280	5,280	5,280	5,280	5,280	5,280	5,280
〃	대상	(750g)626㎖ 청정원 남해안 멸치액젓	〃	3,960	3,380	3,960	3,960	3,960	3,960	3,960	3,960	3,960	3,960	3,960	3,960
까나리액젓	〃	(750g)622㎖ 청정원 서해안 까나리액젓	〃	4,500	4,500	5,000	5,000	5,000	5,000	5,000	5,000	5,000	5,000	5,000	5,000
〃	CJ	(800g)658㎖ 하선정 서해안 까나리액젓	〃	4,750	4,750	5,280	5,280	5,280	5,280	5,280	5,280	5,280	5,280	5,280	5,280
조 미 료	〃	(500g) 백설 쇠고기 다시다	〃	11,750	11,750	11,750	11,750	12,850	12,850	12,850	12,850	12,850	12,850	12,850	12,850
〃	〃	(500g) 백설 멸치 다시다	〃	10,370	10,370	10,370	10,370	11,300	11,300	11,300	11,300	11,300	11,300	11,300	11,300
〃	대상	(300g) 쇠고기 감치미	〃	-	-	6,690	6,690	6,690	6,690	6,690	6,690	7,160	7,160	7,160	7,160
〃	〃	(300g) 한우 감치미	〃	8,560	8,560	8,560	8,560	8,580	8,580	8,580	8,580	8,800	8,800	8,800	8,800
후 추	오뚜기	(100g) 순후추	〃	5,390	5,390	5,390	5,390	6,180	6,180	6,180	6,180	6,180	6,180	6,180	6,180
〃	대상	(50g) 청정원 순후추	〃	3,340	3,340	3,340	3,340	3,340	3,340	3,340	3,340	3,680	3,680	3,680	3,680
와 사 비	오뚜기	(43g) 생와사비	〃	4,150	4,150	4,150	4,150	4,150	4,150	4,150	4,150	4,380	4,150	4,150	4,150
〃	〃	(100g) 연와사비	〃	4,380	4,150	4,150	4,150	4,150	4,150	4,150	4,150	4,380	4,150	4,150	4,150
겨 자	〃	(100g) 연겨자	〃	4,090	4,090	4,090	4,090	4,090	4,090	4,090	4,090	4,090	4,090	4,090	4,090
〃	대상	(95g) 청정원 연겨자	〃	3,190	3,190	3,190	3,190	3,190	3,190	3,190	3,190	3,190	3,190	3,190	3,190
요 리 주	롯데	(900㎖) 미림	〃	3,690	3,690	3,690	3,690	3,690	3,690	3,690	3,690	3,670	3,670	3,670	3,790
〃	오뚜기	(900㎖) 미향	〃	3,890	3,890	3,890	3,890	4,180	4,180	4,180	4,180	4,180	4,180	4,180	4,180
〃	CJ	(800㎖)백설맛술로즈마리	〃	3,650	3,980	3,980	3,980	3,980	3,980	3,980	3,980	3,980	3,980	3,980	3,980

김치류 · 수산품 · 낙농물

(단위 : 원)

품 명	메이커	규 격	단위	대 구											
				2022년 11월	12월	2023년 1월	2월	3월	4월	5월	6월	7월	8월	9월	10월
◈김치류															
하선정 포기김치	CJ	3kg	봉	27,700	27,700	22,900	22,900	27,700	22,900	22,900	-	-	-	-	-
비비고 포기배추김치	〃	3.3kg	〃	34,800	33,800	33,800	33,980	34,800	33,800	33,800	33,800	33,800	34,800	33,800	33,990
종가집 포기김치	대상	〃	〃	33,800	33,800	33,800	33,800	33,800	33,800	33,800	33,800	33,800	34,800	33,800	33,990
비비고 총각김치	CJ	1.5kg	〃	-	-	-	-	-	-	-	-	-	-	-	18,500
종가집 총각김치	대상	〃	〃	-	-	-	-	-	-	-	-	-	-	-	18,500
◈수산물															
生연어(횟감용)	노르웨이	100g	팩	3,990	4,950	4,950	4,950	5,500	5,500	4,400	5,650	6,000	5,500	5,000	5,000
生연어(구이용)	〃	〃	〃	3,790	4,450	4,450	4,450	5,000	5,000	4,000	5,000	5,500	5,000	4,500	4,500
부산간고등어	국산	1마리(대)	〃	-	-	3,000	-	4,500	-	-	-	-	-	-	-
제주생물갈치	〃	〃	〃	5,900	5,990	9,000	7,200	6,000	9,200	9,200	6,900	11,000	-	6,600	11,000
◈수산가공품															
명가 직화구이김	CJ	4.5g×20봉	봉	6,490	6,490	7,990	6,490	6,490	6,490	6,490	6,490	6,490	6,490	6,490	6,990
대 천 김	대천김	5g×20봉	〃	5,690	5,990	7,990	5,690	5,690	6,490	6,990	6,990	6,990	6,990	6,990	9,990
광 천 김	해달음	4g×20봉	〃	8,990	7,990	8,990	8,990	7,990	8,990	8,990	8,990	9,490	9,490	9,490	9,490
옛날미역	오뚜기	100g	〃	3,840	5,490	5,490	3,290	5,490	5,490	4,390	4,540	6,490	5,190	6,490	6,490
◈낙농물															
쇠 고 기	국산(한우)	정육(등심)상등급	100g	15,590	14,990	14,590	14,590	15,990	14,990	13,590	13,990	13,590	13,990	14,990	14,990
〃	〃	정육(양지)상등급	〃	9,820	10,820	10,820	10,820	11,910	10,820	10,820	10,820	10,820	10,820	10,820	10,820
돼지고기	국산	정육(삼겹살)상등급	〃	2,390	2,590	2,800	2,290	2,590	2,690	2,990	3,300	3,200	2,890	2,890	2,590
〃	〃	정육(목살)상등급	〃	2,190	2,590	2,800	2,290	2,590	2,690	2,990	3,300	3,200	2,890	2,890	2,590
닭 고 기	〃	육계	1kg	6,790	8,490	8,490	8,490	8,490	8,490	8,490	8,990	6,290	8,990	8,990	8,990
계 란	CJ	신선한 목초란	15구	7,990	7,990	7,990	7,990	7,990	-	8,480	8,480	-	-	-	7,990
우 유	서울우유	흰 우유(나 100%)	1ℓ	2,710	2,890	2,890	2,890	2,890	2,890	2,890	2,890	2,890	2,890	2,890	2,980
〃	〃	목장의 신선함이 살아있는 우유	〃	3,230	3,400	3,400	3,400	3,400	3,400	3,400	3,400	3,400	3,400	3,400	3,650
〃	남양유업	맛있는 우유 GT	900mℓ	2,650	2,890	2,890	2,780	2,890	2,890	2,890	2,890	2,890	2,890	2,890	2,980
〃	매일유업	매일우유 오리지널	〃	2,610	2,700	2,850	2,850	2,850	2,890	2,890	2,890	2,890	2,890	2,890	2,970
〃	동원	덴마크 대니쉬 the건강한 우유	〃	2,380	2,780	2,680	2,680	2,680	-	4,280	-	-	-	-	-
〃	빙그레	바나나맛 우유 240mℓ×4	묶음	4,900	5,480	5,480	5,480	5,480	5,480	5,480	5,480	5,480	5,480	5,480	5,800
〃	서울우유	서울 요구르트 65mℓ×20	〃	1,980	2,950	2,950	2,950	2,950	2,950	2,950	2,950	2,950	2,950	2,990	3,100
〃	남양유업	남양 요구르트 65mℓ×20	〃	2,980	2,980	2,980	2,980	2,980	2,990	2,990	2,990	2,990	2,990	2,990	3,100
〃	HY	HY야쿠르트 오리지널 65mℓ×20	〃	4,400	4,400	4,400	4,400	4,400	4,400	4,400	4,400	4,400	4,400	4,400	4,400
버 터	서울우유	무가염 버터	450g	10,060	11,000	11,000	11,000	11,000	11,000	11,000	11,000	11,000	11,000	11,000	11,000
〃	파스퇴르	프리미엄 홈버터	〃	9,490	9,490	9,490	9,490	9,490	9,990	9,990	9,990	9,990	9,990	9,990	9,990
치 즈	서울우유	어린이치즈 앙팡(15매입)	개	5,480	7,280	7,280	6,980	7,280	6,980	-	7,280	7,280	7,280	6,980	-
〃	〃	체다치즈(20매입)	〃	8,980	8,980	7,780	8,980	8,980	8,990	8,990	8,990	8,990	8,990	8,990	8,990
〃	매일유업	뼈로가는 칼슘치즈(15매입)	〃	8,800	8,800	6,180	8,780	8,800	8,800	8,800	8,800	9,990	9,990	9,990	9,990
〃	〃	더블업 체다치즈	360g	6,160	6,160	6,180	6,160	8,800	8,800	8,800	8,800	9,990	9,990	9,990	7,980
햄	목우촌	주부9단 살코기햄	1kg	12,990	12,990	12,990	12,990	12,990	12,990	12,990	10,990	12,990	13,490	10,490	10,490
〃	〃	주부9단 불고기햄	300g	4,980	5,980	4,980	5,980	4,980	5,980	4,980	5,980	5,980	4,980	5,980	5,980
조제분유	남양유업	남양분유 임페리얼 XO1	800g	24,900	21,160	24,900	-	27,800	27,800	27,800	27,800	27,800	27,800	27,800	27,800
〃	〃	남양분유 임페리얼 XO2	〃	24,900	21,160	24,900	-	25,800	25,800	25,800	25,800	25,800	25,800	25,800	25,800
〃	〃	남양분유 임페리얼 XO3	〃	20,900	17,760	20,900	-	25,800	25,800	25,800	25,800	25,800	25,800	25,800	25,800
〃	〃	남양분유 임페리얼 XO4	〃	20,900	17,760	20,900	-	-	-	-	-	-	-	-	-
〃	매일유업	앱솔루트 센서티브 1단계	900g	36,140	28,910	36,140	36,140	36,140	36,140	36,140	36,140	36,140	36,140	30,710	36,140
〃	〃	앱솔루트 센서티브 2단계	〃	36,140	28,910	36,140	36,140	36,140	36,140	36,140	36,140	36,140	36,140	30,710	36,140
〃	〃	앱솔루트 센서티브 3단계	〃	36,140	28,910	36,140	36,140	36,140	36,140	36,140	36,140	36,140	36,140	30,710	36,140
〃	〃	앱솔루트 센서티브 4단계	〃	36,140	28,910	36,140	36,140	36,140	36,140	36,140	36,140	36,140	36,140	30,710	36,140
〃	남양유업	아이엠마더 1단계	800g	32,200	27,370	32,200	-	38,800	38,800	38,800	38,800	38,800	38,800	38,800	38,800
〃	〃	아이엠마더 2단계	〃	32,200	27,370	32,200	-	36,800	36,800	36,800	36,800	36,800	36,800	36,800	36,800
〃	〃	아이엠마더 3단계	〃	28,800	25,410	29,900	-	36,800	36,800	36,800	36,800	36,800	36,800	36,800	36,800
〃	〃	아이엠마더 4단계	〃	28,800	25,410	29,900	-	-	-	-	-	-	-	-	-
영유아식	〃	임페리얼 XO 닥터	300g	13,210	13,210	13,210	13,210	13,210	13,210	15,900	15,900	15,900	15,900	15,900	15,900
〃	매일유업	앱솔루트(아기설사)	400g	17,200	17,200	17,200	17,200	17,200	17,200	17,200	17,200	17,200	17,200	17,200	17,200

인스턴트 식품

(단위 : 원)

품명	메이커	규격	단위	대구											
				2022년 11월	12월	2023년 1월	2월	3월	4월	5월	6월	7월	8월	9월	10월
◈스낵류															
새 우 깡	농심	90g	봉	1,180	1,180	1,180	1,180	1,180	1,180	1,180	1,180	1,100	1,100	1,100	1,100
감 자 깡	〃	75g	〃	1,360	1,360	1,360	1,360	1,360	1,360	1,360	1,360	1,360	1,360	1,360	1,360
오징어집	〃	78g	〃	1,360	1,360	1,360	1,360	1,360	1,360	1,360	1,360	1,360	1,360	1,360	1,360
고구마깡	〃	83g	〃	1,360	1,360	1,360	1,360	1,360	1,360	1,360	1,360	1,360	1,360	1,360	1,360
양 파 깡	〃	〃	〃	1,360	1,360	1,360	1,360	1,360	1,360	1,360	1,360	1,360	1,360	1,360	1,360
양 파 링	〃	80g	〃	1,360	1,360	1,360	1,360	1,360	1,360	1,360	1,360	1,360	1,360	1,360	1,360
포 스 틱	〃	〃	〃	1,360	1,360	1,360	1,360	1,360	1,360	1,360	1,360	1,360	1,360	1,360	1,360
꿀꽈배기	〃	90g	〃	1,360	1,360	1,360	1,360	1,360	1,360	1,360	1,360	1,360	1,360	1,360	1,360
조청유과	〃	96g	〃	1,360	1,360	1,360	1,360	1,360	1,360	1,360	1,360	1,360	1,360	1,360	1,360
바나나킥	〃	145g	〃	2,580	2,680	2,680	2,680	2,680	2,680	2,580	2,580	2,580	2,580	2,580	2,580
콘 칩	크라운	140g	〃	2,390	2,390	2,390	2,390	2,390	2,390	2,390	2,390	2,390	2,390	1,990	2,390
오 감 자	오리온	115g	〃	2,030	2,390	2,390	2,390	2,390	2,390	2,390	2,390	2,390	2,390	2,390	2,390
포 카 칩	〃	66g	〃	1,360	1,360	1,360	1,360	1,360	1,360	1,360	1,360	1,360	1,360	1,360	1,360
스 윙 칩	〃	60g	〃	1,360	1,360	1,360	1,360	1,360	1,360	1,360	1,360	1,360	1,360	1,360	1,360
오징어땅콩	〃	202g	〃	2,390	2,390	2,390	2,390	2,390	2,390	2,390	2,390	2,390	2,390	2,390	2,390
맛 동 산	〃	300g	〃	3,510	4,390	4,390	3,510	4,390	4,390	4,390	3,950	3,950	3,950	3,950	4,390
꼬 깔 콘	〃	52g 고소한맛	〃	1,190	1,000	1,000	1,000	1,000	1,000	1,000	1,000	1,000	1,000	1,000	1,000
짱 구	삼양	272g	〃	2,850	2,850	2,850	-	2,980	2,980	2,980	2,980	2,980	2,980	2,980	2,980
죠 리 퐁	〃	74g	〃	1,190	1,190	1,190	1,190	1,190	1,190	1,190	1,000	1,000	1,000	1,000	1,000
야채타임	빙그레	70g	〃	1,190	-	-	-	-	-	1,360	1,360	1,360	1,350	1,350	1,350
도도한나쵸	오리온	92g 치즈맛	〃	1,190	1,000	1,000	1,000	1,000	1,000	1,000	1,190	1,190	1,190	1,190	1,190
꼬 북 칩	〃	64g 콘스프맛	〃	-	-	-	-	-	1,360	-	-	1,000	1,000	1,000	1,000
치 토 스	롯데	64g 매콤달콤한맛	〃	1,190	1,000	1,000	1,000	1,360	1,360	1,360	1,360	1,000	1,000	1,000	1,000
도리토스	〃	84g 나쵸치즈맛	〃	1,190	1,000	1,000	1,000	1,360	1,360	1,360	1,360	1,360	1,360	1,360	1,360
자 갈 치	농심	174g	〃	-	-	-	-	-	-	-	-	-	-	-	2,580
인디안밥	〃	83g	〃	-	-	-	-	-	-	-	-	-	-	-	1,360
벌집핏자	〃	90g	〃	-	-	-	-	-	-	-	-	-	-	-	-
허니버터칩	해태	44g	〃	-	-	-	-	-	-	-	-	-	-	-	1,000
카라멜콘과땅콩	크라운	72g	〃	-	-	-	-	-	-	-	-	-	-	-	1,000
꽃 게 랑	빙그레	143g	〃	-	-	-	-	-	-	-	-	-	-	-	2,880
썬 칩	오리온	66g 핫스파이시맛	〃	-	-	-	-	-	-	-	-	-	-	-	1,000
빼 빼 로	롯데	54g	Box	-	-	-	-	-	-	-	-	-	-	-	1,360
칙 촉	〃	180g	〃	-	-	-	-	-	-	-	-	-	-	-	3,990
칸 쵸	〃	196g	〃	-	-	-	-	-	-	-	-	-	-	-	3,360
버 터 링	해태	238g	〃	-	-	-	-	-	-	-	-	-	-	-	4,700
초코하임	크라운	284g	〃	-	-	-	-	-	-	-	-	-	-	-	4,790
고 래 밥	오리온	160g	〃	-	-	-	-	-	-	-	-	-	-	-	2,290
산 도	롯데	16봉입 딸기크림치즈	〃	3,980	3,180	3,980	3,980	3,980	3,980	3,980	3,980	3,980	3,980	3,980	3,980
버터와플	〃	316g	〃	4,380	4,380	4,380	4,380	4,380	4,380	3,500	3,500	3,500	4,380	3,060	4,380
국희땅콩샌드	〃	372g	〃	3,980	3,980	2,790	3,190	3,990	3,990	3,190	3,990	3,990	3,990	3,990	3,990
빅 파 이	〃	324g	〃	3,840	3,070	3,840	3,070	3,840	3,840	3,840	3,070	3,260	3,180	3,840	3,990
후렌치파이	해태	15봉입 딸기	〃	3,990	3,190	3,990	2,990	3,990	3,990	2,990	3,990	3,990	2,990	3,990	3,990
초코파이	오리온	12개입	〃	4,320	4,320	4,320	4,320	4,320	4,320	4,320	4,320	4,320	4,320	4,320	4,320
오 뜨	〃	12봉입 쇼콜라	〃	5,590	5,590	5,590	5,990	5,990	5,990	5,590	5,030	5,030	5,580	5,590	5,590
빈 츠	롯데	204g	〃	4,030	4,480	4,480	4,480	4,480	4,480	4,480	4,480	4,480	4,480	4,490	4,490
마가렛트	〃	16봉입	〃	4,790	4,790	4,790	4,790	5,290	4,760	5,290	5,290	5,290	4,760	4,220	5,290
아이비크래커	해태	12봉입	〃	2,990	3,050	3,590	3,230	3,590	3,590	3,590	3,230	2,870	3,190	3,050	3,590
몽 쉘	롯데	12개입	〃	4,310	4,310	4,790	4,790	4,790	4,790	4,760	4,760	4,760	5,290	5,290	5,290
카스타드	오리온	〃	〃	4,320	3,880	4,320	4,320	4,320	3,880	3,880	3,880	4,320	4,320	4,320	4,320
후레쉬베리	〃	6개입	〃	2,880	-	-	-	5,760	-	-	-	-	-	-	-
초코송이	〃	144g	〃	2,290	2,060	2,290	2,060	2,290	2,290	2,290	2,290	2,290	2,290	1,990	2,290
빠다코코넛	롯데	78g	〃	1,390	1,390	1,390	1,390	1,390	1,000	-	-	1,000	1,000	1,000	1,000
에 이 스	〃	364g	〃	3,200	3,600	4,000	3,600	4,000	3,600	3,600	4,000	3,600	3,600	3,190	3,990
쿠크다스	〃	128g	〃	2,000	2,390	2,390	1,910	2,390	2,390	2,390	2,390	2,390	2,390	2,390	2,390
홈 런 볼	〃	46g	봉	1,350	1,350	1,350	1,350	1,390	1,390	1,390	1,390	1,390	1,390	1,390	1,390
양 갱	〃	50g×10 밤맛	〃	5,990	5,000	6,000	4,980	6,000	6,000	6,000	6,000	6,000	6,000	6,000	6,000
맛 밤	CJ	60g×4	〃	7,990	7,990	6,990	6,990	6,990	6,990	7,990	7,190	7,190	7,190	7,190	7,990

(단위 : 원)

품 명	메이커	규 격	단위	대					구						
				2022년 11월	12월	2023년 1월	2월	3월	4월	5월	6월	7월	8월	9월	10월
◈씨리얼(푸레이크)															
첵스초코	켈로그	570g	봉	7,490	5,240	7,490	7,990	7,990	7,990	7,990	7,990	7,990	7,990	7,990	5,500
스페셜K	〃	480g	〃	7,690	7,690	7,690	8,390	8,390	8,390	8,390	8,390	8,390	8,390	8,390	8,390
콘푸로스트	〃	600g	〃	6,270	4,380	6,270	6,990	4,690	6,700	6,990	6,990	4,890	6,990	6,990	5,000
아몬드푸레이크	〃	〃	〃	8,390	8,390	8,390	9,190	9,190	9,190	9,190	9,190	9,190	9,190	9,190	9,190
그래놀라	〃	400g 리얼 그래놀라	〃	8,890	6,290	8,890	9,690	9,690	9,690	9,690	9,690	6,780	9,690	9,690	9,690
〃	〃	500g 고소한 현미 그래놀라	〃	8,890	8,890	8,890	9,690	9,690	9,690	9,690	9,690	6,990	6,890	9,690	9,690
후루트링	〃	530g	〃	7,990	7,990	6,290	8,690	8,690	8,690	8,690	8,690	5,990	6,080	8,690	5,500
현미푸레이크	〃	550g	〃	8,890	8,890	8,890	9,690	9,690	9,690	9,690	9,690	9,690	9,690	9,690	9,690
콘푸라이트	포스트	600g	〃	6,690	6,690	6,690	6,690	6,690	6,690	6,690	6,690	5,010	4,680	6,380	6,690
오레오오즈	〃	500g	〃	8,690	8,690	8,690	8,690	8,790	8,680	6,940	8,680	8,690	8,680	8,680	8,680
오곡코코볼	〃	570g	〃	6,790	6,790	6,790	4,690	6,790	6,790	6,790	6,790	5,090	6,790	6,790	6,790
그래놀라	〃	570g 크랜베리 아몬드	〃	8,370	8,370	8,790	8,790	8,790	8,790	6,550	6,590	8,790	8,790	5,720	8,790
〃	〃	500g 블루베리	〃	9,390	9,390	9,390	9,390	9,990	9,390	9,390	9,390	9,390	9,390	6,990	9,390
아몬드후레이크	〃	620g	〃	8,790	8,790	8,790	6,090	8,790	8,790	8,790	8,790	8,790	8,790	8,790	8,790
골든그래놀라	〃	360g 크런치	〃	8,790	8,790	8,790	8,790	8,790	8,790	8,790	8,790	8,790	8,790	8,790	8,790
〃	〃	360g 후르츠	〃	8,790	8,790	8,790	8,790	8,790	8,790	8,790	8,790	8,790	8,790	8,790	8,790
◈면류															
밀가루	대한	1kg 곰표 중력	봉	1,880	1,880	1,880	1,880	1,880	1,880	1,880	1,880	1,880	1,840	1,840	1,840
〃	CJ	1kg 백설 중력	〃	1,900	1,900	1,900	1,900	1,900	1,900	1,900	1,900	1,900	1,900	1,900	1,900
〃	삼양	1kg 큐원 중력	〃	1,790	1,790	1,790	1,790	1,790	1,790	1,790	1,790	1,790	1,790	1,790	1,790
삼양라면	〃	120g×5개	〃	3,840	3,450	3,840	3,450	3,450	3,450	3,450	3,450	3,450	3,680	3,680	3,680
불닭볶음면	〃	140g×5개	〃	5,100	5,100	5,100	5,100	5,100	4,590	5,100	4,590	5,100	5,100	5,100	5,100
맛있는라면	〃	115g×5개	〃	4,980	4,280	4,280	4,980	4,980	4,980	4,980	4,980	4,280	4,730	4,730	4,730
신라면	농심	120g×5개	〃	4,100	4,100	4,100	4,100	4,100	4,100	4,100	4,100	3,900	3,900	3,900	3,900
너구리	〃	〃	〃	4,500	4,180	4,180	4,500	4,180	4,500	4,180	4,180	4,500	4,500	4,500	4,180
오징어짬뽕	〃	124g×5개	〃	4,380	4,880	4,880	4,880	4,880	4,880	4,880	4,880	4,880	4,880	4,880	4,880
사리곰탕면	〃	110g×5개	〃	4,880	4,880	4,880	4,880	4,880	4,880	4,880	4,880	4,880	4,880	4,880	4,880
무파마탕면	〃	122g×4개	〃	4,580	4,580	4,580	4,580	4,580	4,580	4,580	4,580	4,580	4,580	4,580	4,180
안성탕면	〃	125g×5개	〃	3,700	3,700	3,700	3,700	3,700	3,700	3,700	3,700	3,700	3,700	3,700	3,700
짜파게티	〃	140g×5개	〃	4,380	4,380	4,480	4,880	4,480	4,880	4,480	4,480	4,880	4,480	4,880	4,880
감자면	〃	117g×5개	〃	5,680	5,680	5,680	5,680	5,680	5,680	5,680	5,680	5,680	5,680	5,680	5,680
생생우동	〃	276g×4개	〃	8,400	8,400	8,400	8,400	8,400	8,400	8,400	8,400	8,400	8,400	8,400	8,400
사발면	〃	114g 신라면 큰사발	개	1,160	1,160	1,160	1,160	1,160	1,160	1,160	1,160	1,160	1,160	1,160	1,000
〃	〃	115g 새우탕 큰사발	〃	1,160	1,160	1,160	1,160	1,160	1,160	1,160	1,160	1,160	1,160	1,160	1,160
〃	〃	110g 육개장 큰사발	〃	1,000	1,160	1,160	1,160	1,160	1,160	1,160	1,160	1,160	1,160	1,160	1,000
컵누들	오뚜기	37.8g 매콤한맛	〃	–	–	–	–	–	–	–	–	–	–	–	1,380
열라면	〃	120g×5개	봉	3,580	3,580	3,580	3,580	3,580	3,580	3,580	3,580	3,580	3,580	3,580	3,580
진라면	〃	〃	〃	3,580	3,580	3,580	3,580	3,580	3,580	3,580	3,580	3,580	3,580	3,580	3,580
진짬뽕	〃	130g×4개	〃	5,480	6,480	5,480	6,480	6,480	5,180	6,480	6,480	6,180	6,180	6,180	5,490
참깨라면	〃	115g×4개	〃	4,680	4,680	4,680	4,680	4,680	3,790	4,680	4,680	4,480	4,480	4,480	2,980
스넥면	〃	108g×5개	〃	3,380	3,380	3,380	3,380	2,500	2,700	3,380	3,000	2,500	2,500	2,500	2,500
라면사리	〃	110g×5개	〃	–	–	–	–	–	–	–	–	–	–	–	1,750
옛날자른당면	〃	300g	〃	3,980	3,980	3,980	3,980	4,780	4,780	4,780	4,780	4,780	4,780	4,780	4,780
옛날국수(소면)	〃	900g	〃	3,550	3,550	3,550	3,550	3,550	3,550	3,550	3,550	3,550	3,550	3,550	3,550
팔도비빔면	팔도	130g×4개	〃	3,700	3,330	3,300	3,330	3,180	2,680	2,980	2,880	2,880	2,980	2,980	3,700
틈새라면	〃	120g×5개	〃	4,840	4,840	3,980	4,840	4,840	4,840	4,840	4,080	4,840	4,840	4,840	4,840
육개장칼국수	풀무원	120.9g×4개	〃	5,680	5,680	5,450	3,980	5,450	3,980	5,450	5,450	5,450	5,450	–	5,450
냉면	칭수	540g 물냉면	〃	4,090	4,090	4,090	4,090	4,090	4,090	4,090	4,090	4,790	4,790	4,790	4,790
〃	〃	540g 비빔냉면	〃	4,090	4,090	4,090	4,090	4,090	4,090	4,090	4,090	4,790	4,790	4,790	4,790
◈즉석밥															
둥근햇반실속	CJ	210g×8개	Set	10,900	10,900	10,900	10,900	10,900	10,900	10,900	10,900	10,900	8,990	9,480	10,900
맛있는밥	오뚜기	210g×10개	〃	9,980	10,480	12,470	9,970	9,970	9,970	9,980	9,980	9,670	9,580	11,980	11,980
◈통조림															
골뱅이	유동	400g	Can	10,490	10,490	10,490	10,490	10,490	10,490	10,490	10,490	10,490	10,490	10,490	10,490
꽁치	동원	300g	〃	4,990	4,990	4,990	4,990	4,990	4,990	4,990	4,990	4,990	4,990	4,990	4,990
고등어	〃	400g	〃	3,490	3,490	3,490	3,490	3,490	3,000	3,490	3,490	3,490	3,490	3,490	3,490
살코기참치	〃	135g×4개 라이트 스탠다드	〃	10,990	11,490	11,490	11,490	11,490	11,490	11,490	11,490	11,490	11,490	11,490	11,490
고추참치	〃	90g×4개	〃	8,990	9,490	9,490	9,490	9,490	9,490	9,490	9,490	9,490	9,490	9,490	9,490
야채참치	〃	〃	〃	8,990	9,490	9,490	9,490	9,490	9,490	9,490	9,490	9,490	9,490	9,490	9,490
리챔	〃	340g 오리지널	〃	7,190	7,190	7,190	7,190	7,190	7,190	7,190	7,190	7,190	7,190	7,590	7,590
스팸	CJ	340g 클래식	〃	7,190	7,190	7,190	7,190	7,190	7,190	7,190	7,190	7,190	7,590	7,590	7,590
스위트콘	오뚜기	340g	〃	1,980	1,980	1,980	1,980	1,980	1,980	1,980	1,980	1,980	1,980	1,980	1,980
〃	동원	〃	〃	1,980	1,980	1,980	1,980	1,980	1,980	1,980	1,980	1,980	1,980	1,980	1,980
황도	〃	400g	〃	2,580	2,580	2,580	2,580	2,580	2,580	2,580	2,580	2,580	2,580	2,990	2,990
후르츠칵테일	델몬트	850g	〃	4,990	4,990	4,990	4,990	4,990	4,990	4,990	4,990	4,990	4,990	–	–
파인애플슬라이스	〃	836g	〃	4,990	4,990	4,990	4,990	4,990	4,990	4,990	4,790	4,990	4,990	4,990	4,990
번데기	유동	130g	〃	1,000	1,590	1,590	1,690	1,690	1,690	1,690	1,690	1,690	1,690	1,690	1,690
〃	동원	〃	〃	1,380	1,380	1,380	1,380	1,690	1,690	1,690	1,690	1,690	1,690	1,690	1,690
깻잎	샘표	70g	〃	2,490	2,490	2,490	2,490	2,490	2,490	2,490	2,490	2,490	2,490	2,490	2,490

음료

(단위 : 원)

품명	메이커	규격	단위	대구											
				2022년 11월	12월	2023년 1월	2월	3월	4월	5월	6월	7월	8월	9월	10월
◈음료															
칠성사이다	롯데	1.8ℓ	Pet	3,380	3,380	2,680	3,380	3,380	3,380	3,380	3,380	3,380	3,380	3,380	3,380
칠성사이다제로	〃	1.5ℓ	〃	2,580	2,580	2,390	2,880	2,880	2,880	2,880	2,880	2,880	2,880	2,880	2,880
밀 키 스	〃	〃	〃	1,190	1,190	2,390	2,580	2,580	2,580	2,580	2,580	2,580	2,580	2,580	2,580
2%복숭아	〃	〃	〃	2,880	3,780	1,190	1,190	1,000	1,980	1,980	1,980	1,980	1,980	1,980	1,980
제주사랑감귤사랑	〃	〃	〃	1,290	1,290	2,390	2,980	3,980	3,980	-	-	-	-	-	-
하늘보리	웅진	〃	〃	2,080	2,080	1,290	1,290	1,380	1,380	1,380	1,380	1,380	1,380	1,280	1,280
아침햇살	〃	1.35ℓ	〃	3,700	3,700	2,000	2,000	2,200	2,200	2,200	2,200	2,200	2,500	2,500	2,500
자연은알로에	〃	1.5ℓ	〃	1,010	1,000	3,700	3,700	3,700	4,100	2,350	2,350	2,350	2,350	2,350	2,350
옥수수수염차	광동	〃	〃	1,000	1,000	1,190	2,380	2,380	2,380	2,380	2,380	2,390	2,390	2,390	2,390
헛 개 차	〃	〃	〃	980	980	1,180	2,380	2,380	2,380	2,380	2,380	2,390	2,390	2,390	2,390
제주삼다수	〃	2ℓ	〃	3,680	3,680	980	1,080	1,080	1,080	1,080	1,080	1,080	1,080	1,080	1,080
코카콜라	코카콜라	1.8ℓ	〃	2,360	3,150	3,680	3,700	2,950	3,730	2,980	3,730	3,730	3,730	3,730	3,730
코카콜라제로	〃	1.5ℓ	〃	2,690	2,690	3,150	3,150	3,150	3,150	3,150	2,360	3,150	3,150	3,150	3,150
스프라이트	〃	〃	〃	2,500	2,500	2,690	2,700	2,700	2,700	2,700	2,700	2,580	2,700	2,690	2,500
암 바 사	〃	〃	〃	2,550	2,550	2,500	2,500	2,500	2,500	2,500	2,500	2,500	2,500	2,500	2,500
환 타	〃	1.5ℓ 오렌지	〃	4,280	2,140	2,550	2,550	2,550	2,580	2,580	2,580	2,580	2,580	2,540	2,500
미닛메이드	〃	〃	〃	3,390	3,390	4,300	4,280	4,280	4,280	4,280	4,280	4,490	4,490	4,490	3,480
파워에이드	〃	1.5ℓ	〃	3,390	3,390	3,620	3,620	3,620	3,620	3,620	3,620	3,620	3,620	3,620	3,620
토 레 타	〃	〃	〃	2,580	2,580	2,390	3,620	3,620	3,620	3,620	3,620	3,620	3,620	3,620	3,620
펩시콜라	펩시	〃	〃	-	-	2,580	2,580	2,580	2,580	2,580	2,580	2,580	2,580	2,580	2,580
마운틴듀	〃	〃	〃	2,780	2,780	-	-	-	-	-	-	-	-	-	-
게토레이	〃	〃	〃	-	-	3,480	3,480	3,480	3,480	3,480	3,480	3,480	3,480	3,480	3,480
포카리스웨트	동아오츠카	1.8ℓ	〃	2,280	2,280	2,490	2,490	2,490	2,490	2,680	2,680	2,680	2,680	2,680	2,680
콜드오렌지	델몬트	1.89ℓ	〃	-	-	-	-	-	-	-	-	-	-	-	-
웰 치 스	웰치	1.5ℓ 포도	〃	2,280	2,600	2,600	2,600	2,580	2,580	2,500	2,500	2,500	2,500	2,500	2,500
◈차류															
보 리 차	동서	30개입	Box	2,080	2,080	2,180	2,180	2,180	2,180	2,180	2,180	2,180	2,180	2,180	2,180
현미녹차	〃	100개입	〃	6,000	6,600	7,980	7,180	7,980	7,980	7,980	7,980	7,140	7,140	7,140	7,980
둥글레차	〃	〃	〃	7,500	8,460	9,870	8,880	9,870	9,930	9,930	9,930	8,910	8,890	8,910	9,930
메 밀 차	〃	〃	〃	6,000	6,840	7,960	7,160	7,960	7,980	7,960	7,960	7,140	7,210	7,140	7,960
옥수수차	〃	30개입	〃	2,720	2,720	2,850	2,890	2,890	2,850	2,850	2,850	2,850	2,850	2,850	2,850
결명자차	〃	18개입	〃	2,090	2,090	2,200	2,290	2,290	2,300	2,300	2,300	2,300	2,300	2,300	2,200
오 곡 차	〃	〃	〃	2,400	2,400	2,400	2,400	-	-	-	-	-	-	-	-
디오이이스디	〃	40개입	〃	6,640	6,640	6,640	6,640	6,640	6,640	6,980	6,980	9,980	9,980	10,800	10,800
립톤아이스티	유니레버	770g 복숭아	〃	-	-	15,200	15,200	15,200	15,200	15,200	15,200	7,600	15,200	15,200	15,290
루이보스보리차	동서	100개입	〃	6,440	8,990	7,560	7,560	8,390	7,680	7,680	7,680	6,840	7,980	7,980	7,980
맥 심	〃	100개입 모카골드 커피믹스	〃	14,980	14,980	16,450	16,450	16,450	16,450	16,450	16,450	16,450	16,450	16,450	16,450
〃	〃	100개입 아이스 커피믹스	〃	-	-	-	-	-	-	21,000	21,000	20,900	21,000	28,000	-
〃	〃	100개입 화이트골드 커피믹스	〃	15,980	15,980	17,560	17,560	17,560	17,560	17,560	17,560	17,560	17,560	17,560	17,560
카 누	〃	100개입 미니 마일드 로스트	〃	20,390	20,390	22,390	22,390	22,390	22,390	22,390	22,390	22,390	22,390	22,390	22,390
〃	〃	100개입 미니 다크 로스트	〃	20,390	20,390	22,390	22,390	22,390	22,390	22,390	22,390	22,390	22,390	22,390	22,390
〃	〃	100개입 미니 디카페인 아메리카노	〃	22,430	22,430	24,640	24,640	24,640	24,640	24,640	24,640	24,640	24,600	24,600	24,600
작 설 차	녹차원	10개입 맛있는 녹차작설	〃	4,500	4,500	4,990	4,990	4,990	4,900	4,900	4,900	4,900	4,900	4,900	4,900
옥수수수염차	〃	100개입	〃	7,980	7,980	7,980	7,980	7,980	8,900	8,900	8,900	8,900	8,900	8,900	7,990
호두아몬드율무차	담터	〃	〃	21,700	21,700	28,700	22,800	20,800	20,800	30,700	30,700	30,700	30,700	30,700	30,700
생 강 차	〃	50개입	〃	10,900	10,900	13,900	13,900	13,900	14,400	14,400	14,400	14,400	14,400	14,400	14,400
쌍 화 차	〃	〃	〃	11,900	11,900	13,900	13,900	13,900	13,900	13,900	13,900	13,900	13,900	13,900	13,900
단호박마차	〃	〃	〃	12,900	12,900	14,400	14,400	14,400	14,400	14,400	14,400	14,400	14,400	14,400	14,400
◈주류															
소 주	하이트진로	360㎖ 참이슬 후레쉬	병	1,380	1,380	1,380	1,380	1,380	1,380	1,380	1,380	1,380	1,380	1,380	1,380
〃	〃	360㎖ 진로	〃	-	-	-	-	-	-	-	-	-	-	-	1,290
〃	롯데	360㎖ 새로	〃	-	-	-	-	-	-	-	-	-	-	-	1,290
〃	〃	360㎖ 처음처럼	〃	-	-	-	-	-	-	-	-	-	-	-	1,380
맥 주	하이트진로	500㎖ 하이트 엑스트라콜드	〃	1,550	1,550	1,550	1,550	1,550	1,550	1,550	-	-	-	-	-
〃	OB	500㎖ 카스 후레쉬	〃	1,550	1,550	1,550	1,550	1,550	1,550	1,550	1,550	1,550	1,550	1,550	1,660
막 걸 리	서울장수	750㎖ 장수 생막걸리	〃	1,680	1,680	1,680	1,680	1,680	1,680	-	-	1,680	1,680	1,680	-

일용품

(단위 : 원)

품 명	메이커	규 격	단위	대구											
				2022년 11월	12월	2023년 1월	2월	3월	4월	5월	6월	7월	8월	9월	10월
◈일용품															
▶주방용품															
주방세제	라이온	(450㎖) 참그린	개	3,990	3,490	3,990	3,990	3,990	3,990	3,990	3,990	3,990	3,990	3,990	3,990
〃	헨켈	(750㎖)프릴 베이킹소다 퓨어레몬	〃	8,900	8,900	8,900	8,900	8,900	8,900	8,900	-	-	-	-	-
〃	LG	(490㎖) 자연퐁 POP 솔잎	〃	4,900	5,300	5,300	5,300	5,300	5,300	5,300	5,300	5,300	5,300	5,300	5,300
키친타올	유한	크리넥스 150매×6	〃	6,880	7,700	8,600	7,700	6,880	6,880	6,880	6,880	6,880	7,400	8,600	8,600
행 주	〃	스카트 항균 블루 행주타올 45매×4	〃	13,400	-	-	-	-	-	-	-	-	-	-	-
냅 킨	〃	크리넥스 카카오 홈냅킨 130매×6	〃	12,100	-	12,100	12,100	12,100	12,100	12,100	12,100	12,100	12,100	12,100	12,100
호 일	대한	대한웰빙호일 25㎝×30m×15μ	〃	6,280	6,280	5,020	6,280	5,020	6,280	6,280	6,280	6,280	6,280	6,280	6,280
〃	크린랩	(30매) 크린 종이호일 26.7㎝	〃	3,520	3,520	3,520	3,520	3,520	3,520	3,520	3,520	3,520	3,520	3,520	3,520
〃	〃	크린 종이호일 30㎝×20m	〃	5,280	5,280	5,280	5,280	5,280	5,280	5,280	5,280	5,280	5,280	5,280	5,280
랩	〃	크린랩 22㎝×100m	〃	6,280	8,980	8,980	8,980	7,980	8,980	6,280	6,280	8,980	6,280	8,980	8,980
위생봉지	〃	(200매입)크린롤백 30㎝×40㎝	〃	7,280	7,280	7,280	7,280	7,280	7,280	7,280	7,280	7,280	7,280	7,280	7,280
고무장갑	〃	(2개입) 크린랩고무장갑(중)	〃	5,880	5,880	5,880	5,880	5,880	5,880	5,880	5,880	5,880	5,880	5,880	5,880
위생장갑	〃	(100매) 크린장갑	〃	4,590	4,590	4,590	4,590	4,590	3,210	4,380	4,590	4,590	4,590	4,590	4,590
종 이 컵	-	(250매) 일회용 물컵	〃	1,780	1,780	1,780	1,780	1,780	1,780	1,780	1,780	1,780	-	1,780	1,780
〃	-	(50개입) 고급 종이컵	〃	1,350	1,350	1,350	1,350	1,350	1,380	1,350	1,350	1,350	1,350	1,350	1,350
▶욕실용품															
세숫비누	LG	(140g×3개) 알뜨랑	〃	5,900	5,900	6,900	6,900	6,900	6,900	6,900	6,900	6,900	6,900	6,900	6,900
〃	유니레버	(90g×4개) 도브 비누 뷰티바	〃	7,900	7,900	7,900	7,900	7,900	7,900	7,900	7,900	7,900	7,900	7,900	7,900
손세정제	라이온	(250㎖) 아이 깨끗해 거품형	〃	6,500	6,500	6,500	6,500	6,170	6,900	6,550	6,900	6,900	6,900	3,450	6,900
〃	유니레버	(240㎖)도브 포밍핸드워시 딥모이스처	〃	-	-	5,900	4,130	5,900	4,090	5,900	5,900	5,900	5,900	5,900	5,900
샴 푸	LG	(680㎖) 엘라스틴 모이스처 샴푸	〃	12,900	12,900	12,900	12,900	12,900	12,900	12,900	12,900	12,900	12,900	11,900	12,900
〃	애경	(1,000㎖) 케라시스 퍼퓸 샴푸	〃	6,450	9,900	12,900	12,900	12,900	12,900	5,800	12,900	12,900	12,900	12,900	12,900
〃	한국피앤지	(1,200㎖) 팬틴 모이스쳐 샴푸	〃	9,900	13,100	13,100	10,900	13,100	10,870	13,100	13,100	10,870	10,870	13,100	13,100
칫 솔	〃	(3개입) 오랄비 칫솔	〃	11,900	12,900	11,900	12,900	11,900	12,900	11,900	12,900	11,900	11,900	5,950	11,900
〃	LG	(4개입) 페리오 센서티브 초극세모	〃	9,900	9,900	11,900	11,900	11,900	11,900	11,900	10,900	11,900	11,900	11,900	11,900
〃	아모레	(4개입) 메디안 치석케어 칫솔	〃	-	-	-	-	-	-	-	-	-	-	-	-
치 약	애경	(130g×3개) 2080 시그니처 토탈블루	〃	8,900	8,900	8,900	8,900	4,900	8,900	4,000	8,900	8,900	8,900	8,900	7,800
〃	LG	(120g×8개) 페리오 치석케어 치약	〃	-	-	-	-	-	-	-	-	-	-	-	-
〃	〃	(120g×3개) 페리오 토탈7 오리지널	〃	8,900	11,900	5,950	12,900	12,900	12,900	6,450	12,900	12,900	12,900	12,900	12,900
〃	〃	(120g×3개) 죽염 오리지날	〃	9,900	11,900	13,900	13,900	13,900	11,950	13,900	11,900	11,900	13,900	13,900	13,900
화 장 지	유한	크리넥스 3겹 순수소프트 30m×30롤	〃	24,900	24,900	24,900	24,900	31,800	31,800	31,800	31,800	31,800	31,800	31,800	31,800
〃	쌍용	코디 순한 3겹데코 30m×30롤	〃	14,500	18,900	18,900	16,900	16,900	31,800	22,900	22,900	16,900	16,900	16,900	22,900
▶방향제															
에 어 윅	LG	(440㎖) AURA 해피브리즈 방향제(라벤더)	〃	8,900	9,800	9,800	9,800	9,800	9,800	9,800	9,800	9,800	9,800	9,800	-
페브리즈	한국피앤지	(275㎖) 에어공기 탈취제	〃	5,900	5,900	5,900	5,900	5,900	5,900	5,900	5,900	5,900	5,900	5,900	5,900
방 충 제	헨켈	(24개입) 컴배트 좀벌레싹 서랍장용	〃	10,900	10,900	10,900	10,900	10,900	11,400	11,400	11,400	11,400	11,400	11,400	11,400
〃	〃	(6개입) 컴배트 좀벌레싹 옷장용	〃	11,500	11,500	11,500	11,500	11,500	12,100	12,100	12,100	12,100	12,100	12,100	12,100
〃	〃	(12개입) 컴배트 좀벌레싹 콤보	〃	11,500	11,500	11,500	11,500	11,500	12,100	12,100	12,100	12,100	12,100	12,100	12,100
▶세탁용품															
세탁비누	무궁화	(230g×4) 세탁비누	〃	5,490	5,490	5,490	5,490	5,490	5,490	5,490	5,490	5,490	5,490	5,490	5,490
〃	〃	(230g×4) 살균비누	〃	7,900	7,900	7,900	7,900	7,900	7,900	7,900	7,900	7,900	7,900	7,900	7,900
락 스	유한	(3.5ℓ) 유한락스	〃	6,260	6,260	6,260	6,260	6,260	6,260	6,260	6,260	6,970	6,970	6,970	6,970
합성세제	피죤	(3ℓ)액츠 퍼펙트 액체세제	〃	12,900	9,900	7,900	13,900	8,900	13,900	15,900	16,900	15,900	16,900	16,900	16,900
〃	LG	(3ℓ) 테크 액체세제	〃	19,900	21,900	21,900	21,900	17,900	10,950	19,900	21,900	19,900	21,900	21,900	21,900
〃	〃	(2.7ℓ) FiJi 컬러젤	〃	14,900	15,900	31,800	31,800	31,800	31,800	31,800	31,800	31,800	31,800	-	-
〃	애경	(6kg) 스파크	〃	10,900	13,900	13,900	13,900	13,900	13,900	13,900	11,900	11,900	11,900	11,900	11,900
섬유유연제	피죤	(2.1ℓ) 피죤 블루 비앙카	〃	-	-	3,500	3,500	2,700	3,500	3,500	3,500	3,500	3,500	3,500	3,500
〃	한국피앤지	(2ℓ) 다우니 초고농축 퍼플	〃	11,000	10,800	12,700	14,800	11,800	14,800	12,500	14,800	14,800	14,800	10,360	16,200
〃	LG	(3ℓ) 샤프란 로맨틱 코튼	〃	4,250	4,850	4,450	4,450	4,450	4,450	4,850	3,880	4,850	4,450	4,850	4,850
▶세척제															
Mr.홈스타	LG	900㎖	〃	6,900	8,900	8,900	8,900	7,900	8,900	8,900	4,450	8,900	8,900	4,450	8,900
홈스타변기세정제	〃	40g×4개	〃	3,900	4,290	4,290	4,290	4,290	4,290	4,290	4,290	4,290	4,290	4,290	4,290
유한락스	유한	(900㎖) 곰팡이제거제×2개	〃	9,900	9,900	9,900	9,900	7,900	9,900	9,900	9,900	10,900	8,380	8,380	8,380
펑 크 린	〃	1.5ℓ	〃	3,100	3,100	3,100	3,100	3,100	3,100	3,100	3,100	3,760	3,760	3,760	3,760
무균무때	피죤	900㎖	〃	7,900	7,900	7,900	7,900	7,900	6,900	8,900	3,560	8,900	8,900	4,000	8,900
비트찌든때제거	라이온	500㎖	〃	7,900	7,900	7,900	7,900	7,900	8,900	8,900	8,900	8,900	8,900	8,900	8,900
▶살충제															
에프킬라믹스베이트	한국존슨	바퀴살충제10개입	〃	10,900	10,900	10,900	10,900	10,900	10,900	10,900	9,500	9,500	9,500	9,500	9,500
컴배트에어졸	헨켈	(500㎖) 스피드	〃	7,500	7,500	5,900	5,900	5,900	6,200	6,200	6,200	6,200	6,200	6,200	6,200
홈매트리퀴드	〃	훈증기+29㎖ 45일×3	〃	23,900	23,900	23,900	23,900	23,900	25,200	25,200	25,200	25,200	25,200	25,200	25,200
홈 키 파	〃	(500㎖) 수성 에어졸	〃	6,500	6,500	6,500	6,500	6,500	7,200	7,200	7,200	7,200	7,200	7,200	7,200
▶기타															
면 도 기	한국피앤지	질레트 마하3	〃	8,500	8,500	8,500	8,500	8,500	8,500	8,500	8,500	8,500	8,500	8,500	8,500
쉐이빙폼	니베아	(200㎖) 포맨 센서티브	〃	5,900	5,900	5,900	5,900	6,500	6,500	6,500	6,500	6,500	6,500	6,500	6,500
부탄가스	썬연료	4입	〃	6,790	6,790	5,430	6,790	5,430	5,430	5,430	5,430	6,790	6,790	6,790	6,790
습기제거제	LG	홈스타 제습혁명 8P	〃	-	-	-	-	-	-	-	-	-	-	-	-

조미료

(단위 : 원)

품명	메이커	규격	단위	광주											
				2022년 11월	12월	2023년 1월	2월	3월	4월	5월	6월	7월	8월	9월	10월
◈조미료															
고춧가루	-	(1kg) 태양초	개	38,900	34,900	33,600	33,600	33,600	-	33,600	33,600	33,600	33,900	33,900	33,900
고추장	대상	(1kg) 청정원순창 우리쌀찰고추장	〃	16,830	16,830	16,830	16,830	16,830	8,410	16,830	16,830	19,000	19,000	19,000	19,000
〃	CJ	(1kg) 해찬들 태양초골드	〃	18,300	18,300	18,300	18,300	-	-	19,200	19,200	19,200	17,900	17,900	17,900
된장	대상	(1kg) 청정원 순창	〃	8,190	8,190	8,190	8,190	8,190	4,910	8,190	8,190	9,100	9,100	9,100	9,100
〃	CJ	(1kg) 해찬들 재래식	〃	8,100	8,100	8,990	8,990	8,990	8,990	8,990	8,990	8,990	8,990	8,990	8,990
쌈장	대상	(500g) 청정원순창양념듬뿍쌈장	〃	4,860	4,860	4,860	4,860	4,860	4,860	4,860	2,430	5,400	5,400	5,400	5,400
〃	CJ	(500g) 해찬들 사계절쌈장	〃	4,900	4,900	5,190	5,190	5,190	2,590	5,190	5,190	5,190	5,190	5,190	5,190
양조간장	샘표	(860㎖) 양조간장501	〃	7,900	7,900	7,900	7,900	7,900	7,900	7,900	7,900	7,900	7,900	7,900	7,900
〃	대상	(840㎖) 햇살담은 씨간장숙성 양조간장	〃	-	-	7,480	7,480	-	-	7,480	7,480	7,480	7,480	7,480	7,480
진간장	〃	(840㎖) 햇살담은 진간장 골드	〃	4,770	4,770	5,680	5,680	5,680	5,680	5,680	5,680	5,680	5,680	5,680	5,680
〃	샘표	(860㎖) 금F-3	〃	6,100	6,100	6,100	6,100	6,100	6,100	6,100	6,100	6,100	6,100	6,100	6,100
설탕	CJ	(1kg) 백설 백설탕	〃	1,980	1,980	1,980	1,980	1,980	1,980	1,980	1,980	1,980	-	-	-
〃	〃	(1kg) 백설 갈색설탕	〃	2,480	2,480	2,480	2,480	2,480	2,480	2,480	2,480	2,480	-	-	-
〃	〃	(1kg) 백설 흑설탕	〃	-	-	-	-	-	-	-	-	2,580	-	-	-
〃	삼양	(1kg) 큐원 백설탕	〃	1,950	1,950	1,950	1,950	1,950	1,950	1,950	1,950	1,950	1,950	2,350	2,350
〃	〃	(1kg) 큐원 갈색설탕	〃	2,450	2,450	2,450	2,450	2,450	2,450	2,450	2,450	2,450	2,450	2,850	2,850
〃	〃	(1kg) 큐원 흑설탕	〃	2,550	2,550	2,550	2,550	2,550	2,550	2,550	2,550	2,550	2,550	2,950	2,950
소금	대상	(500g) 미원 맛소금	〃	2,540	2,540	-	-	-	2,540	2,540	2,540	-	-	-	-
〃	〃	(500g) 청정원 천일염구운소금	〃	5,250	5,250	5,250	5,250	5,250	5,250	5,250	5,250	-	-	-	-
〃	사조대림	(1kg) 해표 꽃소금	〃	-	-	-	1,390	1,890	1,890	1,890	1,890	-	-	-	-
〃	대상	(1kg) 미원 맛소금	〃	4,180	4,180	4,180	4,180	4,180	4,180	4,180	4,180	4,180	-	4,180	4,180
〃	CJ	(400g) 백설 구운 천일염	〃	-	-	-	-	-	-	-	-	-	-	-	-
미원	대상	(500g) 발효 미원	〃	12,090	12,090	-	-	13,900	13,900	13,900	13,900	13,900	-	-	-
물엿	〃	(1.2kg) 청정원	〃	-	-	-	-	-	-	-	-	4,380	-	-	-
〃	오뚜기	(1.2kg) 옛날 물엿	〃	4,680	4,680	4,680	4,680	4,680	5,190	5,190	5,190	4,680	4,680	4,680	4,680
올리고당	CJ	(1.2kg) 백설 요리올리고당	〃	5,980	5,980	5,980	5,980	5,980	6,590	6,590	4,480	5,980	-	-	-
〃	대상	(1.2kg) 청정원 요리올리고당	〃	5,980	5,980	5,980	5,980	5,980	5,980	5,980	5,980	5,980	5,980	5,980	5,980
케찹	오뚜기	(500g) 토마토케찹	〃	2,880	2,880	2,880	2,880	3,180	3,180	3,180	3,180	3,180	3,180	3,180	3,180
〃	대상	(410g) 청정원 우리아이케찹	〃	2,700	2,700	3,000	3,000	3,000	3,000	3,000	3,000	3,000	3,000	3,000	3,000
마요네즈	오뚜기	(800g) 골드	〃	7,880	7,880	7,880	7,880	8,680	8,680	8,680	8,680	8,680	8,680	8,680	8,680
〃	대상	(800g) 청정원 고소한마요네즈	〃	6,800	6,800	-	7,900	7,900	7,900	7,900	7,900	7,900	-	-	-
마아가린	오뚜기	(200g) 옥수수 마아가린	〃	2,290	2,290	2,290	2,290	2,290	2,290	2,290	2,290	2,290	2,290	2,290	2,290
식초	〃	(900㎖) 사과식초	〃	2,600	2,600	2,600	2,600	2,880	3,190	3,190	2,880	2,880	2,880	2,880	2,880
〃	대상	(900㎖) 청정원 사과식초	〃	2,600	2,600	-	-	2,600	2,600	2,600	2,600	2,880	2,880	2,880	2,880
〃	〃	(900㎖) 청정원 현미식초	〃	-	-	-	-	2,600	2,600	2,600	2,600	2,600	2,600	2,600	2,600
〃	오뚜기	(900㎖) 현미식초	〃	2,400	2,400	2,400	2,400	2,680	2,680	2,680	2,680	2,680	2,680	2,680	2,680
식용유	사조대림	(900㎖) 해표 식용유	〃	5,200	5,200	-	5,200	5,200	5,200	5,200	5,200	5,200	5,200	5,200	5,200
〃	CJ	(900㎖) 백설 식용유	〃	5,100	5,180	-	-	5,180	5,180	5,180	5,180	5,180	5,180	-	-
〃	〃	(900㎖) 백설 카놀라유	〃	7,600	9,500	7,600	9,500	9,500	9,500	9,500	9,500	9,500	9,500	9,500	9,500
〃	〃	(900㎖) 백설 포도씨유	〃	16,000	16,000	12,800	12,800	16,000	11,000	16,000	16,000	16,000	16,000	16,000	16,000
〃	〃	(900㎖) 백설 올리브유	〃	18,000	18,000	11,700	18,000	18,000	9,000	18,000	9,000	18,000	-	19,800	19,800
참기름	〃	(320㎖) 백설 진한 참기름	〃	7,100	7,100	4,260	8,500	8,500	8,500	8,500	8,500	8,500	8,500	8,500	8,500
〃	〃	(300㎖) 백설 고소함가득참기름	〃	7,400	8,800	8,800	8,880	8,880	8,880	8,880	8,880	8,880	-	-	-
〃	오뚜기	(320㎖) 고소한 참기름	〃	9,600	9,600	9,600	9,600	10,600	11,690	11,690	11,690	10,600	10,600	10,600	10,600
〃	〃	(320㎖) 옛날 참기름	〃	7,690	7,690	-	7,690	9,590	9,590	9,590	9,590	9,590	9,590	-	-
고추씨기름	〃	(80㎖) 옛날 고추맛기름	〃	2,180	2,180	2,180	2,180	2,180	2,180	2,180	2,180	2,180	2,180	2,180	2,180
멸치액젓	CJ	(800g) 658㎖ 하선정	〃	4,750	4,750	5,280	5,280	5,280	5,280	5,280	5,280	5,280	5,280	5,280	5,280
〃	대상	(750g) 626㎖ 청정원 남해안 멸치액젓	〃	-	-	-	-	-	-	-	-	3,960	-	-	-
까나리액젓	〃	(750g) 622㎖ 청정원 서해안 까나리액젓	〃	4,500	4,500	5,000	5,000	5,000	5,000	5,000	5,000	5,000	5,000	5,000	5,000
〃	CJ	(800g) 658㎖ 하선정 서해안 까나리액젓	〃	4,750	4,750	5,280	5,280	5,280	5,280	5,280	5,280	5,280	5,280	5,280	5,280
조미료	〃	(500g) 백설 쇠고기 다시다	〃	11,750	11,750	11,750	11,750	-	12,850	12,850	12,850	12,850	12,850	12,850	12,850
〃	〃	(500g) 백설 멸치 다시다	〃	10,370	10,370	-	-	-	11,300	11,300	11,300	11,300	-	-	-
〃	대상	(300g) 쇠고기 감치미	〃	-	-	-	6,690	6,690	6,690	6,690	6,690	7,160	7,160	7,160	-
〃	〃	(300g) 한우 감치미	〃	-	-	-	8,560	-	-	-	-	8,800	-	-	-
후추	오뚜기	(100g) 순후추	〃	5,390	5,390	5,390	5,390	6,180	6,180	6,180	6,180	6,180	6,180	6,180	6,180
〃	대상	(50g) 청정원 순후추	〃	3,340	3,340	3,340	3,340	3,340	3,340	3,340	3,340	3,680	3,680	3,680	3,680
와사비	오뚜기	(43g) 생와사비	〃	4,150	4,150	4,150	4,150	4,150	4,150	4,150	4,150	4,150	4,150	4,150	4,150
〃	〃	(100g) 연와사비	〃	-	-	-	4,150	4,150	4,150	4,150	4,150	4,150	4,150	4,150	4,150
겨자	〃	(100g) 연겨자	〃	4,090	4,090	4,090	4,090	4,090	1,090	4,090	4,090	4,090	4,090	4,090	4,090
〃	대상	(95g) 청정원 연겨자	〃	3,190	3,190	3,190	3,190	3,190	3,190	3,190	3,190	3,190	3,190	3,190	3,190
요리주	롯데	(900㎖) 미림	〃	3,690	3,690	3,690	3,690	3,690	3,690	3,690	3,690	3,670	3,670	3,670	3,670
〃	오뚜기	(900㎖) 미향	〃	3,890	3,890	3,890	3,890	4,180	4,180	4,180	4,180	4,180	4,180	4,180	4,180
〃	CJ	(800㎖) 백설 맛술 로즈마리	〃	3,650	3,650	3,480	3,980	3,980	3,980	3,980	3,980	3,980	3,980	3,980	3,980

김치류 · 수산품 · 낙농물

(단위 : 원)

품명	메이커	규격	단위	광주											
				2022년 11월	12월	2023년 1월	2월	3월	4월	5월	6월	7월	8월	9월	10월
◈김치류															
하선정 포기김치	CJ	3kg	봉	–	–	–	22,900	19,990	22,900	–	–	–	–	–	–
비비고 포기배추김치	〃	3.3kg	〃	–	34,800	33,800	33,800	34,800	33,800	33,800	33,800	–	–	–	–
종가집 포기김치	대상	〃	〃	33,800	33,800	33,800	33,800	33,800	33,800	33,800	33,800	33,800	33,800	33,800	33,800
비비고 총각김치	CJ	1.5kg	〃	–	–	–	–	–	–	–	–	–	–	–	18,500
종가집 총각김치	대상	〃	〃	–	–	–	–	–	–	–	–	–	–	–	–
◈수산물															
生연어(횟감용)	노르웨이	100g	팩	4,990	4,990	4,950	4,950	5,000	5,500	4,400	5,650	5,500	5,500	5,000	5,000
生연어(구이용)	〃	〃	〃	–	–	–	4,950	5,000	5,000	4,000	5,000	6,000	5,000	4,500	4,500
부산간고등어	국산	1마리(대)	〃	9,480	–	3,000	–	4,500	7,500	4,800	4,800	3,850	5,500	5,500	5,500
제주생물갈치	〃	〃	〃	–	–	12,600	–	9,900	9,240	5,280	5,280	5,280	12,000	13,200	13,200
◈수산가공품															
명가 직화구이김	CJ	4.5g×20봉	봉	6,490	6,490	6,490	6,490	9,990	6,490	6,490	6,490	6,490	–	–	–
대 천 김	대천김	5g×20봉	〃	5,690	5,990	5,990	5,990	5,690	6,490	6,990	5,990	6,990	9,990	9,990	9,990
광 천 김	해달음	4g×20봉	〃	8,990	7,990	8,990	8,990	7,990	8,990	8,990	8,990	9,490	9,490	9,490	9,490
옛날미역	오뚜기	100g	〃	3,840	5,490	2,740	3,290	5,490	5,490	4,390	6,490	6,490	6,490	6,490	6,490
◈낙농물															
쇠 고 기	국산(한우)	정육(등심)상등급	100g	15,590	14,990	15,920	11,670	7,290	8,990	13,590	6,690	9,790	11,990	12,590	17,590
〃	〃	정육(양지)상등급	〃	6,870	8,730	10,820	7,570	5,410	5,410	10,820	5,410	6,930	9,910	9,910	9,990
돼지고기	국산	정육(삼겹살)상등급	〃	2,390	1,990	2,240	–	2,590	2,690	3,950	2,590	2,560	2,890	2,890	2,690
〃	〃	정육(목살)상등급	〃	2,190	1,990	2,240	–	2,590	2,690	3,860	2,590	2,560	2,890	2,890	2,690
닭 고 기	〃	육계	1kg	6,790	8,490	8,490	8,490	6,790	5,940	8,490	8,990	6,290	8,990	8,990	8,990
계 란	CJ	신선한 목초란	15구	–	–	–	–	–	6,990	7,990	–	–	–	–	–
우 유	서울우유	흰 우유(나 100%)	1ℓ	2,710	2,890	2,890	2,890	2,890	2,890	2,890	2,890	2,890	2,890	2,890	2,980
〃	〃	목장의 신선함이 살아있는 우유	〃	3,230	3,450	3,400	3,400	3,400	3,400	3,400	3,400	3,400	3,400	3,490	3,650
〃	남양유업	맛있는 우유 GT	900mℓ	2,650	2,890	2,890	2,780	2,890	2,890	2,890	2,890	2,890	2,890	2,890	2,980
〃	매일유업	매일우유 오리지널	〃	2,610	2,700	2,850	2,850	2,850	2,890	2,890	2,890	2,890	2,890	2,890	2,970
〃	동원	덴마크 대니쉬 the건강한 우유	〃	2,380	2,780	2,680	–	–	–	–	–	–	–	–	–
〃	빙그레	바나나맛 우유 240mℓ×4	묶음	4,900	5,500	5,480	5,480	5,480	5,480	5,480	5,480	5,480	5,480	5,480	5,800
〃	서울우유	서울 요구르트 65mℓ×20	〃	1,980	2,950	2,950	2,950	2,950	2,950	2,950	2,950	2,950	2,950	2,990	3,100
〃	남양유업	남양 요구르트 65mℓ×20	〃	2,980	2,980	2,980	2,980	2,980	2,990	2,990	2,990	2,990	2,990	2,990	3,100
〃	HY	HY야쿠르트 오리지널 65mℓ×20	〃	4,400	4,400	4,880	4,400	4,400	4,400	4,400	4,400	4,400	4,400	4,400	4,400
버 터	서울우유	무가염 버터	450g	10,160	11,000	11,000	11,000	11,000	–	11,000	11,000	11,000	11,000	11,000	11,000
〃	파스퇴르	프리미엄 홈버터	〃	9,490	9,490	9,490	–	9,490	9,990	9,990	9,990	9,990	9,990	9,990	9,990
치 즈	서울우유	어린이치즈 앙팡(15매입)	개	–	–	–	–	–	–	–	–	–	–	–	–
〃	〃	체다치즈(20매입)	〃	8,980	8,980	8,980	8,980	8,980	8,990	8,990	8,990	8,990	8,990	8,990	8,990
〃	매일유업	뼈로가는 칼슘치즈(15매입)	〃	8,800	8,800	6,180	8,780	8,800	8,800	8,800	8,800	9,990	9,990	9,990	9,990
〃	〃	더블업 체다치즈	360g	6,160	6,160	5,590	–	–	8,800	8,800	8,800	9,990	–	9,990	9,990
햄	목우촌	주부9단 살코기햄	1kg	12,990	12,990	12,990	12,990	12,990	12,990	12,990	10,990	12,990	13,490	12,490	10,490
〃	〃	주부9단 불고기햄	300g	–	–	–	7,000	7,000	7,000	–	–	–	–	–	–
조제분유	남양유업	남양분유 임페리얼 XO1	800g	21,160	24,900	24,900	27,800	27,900	27,800	27,800	27,800	27,800	27,800	27,800	27,800
〃	〃	남양분유 임페리얼 XO2	〃	21,160	24,900	24,900	25,800	25,800	25,800	25,800	25,800	25,800	25,800	25,800	25,800
〃	〃	남양분유 임페리얼 XO3	〃	17,760	20,900	20,900	25,800	25,800	25,800	25,800	25,800	25,800	25,800	25,800	25,800
〃	〃	남양분유 임페리얼 XO4	〃	17,760	20,900	20,900	–	–	–	–	–	–	–	–	–
〃	매일유업	앱솔루트 센서티브 1단계	900g	28,910	36,140	36,140	36,140	36,140	36,140	36,140	36,140	36,140	36,140	36,140	36,140
〃	〃	앱솔루트 센서티브 2단계	〃	28,910	36,140	36,140	36,140	36,140	36,140	36,140	36,140	36,140	36,140	36,140	36,140
〃	〃	앱솔루트 센서티브 3단계	〃	28,910	36,140	36,140	36,140	36,140	36,140	36,140	36,140	36,140	36,140	36,140	36,140
〃	〃	앱솔루트 센서티브 4단계	〃	28,910	36,140	36,140	36,140	36,140	36,140	36,140	36,140	36,140	36,140	36,140	36,140
〃	남양유업	아이엠마더 1단계	800g	27,370	32,200	32,200	38,800	38,800	38,800	38,800	38,800	38,800	38,800	38,800	38,800
〃	〃	아이엠마더 2단계	〃	27,370	32,200	32,200	36,800	36,800	36,800	36,800	36,800	36,800	36,800	36,800	36,800
〃	〃	아이엠마더 3단계	〃	25,410	28,800	29,900	36,800	36,800	36,800	36,800	36,800	36,800	36,800	36,800	36,800
〃	〃	아이엠마더 4단계	〃	25,410	28,800	29,900	–	–	–	–	–	–	–	–	–
영유아식	〃	임페리얼 XO 닥터	300g	–	–	–	–	–	–	–	–	–	–	–	–
〃	매일유업	앱솔루트(아기설사)	400g	–	–	–	–	–	–	–	–	–	–	–	–

인스턴트식품

(단위 : 원)

품명	메이커	규격	단위	광주											
				2022년 11월	12월	2023년 1월	2월	3월	4월	5월	6월	7월	8월	9월	10월
◈스낵류															
새 우 깡	농심	90g	봉	1,180	1,180	1,180	1,180	1,180	1,180	1,180	1,180	1,100	1,100	1,100	1,100
감 자 깡	〃	75g	〃	1,360	1,360	1,360	1,360	1,360	1,360	1,360	1,360	1,360	1,360	1,360	1,360
오징어집	〃	78g	〃	1,360	1,360	1,360	1,360	1,360	1,360	1,360	1,360	1,360	1,360	1,360	1,360
고구마깡	〃	83g	〃	1,360	1,360	1,360	1,360	1,360	1,360	1,360	1,360	1,360	1,360	1,360	1,360
양 파 깡	〃	〃	〃	1,360	1,360	1,360	1,360	1,360	1,360	1,360	1,360	1,360	1,360	1,360	1,360
양 파 링	〃	80g	〃	1,360	1,360	1,360	1,360	1,360	1,360	1,360	1,360	1,360	1,360	1,360	1,360
포 스 틱	〃	〃	〃	1,360	1,360	1,360	1,360	1,360	1,360	1,360	1,360	1,360	1,360	1,360	1,360
꿀꽈배기	〃	90g	〃	1,360	1,360	1,360	1,360	1,360	1,360	1,360	1,360	1,360	1,360	1,360	1,360
조청유과	〃	96g	〃	1,360	1,360	1,360	1,360	1,360	1,360	1,360	1,360	1,360	1,360	1,360	1,360
바나나킥	〃	145g	〃	2,580	2,680	-	2,580	-	-	-	-	-	1,360	1,360	-
콘 칩	크라운	140g	〃	2,390	2,390	2,390	2,390	2,390	2,390	2,390	2,390	2,390	2,390	1,990	2,390
오 감 자	오리온	115g	〃	2,030	2,390	2,390	2,390	2,390	2,390	2,390	2,390	2,390	2,390	2,390	2,390
포 카 칩	〃	66g	〃	1,360	1,360	-	1,360	-	1,360	-	-	1,360	1,360	1,360	1,360
스 윙 칩	〃	60g	〃	2,720	1,360	-	1,360	-	1,360	-	-	1,360	1,360	1,360	1,360
오징어땅콩	〃	202g	〃	2,390	2,390	2,390	2,390	2,390	2,390	2,390	2,390	2,150	2,390	2,390	2,390
맛 동 산	〃	300g	〃	3,510	4,390	3,510	3,510	4,390	4,390	4,390	3,950	3,950	4,390	4,390	4,390
꼬 깔 콘	〃	52g 고소한맛	〃	1,190	1,000	1,000	1,000	1,000	1,000	1,000	1,000	1,000	1,000	1,360	1,000
짱 구	삼양	272g	〃	2,280	2,880	-	-	-	-	-	-	-	-	-	-
죠 리 퐁	〃	74g	〃	1,190	1,000	1,000	1,190	1,190	1,190	1,190	1,000	1,000	1,000	1,000	1,000
야채타임	빙그레	70g	〃	1,190	1,000	1,000	-	-	-	1,360	1,360	1,360	1,350	1,350	1,350
도도한나쵸	오리온	92g 치즈맛	〃	1,190	1,000	-	-	-	1,000	1,000	1,190	1,190	1,190	1,190	1,190
꼬 북 칩	〃	64g 콘스프맛	〃	-	-	-	-	-	-	-	-	-	-	-	1,000
치 토 스	롯데	64g 매콤달콤한맛	〃	1,190	1,000	1,000	1,000	1,360	1,360	-	-	-	-	-	1,000
도리토스	〃	84g 나쵸치즈맛	〃	1,190	1,000	1,000	1,000	1,000	1,360	1,360	1,360	1,360	1,360	1,360	1,360
자 갈 치	농심	174g	〃	-	-	-	-	-	-	-	-	-	-	-	2,580
인디안밥	〃	83g	〃	-	-	-	-	-	-	-	-	-	-	-	1,360
벌집핏자	〃	90g	〃	-	-	-	-	-	-	-	-	-	-	-	1,360
허니버터칩	해태	44g	〃	-	-	-	-	-	-	-	-	-	-	-	1,000
카라멜콘과땅콩	크라운	72g	〃	-	-	-	-	-	-	-	-	-	-	-	-
꽃 게 랑	빙그레	143g	〃	-	-	-	-	-	-	-	-	-	-	-	2,800
썬 칩	오리온	66g 핫스파이시맛	〃	-	-	-	-	-	-	-	-	-	-	-	1,000
빼 빼 로	롯데	54g	Box	-	-	-	-	-	-	-	-	-	-	-	1,360
칙 촉	〃	180g	〃	-	-	-	-	-	-	-	-	-	-	-	3,840
칸 쵸	〃	196g	〃	-	-	-	-	-	-	-	-	-	-	-	3,360
버 터 링	해태	238g	〃	-	-	-	-	-	-	-	-	-	-	-	4,700
초코하임	크라운	284g	〃	-	-	-	-	-	-	-	-	-	-	-	4,790
고 래 밥	오리온	160g	〃	-	-	-	-	-	-	-	-	-	-	-	2,290
산 도	롯데	16봉입 딸기크림치즈	〃	3,980	1,900	1,900	-	-	3,980	3,980	3,980	3,980	3,980	3,980	3,980
버터와플	〃	316g	〃	4,380	4,380	4,380	4,380	3,500	4,380	3,500	3,500	3,500	4,380	4,380	4,380
국희땅콩샌드	〃	372g	〃	3,980	3,980	2,980	3,990	3,990	3,990	3,990	3,990	3,990	3,990	3,990	3,990
빅 파 이	〃	324g	〃	3,840	3,840	3,840	3,840	3,840	3,840	3,840	3,070	3,260	3,180	3,180	3,990
후렌치파이	해태	15봉입 딸기	〃	3,990	3,990	3,990	2,990	3,190	3,990	2,990	3,990	3,990	3,990	3,990	3,990
초코파이	오리온	12개입	〃	4,320	4,320	4,320	4,320	4,320	4,320	4,320	4,320	4,320	4,320	4,320	4,320
오 뜨	〃	12봉입 쇼콜라	〃	5,590	5,590	5,590	5,990	5,990	5,990	5,590	5,030	5,030	-	5,990	5,990
빈 츠	롯데	204g	〃	4,480	3,990	3,990	4,480	4,480	4,480	4,480	4,480	4,480	4,480	4,480	4,490
마가렛트	〃	16봉입	〃	4,790	4,790	4,790	4,790	5,290	4,760	5,290	5,290	5,290	5,290	5,290	5,290
아이비크래커	해태	12봉입	〃	2,990	3,590	3,590	3,230	3,590	3,590	3,590	3,230	3,230	3,190	3,590	3,590
몽 쉘	롯데	12개입	〃	4,310	4,790	4,790	4,790	4,790	4,790	4,760	4,760	4,760	5,290	5,290	4,990
카스타드	오리온	〃	〃	4,320	3,450	3,450	4,320	4,320	4,790	3,880	3,880	4,820	4,790	4,790	4,320
후레쉬베리	〃	6개입	〃	2,880	2,880	2,880	-	-	-	-	-	-	-	-	-
초코송이	〃	144g	〃	2,290	2,290	2,290	2,060	2,290	2,290	2,290	2,290	2,290	2,290	1,990	2,290
빠다코코넛	롯데	78g	〃	1,390	3,360	-	1,390	-	-	-	-	-	-	1,000	1,000
에 이 스	〃	364g	〃	3,200	3,200	3,200	3,200	4,000	3,600	3,600	4,000	3,600	3,600	3,590	3,990
쿠크다스	〃	128g	〃	-	2,390	2,390	-	-	2,390	2,390	2,390	2,390	2,390	2,390	2,390
홈 런 볼	〃	46g	봉	1,350	1,360	1,360	1,350	1,390	1,390	1,390	1,390	1,390	1,390	1,390	1,390
양 갱	〃	50g×10 밤맛	〃	5,990	5,990	5,990	-	-	6,000	-	-	-	-	-	-
맛 밤	CJ	60g×4	〃	7,990	6,990	6,990	-	-	-	-	-	7,190	7,190	7,190	7,990

(단위 : 원)

품명	메이커	규격	단위	광주											
				2022년 11월	12월	2023년 1월	2월	3월	4월	5월	6월	7월	8월	9월	10월
◈씨리얼(푸레이크)															
첵스초코	켈로그	570g	봉	7,490	7,490	7,490	7,490	7,490	7,990	7,990	7,990	7,990	7,990	7,990	7,990
스페셜K	〃	480g	〃	7,690	7,690	7,690	8,390	8,390	8,390	8,390	8,390	8,390	8,390	8,390	8,390
콘푸로스트	〃	600g	〃	6,990	6,270	6,270	6,990	4,690	4,690	6,990	6,990	6,990	6,990	6,990	6,990
아몬드푸레이크	〃	〃	〃	8,390	8,390	8,390	9,190	9,190	9,190	9,190	9,190	9,190	9,190	9,190	9,190
그래놀라	〃	400g 리얼 그래놀라	〃	8,890	6,290	8,890	9,690	9,690	9,690	9,690	9,690	9,690	9,690	9,690	9,690
〃	〃	500g 고소한 현미 그래놀라	〃	8,890	8,890	8,890	9,690	9,690	9,690	9,690	9,690	6,990	9,690	9,690	9,190
후루트링	〃	530g	〃	7,990	7,990	7,990	8,690	8,690	8,690	8,690	8,690	5,990	8,690	8,690	8,690
현미푸레이크	〃	550g	〃	8,890	8,890	8,890	9,690	9,690	9,690	9,690	9,690	9,690	9,690	9,690	9,690
콘푸라이트	포스트	600g	〃	6,990	6,990	6,990	6,690	-	4,680	6,690	6,690	5,010	4,680	6,380	6,690
오레오오즈	〃	500g	〃	8,690	8,690	8,690	8,690	8,790	8,970	6,940	8,680	8,680	8,790	8,680	8,680
오곡코코볼	〃	570g	〃	6,790	6,790	6,790	6,790	6,790	6,790	6,790	6,790	5,090	6,790	6,790	6,790
그래놀라	〃	570g 크랜베리 아몬드	〃	8,790	8,370	8,390	8,790	8,790	6,150	6,550	6,590	8,790	8,790	5,720	8,790
〃	〃	500g 블루베리	〃	6,290	9,390	9,790	9,390	9,390	9,390	9,390	9,390	9,390	9,390	6,990	9,390
아몬드후레이크	〃	620g	〃	5,870	8,790	8,790	8,790	8,790	8,790	8,790	8,790	8,790	8,790	8,790	8,790
골든그래놀라	〃	360g 크런치	〃	8,790	8,790	8,790	8,790	8,790	8,790	8,790	8,790	8,790	8,790	8,790	8,790
〃	〃	360g 후르츠	〃	8,790	8,790	8,790	8,790	8,790	5,900	8,790	8,790	8,790	8,790	8,790	8,790
◈면류															
밀가루	대한	1kg 곰표 중력	봉	1,880	1,880	2,050	-	1,880	1,880	1,880	1,880	1,880	-	-	-
〃	CJ	1kg 백설 중력	〃	1,900	1,900	1,900	1,900	1,900	1,900	1,900	1,900	1,900	1,900	1,900	1,900
〃	삼양	1kg 큐원 중력	〃	-	-	-	-	-	1,790	-	-	-	-	-	-
삼양라면	〃	120g×5개	〃	3,840	3,840	3,450	3,840	3,450	3,450	3,450	3,450	3,450	3,680	3,680	3,680
불닭볶음면	〃	140g×5개	〃	5,100	5,100	5,100	4,590	5,100	4,590	5,100	4,590	5,100	5,100	5,100	5,100
맛있는라면	〃	115g×5개	〃	4,980	4,980	4,980	4,280	4,980	4,980	4,980	4,980	4,730	4,730	4,730	4,730
신라면	농심	120g×5개	〃	4,100	4,100	4,100	4,100	4,100	4,100	4,100	4,100	3,900	3,900	3,900	3,900
너구리	〃	〃	〃	4,500	4,500	4,180	4,500	4,180	4,500	4,180	4,180	4,500	4,500	4,500	4,500
오징어짬뽕	〃	124g×5개	〃	4,380	4,380	4,880	4,380	4,480	4,880	4,880	4,880	4,880	4,880	4,880	4,880
사리곰탕면	〃	110g×5개	〃	4,880	4,880	4,880	4,880	4,880	4,880	4,880	4,880	4,880	4,880	4,880	4,480
무파마탕면	〃	122g×4개	〃	4,580	4,580	4,580	4,580	4,580	4,580	4,580	4,580	4,580	4,580	4,580	4,580
안성탕면	〃	125g×5개	〃	3,700	3,700	3,700	3,380	3,700	3,700	3,700	3,700	3,700	3,700	3,700	3,380
짜파게티	〃	140g×5개	〃	4,380	4,380	4,480	4,880	4,480	4,880	4,480	4,480	4,880	4,480	4,480	4,480
감자면	〃	117g×5개	〃	5,680	5,680	5,680	5,680	5,680	5,680	5,680	5,680	5,680	5,680	5,680	5,680
생생우동	〃	276g×4개	〃	7,680	7,680	8,400	-	-	8,400	8,400	8,400	8,400	8,400	8,400	8,400
사발면	〃	114g 신라면 큰사발	개	1,160	1,160	1,160	1,160	1,160	1,160	1,660	1,160	1,160	1,160	1,160	1,160
〃	〃	115g 새우탕 큰사발	〃	1,160	1,160	1,160	1,160	1,160	1,160	1,660	1,160	1,160	1,160	1,160	1,160
〃	〃	110g 육개장 큰사발	〃	1,000	1,160	1,160	1,160	1,160	1,160	1,660	1,160	1,160	1,160	1,160	1,160
컵누들	오뚜기	37.8g 매콤한맛	〃	-	-	-	-	-	-	-	-	-	-	-	1,380
열라면	〃	120g×5개	봉	3,580	3,580	3,580	3,580	3,580	3,580	3,580	3,580	3,580	3,580	3,580	3,580
진라면	〃	〃	〃	3,580	3,580	3,580	3,580	3,580	3,580	3,580	3,580	3,580	3,580	3,580	3,580
진짬뽕	〃	130g×4개	〃	5,480	5,480	5,480	6,480	6,480	5,180	6,480	6,480	6,180	6,180	6,180	5,490
참깨라면	〃	115g×4개	〃	4,680	4,680	4,680	4,680	4,680	3,790	4,680	4,680	4,680	4,480	4,480	4,480
스낵면	〃	108g×5개	〃	3,380	3,380	3,380	3,380	2,500	2,700	3,380	3,000	2,500	2,500	2,500	3,180
라면사리	〃	110g×5개	〃	-	-	-	-	-	-	-	-	-	-	-	1,750
옛날자른당면	〃	300g	〃	3,980	3,980	3,980	-	-	-	4,780	4,780	4,780	4,780	4,780	4,780
옛날국수(소면)	〃	900g	〃	3,550	3,550	3,550	-	-	3,550	3,550	3,550	3,550	3,550	-	-
팔도비빔면	팔도	130g×4개	〃	3,700	3,330	3,330	3,330	3,180	2,980	3,700	2,880	-	2,980	2,980	3,700
틈새라면	〃	120g×5개	〃	4,840	4,840	3,980	4,840	4,840	4,840	4,840	4,080	4,840	4,840	4,840	4,390
육개장칼국수	풀무원	120.9g×4개	〃	-	-	-	3,980	3,980	3,980	5,450	5,450	5,450	5,450	5,450	5,450
냉면	청수	540g 물냉면	〃	-	-	-	4,090	4,090	4,090	4,090	4,090	4,790	4,790	4,790	4,790
〃	〃	540g 비빔냉면	〃	-	-	-	4,090	4,090	4,090	4,090	4,090	4,790	4,790	4,790	4,790
◈즉석밥															
둥근햇반실속	CJ	210g×8개	Set	10,900	10,900	10,900	10,900	10,900	10,900	10,900	10,900	10,900	8,990	9,480	10,900
맛있는밥	오뚜기	210g×10개	〃	9,980	10,480	12,470	9,970	9,970	9,970	9,980	9,980	9,670	9,580	11,980	9,980
◈통조림															
골뱅이	유동	400g	Can	10,490	10,490	-	10,490	10,490	10,490	10,490	10,490	10,490	10,490	7,990	10,490
꽁치	동원	300g	〃	4,990	4,990	4,990	4,990	4,990	4,990	4,990	4,990	4,990	4,990	4,990	4,990
고등어	〃	400g	〃	3,490	3,490	3,490	3,490	3,490	3,000	3,490	3,490	3,490	3,490	3,490	3,490
살코기참치	〃	135g×4개 라이트 스탠다드	〃	10,990	11,490	11,490	11,490	11,490	11,490	11,490	11,490	11,490	11,490	11,490	11,490
고추참치	〃	90g×4개	〃	8,990	9,490	9,490	9,490	9,490	9,490	9,490	9,490	9,490	9,490	9,490	9,490
야채참치	〃	〃	〃	8,990	9,490	9,490	9,490	9,490	9,490	9,490	9,490	9,490	9,490	9,490	9,490
리챔	〃	340g 오리지널	〃	7,190	7,190	7,190	7,190	7,190	7,190	7,190	7,190	7,190	7,190	7,590	7,590
스팸	CJ	340g 클래식	〃	7,190	7,190	7,190	7,190	7,190	7,190	7,190	7,190	7,190	7,590	7,590	7,590
스위트콘	오뚜기	340g	〃	1,980	1,980	1,980	1,980	1,980	1,980	1,980	1,980	1,980	1,980	1,980	1,980
〃	동원		〃	1,980	1,980	1,980	1,980	1,980	1,980	1,980	1,980	1,980	1,980	1,980	1,980
황도	〃	400g	〃	2,580	2,580	2,580	2,580	2,580	2,580	2,580	2,580	2,580	2,580	2,980	2,990
후르츠칵테일	델몬트	850g	〃	4,990	4,490	4,490	4,490	4,490	4,990	4,990	4,790	-	-	4,990	4,990
파인애플슬라이스	〃	836g	〃	4,990	4,990	4,990	4,990	4,490	4,990	4,990	4,790	4,990	4,990	4,990	4,990
번데기	유동	130g	〃	1,000	1,000	1,380	1,690	1,690	1,690	1,690	1,690	1,690	1,690	1,690	1,490
〃	동원	〃	〃	1,380	1,380	1,590	1,380	1,380	1,690	1,690	1,690	1,690	1,690	1,690	1,690
깻잎	샘표	70g	〃	2,490	2,490	2,490	2,490	2,490	2,490	2,490	2,490	2,490	2,490	2,490	2,490

음료

(단위 : 원)

품명	메이커	규격	단위	광주											
				2022년 11월	12월	2023년 1월	2월	3월	4월	5월	6월	7월	8월	9월	10월
◈음료															
칠성사이다	롯데	1.8ℓ	Pet	2,880	2,880	2,880	-	-	-	-	-	-	-	-	-
칠성사이다제로	〃	1.5ℓ	〃	2,580	2,580	2,390	2,880	2,880	2,880	2,880	2,880	-	-	2,880	2,880
밀키스	〃	〃	〃	1,190	1,000	2,390	2,580	2,580	2,580	2,580	2,580	2,580	2,580	2,580	2,580
2%복숭아	〃	〃	〃	-	-	1,190	1,190	1,000	1,000	1,000	1,390	1,390	1,980	2,390	2,390
제주사랑감귤사랑	〃	〃	〃	1,290	1,290	-	3,780	3,780	3,780	-	-	-	-	-	-
하늘보리	웅진	〃	〃	2,000	2,000	1,290	1,290	1,290	1,290	1,380	1,380	1,380	1,380	-	-
아침햇살	〃	1.35ℓ	〃	4,480	4,480	2,000	2,000	2,000	2,200	2,200	2,200	2,200	2,500	2,500	2,500
자연은알로에	〃	1.5ℓ	〃	1,000	1,000	4,480	4,480	-	-	-	-	-	-	-	-
옥수수수염차	광동	〃	〃	1,000	1,000	1,190	2,380	2,380	2,380	2,380	2,380	2,390	2,390	2,390	2,390
헛개차	〃	〃	〃	980	-	1,180	2,380	2,380	2,380	2,380	2,380	2,390	2,390	2,390	2,390
제주삼다수	〃	2ℓ	〃	3,730	3,730	980	980	1,080	1,080	1,080	1,080	1,080	1,080	1,080	1,080
코카콜라	코카콜라	1.8ℓ	〃	3,730	4,600	3,730	3,730	2,990	2,990	2,980	3,730	3,730	3,730	3,730	3,730
코카콜라제로	〃	1.5ℓ	〃	2,260	2,260	3,150	3,150	3,150	3,150	3,150	3,150	3,150	3,150	3,150	3,150
스프라이트	〃	〃	〃	2,500	2,500	2,690	2,690	2,700	2,700	2,700	2,700	2,580	2,700	2,690	2,700
암바사	〃	〃	〃	2,550	2,550	2,500	2,500	2,500	2,500	2,500	2,500	-	-	-	-
환타	〃	1.5ℓ 오렌지	〃	3,540	2,140	2,550	2,550	2,550	2,550	2,580	2,580	2,580	2,580	2,580	2,580
미닛메이드	〃	〃	〃	3,390	3,390	4,300	4,300	4,300	4,300	4,280	4,280	4,490	4,490	4,490	-
파워에이드	〃	1.5ℓ	〃	3,390	3,390	3,620	3,620	3,620	3,620	3,620	3,620	3,620	3,620	3,620	3,620
토레타	〃	〃	〃	2,690	2,690	2,390	3,620	3,620	3,620	3,620	3,620	3,620	3,620	3,620	3,620
펩시콜라	펩시	〃	〃	2,690	2,690	2,580	2,580	2,580	2,580	2,580	2,580	2,580	2,580	2,580	2,580
마운틴듀	〃	〃	〃	2,270	2,780	-	-	-	-	-	-	-	-	-	-
게토레이	〃	〃	〃	-	-	3,480	3,480	3,480	1,740	3,480	3,480	3,480	3,480	3,480	3,480
포카리스웨트	동아오츠카	1.8ℓ	〃	2,280	2,280	2,490	2,490	2,480	2,490	2,680	2,680	2,680	2,680	2,680	2,680
콜드오렌지	델몬트	1.89ℓ	〃	4,990	4,980	5,490	5,490	-	-	-	-	-	-	-	-
웰치스	웰치	1.5ℓ 포도	〃	-	-	-	-	-	-	2,500	2,500	2,500	-	-	-
◈차류															
보리차	동서	30개입	Box	2,080	2,080	2,180	2,180	2,180	2,180	2,180	2,180	2,180	2,180	2,180	2,180
현미녹차	〃	100개입	〃	6,000	6,600	7,980	7,980	7,980	7,980	7,980	7,980	7,140	7,240	7,140	7,980
둥글레차	〃	〃	〃	7,500	8,400	9,870	9,870	9,870	9,870	9,930	9,930	8,910	8,890	8,910	9,930
메밀차	〃	〃	〃	7,600	6,600	7,960	7,960	7,960	7,960	7,960	7,960	-	-	7,140	7,960
옥수수차	〃	30개입	〃	2,720	2,720	-	-	-	-	2,850	2,850	2,850	2,850	2,850	2,850
결명자차	〃	18개입	〃	2,090	2,090	-	-	-	2,300	2,300	2,300	2,300	2,300	2,300	2,200
오곡차	〃	〃	〃	-	-	2,400	2,400	2,400	2,400	-	-	-	-	-	-
티오아이스티	〃	40개입	〃	-	7,120	-	-	-	-	6,980	6,990	9,980	9,980	9,980	9,980
립톤아이스티	유니레버	770g 복숭아	〃	-	-	15,200	15,200	15,200	15,200	15,200	15,200	7,600	15,200	15,200	15,290
루이보스보리차	동서	100개입	〃	6,440	6,440	7,560	7,560	7,560	7,560	-	-	-	-	-	-
맥심	〃	100개입 모카골드 커피믹스	〃	14,980	14,980	16,450	16,450	16,450	16,450	16,450	16,450	16,450	16,450	16,450	16,450
〃	〃	100개입 아이스 커피믹스	〃	12,750	17,850	-	-	-	-	-	21,000	20,900	20,900	28,000	28,000
〃	〃	100개입 화이트골드 커피믹스	〃	15,980	15,980	17,560	17,560	17,560	17,560	17,560	17,560	17,560	17,560	17,560	17,560
카누	〃	100개입 미니 마일드 로스트	〃	20,390	20,390	22,390	22,390	22,390	22,390	22,390	22,390	22,390	22,390	22,390	22,390
〃	〃	100개입 미니 다크로스트	〃	21,980	20,390	22,390	22,390	22,390	22,390	22,390	22,390	22,390	22,390	22,390	22,390
〃	〃	100개입 미니 디카페인 아메리카노	〃	22,430	22,430	24,640	24,640	24,640	24,640	24,640	24,640	24,640	24,640	24,640	24,600
작설차	녹차원	10개입 맛있는 녹차작설	〃	-	-	-	-	-	-	4,900	4,900	-	-	-	-
옥수수수염차	〃	100개입	〃	-	7,980	-	-	7,890	7,890	8,900	8,900	-	-	-	-
호두아몬드율무차	담터	〃	〃	26,900	21,800	-	-	-	-	-	-	-	-	-	-
생강차	〃	50개입	〃	-	-	-	-	-	-	-	-	-	-	-	-
쌍화차	〃	〃	〃	-	-	-	-	-	-	-	-	-	-	-	-
단호박마차	〃	〃	〃	-	-	-	-	-	-	-	-	-	-	-	-
◈주류															
소주	하이트진로	360㎖ 참이슬 후레쉬	병	1,380	1,380	1,380	1,380	1,380	1,380	1,380	1,380	1,380	1,380	1,380	1,380
〃	〃	360㎖ 진로	〃	-	-	-	-	-	-	-	-	-	-	-	1,290
〃	롯데	360㎖ 새로	〃	-	-	-	-	-	-	-	-	-	-	-	1,290
〃	〃	360㎖ 처음처럼	〃	-	-	-	-	-	-	-	-	-	-	-	1,380
맥주	하이트진로	500㎖ 하이트 엑스트라콜드	〃	1,810	1,810	-	-	-	-	-	-	-	-	-	-
〃	OB	500㎖ 카스 후레쉬	〃	1,810	1,810	1,810	1,810	1,810	1,810	1,810	1,810	1,810	1,550	1,720	1,890
막걸리	서울장수	750㎖ 장수 생막걸리	〃	-	-	-	-	-	1,680	1,390	1,390	1,680	1,680	1,680	1,680

일용품

(단위 : 원)

품 명	메이커	규 격	단위	광 주											
				2022년 11월	12월	2023년 1월	2월	3월	4월	5월	6월	7월	8월	9월	10월
◈일용품															
▶주방용품															
주방세제	라이온	(450㎖) 참그린	개	-	-	3,990	3,990	3,990	3,990	3,990	3,990	3,990	3,990	3,990	3,990
〃	헨켈	(750㎖)프릴 베이킹소다 퓨어레몬	〃	-	-	-	8,900	8,900	8,900	8,900	-	-	-	-	-
〃	LG	(490㎖) 자연퐁 POP 솔잎	〃	-	-	-	-	-	-	-	-	-	-	-	-
키친타올	유한	크리넥스 150매×6	〃	-	-	-	-	-	-	-	-	-	-	-	-
행 주	〃	스카트 항균블루 행주타올 45매×4	〃	10,900	18,900	18,900	18,900	18,900	18,900	18,900	-	-	-	-	-
냅 킨	〃	크리넥스 카카오 홈냅킨 130매×6	〃	12,100	-	-	-	-	12,100	12,100	12,100	12,100	12,100	12,100	12,100
호 일	대한	대한웰빙호일 25㎝×30m×15μ	〃	6,280	6,280	6,280	6,280	6,280	6,280	-	-	-	-	-	-
〃	크린랩	(30매) 크린 종이호일 26.7㎝	〃	3,980	3,980	3,980	3,980	3,980	3,980	3,520	3,520	-	-	-	-
〃	〃	크린 종이호일 30㎝×20m	〃	5,280	5,280	5,290	5,290	5,290	4,880	5,290	5,290	5,290	5,290	5,290	5,290
랩	〃	크린랩 22㎝×100m	〃	8,980	8,980	8,980	8,980	8,980	8,980	6,280	6,280	8,980	6,280	8,980	8,980
위생봉지	〃	(200매입)크린롤백 30㎝×40㎝	〃	7,280	7,280	7,280	7,280	7,280	7,400	7,280	7,280	7,280	7,280	5,090	-
고무장갑	〃	(2개입) 크린랩고무장갑(중)	〃	5,880	5,880	5,880	5,880	5,880	-	5,880	5,880	5,780	-	-	-
위생장갑	〃	(100매) 크린장갑	〃	4,590	4,590	4,590	4,590	4,590	3,210	4,380	4,590	4,590	4,590	4,590	4,590
종 이 컵	-	(250매) 일회용 물컵	〃	-	-	-	-	-	-	-	-	-	-	-	-
〃	-	(50개입) 고급 종이컵	〃	1,290	1,290	1,290	1,290	1,290	1,290	1,350	1,350	1,390	1,390	1,390	1,190
▶욕실용품															
세숫비누	LG	(140g×3개) 알뜨랑	〃	5,900	5,900	5,900	5,900	6,900	6,900	6,900	6,900	6,900	6,900	6,900	6,900
〃	유니레버	(90g×4개) 도브 비누 뷰티바	〃	7,900	7,900	7,900	7,900	7,900	7,900	7,900	7,900	5,530	7,900	5,530	7,900
손세정제	라이온	(250㎖) 아이 깨끗해 거품형	〃	6,500	6,500	6,500	6,500	6,500	6,900	6,900	6,900	6,900	6,900	6,900	6,900
〃	유니레버	(240㎖)도브 포밍핸드워시 딥모이스처	〃	-	-	5,900	5,900	5,900	5,900	5,900	5,900	5,900	5,900	5,900	5,900
샴 푸	LG	(680㎖) 엘라스틴 모이스처 샴푸	〃	12,900	12,900	12,900	12,900	12,900	12,900	12,900	11,900	12,900	12,900	12,900	12,900
〃	애경	(1,000㎖) 케라시스 퍼퓸 샴푸	〃	12,900	12,900	12,900	12,900	12,900	12,900	12,900	12,900	12,900	12,900	12,900	12,900
〃	한국피앤지	(1,200㎖) 팬틴 모이스쳐 샴푸	〃	-	-	-	-	-	-	-	-	-	-	-	-
칫 솔	〃	(3개입) 오랄비 칫솔	〃	11,900	11,900	11,900	11,900	11,900	11,900	11,900	11,900	11,900	11,900	12,900	12,900
〃	LG	(4개입) 페리오 센서티브 초극세모	〃	9,900	8,900	11,900	11,900	11,900	11,900	11,900	10,900	10,900	12,900	12,900	12,900
〃	아모레	(4개입) 메디안 치석케어 칫솔	〃	-	-	-	-	-	-	7,900	7,200	7,200	7,900	12,900	-
치 약	애경	(130g×3개) 2080 시그니처 토탈블루	〃	8,900	8,900	8,900	8,900	4,900	4,900	4,000	9,900	9,900	8,900	8,900	3,900
〃	LG	(120g×8개) 페리오 치석케어 치약	〃	-	-	-	-	-	-	-	-	-	-	10,900	10,900
〃	〃	(120g×3개) 페리오 토탈7 오리지널	〃	11,900	11,900	12,900	12,900	11,900	11,900	6,450	12,900	13,900	12,900	12,900	-
〃	〃	(120g×3개) 죽염 오리지날	〃	13,900	11,900	11,950	11,900	13,900	13,900	13,900	11,900	11,900	13,900	-	13,900
화 장 지	유한	크리넥스 3겹 순수소프트 30m×30롤	〃	-	-	-	-	37,900	37,900	-	-	-	-	-	-
〃	쌍용	코디 순한 3겹데코 30m×30롤	〃	-	-	-	-	-	-	-	-	-	-	-	-
▶방향제															
에 어 윅	LG	(440㎖) AURA 해피브리즈 방향제(라벤더)	〃	8,900	8,900	9,800	9,800	9,800	9,800	9,800	9,800	9,800	9,800	9,800	-
페브리즈	한국피앤지	(275㎖) 에어공기 탈취제	〃	5,900	5,900	5,900	5,900	5,900	5,900	5,900	5,900	5,900	5,900	5,900	5,900
방 충 제	헨켈	(24개입) 컴배트 좀벌레싹 서랍장용	〃	10,900	10,900	10,900	10,900	10,900	11,400	11,400	5,700	11,400	11,400	-	-
〃	〃	(6개입) 컴배트 좀벌레싹 옷장용	〃	11,500	11,500	11,500	11,500	11,500	12,100	12,100	12,100	12,100	12,100	12,100	12,100
〃	〃	(12개입) 컴배트 좀벌레싹 콤보	〃	11,500	11,500	11,500	11,500	11,500	12,100	12,900	12,100	12,100	12,100	12,100	12,100
▶세탁용품															
세탁비누	무궁화	(230g×4) 세탁비누	〃	5,490	5,490	5,490	5,490	5,490	5,490	5,490	5,490	5,490	5,490	5,490	5,490
〃	〃	(230g×4) 살균비누	〃	7,900	7,900	7,900	7,900	7,900	7,900	7,900	7,900	7,900	7,900	7,900	7,900
락 스	유한	(3.5ℓ) 유한락스	〃	5,370	5,370	6,260	6,260	6,260	6,260	6,260	-	-	-	-	-
합성세제	피죤	(3ℓ)액츠 퍼펙트 액체세제	〃	16,900	14,900	16,900	16,900	16,900	16,900	16,900	8,450	16,900	16,900	16,900	16,900
〃	LG	(3ℓ) 테크 액체세제	〃	19,900	21,900	21,900	21,900	21,900	21,900	21,900	8,760	17,900	21,900	21,900	21,900
〃	〃	(2.7ℓ) FiJi 컬러젤	〃	29,800	31,800	31,800	31,800	-	-	31,800	31,800	-	-	22,260	27,900
〃	애경	(6kg) 스파크	〃	13,900	13,900	13,900	13,900	13,900	13,900	13,900	11,900	11,900	11,900	11,900	11,900
섬유유연제	피죤	(2.1ℓ) 피죤블루 비앙카	〃	-	-	3,500	3,200	-	-	-	-	-	-	-	-
〃	한국피앤지	(2ℓ) 다우니 초고농축 퍼플	〃	-	12,900	12,700	14,800	14,800	14,800	17,900	17,900	17,900	17,900	17,900	19,600
〃	LG	(3ℓ) 샤프란 로맨틱 코튼	〃	-	4,850	4,850	4,450	4,450	4,450	4,850	3,880	4,850	4,450	4,450	4,850
▶세척제															
Mr.홈스타	LG	900㎖	〃	7,900	7,900	8,900	8,900	8,900	8,900	8,900	4,450	8,900	8,900	8,900	8,900
홈스타변기세정제	〃	40g×4개	〃	-	-	-	-	-	4,290	4,290	4,290	4,290	4,290	4,290	4,290
유한락스	유한	(900㎖)곰팡이제거제×2개	〃	8,070	8,070	6,800	8,070	-	-	-	-	-	-	-	-
펑 크 린	〃	1.5ℓ	〃	4,350	4,350	-	-	-	-	-	-	-	-	-	-
무균무때	피죤	900㎖	〃	7,900	7,900	7,900	5,900	6,900	6,900	8,900	4,450	8,900	8,900	8,900	7,900
비트찌든때제거	라이온	500㎖	〃	-	-	-	-	8,900	8,900	8,900	8,900	8,900	8,900	8,900	8,900
▶살충제															
에프킬라믹스베이트	한국존슨	바퀴살충제10개입	〃	8,720	8,720	10,900	10,900	10,900	10,900	10,900	9,500	9,500	9,500	9,500	9,500
컴배트에어졸	헨켈	(500㎖) 스피드	〃	5,900	5,900	5,900	5,900	5,900	6,200	6,200	6,200	6,200	6,200	6,200	6,200
홈매트리퀴드	〃	훈증기+29㎖ 45일×3	〃	25,900	25,900	25,900	25,900	25,900	25,200	25,900	25,200	25,200	25,200	25,200	25,200
홈 키 파	〃	(500㎖) 수성 에어졸	〃	6,500	6,500	6,500	6,500	6,500	7,200	7,200	7,200	7,200	7,200	7,200	7,200
▶기타															
면 도 기	한국피앤지	질레트 마하3	〃	8,500	8,500	8,500	8,500	8,500	8,500	8,500	8,500	8,500	8,500	8,500	8,500
쉐이빙폼	니베아	(200㎖) 포맨 센서티브	〃	5,900	5,900	5,900	5,900	6,500	6,500	6,500	6,500	6,500	6,500	6,500	6,500
부탄기스	썬연료	4입	〃	6,790	6,690	6,790	6,790	6,790	6,790	6,790	6,790	6,790	6,790	6,790	6,790
습기제거제	LG	홈스타 제습혁명 8P	〃	-	-	-	-	-	-	-	-	-	-	-	-

조미료

(단위 : 원)

품명	메이커	규격	단위	대전											
				2022년 11월	12월	2023년 1월	2월	3월	4월	5월	6월	7월	8월	9월	10월
◈조미료															
고춧가루	-	(1kg) 태양초	개	33,600	33,600	33,600	33,600	33,600	33,600	33,600	33,600	33,900	33,600	33,600	33,600
고 추 장	대상	(1kg) 청정원순창 우리쌀 찰고추장	〃	16,830	16,830	16,830	16,830	16,830	16,830	16,830	16,830	19,000	19,000	19,000	19,000
〃	CJ	(1kg) 해찬들 태양초골드	〃	18,300	18,300	18,300	18,300	18,300	19,200	19,200	19,200	17,900	17,900	17,900	17,900
된 장	대상	(1kg) 청정원 순창	〃	8,190	8,190	8,190	8,190	8,190	8,190	8,190	8,190	9,100	9,100	9,100	9,100
〃	CJ	(1kg) 해찬들 재래식	〃	8,100	8,100	8,990	8,990	8,990	8,990	8,990	8,990	8,990	8,990	8,990	8,990
쌈 장	대상	(500g) 청정원순창 양념듬뿍쌈장	〃	4,860	4,860	4,860	4,860	4,860	4,860	4,860	4,860	5,400	5,400	5,400	5,400
〃	CJ	(500g) 해찬들 사계절쌈장	〃	4,900	4,900	5,190	5,190	5,190	5,190	5,190	5,190	5,190	5,190	5,190	5,190
양조간장	샘표	(860㎖) 양조간장501	〃	7,900	7,900	7,900	7,900	-	-	-	7,900	7,900	7,900	7,900	7,900
〃	대상	(840㎖) 햇살담은 씨간장숙성 양조간장	〃	6,490	6,490	7,480	7,480	7,480	7,480	7,480	7,480	7,480	7,480	7,480	7,480
진 간 장	〃	(840㎖) 햇살담은 진간장 골드	〃	4,770	4,770	5,680	5,680	5,680	5,680	5,680	5,680	5,680	5,680	5,680	5,680
〃	샘표	(860㎖) 금F-3	〃	6,100	6,100	6,100	6,100	6,100	6,100	6,100	6,100	6,100	6,100	6,100	6,100
설 탕	CJ	(1kg) 백설 백설탕	〃	1,980	1,980	1,980	1,980	1,980	1,980	1,980	1,980	-	2,380	2,380	2,380
〃	〃	(1kg) 백설 갈색설탕	〃	2,480	2,480	2,480	2,480	2,480	2,480	2,480	2,480	-	2,880	2,880	2,880
〃	〃	(1kg) 백설 흑설탕	〃	2,580	2,580	2,580	2,580	2,580	2,580	2,580	2,580	-	2,980	2,980	2,980
〃	삼양	(1kg) 큐원 백설탕	〃	1,950	1,950	1,950	1,950	1,950	1,950	1,950	1,950	1,950	2,350	2,350	2,350
〃	〃	(1kg) 큐원 갈색설탕	〃	2,450	2,450	2,450	2,450	2,450	2,450	2,450	2,450	2,450	2,850	2,850	2,850
〃	〃	(1kg) 큐원 흑설탕	〃	2,550	2,550	2,550	2,550	2,550	2,550	2,550	2,550	2,550	2,950	2,950	2,950
소 금	대상	(500g) 미원 맛소금	〃	2,540	2,540	2,540	2,540	2,540	2,540	2,540	2,540	-	2,540	2,540	2,540
〃	〃	(500g) 청정원 천일염구운소금	〃	5,250	5,250	5,250	5,250	5,250	5,250	5,250	5,250	-	-	-	4,990
〃	사조대림	(1kg) 해표 꽃소금	〃	1,390	1,390	1,390	1,390	1,890	1,890	1,890	1,890	-	1,890	2,290	2,290
〃	대상	(1kg) 미원 맛소금	〃	4,180	4,180	4,180	4,180	4,180	4,180	4,180	4,180	4,180	-	-	4,180
〃	CJ	(400g) 백설 구운 천일염	〃	-	-	-	-	-	-	-	-	-	-	-	-
미 원	대상	(500g) 발효 미원	〃	13,900	13,900	13,900	13,900	13,900	13,900	13,900	13,900	-	13,900	13,900	13,900
물 엿	〃	(1.2kg) 청정원	〃	-	-	-	-	-	-	-	-	-	-	-	-
〃	오뚜기	(1.2kg) 옛날 물엿	〃	4,680	4,680	6,480	4,680	5,190	5,190	5,190	5,190	4,680	4,680	4,680	4,680
올리고당	CJ	(1.2kg) 백설 요리올리고당	〃	5,980	5,980	5,980	5,980	6,590	6,590	6,590	5,980	-	6,480	6,480	6,480
〃	대상	(1.2kg) 청정원 요리올리고당	〃	5,980	5,980	5,980	5,980	5,980	5,980	5,980	5,980	5,980	5,980	5,980	5,980
케 찹	오뚜기	(500g) 토마토케찹	〃	2,880	2,880	2,880	2,880	3,180	3,180	3,180	3,180	3,180	3,180	3,180	3,180
〃	대상	(410g) 청정원 우리아이케찹	〃	2,700	2,700	3,000	3,000	3,000	3,000	3,000	3,000	3,000	3,000	3,000	3,000
마요네즈	오뚜기	(800g) 골드	〃	7,880	7,880	7,880	7,880	8,680	8,680	8,680	8,680	8,680	8,680	8,680	8,680
〃	대상	(800g) 청정원고소한마요네즈	〃	6,800	6,800	7,900	7,900	7,900	7,900	7,900	7,900	7,900	7,900	7,900	7,900
마아가린	오뚜기	(200g) 옥수수 마아가린	〃	2,290	2,290	2,290	2,290	2,290	2,290	2,290	2,290	2,290	2,290	2,290	2,290
식 초	〃	(900㎖) 사과식초	〃	2,600	2,600	2,600	2,600	3,190	3,190	3,190	2,880	2,880	2,880	2,880	2,880
〃	대상	(900㎖) 청정원 사과식초	〃	2,600	2,600	2,600	2,600	2,600	2,600	2,600	2,600	2,880	2,880	2,880	2,880
〃	〃	(900㎖) 청정원 현미식초	〃	2,600	2,600	2,600	2,600	2,600	2,600	2,600	2,600	2,600	2,600	2,600	2,600
〃	오뚜기	(900㎖) 현미식초	〃	2,400	2,400	2,400	2,400	2,680	2,680	2,680	2,680	2,680	2,680	2,680	2,680
식 용 유	사조대림	(900㎖) 해표 식용유	〃	5,200	5,200	5,200	5,200	3,650	5,200	5,200	5,200	5,200	5,200	5,200	5,200
〃	CJ	(900㎖) 백설 식용유	〃	5,180	5,180	5,180	5,180	4,660	5,180	5,180	5,180	5,180	5,180	5,180	5,180
〃	〃	(900㎖) 백설 카놀라유	〃	9,500	9,500	7,600	9,500	6,650	9,500	9,500	9,500	9,500	9,500	9,500	4,750
〃	〃	(900㎖) 백설 포도씨유	〃	16,000	16,000	12,800	16,000	11,000	16,000	16,000	16,000	16,000	16,000	16,000	16,000
〃	〃	(900㎖) 백설 올리브유	〃	18,000	18,000	11,700	18,000	18,000	18,000	18,000	18,000	18,000	18,000	19,800	19,800
참 기 름	〃	(320㎖) 백설 진한 참기름	〃	7,100	7,100	4,260	8,500	8,500	8,500	8,500	8,500	8,500	8,500	8,500	8,500
〃	〃	(300㎖) 백설 고소함가득 참기름	〃	7,400	8,800	8,800	8,880	8,880	8,880	8,880	8,880	-	8,880	8,880	8,880
〃	오뚜기	(320㎖) 고소한 참기름	〃	9,600	9,600	9,600	9,600	11,690	11,690	11,690	11,690	10,600	10,600	10,600	10,600
〃	〃	(320㎖) 옛날 참기름	〃	7,690	7,690	7,690	7,690	9,590	9,590	9,590	9,590	9,590	9,590	9,590	9,590
고추씨기름	〃	(80㎖) 옛날 고추맛기름	〃	2,180	2,180	2,180	2,180	2,180	2,180	2,180	2,180	2,180	2,180	2,180	2,180
멸치액젓	CJ	(800g) 658㎖ 하선정	〃	5,280	5,280	5,280	5,280	5,280	5,280	5,280	5,280	5,280	5,280	5,280	5,280
〃	대상	(750g) 626㎖ 청정원 남해안 멸치액젓	〃	3,960	-	-	-	-	-	-	-	-	-	-	-
까나리액젓	〃	(750g) 622㎖ 청정원 서해안 까나리액젓	〃	4,500	4,500	5,000	5,000	5,000	5,000	5,000	5,000	5,000	5,000	5,000	5,000
〃	CJ	(800g) 658㎖ 하선정 서해안 까나리액젓	〃	5,280	5,280	5,280	5,280	5,280	5,280	5,280	5,280	5,280	5,280	5,280	5,280
조 미 료	〃	(500g) 백설 쇠고기 다시다	〃	11,750	11,750	11,750	11,750	12,850	12,850	12,850	12,850	12,850	12,850	12,850	-
〃	〃	(500g) 백설 멸치 다시다	〃	10,370	10,370	10,370	10,370	11,300	11,300	11,300	11,300	-	11,300	11,300	11,300
〃	대상	(300g) 쇠고기 감치미	〃	-	-	6,690	6,690	6,690	6,690	6,690	6,690	7,160	7,160	7,160	7,160
〃	〃	(300g) 한우 감치미	〃	6,690	-	-	-	-	-	-	-	-	-	-	-
후 추	오뚜기	(100g) 순후추	〃	5,390	5,390	5,390	5,390	6,180	6,180	6,180	6,180	6,180	6,180	6,180	6,180
〃	대상	(50g) 청정원 순후추	〃	3,340	3,340	3,340	3,340	3,340	3,340	3,340	3,340	3,340	3,680	3,680	3,680
와 사 비	오뚜기	(43g) 생와사비	〃	4,150	4,150	4,150	4,150	4,150	4,150	4,150	4,150	4,150	4,150	4,150	4,150
〃	〃	(100g) 연와사비	〃	3,790	4,150	4,150	4,150	4,150	4,150	4,150	4,150	4,150	4,150	4,150	4,150
겨 자	〃	(100g) 연겨자	〃	4,090	4,090	4,090	4,090	4,090	4,090	4,090	4,090	4,090	4,090	4,090	4,090
〃	대상	(95g) 청정원 연겨자	〃	3,190	3,190	3,190	3,190	3,190	3,190	3,190	3,190	3,190	3,190	3,190	3,190
요 리 주	롯데	(900㎖) 미림	〃	3,690	3,690	3,690	3,690	3,690	3,690	3,690	3,690	3,670	3,670	3,670	3,790
〃	오뚜기	(900㎖) 미향	〃	3,890	3,890	3,890	3,890	4,280	4,180	4,180	4,180	4,180	4,180	4,180	4,180
〃	CJ	(800㎖) 백설 맛술 로즈마리	〃	3,650	3,650	3,480	3,980	3,980	3,980	3,980	3,980	3,980	3,980	3,980	3,980

김치류 · 수산품 · 낙농물

(단위 : 원)

품명	메이커	규격	단위	대전											
				2022년 11월	12월	2023년 1월	2월	3월	4월	5월	6월	7월	8월	9월	10월
◈김치류															
하선정 포기김치	CJ	3kg	봉	27,700	-	-	-	27,700	22,900	-	-	-	-	-	-
비비고 포기배추김치	〃	3.3kg	〃	34,800	33,800	33,800	33,800	34,800	33,800	33,800	33,800	33,800	34,800	33,800	33,990
종가집 포기김치	대상	〃	〃	33,800	33,800	33,800	33,800	33,800	33,800	33,800	33,800	33,800	34,800	33,800	33,990
비비고 총각김치	CJ	1.5kg	〃	-	-	-	-	-	-	-	-	-	-	-	18,500
종가집 총각김치	대상	〃	〃	-	-	-	-	-	-	-	-	-	-	-	18,500
◈수산물															
生연어(횟감용)	노르웨이	100g	팩	4,490	4,950	4,950	4,950	5,500	5,500	5,650	5,650	6,000	5,500	5,000	5,000
生연어(구이용)	〃	〃	〃	-	-	-	-	-	-	-	-	5,500	5,000	4,500	4,500
부산간고등어	국산	1마리(대)	〃	15,800	19,920	3,000	4,000	4,500	-	-	6,000	-	-	-	5,500
제주생물갈치	〃	〃	〃	4,500	4,500	12,600	9,000	10,000	11,500	11,500	11,500	12,000	13,200	13,200	11,000
◈수산가공품															
명가 직화구이김	CJ	4.5g×20봉	봉	7,990	7,990	6,490	6,490	6,490	6,490	6,490	6,490	6,490	6,490	-	-
대 천 김	대천김	5g×20봉	〃	9,490	5,990	5,990	9,490	9,490	6,490	9,990	9,990	9,990	9,990	9,990	9,990
광 천 김	해달음	4g×20봉	〃	8,990	7,990	8,990	8,990	7,990	8,990	8,990	8,990	9,490	9,490	9,490	9,490
옛날미역	오뚜기	100g	〃	3,840	5,490	2,740	5,490	5,490	5,490	6,490	6,490	6,490	6,490	6,490	6,490
◈낙농물															
쇠 고 기	국산(한우)	정육(등심)상등급	100g	15,590	14,990	15,920	14,590	15,990	14,990	13,990	13,990	13,590	13,990	14,990	14,990
〃	〃	정육(양지)상등급	〃	9,820	9,910	10,820	10,820	10,820	10,820	10,820	10,820	10,820	10,820	10,820	10,820
돼지고기	국산	정육(삼겹살)상등급	〃	1,990	1,990	2,240	2,290	2,590	2,290	3,160	3,300	3,800	3,390	2,890	2,300
〃	〃	정육(목살)상등급	〃	1,990	1,990	2,240	2,290	2,590	2,290	2,690	2,990	3,300	3,990	2,890	2,300
닭 고 기	〃	육계	1kg	8,490	8,490	8,490	8,490	8,990	8,490	8,990	8,990	8,990	8,990	8,990	8,990
계 란	CJ	신선한 목초란	15구	9,990	9,990	-	7,990	7,990	-	-	6,490	-	8,490	6,490	6,490
우 유	서울우유	흰 우유(나 100%)	1 ℓ	2,710	2,890	2,890	2,890	2,890	2,890	2,890	2,890	2,890	2,890	2,890	2,980
〃	〃	목장의 신선함이 살아있는 우유	〃	3,230	3,400	3,400	3,400	3,400	3,400	3,400	3,400	3,400	3,400	3,400	3,650
〃	남양유업	맛있는 우유 GT	900㎖	2,650	2,890	2,890	2,780	2,890	2,890	2,890	2,890	2,890	2,890	2,890	2,980
〃	매일유업	매일우유 오리지널	〃	2,610	2,700	2,850	2,850	2,850	2,890	2,890	2,890	2,890	2,890	2,890	2,970
〃	동원	덴마크 대니쉬 the건강한 우유	〃	2,380	-	2,680	2,680	2,680	-	-	-	-	-	-	-
〃	빙그레	바나나맛 우유 240㎖×4	묶음	4,900	5,480	5,480	5,480	5,480	5,480	5,480	5,480	5,500	5,480	5,480	5,800
〃	서울우유	서울 요구르트 65㎖×20	〃	1,980	2,950	2,950	2,950	2,950	2,950	2,950	2,950	2,950	2,950	2,990	3,100
〃	남양유업	남양 요구르트 65㎖×20	〃	2,980	2,980	2,980	2,980	2,980	2,990	2,990	2,990	2,990	2,990	2,990	3,100
〃	HY	HY 야쿠르트 오리지널 65㎖×20	〃	4,400	4,400	4,880	4,400	4,400	4,400	4,400	4,400	4,400	4,400	4,400	4,400
버 터	서울우유	무가염 버터	450g	10,060	11,000	11,000	11,000	11,000	11,000	11,000	11,000	11,000	11,000	11,000	11,000
〃	파스퇴르	프리미엄 홈버터	〃	9,490	9,490	9,490	9,490	9,490	9,990	9,990	9,990	9,990	9,990	9,990	9,990
치 즈	서울우유	어린이치즈 앙팡(15매입)	개	5,480	-	-	-	-	-	-	-	-	-	-	-
〃	〃	체다치즈(20매입)	〃	8,980	8,980	8,980	8,980	8,980	8,990	8,990	8,990	8,990	9,990	8,990	8,990
〃	매일유업	뼈로가는 칼슘치즈(15매입)	〃	8,800	8,800	6,180	8,780	8,800	8,800	8,800	8,800	8,800	9,900	9,900	9,900
〃	〃	더블업 체다치즈	360g	6,160	6,160	5,590	6,180	8,800	8,800	8,800	8,800	8,800	9,990	9,990	7,980
햄	목우촌	주부9단 살코기햄	1kg	12,990	12,990	12,990	12,990	12,990	12,990	12,990	10,990	12,990	13,490	12,490	10,490
〃	〃	주부9단 불고기햄	300g	5,990	-	-	-	-	-	-	-	-	-	-	-
조제분유	남양유업	남양분유 임페리얼 XO1	800g	21,160	24,900	24,900	24,900	27,800	27,800	27,800	-	27,800	27,800	27,800	27,800
〃	〃	남양분유 임페리얼 XO2	〃	21,160	24,900	24,900	24,900	25,800	25,800	25,800	25,800	25,800	25,800	25,800	25,800
〃	〃	남양분유 임페리얼 XO3	〃	17,760	20,900	20,900	20,900	25,800	25,800	25,800	25,800	25,800	25,800	25,800	25,800
〃	〃	남양분유 임페리얼 XO4	〃	17,760	20,900	20,900	20,900	14,630	-	-	-	-	-	-	-
〃	매일유업	앱솔루트 센서티브 1단계	900g	28,910	36,140	36,140	36,140	36,140	36,140	36,140	36,140	36,140	36,140	36,140	36,140
〃	〃	앱솔루트 센서티브 2단계	〃	28,910	36,140	36,140	36,140	36,140	36,140	36,140	36,140	36,140	36,140	36,140	36,140
〃	〃	앱솔루트 센서티브 3단계	〃	28,910	36,140	36,140	36,140	36,140	36,140	36,140	36,140	36,140	36,140	36,140	36,140
〃	〃	앱솔루트 센서티브 4단계	〃	28,910	36,140	36,140	36,140	36,140	36,140	36,140	36,140	36,140	36,140	36,140	36,140
〃	남양유업	아이엠마더 1단계	800g	27,370	32,200	32,200	32,200	38,800	38,800	38,800	38,800	38,800	38,800	38,800	38,800
〃	〃	아이엠마더 2단계	〃	27,370	32,200	32,200	32,200	22,540	36,800	36,800	36,800	36,800	36,800	36,800	36,800
〃	〃	아이엠마더 3단계	〃	25,410	29,900	29,900	29,900	36,800	36,800	36,800	36,800	36,800	36,800	36,800	36,800
〃	〃	아이엠마더 4단계	〃	25,410	29,900	29,900	29,900	-	-	-	-	-	-	-	-
영유아식	〃	임페리얼 XO 닥터	300g	-	-	-	-	-	-	-	-	-	-	-	-
〃	매일유업	앱솔루트(아기설사)	400g	-	-	-	-	-	-	-	-	-	-	-	-

인스턴트식품

(단위 : 원)

품명	메이커	규격	단위	대전											
				2022년 11월	12월	2023년 1월	2월	3월	4월	5월	6월	7월	8월	9월	10월
◈스낵류															
새우깡	농심	90g	봉	1,180	1,180	1,180	1,180	1,180	1,180	1,180	1,180	1,000	1,100	1,100	1,100
감자깡	〃	75g	〃	1,360	1,360	1,360	1,360	1,360	1,360	1,360	1,360	1,360	1,360	1,360	1,360
오징어집	〃	78g	〃	1,360	1,360	1,360	1,360	-	-	-	-	-	1,360	1,360	1,360
고구마깡	〃	83g	〃	1,360	1,360	1,360	1,360	1,360	1,360	1,360	1,360	-	-	-	1,360
양파깡	〃	〃	〃	1,360	1,360	1,360	1,360	1,360	1,360	1,360	1,360	-	-	-	1,360
양파링	〃	80g	〃	1,360	1,360	1,360	1,360	-	-	-	-	-	1,360	1,360	1,360
포스틱	〃	〃	〃	1,360	1,360	1,360	1,360	1,360	1,360	1,360	1,360	-	-	-	-
꿀꽈배기	〃	90g	〃	1,360	1,360	1,360	1,360	1,360	1,360	1,360	1,360	1,360	1,360	1,360	1,360
조청유과	〃	96g	〃	1,360	1,360	1,360	1,360	1,360	1,360	1,360	1,360	1,360	1,360	1,360	1,360
바나나킥	〃	145g	〃	2,580	-	-	2,580	-	-	-	-	-	-	-	-
콘칩	크라운	140g	〃	2,390	2,390	2,390	2,390	2,390	2,390	2,390	2,390	-	-	-	-
오감자	오리온	115g	〃	2,390	2,390	2,390	2,390	2,390	2,390	2,390	2,390	2,390	2,390	2,390	2,390
포카칩	〃	66g	〃	1,360	1,360	1,360	1,360	1,360	1,360	1,360	1,360	1,360	1,360	1,360	1,360
스윙칩	〃	60g	〃	1,360	1,360	1,360	1,360	1,360	1,360	1,360	1,360	1,360	1,360	1,360	1,360
오징어땅콩	〃	202g	〃	2,390	2,390	2,390	2,390	2,390	2,390	2,390	2,390	2,390	2,390	2,390	2,390
맛동산	〃	300g	〃	4,390	4,390	4,390	4,390	4,390	4,390	4,390	4,390	4,390	4,390	4,390	4,390
꼬깔콘	〃	52g 고소한맛	〃	1,190	1,000	1,000	1,000	1,000	1,000	1,000	-	1,000	1,000	1,000	1,000
짱구	삼양	272g	〃	2,850	2,880	2,850	-	-	-	-	-	-	-	-	-
죠리퐁	〃	74g	〃	1,190	1,190	1,190	1,190	1,190	1,190	1,190	1,000	1,000	1,000	1,000	1,000
야채타임	빙그레	70g	〃	1,190	-	-	-	-	-	-	-	-	-	-	-
도도한나쵸	오리온	92g 치즈맛	〃	1,190	1,000	1,000	1,000	1,000	1,000	1,000	1,190	1,190	1,190	1,190	1,190
꼬북칩	〃	64g 콘스프맛	〃	1,190	-	-	-	-	-	-	-	1,000	1,000	1,000	1,000
치토스	롯데	64g 매콤달콤한맛	〃	1,190	1,000	1,000	1,000	1,360	1,360	1,000	-	1,000	1,000	1,000	1,000
도리토스	〃	84g 나쵸치즈맛	〃	1,190	1,000	1,000	1,000	1,360	1,360	1,360	1,360	1,360	1,360	1,360	1,360
자갈치	농심	174g	〃	-	-	-	-	-	-	-	-	-	-	-	2,580
인디안밥	〃	83g	〃	-	-	-	-	-	-	-	-	-	-	-	1,360
벌집핏자	〃	90g	〃	-	-	-	-	-	-	-	-	-	-	-	1,360
허니버터칩	해태	44g	〃	-	-	-	-	-	-	-	-	-	-	-	1,000
카라멜콘과땅콩	크라운	72g	〃	-	-	-	-	-	-	-	-	-	-	-	1,000
꽃게랑	빙그레	143g	〃	-	-	-	-	-	-	-	-	-	-	-	2,800
썬칩	오리온	66g 핫스파이시맛	〃	-	-	-	-	-	-	-	-	-	-	-	1,000
빼빼로	롯데	54g	Box	-	-	-	-	-	-	-	-	-	-	-	1,360
칙촉	〃	180g	〃	-	-	-	-	-	-	-	-	-	-	-	3,990
카쵸	〃	196g	〃	-	-	-	-	-				-	-	-	3,360
버터링	해태	238g	〃	-	-	-	-	-	-	-	-	-	-	-	4,700
초코하임	크라운	284g	〃	-	-	-	-	-	-	-	-	-	-	-	4,790
고래밥	오리온	160g	〃	-	-	-	-	-	-	-	-	-	-	-	2,290
산도	롯데	16봉입 딸기크림치즈	〃	3,980	3,980	3,980	3,980	3,980	3,980	3,980	3,980	3,980	3,980	3,980	3,980
버터와플	〃	316g	〃	4,380	4,380	4,380	4,380	4,380	4,380	4,380	4,380	4,380	4,380	4,380	4,380
국희땅콩샌드	〃	372g	〃	3,980	3,980	2,790	3,990	3,990	3,990	3,990	3,990	3,990	3,990	3,990	3,990
빅파이	〃	324g	〃	3,840	3,840	3,840	3,840	3,840	3,840	3,840	3,840	3,840	3,180	3,840	3,990
후렌치파이	해태	15봉입 딸기	〃	3,990	3,990	3,990	3,990	3,990	3,990	3,990	3,990	3,990	3,990	3,990	3,990
초코파이	오리온	12개입	〃	4,320	4,320	4,320	4,320	4,320	4,320	4,320	4,320	4,320	4,320	4,320	4,320
오뜨	〃	12봉입 쇼콜라	〃	5,590	5,590	5,590	5,990	5,990	5,990	5,990	5,590	5,590	5,590	5,990	5,590
빈츠	롯데	204g	〃	4,480	4,480	4,480	4,480	4,480	4,480	4,480	4,480	4,480	4,480	4,490	4,490
마가렛트	〃	16봉입	〃	4,790	4,790	4,790	4,790	5,290	5,290	5,290	5,290	5,290	5,290	5,280	5,280
아이비크래커	해태	12봉입	〃	2,990	3,590	3,590	3,590	3,590	3,590	3,590	3,590	3,590	3,190	3,590	3,590
몽쉘	롯데	12개입	〃	4,790	4,790	4,790	4,790	4,790	4,790	5,290	5,290	5,290	5,290	5,290	5,290
카스타드	오리온	〃	〃	4,320	4,320	4,320	4,320	4,320	4,320	4,320	4,320	4,320	4,320	4,320	4,320
후레쉬베리	〃	6개입	〃	2,880	-	-	-	-	-	-	-	-	-	-	-
초코송이	〃	144g	〃	2,290	2,290	2,290	2,290	2,290	2,290	2,290	2,290	2,290	2,290	1,990	2,290
빠다코코넛	롯데	78g	〃	1,390	1,390	1,390	1,390	1,390	1,390	1,390	-	1,000	1,000	1,000	-
에이스	〃	364g	〃	4,000	4,000	4,000	4,000	4,000	-	-	-	-	-	-	3,990
쿠크다스	〃	128g	〃	2,000	2,390	2,390	2,390	2,390	2,390	2,390	2,390	2,390	2,390	2,390	2,390
홈런볼	〃	46g	봉	1,350	1,350	1,350	1,350	1,390	1,390	1,390	1,390	1,390	1,390	1,390	1,390
양갱	〃	50g×10 밤맛	〃	5,990	5,990	6,000	6,000	6,000	6,000	6,000	6,000	6,000	6,000	6,000	6,000
맛밤	CJ	60g×4	〃	7,990	7,990	6,990	6,990	6,990	6,990	6,990	7,190	7,190	7,190	7,190	7,990

(단위 : 원)

품 명	메이커	규 격	단위	대전 2022년 11월	12월	2023년 1월	2월	3월	4월	5월	6월	7월	8월	9월	10월
◈씨리얼(푸레이크)															
첵스초코	켈로그	570g	봉	7,490	7,490	7,490	7,990	7,990	7,990	7,990	7,990	7,990	7,990	7,990	7,990
스페셜K	〃	480g	〃	7,690	7,690	7,690	8,390	8,390	8,390	8,390	8,390	8,390	8,390	8,390	8,390
콘푸로스트	〃	600g	〃	6,270	6,270	4,390	6,990	4,690	6,700	6,990	6,990	6,990	6,990	6,990	6,990
아몬드푸레이크	〃	〃	〃	8,390	8,390	8,390	9,190	9,190	9,190	9,190	9,190	9,190	9,190	9,190	9,190
그래놀라	〃	400g 리얼 그래놀라	〃	8,890	6,290	8,890	9,690	9,690	9,690	9,690	9,690	9,690	9,690	9,690	9,690
〃	〃	500g 고소한 현미 그래놀라	〃	8,890	8,890	8,890	9,690	9,690	9,690	9,690	9,690	6,990	6,890	9,690	6,890
후루트링	〃	530g	〃	7,990	7,990	6,290	8,690	8,690	8,690	8,690	8,690	5,990	8,690	8,690	8,690
현미푸레이크	〃	550g	〃	8,890	8,890	8,890	9,690	9,690	9,690	9,690	9,690	9,690	9,690	9,690	9,690
콘푸라이트	포스트	600g	〃	6,690	6,690	6,690	6,690	6,690	6,690	6,690	6,690	5,010	5,510	6,380	6,690
오레오오즈	〃	500g	〃	8,690	8,690	8,690	8,690	8,790	8,680	6,940	8,680	8,790	6,980	8,790	8,680
오곡코코볼	〃	570g	〃	6,790	6,790	6,790	4,690	6,790	6,790	6,790	6,790	5,090	6,790	6,790	6,790
그래놀라	〃	570g 크랜베리 아몬드	〃	8,370	8,370	8,790	8,790	8,790	8,790	6,550	8,790	8,790	8,790	5,720	8,790
〃	〃	500g 블루베리	〃	9,390	9,390	9,390	9,390	9,990	9,390	9,390	9,390	9,390	9,390	6,990	9,390
아몬드후레이크	〃	620g	〃	8,790	8,790	8,790	6,090	8,790	8,790	8,790	8,790	8,790	8,790	8,790	8,790
골든그래놀라	〃	360g 크런치	〃	8,790	8,790	8,790	8,790	8,790	8,790	8,790	8,790	8,790	8,790	8,790	8,790
〃	〃	360g 후르츠	〃	8,790	8,790	8,790	8,790	8,790	8,790	8,790	8,790	8,790	8,790	8,790	8,790
◈면류															
밀가루	대한	1kg 곰표 중력	봉	1,880	1,880	1,590	1,880	1,880	1,880	1,880	1,880	1,880	1,840	1,840	1,840
〃	CJ	1kg 백설 중력	〃	1,900	1,900	1,900	1,900	1,900	1,900	1,900	1,900	1,900	1,900	1,900	1,900
〃	삼양	1kg 큐원 중력	〃	1,790	1,790	1,790	1,790	1,790	1,790	1,790	1,790	1,790	1,790	1,790	1,790
삼양라면	〃	120g×5개	〃	3,840	3,450	3,840	3,840	3,450	3,840	3,450	3,840	3,450	3,680	3,680	3,680
불닭볶음면	〃	140g×5개	〃	5,100	5,100	5,100	4,590	5,100	4,590	5,100	5,100	5,100	5,100	5,100	4,590
맛있는라면	〃	115g×5개	〃	4,980	4,980	4,980	4,280	4,980	4,980	4,980	4,980	4,730	4,730	4,730	4,730
신라면	농심	120g×5개	〃	4,100	4,100	4,100	4,100	4,100	4,100	4,100	4,100	3,900	3,900	3,900	3,900
너구리	〃	〃	〃	4,500	4,180	4,180	4,500	4,180	4,500	4,180	4,180	4,500	4,500	4,500	4,180
오징어짬뽕	〃	124g×5개	〃	4,380	4,880	4,880	4,380	4,880	4,880	4,880	4,880	4,880	4,880	4,880	4,880
사리곰탕면	〃	110g×5개	〃	4,880	4,880	4,880	4,880	4,880	4,880	4,880	4,880	4,880	4,880	4,880	4,880
무파마탕면	〃	122g×4개	〃	4,580	4,580	4,580	4,580	4,580	4,580	4,580	4,580	4,580	4,580	4,580	4,580
안성탕면	〃	125g×5개	〃	3,700	3,700	3,700	3,380	3,700	3,700	3,700	3,700	3,700	3,700	3,700	3,700
짜파게티	〃	140g×5개	〃	4,380	4,380	4,480	4,880	4,480	4,880	4,480	4,480	4,880	4,480	4,880	4,880
감자면	〃	117g×5개	〃	5,680	5,680	5,680	5,680	5,680	5,680	5,680	5,680	5,680	5,680	5,680	5,680
생생우동	〃	276g×4개	〃	7,680	7,680	-	8,400	8,400	8,400	8,400	8,400	8,400	8,400	8,400	8,400
사발면	〃	114g 신라면 큰사발	개	1,160	1,160	1,160	1,160	1,160	1,160	1,160	1,160	1,160	1,160	1,160	1,160
〃	〃	115g 새우탕 큰사발	〃	1,160	1,160	1,160	1,160	1,160	1,160	1,160	1,160	1,160	1,160	1,160	1,160
〃	〃	110g 육개장 큰사발	〃	1,000	1,160	1,160	1,160	1,160	1,160	1,160	1,160	1,160	1,160	1,160	1,160
컵누들	오뚜기	37.8g 매콤한맛	〃	-	-	-	-	-	-	-	-	-	-	-	1,380
열라면	〃	120g×5개	봉	3,580	3,580	3,580	3,580	3,580	3,580	3,580	3,580	3,580	3,580	3,580	3,580
진라면	〃	〃	〃	3,580	3,580	3,580	3,580	3,580	3,580	3,580	3,580	3,580	3,580	3,580	3,580
진짬뽕	〃	130g×4개	〃	5,480	6,480	5,480	6,480	6,480	6,480	6,480	6,480	6,180	6,180	6,180	5,490
참깨라면	〃	115g×4개	〃	4,680	4,680	4,680	4,680	4,680	3,790	4,680	4,680	4,480	4,480	4,480	2,980
스낵면	〃	108g×5개	〃	3,380	3,380	3,380	3,380	2,500	3,380	3,380	3,000	2,500	2,500	2,500	2,500
라면사리	〃	110g×5개	〃	-	-	-	-	-	-	-	-	-	-	-	1,750
옛날자른당면	〃	300g	〃	3,980	3,980	3,980	3,980	4,780	4,780	4,780	4,780	4,780	4,780	4,780	4,780
옛날국수(소면)	〃	900g	〃	3,550	3,550	3,550	3,550	3,550	3,550	3,550	3,550	3,550	3,550	3,550	3,550
팔도비빔면	팔도	130g×4개	〃	3,700	3,700	3,330	3,700	3,180	2,980	2,980	2,880	2,880	2,980	2,980	3,330
틈새라면	〃	120g×5개	〃	4,840	4,840	3,980	4,840	4,840	4,840	4,840	4,080	4,840	4,840	4,840	4,840
육개장칼국수	풀무원	120.9g×4개	〃	-	-	5,450	3,980	5,450	3,980	5,450	5,450	5,450	5,450	5,450	5,450
냉면	청수	540g 물냉면	〃	4,090	4,090	4,090	4,090	4,090	4,090	4,090	4,090	4,090	4,790	4,790	4,790
〃	〃	540g 비빔냉면	〃	4,090	4,090	4,090	4,090	4,090	4,090	4,090	4,090	4,090	4,790	4,790	4,790
◈즉석밥															
둥근햇반실속	CJ	210g×8개	Set	10,900	10,900	10,900	10,900	10,900	10,900	10,900	10,900	10,900	8,990	9,480	10,900
맛있는밥	오뚜기	210g×10개	〃	9,980	12,470	12,470	9,970	11,970	12,470	11,980	9,980	12,470	10,790	11,980	11,980
◈통조림															
골뱅이	유동	400g	Can	10,490	10,490	10,490	10,490	10,490	10,490	10,490	10,490	10,490	10,490	10,490	10,490
꽁치	동원	300g	〃	4,990	4,990	4,990	4,990	4,990	4,990	4,990	4,990	4,990	4,990	4,990	4,990
고등어	〃	400g	〃	3,490	3,490	3,490	3,490	3,490	3,490	3,490	3,490	3,490	3,490	3,490	3,490
살코기참치	〃	135g×4개 라이트스탠다드	〃	10,990	11,490	7,990	11,490	11,490	11,490	11,490	11,490	11,490	11,490	11,490	11,490
고추참치	〃	90g×4개	〃	8,990	9,490	9,490	9,490	9,490	9,490	9,490	9,490	9,490	9,490	9,490	9,490
야채참치	〃	〃	〃	8,990	9,490	9,490	9,490	9,490	9,490	9,490	9,490	9,490	9,490	9,490	9,490
리챔	〃	340g 오리지널	〃	7,190	7,190	7,190	7,190	7,190	7,190	7,190	7,190	7,190	7,190	7,590	7,590
스팸	CJ	340g 클래식	〃	7,190	7,190	7,190	7,190	7,190	7,190	7,190	7,190	7,190	7,590	7,590	7,590
스위트콘	오뚜기	340g	〃	1,980	1,980	1,980	1,980	1,980	1,980	1,980	1,980	1,980	1,980	1,980	1,980
〃	동원	〃	〃	1,980	1,980	1,980	1,980	1,980	1,980	1,980	1,980	1,980	1,980	1,980	1,980
황도	〃	400g	〃	2,580	2,580	2,580	2,580	2,580	2,580	2,580	2,580	2,580	2,580	2,990	2,990
후르츠칵테일	델몬트	850g	〃	4,990	4,990	4,990	4,990	4,990	4,990	4,990	4,990	4,990	4,990	-	-
파인애플슬라이스	〃	836g	〃	4,990	4,990	4,990	4,990	4,990	4,990	4,990	4,790	4,990	4,990	4,990	4,990
번데기	유동	130g	〃	1,000	1,590	1,590	1,690	1,690	1,690	1,690	1,690	1,690	1,690	1,690	1,690
〃	동원	〃	〃	1,380	1,380	1,380	1,380	1,690	1,690	1,690	1,690	1,690	1,690	1,690	1,690
깻잎	샘표	70g	〃	2,490	2,490	2,490	2,490	2,490	2,490	2,490	2,490	2,490	2,490	2,490	2,490

음료

(단위 : 원)

품 명	메이커	규 격	단위	대전 2022년 11월	12월	2023년 1월	2월	3월	4월	5월	6월	7월	8월	9월	10월
◈음료															
칠성사이다	롯데	1.8 ℓ	Pet	3,380	3,380	3,380	-	-	-	-	-	-	-	-	-
칠성사이다제로	〃	1.5 ℓ	〃	2,580	2,580	2,390	2,880	2,880	2,880	2,880	2,880	2,880	2,880	2,880	2,880
밀 키 스	〃	〃	〃	1,190	1,190	2,390	2,580	2,580	2,580	2,580	2,580	2,580	2,580	2,580	2,580
2%복숭아	〃	〃	〃	2,780	2,780	1,190	1,190	1,000	1,000	1,000	1,390	1,390	1,980	2,390	2,390
제주사랑감귤사랑	〃	〃	〃	1,290	1,290	-	-	-	-	-	-	-	-	-	-
하늘보리	웅진	〃	〃	2,000	2,000	1,290	1,290	1,380	1,380	1,380	1,380	1,380	1,380	2,390	2,390
아침햇살	〃	1.35 ℓ	〃	4,480	-	2,000	2,000	2,000	2,200	2,200	2,200	2,200	2,500	2,500	2,500
자연은알로에	〃	1.5 ℓ	〃	1,190	1,000	-	-	-	-	-	-	-	-	-	-
옥수수수염차	광동	〃	〃	1,180	1,000	1,190	2,380	2,380	2,380	2,380	2,380	2,390	2,390	2,390	2,390
헛 개 차	〃	〃	〃	980	980	1,180	2,380	2,380	2,380	2,380	2,380	2,390	2,390	2,390	2,390
제주삼다수	〃	2 ℓ	〃	3,730	3,730	980	1,080	1,080	1,080	1,080	1,080	1,080	1,080	1,080	1,080
코카콜라	코카콜라	1.8 ℓ	〃	2,360	3,150	3,730	2,980	2,990	3,730	2,980	3,730	3,730	3,730	3,730	3,730
코카콜라제로	〃	1.5 ℓ	〃	2,690	2,690	3,150	3,150	3,150	3,150	2,980	3,150	1,990	3,150	3,150	2,360
스프라이트	〃	〃	〃	-	-	2,690	2,700	2,700	2,700	2,700	2,700	2,580	2,700	2,690	2,500
암 바 사	〃	〃	〃	2,550	2,550	-	-	-	-	-	-	-	-	-	-
환 타	〃	1.5 ℓ 오렌지	〃	4,280	2,140	2,550	2,550	2,550	2,580	2,580	2,580	2,580	2,580	2,540	2,500
미닛메이드	〃	〃	〃	3,390	3,390	4,300	4,280	4,280	4,280	4,280	4,280	4,280	4,490	4,490	-
파워에이드	〃	1.5 ℓ	〃	3,390	3,390	3,620	3,620	3,620	3,620	3,620	3,620	3,620	3,620	3,620	3,620
토 레 타	〃	〃	〃	2,580	2,580	2,390	3,620	3,620	3,620	3,620	3,620	3,620	3,620	3,600	3,620
펩시콜라	펩시	〃	〃	-	-	2,580	2,580	2,580	2,580	2,580	2,580	2,580	2,580	2,580	2,580
마운틴듀	〃	〃	〃	2,780	2,780	-	-	-	-	-	-	-	-	-	-
게토레이	〃	〃	〃	-	-	3,480	3,480	3,480	3,480	3,480	3,480	3,480	3,480	3,480	3,480
포카리스웨트	동아오츠카	1.8 ℓ	〃	2,280	2,280	2,490	2,490	2,490	2,490	2,490	2,680	2,680	2,680	2,680	2,680
콜드오렌지	델몬트	1.89 ℓ	〃	4,990	4,980	-	-	-	-	-	-	-	-	-	-
웰 치 스	웰치	1.5 ℓ 포도	〃	2,180	2,180	-	-	-	-	-	-	-	-	-	-
◈차류															
보 리 차	동서	30개입	Box	2,080	2,080	2,180	2,190	2,290	2,180	2,180	2,180	2,180	2,180	2,180	2,180
현미녹차	〃	100개입	〃	7,600	6,600	7,980	7,180	7,980	7,980	7,980	7,980	7,140	7,140	7,140	7,980
둥글레차	〃	〃	〃	9,400	8,460	9,870	8,880	9,870	9,930	9,930	9,930	8,910	8,890	8,910	9,930
메 밀 차	〃	〃	〃	7,600	6,840	7,960	7,160	7,960	7,980	7,960	7,960	7,140	7,210	7,140	7,960
옥수수차	〃	30개입	〃	2,720	2,720	2,850	2,890	2,890	2,850	2,850	2,850	2,850	2,850	2,850	2,850
결명자차	〃	18개입	〃	2,090	2,090	2,200	2,290	2,290	2,300	2,300	2,300	2,300	2,300	2,300	2,200
오 곡 차	〃	〃	〃	-	-	-	-	-	-	-	-	-	-	-	-
티오아이스티	〃	40개입	〃	4,750	2,850	-	-	-	-	6,980	6,990	9,980	5,980	9,980	9,980
립톤아이스티	유니레버	770g 복숭아	〃	-	-	15,200	15,200	15,200	15,200	15,200	15,200	15,200	15,200	15,200	15,290
루이보스보리차	동서	100개입	〃	6,440	8,990	7,560	7,560	8,390	7,680	7,680	7,680	6,840	7,980	7,980	7,980
맥 심	〃	100개입 모카골드 커피믹스	〃	14,980	14,980	16,450	16,450	16,450	16,450	16,450	16,450	16,450	16,450	16,450	16,450
〃	〃	100개입 아이스 커피믹스	〃	-	-	-	-	-	-	21,000	28,000	20,900	21,000	28,000	-
〃	〃	100개입 화이트골드 커피믹스	〃	15,980	15,980	17,560	17,560	17,560	17,560	17,560	17,560	17,560	17,560	17,560	17,560
카 누	〃	100개입 미니 마일드 로스트	〃	20,390	20,390	22,390	22,390	22,390	22,390	22,390	22,390	22,390	22,390	22,390	22,390
〃	〃	100개입 미니 다크로스트	〃	20,390	20,390	22,390	22,390	22,390	22,390	22,390	22,390	22,390	22,390	22,390	22,390
〃	〃	100개입 미니 디카페인 아메리카노	〃	20,390	20,390	22,390	24,640	-	24,640	24,640	24,640	24,640	24,640	24,600	24,600
작 설 차	녹차원	10개입 맛있는 녹차작설	〃	-	-	-	-	-	-	-	-	-	-	-	-
옥수수수염차	〃	100개입	〃	-	-	-	-	-	-	-	-	-	-	-	-
호두아몬드율무차	담터	〃	〃	21,700	-	-	-	-	-	-	-	-	-	-	-
생 강 차	〃	50개입	〃	9,990	-	-	-	-	-	-	-	-	-	-	-
쌍 화 차	〃	〃	〃	9,900	-	-	-	-	-	-	-	-	-	-	-
단호박마차	〃	〃	〃	9,900	-	-	-	-	-	-	-	-	-	-	-
◈주류															
소 주	하이트진로	360㎖ 참이슬 후레쉬	병	1,380	1,380	1,380	1,380	1,380	1,380	1,380	1,380	1,380	1,380	1,380	1,380
〃	〃	360㎖ 진로	〃	-	-	-	-	-	-	-	-	-	-	-	1,290
〃	롯데	360㎖ 새로	〃	-	-	-	-	-	-	-	-	-	-	-	1,290
〃	〃	360㎖ 처음처럼	〃	-	-	-	-	-	-	-	-	-	-	-	1,380
맥 주	하이트진로	500㎖ 하이트 엑스트라콜드	〃	1,810	1,810	1,810	1,810	1,810	1,810	1,810	1,810	1,810	1,810	1,810	1,810
〃	OB	500㎖ 카스 후레쉬	〃	1,810	1,810	1,810	1,810	1,810	1,810	1,810	1,810	1,810	1,550	1,720	1,890
막 걸 리	서울장수	750㎖ 장수 생막걸리	〃	1,390	1,390	-	1,390	1,680	1,390	1,390	1,390	1,390	1,390	1,390	1,390

일용품

(단위 : 원)

품명	메이커	규격	단위	대전											
				2022년 11월	12월	2023년 1월	2월	3월	4월	5월	6월	7월	8월	9월	10월
◈일용품															
▶주방용품															
주방세제	라이온	(450㎖) 참그린	개	3,990	3,990	3,990	3,990	3,990	3,990	3,990	3,990	3,990	3,990	3,990	3,990
〃	헨켈	(750㎖)프릴 베이킹소다 퓨어레몬	〃	8,900	8,900	8,900	8,900	8,900	8,900	9,500	9,500	9,500	9,500	9,500	9,500
〃	LG	(490㎖) 자연퐁 POP 솔잎	〃	7,900	5,300	-	-	-	-	-	-	-	-	-	-
키친타올	유한	크리넥스 150매×6	〃	7,700	-	-	-	-	-	-	-	-	-	-	-
행 주	〃	스카트 항균블루 행주타올45매×4	〃	18,900	18,900	18,900	18,900	13,280	14,480	-	18,100	-	-	18,100	18,100
냅 킨	〃	크리넥스 카카오 홈냅킨 130매×6	〃	12,900	-	12,100	12,100	12,100	12,100	12,100	12,100	12,100	12,100	12,100	12,100
호 일	대한	대한웰빙호일 25㎝×30m×15μ	〃	6,890	-	-	-	-	-	-	-	-	-	-	-
〃	크린랩	(30매) 크린 종이호일 26.7㎝	〃	4,690	4,690	-	-	-	-	-	-	-	-	-	-
〃	〃	크린 종이호일 30㎝×20m	〃	5,290	5,290	5,290	5,290	5,290	5,290	5,290	5,290	5,290	5,290	-	5,290
랩	〃	크린랩 22㎝×100m	〃	8,980	8,980	8,980	8,980	8,980	8,980	8,980	8,980	8,980	6,280	8,980	8,980
위생봉지	〃	(200매입)크린롤백 30㎝×40㎝	〃	7,280	7,280	7,280	7,280	7,280	7,280	7,280	7,280	7,280	7,280	5,090	5,090
고무장갑	〃	(2개입) 크린랩고무장갑(중)	〃	5,880	-	5,880	-	-	-	-	-	-	-	-	-
위생장갑	〃	(100매) 크린장갑	〃	4,590	4,590	4,590	4,590	4,590	3,210	4,380	4,590	4,590	4,590	4,590	4,590
종 이 컵	-	(250매) 일회용 물컵	〃	1,780	-	-	-	-	-	-	-	-	-	-	-
〃	-	(50개입) 고급 종이컵	〃	1,290	1,290	1,290	1,290	1,290	1,290	1,290	1,290	1,290	1,290	1,290	1,290
▶욕실용품															
세숫비누	LG	(140g×3개) 알뜨랑	〃	5,900	5,900	6,900	6,900	6,900	6,900	6,900	6,900	6,900	6,900	6,900	6,900
〃	유니레버	(90g×4개) 도브 비누 뷰티바	〃	7,900	-	7,900	7,900	7,900	7,900	5,530	-	-	-	-	7,900
손세정제	라이온	(250㎖) 아이 깨끗해 거품형	〃	6,500	6,500	6,500	6,500	6,500	6,900	6,900	6,900	6,900	6,900	6,900	6,900
〃	유니레버	(240㎖)도브 포밍핸드워시 딥모이스처	〃	-	-	5,900	4,130	5,900	4,090	5,900	5,900	5,900	5,900	5,900	5,900
샴 푸	LG	(680㎖) 엘라스틴 모이스처 샴푸	〃	13,900	13,900	12,900	12,900	12,900	12,900	12,900	12,900	-	-	-	12,900
〃	애경	(1,000㎖) 케라시스 퍼퓸 샴푸	〃	9,900	9,900	12,900	12,900	12,900	12,900	12,900	12,900	12,900	12,900	12,900	12,900
〃	한국피앤지	(1,200㎖) 팬틴 모이스쳐 샴푸	〃	11,900	-	-	-	-	-	-	-	-	-	-	-
칫 솔	〃	(3개입) 오랄비 칫솔	〃	11,900	11,900	11,900	11,900	11,900	11,900	11,900	11,900	11,900	11,900	11,900	11,900
〃	LG	(4개입) 페리오 센서티브 초극세모	〃	9,900	9,900	11,900	11,900	11,900	11,900	11,900	10,900	11,900	11,900	11,900	11,900
〃	아모레	(4개입) 메디안 치석케어 칫솔	〃	7,900	7,900	-	-	-	-	-	-	-	-	-	-
치 약	애경	(130g×3개) 2080 시그니처 토탈블루	〃	8,900	8,900	8,900	8,900	4,900	8,900	8,900	8,900	8,900	8,900	8,900	7,800
〃	LG	(120g×8개) 페리오 치석케어 치약	〃	10,900	10,900	10,900	-	-	-	5,450	-	-	-	-	-
〃	〃	(120g×3개) 페리오 토탈7 오리지널	〃	11,900	11,900	5,950	12,900	12,900	12,900	6,450	12,900	12,900	12,900	12,900	12,900
〃	〃	(120g×3개) 죽염 오리지날	〃	9,900	13,900	13,900	13,900	13,900	13,900	13,900	13,900	13,900	13,900	13,900	13,900
화 장 지	유한	크리넥스 3겹 순수소프트 30m×30롤	〃	-	-	-	-	-	-	-	-	-	-	-	-
〃	쌍용	코디 순한 3겹데코 30m×30롤	〃	-	-	-	-	-	-	-	-	-	-	-	-
▶방향제															
에 어 윅	LG	(440㎖) AURA 해피브리즈 방향제(라벤더)	〃	8,900	8,900	9,800	9,800	9,800	9,800	9,800	6,860	-	-	-	-
페브리즈	한국피앤지	(275㎖) 에어공기 탈취제	〃	5,900	5,900	5,900	5,900	3,900	5,900	5,900	5,900	5,900	5,900	5,900	5,900
방 충 제	헨켈	(24개입) 컴배트 좀벌레싹 서랍장용	〃	10,900	10,900	10,900	10,900	10,900	11,400	11,400	11,400	11,400	11,400	11,400	11,400
〃	〃	(6개입) 컴배트 좀벌레싹 옷장용	〃	11,500	11,500	11,500	11,500	11,500	12,100	12,100	12,100	12,100	12,100	12,100	12,100
〃	〃	(12개입) 컴배트 좀벌레싹 콤보	〃	11,500	11,500	11,500	11,500	11,500	12,100	12,100	12,100	12,100	12,100	12,100	12,100
▶세탁용품															
세탁비누	무궁화	(230g×4) 세탁비누	〃	5,490	5,490	5,490	5,490	5,490	5,490	5,490	5,490	5,490	5,490	5,490	5,490
〃	〃	(230g×4) 살균비누	〃	7,900	7,900	7,900	7,900	7,900	7,900	7,900	7,900	7,900	7,900	7,900	7,900
락 스	유한	(3.5ℓ) 유한락스	〃	5,370	5,370	-	-	-	-	-	-	-	-	-	-
합성세제	피죤	(3ℓ)액츠 퍼펙트 액체세제	〃	16,900	16,900	16,900	16,900	16,900	16,900	16,900	16,900	16,900	16,900	16,900	16,900
〃	LG	(3ℓ) 테크 액체세제	〃	19,900	19,900	21,900	21,900	21,900	21,900	21,900	21,900	21,900	21,900	21,900	17,900
〃	〃	(2.7ℓ) FiJi 컬러젤	〃	29,800	29,800	31,800	31,800	31,800	31,800	31,800	31,800	31,800	31,800	22,260	15,900
〃	애경	(6kg) 스파크	〃	13,900	13,900	13,900	13,900	13,900	13,900	13,900	11,900	11,900	11,900	11,900	11,900
섬유유연제	피죤	(2.1ℓ) 피죤 블루 비앙카	〃	7,900	-	3,500	3,500	2,700	-	-	-	-	-	-	-
〃	한국피앤지	(2ℓ) 다우니 초고농축 퍼플	〃	12,700	12,700	12,700	14,800	14,800	14,800	14,800	14,800	14,800	14,800	10,360	16,200
〃	LG	(3ℓ) 샤프란 로맨틱 코튼	〃	4,250	4,850	4,450	4,450	4,850	4,450	4,850	4,850	4,850	4,450	4,450	4,850
▶세척제															
Mr.홈스타	LG	900㎖	〃	6,900	8,900	8,900	8,900	7,900	8,900	8,900	8,900	8,900	8,900	8,900	8,900
홈스타변기세정제	〃	40g×4개	〃	3,900	4,290	4,290	4,290	4,290	4,290	4,290	4,290	4,290	4,290	4,290	4,290
유한락스	유한	(900㎖) 곰팡이제거제×2개	〃	6,450	8,070	6,800	8,070	6,050	-	-	-	-	-	-	-
펑 크 린	〃	1.5ℓ	〃	4,350	-	-	-	-	-	-	-	-	-	-	-
무균무때	피죤	900㎖	〃	7,900	7,900	7,900	7,900	7,900	8,900	8,900	8,900	8,900	8,900	8,900	3,950
비트찌든때제거	라이온	500㎖	〃	5,340	-	8,900	8,900	8,900	8,900	8,900	8,900	8,900	8,900	8,900	8,900
▶살충제															
에프킬라믹스베이트	한국존슨	바퀴살충제10개입	〃	10,900	10,900	10,900	10,900	10,900	10,900	10,900	9,500	9,500	9,500	9,500	9,500
컴배트에어졸	헨켈	(500㎖) 스피드	〃	5,900	5,900	5,900	5,900	5,900	6,200	6,200	6,200	6,200	6,200	6,200	6,200
홈매트리퀴드	〃	훈증기+29㎖ 45일×3	〃	25,900	25,900	25,900	25,900	25,900	25,900	25,200	25,200	25,200	25,200	25,200	25,200
홈 키 파	〃	(500㎖) 수성 에어졸	〃	6,500	6,500	6,500	6,500	6,500	7,200	7,200	7,200	7,200	7,200	7,200	7,200
▶기타															
면 도 기	한국피앤지	질레트 마하3	〃	8,500	8,500	8,500	8,500	8,500	8,500	8,500	8,500	8,500	8,500	8,500	8,500
쉐이빙폼	니베아	(200㎖) 포맨 센서티브	〃	5,900	5,900	5,900	5,900	6,500	6,500	6,500	6,500	6,500	6,500	6,500	6,500
부탄가스	썬연료	4입	〃	6,790	6,790	6,790	6,790	6,790	6,790	6,790	6,790	6,790	6,790	6,790	6,790
습기제거제	LG	홈스타 제습혁명 8P	〃	10,300	9,900	12,300	12,300	12,300	12,300	10,900	12,300	12,300	10,900	10,900	10,900

조미료

(단위 : 원)

품명	메이커	규격	단위	강원											
				2022년11월	12월	2023년1월	2월	3월	4월	5월	6월	7월	8월	9월	10월
◈조미료															
고춧가루	-	(1kg) 태양초	개	35,880	33,600	33,600	33,600	33,600	33,600	33,600	33,600	33,600	33,600	33,600	-
고 추 장	대상	(1kg)청정원순창우리쌀찰고추장	〃	16,800	16,800	16,830	16,830	16,830	16,830	16,830	16,830	19,000	19,600	19,600	19,600
〃	CJ	(1kg) 해찬들 태양초골드	〃	18,300	18,300	18,800	18,800	19,200	19,200	19,200	19,200	17,900	17,900	19,800	19,800
된 장	대상	(1kg) 청정원 순창	〃	8,190	8,190	8,190	8,190	8,190	8,190	8,190	8,190	9,100	9,100	9,100	9,100
〃	CJ	(1kg) 해찬들 재래식	〃	8,000	8,100	8,990	8,990	8,990	8,990	8,990	8,990	8,990	8,990	8,990	8,990
쌈 장	대상	(500g)청정원순창양념듬뿍쌈장	〃	4,860	4,900	4,860	4,860	4,860	4,860	4,860	4,860	5,400	5,400	5,400	5,400
〃	CJ	(500g) 해찬들 사계절쌈장	〃	4,820	4,900	5,190	5,190	5,190	5,190	5,190	5,190	5,190	5,190	5,190	5,190
양조간장	샘표	(860㎖) 양조간장501	〃	7,900	7,900	7,900	-	-	-	-	-	7,900	7,900	7,900	7,900
〃	대상	(840㎖)햇살담은씨간장숙성양조간장	〃	6,210	6,210	-	-	-	-	-	7,480	7,480	7,480	7,480	7,480
진 간 장	〃	(840㎖)햇살담은 진간장 골드	〃	4,770	4,770	5,680	5,680	5,680	5,680	5,680	5,680	5,680	5,680	5,680	5,680
〃	샘표	(860㎖) 금F-3	〃	5,120	5,120	6,100	6,100	6,100	6,100	6,100	6,100	6,100	6,100	6,100	6,100
설 탕	CJ	(1kg) 백설 백설탕	〃	1,980	1,980	1,980	1,980	1,980	1,980	1,980	1,980	1,980	2,380	2,380	2,380
〃	〃	(1kg) 백설 갈색설탕	〃	2,480	2,480	2,480	2,480	2,480	2,480	2,480	2,480	2,480	2,880	2,880	2,880
〃	〃	(1kg) 백설 흑설탕	〃	2,580	2,580	2,580	2,580	2,580	2,580	2,580	2,580	2,580	2,980	2,980	2,980
〃	삼양	(1kg) 큐원 백설탕	〃	1,750	1,750	1,750	1,950	1,950	1,950	1,950	1,950	1,950	2,350	2,350	2,350
〃	〃	(1kg) 큐원 갈색설탕	〃	2,450	2,450	2,450	2,450	2,450	2,450	2,450	2,450	2,450	2,850	2,850	2,850
〃	〃	(1kg) 큐원 흑설탕	〃	2,590	2,590	2,590	2,550	2,550	2,550	2,550	2,550	2,550	2,950	2,950	2,950
소 금	대상	(500g) 미원 맛소금	〃	-	2,540	2,540	2,540	2,540	2,540	2,540	2,540	2,540	-	2,540	2,540
〃	〃	(500g)청정원천일염구운소금	〃	5,460	5,250	5,250	5,250	5,250	5,250	5,250	5,250	5,250	-	-	4,990
〃	사조대림	(1kg) 해표 꽃소금	〃	-	1,390	1,390	1,390	1,390	1,890	1,890	1,890	1,890	1,890	2,290	2,290
〃	대상	(1kg) 미원 맛소금	〃	4,180	4,180	4,180	4,180	4,180	4,180	4,180	4,180	-	-	4,180	4,180
〃	CJ	(400g) 백설 구운 천일염	〃	4,150	4,150	4,150	4,150	4,150	4,150	4,150	4,150	-	-	-	-
미 원	대상	(500g) 발효 미원	〃	13,180	13,900	13,900	13,900	13,900	13,900	13,900	13,900	13,900	13,900	13,900	13,900
물 엿	〃	(1.2kg) 청정원	〃	4,180	4,180	-	-	-	-	-	-	-	-	-	-
〃	오뚜기	(1.2kg) 옛날 물엿	〃	4,680	4,680	6,480	4,680	5,190	5,190	5,190	5,190	5,190	4,680	4,680	4,680
올리고당	CJ	(1.2kg) 백설 요리올리고당	〃	5,980	5,980	5,980	5,980	6,590	6,590	6,590	5,980	5,980	6,480	6,480	6,480
〃	대상	(1.2kg) 청정원 요리올리고당	〃	5,980	5,980	5,980	5,980	5,980	5,980	5,980	5,980	5,980	5,980	5,980	5,980
케 찹	오뚜기	(500g) 토마토케찹	〃	2,300	2,880	2,880	2,880	3,180	3,180	3,180	3,180	3,180	3,180	3,180	3,180
〃	대상	(410g) 청정원 우리아이케찹	〃	-	-	3,000	3,000	3,000	3,000	3,000	3,000	3,000	3,000	3,000	3,000
마요네즈	오뚜기	(800g) 골드	〃	7,880	7,880	7,880	7,880	8,680	8,680	8,680	8,680	8,680	8,680	8,680	8,680
〃	대상	(800g)청정원고소한마요네즈	〃	6,780	6,780	7,900	7,900	7,900	7,900	7,900	7,900	7,900	7,900	7,900	7,900
마아가린	오뚜기	(200g) 옥수수 마아가린	〃	-	-	-	-	-	-	-	-	2,290	-	-	-
식 초	〃	(900㎖) 사과식초	〃	-	2,600	2,600	2,600	3,190	3,190	3,190	2,880	2,880	2,880	2,880	2,880
〃	대상	(900㎖) 청정원 사과식초	〃	2,440	2,600	2,600	2,600	2,600	2,600	2,600	2,600	2,600	2,880	2,880	2,880
〃	〃	(900㎖) 청정원 현미식초	〃	-	2,600	2,600	2,600	2,600	2,600	2,600	2,600	2,600	2,600	2,600	2,600
〃	오뚜기	(900㎖) 현미식초	〃	2,600	2,600	2,600	2,400	2,680	2,680	2,680	2,680	2,680	2,680	2,680	2,680
식 용 유	사조대림	(900㎖) 해표 식용유	〃	5,200	5,180	5,200	5,200	5,200	5,200	5,200	5,200	5,200	5,200	5,200	5,200
〃	CJ	(900㎖) 백설 식용유	〃	4,440	4,440	5,180	5,180	5,180	5,180	5,180	5,180	5,180	5,180	5,180	5,180
〃	〃	(900㎖) 백설 카놀라유	〃	9,500	9,500	9,500	9,500	9,500	9,500	9,500	9,500	9,500	9,500	9,500	9,500
〃	〃	(900㎖) 백설 포도씨유	〃	16,000	16,000	16,000	16,000	16,000	16,000	16,000	16,000	16,000	16,000	16,000	16,000
〃	〃	(900㎖) 백설 올리브유	〃	18,000	18,000	18,000	18,000	18,000	18,000	18,000	18,000	18,000	19,800	19,800	19,800
참 기 름	〃	(320㎖) 백설 진한 참기름	〃	7,100	7,100	7,100	7,100	8,500	8,500	8,500	8,500	8,500	8,500	8,500	8,500
〃	〃	(300㎖)백설고소함가득참기름	〃	7,400	7,400	7,400	8,880	8,880	8,880	8,880	8,880	8,880	8,880	8,880	8,880
〃	오뚜기	(320㎖) 고소한 참기름	〃	9,600	9,600	9,600	9,600	11,690	11,690	11,690	11,690	10,600	10,600	10,600	10,600
〃	〃	(320㎖) 옛날 참기름	〃	6,700	6,700	6,700	6,700	9,590	9,590	9,590	9,590	9,590	9,590	9,590	9,590
고추씨기름	〃	(80㎖) 옛날 고추맛기름	〃	-	-	2,180	2,180	2,180	2,180	2,180	2,180	2,180	2,180	2,180	2,180
멸치액젓	CJ	(800g) 658㎖ 하선정	〃	5,760	5,760	5,280	5,280	5,280	5,280	5,280	5,280	5,280	5,280	5,280	5,280
〃	대상	(750g)626㎖ 청정원남해안멸치액젓	〃	3,960	3,960	-	-	-	3,960	3,960	3,960	-	3,960	-	-
까나리액젓	〃	(750g)622㎖ 청정원서해안까나리액젓	〃	4,500	4,500	5,080	5,080	5,000	5,000	5,000	5,000	5,000	5,000	5,000	5,000
〃	CJ	(800g)658㎖ 하선정서해안까나리액젓	〃	4,750	4,750	5,280	5,280	5,280	5,280	5,280	5,280	5,280	5,280	5,280	5,280
조 미 료	〃	(500g) 백설 쇠고기 다시다	〃	11,750	11,750	11,750	11,750	12,850	12,850	12,850	12,850	12,850	12,850	12,850	12,850
〃	〃	(500g) 백설 멸치 다시다	〃	11,750	10,370	10,370	10,370	11,300	11,300	11,300	11,300	11,300	11,300	11,300	11,300
〃	대상	(300g) 쇠고기 감치미	〃	-	-	6,690	6,690	6,690	6,690	6,690	6,690	6,690	7,160	7,160	7,160
〃	〃	(300g) 한우 감치미	〃	8,220	6,690	-	-	-	-	-	-	-	-	-	-
후 추	오뚜기	(100g) 순후추	〃	5,380	5,380	5,370	5,390	6,180	6,180	6,180	6,180	6,180	6,180	6,180	6,180
〃	대상	(50g) 청정원 순후추	〃	3,340	4,980	3,340	3,340	3,340	3,340	3,340	3,340	3,340	3,680	3,680	3,680
와 사 비	오뚜기	(43g) 생와사비	〃	4,150	4,150	4,150	4,150	4,150	4,150	4,150	4,150	4,150	4,150	4,150	4,150
〃	〃	(100g) 연와사비	〃	4,150	4,150	4,150	4,150	4,150	4,150	4,150	4,150	4,150	4,150	4,150	4,150
겨 자	〃	(100g) 연겨자	〃	3,280	4,090	4,090	4,090	4,090	4,090	4,090	4,090	4,090	4,090	4,090	4,090
〃	대상	(95g) 청정원 연겨자	〃	-	3,790	3,190	3,190	3,190	3,190	3,190	3,190	3,190	3,190	3,190	3,190
요 리 주	롯데	(900㎖) 미림	〃	3,670	3,670	6,390	3,690	3,690	3,690	3,690	3,690	3,670	3,690	3,690	3,790
〃	오뚜기	(900㎖) 미향	〃	3,590	3,590	3,890	3,890	4,180	4,180	4,180	4,180	4,180	4,180	4,180	4,180
〃	CJ	(800㎖)백설맛술 로즈마리	〃	3,380	3,980	3,980	3,980	3,980	3,980	3,980	3,980	3,980	3,980	3,980	3,980

김치류 · 수산품 · 낙농물

(단위 : 원)

품 명	메이커	규 격	단위	강 원											
				2022년 11월	12월	2023년 1월	2월	3월	4월	5월	6월	7월	8월	9월	10월
◈김치류															
하선정 포기김치	CJ	3kg	봉	-	30,800	30,800	22,900	22,900	22,900	-	-	-	-	-	-
비비고 포기배추김치	〃	3.3kg	〃	34,800	33,800	33,800	34,800	34,800	33,800	33,800	33,800	33,800	33,800	33,800	33,800
종가집 포기김치	대상	〃	〃	33,700	33,700	33,700	33,800	33,800	33,800	33,800	33,800	33,800	33,800	33,800	33,800
비비고 총각김치	CJ	1.5kg	〃	-	-	-	-	-	-	-	-	-	-	-	18,500
종가집 총각김치	대상	〃	〃	-	-	-	-	-	-	-	-	-	-	-	18,500
◈수산물															
生연어(횟감용)	노르웨이	100g	팩	4,990	4,950	4,950	4,950	5,500	5,500	5,650	5,650	6,000	5,500	5,000	5,000
生연어(구이용)	〃	〃	〃	4,580	5,450	5,450	4,450	5,000	5,000	5,150	5,150	5,500	5,000	-	-
부산간고등어	국산	1마리(대)	〃	10,400	-	-	5,500	7,500	5,500	4,500	6,000	5,500	5,500	5,500	5,500
제주생물갈치	〃	〃	〃	9,900	-	9,000	13,200	-	18,400	13,200	13,800	12,000	12,000	13,000	13,200
◈수산가공품															
명가 직화구이김	CJ	4.5g×20봉	봉	8,980	8,980	8,980	6,490	6,490	6,490	6,490	6,490	6,490	6,490	6,490	6,490
대 천 김	대천김	5g×20봉	〃	-	5,990	5,990	-	9,490	9,490	9,990	9,990	9,990	9,990	9,990	9,990
광 천 김	해달음	4g×20봉	〃	6,480	-	-	-	-	-	-	8,990	8,990	8,990	8,990	9,490
옛날미역	오뚜기	100g	〃	3,190	5,490	5,490	5,490	5,490	5,490	6,490	6,490	6,490	6,490	6,490	6,490
◈낙농물															
쇠 고 기	국산(한우)	정육(등심)상등급	100g	15,590	14,990	15,960	14,590	15,990	14,990	13,990	13,990	13,990	11,990	14,990	14,990
〃	〃	정육(양지)상등급	〃	7,680	6,500	7,500	10,820	11,990	10,820	9,820	10,820	10,820	10,820	10,820	10,820
돼지고기	국산	정육(삼겹살)상등급	〃	3,680	3,990	3,990	3,990	2,590	4,290	3,390	4,990	3,990	3,990	4,490	3,890
〃	〃	정육(목살)상등급	〃	3,680	3,990	3,990	3,990	2,590	4,290	3,390	4,590	4,190	2,890	4,590	3,890
닭 고 기	〃	육계	1kg	8,280	8,990	8,990	8,990	8,990	9,990	9,990	9,990	8,990	8,990	8,990	8,990
계 란	CJ	신선한 목초란	15구	7,980	8,490	7,990	7,990	7,990	7,990	7,990	7,990	7,990	7,990	7,990	7,990
우 유	서울우유	흰 우유(나 100%)	1 ℓ	2,700	2,840	2,890	2,890	2,890	2,890	2,890	2,890	2,890	2,890	2,890	2,980
〃	〃	목장의 신선함이 살아있는 우유	〃	3,230	3,400	3,780	3,400	3,400	3,400	3,400	3,400	3,400	3,400	3,400	3,680
〃	남양유업	맛있는 우유 GT	900mℓ	2,650	2,890	2,890	2,780	2,890	2,890	2,890	2,890	2,890	2,890	2,890	2,980
〃	매일유업	매일우유 오리지널	〃	2,610	2,700	2,850	2,850	2,850	2,890	2,890	2,890	2,890	2,890	2,890	2,970
〃	동원	덴마크 대니쉬 the건강한 우유	〃	2,380	2,380	-	-	-	-	-	-	-	-	-	-
〃	빙그레	바나나맛 우유 240mℓ×4	묶음	4,900	5,480	5,480	5,480	5,480	5,480	5,480	5,480	5,480	5,480	5,480	5,800
〃	서울우유	서울 요구르트 65mℓ×20	〃	-	2,950	2,950	2,950	2,950	2,950	2,950	2,950	2,950	2,950	2,990	3,100
〃	남양유업	남양 요구르트 65mℓ×20	〃	2,970	2,980	2,980	2,980	2,980	2,990	2,990	2,990	2,990	2,990	2,990	3,100
〃	HY	HY 야쿠르트 오리지널 65mℓ×20	〃	4,400	4,400	4,400	4,400	4,400	4,400	4,400	4,400	4,400	4,400	4,400	4,400
버 터	서울우유	무가염 버터	450g	10,260	10,260	10,260	11,000	11,000	11,000	11,000	11,000	11,000	11,000	11,000	11,000
〃	파스퇴르	프리미엄 홈버터	〃	9,500	9,500	9,500	9,490	9,490	9,990	9,990	9,990	9,990	9,990	9,990	9,990
치 즈	서울우유	어린이치즈 앙팡(15매입)	개	6,980	6,980	-	-	-	-	-	-	-	-	-	-
〃	〃	체다치즈(20매입)	〃	8,970	8,970	7,780	8,980	8,980	8,980	8,980	8,980	8,980	8,980	8,980	8,980
〃	매일유업	뼈로가는 칼슘치즈(15매입)	〃	8,800	8,800	6,160	8,780	8,800	8,800	8,800	8,800	9,990	9,990	9,990	9,990
〃	〃	더블업 체다치즈	360g	6,160	6,160	6,160	7,980	7,980	8,800	8,800	8,800	9,990	9,990	9,990	9,990
햄	목우촌	주부9단 살코기햄	1kg	12,980	12,980	13,000	12,990	12,990	12,990	12,990	10,990	12,990	13,490	12,490	10,490
〃	〃	주부9단 불고기햄	300g	4,980	4,980	7,000	-	-	-	-	-	-	-	-	-
조제분유	남양유업	남양분유 임페리얼 XO1	800g	19,000	24,900	23,300	24,900	27,800	27,800	27,800	27,800	27,800	27,800	27,800	27,800
〃	〃	남양분유 임페리얼 XO2	〃	20,300	24,900	23,300	24,900	25,800	25,800	25,800	25,800	25,800	25,800	25,800	25,800
〃	〃	남양분유 임페리얼 XO3	〃	19,800	20,900	19,800	20,900	25,800	25,800	25,800	25,800	25,800	25,800	25,800	25,800
〃	〃	남양분유 임페리얼 XO4	〃	19,800	20,900	19,800	20,900	25,800	25,800	25,800	25,800	25,800	25,800	25,800	25,800
〃	매일유업	앱솔루트 센서티브 1단계	900g	35,140	36,140	36,140	36,140	36,140	36,140	36,140	36,140	36,140	36,140	36,140	36,140
〃	〃	앱솔루트 센서티브 2단계	〃	35,140	36,140	36,140	36,140	36,140	36,140	36,140	36,140	36,140	36,140	36,140	36,140
〃	〃	앱솔루트 센서티브 3단계	〃	35,140	36,140	36,140	36,140	36,140	36,140	36,140	36,140	36,140	36,140	36,140	36,140
〃	〃	앱솔루트 센서티브 4단계	〃	35,140	36,140	36,140	36,140	36,140	36,140	36,140	36,140	36,140	36,140	36,140	36,140
〃	남양유업	아이엠마더 1단계	800g	25,970	32,200	32,200	32,200	38,800	38,800	38,800	38,800	38,800	38,800	38,800	38,800
〃	〃	아이엠마더 2단계	〃	25,970	32,200	32,200	32,200	38,800	38,800	38,800	38,800	38,800	38,800	38,800	38,800
〃	〃	아이엠마더 3단계	〃	27,800	29,900	29,900	29,900	36,800	36,800	36,800	36,800	36,800	36,800	36,800	36,800
〃	〃	아이엠마더 4단계	〃	27,800	29,900	29,900	29,900	36,800	36,800	36,800	36,800	36,800	36,800	36,800	36,800
영유아식	〃	임페리얼 XO 닥터	300g	13,210	-	-	-	-	-	-	-	-	-	-	-
〃	매일유업	앱솔루트(아기설사)	400g	17,200	-	-	-	-	-	-	-	-	-	-	-

인스턴트식품

(단위 : 원)

품 명	메이커	규 격	단위	강원											
				2022년 11월	12월	2023년 1월	2월	3월	4월	5월	6월	7월	8월	9월	10월
◈스낵류															
새 우 깡	농심	90g	봉	1,180	1,180	1,180	1,180	1,180	1,180	1,180	1,180	1,100	1,100	1,100	1,100
감 자 깡	〃	75g	〃	1,360	1,360	1,360	1,360	1,360	1,360	1,360	1,360	1,360	1,360	1,360	1,360
오징어집	〃	78g	〃	1,360	1,360	1,360	1,360	1,360	1,360	1,360	1,360	1,360	1,360	1,360	1,360
고구마깡	〃	83g	〃	1,360	1,360	1,360	1,360	1,360	1,360	1,360	1,360	1,360	1,360	1,360	1,360
양 파 깡	〃	〃	〃	1,360	1,360	1,360	1,360	1,360	1,360	1,360	1,360	1,360	1,360	1,360	1,360
양 파 링	〃	80g	〃	1,360	1,360	1,360	1,360	1,360	1,360	1,360	1,360	1,360	1,360	1,360	1,360
포 스 틱	〃	〃	〃	1,360	1,360	1,360	1,360	1,360	1,360	1,360	1,360	1,360	1,360	1,360	1,360
꿀꽈배기	〃	90g	〃	1,360	1,360	1,360	1,360	1,360	1,360	1,360	1,360	1,360	1,360	1,360	1,360
조청유과	〃	96g	〃	1,360	1,360	1,360	1,360	1,360	1,360	1,360	1,360	1,360	1,360	1,360	1,360
바나나킥	〃	145g	〃	2,380	2,380	2,580	2,580	2,580	2,580	2,580	2,580	2,580	2,580	2,580	2,580
콘 칩	크라운	140g	〃	2,390	2,390	2,390	2,390	2,390	2,390	2,390	2,390	2,390	2,390	2,390	2,390
오 감 자	오리온	115g	〃	2,390	2,390	2,390	2,390	2,390	2,390	2,390	2,390	2,390	2,390	2,390	2,390
포 카 칩	〃	66g	〃	1,360	1,360	1,360	1,360	1,360	1,360	1,360	1,360	1,360	1,360	1,360	1,360
스 윙 칩	〃	60g	〃	1,360	1,360	1,360	1,360	1,360	1,360	1,360	1,360	1,360	1,360	1,360	1,360
오징어땅콩	〃	202g	〃	2,390	2,390	2,390	2,390	2,390	2,390	2,390	2,390	2,390	2,390	2,390	2,390
맛 동 산	〃	300g	〃	4,390	4,390	4,390	4,390	4,390	4,390	4,390	4,390	4,390	4,390	4,390	4,390
꼬 깔 콘	〃	52g 고소한맛	〃	1,000	1,000	1,000	1,000	1,000	1,000	1,000	1,000	1,000	1,000	1,000	1,000
짱 구	삼양	272g	〃	2,440	2,440	2,850	2,850	2,850	2,850	2,850	2,850	2,880	2,880	2,880	2,880
죠 리 퐁	〃	74g	〃	1,000	1,000	1,190	1,190	1,190	1,190	1,190	1,190	1,190	1,000	1,000	1,000
야채타임	빙그레	70g	〃	1,000	1,000	-	-	-	-	-	-	-	-	-	-
도도한나쵸	오리온	92g 치즈맛	〃	1,000	1,000	1,000	1,000	1,000	1,000	1,000	1,000	1,000	1,000	1,000	1,000
꼬 북 칩	〃	64g 콘스프맛	〃	1,190	1,190	1,190	-	-	-	-	-	-	-	-	-
치 토 스	롯데	64g 매콤달콤한맛	〃	1,000	1,000	1,000	1,000	1,000	1,000	1,000	1,000	1,000	1,000	1,000	1,000
도리토스	〃	84g 나쵸치즈맛	〃	1,000	1,000	1,000	1,000	1,000	1,000	1,000	1,000	1,000	1,000	1,000	1,000
자 갈 치	농심	174g	〃	-	-	-	-	-	-	-	-	-	-	-	2,580
인디안밥	〃	83g	〃	-	-	-	-	-	-	-	-	-	-	-	1,360
벌집핏자	〃	90g	〃	-	-	-	-	-	-	-	-	-	-	-	1,360
허니버터칩	해태	44g	〃	-	-	-	-	-	-	-	-	-	-	-	1,000
카라멜콘과땅콩	크라운	72g	〃	-	-	-	-	-	-	-	-	-	-	-	1,000
꽃 게 랑	빙그레	143g	〃	-	-	-	-	-	-	-	-	-	-	-	2,800
썬 칩	오리온	66g 핫스파이시맛	〃	-	-	-	-	-	-	-	-	-	-	-	1,000
빼 빼 로	롯데	54g	Box	-	-	-	-	-	-	-	-	-	-	-	1,360
칙 촉	〃	180g	〃	-	-	-	-	-	-	-	-	-	-	-	3,990
칸 쵸	〃	196g	〃	-	-	-	-	-	-	-	-	-	-	-	3,360
버 터 링	해태	238g	〃	-	-	-	-	-	-	-	-	-	-	-	-
초코하임	크라운	284g	〃	-	-	-	-	-	-	-	-	-	-	-	4,790
고 래 밥	오리온	160g	〃	-	-	-	-	-	-	-	-	-	-	-	2,290
산 도	롯데	16봉입 딸기크림치즈	〃	3,980	3,980	3,980	3,980	3,980	3,980	3,980	3,980	3,980	3,980	3,980	3,980
버터와플	〃	316g	〃	4,380	4,380	4,380	4,380	4,380	4,380	4,380	4,380	4,380	4,380	4,380	4,380
국희땅콩샌드	〃	372g	〃	3,980	3,980	3,980	3,980	3,980	3,980	3,980	3,980	3,980	3,980	3,980	3,980
빅 파 이	〃	324g	〃	3,840	3,840	3,840	3,840	3,840	3,840	3,840	3,840	3,840	3,840	3,840	3,840
후렌치파이	해태	15봉입 딸기	〃	3,990	3,990	3,990	3,990	3,990	3,990	3,990	3,990	3,990	3,990	3,990	3,990
초코파이	오리온	12개입	〃	4,320	4,320	4,320	4,320	4,320	4,320	4,320	4,320	4,320	4,320	4,320	4,320
오 뜨	〃	12봉입 쇼콜라	〃	5,590	5,590	5,590	5,990	5,990	5,990	5,990	5,990	5,990	5,990	5,990	5,990
빈 츠	롯데	204g	〃	3,990	3,990	4,480	4,480	4,480	4,480	4,480	4,480	4,480	4,480	4,480	4,480
마가렛트	〃	16봉입	〃	4,790	4,790	4,790	4,790	5,290	5,290	5,290	5,290	5,290	5,290	5,290	5,290
아이비크래커	해태	12봉입	〃	3,590	3,590	3,590	3,590	3,590	3,590	3,590	3,590	3,590	3,590	3,590	3,590
몽 쉘	롯데	12개입	〃	4,790	4,790	4,790	4,790	4,790	4,790	5,290	5,290	5,290	5,290	5,290	5,290
카스타드	오리온	〃	〃	3,840	3,840	4,320	4,320	4,320	4,320	4,320	4,320	4,320	4,320	4,320	4,320
후레쉬베리	〃	6개입	〃	2,880	2,880	2,880	-	-	-	-	-	-	-	-	-
초코송이	〃	144g	〃	2,290	2,290	2,290	2,290	2,290	2,290	2,290	2,290	2,290	2,290	2,290	2,290
빠다코코넛	롯데	78g	〃	1,390	1,390	1,390	1,390	1,390	1,390	1,390	1,390	1,000	1,000	1,000	1,000
에 이 스	〃	364g	〃	3,200	3,200	4,000	4,000	4,000	4,000	4,000	4,000	4,000	4,000	4,000	4,000
쿠크다스	〃	128g	〃	2,380	2,380	2,390	2,390	2,390	2,390	2,390	2,390	2,390	2,390	2,390	2,390
홈 런 볼	〃	46g	봉	1,350	1,350	1,350	1,350	1,390	1,390	1,390	1,390	1,390	1,390	1,390	1,390
양 갱	〃	50g×10 밤맛	〃	5,990	5,990	5,990	6,000	6,000	6,000	6,000	6,000	6,000	6,000	6,000	6,000
맛 밤	CJ	60g×4	〃	6,990	6,990	6,990	6,990	6,990	6,990	6,990	6,990	6,990	6,990	6,990	6,990

(단위 : 원)

품명	메이커	규격	단위	강원											
				2022년 11월	12월	2023년 1월	2월	3월	4월	5월	6월	7월	8월	9월	10월
◈씨리얼(푸레이크)															
첵스초코	켈로그	570g	봉	7,480	7,490	7,490	7,990	7,990	7,990	7,990	7,990	7,990	7,990	7,990	7,990
스페셜K	〃	480g	〃	7,680	7,690	7,690	8,390	8,390	8,390	8,390	8,390	8,390	8,390	8,390	8,390
콘푸로스트	〃	600g	〃	6,550	6,550	6,590	6,990	6,990	6,700	6,990	6,990	6,990	6,990	6,990	6,990
아몬드푸레이크	〃	〃	〃	8,380	8,390	8,390	9,190	9,190	9,190	9,190	9,190	9,190	9,190	9,190	9,190
그래놀라	〃	400g 리얼 그래놀라	〃	8,880	8,890	8,890	9,690	9,690	9,690	9,690	9,690	9,690	9,690	9,690	9,690
〃	〃	500g 고소한 현미 그래놀라	〃	8,880	8,890	8,890	9,690	9,690	9,690	9,690	9,690	9,690	9,690	9,690	9,690
후루트링	〃	530g	〃	7,980	7,990	7,990	8,690	8,690	8,690	8,690	8,690	8,690	8,690	8,690	8,690
현미푸레이크	〃	550g	〃	8,880	8,890	8,890	9,690	9,690	9,690	9,690	9,690	9,690	9,690	9,690	9,690
콘푸라이트	포스트	600g	〃	6,680	6,680	6,680	6,690	6,690	6,690	6,990	6,990	6,990	6,990	6,380	6,380
오레오오즈	〃	500g	〃	8,680	8,680	8,680	8,690	8,690	8,690	8,690	8,690	8,690	8,690	8,690	8,690
오곡코코볼	〃	570g	〃	6,480	6,790	6,790	6,790	6,790	6,790	6,790	6,790	6,790	6,790	6,790	6,790
그래놀라	〃	570g 크랜베리 아몬드	〃	8,780	8,370	8,370	8,790	8,790	8,790	8,790	8,790	8,790	8,790	8,790	8,790
〃	〃	500g 블루베리	〃	9,380	9,390	9,390	9,390	9,390	9,390	9,390	9,390	9,390	9,390	9,390	9,390
아몬드후레이크	〃	620g	〃	6,180	8,790	8,790	8,790	8,790	8,790	8,790	8,790	8,790	8,790	8,790	8,790
골든그래놀라	〃	360g 크런치	〃	8,780	8,780	8,780	8,790	8,790	8,790	8,790	8,790	8,790	8,790	8,790	8,790
〃	〃	360g 후르츠	〃	8,780	8,780	8,780	8,790	8,790	8,790	8,790	8,790	8,790	8,790	8,790	8,790
◈면류															
밀가루	대한	1kg 곰표 중력	봉	1,880	1,880	1,880	1,880	1,880	1,880	1,880	1,880	1,880	1,880	1,880	1,840
〃	CJ	1kg 백설 중력	〃	1,900	1,900	1,900	1,900	1,900	1,900	1,900	1,900	1,900	1,900	1,900	1,900
〃	삼양	1kg 큐원 중력	〃	1,790	1,790	1,790	1,790	1,790	1,790	1,790	1,790	1,790	1,790	1,790	1,790
삼양라면	〃	120g×5개	〃	3,840	3,840	3,840	3,840	3,840	3,840	3,840	3,840	3,840	3,680	3,680	3,680
불닭볶음면	〃	140g×5개	〃	5,100	5,100	5,100	5,100	5,100	5,100	5,100	5,100	5,100	5,100	5,100	5,100
맛있는라면	〃	115g×5개	〃	4,980	4,480	4,480	4,480	4,480	4,980	4,980	4,980	4,980	4,730	4,730	4,730
신라면	농심	120g×5개	〃	4,100	4,100	4,100	4,100	4,100	4,100	4,100	4,100	3,900	3,900	3,900	3,900
너구리	〃	〃	〃	4,500	4,500	4,500	4,500	4,500	4,500	4,500	4,180	4,500	4,500	4,500	4,500
오징어짬뽕	〃	124g×5개	〃	4,380	4,380	4,880	4,880	4,880	4,880	4,880	4,880	4,880	4,880	4,880	4,880
사리곰탕면	〃	110g×5개	〃	4,880	4,880	4,880	4,880	4,880	4,880	4,880	4,880	4,880	4,880	4,880	4,880
무파마탕면	〃	122g×4개	〃	4,500	4,500	4,500	4,500	4,500	4,580	4,580	4,580	4,580	4,580	4,580	4,580
안성탕면	〃	125g×5개	〃	3,700	3,700	3,700	3,700	3,700	3,700	3,700	3,700	3,700	3,700	3,700	3,700
짜파게티	〃	140g×5개	〃	4,380	4,380	4,380	4,380	4,380	4,880	4,880	4,880	4,880	4,880	4,880	4,880
감자면	〃	117g×5개	〃	5,680	5,680	5,680	5,680	5,680	5,680	5,680	5,680	5,680	5,680	5,680	5,680
생생우동	〃	276g×4개	〃	7,680	7,680	7,680	7,680	8,400	8,400	8,400	8,400	8,400	8,400	8,400	-
사발면	〃	114g 신라면 큰사발	개	1,160	1,160	1,160	1,160	1,160	1,160	1,160	1,160	1,160	1,160	1,160	1,160
〃	〃	115g 새우탕 큰사발	〃	1,160	1,160	1,160	1,160	1,160	1,160	1,160	1,160	1,160	1,160	1,160	1,160
〃	〃	110g 육개장 큰사발	〃	1,160	1,160	1,160	1,160	1,160	1,160	1,160	1,160	1,160	1,160	1,160	1,160
컵누들	오뚜기	37.8g 매콤한맛	〃	-	-	-	-	-	-	-	-	-	-	-	1,380
열라면	〃	120g×5개	봉	3,580	5,980	5,980	3,580	3,580	3,580	3,580	3,580	3,580	3,580	3,580	3,580
진라면	〃	〃	〃	3,580	3,580	3,580	3,580	3,580	3,580	3,580	3,580	3,580	3,580	3,580	3,580
진짬뽕	〃	130g×4개	〃	6,480	6,480	6,480	6,480	6,480	6,480	6,480	6,480	6,480	6,180	6,180	6,180
참깨라면	〃	115g×4개	〃	4,680	4,680	4,680	4,680	4,680	4,680	4,680	4,680	4,400	4,480	4,480	4,480
스낵면	〃	108g×5개	〃	3,380	3,380	3,380	3,380	2,500	2,500	3,380	3,380	2,500	2,500	2,500	2,500
라면사리	〃	110g×5개	〃	-	-	-	-	-	-	-	-	-	-	-	1,750
옛날자른당면	〃	300g	〃	3,960	3,980	3,980	3,980	3,980	4,780	4,780	4,780	4,780	4,780	4,780	4,780
옛날국수(소면)	〃	900g	〃	3,550	3,550	3,550	3,550	3,550	3,550	3,550	3,550	3,550	3,550	3,550	3,550
팔도비빔면	팔도	130g×4개	〃	-	-	3,700	3,700	3,700	3,700	3,700	2,880	2,880	2,880	3,700	3,700
틈새라면	〃	120g×5개	〃	4,840	4,840	4,840	4,840	4,840	4,840	4,840	4,840	4,840	4,840	4,840	4,840
육개장칼국수	풀무원	120.9g×4개	〃	5,450	5,450	5,450	5,450	5,450	5,450	5,450	5,450	5,450	5,450	5,450	5,450
냉면	청수	540g 물냉면	〃	-	-	4,090	4,090	4,090	4,090	4,090	4,090	4,790	4,790	4,790	4,790
〃	〃	540g 비빔냉면	〃	-	-	4,090	4,090	4,090	4,090	4,090	4,090	4,790	4,790	4,790	4,790
◈즉석밥															
둥근햇반실속	CJ	210g×8개	Set	10,900	10,900	10,900	10,900	10,900	10,900	10,900	10,900	10,900	10,900	10,900	10,900
맛있는밥	오뚜기	210g×10개	〃	9,970	9,970	9,970	12,470	11,970	12,470	11,980	11,980	12,470	11,980	11,980	11,980
◈통조림															
골뱅이	유동	400g	Can	10,480	10,480	10,480	10,490	10,490	10,490	10,490	10,490	10,490	10,490	10,490	10,490
꽁치	동원	300g	〃	4,480	4,990	4,990	4,990	4,990	4,990	4,990	4,990	4,990	4,990	4,990	4,990
고등어	〃	400g	〃	2,980	2,980	3,490	3,490	3,490	3,490	3,490	3,490	3,490	3,490	3,490	3,490
살코기참치	〃	135g×4개 라이트 스탠다드	〃	10,980	11,490	11,490	11,490	11,490	11,490	11,490	11,490	11,490	11,490	11,490	11,490
고추참치	〃	90g×4개	〃	8,980	9,490	9,490	9,490	9,490	9,490	9,490	9,490	9,490	9,490	9,490	9,490
야채참치	〃	〃	〃	8,980	9,490	9,490	9,490	9,490	9,490	9,490	9,490	9,490	9,490	9,490	9,490
리챔	〃	340g 오리지널	〃	7,380	7,190	7,190	7,190	7,190	7,190	7,190	7,190	7,190	7,190	7,590	7,590
스팸	CJ	340g 클래식	〃	7,180	7,190	7,190	7,190	7,190	7,190	7,190	7,190	7,190	7,590	7,590	7,590
스위트콘	오뚜기	340g	〃	1,980	1,980	1,980	1,980	1,980	1,980	1,980	1,980	1,980	1,980	1,980	1,980
〃	동원	〃	〃	1,780	1,980	1,980	1,980	1,980	1,980	1,980	1,980	1,980	1,980	1,980	1,980
황도	〃	400g	〃	2,330	2,580	2,580	2,580	2,580	2,580	2,580	2,580	2,580	2,580	2,990	2,990
후르츠칵테일	델몬트	850g	〃	4,480	4,480	-	-	-	-	-	-	-	-	-	-
파인애플슬라이스	〃	836g	〃	4,160	4,990	4,480	4,990	4,990	4,990	4,990	4,990	4,990	4,990	4,990	4,990
번데기	유동	130g	〃	1,580	1,580	1,590	1,690	1,690	1,690	1,690	1,690	1,690	1,690	1,690	1,690
〃	동원	〃	〃	1,280	1,300	1,380	1,380	1,380	1,690	1,690	1,690	1,690	1,690	1,690	1,690
깻잎	샘표	70g	〃	2,480	2,490	2,490	2,490	2,490	2,490	2,490	2,490	2,490	2,490	2,490	2,490

음료

(단위 : 원)

품명	메이커	규격	단위	강원											
				2022년 11월	12월	2023년 1월	2월	3월	4월	5월	6월	7월	8월	9월	10월
◈음료															
칠성사이다	롯데	1.8ℓ	Pet	3,380	2,880	-	-	-	-	-	-	-	-	-	-
칠성사이다제로	〃	1.5ℓ	〃	2,580	2,580	2,880	2,880	2,880	2,880	2,880	2,880	2,880	2,880	2,880	2,880
밀키스	〃	〃	〃	1,980	1,980	2,390	2,580	2,580	2,580	2,580	2,580	2,580	2,580	2,580	2,580
2%복숭아	〃	〃	〃	2,780	3,780	1,190	1,190	1,190	1,190	1,000	1,000	1,390	1,980	1,980	2,390
제주사랑감귤사랑	〃	〃	〃	1,290	1,290	2,780	2,980	3,780	3,980	3,980	3,980	3,980	3,980	3,980	3,980
하늘보리	웅진	〃	〃	-	-	-	-	-	-	-	-	-	-	-	-
아침햇살	〃	1.35ℓ	〃	3,480	3,480	1,980	2,000	2,000	2,000	2,000	2,000	2,000	2,000	2,000	2,000
자연은알로에	〃	1.5ℓ	〃	1,000	1,000	3,480	3,480	3,480	3,480	3,480	3,480	3,480	3,480	3,480	3,480
옥수수수염차	광동	〃	〃	1,000	1,000	1,190	2,380	2,380	2,380	2,380	2,380	2,390	2,390	2,390	2,390
헛개차	〃	〃	〃	980	980	1,180	2,380	2,380	2,380	2,380	2,380	2,390	2,390	2,390	2,390
제주삼다수	〃	2ℓ	〃	3,730	3,730	980	1,080	1,080	1,080	1,080	1,080	1,080	1,080	1,080	1,080
코카콜라	코카콜라	1.8ℓ	〃	3,150	3,730	3,730	3,740	3,740	3,740	3,740	3,740	3,740	3,740	3,740	3,740
코카콜라제로	〃	1.5ℓ	〃	2,700	2,700	3,150	3,150	3,150	3,150	3,150	3,150	3,150	3,150	3,150	3,150
스프라이트	〃	〃	〃	-	-	-	2,700	2,700	2,700	2,700	2,700	2,580	2,700	2,700	2,700
암바사	〃	〃	〃	2,450	2,580	-	-	-	-	-	-	2,500	2,500	2,500	2,500
환타	〃	1.5ℓ 오렌지	〃	-	-	2,450	2,450	2,450	2,450	2,450	2,450	2,450	2,580	2,580	2,580
미닛메이드	〃	〃	〃	3,390	3,390	3,390	-	-	-	-	-	-	-	-	-
파워에이드	〃	1.5ℓ	〃	3,390	3,390	3,620	3,620	3,620	3,620	3,620	3,620	3,620	3,620	3,620	3,620
토레타	〃	〃	〃	2,950	2,580	3,390	3,620	3,620	3,620	3,620	3,620	3,620	3,620	3,620	3,620
펩시콜라	펩시	〃	〃	-	-	2,580	2,580	2,580	2,580	2,580	2,580	2,580	2,580	2,580	2,580
마운틴듀	〃	〃	〃	2,780	2,780	2,780	2,780	2,780	2,780	2,780	2,780	2,780	2,780	2,780	2,780
게토레이	〃	〃	〃	-	-	-	-	3,480	3,480	3,480	3,480	3,480	3,480	3,480	3,480
포카리스웨트	동아오츠카	1.8ℓ	〃	3,380	3,380	2,380	2,490	2,490	2,490	2,490	2,490	2,680	2,680	2,680	2,680
콜드오렌지	델몬트	1.89ℓ	〃	-	-	-	-	-	-	-	-	-	-	-	-
웰치스	웰치	1.5ℓ 포도	〃	2,180	2,180	2,600	2,600	2,600	2,600	2,600	2,600	2,600	2,600	2,600	2,600
◈차류															
보리차	동서	30개입	Box	2,080	2,080	2,180	2,190	2,290	2,290	2,180	2,180	2,180	2,180	2,180	2,180
현미녹차	〃	100개입	〃	5,900	7,600	7,960	7,980	7,980	7,980	7,980	7,980	7,140	7,140	7,140	7,980
둥글레차	〃	〃	〃	7,500	9,400	9,370	9,870	9,870	9,870	9,930	9,930	8,910	8,890	8,910	9,930
메밀차	〃	〃	〃	-	7,600	7,960	7,960	7,960	7,960	7,960	7,960	7,140	7,210	7,210	7,960
옥수수차	〃	30개입	〃	2,720	2,720	2,850	2,890	2,890	2,890	2,890	2,890	2,890	2,850	2,850	2,850
결명자차	〃	18개입	〃	2,090	2,090	2,200	2,290	2,290	2,290	2,290	2,300	2,300	2,300	2,300	2,200
오곡차	〃	〃	〃	2,400	2,400	-	-	-	-	-	-	-	-	-	-
티오아이스티	〃	40개입	〃	5,500	5,500	5,500	5,500	5,500	5,500	5,500	6,990	6,990	9,980	9,980	9,980
립톤아이스티	유니레버	770g 복숭아	〃	-	-	15,200	15,200	15,200	15,200	15,200	15,200	15,200	15,200	15,200	15,200
루이보스보리차	동서	100개입	〃	-	-	7,560	7,560	7,560	7,560	7,560	7,560	7,560	7,980	7,980	7,980
맥심	〃	100개입 모카골드 커피믹스	〃	14,980	14,980	16,450	16,450	16,450	16,450	16,450	16,450	16,450	16,450	16,450	16,450
〃	〃	100개입 아이스 커피믹스	〃	19,100	19,100	17,560	-	-	-	28,000	28,000	20,900	20,900	-	28,000
〃	〃	100개입 화이트골드 커피믹스	〃	15,980	15,980	15,980	17,560	17,560	17,560	17,560	17,560	17,560	17,560	17,560	17,560
카누	〃	100개입 미니 마일드 로스트	〃	20,390	20,390	22,390	22,390	22,390	22,390	22,390	22,390	22,390	22,390	22,390	22,390
〃	〃	100개입 미니 다크로스트	〃	20,390	20,390	22,390	22,390	22,390	22,390	22,390	22,390	22,390	22,390	22,390	22,390
〃	〃	100개입 미니 디카페인 아메리카노	〃	22,430	22,430	24,640	24,640	24,640	24,640	24,640	24,640	24,640	24,640	24,640	24,640
작설차	녹차원	10개입 맛있는 녹차작설	〃	-	-	-	-	-	-	-	-	-	-	-	-
옥수수수염차	〃	100개입	〃	7,980	7,980	-	-	-	-	-	-	-	-	-	-
호두아몬드율무차	담터	〃	〃	21,700	21,700	28,700	28,700	28,700	28,700	28,700	28,700	28,700	28,700	28,700	-
생강차	〃	50개입	〃	10,900	10,900	12,800	12,800	12,800	12,800	12,800	12,800	12,800	12,800	12,800	-
쌍화차	〃	〃	〃	11,900	11,900	13,900	13,900	13,900	13,900	13,900	13,900	13,900	13,900	13,900	-
단호박마차	〃	〃	〃	17,200	17,200	19,200	19,200	19,200	19,200	19,200	19,200	19,200	19,200	19,200	-
◈주류															
소주	하이트진로	360㎖ 참이슬 후레쉬	병	1,380	1,380	1,380	1,380	1,380	1,380	1,380	1,380	1,380	1,380	1,380	1,380
〃	〃	360㎖ 진로	〃	-	-	-	-	-	-	-	-	-	-	-	1,290
〃	롯데	360㎖ 새로	〃	-	-	-	-	-	-	-	-	-	-	-	1,290
〃	〃	360㎖ 처음처럼	〃	-	-	-	-	-	-	-	-	-	-	-	1,380
맥주	하이트진로	500㎖ 하이트 엑스트라콜드	〃	1,550	1,550	1,550	1,810	1,810	1,810	1,810	1,810	1,810	1,810	1,810	1,810
〃	OB	500㎖ 카스 후레쉬	〃	1,550	1,550	1,550	1,810	1,810	1,810	1,810	1,810	1,810	1,550	1,720	1,890
막걸리	서울장수	750㎖ 장수 생막걸리	〃	1,680	1,680	1,680	1,680	1,680	1,680	1,680	1,680	1,680	1,680	1,390	1,390

일용품

(단위 : 원)

품 명	메이커	규 격	단위	강원											
				2022년 11월	12월	2023년 1월	2월	3월	4월	5월	6월	7월	8월	9월	10월
◈일용품															
▶주방용품															
주방세제	라이온	(450㎖) 참그린	개	3,990	3,990	3,990	3,990	3,990	3,990	3,990	3,990	3,990	3,990	3,990	3,990
〃	헨켈	(750㎖)프릴 베이킹소다 퓨어레몬	〃	8,900	8,900	8,900	8,900	8,900	8,900	9,500	9,500	9,500	9,500	9,500	9,500
〃	LG	(490㎖) 자연퐁 POP 솔잎	〃	-	-	-	-	-	-	-	-	-	-	-	-
키친타올	유한	크리넥스 150매×6	〃	7,700	8,600	8,600	8,600	8,600	8,600	8,600	8,600	8,600	8,600	8,600	8,600
행 주	〃	스카트 항균블루 행주타올45매×4	〃	18,900	18,900	18,900	18,900	18,900	18,900	18,900	18,900	-	-	-	-
냅 킨	〃	크리넥스 카카오 홈냅킨 130매×6	〃	8,300	-	12,100	12,100	12,100	12,100	12,100	12,100	12,100	12,100	12,100	12,100
호 일	대한	대한웰빙호일 25㎝×30m×15μ	〃	6,280	6,280	6,280	6,280	6,280	6,280	6,280	6,280	6,280	6,280	6,280	6,280
〃	크린랩	(30매) 크린 종이호일 26.7㎝	〃	3,980	3,980	3,520	3,520	3,520	3,520	3,520	3,520	3,980	3,980	3,980	3,980
〃	〃	크린 종이호일 30㎝×20m	〃	5,280	5,280	5,280	5,280	5,280	5,280	5,290	5,290	5,290	5,290	5,290	5,290
랩	〃	크린랩 22㎝×100m	〃	8,980	8,980	8,980	8,980	8,980	8,980	8,900	8,900	8,980	8,980	8,980	8,980
위생봉지	〃	(200매입)크린롤백 30㎝×40㎝	〃	7,280	7,280	7,280	7,280	7,280	7,280	6,890	6,890	7,280	7,280	7,280	7,280
고무장갑	〃	(2개입) 크린랩고무장갑(중)	〃	5,880	5,880	5,880	5,880	2,890	2,890	2,890	2,890	5,880	5,880	5,880	5,880
위생장갑	〃	(100매) 크린장갑	〃	4,590	4,590	4,590	4,590	4,590	4,590	4,380	4,380	4,590	4,590	4,590	4,590
종 이 컵	-	(250매) 일회용 물컵	〃	1,780	1,780	1,780	1,780	1,780	1,780	1,780	1,780	1,780	1,780	1,780	1,780
〃	-	(50개입) 고급 종이컵	〃	1,350	1,350	1,350	1,350	1,350	1,350	1,350	1,350	1,350	1,350	1,350	1,350
▶욕실용품															
세숫비누	LG	(140g×3개) 알뜨랑	〃	5,900	5,900	5,900	5,900	5,900	5,900	5,900	5,900	6,900	6,900	6,900	6,900
〃	유니레버	(90g×4개) 도브 비누 뷰티바	〃	7,900	7,900	7,900	7,900	7,900	7,900	7,900	7,900	7,900	7,900	7,900	7,900
손세정제	라이온	(250㎖) 아이 깨끗해 거품형	〃	6,500	6,500	6,500	6,500	6,500	6,900	6,900	6,900	6,900	6,900	6,900	6,900
〃	유니레버	(240㎖)도브 포밍핸드워시 딥모이스처	〃	-	-	5,900	5,900	5,900	2,950	2,950	2,950	5,900	5,900	5,900	5,900
샴 푸	LG	(680㎖) 엘라스틴 모이스처 샴푸	〃	12,900	12,900	12,900	12,900	12,900	12,900	12,900	12,900	12,900	12,900	12,900	12,900
〃	애경	(1,000㎖) 케라시스 퍼퓸 샴푸	〃	12,900	-	-	-	-	-	-	-	-	-	-	-
〃	한국피앤지	(1,200㎖) 팬틴 모이스쳐 샴푸	〃	-	-	-	-	-	-	-	-	-	-	-	-
칫 솔	〃	(3개입) 오랄비 칫솔	〃	11,900	11,900	11,900	11,900	11,900	11,900	11,900	11,900	11,900	11,900	11,900	11,900
〃	LG	(4개입) 페리오 센서티브 초극세모	〃	9,900	9,900	9,900	9,900	11,900	11,900	11,900	11,900	11,900	11,900	11,900	11,900
〃	아모레	(4개입) 메디안 치석케어 칫솔	〃	-	-	-	-	-	-	-	-	-	-	-	-
치 약	애경	(130g×3개) 2080 시그니처 토탈블루	〃	8,900	8,900	8,900	8,900	8,900	8,900	8,900	8,900	8,900	8,900	8,900	8,900
〃	LG	(120g×8개) 페리오 치석케어 치약	〃	-	-	-	-	-	-	-	-	-	-	-	-
〃	〃	(120g×3개) 페리오 토탈7 오리지널	〃	11,900	11,900	11,900	11,900	11,900	11,900	11,900	11,900	12,900	12,900	12,900	12,900
〃	〃	(120g×3개) 죽염 오리지날	〃	13,900	13,900	13,900	13,900	13,900	13,900	13,900	13,900	-	-	-	-
화 장 지	유한	크리넥스 3겹 순수소프트 30m×30롤	〃	24,900	24,900	24,900	24,900	24,900	24,900	-	-	-	-	-	-
〃	쌍용	코디 순한 3겹데코 30m×30롤	〃	15,600	15,600	15,600	15,600	15,600	15,600	-	-	-	-	-	-
▶방향제															
에 어 윅	LG	(440㎖) AURA 해피브리즈 방향제(라벤더)	〃	-	-	-	-	-	6,500	9,800	9,800	9,800	9,800	9,800	9,800
페브리즈	한국피앤지	(275㎖) 에어공기 탈취제	〃	5,900	5,900	5,900	5,900	5,900	5,900	5,900	5,900	5,900	5,900	5,900	5,900
방 충 제	헨켈	(24개입) 컴배트 좀벌레싹 서랍장용	〃	-	-	-	-	-	11,400	11,400	11,400	11,400	11,400	11,400	11,400
〃	〃	(6개입) 컴배트 좀벌레싹 옷장용	〃	11,500	11,500	11,500	11,500	11,500	-	12,100	12,100	12,100	12,100	12,100	12,100
〃	〃	(12개입) 컴배트 좀벌레싹 콤보	〃	11,500	11,500	11,500	11,500	11,500	-	12,100	12,100	12,100	12,100	12,100	12,100
▶세탁용품															
세탁비누	무궁화	(230g×4) 세탁비누	〃	5,490	5,490	5,490	5,490	5,490	5,490	5,490	5,490	5,490	5,490	5,490	5,490
〃	〃	(230g×4) 살균비누	〃	7,900	7,900	7,900	7,900	7,900	7,900	7,900	7,900	7,900	7,900	7,900	7,900
락 스	유한	(3.5ℓ) 유한락스	〃	6,260	6,260	6,260	6,260	6,260	6,260	6,260	6,260	6,970	6,970	6,970	6,970
합성세제	피죤	(3ℓ)액츠 퍼펙트 액체세제	〃	12,900	12,900	12,900	12,900	12,900	12,900	16,900	16,900	16,900	16,900	16,900	16,900
〃	LG	(3ℓ) 테크 액체세제	〃	19,900	19,900	19,900	19,900	19,900	19,900	21,900	21,900	21,900	21,900	21,900	21,900
〃	〃	(2.7ℓ) FiJi 컬러젤	〃	29,800	29,800	29,800	29,800	29,800	29,800	31,800	31,800	31,800	31,800	31,800	31,800
〃	애경	(6kg) 스파크	〃	13,900	13,900	13,900	13,900	13,900	13,900	13,900	13,900	11,900	11,900	11,900	11,900
섬유유연제	피죤	(2.1ℓ)피죤 블루 비앙카	〃	-	-	-	-	-	-	-	-	-	-	-	-
〃	한국피앤지	(2ℓ)다우니 초고농축 퍼플	〃	-	-	-	-	-	-	12,500	12,500	17,900	17,900	17,900	17,900
〃	LG	(3ℓ)샤프란 로맨틱 코튼	〃	4,250	4,250	4,250	4,250	4,250	4,250	4,250	4,250	4,850	4,850	4,850	4,850
▶세척제															
Mr.홈스타	LG	900㎖	〃	7,900	7,900	7,900	8,900	8,900	8,900	8,900	8,900	8,900	8,900	8,900	8,900
홈스타변기세정제	〃	40g×4개	〃	3,900	3,900	3,900	3,900	3,900	3,900	4,290	4,290	4,290	4,290	4,290	4,290
유한락스	유한	(900㎖)곰팡이제거제×2개	〃	9,900	9,900	9,900	9,900	9,900	9,900	9,900	9,900	10,900	10,900	10,900	10,900
펑 크 린	〃	1.5ℓ	〃	3,280	3,280	3,280	3,280	3,280	3,280	3,280	3,280	3,760	3,760	3,760	3,760
무균무때	피죤	900㎖	〃	7,900	7,900	7,900	7,900	7,900	7,900	8,900	8,900	8,900	8,900	8,900	8,900
비트찌든때제거	라이온	500㎖	〃	-	-	8,900	8,900	8,900	8,900	8,900	8,900	8,900	8,900	8,900	8,900
▶살충제															
에프킬라믹스베이트	한국존슨	바퀴살충제10개입	〃	-	-	-	-	-	-	10,900	10,900	9,900	9,900	9,900	9,900
컴배트에어졸	헨켈	(500㎖) 스피드	〃	5,900	5,900	5,900	5,900	5,900	5,900	6,200	6,200	6,200	6,200	6,200	6,200
홈매트리퀴드	〃	훈증기+29㎖ 45일×3	〃	25,900	25,900	25,900	25,900	25,900	25,900	25,200	25,200	25,200	25,200	25,200	25,200
홈 키 파	〃	(500㎖) 수성 에어졸	〃	6,500	6,500	6,500	6,500	6,500	7,200	7,200	7,200	7,200	7,200	7,200	7,200
▶기타															
면 도 기	한국피앤지	질레트 마하3	〃	8,500	8,500	8,500	8,500	8,500	8,500	8,500	8,500	8,500	8,500	8,500	8,500
쉐이빙폼	니베아	(200㎖) 포맨 센서티브	〃	5,900	5,900	5,900	5,900	5,900	5,900	5,900	5,900	6,500	6,500	6,500	6,500
부탄가스	썬연료	4입	〃	6,790	6,790	6,790	6,790	6,790	6,790	6,790	6,790	6,790	6,790	6,790	6,790
습기제거제	LG	홈스타 제습혁명 8P	〃	-	-	-	-	-	-	-	-	-	-	-	-

조미료

(단위 : 원)

품명	메이커	규격	단위	제주											
				2022년 11월	12월	2023년 1월	2월	3월	4월	5월	6월	7월	8월	9월	10월
◈조미료															
고춧가루	-	(1kg) 태양초	개	33,600	33,600	33,600	33,600	33,600	33,600	33,600	33,600	33,600	33,600	-	-
고추장	대상	(1kg) 청정원순창 우리쌀찰고추장	〃	16,800	16,800	16,800	16,830	16,830	16,830	16,830	16,830	19,000	19,000	19,000	19,000
〃	CJ	(1kg) 해찬들 태양초골드	〃	18,000	18,000	18,000	18,300	18,300	19,200	19,200	19,200	19,200	19,200	19,200	19,200
된장	대상	(1kg) 청정원 순창	〃	7,280	7,280	7,280	8,180	8,180	8,180	8,180	8,180	9,100	9,100	9,100	9,100
〃	CJ	(1kg) 해찬들 재래식	〃	7,200	7,200	7,200	8,980	8,980	8,980	8,980	8,980	8,990	8,990	8,990	8,990
쌈장	대상	(500g) 청정원순창 양념듬뿍쌈장	〃	4,860	4,860	4,840	4,840	4,840	4,840	4,840	4,840	5,400	5,400	5,400	5,400
〃	CJ	(500g) 해찬들 사계절쌈장	〃	4,280	4,280	4,280	5,180	5,180	5,180	5,180	5,180	5,190	5,190	5,190	5,190
양조간장	샘표	(860㎖) 양조간장501	〃	6,750	6,750	7,900	7,900	9,790	-	-	-	-	7,900	7,900	7,900
〃	대상	(840㎖) 햇살담은 씨간장숙성 양조간장	〃	6,210	6,210	6,210	7,480	6,380	-	-	7,180	7,480	7,480	7,480	7,480
진간장	〃	(840㎖) 햇살담은 진간장 골드	〃	4,770	4,770	4,770	5,680	5,680	5,680	5,680	5,680	5,680	5,680	5,680	5,680
〃	샘표	(860㎖) 금F-3	〃	5,120	5,120	5,120	5,180	6,100	6,100	6,100	6,100	6,100	6,100	6,100	6,100
설탕	CJ	(1kg) 백설 백설탕	〃	1,980	1,980	1,980	1,980	1,980	1,980	1,980	1,980	1,980	2,380	2,380	2,380
〃	〃	(1kg) 백설 갈색설탕	〃	2,480	2,480	2,480	2,480	2,480	2,480	2,580	2,580	2,480	2,880	2,880	2,880
〃	〃	(1kg) 백설 흑설탕	〃	2,580	2,580	2,580	2,580	2,580	2,580	2,580	2,580	2,580	-	-	-
〃	삼양	(1kg) 큐원 백설탕	〃	1,950	1,950	1,950	1,950	1,950	1,950	1,950	1,950	1,950	2,350	2,350	2,350
〃	〃	(1kg) 큐원 갈색설탕	〃	2,450	2,450	2,450	2,450	2,450	2,450	2,450	2,450	2,450	2,850	2,850	2,850
〃	〃	(1kg) 큐원 흑설탕	〃	2,550	2,550	2,550	2,550	2,550	2,550	2,550	2,550	2,550	-	-	-
소금	대상	(500g) 미원 맛소금	〃	2,690	2,690	2,690	2,690	2,690	2,690	2,690	2,690	2,540	-	-	-
〃	〃	(500g) 청정원 천일염구운소금	〃	-	-	-	-	-	-	-	-	5,250	-	-	-
〃	사조대림	(1kg) 해표 꽃소금	〃	1,390	1,390	1,390	1,390	1,390	1,390	1,890	1,890	1,890	1,890	-	-
〃	대상	(1kg) 미원 맛소금	〃	4,180	4,180	4,180	4,180	4,180	4,180	4,180	4,180	4,180	4,180	-	-
〃	CJ	(400g) 백설 구운 천일염	〃	4,150	4,150	4,150	4,150	4,150	4,150	4,150	4,150	4,150	4,150	-	-
미원	대상	(500g) 발효 미원	〃	13,900	13,900	13,900	13,900	13,900	13,900	13,900	13,900	13,900	13,900	13,900	13,900
물엿	〃	(1.2kg) 청정원	〃	4,180	4,180	4,180	4,180	4,180	4,180	4,380	4,380	-	-	-	-
〃	오뚜기	(1.2kg) 옛날 물엿	〃	4,680	4,680	4,680	4,680	4,680	5,180	5,180	5,180	4,680	4,680	4,680	4,680
올리고당	CJ	(1.2kg) 백설 요리올리고당	〃	5,980	5,980	5,980	5,980	5,980	6,580	6,590	6,590	5,980	6,480	6,480	6,480
〃	대상	(1.2kg) 청정원 요리올리고당	〃	5,980	5,980	5,980	5,980	5,980	5,980	5,980	5,980	5,980	5,980	5,980	5,980
케찹	오뚜기	(500g) 토마토케찹	〃	2,870	2,870	2,870	2,870	2,870	3,180	3,180	3,180	3,180	3,180	3,180	3,180
〃	대상	(410g) 청정원 우리아이케찹	〃	2,700	2,700	2,700	3,000	3,000	3,000	3,000	3,000	3,000	3,000	3,000	3,000
마요네즈	오뚜기	(800g) 골드	〃	-	-	-	-	-	-	-	-	8,680	8,680	8,680	8,680
〃	대상	(800g) 청정원 고소한마요네즈	〃	6,800	6,800	6,800	-	-	-	-	-	7,900	7,900	7,900	7,900
마아가린	오뚜기	(200g) 옥수수 마아가린	〃	2,290	2,290	2,290	2,290	2,290	2,290	2,290	2,290	-	-	-	-
식초	〃	(900㎖) 사과식초	〃	2,500	2,500	2,500	2,500	2,860	3,190	3,190	3,190	2,880	2,880	2,880	2,880
〃	대상	(900㎖) 청정원 사과식초	〃	2,600	2,600	2,600	2,600	2,860	2,600	2,600	2,600	2,880	2,880	2,880	2,880
〃	〃	(900㎖) 청정원 현미식초	〃	2,600	2,600	2,600	2,600	2,860	2,600	2,600	2,600	2,600	2,600	2,600	2,600
〃	오뚜기	(900㎖) 현미식초	〃	2,400	2,400	2,400	2,400	2,600	2,600	2,600	2,680	2,680	2,680	2,680	2,680
식용유	사조대림	(900㎖) 해표 식용유	〃	5,200	5,200	5,200	5,200	5,200	5,200	5,200	5,200	5,200	5,200	5,200	5,200
〃	CJ	(900㎖) 백설 식용유	〃	4,600	4,600	4,600	5,180	5,180	5,180	5,180	5,180	5,180	5,180	5,180	5,180
〃	〃	(900㎖) 백설 카놀라유	〃	9,500	9,500	9,500	9,500	9,500	9,500	9,500	9,500	9,500	9,500	9,500	9,500
〃	〃	(900㎖) 백설 포도씨유	〃	16,000	16,000	16,000	16,000	16,000	16,000	16,000	16,000	16,000	16,000	16,000	16,000
〃	〃	(900㎖) 백설 올리브유	〃	18,000	18,000	18,000	18,000	18,000	18,000	18,000	18,000	18,000	18,000	19,800	19,800
참기름	〃	(320㎖) 백설 진한 참기름	〃	7,100	7,100	7,100	7,100	8,500	8,500	8,500	8,500	8,500	8,500	8,500	8,500
〃	〃	(300㎖) 백설 고소함가득참기름	〃	7,400	7,400	8,880	8,880	8,880	8,880	8,880	8,880	8,880	8,880	8,880	8,880
〃	오뚜기	(320㎖) 고소한 참기름	〃	9,600	9,600	9,600	9,600	10,600	10,600	11,690	11,690	10,600	11,480	10,600	10,600
〃	〃	(320㎖) 옛날 참기름	〃	-	-	-	-	-	-	-	10,600	9,590	10,600	9,590	9,590
고추씨기름	〃	(80㎖) 옛날 고추맛기름	〃	2,180	2,180	2,180	2,180	2,180	2,180	2,180	2,180	2,180	2,180	2,180	2,180
멸치액젓	CJ	(800g) 658㎖ 하선정	〃	5,280	5,280	5,280	5,280	5,280	5,280	5,280	5,280	5,280	5,280	5,280	5,280
〃	대상	(750g) 626㎖ 청정원 남해안 멸치액젓	〃	3,960	3,960	3,960	3,960	3,960	3,960	3,960	3,960	3,960	3,960	3,960	3,960
까나리액젓	〃	(750g) 622㎖ 청정원 서해안 까나리액젓	〃	4,500	4,500	4,500	5,000	5,000	5,000	5,000	5,000	5,000	5,000	5,000	5,000
〃	CJ	(800g) 658㎖ 하선정 서해안 까나리액젓	〃	5,280	5,280	5,280	5,280	5,280	5,280	5,280	5,280	5,280	5,280	5,280	5,280
조미료	〃	(500g) 백설 쇠고기 다시다	〃	11,750	11,750	11,750	11,750	11,750	12,850	12,850	12,850	12,850	12,850	12,850	12,850
〃	〃	(500g) 백설 멸치 다시다	〃	-	-	-	10,370	10,370	11,300	11,300	11,300	11,300	11,300	11,300	11,300
〃	대상	(300g) 쇠고기 감치미	〃	-	-	6,690	6,690	6,690	6,690	6,690	6,690	6,690	7,160	7,160	7,160
〃	〃	(300g) 한우 감치미	〃	8,220	8,220	8,220	8,220	8,220	8,220	8,220	8,220	-	-	-	-
후추	오뚜기	(100g) 순후추	〃	5,390	5,390	5,390	5,390	5,390	6,180	6,180	6,180	6,180	6,180	6,180	6,180
〃	대상	(50g) 청정원 순후추	〃	3,340	3,340	3,340	3,340	3,340	3,340	3,340	3,340	3,680	3,680	3,680	3,680
와사비	오뚜기	(43g) 생와사비	〃	4,150	4,150	4,150	4,150	4,180	4,180	4,150	4,150	4,150	4,150	4,150	4,150
〃	〃	(100g) 연와사비	〃	4,150	4,150	4,150	4,150	4,150	4,150	4,150	4,150	4,150	4,150	4,150	4,150
겨자	〃	(100g) 연겨자	〃	4,090	4,090	4,090	4,090	4,090	4,090	4,090	4,090	4,090	4,090	4,090	4,090
〃	대상	(95g) 청정원 연겨자	〃	3,190	3,190	3,190	3,190	3,190	3,190	3,190	3,190	3,190	3,190	3,190	3,190
요리주	롯데	(900㎖) 미림	〃	3,690	3,690	3,690	3,690	3,690	3,690	3,690	3,690	3,690	3,690	3,670	3,670
〃	오뚜기	(900㎖) 미향	〃	3,890	3,890	3,890	3,890	4,580	4,580	4,180	4,180	4,180	4,180	4,180	4,180
〃	CJ	(800㎖) 백설 맛술 로즈마리	〃	3,650	3,650	3,650	3,980	3,980	3,980	3,980	3,980	3,980	3,980	3,980	3,980

김치류 · 수산품 · 낙농물

(단위 : 원)

품 명	메이커	규 격	단위	제 주											
				2022년 11월	12월	2023년 1월	2월	3월	4월	5월	6월	7월	8월	9월	10월
◈김치류															
하선정 포기김치	CJ	3kg	봉	-	-	-	-	-	-	-	-	-	-	-	-
비비고 포기배추김치	〃	3.3kg	〃	34,800	34,800	34,800	34,800	34,800	34,800	33,800	33,800	33,800	33,800	33,800	33,800
종가집 포기김치	대상	〃	〃	33,700	33,700	33,700	33,700	33,700	33,700	33,700	33,700	33,700	33,700	33,700	33,700
비비고 총각김치	CJ	1.5kg	〃	-	-	-	-	-	-	-	-	-	-	-	-
종가집 총각김치	대상	〃	〃	-	-	-	-	-	-	-	-	-	-	-	18,500
◈수산물															
生연어(횟감용)	노르웨이	100g	팩	4,990	5,580	6,580	6,500	5,980	5,980	5,980	6,600	6,600	6,600	5,480	5,480
生연어(구이용)	〃	〃	〃	4,580	5,380	5,380	5,380	5,380	5,680	5,680	5,680	5,680	5,680	4,980	4,980
부산간고등어	국산	1마리(대)	〃	-	-	-	3,300	3,300	5,300	5,300	-	-	-	-	-
제주생물갈치	〃	〃	〃	-	-	9,900	12,900	12,800	12,800	12,800	12,800	12,800	12,800	12,800	12,800
◈수산가공품															
명가 직화구이김	CJ	4.5g×20봉	봉	8,980	8,980	8,980	8,980	8,980	8,980	6,490	6,490	6,490	6,490	6,480	6,480
대 천 김	대천김	5g×20봉	〃	-	-	-	-	-	-	6,490	-	-	-	-	-
광 천 김	해달음	4g×20봉	〃	6,480	6,480	6,480	8,480	8,480	7,980	8,990	8,990	8,990	7,980	6,480	6,480
옛날미역	오뚜기	100g	〃	-	-	-	-	-	-	-	-	6,490	6,490	6,490	6,490
◈낙농물															
쇠 고 기	국산(한우)	정육(등심)상등급	100g	12,900	14,080	14,900	15,380	15,380	15,380	12,880	10,380	13,990	13,380	12,880	13,880
〃	〃	정육(양지)상등급	〃	9,180	8,880	9,910	11,300	11,300	11,300	9,820	7,780	10,820	11,200	11,950	10,780
돼지고기	국산	정육(삼겹살)상등급	〃	2,980	2,880	2,880	2,780	2,780	2,680	2,480	2,780	2,880	2,880	2,980	3,680
〃	〃	정육(목살)상등급	〃	2,980	2,880	2,880	2,780	2,780	2,680	2,480	2,780	2,880	2,880	2,980	3,680
닭 고 기	〃	육계	1kg	8,490	5,586	8,490	8,490	8,490	8,490	8,980	8,980	8,980	8,980	8,980	8,980
계 란	CJ	신선한 목초란	15구	7,990	7,990	7,990	7,990	7,990	7,990	8,480	7,980	7,980	7,980	7,980	7,980
우 유	서울우유	흰 우유(나 100%)	1 ℓ	2,700	2,870	2,870	2,870	2,870	2,870	2,890	2,890	2,870	2,870	2,870	2,970
〃	〃	목장의 신선함이 살아있는 우유	〃	3,300	3,450	3,450	3,380	3,380	3,380	3,400	3,400	3,380	3,380	3,380	3,650
〃	남양유업	맛있는 우유 GT	900㎖	-	2,860	2,870	2,770	2,770	2,890	2,890	2,890	2,870	2,870	2,870	2,970
〃	매일유업	매일우유 오리지널	〃	2,610	2,780	2,840	2,840	2,840	2,840	2,890	2,890	2,840	2,840	2,840	2,840
〃	동원	덴마크 대니쉬 the건강한 우유	〃	2,380	-	-	2,680	2,680	2,680	-	-	-	-	-	-
〃	빙그레	바나나맛 우유 240㎖×4	묶음	4,900	5,480	5,500	5,500	5,500	5,500	5,480	5,480	5,480	5,480	5,480	5,780
〃	서울우유	서울 요구르트 65㎖×20	〃	-	-	2,980	2,980	2,980	2,980	2,950	2,950	2,950	2,950	2,950	3,100
〃	남양유업	남양 요구르트 65㎖×20	〃	2,570	2,970	2,970	2,970	2,970	2,970	2,990	2,990	2,970	2,970	2,970	2,970
〃	HY	HY야쿠르트 오리지널 65㎖×20	〃	4,400	4,400	4,400	4,400	4,400	4,400	4,400	4,400	4,400	4,400	4,400	4,400
버 터	서울우유	무가염 버터	450g	-	11,000	11,000	11,000	11,000	11,000	11,000	11,000	11,000	11,000	11,000	11,000
〃	파스퇴르	프리미엄 홈버터	〃	9,490	9,800	9,500	9,500	9,500	9,500	9,500	9,990	9,990	9,990	9,990	9,990
치 즈	서울우유	어린이치즈 앙팡(15매입)	개	5,480	7,280	-	-	-	-	-	-	-	-	-	-
〃	〃	체다치즈(20매입)	〃	8,980	8,980	8,980	8,980	8,980	8,980	8,980	8,980	8,980	8,980	8,980	8,980
〃	매일유업	뼈로가는 칼슘치즈(15매입)	〃	8,800	8,800	8,800	6,180	8,780	8,780	8,780	8,780	8,780	9,990	9,990	9,990
〃	〃	더블업 체다치즈	360g	6,160	6,160	6,160	6,160	6,160	6,160	8,800	8,800	8,800	9,990	9,990	9,990
햄	목우촌	주부9단 살코기햄	1kg	12,990	12,990	12,990	-	-	-	-	-	10,990	12,990	12,990	12,990
〃	〃	주부9단 불고기햄	300g	-	-	-	-	-	-	-	-	-	-	-	-
조제분유	남양유업	남양분유 임페리얼 XO1	800g	19,000	19,000	19,000	19,000	27,800	27,800	27,800	23,300	23,300	23,300	23,300	23,300
〃	〃	남양분유 임페리얼 XO2	〃	20,300	20,300	20,300	20,300	25,800	25,800	25,800	23,800	24,800	24,800	24,800	24,800
〃	〃	남양분유 임페리얼 XO3	〃	19,800	19,800	19,800	19,800	25,800	25,800	25,800	-	24,800	24,800	24,800	24,800
〃	〃	남양분유 임페리얼 XO4	〃	19,800	19,800	19,800	19,800	25,800	25,800	25,800	-	-	-	-	-
〃	매일유업	앱솔루트 센서티브 1단계	900g	35,140	35,140	35,140	35,140	36,140	36,140	36,140	35,140	35,140	35,140	35,140	35,140
〃	〃	앱솔루트 센서티브 2단계	〃	35,140	35,140	35,140	35,140	36,140	36,140	36,140	35,140	35,140	35,140	35,140	35,140
〃	〃	앱솔루트 센서티브 3단계	〃	35,140	35,140	35,140	35,140	36,140	36,140	36,140	35,140	35,140	35,140	35,140	35,140
〃	〃	앱솔루트 센서티브 4단계	〃	35,140	35,140	35,140	35,140	36,140	36,140	36,140	35,140	35,140	35,140	35,140	35,140
〃	남양유업	아이엠마더 1단계	800g	25,970	25,970	25,970	25,970	25,970	25,970	25,970	38,800	29,000	29,000	29,000	29,000
〃	〃	아이엠마더 2단계	〃	26,720	26,720	26,720	26,720	26,720	26,720	26,720	36,800	35,800	35,800	35,800	35,800
〃	〃	아이엠마더 3단계	〃	28,800	28,800	28,800	28,800	28,800	28,800	28,800	36,800	35,800	35,800	35,800	35,800
〃	〃	아이엠마더 4단계	〃	28,800	28,800	28,800	28,800	28,800	28,800	28,800	-	-	-	-	-
영유아식	〃	임페리얼 XO 닥터	300g	13,210	13,210	-	-	-	-	-	-	15,900	15,900	15,900	15,900
〃	매일유업	앱솔루트(아기설사)	400g	17,200	17,200	-	-	-	-	-	-	17,200	17,200	17,200	17,200

인스턴트식품

(단위 : 원)

품명	메이커	규격	단위	제주											
				2022년 11월	12월	2023년 1월	2월	3월	4월	5월	6월	7월	8월	9월	10월
◈스낵류															
새 우 깡	농심	90g	봉	1,180	1,180	1,180	1,180	1,180	1,180	1,180	1,180	1,180	1,100	1,100	1,100
감 자 깡	〃	75g	〃	1,360	1,360	1,360	1,360	1,360	1,360	1,360	1,360	1,360	1,360	1,360	1,360
오징어집	〃	78g	〃	1,350	1,350	1,350	1,350	1,350	1,350	1,350	1,360	1,360	1,360	1,360	1,360
고구마깡	〃	83g	〃	1,360	1,360	1,360	1,360	1,360	1,360	1,360	1,360	1,360	1,360	1,360	1,360
양 파 깡	〃	〃	〃	1,360	1,360	1,360	1,360	1,360	1,360	1,360	1,360	1,360	1,360	1,360	1,360
양 파 링	〃	80g	〃	1,350	1,350	1,350	1,350	1,350	1,350	1,350	1,350	1,350	1,350	1,350	1,350
포 스 틱	〃	〃	〃	1,360	1,360	1,360	1,360	1,360	1,360	1,360	1,360	1,360	1,360	1,360	1,360
꿀꽈배기	〃	90g	〃	1,360	1,360	1,360	1,360	1,360	1,360	1,360	1,360	1,360	1,360	1,360	1,360
조청유과	〃	96g	〃	1,350	1,350	1,350	1,350	1,350	1,350	1,350	1,350	1,350	1,350	1,350	1,350
바나나킥	〃	145g	〃	2,580	2,580	2,580	2,580	2,580	2,580	2,580	2,580	2,580	2,580	2,580	2,580
콘 칩	크라운	140g	〃	2,380	2,380	2,380	2,380	2,380	2,380	2,380	2,380	2,380	2,380	2,380	2,380
오 감 자	오리온	115g	〃	2,380	2,380	2,380	2,380	2,380	2,380	2,380	2,380	2,380	2,380	2,380	2,380
포 카 칩	〃	66g	〃	1,360	1,360	1,360	1,360	1,360	1,360	1,360	1,360	1,360	1,360	1,360	1,360
스 윙 칩	〃	60g	〃	1,360	1,360	1,360	1,360	1,360	1,360	1,360	1,360	1,360	1,360	1,360	1,360
오징어땅콩	〃	202g	〃	2,380	2,380	2,380	2,380	2,380	2,380	2,380	2,380	2,380	2,380	2,380	2,380
맛 동 산	〃	300g	〃	4,380	4,380	4,380	4,380	4,380	4,380	4,380	4,380	4,380	4,380	4,380	4,380
꼬 깔 콘	〃	52g 고소한맛	〃	1,000	1,000	1,000	1,000	1,000	1,000	1,000	1,000	1,000	1,000	1,000	1,000
짱 구	삼양	272g	〃	2,850	2,850	2,850	2,850	2,850	2,980	2,980	-	-	-	-	-
죠 리 퐁	〃	74g	〃	-	-	-	1,190	1,190	1,190	1,190	1,190	1,190	1,190	1,190	1,000
야채타임	빙그레	70g	〃	1,000	1,000	1,000	1,000	-	-	-	-	-	-	-	-
도도한나쵸	오리온	92g 치즈맛	〃	1,980	1,980	1,980	1,980	1,000	1,000	1,000	1,000	1,190	1,190	1,190	1,190
꼬 북 칩	〃	64g 콘스프맛	〃	1,190	1,190	1,190	1,190	-	-	-	-	-	-	-	-
치 토 스	롯데	64g 매콤달콤한맛	〃	1,000	1,000	1,000	1,000	1,000	1,360	1,360	1,360	1,360	1,360	1,360	1,360
도리토스	〃	84g 나쵸치즈맛	〃	-	-	-	-	-	-	-	-	-	-	-	-
자 갈 치	농심	174g	〃	-	-	-	-	-	-	-	-	-	-	-	2,580
인디안밥	〃	83g	〃	-	-	-	-	-	-	-	-	-	-	-	1,360
벌집핏자	〃	90g	〃	-	-	-	-	-	-	-	-	-	-	-	1,600
허니버터칩	해태	44g	〃	-	-	-	-	-	-	-	-	-	-	-	-
카라멜콘과땅콩	크라운	72g	〃	-	-	-	-	-	-	-	-	-	-	-	-
꽃 게 랑	빙그레	143g	〃	-	-	-	-	-	-	-	-	-	-	-	2,980
썬 칩	오리온	66g 핫스파이시맛	〃	-	-	-	-	-	-	-	-	-	-	-	-
빼 빼 로	롯데	54g	Box	-	-	-	-	-	-	-	-	-	-	-	1,360
칙 촉	〃	180g	〃	-	-	-	-	-	-	-	-	-	-	-	3,840
킨 쵸	〃	196g	〃	-	-	-	-	-	-	-	-	-	-	-	3,360
버 터 링	해태	238g	〃	-	-	-	-	-	-	-	-	-	-	-	3,980
초코하임	크라운	284g	〃	-	-	-	-	-	-	-	-	-	-	-	4,780
고 래 밥	오리온	160g	〃	-	-	-	-	-	-	-	-	-	-	-	2,240
산 도	롯데	16봉입 딸기크림치즈	〃	3,970	3,970	3,970	3,970	3,970	3,970	3,970	3,980	3,980	3,980	3,980	3,980
버터와플	〃	316g	〃	3,280	3,280	3,280	4,380	4,380	4,380	4,380	4,380	4,380	4,380	4,380	4,380
국희땅콩샌드	〃	372g	〃	3,840	3,840	3,840	3,840	3,840	3,840	3,840	3,840	3,840	3,990	3,990	3,990
빅 파 이	〃	324g	〃	3,840	3,840	3,840	3,840	3,840	3,840	3,840	3,840	3,840	3,840	3,840	3,840
후렌치파이	해태	15봉입 딸기	〃	3,580	3,580	3,580	3,990	3,990	3,990	3,990	3,580	3,990	3,990	3,990	3,990
초코파이	오리온	12개입	〃	4,980	4,980	4,980	4,980	4,320	4,320	4,320	4,320	4,320	4,320	4,320	4,320
오 뜨	〃	12봉입 쇼콜라	〃	5,580	5,580	5,580	5,580	5,580	5,580	5,580	5,580	5,580	5,580	5,580	5,580
빈 츠	롯데	204g	〃	3,990	3,990	3,990	4,480	4,480	4,480	4,480	4,480	4,480	4,480	4,480	4,480
마가렛트	〃	16봉입	〃	4,780	4,780	4,780	4,780	5,270	5,270	5,270	5,270	5,270	5,270	5,270	5,270
아이비크래커	해태	12봉입	〃	2,980	2,980	2,980	3,590	3,590	3,590	3,590	3,590	3,590	3,590	3,590	3,590
몽 쉘	롯데	12개입	〃	4,380	4,380	4,380	4,380	4,790	4,790	4,790	4,790	4,790	-	-	-
카스타드	오리온	〃	〃	3,840	3,840	3,840	4,320	4,320	4,320	4,320	4,320	4,320	4,320	4,320	4,320
후레쉬베리	〃	6개입	〃	2,880	2,880	2,880	-	-	-	-	-	-	-	-	-
초코송이	〃	144g	〃	-	-	-	-	-	-	-	2,290	2,290	2,290	2,290	2,290
빠다코코넛	롯데	78g	〃	-	-	-	-	-	-	-	-	-	-	-	-
에 이 스	〃	364g	〃	3,980	3,980	3,980	3,980	3,980	3,980	3,980	3,980	3,980	3,980	3,980	3,980
쿠크다스	〃	128g	〃	-	-	-	-	-	-	-	-	-	-	-	-
홈 런 볼	〃	46g	봉	-	-	-	-	-	-	-	-	-	-	-	-
양 갱	〃	50g×10 밤맛	〃	5,990	5,990	5,990	5,990	5,990	5,990	5,990	5,990	5,990	5,990	5,990	5,990
맛 밤	CJ	60g×4	〃	6,480	6,480	6,480	6,480	6,990	6,990	6,990	6,980	6,980	6,980	6,980	6,980

(단위 : 원)

품 명	메이커	규 격	단위	제주											
				2022년 11월	12월	2023년 1월	2월	3월	4월	5월	6월	7월	8월	9월	10월
◈씨리얼(후레이크)															
첵스초코	켈로그	570g	봉	4,790	7,490	7,490	7,980	7,980	7,980	7,980	7,980	7,980	7,980	7,980	7,980
스페셜K	〃	480g	〃	7,690	7,690	7,690	8,390	8,390	8,390	8,390	8,390	8,390	8,390	8,390	8,390
콘푸로스트	〃	600g	〃	6,580	6,580	6,580	6,970	4,670	4,670	6,700	6,990	6,990	6,990	6,990	6,990
아몬드푸레이크	〃	〃	〃	8,380	8,380	8,380	9,180	9,180	9,180	9,180	9,180	9,180	9,180	9,180	9,180
그래놀라	〃	400g 리얼 그래놀라	〃	8,890	8,890	6,290	9,680	9,680	9,680	9,680	9,680	9,680	9,680	9,680	9,680
〃	〃	500g 고소한 현미 그래놀라	〃	8,790	8,790	8,790	9,680	9,680	9,680	9,680	9,680	9,680	9,680	9,680	9,680
후루트링	〃	530g	〃	7,980	7,980	7,980	8,670	8,670	8,670	8,670	8,670	8,670	8,670	8,670	8,670
현미푸레이크	〃	550g	〃	8,890	8,890	8,890	9,670	9,670	9,670	9,670	9,670	9,670	9,670	9,670	9,670
콘푸라이트	포스트	600g	〃	6,590	6,590	6,590	6,980	6,980	6,690	6,690	6,690	6,690	6,690	4,680	6,680
오레오오즈	〃	500g	〃	6,880	8,690	8,690	8,680	8,680	8,680	8,680	8,680	8,680	8,680	8,680	8,680
오곡코코볼	〃	570g	〃	6,790	6,790	6,790	4,680	6,480	6,790	6,790	6,790	6,790	6,790	6,790	6,790
그래놀라	〃	570g 크랜베리 아몬드	〃	8,790	8,790	8,790	8,780	8,780	8,780	8,780	8,780	8,780	8,780	8,780	8,780
〃	〃	500g 블루베리	〃	6,290	6,290	9,390	9,380	9,380	9,990	9,990	9,990	9,390	9,390	9,390	9,390
아몬드후레이크	〃	620g	〃	5,870	8,790	8,790	8,780	8,780	8,780	8,780	8,780	8,780	8,780	8,780	8,780
골든그래놀라	〃	360g 크런치	〃	8,780	8,780	8,780	8,780	8,780	8,780	8,780	8,780	8,780	8,780	8,780	8,780
〃	〃	360g 후르츠	〃	8,780	8,780	8,780	8,780	8,780	8,780	8,780	8,780	8,780	8,780	8,780	8,780
◈면류															
밀가루	대한	1kg 곰표 중력	봉	1,880	1,880	1,880	1,880	1,880	1,880	1,880	1,880	1,880	1,880	1,880	1,880
〃	CJ	1kg 백설 중력	〃	1,900	1,900	1,900	1,900	1,900	1,900	1,900	1,900	1,900	1,900	1,900	1,900
〃	삼양	1kg 큐원 중력	〃	-	-	-	-	-	-	-	-	-	-	-	-
삼양라면	〃	120g×5개	〃	3,500	3,450	3,840	3,840	3,840	3,840	3,840	3,840	3,840	3,680	3,300	3,680
불닭볶음면	〃	140g×5개	〃	-	5,100	5,100	5,100	5,100	5,100	5,100	5,100	5,100	5,100	5,100	5,100
맛있는라면	〃	115g×5개	〃	4,390	4,390	4,280	4,280	4,280	4,280	4,980	4,980	4,980	4,980	4,980	4,980
신라면	농심	120g×5개	〃	4,090	4,100	4,100	4,100	4,100	4,100	4,100	4,100	3,900	3,900	3,900	3,900
너구리	〃	〃	〃	4,500	4,500	4,180	4,180	4,180	4,180	4,180	4,180	4,500	4,500	4,500	4,500
오징어짬뽕	〃	124g×5개	〃	4,880	4,880	4,880	4,880	4,880	4,880	4,880	4,880	4,880	-	4,880	4,880
사리곰탕면	〃	110g×5개	〃	4,880	4,880	4,880	4,880	4,880	4,880	4,880	4,880	4,880	4,880	4,880	4,880
무파마탕면	〃	122g×4개	〃	4,580	4,580	4,580	4,580	4,580	4,580	4,580	4,580	4,580	4,180	4,580	4,580
안성탕면	〃	125g×5개	〃	3,700	3,700	3,700	3,700	3,700	3,700	3,700	3,700	3,700	3,700	3,700	3,700
짜파게티	〃	140g×5개	〃	4,380	4,380	4,880	4,880	4,880	4,880	4,880	4,480	4,880	4,480	4,480	4,880
감자면	〃	117g×5개	〃	5,680	5,680	5,680	5,680	5,680	5,680	5,680	5,680	5,680	5,680	5,680	5,680
생생우동	〃	276g×4개	〃	7,680	7,680	8,400	8,400	8,400	8,400	8,400	8,400	7,680	-	-	-
사발면	〃	114g 신라면 큰사발	개	1,160	1,160	1,160	1,160	1,160	1,160	1,160	1,160	1,160	1,160	1,160	1,160
〃	〃	115g 새우탕 큰사발	〃	1,160	1,160	1,160	1,160	1,160	1,160	1,160	1,160	1,160	1,160	1,160	1,160
〃	〃	110g 육개장 큰사발	〃	1,160	1,160	1,160	1,160	1,160	1,160	1,160	1,160	1,160	1,160	1,160	1,160
컵누들	오뚜기	37.8g 매콤한맛	〃	-	-	-	-	-	-	-	-	-	-	-	1,380
열라면	〃	120g×5개	봉	3,100	3,580	3,580	3,580	3,580	3,580	3,580	3,580	3,580	3,580	3,580	3,580
진라면	〃	〃	〃	3,580	3,580	3,580	3,580	3,580	3,580	3,580	3,580	3,580	3,580	3,580	3,580
진짬뽕	〃	130g×4개	〃	5,980	6,480	6,480	6,480	6,480	6,480	6,480	6,480	6,180	6,180	-	6,180
참깨라면	〃	115g×4개	〃	4,080	4,680	4,680	4,680	4,680	4,680	4,680	4,680	4,680	4,480	2,980	4,480
스낵면	〃	108g×5개	〃	2,950	3,380	3,380	3,380	3,380	2,680	2,680	2,700	2,700	3,180	3,180	3,180
라면사리	〃	110g×5개	〃	-	-	-	-	-	-	-	-	-	-	-	1,750
옛날자른당면	〃	300g	〃	3,980	3,980	3,980	3,980	3,980	4,780	4,780	4,780	4,780	4,780	4,780	4,780
옛날국수(소면)	〃	900g	〃	3,550	3,550	3,550	3,550	3,550	3,550	3,550	3,550	3,550	3,550	3,550	3,550
팔도비빔면	팔도	130g×4개	〃	3,700	4,200	3,330	3,330	3,180	3,180	3,180	2,880	2,880	2,780	2,980	2,980
틈새라면	〃	120g×5개	〃	4,200	4,840	4,080	4,080	4,840	4,840	4,840	4,840	-	4,840	4,840	4,840
육개장칼국수	풀무원	120.9g×4개	〃	5,450	5,450	5,450	5,450	5,450	5,450	5,450	-	-	-	-	-
냉면	청수	540g 물냉면	〃	4,090	4,090	4,090	4,090	4,090	4,090	4,090	4,090	4,090	4,790	4,790	4,790
〃	〃	540g 비빔냉면	〃	4,090	4,090	4,090	4,090	4,090	4,090	4,090	4,090	4,090	4,790	4,790	4,790
◈즉석밥															
둥근햇반실속	CJ	210g×8개	Set	10,900	10,900	10,900	10,900	10,900	10,900	10,900	10,900	10,900	10,900	10,900	10,900
맛있는밥	오뚜기	210g×10개	〃	9,970	9,970	10,480	11,980	11,980	11,980	11,980	11,980	11,980	11,980	11,980	11,980
◈통조림															
골뱅이	유동	400g	Can	10,480	10,480	10,480	10,480	10,480	10,480	10,480	10,480	10,480	10,480	10,480	10,480
꽁치	동원	300g	〃	4,990	4,480	4,480	4,480	4,480	4,990	4,990	4,990	4,990	4,990	4,990	4,990
고등어	〃	400g	〃	2,990	2,980	2,980	3,490	3,490	3,490	3,490	3,490	3,490	3,490	3,490	3,490
살코기참치	〃	135g×4개 라이트스탠다드	〃	10,980	11,480	11,480	11,480	11,480	11,480	11,480	11,480	11,480	11,480	11,480	11,480
고추참치	〃	90g×4개	〃	8,990	9,480	9,480	9,480	9,480	9,480	9,480	9,480	9,480	9,480	9,480	9,480
야채참치	〃	〃	〃	8,990	9,480	9,480	9,480	9,480	9,480	9,480	9,480	9,480	9,480	9,480	9,480
리챔	〃	340g 오리지널	〃	7,180	7,180	7,180	7,180	7,180	7,180	7,180	7,180	7,180	7,180	7,180	7,580
스팸	CJ	340g 클래식	〃	7,180	7,180	7,180	7,180	7,180	7,180	7,180	7,180	7,180	7,180	7,180	-
스위트콘	오뚜기	340g	〃	1,980	1,980	1,980	1,980	1,980	1,980	1,980	1,980	1,980	1,980	1,980	1,980
〃	동원	〃	〃	1,980	1,780	1,780	1,780	1,780	1,780	1,780	1,780	1,980	1,980	1,980	1,980
황도	〃	400g	〃	2,580	2,380	2,380	2,380	2,380	2,580	2,580	2,580	2,580	2,580	2,580	2,580
후르츠칵테일	델몬트	850g	〃	4,990	4,480	4,480	4,480	4,480	4,480	4,990	4,990	4,990	4,990	4,990	4,990
파인애플슬라이스	〃	836g	〃	4,990	4,160	4,160	4,480	4,480	4,480	4,990	4,990	4,990	4,990	4,990	4,990
번데기	유동	130g	〃	1,590	1,580	1,580	1,580	1,580	1,580	1,690	1,690	1,690	1,690	1,690	1,690
〃	동원	〃	〃	1,000	1,280	1,280	1,280	1,280	1,280	1,690	1,690	1,690	1,690	1,690	1,690
깻잎	샘표	70g	〃	-	-	-	-	-	-	-	-	-	-	-	-

음료

(단위 : 원)

품명	메이커	규격	단위	제주 2022년 11월	12월	2023년 1월	2월	3월	4월	5월	6월	7월	8월	9월	10월
◈음료															
칠성사이다	롯데	1.8ℓ	Pet	3,380	3,380	2,680	3,380	3,380	3,380	3,380	3,380	3,380	3,380	3,380	3,380
칠성사이다제로	〃	1.5ℓ	〃	2,580	-	2,880	2,880	2,880	2,880	2,880	2,880	2,880	2,880	2,880	2,880
밀키스	〃	〃	〃	1,000	1,980	2,580	2,580	2,580	2,580	2,580	2,580	2,580	2,580	2,580	2,580
2%복숭아	〃	〃	〃	2,780	2,780	1,190	1,190	1,190	1,190	1,980	1,980	1,980	1,390	1,390	1,980
제주사랑감귤사랑	〃	〃	〃	1,290	1,290	2,980	2,980	2,980	2,980	2,980	2,980	2,980	2,980	2,980	2,980
하늘보리	웅진	〃	〃	1,980	1,980	1,290	1,400	1,400	1,400	1,400	1,400	1,400	1,400	1,400	-
아침햇살	〃	1.35ℓ	〃	3,480	3,480	1,980	2,080	2,080	2,080	2,280	2,280	2,280	2,280	2,280	2,280
자연은알로에	〃	1.5ℓ	〃	1,000	-	3,480	4,700	4,700	3,980	3,980	2,350	2,350	2,350	2,350	2,350
옥수수수염차	광동	〃	〃	1,000	1,980	1,000	2,380	2,380	2,380	2,380	2,380	2,380	2,380	2,380	2,380
헛개차	〃	〃	〃	630	630	1,180	2,380	2,380	2,380	2,380	2,380	2,380	2,380	2,380	2,380
제주삼다수	〃	2ℓ	〃	3,730	3,680	630	700	700	700	700	700	700	700	700	700
코카콜라	코카콜라	1.8ℓ	〃	3,150	3,680	3,730	3,730	3,730	3,730	3,730	3,730	3,730	3,730	3,730	3,730
코카콜라제로	〃	1.5ℓ	〃	2,700	2,700	3,150	3,150	3,150	3,150	3,150	3,150	3,150	3,150	3,150	3,150
스프라이트	〃	〃	〃	-	-	2,700	2,680	2,680	2,680	2,680	2,680	2,680	2,680	2,680	2,680
암바사	〃	〃	〃	2,550	-	-	-	-	-	-	-	-	-	-	-
환타	〃	1.5ℓ 오렌지	〃	4,280	-	2,450	2,450	2,450	2,450	2,450	2,450	2,450	2,450	2,450	2,450
미닛메이드	〃	〃	〃	3,390	3,390	2,980	-	-	-	-	-	-	-	-	-
파워에이드	〃	1.5ℓ	〃	3,390	3,390	3,620	3,620	3,620	3,620	3,620	3,620	3,620	3,620	3,620	3,620
토레타	〃	〃	〃	2,980	2,980	2,390	2,530	3,620	3,620	3,620	3,620	3,620	3,620	3,620	3,620
펩시콜라	펩시	〃	〃	-	3,380	2,480	2,980	2,980	2,980	2,980	2,980	2,980	2,580	2,580	2,580
마운틴듀	〃	〃	〃	2,780	2,780	-	-	-	-	-	-	-	-	-	-
게토레이	〃	〃	〃	-	-	2,780	2,780	2,780	2,780	2,780	3,480	3,480	3,480	3,480	3,480
포카리스웨트	동아오츠카	1.8ℓ	〃	3,380	3,380	-	3,780	3,780	3,780	3,780	3,780	3,780	3,780	3,780	3,780
콜드오렌지	델몬트	1.89ℓ	〃	-	-	-	-	-	-	-	-	-	-	-	-
웰치스	웰치	1.5ℓ 포도	〃	2,180	2,500	2,500	2,500	2,500	2,500	2,500	2,500	2,500	2,500	2,500	2,500
◈차류															
보리차	동서	30개입	Box	2,080	2,080	2,180	2,180	2,180	2,180	2,180	2,180	2,180	2,180	2,180	2,180
현미녹차	〃	100개입	〃	6,600	6,800	7,140	7,980	7,980	7,140	7,980	7,980	7,980	7,140	7,140	7,140
둥글레차	〃	〃	〃	7,400	8,500	8,930	9,860	9,860	8,930	9,930	9,930	9,930	8,930	8,930	8,930
메밀차	〃	〃	〃	6,600	7,600	7,600	7,960	7,960	7,140	7,980	7,980	7,980	7,140	7,140	7,140
옥수수차	〃	30개입	〃	2,720	2,720	2,850	2,850	2,850	2,850	2,850	2,850	2,850	2,850	2,850	2,850
결명자차	〃	18개입	〃	2,090	2,090	2,200	2,200	2,200	2,200	2,200	2,200	2,200	2,300	2,300	2,300
오곡차	〃	〃	〃	2,400	2,400	2,400	2,400	-	-	-				-	-
티오아이스티	〃	40개입	〃	-	-	-	-	-	-	-	-	-	-	-	-
립톤아이스티	유니레버	770g 복숭아	〃	-	-	-	-	-	-	-	13,900	15,200	15,200	15,200	15,200
루이보스보리차	동서	100개입	〃	-	-	-	-	-	-	-	-	-	-	-	-
맥심	〃	100개입 모카골드 커피믹스	〃	14,980	14,980	14,980	16,450	16,450	16,450	16,450	16,450	16,450	16,450	16,450	16,450
〃	〃	100개입 아이스 커피믹스	〃	-	-	-	-	-	-	-	21,000	21,000	21,000	28,000	28,000
〃	〃	100개입 화이트골드 커피믹스	〃	15,980	15,980	15,980	17,560	17,560	17,560	17,560	17,560	17,560	17,560	17,560	17,560
카누	〃	100개입 미니 마일드 로스트	〃	20,390	20,390	20,390	22,390	22,390	22,390	22,390	22,390	22,390	22,390	22,390	22,390
〃	〃	100개입 미니 다크 로스트	〃	20,390	20,390	20,390	22,390	22,390	22,390	22,390	22,390	22,390	22,390	22,390	22,390
〃	〃	100개입 미니 디카페인 아메리카노	〃	22,430	22,430	22,430	24,640	24,640	24,640	24,640	24,640	24,640	24,640	24,640	24,640
작설차	녹차원	10개입 맛있는 녹차작설	〃	4,300	4,480	-	-	-	-	-	-	-	-	-	-
옥수수수염차	〃	100개입	〃	7,980	8,380	8,380	8,380	8,380	8,380	8,380	8,380	8,380	8,380	-	-
호두아몬드율무차	담터	〃	〃	21,700	21,700	21,700	22,800	22,800	20,800	20,800	30,700	30,700	30,700	30,700	30,700
생강차	〃	50개입	〃	10,900	11,900	11,900	11,500	13,500	13,500	13,500	13,500	13,500	13,500	13,500	13,500
쌍화차	〃	〃	〃	10,900	11,900	11,900	13,500	11,500	11,500	11,500	13,500	13,500	13,500	13,500	13,500
단호박마차	〃	〃	〃	17,200	17,200	17,200	18,500	18,500	18,500	18,500	18,500	18,500	18,500	18,500	18,500
◈주류															
소주	하이트진로	360㎖ 참이슬 후레쉬	병	1,380	1,380	1,380	1,380	1,380	1,380	1,380	1,380	1,380	1,380	1,380	1,380
〃	〃	360㎖ 진로	〃	-	-	-	-	-	-	-	-	-	-	-	1,290
〃	롯데	360㎖ 새로	〃	-	-	-	-	-	-	-	-	-	-	-	1,290
〃	〃	360㎖ 처음처럼	〃	-	-	-	-	-	-	-	-	-	-	-	1,380
맥주	하이트진로	500㎖ 하이트 엑스트라콜드	〃	1,550	1,550	1,550	1,550	1,550	1,550	1,550	1,550	1,550	1,550	1,550	-
〃	OB	500㎖ 카스 후레쉬	〃	1,550	1,550	1,550	1,550	1,550	1,550	1,550	1,550	1,550	1,550	1,550	1,660
막걸리	서울장수	750㎖ 장수 생막걸리	〃	1,680	1,680	1,680	1,680	1,680	1,680	1,680	1,680	1,680	1,680	1,680	1,680

일용품

(단위 : 원)

품 명	메이커	규 격	단위	제주 2022년 11월	12월	2023년 1월	2월	3월	4월	5월	6월	7월	8월	9월	10월
◈일용품															
▶주방용품															
주방세제	라이온	(450㎖) 참그린	개	3,990	3,990	3,990	3,990	3,990	3,990	3,990	3,990	3,990	3,990	3,990	3,990
〃	헨켈	(750㎖)프릴 베이킹소다 퓨어레몬	〃	8,900	8,900	8,900	8,900	8,900	8,900	8,900	8,900	9,500	9,500	9,500	9,500
〃	LG	(490㎖) 자연퐁 POP 솔잎	〃	-	-	5,300	5,300	5,300	5,300	5,300	5,300	5,300	5,300	5,300	5,300
키친타올	유한	크리넥스 150매×6	〃	6,800	8,600	8,600	8,600	8,600	8,600	6,880	8,600	8,600	8,600	8,600	8,600
행 주	〃	스카트 항균블루 행주타올45매×4	〃	18,900	-	-	-	-	-	-	-	-	-	-	-
냅 킨	〃	크리넥스 카카오 홈냅킨 130매×6	〃	8,300	-	12,100	12,100	12,100	12,100	12,100	12,100	12,100	12,100	12,100	12,100
호 일	대한	대한웰빙호일 25㎝×30m×15㎛	〃	6,280	6,280	6,280	6,280	6,280	6,280	6,280	6,280	6,280	6,280	6,280	6,280
〃	크린랩	(30매) 크린 종이호일 26.7㎝	〃	3,980	3,980	3,980	3,980	3,980	3,980	3,980	3,980	3,980	3,980	3,980	3,980
〃	〃	크린 종이호일 30㎝×20m	〃	5,280	5,280	5,280	5,280	5,280	5,280	5,280	5,280	5,280	5,280	5,280	5,280
랩	〃	크린랩 22㎝×100m	〃	8,980	8,980	8,980	8,980	8,980	8,980	8,980	8,980	8,980	8,980	8,980	8,980
위생봉지	〃	(200매입)크린롤백 30㎝×40㎝	〃	7,280	7,280	7,280	7,280	7,280	7,280	7,280	7,280	7,280	7,280	7,280	7,280
고무장갑	〃	(2개입) 크린랩고무장갑(중)	〃	5,280	5,280	5,280	5,880	5,880	5,880	5,880	5,880	5,880	5,880	5,880	5,880
위생장갑	〃	(100매) 크린장갑	〃	4,590	4,590	4,590	4,590	4,590	4,590	4,590	4,590	4,590	4,590	4,590	4,590
종 이 컵	-	(250매) 일회용 물컵	〃	1,700	1,700	1,700	1,700	1,700	1,700	1,700	1,700	1,700	1,780	1,780	1,780
〃	-	(50개입) 고급 종이컵	〃	1,280	1,280	1,280	1,280	1,280	1,280	1,280	1,280	1,280	1,350	1,350	1,350
▶욕실용품															
세숫비누	LG	(140g×3개) 알뜨랑	〃	5,900	5,900	6,900	6,900	6,900	6,900	6,900	6,900	6,900	6,900	6,900	6,900
〃	유니레버	(90g×4개) 도브 비누 뷰티바	〃	7,900	7,900	7,900	7,900	7,900	7,900	7,900	7,900	7,900	7,900	7,900	7,900
손세정제	라이온	(250㎖) 아이 깨끗해 거품형	〃	6,500	6,500	6,500	6,500	6,500	6,900	6,900	6,900	6,900	6,900	6,900	6,900
〃	유니레버	(240㎖)도브 포밍핸드워시 딥모이스처	〃	-	-	5,900	5,900	5,900	5,900	5,900	5,900	5,900	5,900	5,900	5,900
샴 푸	LG	(680㎖) 엘라스틴 모이스처 샴푸	〃	12,900	12,900	12,900	12,900	12,900	12,900	12,900	12,900	12,900	12,900	12,900	12,900
〃	애경	(1,000㎖) 케라시스 퍼퓸 샴푸	〃	12,900	6,450	9,900	12,900	12,900	12,900	12,900	12,900	12,900	12,900	12,900	12,900
〃	한국피앤지	(1,200㎖) 팬틴 모이스처 샴푸	〃	-	-	13,100	13,100	10,900	13,100	13,100	13,100	13,100	13,100	13,100	13,100
칫 솔	〃	(3개입) 오랄비 칫솔	〃	11,900	11,900	11,900	11,900	11,900	11,900	11,900	11,900	11,900	11,900	11,900	11,900
〃	LG	(4개입) 페리오 센서티브 초극세모	〃	8,900	9,900	9,900	9,900	11,900	11,900	11,900	11,900	11,900	11,900	11,900	11,900
〃	아모레	(4개입) 메디안 치석케어 칫솔	〃	9,900	-	-	-	-	-	-	-	-	-	-	-
치 약	애경	(130g×3개)2080 시그니처 토탈블루	〃	8,900	8,900	8,900	8,900	8,900	8,900	8,900	8,900	8,900	8,900	8,900	8,900
〃	LG	(120g×8개) 페리오 치석케어 치약	〃	10,900	10,900	10,900	10,900	10,900	-	-	-	-	-	-	-
〃	〃	(120g×3개) 페리오 토탈7 오리지널	〃	11,900	11,900	11,900	11,900	11,900	11,900	-	-	12,900	12,900	12,900	12,900
〃	〃	(120g×3개) 죽염 오리지날	〃	13,900	13,900	13,900	13,900	13,900	13,900	-	-	-	-	-	-
화 장 지	유한	크리넥스3겹 순수소프트 30m×30롤	〃	24,900	24,900	24,900	24,900	31,900	31,900	31,900	31,900	31,900	31,800	31,800	31,800
〃	쌍용	코디 순한 3겹데코 30m×30롤	〃	15,600	18,900	-	18,900	16,900	16,900	22,900	22,900	22,900	16,900	16,900	16,900
▶방향제															
에 어 윅	LG	(440㎖)AURA 해피브리즈 방향제(라벤더)	〃	8,900	8,900	8,900	8,900	9,800	9,800	9,800	9,800	9,800	-	-	-
페브리즈	한국피앤지	(275㎖) 에어공기 탈취제	〃	5,900	5,900	5,900	5,900	5,900	5,900	5,900	5,900	5,900	5,900	5,900	5,900
방 충 제	헨켈	(24개입) 컴배트 좀벌레싹 서랍장용	〃	-	-	-	-	-	-	-	-	-	-	11,400	11,400
〃	〃	(6개입) 컴배트 좀벌레싹 옷장용	〃	11,500	11,500	11,500	11,500	11,500	12,100	12,100	12,100	12,100	12,100	12,100	12,100
〃	〃	(12개입) 컴배트 좀벌레싹 콤보	〃	11,500	11,500	11,500	11,500	11,500	12,100	12,100	12,100	12,100	12,100	12,100	12,100
▶세탁용품															
세탁비누	무궁화	(230g×4) 세탁비누	〃	5,490	5,490	5,490	5,490	5,490	5,490	5,490	5,490	5,490	5,490	5,490	5,490
〃	〃	(230g×4) 살균비누	〃	7,900	7,900	7,900	7,900	7,900	7,900	7,900	7,900	7,900	7,900	7,900	7,900
락 스	유한	(3.5ℓ) 유한락스	〃	6,260	6,260	6,260	6,260	6,260	6,260	6,260	6,260	6,970	6,970	6,970	6,970
합성세제	피죤	(3ℓ)액츠 퍼펙트 액체세제	〃	-	-	-	-	-	16,900	16,900	16,900	16,900	16,900	16,900	16,900
〃	LG	(3ℓ) 테크 액체세제	〃	19,900	19,900	19,900	19,900	31,800	21,900	21,900	21,900	21,900	21,900	21,900	21,900
〃	〃	(2.7ℓ) FiJi 컬러젤	〃	28,900	28,900	28,900	28,900	28,900	31,800	31,800	31,800	-	-	-	-
〃	애경	(6kg) 스파크	〃	13,900	10,900	10,900	10,900	13,900	13,900	13,900	13,900	13,900	11,900	11,900	11,900
섬유유연제	피죤	(2.1ℓ) 피죤 블루 비앙카	〃	-	-	3,500	3,500	3,500	3,500	3,500	3,500	3,500	3,500	3,500	3,500
〃	한국피앤지	(2ℓ) 다우니 초고농축 퍼플	〃	11,400	-	-	-	-	-	-	-	-	-	-	-
〃	LG	(3ℓ) 샤프란 로맨틱 코튼	〃	4,250	4,250	4,250	4,250	4,250	4,250	4,250	4,250	4,250	4,850	4,850	4,850
▶세척제															
Mr.홈스타	LG	900㎖	〃	7,900	6,900	6,900	6,900	8,900	8,900	8,900	8,900	8,900	8,900	8,900	8,900
홈스타변기세정제	〃	40g×4개	〃	3,900	3,900	3,900	3,900	3,900	3,900	3,900	3,900	4,290	4,290	4,290	4,290
유한락스	유한	(900㎖) 곰팡이제거제×2개	〃	9,900	9,900	9,900	9,900	9,900	7,900	7,900	9,900	10,900	10,900	8,380	8,380
펑 크 린	〃	1.5ℓ	〃	3,280	3,280	3,280	3,280	3,280	3,280	3,280	3,280	3,760	3,760	3,760	3,760
무균무때	피죤	900㎖	〃	7,900	7,900	7,900	7,900	7,900	7,900	7,900	7,900	8,900	8,900	8,900	8,900
비트찌든때제거	라이온	500㎖	〃	-	-	4,900	8,900	8,900	8,900	8,900	8,900	8,900	8,900	8,900	8,900
▶살충제															
에프킬라믹스베이트	한국존슨	바퀴살충제10개입	〃	8,720	8,720	8,720	10,900	10,900	10,900	10,900	10,900	10,900	9,500	9,500	9,500
컴배트에어졸	헨켈	(500㎖) 스피드	〃	5,900	5,900	5,900	5,900	5,900	6,200	5,900	5,900	5,900	6,200	6,200	6,200
홈매트리퀴드	〃	훈증기+29㎖ 45일×3	〃	23,900	25,900	25,900	25,900	25,900	25,900	25,200	25,200	25,200	25,200	25,200	25,200
홈 키 파	〃	(500㎖) 수성 에어졸	〃	6,500	6,500	6,500	6,500	6,500	7,200	7,200	7,200	7,200	7,200	7,200	7,200
▶기타															
면 도 기	한국피앤지	질레트 마하3	〃	8,500	8,500	8,500	8,500	8,500	8,500	8,500	8,500	8,500	8,500	8,500	8,500
쉐이빙폼	니베아	(200㎖) 포맨 센서티브	〃	4,130	5,900	5,900	5,900	5,900	6,500	6,500	6,500	6,500	6,500	6,500	6,500
부탄가스	썬연료	4입	〃	6,790	6,790	6,790	6,790	6,790	6,790	5,430	6,790	6,790	6,790	6,790	6,790
습기제거제	LG	홈스타 제습혁명 8P	〃	-	-	-	-	-	-	-	-	-	-	-	-

유가 귀금속 가격정보

(단위 : 원)

품 명	단 위	유가 귀금속 가격정보											
		2022년 11월	12월	2023년 1월	2월	3월	4월	5월	6월	7월	8월	9월	10월
◈유가													
휘 발 유 (무 연)	ℓ	1,650.32	1,563.68	1,562.93	1,578.49	1,592.25	1,640.95	1,628.81	1,580.64	1,585.48	1,716.76	1,769.15	1,775.89
등 유 (실 내 용)	〃	1,601.69	1,552.55	1,495.25	1,464.42	1,426.45	1,403.77	1,378.34	1,336.37	1,317.58	1,339.56	1,389.13	1,432.94
경 유	〃	1,879.15	1,783.21	1,675.37	1,606.41	1,539.72	1,535.70	1,471.97	1,394.48	1,396.48	1,573.16	1,666.53	1,690.31
◈귀금속													
금(순도 58.5%, 14K)	돈(3.75g)	190,500	187,500	191,000	193,000	190,500	196,000	204,000	200,000	197,500	201,000	202,500	199,500
금(순도 75.0%, 18K)	〃	244,500	240,500	245,000	247,000	243,500	251,000	262,000	256,000	253,500	258,000	259,500	255,500
금(순도 99.9%, 24K)	〃	315,000	319,000	320,000	322,000	323,000	352,000	359,000	346,000	339,500	342,000	346,000	332,000

생활용품 가격 비교

(단위 : 원)

품명	메이커	규격	용량	편의점	대형마트	인터넷	편의점	대형마트	인터넷
				2023년 7월			2023년 8월		
◈식품									
생수	광동	제주삼다수	2ℓ	1,950	1,080	990	1,950	1,080	800
햇반	CJ	둥근햇반실속	210g×8개입	14,500	10,900	8,990	14,500	10,900	7,060
참치	동원	살코기참치	150g	4,400	3,192	1,500	4,400	3,192	1,830
스팸	CJ	클래식	340g	8,200	7,190	2,740	8,700	7,190	2,860
김치	〃	비비고 썰은 배추김치	60g	1,200	1,190	1,190	1,200	1,190	1,060
달걀	-	15구 (대란)	15구	4,900	8,490	4,480	4,900	7,990	5,470
설탕	CJ	백설 백설탕	1kg	2,600	1,980	1,290	2,600	2,380	1,280
소금	〃	백설 꽃소금	200g	1,600	1,085	1,690	1,600	1,085	1,980
우유	서울우유	흰 우유(나 100%)	1ℓ	3,050	2,890	2,390	3,050	2,890	2,390
커피	동서	모카골드 커피믹스	100개입	18,700	16,450	13,500	18,700	16,450	12,330
라면	농심	신라면	120g×5개	4,750	3,900	3,890	4,750	3,900	3,000
◈생활용품									
종이컵	-	일회용 종이컵	50개입	2,200	1,350	600	2,200	1,350	390
물티슈	깨끗한나라	페퍼민트 블루	30매	1,900	1,050	675	1,900	1,050	675
휴지	유한	크리넥스 3겹 데코소프트	30m×30롤	37,400	25,900	24,480	37,400	25,200	22,940
생리대	〃	좋은느낌 오리지널울트라날개 중형	18매	9,900	8,300	3,300	9,900	8,300	3,360
부탄가스	세안	썬연료	1개입	2,600	1,698	1,150	2,600	1,698	1,400
살충제	한국존슨	홈키파	〃	9,800	7,200	2,110	9,800	7,200	2,290
면도기	한국피앤지	질레트 마하3	〃	10,900	8,500	4,300	10,900	8,500	6,000
샴푸	LG	오가니스트 체리블로썸수분샴푸	200㎖	7,000	6,760	1,650	7,000	6,760	1,700
린스	〃	오가니스트 체리블로썸수분컨디셔너	〃	7,000	6,760	1,650	7,000	6,760	1,650
바디워시	〃	해피바스 바디워시라벤더트리	760g	6,000	9,900	4,510	-	9,900	4,510
칫솔	〃	죽염잇몸전문칫솔	1개입	4,500	3,475	1,570	4,500	3,475	1,380
치약	〃	2080 블루 충치 케어	140g	4,000	2,967	1,800	4,000	2,967	2,000
구강청결제	동아제약	가그린 오리지널	250㎖	4,500	4,200	1,830	4,500	4,200	1,880
비누	아모레퍼시픽	해피바스 오리지널 컬렉션 솝 라벤더	90g	1,600	2,950	1,090	2,000	2,950	1,190
클렌징폼	센카	퍼펙트 휩 폼 클렌징	120g	9,800	17,600	5,000	9,800	8,800	4,730
핸드워시	라이온	아이 깨끗해 거품형	250㎖	7,900	6,900	2,510	7,900	6,900	1,770
섬유유연제	한국피앤지	다우니	1ℓ	15,400	8,950	3,400	13,900	7,400	3,690
세탁세제	LG	테크 액체 세제	1.4ℓ	12,900	10,200	5,090	12,900	10,220	6,900
주방세제	라이온	참그린	480㎖	3,900	3,990	1,300	3,900	3,990	1,300
주방용품	3M	항균 3중 수세미	1개입	2,000	1,795	1,300	2,000	1,795	1,500

(단위 : 원)

품명	메이커	규격	용량	편의점	대형마트	인터넷	편의점	대형마트	인터넷
				2023년 9월			2023년 10월		
◈식품									
생수	광동	제주삼다수	2ℓ	1,950	1,080	790	1,950	1,080	790
햇반	CJ	둥근햇반실속	210g×8개입	14,500	10,900	9,300	14,500	10,900	8,490
참치	동원	살코기참치	150g	4,400	3,192	1,600	4,400	3,192	1,600
스팸	CJ	클래식	340g	8,200	7,590	3,520	8,200	7,590	3,340
김치	〃	비비고 썰은 배추김치	60g	1,200	1,190	900	1,200	1,190	900
달걀	-	15구 (대란)	15구	4,900	5,990	5,470	4,900	7,990	5,490
설탕	CJ	백설 백설탕	1kg	2,600	2,380	1,670	2,600	2,380	1,550
소금	〃	백설 꽃소금	200g	1,600	-	2,400	1,600	-	5,590
우유	서울우유	흰 우유(나 100%)	1ℓ	3,050	2,890	2,390	3,200	2,890	2,390
커피	동서	모카골드 커피믹스	100개입	18,700	16,450	12,590	18,700	16,450	12,460
라면	농심	신라면	120g×5개	4,750	3,900	3,270	4,750	3,900	3,090
◈생활용품									
종이컵	-	일회용 종이컵	50개입	2,200	1,350	590	2,200	1,350	480
물티슈	깨끗한나라	페퍼민트 블루	30매	1,900	1,050	660	1,900	1,050	655
휴지	유한	크리넥스 3겹 데코소프트	30m×30롤	37,400	25,700	23,900	37,400	34,000	23,900
생리대	〃	좋은느낌 오리지널울트라날개 중형	18매	9,900	8,300	3,400	9,900	16,600	3,400
부탄가스	세안	썬연료	1개입	2,600	1,698	1,400	2,600	1,698	1,400
살충제	한국존슨	홈키파	〃	9,800	7,200	1,280	9,800	7,200	1,910
면도기	한국피앤지	질레트 마하3	〃	10,900	8,500	4,580	10,900	8,600	4,500
샴푸	LG	오가니스트 체리블로썸수분샴푸	200㎖	7,000	6,760	1,690	7,000	16,900	1,700
린스	〃	오가니스트 체리블로썸수분컨디셔너	〃	7,000	6,760	1,650	7,000	16,900	1,650
바디워시	〃	해피바스 바디워시라벤더트리	760g		9,900	4,510	-	9,900	4,510
칫솔	〃	죽염잇몸전문칫솔	1개입	4,500	2,975	1,380	4,500	3,475	1,550
치약	〃	2080 블루 충치 케어	140g	4,000	2,967	1,500	4,000	2,967	1,500
구강청결제	동아제약	가그린 오리지널	250㎖	4,500	4,200	1,900	4,500	4,200	1,900
비누	아모레퍼시픽	해피바스 오리지널 컬렉션 솝 라벤더	90g	1,800	2,950	1,200	2,000	1,475	1,130
클렌징폼	센카	퍼펙트 휩 폼 클렌징	120g	9,800	8,800	4,320	9,800	8,800	4,320
핸드워시	라이온	아이 깨끗해 거품형	250㎖	7,900	6,900	2,580	7,900	6,900	2,620
섬유유연제	한국피앤지	다우니	1ℓ	13,900	7,400	3,500	13,900	7,400	3,490
세탁세제	LG	테크 액체 세제	1.4ℓ	12,900	10,220	6,690	12,900	10,220	7,930
주방세제	라이온	참그린	480㎖	3,900	3,990	1,280	3,900	3,990	1,300
주방용품	3M	항균 3중 수세미	1개입	2,000	1,795	1,100	2,000	1,795	1,130

패스트푸드 가격 비교

(단위 : 원)

품명	단위	패스트푸드 가격 비교											
		2022년 11월	12월	2023년 1월	2월	3월	4월	5월	6월	7월	8월	9월	10월
◈롯데리아													
데리버거	단품	2,900	2,900	2,900	3,300	3,300	3,300	3,300	3,300	3,300	3,300	3,300	3,300
〃	세트	5,100	5,100	5,100	5,600	5,600	5,600	5,600	5,600	5,600	5,600	5,600	5,600
불고기버거	단품	4,500	4,500	4,500	4,700	4,700	4,700	4,700	4,700	4,700	4,700	4,700	4,700
〃	세트	6,600	6,600	6,600	6,900	6,900	6,900	6,900	6,900	6,900	6,900	6,900	6,900
새우버거	단품	4,500	4,500	4,500	4,700	4,700	4,700	4,700	4,700	4,700	4,700	4,700	4,700
〃	세트	6,600	6,600	6,600	6,900	6,900	6,900	6,900	6,900	6,900	6,900	6,900	6,900
클래식 치즈버거	단품	4,900	4,900	4,900	5,200	5,200	5,200	5,200	5,200	5,200	5,200	5,200	5,200
〃	세트	6,900	6,900	6,900	7,300	7,300	7,300	7,300	7,300	7,300	7,300	7,300	7,300
한우불고기버거	단품	8,000	8,000	8,000	8,400	8,400	8,400	8,400	8,400	8,400	8,400	8,400	8,400
〃	세트	9,700	9,700	9,700	10,200	10,200	10,200	10,200	10,200	10,200	10,200	10,200	10,200
◈맘스터치													
불고기버거	단품	3,500	3,500	3,500	3,500	3,900	3,900	3,900	3,900	3,900	3,900	3,900	3,900
〃	세트	5,800	5,800	5,800	5,800	6,200	6,200	6,200	6,200	6,200	6,200	6,200	6,200
싸이버거	단품	4,300	4,300	4,300	4,300	4,600	4,600	4,600	4,600	4,600	4,600	4,600	4,600
〃	세트	6,600	6,600	6,600	6,600	6,900	6,900	6,900	6,900	6,900	6,900	6,900	6,900
통새우버거	단품	3,100	3,100	3,100	3,100	3,500	3,500	3,500	3,500	3,500	3,500	3,500	3,500
〃	세트	5,400	5,400	5,400	5,400	5,800	5,800	5,800	5,800	5,800	5,800	5,800	5,800
할라피뇨 통살버거	단품	4,400	4,400	4,400	4,400	4,800	4,800	4,800	4,800	4,800	4,800	4,800	4,800
〃	세트	6,700	6,700	6,700	6,700	7,100	7,100	7,100	7,100	7,100	7,100	7,100	7,100
휠렛버거	단품	4,100	4,100	4,100	4,100	4,400	4,400	4,400	4,400	4,400	4,400	4,400	4,400
〃	세트	6,400	6,400	6,400	6,400	6,700	6,700	6,700	6,700	6,700	6,700	6,700	6,700
◈맥도날드													
맥스파이시 상하이버거	단품	4,900	4,900	4,900	5,200	5,200	5,200	5,200	5,200	5,200	5,200	5,200	5,200
〃	세트	6,200	6,200	6,200	6,500	6,500	6,500	6,500	6,500	6,500	6,500	6,500	6,500
베이컨 토마토 디럭스	단품	5,800	5,800	5,800	5,800	5,800	5,800	5,800	5,800	5,800	5,800	5,800	5,800
〃	세트	7,400	7,400	7,400	7,400	7,400	7,400	7,400	7,400	7,400	7,400	7,400	7,400
불고기버거	단품	2,500	2,500	2,500	2,800	2,800	2,800	2,800	2,800	2,800	2,800	2,800	2,800
〃	세트	4,500	4,500	4,500	4,500	4,500	4,500	4,500	4,500	4,500	4,500	4,500	4,500
빅맥	단품	4,900	4,900	4,900	5,200	5,200	5,200	5,200	5,200	5,200	5,200	5,200	5,200
〃	세트	6,200	6,200	6,200	6,500	6,500	6,500	6,500	6,500	6,500	6,500	6,500	6,500
치즈버거	단품	2,500	2,500	2,500	2,700	2,700	2,700	2,700	2,700	2,700	2,700	2,700	2,700
〃	세트	4,700	4,700	4,700	4,700	4,700	4,700	4,700	4,700	4,700	4,700	4,700	4,700
◈버거킹													
불고기와퍼	단품	6,900	6,900	6,900	6,900	7,100	7,100	7,100	7,100	7,100	7,100	7,100	7,100
〃	세트	8,900	8,900	8,900	8,900	9,300	9,300	9,300	9,300	9,300	9,300	9,300	9,300
와퍼	단품	6,900	6,900	6,900	6,900	7,100	7,100	7,100	7,100	7,100	7,100	7,100	7,100
〃	세트	8,900	8,900	8,900	8,900	9,300	9,300	9,300	9,300	9,300	9,300	9,300	9,300
치즈와퍼	단품	7,500	7,500	7,500	7,500	7,700	7,700	7,700	7,700	7,700	7,700	7,700	7,700
〃	세트	9,500	9,500	9,500	9,500	9,900	9,900	9,900	9,900	9,900	9,900	9,900	9,900
콰트로치즈와퍼	단품	7,700	7,700	7,700	7,700	7,900	7,900	7,900	7,900	7,900	7,900	7,900	7,900
〃	세트	9,700	9,700	9,700	9,700	10,100	10,100	10,100	10,100	10,100	10,100	10,100	10,100
통새우와퍼	단품	7,700	7,700	7,700	7,700	7,900	7,900	7,900	7,900	7,900	7,900	7,900	7,900
〃	세트	9,700	9,700	9,700	9,700	10,100	10,100	10,100	10,100	10,100	10,100	10,100	10,100
◈KFC													
징거더블다운맥스	단품	7,300	7,300	7,300	7,500	7,500	7,500	7,500	7,500	7,500	7,500	7,500	7,500
〃	세트	9,400	9,400	9,400	9,800	9,800	9,800	9,800	9,800	9,800	9,800	9,800	9,800
징거버거	단품	5,300	5,300	5,300	5,500	5,500	5,500	5,500	5,500	5,500	5,500	5,500	5,500
〃	세트	7,400	7,400	7,400	7,800	7,800	7,800	7,800	7,800	7,800	7,800	7,800	7,800
불고기버거	단품	4,300	4,300	4,300	4,300	4,300	4,300	4,300	4,300	4,300	4,300	4,300	4,300
〃	세트	6,400	6,400	6,400	6,600	6,600	6,600	6,600	6,600	6,600	6,600	6,600	6,600
캡새버거	단품	4,300	4,300	4,300	4,300	4,300	4,300	4,300	4,300	4,300	4,300	4,300	4,300
〃	세트	6,400	6,400	6,400	6,600	6,600	6,600	6,600	6,600	6,600	6,600	6,600	6,600
타워버거	단품	6,100	6,100	6,100	6,300	6,300	6,300	6,300	6,300	6,300	6,300	6,300	6,300
〃	세트	8,200	8,200	8,200	8,600	8,600	8,600	8,600	8,600	8,600	8,600	8,600	8,600

담 배 판 매 가(1)

■ 막궐련

제품명	포장구분	발매·변경 폐지 연월	판매가격	
			초기	최종
승리	10본입	45. 9~47. 5	3원	5원
백두산	〃	46. 1~49. 3	8원	8원
공작	〃	46. 1~48. 7	10원	50원
〃	20본입	49. 4~54. 4	60원	30환
무궁화	10본입	46. 6~47.12	8원	15원
〃	20본입	47.12~50.12	50원	200원
백구	〃	48. 5~52.12	1,000원	1,000원
〃	〃	53. 1~55. 8	1,000원	5환
계명	10본입	48. 8~48.11	30원	30원
백합	20본입	49. 4~53. 1	60원	500원
샛별	〃	49. 4~51. 3	50원	70원
〃	〃	51. 4~55. 8	70원	4환
건설	〃	51.12~55. 8	800원	20환
탑	〃	55. 8~56.12	60환	60환
파랑새	〃	55. 8~57.12	50환	50환
〃	〃	58. 1~62. 9	50환	5원
〃	〃	62.10~68.12	6원	6원
백양	〃	55. 8~56. 7	60환	100환
〃	〃	56. 8~57.12	100환	150환
〃	〃	58. 1~62. 7	150환	18원
〃	〃	62. 8~66. 7	18원	18원
진달래	〃	57. 1~61. 8	100환	100환
〃	〃	61. 9~64.10	100환	13원
〃	〃	64.10~66. 6	13원	13원
사슴	〃	57. 1~60. 3	100환	100환
〃	〃	60. 4~62. 8	100환	10원
〃	〃	60. 1~60. 8	70환	70환
〃	〃	60. 8~62. 8	70환	7원
재건	10본입	61. 7~64.11	100환	12원
해바라기	14본입	62. 1~62.10	100환	10원
금잔디	20본입	65. 7~70.12	15원	15원
〃	〃	70.12~73.12	15원	10원
백조	〃	65. 7~73.12	20원	20원
새마을	〃	66. 8~70. 6	10원	10원
〃	〃	70. 7~74.12	30원	30원
새마을A	〃	74. 4~76. 2	30원	40원
〃	〃	76. 2~78.11	40원	40원
새마을B	〃	74. 4~76. 2	30원	40원
〃	〃	76. 2~88.12	40원	40원
화랑	〃	49. 4~53. 3	40원	40환
〃	〃	53. 4~60. 3	40환	40환
〃	〃	60. 4~62.12	40환	4원
〃	〃	63. 1~68.12	5원	5원
〃	〃	69. 1~74.12	5원	10원
모란	〃	61. 1~64.11	40환	4원
전우	〃	64.11~74.12	5원	12원

담 배 판 매 가 (2)

■ 필터담배(1)

제품명	포장구분	발매·변경 폐지 연월	판매가격	
			초기	최종
아리랑	20본입	58. 1~61. 8	200환	200환
〃	〃	61. 9~67.10	200환	25원
〃	〃	67.10~73.12	35원	35원
〃	〃	74. 4~76. 3	100원	150원
〃	〃	84.11~88.12	500원	500원
금관	〃	61. 1~61.12	250환	250환
〃	〃	62. 1~72. 4	250환	40원
〃	〃	74. 4~74. 8	40원	40원
파고다	〃	61 . 8~61.10	300환	300환
〃	〃	61.10~72. 5	300환	35원
〃	〃	74. 4~79. 7	50원	70원
새나라	〃	62. 1~63. 4	250환	30원
희망	10본입	64.11~73.12	15원	15원
〃	20본입	64.11~66. 2	30원	30원
신탄진	〃	65. 7~68. 2	50원	50원
〃	〃	68. 3~70. 2	50원	60원
〃	〃	70. 3~72. 3	60원	60원
〃	〃	72. 3~74. 6	60원	50원
〃	12본입	66. 6~68. 3	30원	30원
스포츠	20본입	66. 4~66. 6	15원	15원
〃	〃	66. 6~68. 3	15원	20원
〃	〃	68. 4~71.12	20원	20원
여삼연	〃	68. 9~72. 1	100원	100원
청자	〃	69. 2~72. 8	100원	100원
〃	〃	72. 8~76. 2	100원	150원
〃	〃	76. 2~79. 7	150원	150원
〃	〃	79. 7~98. 7	150원	-
은하수	〃	72. 5~73.12	150원	150원
〃	〃	74. 1~77.12	150원	220원
〃	〃	78. 1~80. 6	220원	220원
〃	〃	80. 7~88.12	220원	330원
비둘기	〃	73. 2~75.12	80원	100원
한산도	〃	74. 4~78. 7	150원	220원
〃	〃	78. 7~88.12	220원	330원
단오	〃	74. 4~76. 3	100원	150원
개나리	〃	74. 4~77. 3	80원	100원
〃	〃	77. 3~79. 7	100원	100원
환희	〃	74. 4~76. 2	80원	100원
〃	〃	76. 2~88.12	100원	100원
남대문	〃	74. 4~78.12	50원	70원
명승	10본입	74. 6~79. 7	50원	50원

제품명	포장구분	발매·변경 폐지 연월	판매가격	
			초기	최종
태양	20본입	74. 7~77. 2	200원	300원
〃	〃	77. 2~79.12	300원	450원
〃	〃	79.12~82.12	450원	500원
태양(마일드)	〃	82.11~89. 9	500원	500원
태양(관광용)	12본입	79. 4~82.10	180원	300원
거북선	20본입	74. 7~77. 5	200원	300원
〃	〃	77. 5~79.12	300원	300원
〃	〃	79.12~85. 3	300원	500원
〃	〃	85. 4~89. 3	500원	500원
샘	〃	74. 7~77.12	100원	150원
〃	〃	77.12~79. 8	150원	150원
〃	〃	79. 8~87. 3	150원	200원
수정	〃	74. 7~78.10	150원	250원
〃	〃	78.11~79.12	250원	250원
〃	〃	80. 1~87. 3	250원	380원
〃	〃	87. 4~88.12	380원	380원
협동	〃	77. 5~88.12	50원	50원
솔	20본입	80. 8~05. 5	450원	200원
솔(신의장)	〃	87. 4~88. 7	500원	500원
솔(박하)	〃	80.10~82.12	450원	500원
솔골든라이트	〃	87. 4~94.12	500원	500원
장미	〃	82. 9~11.05	600원	2,000원
88L (라이트)	〃	87. 4~11.05	600원	1,900원
88G (골드)	〃	88. 2~05. 4	600원	1,700원
88M (멘솔)	〃	88. 2~05. 4	600원	1,700원
도라지	〃	88. 9~03. 6	600원	1,800원
마라도	〃	87. 8~88.10	250원	250원
〃	10본입	87.12~88.12	125원	125원
백자	20본입	88. 9~95. 6	200원	200원
88DX(디럭스)	〃	90. 5~07.12	700원	1,900원
Expo	〃	91.10~04. 7	700원	1,500원
엑스포골드	〃	92. 5~92.12	700원	700원
하나로	〃	92.11~11.05	800원	2,100원
오마샤리프	〃	85. 2~98.12	1,000원	1,200원
〃	〃	99. 1~00. 6	1,400원	1,400원
GET2	〃	97. 5~04. 5	1,300원	1,600원
시나브로84	〃	98. 7~04. 5	1,300원	1,600원
RICH	〃	99.12~10.12	1,600원	2,300원
마운트	〃	00.11~05. 9	1,400원	2,100원
한마음	〃	00. 4~01.12	1,500원	1,500원
잎스	〃	01. 6~01.12	1,500원	1,500원
Cima	〃	01. 7~06. 6	2,000원	2,500원
LUMEN	〃	02. 6~06. 6	2,000원	2,500원
도라지연	〃	03. 6~09. 7	1,800원	2,300원
디스진	〃	03.11~05. 5	1,600원	2,100원
ZEST	〃	04. 5~09.11	2,000원	2,500원
로크록스	〃	05. 8~08.12	2,500원	2,500원
인디고	〃	05. 4~10.11	2,500원	2,500원
레종레드	〃	07. 2~01. 7	2,500원	2,500원
Esse Blend in 3	〃	07. 8~14.12	2,500원	2,500원
블랙잭(블랙)	〃	08. 9~10.12	2,500원	2,500원
블랙잭(잭)	〃	08. 9~10.12	2,500원	2,500원
VONN	〃	08. 5~10. 3	2,200원	2,300원
Y IS STYLE(BLANC)	〃	09. 4~13.11	2,500원	2,500원
Y IS STYLE(ROUGE)	〃	09. 4~13.11	2,500원	2,500원
HOOPA	〃	09. 8~12.10	2,500원	2,500원
허밍타임	〃	02. 2~19. 5	1,800원	4,300원
LANDUS	〃	03. 5~10. 1	2,500원	5,000원
랜더스L	〃	04.10~10. 1	2,500원	5,000원

담 배 판 매 가(3)

■ 필터담배(3)

(단위:원)

제 품 명	발매일자	단 위	최초발매 가격	2001. 1. 1	2002. 2. 1	2004.12.30	2005. 7. 1	2007.10.31	2009.11.19	2010. 6.30	2015.10.26	2020. 9.23	2023.07.20
한 라 산	89. 5. 1	20본입	700	1,300	1,500	2,000	2,000	2,000	2,000	2,000	4,000	4,000	4,000
라 일 락	89. 9. 9	〃	600	1,100	1,400	1,900	1,900	1,900	1,900	1,900	4,000	4,000	4,000
라일락M	90. 9.24	〃	600	1,100	1,400	1,900	1,900	1,900	1,900	1,900	4,000	4,000	4,000
THIS	94. 9.12	〃	900	1,300	1,500	2,000	2,000	2,000	2,000	2,000	4,000	4,000	4,000
THIS PLUS	99. 1.25	〃	1,300	1,400	1,600	2,100	2,100	2,100	2,100	2,100	4,100	4,100	4,100
Simple	96. 1.15	〃	1,000	1,600	1,800	2,300	2,300	2,300	2,300	2,300	4,300	4,300	4,300
ESSE	96.11. 1	〃	1,300	1,700	2,000	2,500	2,500	2,500	2,500	2,500	4,500	4,500	4,500
Time	00. 7. 1	〃	1,400	1,600	1,800	2,300	2,300	2,300	2,300	2,300	4,300	4,300	4,300
SEASONS	02. 3. 4	〃	2,000	-	2,000	2,500	2,500	2,500	2,500	2,500	4,500	4,500	4,500
RAISON	02. 8.19	〃	2,000	-	2,000	2,500	2,500	2,500	2,500	2,500	4,500	4,500	4,500
타임L	03. 4. 1	〃	1,800	-	-	2,300	2,300	2,300	2,300	2,300	4,300	4,300	4,300
ESSE ICE	03. 4. 1	〃	2,000	-	-	2,500	2,500	2,500	2,500	2,500	4,500	4,500	4,500
CLOUD9	03. 4. 1	〃	2,500	-	-	3,000	3,000	3,000	3,000	3,000	5,000	5,000	5,000
더 원	03. 9.22	〃	2,000	-	-	2,500	2,500	2,500	2,500	2,500	4,500	4,500	4,500
레 종 그 린	03.10.13	〃	2,000	-	-	2,500	2,500	2,500	2,500	2,500	4,500	4,500	4,500
에 쎄 필 드 (수)	04. 7.19	〃	2,000	-	-	2,500	2,500	2,500	2,500	2,500	4,500	4,500	4,500
에 쎄 원	04. 7.19	〃	2,000	-	-	2,500	2,500	2,500	2,500	2,500	4,500	4,500	4,500
심 플 비 전	04.11.22	〃	2,000	-	-	2,500	2,500	2,500	2,500	2,500	4,500	4,500	4,500
아 리 랑	06. 3. 1	〃	2,500	-	-	-	-	2,500	2,500	2,500	4,500	4,500	4,500
에 쎄 수	06. 4.12	〃	2,500	-	-	-	-	2,500	2,500	2,500	4,500	4,500	4,500
레 종 블 랙	06. 5.10	〃	2,500	-	-	-	-	2,500	2,500	2,500	4,500	4,500	4,500
THE ONE 0.5	06. 9.13	〃	2,500	-	-	-	-	2,500	2,500	2,500	4,500	4,500	4,500
CLOUD9 1mg	06.12.13	〃	3,000	-	-	-	-	3,000	3,000	3,000	5,000	5,000	5,000
레 종 레 드	07. 2. 7	〃	2,500	-	-	-	-	2,500	2,500	2,500	4,500	4,500	4,500
에쎄수 0.5	07. 5. 2	〃	2,500	-	-	-	-	2,500	2,500	2,500	4,500	4,500	4,500
보헴시가 NO.1	07. 8.29	〃	2,500	-	-	-	-	2,500	2,500	2,500	4,500	4,500	4,500
보헴시가 NO.6	07. 8.29	〃	2,500	-	-	-	-	2,500	2,500	2,500	4,500	4,500	4,500
Esse Golden Leaf	07.10.31	〃	4,000	-	-	-	-	4,000	4,000	4,000	6,000	6,000	6,000
보헴시가 NO.5	08. 7. 9	〃	2,500	-	-	-	-	-	2,500	2,500	4,500	4,500	4,500
심플에이스 5mg	08. 8.20	〃	2,500	-	-	-	-	2,600	2,500	2,500	4,500	4,500	4,500
The One 0.1	08. 9. 3	〃	2,500	-	-	-	-	-	2,500	2,500	4,500	4,500	4,500
에쎄수 0.1	09. 1. 1	〃	2,500	-	-	-	-	-	2,500	2,500	4,500	4,500	4,500
심플에이스 1mg	09.10.21	〃	2,500	-	-	-	-	-	2,500	2,500	4,500	4,500	4,500
에쎄 Edge 5mg	09.11.19	〃	2,500	-	-	-	-	-	2,500	2,500	4,500	4,500	4,500
에쎄 Edge 1mg	09.11.19	〃	2,500	-	-	-	-	-	2,500	2,500	4,500	4,500	4,500
에쎄 SG 1mg	10. 1.20	〃	3,000	-	-	-	-	-	-	3,000	5,000	5,000	5,000
Davidoff Classic	10. 6. 9	〃	2,500	-	-	-	-	-	-	2,500	4,700	4,700	4,700
엔 츠	10.12. 8	〃	2,500	-	-	-	-	-	-	-	4,500	4,500	4,500
보 헴 시 가 마 스 터	10.12. 8	〃	5,000	-	-	-	-	-	-	-	7,000	7,000	7,000
더 원 임 팩 트	11. 3.23	〃	2,500	-	-	-	-	-	-	-	4,500	4,500	4,500
시가 No.3	11. 4.27	〃	2,500	-	-	-	-	-	-	-	4,500	4,500	4,500
에쎄 센스 1mg	12. 1.11	〃	2,800	-	-	-	-	-	-	-	4,800	4,800	4,800
레종 에어로1mg	12. 2.18	〃	2,500	-	-	-	-	-	-	-	4,500	4,500	4,500
토니노 람보르기니L6	12. 4.18	〃	2,700	-	-	-	-	-	-	-	4,700	4,700	4,700
레종 프레쏘	12. 7.29	〃	2,500	-	-	-	-	-	-	-	4,500	4,500	4,500
보헴시가미니1mg	13. 1.18	〃	2,500	-	-	-	-	-	-	-	4,700	4,500	4,500
에쎄 프레쏘	13. 3.13	〃	2,500	-	-	-	-	-	-	-	4,500	4,500	4,500
레종 아이스 프레쏘	13. 7. 2	〃	2,500	-	-	-	-	-	-	-	4,500	4,500	4,500
에쎄수 명작	14. 8.29	〃	3,000	-	-	-	-	-	-	-	5,000	5,000	5,000
디스 아프리카 룰라	14. 9.22	〃	2,500	-	-	-	-	-	-	-	4,500	4,500	4,500

담 배 판 매 가(4)

■ 통담배

제 품 명	포장구분	발매·변경 폐지 연월	판 매 가 격	
			초기	최종
재 건	50본(캔포장)	62.12~64.11	60원	60원
아 리 랑	〃	62.12~68. 1	70원	120원
파 고 다	〃	62.12~71. 1	90원	160원
신 탄 진	〃	65. 7~68. 2	150원	150원
〃	〃	68. 3~70.12	150원	180원
여 삼 연	〃	68. 9~71. 1	300원	300원
은 하 수	〃	79. 3~80. 6	550원	550원
태 양	〃	79. 3~82. 7	750원	1,125원
수 정	〃	79. 3~79.12	625원	875원

담 배 판 매 가(5)

■ 엽궐련

제 품 명	포장구분	발매·변경 폐지 연월	판 매 가 격	
			초기	최종
한 강	6본입	68. 8~70. 2	50원	50원
〃	12본입	68.12~88. 2	100원	220원
설 악 (소)	5개입	69. 8~70.11	25센트	25센트
설 악 (중)	〃	69. 8~70.11	30센트	30센트
연 송 (대)	3개입	79. 6~87.11	3,000원	3,300원
연 송 (중)	5개입	76.10~88.12	1,500원	2,500원
〃	2개입	76. 9~78.12	600원	600원
〃	1개입	76. 9~78.12	300원	300원
연 송 (소)	5개입	79. 6~82. 3	2,200원	2,500원
연 송(최소)	〃	79. 6~88. 4	2,000원	2,200원

담배 판매량 및 금액

(단위:백만개피/십억원)

구분 / 연도	국산담배 판매량	국산담배 판매금액	구분 / 연도	국산담배 판매량	국산담배 판매금액	구분 / 연도	국산담배 판매량	국산담배 판매금액	구분 / 연도	국산담배 판매량	국산담배 판매금액
1945	12,382	0.004	1964	31,212	13.7	1983	74,741	1,349.2	2002	72,486	4,666.7
1946	12,639	0.003	1965	34,633	18.9	1984	76,565	1,416.5	2003	74,385	5,158.5
1947	10,399	0.006	1966	34,708	23.5	1985	77,556	1,473.7	2004	82,304	5,937.8
1948	10,566	0.01	1967	36,813	29.4	1986	78,312	1,522.9	2005	60,085	5,459.8
1949	14,281	0.02	1968	38,451	40.4	1987	81,572	1,658.6	2006	62,587	5,858.7
1950	7,242	0.03	1969	40,753	52.6	1988	86,068	1,958.5	2007	63,582	6,048.6
1951	13,980	0.2	1970	44,409	67.8	1989	87,917	2,157.9	2008	62,715	5,992.4
1952	17,436	0.5	1971	49,740	81.5	1990	91,527	2,362.5	2009	94,747	10,151.3
1953	15,141	0.8	1972	50,846	103.9	1991	93,848	2,528.1	2010	89,106	10,203.1
1954	19,711	1.5	1973	48,481	134.9	1992	96,360	2,662.6	2011	89,878	11,243.4
1955	28,335	4.3	1974	51,318	175.8	1993	99,115	2,823.7	2012	89,320	11,319.3
1956	-	-	1975	54,674	261.1	1994	98,384	3,033.0	2013	88,402	11,224.3
1957	19,315	4.0	1976	56,061	339.5	1995	87,425	3,876.8	2014	89,444	11,367.2
1958	21,479	4.6	1977	59,935	416.7	1996	91,299	4,247.0	2015	69,557	15,598.7
1959	21,754	5.1	1978	64,071	538.5	1997	88,069	3,914.1	2016	76,315	17,147.7
1960	20,806	5.7	1979	66,480	670.2	1998	101,289	4,573.4	2017	71,740	16,117.2
1961	22,917	6.8	1980	69,759	875.2	1999	89,457	4,182.7	2018	72,271	16,256.7
1962	25,422	8.9	1981	73,106	1,114.4	2000	95,076	4,568.6	2019	71,336	14,024.6
1963	28,220	11.2	1982	73,933	1,265.4	2001	83,416	4,597.9	2020	72,486	14,459.9
									2021	72,475	14,454.1

㈜ 2009년 이전은 KT&G제품, 2009년 이후는 국내총판매량(KT&G 및 외산3사합산)

주류 출고량 및 세액 (1)

(단위:kℓ/천원)

구분 연도	합계		탁주·약주		소주		맥주	
	출고량	세액	출고량	세액	출고량	세액	출고량	세액
1965	573,147	3,829,767	404,395	672,335	87,329	430,234	38,231	1,454,198
1966	768,185	6,448,638	553,878	1,017,271	114,896	677,950	43,598	2,452,554
1967	923,898	8,236,066	639,796	1,126,995	150,793	795,881	55,615	3,253,738
1968	986,587	11,558,301	735,111	1,239,554	141,323	1,454,549	37,665	4,522,715
1969	1,297,237	16,261,794	979,303	1,627,296	173,333	2,032,410	55,674	6,830,111
1970	1,608,150	21,744,972	1,225,770	2,036,505	199,837	2,690,670	85,653	10,398,222
1971	1,835,546	24,419,175	1,429,548	2,356,390	206,720	3,135,285	97,766	11,791,012
1972	1,976,392	30,139,020	1,566,252	3,117,011	218,011	4,885,149	94,973	14,237,290
1973	2,118,049	38,265,642	1,655,758	3,551,815	237,235	6,235,204	121,237	18,801,249
1974	2,270,594	60,600,084	1,704,958	4,815,759	290,900	12,547,512	154,434	30,380,292
1975	2,160,520	83,874,342	1,463,997	5,886,590	379,562	18,842,290	169,746	43,004,235
1976	2,290,473	93,386,867	1,533,730	6,345,529	424,814	21,039,257	178,756	47,537,269
1977	2,464,687	123,260,694	1,603,026	6,469,515	462,652	25,814,502	225,386	64,904,074
1978	2,400,457	194,407,222	1,336,462	9,526,528	458,614	25,484,227	418,105	121,220,492
1979	2,618,499	278,583,774	1,353,570	10,241,033	455,768	34,588,669	609,457	179,093,888
1980	2,706,460	321,798,864	1,433,131	10,602,613	494,948	47,658,724	579,601	201,993,055
1981	2,687,436	375,261,735	1,354,568	13,448,118	531,843	63,459,924	587,007	228,020,678
1982	2,674,193	395,093,888	1,311,781	13,565,712	544,622	66,294,776	607,592	253,511,908
1983	2,352,976	440,808,536	862,351	10,787,148	583,870	69,347,487	692,452	289,033,982
1984	2,426,969	494,619,966	830,479	10,379,776	622,979	80,194,874	737,635	317,125,637
1985	2,453,037	516,050,788	874,633	11,156,271	586,949	80,612,580	772,256	334,240,014
1986	2,529,917	551,916,789	883,788	11,945,162	629,752	90,745,907	783,128	347,854,840
1987	2,627,975	618,663,000	855,894	11,898,000	662,993	95,726,000	851,198	391,100,000
1988	2,780,824	738,356,000	774,308	11,736,000	705,948	103,289,000	1,023,008	475,258,000
1989	2,901,951	900,672,000	712,137	11,752,000	709,321	111,243,000	1,194,617	581,241,000
1990	2,873,219	1,021,684,000	564,064	13,098,000	701,592	123,746,051	1,307,672	655,192,000

구분 연도	청주		과실주		수입분		기타	
	출고량	세액	출고량	세액	출고량	세액	출고량	세액
1965	12,924	540,192	189	577	-	-	30,078	732,230
1966	14,293	793,177	257	919	-	-	41,263	1,506,768
1967	17,831	1,064,931	1,269	4,644	-	6,141	58,595	1,983,736
1968	14,575	1,548,267	2,158	28,275	-	77,779	55,756	2,687,164
1969	17,763	2,297,251	3,716	61,928	-	161,949	67,448	3,250,849
1970	19,420	2,759,104	3,435	61,419	-	152,304	74,034	3,646,748
1971	21,091	3,163,777	4,035	73,934	-	120,438	76,386	3,778,340
1972	15,796	3,144,685	2,498	66,811	-	505,074	78,862	4,183,000
1973	19,301	3,982,879	1,720	68,188	-	990,094	82,798	4,636,213
1974	22,194	5,791,903	863	81,160	-	558,188	97,245	6,425,270
1975	19,070	6,655,799	1,375	201,384	-	674,255	126,770	8,609,789
1976	19,593	7,485,014	1,670	283,844	-	501,878	131,910	10,194,076
1977	23,470	9,607,364	3,452	574,693	-	1,113,472	146,701	14,777,074
1978	27,816	11,373,956	4,222	825,228	-	4,064,760	155,238	21,912,031
1979	29,727	13,492,205	4,569	1,089,356	-	6,531,297	165,408	33,547,326
1980	27,873	14,338,213	2,867	884,578	-	11,084,929	168,040	35,236,752
1981	17,240	15,050,816	3,321	969,219	-	9,125,172	193,457	45,187,808
1982	16,498	13,420,656	3,278	1,239,102	-	7,267,128	190,422	39,794,606
1983	17,897	14,325,422	3,761	1,515,684	-	12,428,121	192,645	43,370,692
1984	19,966	15,985,810	3,944	1,729,270	-	15,319,284	211,966	53,885,315
1985	18,787	16,186,499	4,972	2,290,080	-	15,900,000	195,440	55,665,344
1986	20,190	17,812,590	5,938	2,946,791	-	20,323,000	207,121	60,288,499
1987	23,001	20,433,000	7,897	3,967,000	-	21,170,000	226,992	74,369,000
1988	24,334	22,089,000	8,922	4,564,000	-	32,824,000	244,304	88,596,000
1989	27,345	26,823,000	9,121	4,881,000	-	55,323,000	249,410	109,409,000
1990	34,859	36,185,000	8,943	4,654,000	-	73,838,000	256,089	114,970,949

주류 출고량 및 세액 (2)

(단위:㎘/천원)

연도 \ 구분	합 계		탁주·약주		소 주		맥 주	
	출고량	세 액	출고량	세 액	출고량	세 액	출고량	세 액
1991	2,987,280	1,166,260,000	442,363	10,140,000	678,056	128,135,538	1,583,928	799,175,000
1992	2,972,138	1,298,160,000	379,367	7,445,000	723,513	150,993,000	1,574,465	910,614,000
1993	2,886,107	1,372,332,000	322,201	7,326,000	744,679	173,722,000	1,508,854	948,039,000
1994	3,144,684	1,640,546,000	302,880	7,850,000	766,042	196,253,000	1,769,057	1,149,936,000
1995	3,163,576	1,840,362,000	249,288	7,367,000	762,655	194,243,000	1,850,334	1,283,729,000
1996	3,205,543	1,974,128,000	214,775	7,396,000	788,520	222,035,000	1,868,429	1,363,090,000
1997	3,134,049	1,965,163,000	190,475	7,768,000	814,271	242,064,000	1,799,202	1,302,136,000
1998	2,922,489	1,835,527,000	190,829	11,878,000	870,358	286,207,000	1,536,616	1,195,703,000
1999	3,041,651	2,004,704,000	182,508	21,121,000	944,860	330,871,000	1,578,663	1,248,169,000
2000	3,065,641	2,254,192,000	181,007	28,275,000	867,469	523,581,000	1,730,790	1,267,568,000
2001	3,025,340	2,253,398,000	170,203	38,829,000	785,321	531,990,000	1,755,232	1,164,155,000
2002	3,300,900	2,574,909,000	175,890	50,782,000	866,785	623,784,000	1,935,200	1,294,365,000
2003	3,303,593	2,611,530,000	189,208	57,585,000	928,883	708,018,000	1,896,302	1,334,370,000
2004	3,433,781	2,595,641,000	211,585	56,798,000	928,381	769,131,000	1,991,549	1,370,779,000
2005	3,315,880	2,568,689,000	166,319	6,648,000	929,840	818,405,000	1,837,655	1,267,590,000
2006	3,470,041	2,490,665,000	170,165	6,799,000	959,534	868,191,000	1,880,049	1,152,754,000
2007	3,482,278	2,322,210,000	172,342	7,138,000	962,158	909,728,000	1,947,984	1,124,189,000
2008	3,593,497	2,393,410,000	176,398	7,350,000	1,004,127	974,077,000	2,016,409	1,204,895,000
2009	3,522,600	2,347,713,000	282,810	35,591,000	930,020	968,025,000	1,961,568	1,220,294,000
2010	3,610,113	2,375,907,000	412,269	19,448,000	931,322	971,150,000	1,909,923	1,241,313,000
2011	3,696,289	2,399,991,000	458,198	21,971,000	923,633	971,032,000	1,963,170	1,286,152,000
2012	3,783,735	2,487,079,000	448,046	21,444,000	951,469	1,014,151,000	2,031,271	1,352,870,000
2013	3,737,626	2,628,498,000	426,216	20,345,000	906,561	1,055,652,000	2,062,054	1,454,368,000
2014	3,808,167	2,726,184,000	443,216	35,247,000	958,411	1,143,076,000	2,055,761	1,463,554,000
2015	3,804,100	2,810,770,000	427,378	33,761,000	956,461	1,177,397,000	2,040,833	1,467,485,000
2016	3,679,829	2,790,415,000	411,157	32,979,000	933,461	1,219,882,000	1,978,699	1,422,103,000
2017	3,551,405	2,766,441,000	420,227	31,156,000	947,717	1,253,841,000	1,823,899	1,385,611,000
2018	3,436,313	2,679,473,000	414,059	32,338,000	919,610	1,233,668,000	1,736,927	1,304,826,000
2019	3,376,714	2,655,320,000	381,713	31,212,000	917,310	1,275,885,000	1,715,995	1,246,552,000
2020	3,214,807	2,516,442,000	389,459	29,220,000	876,466	1,266,334,000	1,566,914	1,110,948,000
2021	3,099,828	2,462,943,000	374,449	30,693,000	828,328	1,219,156,000	1,538,968	1,093,166,000

연도 \ 구분	청 주		과실주		수입분		기 타	
	출고량	세 액	출고량	세 액	출고량	세 액	출고량	세 액
1991	40,399	37,281,000	9,343	4,776,000	-	77,075,000	233,191	109,677,462
1992	50,934	40,703,000	12,667	5,911,000	-	79,664,000	231,192	102,830,000
1993	48,478	43,637,000	10,222	4,976,000	-	83,926,000	251,673	110,706,000
1994	50,095	44,933,000	8,949	4,145,000	-	114,117,000	247,661	123,312,000
1995	43,302	45,272,000	7,930	3,941,000	-	168,026,000	250,067	137,784,000
1996	42,564	51,866,000	6,590	3,786,000	-	130,851,000	284,665	195,104,000
1997	40,160	54,745,000	8,303	6,480,000	-	159,214,000	281,638	192,756,000
1998	33,494	53,057,000	5,579	4,285,000	-	95,577,000	285,613	188,820,000
1999	31,604	53,121,000	6,429	5,231,000	-	94,596,000	297,587	251,595,000
2000	28,477	48,918,000	6,622	5,653,000	-	135,160,000	251,276	245,037,000
2001	23,214	39,909,000	7,924	7,315,000	-	175,822,000	283,446	295,378,000
2002	23,736	22,896,000	12,236	12,866,000	-	241,524,000	287,053	328,692,000
2003	23,650	21,809,000	16,052	17,584,000	-	249,331,000	249,498	222,833,000
2004	23,249	21,789,000	18,125	21,723,000	-	170,087,000	260,892	183,584,000
2005	22,023	23,188,000	39,412	47,088,000	-	-	275,598	358,453,000
2006	20,638	21,782,000	45,046	55,419,000	80,462	213,374,000	351,736	342,828,000
2007	19,164	20,388,000	28,872	32,623,000	116,585	260,540,000	318,470	193,222,000
2008	17,860	18,948,000	27,091	32,214,000	120,799	324,761,000	324,238	126,912,000
2009	18,517	20,282,000	22,633	27,756,000	113,833	308,029,000	307,052	81,934,000
2010	18,394	20,743,000	21,519	27,041,000	122,600	326,170,000	297,845	75,037,000
2011	19,301	21,780,000	19,866	25,626,000	134,045	338,128,000	293,146	51,522,000
2012	18,969	21,010,000	16,350	20,858,000	153,667	351,940,000	301,086	38,282,000
2013	18,998	23,579,000	17,881	23,736,000	183,450	349,631,000	291,378	33,699,000
2014	19,466	24,108,000	17,617	23,128,000	206,705	366,510,000	313,696	37,071,000
2015	18,459	22,936,000	15,737	21,208,000	269,515	416,196,000	345,232	87,983,000
2016	18,753	22,906,000	16,721	28,660,000	315,468	447,128,000	321,038	63,885,000
2017	18,312	21,718,000	13,193	21,219,000	423,117	508,979,000	328,057	52,896,000
2018	19,068	22,647,000	12,054	19,821,000	495,465	549,032,000	334,595	66,173,000
2019	17,784	22,158,000	10,926	17,509,000	464,455	550,086,000	332,986	62,008,000
2020	17,113	21,696,000	11,315	18,590,000	396,970	521,975,000	353,540	69,655,000
2021	18,217	23,294,000	17,485	24,378,000	411,458	637,369,000	322,381	72,255,000

라 면 · 초 코 파 이

연도 \ 구분	라 면 (1봉지)	초코파이 (1개)	연도 \ 구분	라 면 (1봉지)	초코파이 (1개)	연도 \ 구분	라 면 (1봉지)	초코파이 (1개)
1970	-	-	1988	31.12	28.08	2006	72.22	58.37
1971	-	-	1989	31.34	30.35	2007	76.80	65.44
1972	-	-	1990	31.42	31.25	2008	87.68	77.50
1973	-	-	1991	31.86	32.70	2009	89.89	80.83
1974	-	-	1992	34.49	33.19	2010	88.62	81.01
1975	12.94	-	1993	36.41	34.64	2011	88.32	81.22
1976	13.29	-	1994	39.90	35.04	2012	94.88	83.91
1977	14.48	-	1995	42.17	37.58	2013	95.37	95.14
1978	15.97	-	1996	44.50	46.40	2014	95.44	109.70
1979	19.45	-	1997	45.68	47.90	2015	95.44	111.88
1980	27.04	-	1998	56.29	52.47	2016	94.84	99.51
1981	32.20	-	1999	55.10	51.74	2017	99.99	97.14
1982	33.17	-	2000	54.44	50.35	2018	100.32	98.32
1983	33.18	-	2001	56.74	49.30	2019	100.20	98.91
1984	33.18	-	2002	59.43	55.58	2020	100.00	100.00
1985	33.18	28.07	2003	63.24	57.46	2021	103.14	98.57
1986	33.18	28.08	2004	67.16	57.11	2022	113.25	102.67
1987	32.07	28.08	2005	72.21	57.05			

注 2020년 이후부터는 2020=100으로 하는 지수임.

자장면·설렁탕·다방커피

연도 \ 구분	자장면 (1그릇)	설렁탕 (1그릇)	다방커피 (1잔)	연도 \ 구분	자장면 (1그릇)	설렁탕 (1그릇)	다방커피 (1잔)	연도 \ 구분	자장면 (1그릇)	설렁탕 (1그릇)	다방커피 (1잔)
1970	-	-	-	1988	15.88	23.69	23.45	2006	61.87	64.83	75.94
1971	-	-	-	1989	18.78	28.85	25.22	2007	64.18	66.97	78.45
1972	-	-	-	1990	22.72	33.15	28.09	2008	72.58	69.41	81.08
1973	-	-	-	1991	27.51	40.10	33.72	2009	73.85	71.77	83.30
1974	-	-	-	1992	30.73	42.63	40.54	2010	74.77	74.50	85.54
1975	2.89	4.94	3.27	1993	33.23	45.35	40.64	2011	80.00	80.43	87.56
1976	3.19	7.40	4.03	1994	36.64	47.60	46.36	2012	80.94	82.26	89.74
1977	4.08	8.29	4.81	1995	39.06	50.40	49.09	2013	82.35	83.50	92.28
1978	4.28	8.83	5.30	1996	42.46	52.78	53.60	2014	83.40	84.96	93.37
1979	5.82	10.63	5.90	1997	44.95	54.23	58.43	2015	85.70	87.53	95.67
1980	7.29	13.18	7.89	1998	51.27	55.29	65.99	2016	88.11	89.09	96.05
1981	9.86	16.62	10.01	1999	49.46	54.84	64.65	2017	90.93	92.03	96.77
1982	11.05	18.19	11.45	2000	50.16	55.73	66.05	2018	94.98	96.12	97.36
1983	11.02	19.97	12.71	2001	50.79	56.83	66.61	2019	98.59	98.71	99.85
1984	11.91	20.47	14.38	2002	53.79	58.38	68.72	2020	100.00	100.00	100.00
1985	12.88	21.30	15.76	2003	59.41	61.29	71.14	2021	103.07	103.52	99.81
1986	13.48	21.56	19.18	2004	60.81	62.45	72.71	2022	114.20	112.38	104.72
1987	14.12	21.91	22.52	2005	61.07	63.31	74.03				

注 2020년 이후부터는 2020=100으로 하는 지수임.

양복세탁료 · 이용료

연도 \ 구분	양복세탁료 (신사복 1벌)	이용료 (1회)	연도 \ 구분	양복세탁료 (신사복 1벌)	이용료 (1회)	연도 \ 구분	양복세탁료 (신사복 1벌)	이용료 (1회)	연도 \ 구분	양복세탁료 (신사복 1벌)	이용료 (1회)	비 고
1970	-	-	1987	34.37	51.61	2004	77.64	82.29	2020	100.00	100.00	
1971	-	-	1988	42.29	55.13	2005	78.50	81.93	2021	102.23	102.08	
1972	-	-	1989	45.16	59.88	2006	79.53	81.86	2022	110.40	105.63	
1973	-	-	1990	53.39	62.40	2007	80.51	81.88	2023	116.65	108.89	
1974	-	-	1991	62.70	63.18	2008	84.52	82.99				
1975	7.93	5.26	1992	69.42	65.96	2009	87.24	83.91				
1976	8.76	6.54	1993	78.41	66.44	2010	87.48	85.17				
1977	10.50	8.02	1994	80.84	67.46	2011	88.98	87.37				
1978	12.58	9.01	1995	80.53	68.76	2012	90.78	89.46				
1979	18.98	19.75	1996	84.89	76.92	2013	91.26	90.45				
1980	27.21	30.77	1997	90.79	78.56	2014	91.77	92.40				
1981	33.06	35.50	1998	87.42	82.15	2015	92.18	93.72				
1982	34.15	38.91	1999	78.73	82.21	2016	93.04	94.80				
1983	34.07	44.32	2000	74.82	82.23	2017	94.60	95.29				
1984	33.82	48.30	2001	73.03	81.68	2018	96.15	97.42				
1985	33.73	49.86	2002	73.87	81.88	2019	97.82	98.90				
1986	33.60	51.17	2003	76.52	82.90							

注 2020년 이후부터는 2020=100으로 하는 지수임.

영 화 관 람 료

년 도 별	한국 영화 관람 요금	외국 영화 관람 요금	평 균 관람 요금	년 도 별	한국 영화 관람 요금	외국 영화 관람 요금	평 균 관람 요금
1961	-	-	12	1992	3,299	3,510	3,471
1962	-	-	18	1993	3,573	3,736	3,711
1963	-	-	20	1994	3,839	3,909	3,895
1964	-	-	23	1995	4,163	4,295	4,268
1965	-	-	23	1996	4,698	4,867	4,828
1966	-	-	31	1997	4,952	5,040	5,017
1967	-	-	41	1998	4,996	5,202	5,150
1968	-	-	51	1999	5,192	5,256	5,230
1969	-	-	63	2000	5,324	5,371	5,355
1970	-	-	73	2001	5,823	5,898	5,860
1971	-	-	80	2002	6,071	6,001	6,035
1972	-	-	83	2003	5,981	6,026	6,002
1973	-	-	88	2004	6,295	6,275	6,287
1974	-	-	104	2005	6,176	6,166	6,172
1975	-	-	168	2006	6,043	6,018	6,034
1976	-	-	207	2007	6,222	6,271	6,247
1977	-	-	307	2008	6,494	6,494	6,494
1978	-	-	389	2009	6,960	6,981	6,970
1979	-	-	715	2010	7,385	8,221	7,834
1980	-	-	957	2011	7,406	8,095	7,737
1981	-	-	1,097	2012	7,295	7,711	7,466
1982	-	-	1,300	2013	7,148	7,453	7,271
1983	-	-	1,326	2014	7,619	7,857	7,738
1984	-	-	1,532	2015	7,789	8,009	7,895
1985	-	-	1,432	2016	7,961	8,115	8,032
1986	-	-	1,533	2017	7,925	8,058	7,989
1987	-	-	1,637	2018	8,286	8,483	8,383
1988	-	-	1,847	2019	8,396	8,493	8,444
1989	-	-	2,271	2020	8,660	8,392	8,574
1990	-	-	2,602	2021	9,518	9,716	9,656
1991	2,898	3,070	3,034	2022	10,049	10,582	10,285

참고 **한국영화의 이색 기록**

우리나라 최초의 영화는 1919년 '의리적 구토'였다. 한국영화의 이색적인 기록들을 찾아보면, 최다 작품 출연 기록은 536편의 영화에 출연한 배우 신성일씨가, 최다 작품 연출은 109편의 영화를 연출한 김수용 감독이 갖고 있다. 남기웅 감독의 디지털영화 '대학로에서 매춘하다가 토막살해당한 여고생 아직 대학로에 있다'(2000)가 가장 긴 제목의 영화이고, 정진우 감독의 1991년작 '사랑과 죽음의 메아리'는 무려 400분에 달하는 엄청난 상영시간을 남겼다.
가장 많은 인원이 출연한 영화는 무려 15만명이 출연하여 세계 기네스북 3위에 등극한 '우주괴인 왕마귀'(1967, 권혁진 감독)이다.

T V 수 신 료

연도 \ 월	1월	2월	3월	4월	5월	6월	7월	8월	9월	10월	11월	12월
1963	100	100	100	100	100	100	100	100	100	100	100	100
1964	100	100	100	100	100	100	150	150	150	150	150	150
1965	150	150	150	150	150	150	200	200	200	200	200	200
1966~1968	200	200	200	200	200	200	200	200	200	200	200	200
1969	200	200	200	200	300	300	300	300	300	300	300	300
1970~1973	300	300	300	300	300	300	300	300	300	300	300	300
1974	300	300	300	300	300	300	500	500	500	500	500	500
1975~1978	500	500	500	500	500	500	500	500	500	500	500	500
1979	500	600	600	600	600	600	600	600	600	600	600	600
1980	800	800	800	800	800	800	800	800	800	800	800	800
1981	800	800	800	2,500	2,500	2,500	2,500	2,500	2,500	2,500	2,500	2,500
1982~2009	2,500	2,500	2,500	2,500	2,500	2,500	2,500	2,500	2,500	2,500	2,500	2,500
2010~2017	2,500	2,500	2,500	2,500	2,500	2,500	2,500	2,500	2,500	2,500	2,500	2,500
2018~2021	2,500	2,500	2,500	2,500	2,500	2,500	2,500	2,500	2,500	2,500	2,500	2,500
2019~2022	2,500	2,500	2,500	2,500	2,500	2,500	2,500	2,500	2,500	2,500	2,500	2,500
2023	2,500	2,500	2,500	2,500	2,500	2,500	2,500	2,500	2,500	2,500	-	-

일 간 신 문 구 독 료

(단위:원)

연도 \ 월	1월	2월	3월	4월	5월	6월	7월	8월	9월	10월	11월	12월
1970	220	220	280	280	280	280	280	280	280	280	280	280
1971	280	280	280	280	280	280	280	280	280	280	280	280
1972	280	280	350	350	350	350	350	350	350	350	350	350
1973	350	350	350	350	350	350	350	350	350	350	350	350
1974	450	450	450	450	450	450	450	450	450	450	450	450
1975	600	600	600	600	600	600	600	600	600	600	600	600
1976	600	600	600	600	600	600	600	600	600	600	600	600
1977	700	700	700	700	700	700	700	700	700	700	700	700
1978	900	900	900	900	900	900	900	900	900	900	900	900
1979	900	1,200	1,200	1,200	1,200	1,200	1,200	1,200	1,200	1,200	1,200	1,200
1980	1,500	1,500	1,500	1,500	1,500	1,500	1,500	1,500	1,500	1,500	1,500	1,500
1981	2,500	2,500	2,500	2,500	2,500	2,500	2,500	2,500	2,500	2,500	2,500	2,500
1982	2,500	2,500	2,500	2,700	2,700	2,700	2,700	2,700	2,700	2,700	2,700	2,700
1983	2,700	2,700	2,700	2,700	2,700	2,700	2,700	2,700	2,700	2,700	2,700	2,700
1984	2,700	2,700	2,700	2,700	2,700	2,700	2,700	2,700	2,700	2,700	2,700	2,700
1985	2,700	2,700	2,700	2,700	2,700	2,700	2,700	2,700	2,700	2,700	2,700	2,700
1986	2,700	2,700	2,700	2,700	2,700	2,700	2,700	2,700	2,700	2,700	2,700	2,700
1987	2,700	2,700	2,700	2,700	2,700	2,700	2,700	2,700	2,900	2,900	2,900	2,900
1988	2,900	2,900	2,900	3,500	3,500	3,500	3,500	3,500	3,500	3,500	3,500	3,500
1989	3,500	3,500	3,500	3,500	3,500	3,500	3,500	3,500	3,500	3,500	3,500	3,500
1990	3,500	3,500	4,000	4,000	4,000	4,000	4,000	4,000	4,000	4,000	4,000	4,000
1991	4,000	4,000	4,000	5,000	5,000	5,000	5,000	5,000	5,000	5,000	5,000	5,000
1992	5,000	5,000	5,000	5,000	5,000	5,000	5,000	5,000	5,000	5,000	5,000	5,000
1993	6,000	6,000	6,000	6,000	6,000	6,000	6,000	6,000	6,000	6,000	6,000	6,000
1994	6,000	6,000	6,000	6,000	6,000	6,000	6,000	6,000	6,000	6,000	6,000	6,000
1995	6,000	6,000	7,000	7,000	7,000	7,000	7,000	7,000	7,000	7,000	7,000	7,000
1996	8,000	8,000	8,000	8,000	8,000	8,000	8,000	8,000	8,000	8,000	8,000	8,000
1997	8,000	8,000	8,000	8,000	8,000	8,000	8,000	8,000	8,000	8,000	8,000	8,000
1998	8,000	8,000	8,000	8,000	8,000	8,000	8,000	8,000	9,000	9,000	9,000	9,000
1999	9,000	9,000	9,000	9,000	9,000	9,000	9,000	9,000	9,000	9,000	9,000	9,000
2000	10,000	10,000	10,000	10,000	10,000	10,000	10,000	10,000	10,000	10,000	10,000	10,000
2001	10,000	10,000	10,000	10,000	10,000	10,000	10,000	10,000	10,000	10,000	10,000	10,000
2002	10,000	10,000	12,000	12,000	12,000	12,000	12,000	12,000	12,000	12,000	12,000	12,000
2003~2007	12,000	12,000	12,000	12,000	12,000	12,000	12,000	12,000	12,000	12,000	12,000	12,000
2008	12,000	15,000	15,000	15,000	15,000	15,000	15,000	15,000	15,000	15,000	15,000	15,000
2009~2017	15,000	15,000	15,000	15,000	15,000	15,000	15,000	15,000	15,000	15,000	15,000	15,000
2018	15,000	15,000	15,000	15,000	15,000	15,000	20,000	20,000	20,000	20,000	20,000	20,000
2019	20,000	20,000	20,000	20,000	20,000	20,000	20,000	20,000	20,000	20,000	20,000	20,000
2020~2023	20,000	20,000	20,000	20,000	20,000	20,000	20,000	20,000	20,000	20,000	-	-

참고 정기간행물 종별 등록수

구 분	일간신문	통신	기타일간	주간	월간	격월간	계간	연2회	인터넷신문	계
1997	107	2	306	2,343	2,850	514	1,020	342	-	7,484
1998	109	2	317	2,317	2,457	447	868	264	-	6,781
1999	113	1	333	1,956	2,271	372	669	212	-	5,927
2000	119	1	368	2,166	2,468	389	696	226	-	6,433
2001	123	2	409	2,354	2,644	398	710	242	-	6,882
2002	125	2	431	2,437	2,637	390	748	225	-	7,025
2003	134	2	423	2,335	2,434	361	745	255	-	6,689
2004	139	2	426	2,316	2,505	369	794	261	-	6,812
2005	168	2	395	2,426	2,744	410	838	267	286	7,536
2006	193	2	372	2,697	3,028	431	904	298	626	8,551
2007	281	3	360	2,887	3,257	453	986	325	927	9,479
2008	275	3	331	2,788	3,243	435	973	322	1,282	9,652
2009	237	4	419	2,653	5,257	670	1,514	509	1,698	12,961
2010	673	5	4	2,868	3,936	542	1,161	408	2,484	12,081
2011	352	12	336	2,891	4,209	584	1,266	425	3,193	13,268
2012	324	14	369	3,014	4,512	611	1,354	451	3,914	14,563
2013	363	15	353	3,138	4,696	646	1,408	506	4,916	16,041
2014	374	18	360	3,289	4,905	665	1,495	551	5,950	17,607
2015	383	20	378	3,427	5,046	697	1,564	592	6,605	18,712
2016	399	22	372	3,473	4,983	732	1,597	625	6,360	18,563
2017	380	23	380	3,457	4,977	740	1,641	755	7,151	19,504
2018	620	24	88	3,383	4,997	753	1,699	895	8,171	20,630
2019	642	26	84	3,306	5,071	761	1,786	941	9,164	21,781
2020	681	28	84	3,294	5,111	802	1,833	1,047	9,896	22,776
2021	683	30	84	3,328	5,150	816	1,896	1,104	10,625	23,719
2023	716	33	84	3,329	5,203	816	1,928	1,123	11,251	24,483

공공·서비스요금및기타

소비자물가와 체감물가는 왜 다를까?

물가가 오르는 것은 소비자나 가계에 있어서 부담스럽고 고통스러운 일이다. 소비자가 주관적으로 느끼는 체감물가와 통계청에서 공식적으로 발표하는 소비자물가는 왜 이렇게 차이가 크게 느껴질까? 본 고에서 그 이유를 살펴보고자 한다.

최성근 | 머니투데이 전문위원

요즘 어딜 가나 소비자들은 1년 사이에 물가가 정말 많이 올랐다는 느낌을 받는다. 식당을 가도 그렇고 시장이나 마트를 가도 그렇고, 여행을 가도 그렇다. 기존에 익숙했던 가격을 훌쩍 뛰어넘은 가격표를 바라보면 한숨이 절로 나온다. 그런데 뉴스를 보면 소비자물가는 지난해 같은 달보다 3% 남짓 올랐다고 한다. 통계청이 거짓말을 할 리도 없지만 이를 접하는 소비자들에겐 정말 말이 안 되는 뉴스처럼 느껴진다. 체감물가와 소비자물가는 왜 이렇게 차이가 날까? 본 고에서는 소비자들이 체감하는 물가와 통계청에서 발표하는 물가지수 사이에 왜 이렇게 큰 괴리가 벌어지는 이유에 대해 살펴보고자 한다.

"광화문에서 근무하는 직장인 A씨는 요즘 식당에 가기가 부담스럽다. 코로나19 팬데믹(pandemic, 전염병이 전 세계적으로 크게 유행하는 현상) 이전에는 식당을 가면 밥값이 보통 7천 원 정도 했는데 팬데믹 이후에는 9천 원에서 1만 원으로 껑충 올랐기 때문이다. 도시락을 싸가지고 먹을까 고민도 했지만 반찬이며 샐러드를 사려고 보니 채솟값이 너무 올라서 엄두가 나지 않았다. 어쩌다가 좋아하는 냉면집을 가보면 유명한 냉면집 가격은 해마다 1~2천 원이 올라서 이젠 가기가 겁이 날 지경이다. 그래도 짜장면은 저렴하겠지 하고 중국집을 가보면 믿었던 짜장면 가격마저 올라버렸다. 즐거워야 할 점심시간이 A씨에겐 이제 두렵다."

아마도 이런 사례가 비단 A씨만의 이야기는 아닐 것이다. 적지 않는 직장인들이 요즘 밥값이 너무 올라서 걱정을 하는 경우가 부쩍 많아졌다. 더구나 아이들을 키우는 가정에서 주말에 외식이라도 한번 하려고 하면 가장들의 부담은 이만저만이 아니다. 주부들도 마찬가지다. 마트에 가서 각종 채소류나 고기류를 몇 가지 사고 나면 바구니에 담은 물건들은 금방 10만 원이 넘어 버린다. 정부에선 라면값을 50원 내렸다고 하는데 별로 체감은 되지 않는다. 오히려 매달 날아오는 전기, 가스비 고지서를 보면 작년에 비해 두 배 이상 오른 것 같아서 이젠 에어컨을 틀거나 난방을 하기가 너무 부담스럽다. 정말 남편의 월급 빼고는 다 오른 것 같다는 말이 실감이 되는 요즘 가계의 상황이다.

그런데 매달마다 발표되는 소비자물가 통계를 살펴보면 고개를 갸우뚱할 수밖에 없다. 지난 9월의 소비자물가 상승률은 불과 3.7%다. 앞서 6월에는 2.7%였고, 7월 2.3%, 8월 3.4%다. 지난해 같은 달과 비교할 때 대부분 2~3% 올랐다는 이야기다. 1만 원짜리 물건으로 치면 고작 200~300원밖에 오르지 않았다는 것인데 소비자 입장에선 말이 안 되는 뉴스처럼 보인다. 최소한 두 자릿수 내지는 많게는 두 배 이상 오른 것 같은데 2~3%밖에 오르지 않았다니 도무지 이해가 되지 않는다.

그런데 이는 주로 소비자들이 실제 물가와 소비자물가 통계를 동일한 것으로 여기는 데서 오는 오류라고 볼 수 있다. 소비자들이 시장이나 식당에서 지불하는 가격은 재화나 서비스에 대해 매겨진 개별 상품의 가치를 의미한다. 그래서 천차만별인데다가 어떤 기준도 없다. 내가 구입하는 것이 곧 가격인 셈이다.

그런데 물가 통계, 곧 소비자물가지수는 여러 상품과 서비스의 가격을 종합해서 평균치를 낸 것으로 기준으로 삼은 연도에 비해 이 평균치가 얼마나 올랐는지를 나타낸 지표라고 할 수 있다. 그런데 여기서 생각해 볼 점이 있다. 이렇게 여러 품목과 서비스 가격을 종합한다면 소비자물가지수는 어떤 품목들을 대상으로 할까?

통계청에 따르면 현재 소비자물가지수는 2020년을 기준으로 458개의 대표 품목의 가격을 매월 조사하여 물가지수에 반영하고 있다. 이 품목에는 쌀, 라면, 복숭아, 콩나물 등 식품부터 시작하여 전기 및 가스비, 병원 진료비, 학원비, 된장찌개, 냉면 등 외식비, 영화관람비, 시내버스 및 택시비, 냉장고, 에어컨 등 가전제품, 전세 및 월세, 자동차 보험료 등이 모두 포함된다. 그런데 소비자마다 주로 구입하는 품목이나 서비스가 저마다 다를 수 밖에 없다. 어떤 소비자는 외식비 지출이 많을 수 있고, 어떤 가구는 전세를 살기 때문에 월세 가격은 상관이 없다. 반대로 월세를 사는 가구는 전세 가격에 영향을 받지 않는다. 개별 가구가 난방을 위해서 도시가스나 지역난방을 사용하는데 어떤 가구는 도시가스만 사용하고 어떤 가구는 지역난방을 사용한다. 그래서 도시가스 가격이 오르는데 어떤 가구는 지역난방을 이용하기 때문에 체감하지 못할 수 있다. TV나 냉장고, 자동차 등 비교적 가격이 많이 나가는 내구재의 경우 상품을 구입하는 시점 사이의 간격이 보통 5년에서 10년 정도로 큰 편이다. 예를 들어 7년에 한 번 냉장고를 바꾼다고 할 때 7년 만에 구입한다는 사실은 간과하고

7년 전보다 훌쩍 올라버린 가격만 눈에 들어오는 경우가 많다. 학원을 자주 이용하는 가정에서는 학원비가 오르면 많은 부담을 느끼지만 자녀가 없는 1~2인 가구의 경우 학원비에 대해선 별로 영향을 받지 않는다. 집에서 주로 식사를 해결하는 가정의 경우 채소나 육류 등 식료품 가격에 많은 영향을 받는다. 하지만 외식을 주로 하는 가구의 경우 식료품 가격보단 외식비 가격에 민감하게 된다. 만약 식료품은 20~30% 올랐는데 다른 많은 품목들이 1~2%밖에 안 올랐다고 가정하면 나는 물가가 20~30% 오른 것 같는데 전체를 종합한 평균치는 2~3%로 나타날 수가 있다. 그래서 내가 생활하면서 구입하는 체감물가와 소비자물가지수는 다를 수밖에 없다.

여기서 생각해 볼 점은 저소득층에게 물가 상승이 치명적이라는 점이다. 특히 전체 소비 지출 중 식비 비중이 높은 저소득층은 식료품 가격이 조금만 올라도 큰 타격을 받을 수 밖에 없다. 국가통계포털(KOSIS)에 따르면 올해 1분기에 소득 하위 20% 저소득층 가구는 월평균 처분가능소득 85만 8천 원에서 무려 45.5%를 식비로 지출한 것으로 나타났다. 이는 매달 사용 가능한 소득 가운데서 절반 가까이 식비로 지출했다는 의미다. 반면 소득 상위 20% 가구는 13.3%만 식비로 지출한 것으로 나타났다. 그나마 저소득층의 경우 지난해 같은 기간과 비교할 때 식비가 차지하는 비중이 1%p 감소한 것으로 조사됐다. 이는 고물가 상황 속에서 가장 비중이 높은 식비 지출을 조금이라도 줄인 것으로 볼 수 있다.

소비자물가지수는 지수를 산출할 때 동일하게 반영하지 않고 품목에 따라 다른 가중치가 매겨진다는 점도 기억해야 한다. 통계청은 2020년을 기준으로 대표적인 재화와 서비스 458개를 선정해 상품별로 각각 가중치를 부여하고 이를 평균해 지수를 작성한다. 여기서 부여되는 가중치는 개별 상품의 지수에서의 중요도를 의미한다. 따라서 똑같이 1천 원이 올랐어도 가중치가 큰 상품이 지수에 미치는 영향력이 더 크고 가중치가 작은 상품은 지수에 미치는 영향력이 작다.

현재 가중치가 가장 큰 품목은 집세(전세+월세)인데 전체 물가지수에 매겨지는 가중치 1,000에서 무려 98.3을 차지한다. 휴대전화료 38.3, 휘발유 25.1가 그다음으로 가중치가 크다. 즉 이런 품목들의 가격 상승이 클 경우엔 소비자물가지수는 크게 오른다. 그러나 이런 품목들의 가격 상승이 저조하거나 둔화될 경우 소비자물가지수의 상승은 제한된다. 지난 9월 소비자물가에서 전세 가격은 전년 동월에 비해 0.5%로 하락했고, 월세도 0.7% 상승에 그쳤다. 휴대전화료는 0.0%로 가격 변동이 아예 없었고 휘발유도 1.9%만 올랐다. 그런데 식료품 중 생강은 무려 116.3%가 올랐고, 귤이나 복숭아 가격도 40% 이상 올랐다. 택시비도 20% 올랐고, 도시가스와 지역 난방비는 각각 21.5%, 33.4% 올랐다. 그런데 이들의 가중치는 생강 0.2, 귤 1.9, 복숭아 0.9, 택시비 3.6, 도시가스 12.7, 지역난방 1.4에 불과하다. 그래서 오랜만에 생강을 사려 했다가 가격이 두 배 이상 올랐다고 해도 소비자물가 지수의 상승에 미치는 영향은 미미할 수밖에 없는 구조를 가지고 있다.

가격비교 시점이 다르다는 점도 간과하기 쉬운 요소다. 특히 자동차나 냉장고, 가구 등과 같이 구입 주기가 긴 내구재의 경우 소비자가 느끼는 체감물가는 물가지수에 비해 높을 수밖에 없다. 예를 들어 세탁기의 경우 한 달 전이나 지난해 같은 달에 비해 값이 내렸거나 소폭 올랐지만 10년 전에 비해서는 가격이 크게 오른 것으로 나타난다. 또한 내구재의 경우 동일한 상품이라 하더라도 제품의 업그레이드 또는 기능들이 고급화되면서 가격 수준 자체가 높아질 수 있다. 10년 전 중형승용차에 비해 최근 제품들은 기능이나 품질 면에서 비교가 되지 않을 정도로 개선되었지만 소비자는 제품 가격이 크게 오른 것만 인식하게 된다.

근본적으로 소비자물가지수는 각 가정이 생활을 위해 구입하는 상품과 서비스의 가격 변동을 알아보기 위해 작성하는 통계자료다. 소비자물가의 조사 목적은 우리나라 전체 가구의 평균적인 물가변동이며 이는 행정부의 경제정책 운용을 위한 기초적인 자료가 된다. 따라서 개별 가구가 어떤 시점에서 구입하는 몇몇 제품과 서비스의 가격과는 다를 수밖에 없다.

그러나 다시 생각해 보면 소비자물가가 3% 오른다는 것이 결코 무시할 수 있는 게 아니다. 과거 학창시절 반 평균이라는 것을 떠올려 보면 평균 점수를 1점 올리려고 해도 학생 전부가 1점씩 올라야 가능하다. 그래서 반 평균 1점을 올린다는 것은 만만치 않은 일이다. 물가도 마찬가지다. 과거 고물가 시대로 손꼽히는 이명박 정부 시절 5년 동안 연평균 소비자물가 상승률은 3.3%였다. 그런데 지난해 소비자물가 상승률은 무려 5.1%였다는 것은 현재 물가상승률이 얼마나 높은지를 시사한다. 그런데 올해도 한국은행의 물가 상승률 전망치는 3.5%에 달하며 이 또한 더 높아질 가능성이 있다. 458개 품목 전체가 작년에 5% 올랐는데 올해 3% 중반 이상 다시 오른다는 이야기다.

이렇게 소비자물가가 오르면 가계의 실질소득은 줄어들게 되고 이는 구매력 감소로 이어진다. 가계의 구매력이 감소하면 결국 내수 부진과 경기 침체를 가속화한다는 점에서 이는 심각한 문제다. 전문가들은 하반기에도 물가 상승 압력이 지속될 것으로 예상하고 있다. 해외에서 벌어지는 연이은 전쟁 소식에 국제유가를 비롯한 에너지 가격과 각종 수입 제품의 가격들도 덩달아 꿈틀거리고 있다. 물가가 오르는 것은 소비자나 가계에 있어서 참 부담스럽고 고통스러운 일이다. 다가오는 새해에는 대내외 불안한 환경이 조속히 안정화되고 소비자물가도 다시 안정화됨으로 쪼그라든 가계의 살림살이도 다시 기지개가 펴지기를 간절히 바래본다.

[그림 1] 연도별 소비자물가 상승률 추이 2008~2022

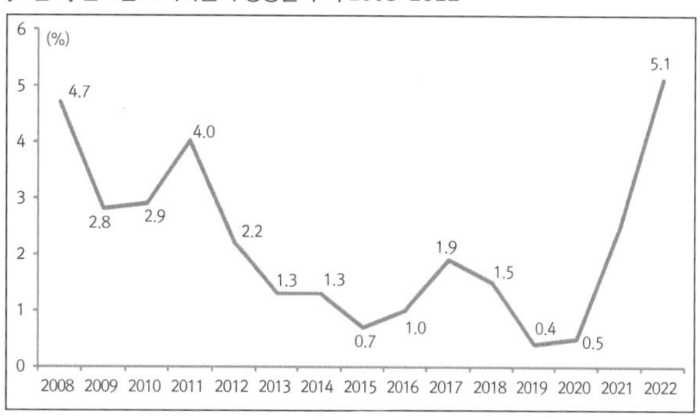

자료: 통계청

공사부문 노임단가(1)

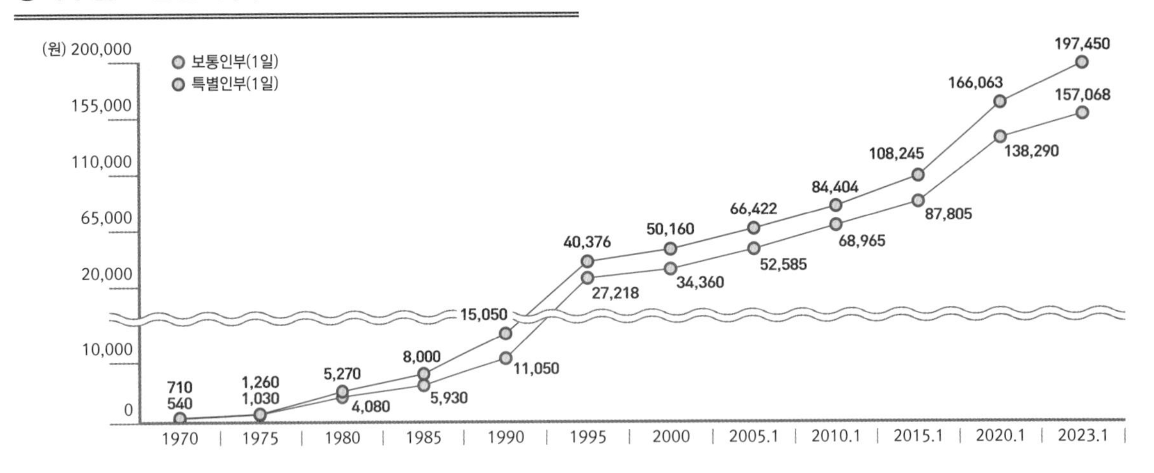

공사부문 노임단가(2)

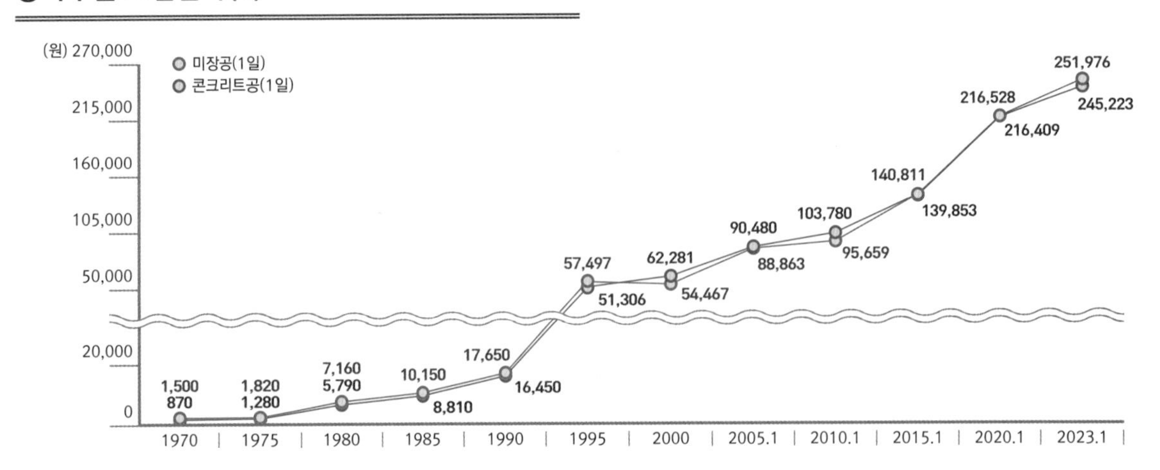

공사부문 노임단가(3)

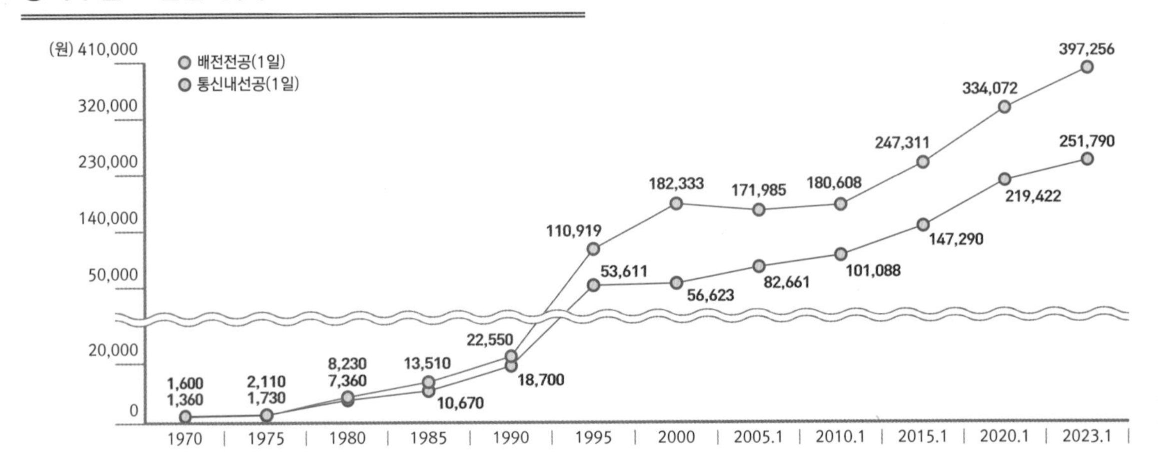

공사부문 노임단가(4)

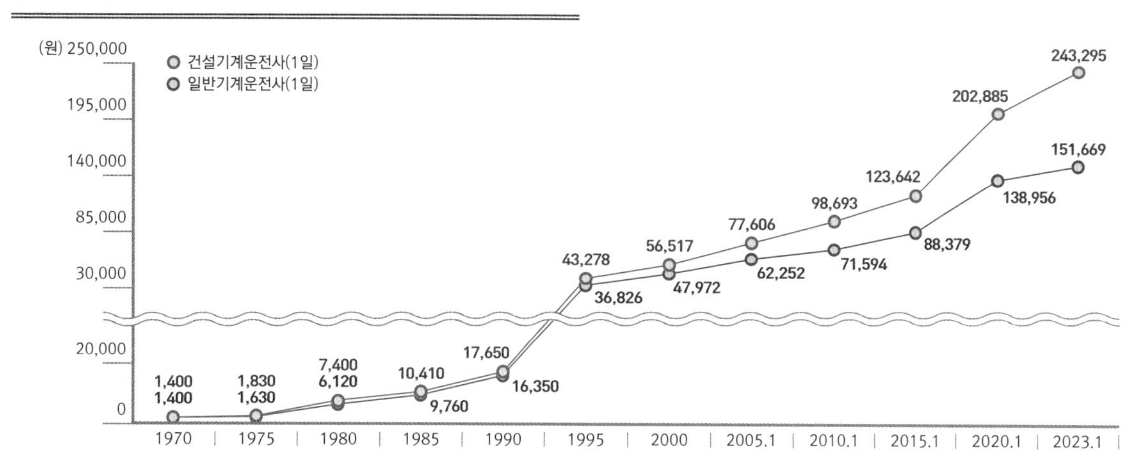

제조부문 노임단가

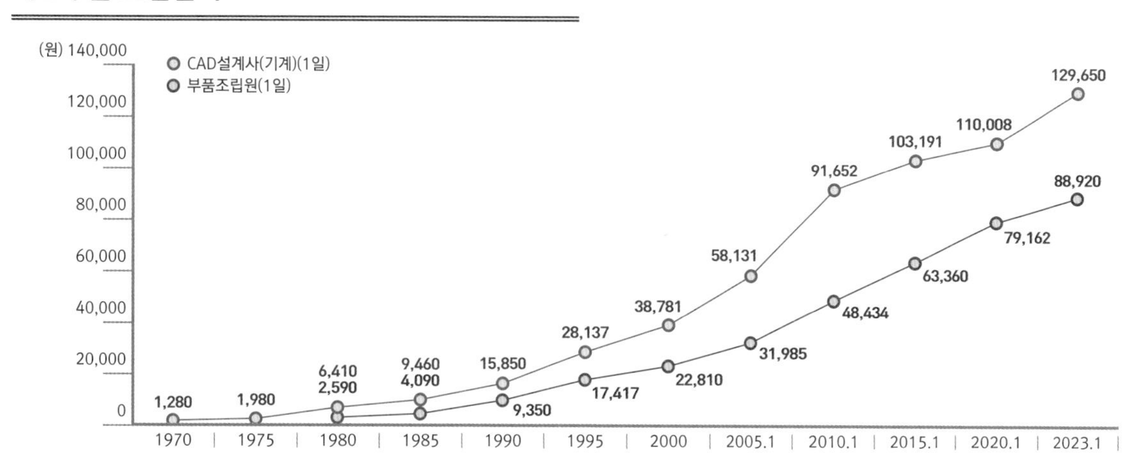

엔지니어링 노임단가(건설 및 기타)

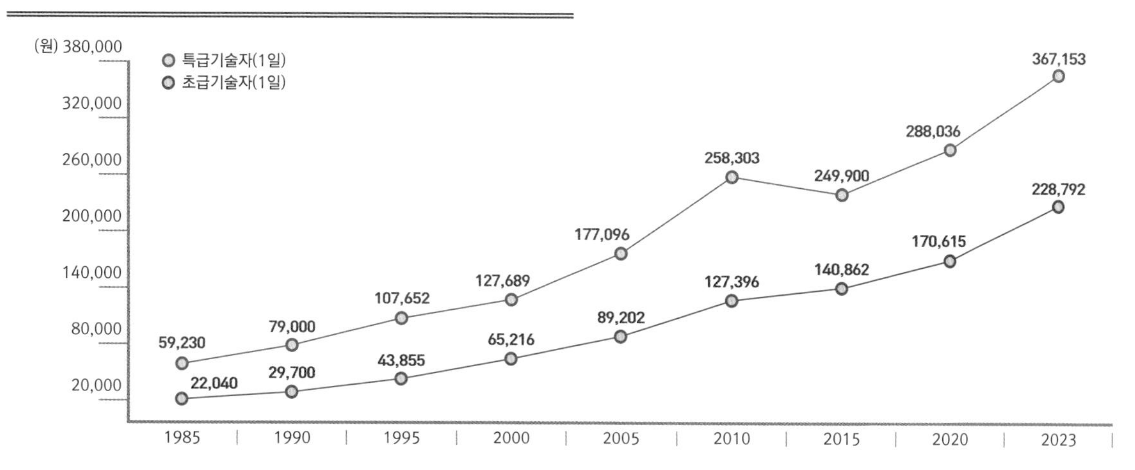

택시·시내버스요금

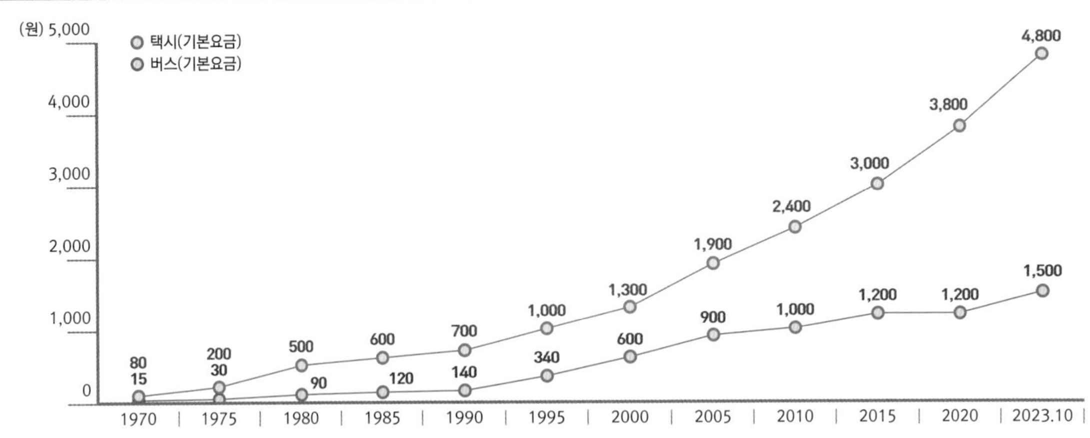

※ 택시요금 : 기본구간(서울기준), 버스요금 : 서울시내 일반(입석)버스(2004년 7월 시행된 거리비례제 기본구간운임)

고속버스·철도요금

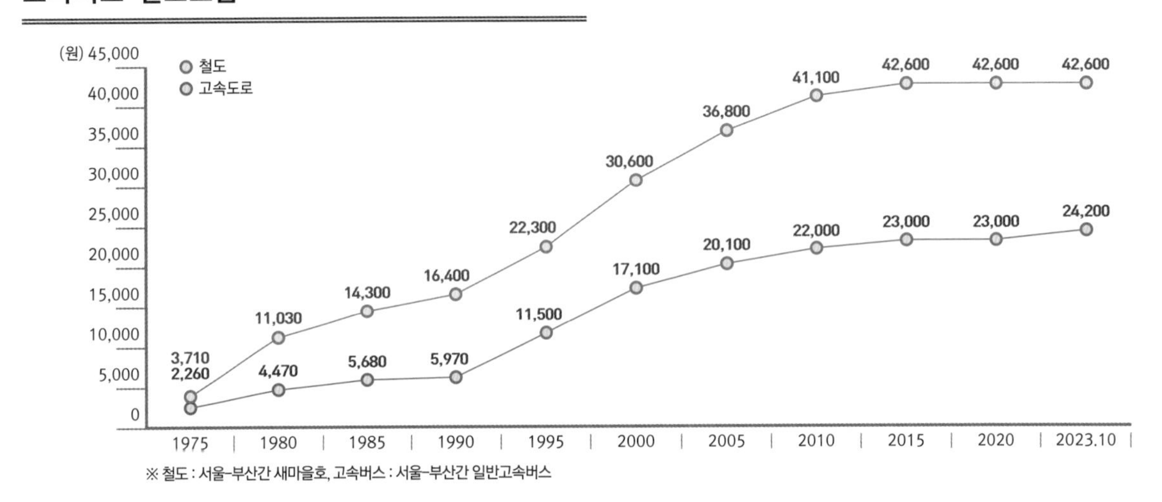

※ 철도 : 서울–부산간 새마을호, 고속버스 : 서울–부산간 일반고속버스

항공요금

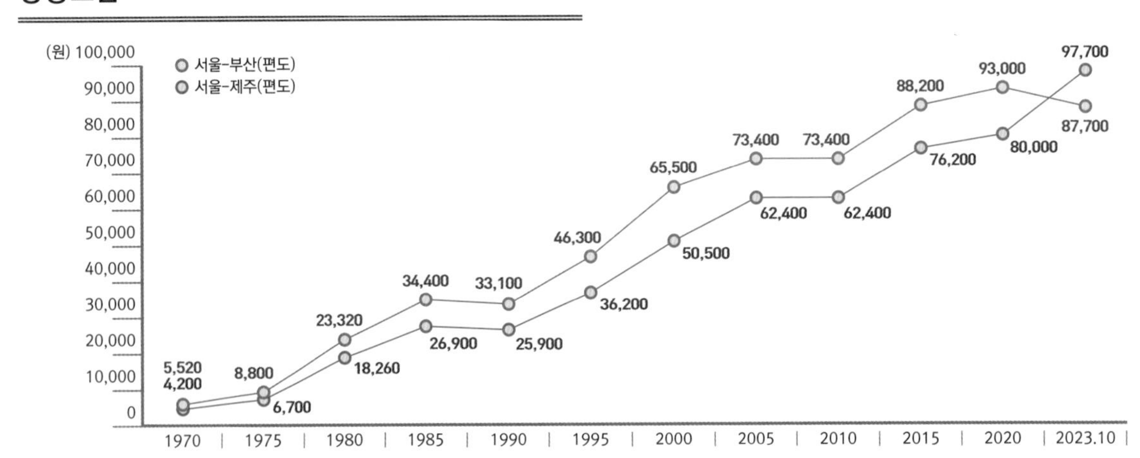

곡물수매가

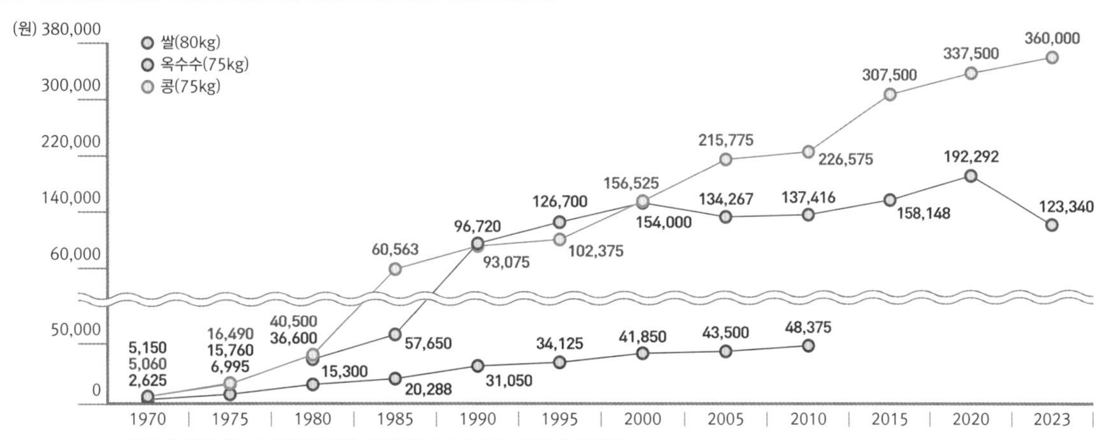

※ 추곡수매가격임, 쌀은 92년도 부터 일반미(2등급)임, 옥수수 수매는 '10년 까지만 시행

영화관람료

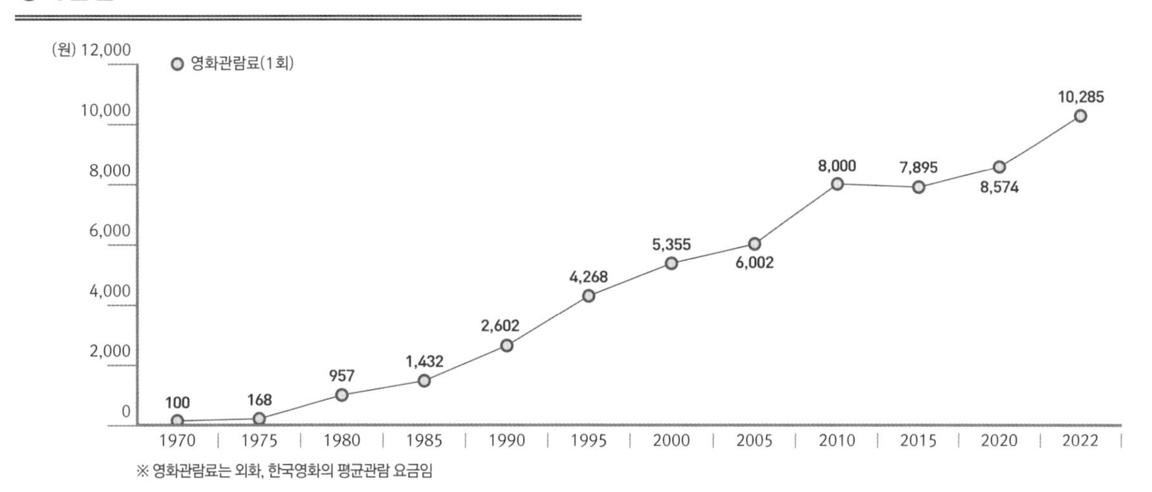

※ 영화관람료는 외화, 한국영화의 평균관람 요금임

TV 수신료

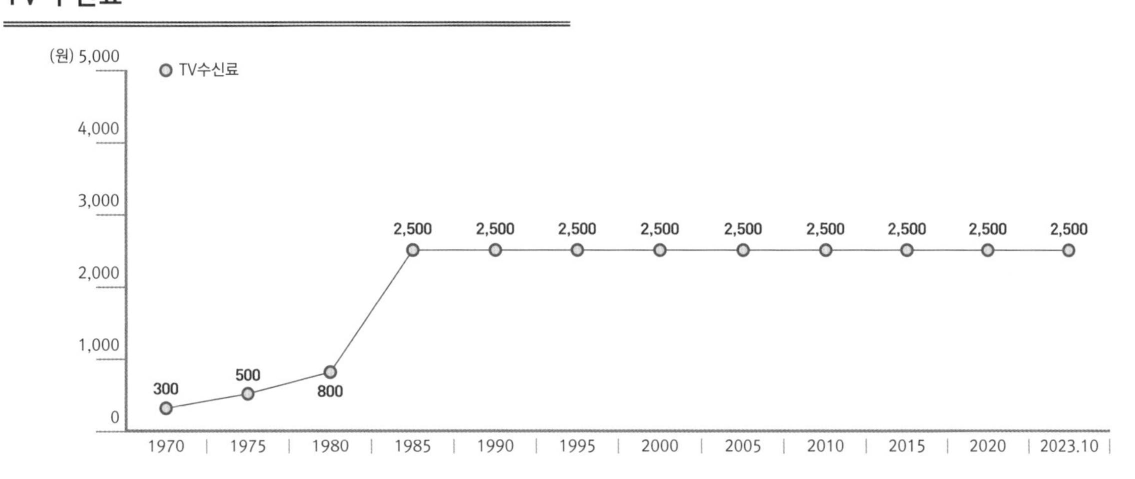

우편·전화요금

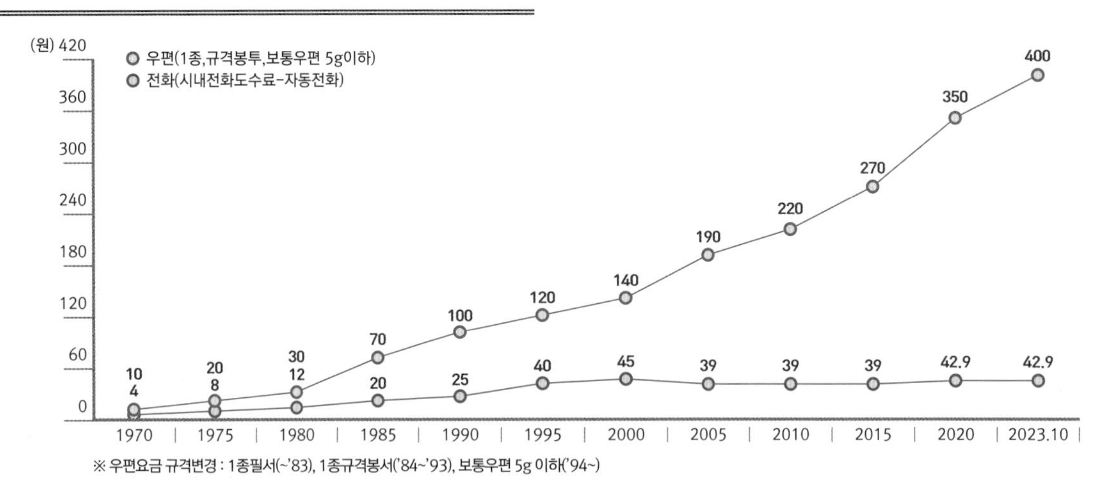

※ 우편요금 규격변경 : 1종필서(~'83), 1종규격봉서('84~'93), 보통우편 5g 이하('94~)

지하철 요금

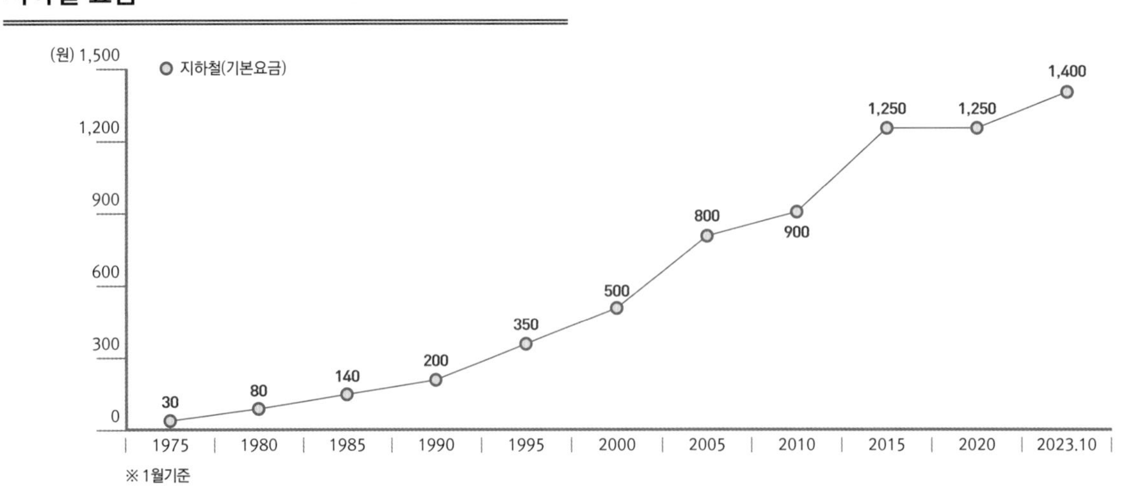

※ 1월기준

자동차등록대수

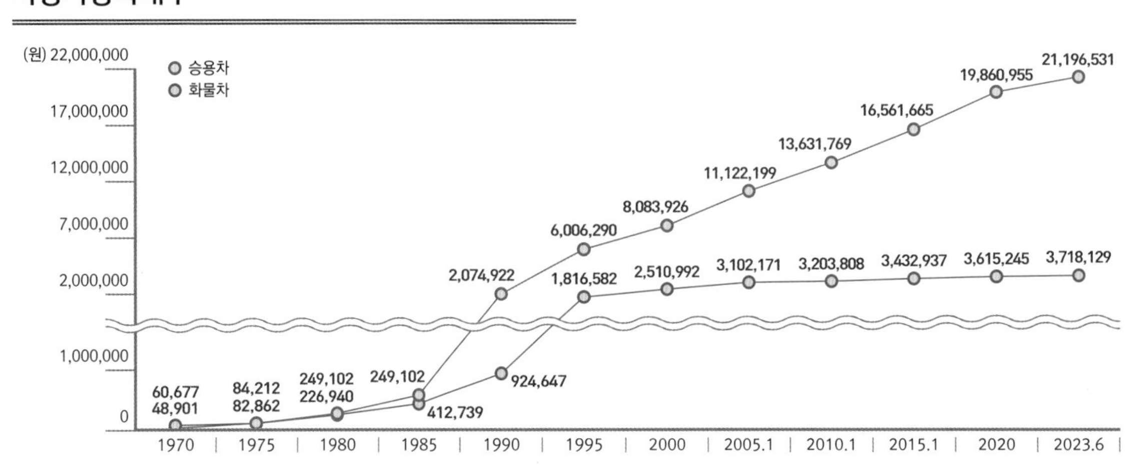

인구추이

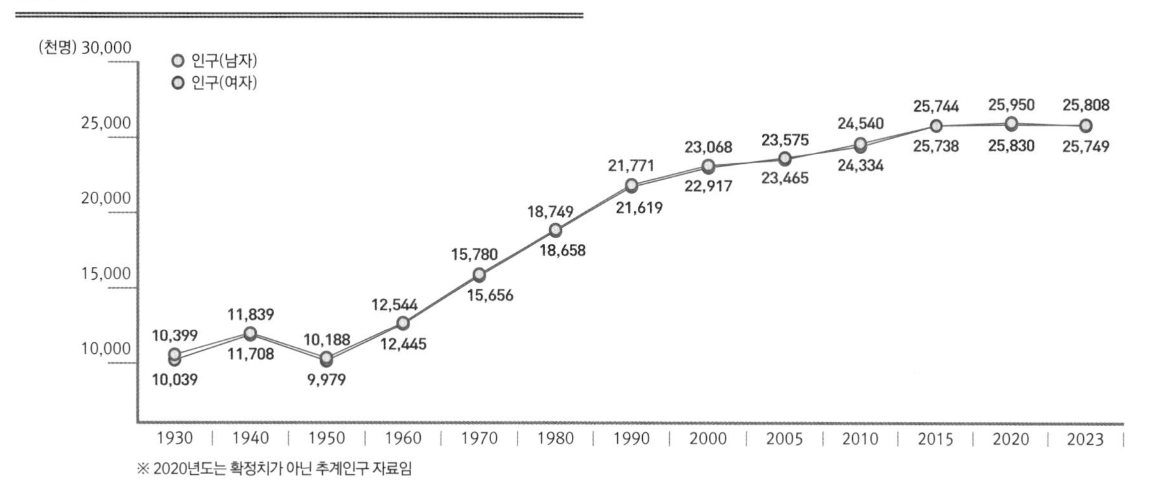

※ 2020년도는 확정치가 아닌 추계인구 자료임

교육비

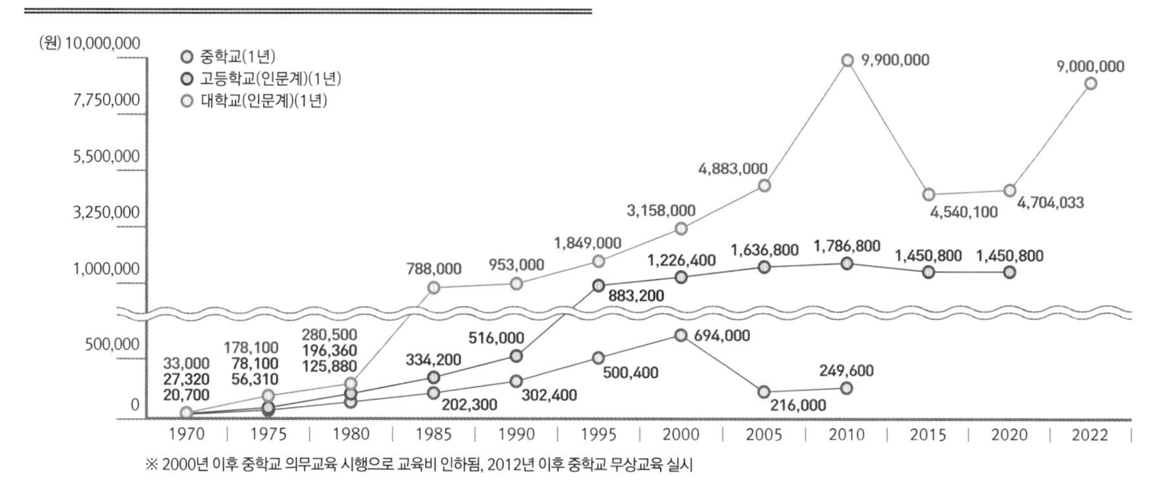

※ 2000년 이후 중학교 의무교육 시행으로 교육비 인하됨, 2012년 이후 중학교 무상교육 실시

환율

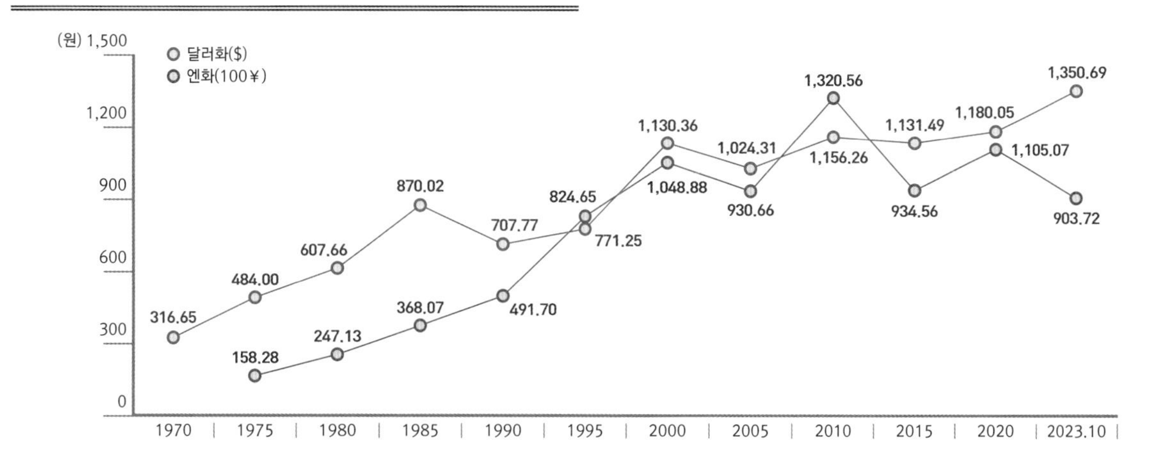

정부(시중)노임단가 (1)

1. 공사부문

(단위:원/인)

직종번호	직종명	1970	1971	1972	1973	1974	1975	1976	1977	1978	1979	1980	1981	1982
1	갱부(우마차포함)	1,370	1,500	760	760	1,250	1,630	1,850	2,350	3,210	3,950	5,230	6,360	7,360
2	도목수	-	-	-	-	-	-	-	-	4,210	6,620	8,570	9,630	10,880
3	건축목공	1,400	1,500	1,120	1,120	1,510	1,960	2,090	2,550	3,710	5,530	7,070	8,110	8,950
4	형틀목공	1,100	1,400	1,030	1,030	1,390	1,740	1,860	2,360	3,650	5,080	6,730	7,910	8,330
5	창호공(창호목공)	-	-	-	-	-	-	-	-	3,810	5,450	6,840	8,200	9,150
6	철골공	-	-	950	950	1,370	1,920	2,070	2,620	3,740	4,780	7,070	8,060	8,700
7	철공	1,300	1,500	950	950	1,230	1,720	1,930	2,450	3,680	5,770	6,900	7,330	8,110
8	철근공	1,100	1,300	880	880	1,230	1,660	1,810	2,290	3,650	5,270	6,600	7,820	8,210
9	철판공	1,300	1,500	950	950	1,280	1,850	2,000	2,490	3,700	4,180	6,240	7,110	8,190
10	셔터공	1,300	1,500	890	890	1,330	1,860	2,020	2,570	3,680	5,920	7,650	8,090	8,710
11	창호공(샷시공)	1,300	1,500	920	920	1,330	1,860	1,980	2,430	3,870	5,230	6,540	7,890	9,070
12	절단공	-	-	800	800	1,200	1,680	1,820	2,310	3,670	4,340	6,290	7,350	7,460
13	석공	1,500	1,650	880	880	1,400	2,030	2,200	2,890	4,290	5,560	7,170	9,150	9,450
14	특수비계공	2,200	2,200	1,550	1,550	1,780	2,230	2,410	2,950	4,330	6,690	8,650	9,560	10,750
15	비계공	1,000	1,600	950	950	1,280	1,660	1,800	2,360	3,870	5,380	7,070	8,240	8,840
16	동발공(터널)	-	-	660	660	890	1,240	1,420	1,800	3,330	4,050	5,930	7,440	8,160
17	조적공	1,300	1,500	800	800	1,200	1,680	1,830	2,320	3,550	5,200	6,620	7,770	8,290
18	치장벽돌공	-	-	-	-	-	-	-	-	-	-	-	-	-
19	벽돌(블럭)제작공	1,300	1,500	800	800	1,120	1,460	1,600	2,100	3,200	4,940	6,020	7,950	7,950
20	연돌공	-	-	950	950	1,470	1,980	2,140	2,620	4,050	5,080	6,580	7,880	8,350
21	미장공	1,500	1,500	900	900	1,300	1,820	1,980	2,510	4,000	5,740	7,160	8,320	8,840
22	방수공	1,300	1,400	880	880	1,230	1,780	1,930	2,540	3,800	4,840	6,580	7,710	7,980
23	타일공	1,360	1,500	950	950	1,330	1,920	2,080	2,630	4,600	5,940	7,450	8,490	9,080
24	줄눈공	-	-	890	890	1,110	1,600	1,760	2,230	3,880	5,070	7,030	7,370	7,810
25	연마공	-	1,500	810	810	1,170	1,350	1,540	2,020	2,960	6,420	7,340	8,400	8,680
26	콘크리트공	870	900	660	660	920	1,280	1,420	1,870	3,050	4,330	5,790	7,020	7,290
27	바이브레이터공	-	-	-	-	890	1,240	1,390	1,830	3,060	4,420	5,920	6,890	7,070
28	보일러공	1,400	1,500	970	970	1,400	1,960	2,200	2,790	3,780	5,240	7,790	8,720	9,590
29	배관공	1,300	1,450	900	900	1,300	1,820	2,010	2,550	3,540	5,030	6,400	8,040	8,310
30	배관공(수도)	-	-	-	-	-	-	-	-	-	-	-	-	-
31	온돌공	1,300	1,450	770	770	1,270	1,840	2,030	2,580	3,880	5,600	6,920	8,020	8,250
32	위생공	-	1,500	920	920	1,330	1,860	2,020	2,570	3,480	4,920	6,410	7,370	7,830
33	보온공	1,200	1,300	950	950	1,230	1,720	1,860	2,630	3,480	4,860	6,060	6,650	7,140
34	도장공	1,300	1,450	810	810	1,170	1,690	1,880	2,380	3,530	5,240	6,640	7,550	8,300
35	내장공	1,500	1,600	780	780	1,280	1,790	1,940	2,460	3,970	5,210	7,380	8,100	8,280
36	도배공	-	1,200	720	720	1,150	1,610	1,810	2,290	3,850	6,190	7,170	8,010	8,260
37	아스타일공	1,360	1,500	950	950	1,330	1,920	2,080	2,630	3,660	4,230	6,040	7,630	8,330
38	기와공	1,500	1,500	800	800	1,240	1,790	1,970	2,590	4,420	5,450	7,830	9,400	9,400
39	스레이트공	1,300	1,600	810	810	1,130	1,630	1,830	2,320	3,210	5,450	7,050	7,460	8,210
40	지붕잇기공	-	-	-	-	-	-	-	-	-	-	-	-	-
41	견출공	-	-	-	-	-	-	-	-	-	-	-	-	-
42	판넬조립공	-	-	-	-	-	-	-	-	-	-	-	-	-
43	화약취급공	1,300	1,500	810	810	1,360	1,840	1,850	2,460	4,560	6,320	8,130	9,800	10,690
44	착암공	1,200	1,500	850	850	1,160	1,620	1,830	2,400	3,750	5,130	6,620	7,880	8,630
45	보안공	1,800	-	860	860	1,200	1,500	1,660	1,960	2,840	3,020	5,150	6,370	6,370
46	포장공	1,200	1,500	840	840	1,170	1,690	1,790	2,290	3,420	3,800	5,760	7,130	8,560
47	포설공	-	-	840	840	1,260	1,760	1,880	2,200	3,370	4,070	6,340	7,300	8,400
48	궤도공	-	-	760	760	1,140	1,480	1,600	1,960	2,940	3,590	4,750	5,230	5,750
49	용접공(철도)	-	-	760	760	1,140	1,540	1,610	1,970	3,140	4,230	5,590	6,150	6,770
50	잠수부/()안은4인조기준	(11,000)	(15,000)	(7,830)	(7,830)	(11,700)	(15,200)	(17,360)	(22,010)	(29,530)	(30,730)	(37,690)	(47,450)	(47,450)
51	잠함공	2,500	2,500	2,030	2,030	2,940	3,680	3,840	4,530	6,790	7,270	9,610	10,570	11,630
52	보링공	1,650	1,650	1,220	1,220	1,580	2,050	2,140	2,710	4,660	4,910	6,500	7,890	7,990
53	우물공	1,240	1,400	720	720	1,150	1,660	1,800	2,360	4,270	5,250	6,680	7,270	8,000
54	영림기사	-	-	900	900	1,300	1,690	1,760	2,110	3,820	6,360	8,410	9,250	10,180
55	조경공	1,500	1,500	600	760	1,210	1,510	1,610	2,110	3,270	5,450	6,800	7,790	7,790
56	벌목부	-	-	490	490	800	-	1,220	1,600	2,200	3,590	5,210	5,590	6,710
57	조림인부	-	-	490	490	800	960	1,100	1,450	2,140	3,660	4,930	5,940	7,130
58	플랜트기계설치공	-	-	-	-	-	-	-	3,200	4,690	4,980	7,450	9,310	10,710
59	플랜트특수용접공	-	-	-	-	-	-	-	-	-	-	-	-	-
60	플랜트용접공	-	-	-	-	-	-	-	4,180	4,790	5,510	7,950	8,750	8,750
61	플랜트배관공	-	-	-	-	-	-	-	3,000	4,410	4,830	7,130	7,730	8,890
62	플랜트제관공	-	-	-	-	-	-	-	2,930	4,560	5,700	9,080	9,080	9,080
63	석면해체공	-	-	-	-	-	-	-	-	-	-	-	-	-
64	시공측량사	1,700	1,800	1,220	1,220	1,950	2,150	2,280	2,990	4,310	6,260	8,630	10,290	10,290
65	시공측량사조수	1,000	1,000	610	610	880	1,140	1,240	1,620	2,740	3,620	5,160	5,810	6,070
66	측부	-	-	610	610	880	1,100	1,140	1,500	2,090	2,780	3,910	4,450	4,970
67	검조부	-	-	1,220	1,220	1,460	1,650	1,680	1,980	2,300	3,620	3,460	3,810	4,190

(단위:원/인)

1983	1984	1985	1986	1987	1988	1989	1990	1991	1992	1993	1994	1995.1	직종명	직종번호
7,800	8,100	8,150	8,450	8,530	9,850	11,800	14,650	19,700	24,700	32,700	33,500	29,977	갱부(우마차포함)	1
11,430	11,430	11,690	11,870	13,010	14,580	16,350	18,950	24,000	32,200	45,600	52,500	73,539	도목수	2
9,410	9,720	10,280	10,670	11,330	12,690	14,600	17,450	22,500	30,300	39,600	43,700	57,199	건축목공	3
9,010	9,530	10,230	10,570	11,660	13,060	14,800	17,650	22,700	30,500	40,200	42,800	57,260	형틀목공	4
9,600	9,730	10,020	10,530	11,620	13,020	14,800	17,650	22,700	30,500	38,800	40,400	47,393	창호공(창호목공)	5
9,300	9,700	10,180	10,740	11,640	13,040	14,800	17,650	22,700	29,400	38,400	41,300	57,701	철골공	6
8,810	9,010	9,340	9,770	10,770	12,430	14,300	17,150	22,200	28,800	35,100	35,500	52,635	철공	7
8,930	9,360	9,930	10,310	11,460	12,840	14,800	17,650	22,700	30,500	38,900	40,900	58,024	철근공	8
8,680	8,680	9,240	9,520	10,930	11,930	13,750	16,600	21,600	27,000	33,500	35,400	45,810	철판공	9
9,700	10,280	10,280	10,540	11,740	12,650	14,550	17,400	22,400	28,000	37,400	37,400	48,189	셔터공	10
9,360	9,530	9,920	10,260	11,130	12,470	14,350	17,200	22,200	27,800	35,500	35,500	42,386	창호공(샷시공)	11
8,100	8,100	8,100	8,480	9,640	10,800	12,950	15,800	21,000	26,300	36,100	36,100	49,310	절단공	12
10,200	10,260	10,590	11,250	12,070	13,720	15,400	18,000	23,000	30,900	41,000	44,900	59,776	석공	13
10,750	10,870	11,210	11,590	12,870	14,420	16,150	18,750	27,800	37,100	47,400	49,700	62,432	특수비계공	14
9,500	9,800	10,280	10,700	11,500	12,880	14,800	17,650	22,700	30,500	40,300	43,700	60,347	비계공	15
9,680	9,970	9,970	10,220	10,220	11,800	13,600	16,450	21,500	25,800	38,800	40,900	53,164	동발공(터널)	16
8,960	9,430	9,610	10,080	10,930	12,250	14,100	16,950	22,000	29,600	37,800	40,300	54,587	조적공	17
-	-	-	-	-	-	-	18,650	23,700	30,800	39,100	41,300	60,827	치장벽돌공	18
7,960	8,080	8,890	9,420	10,250	11,480	13,500	16,350	21,400	26,800	31,700	31,700	49,754	벽돌(블럭)제작공	19
8,350	8,600	8,960	9,130	10,500	10,910	13,050	15,900	24,600	32,000	35,500	37,200	46,756	연돌공	20
9,240	9,450	10,150	10,600	11,450	12,830	14,800	17,650	22,700	30,500	40,100	42,700	57,497	미장공	21
8,750	9,080	9,510	9,790	10,790	12,090	13,950	16,800	21,800	28,300	35,600	36,500	46,795	방수공	22
9,360	9,370	9,720	10,190	11,350	12,720	14,650	17,500	22,500	30,300	39,700	41,000	57,146	타일공	23
8,560	8,560	8,720	9,240	9,760	11,270	13,500	16,350	21,400	27,800	35,800	35,800	50,364	줄눈공	24
8,690	9,000	9,270	9,530	9,890	11,420	13,500	16,350	22,800	30,600	38,800	38,800	56,549	연마공	25
7,910	8,330	8,810	9,260	10,540	11,810	13,600	16,450	21,500	27,900	36,300	38,500	51,306	콘크리트공	26
7,450	7,700	7,770	8,220	9,400	10,850	13,000	15,850	20,900	28,200	34,700	34,700	53,280	바이브레이터공	27
9,870	9,890	1,030	11,080	12,380	13,520	15,150	17,750	22,800	28,500	34,600	34,700	46,595	보일러공	28
8,670	9,010	9,430	9,620	10,200	10,960	13,100	15,950	21,000	27,300	33,500	34,400	42,008	배관공	29
-	-	-	-	-	-	-	-	-	-	-	-	-	배관공(수도)	30
8,750	8,750	9,080	9,270	9,830	10,910	13,050	15,900	20,900	26,100	31,100	31,100	44,297	온돌공	31
8,290	8,310	8,790	8,920	10,100	10,300	12,350	15,200	20,200	26,300	33,200	33,900	42,960	위생공	32
8,080	8,160	8,510	8,930	9,660	10,820	12,950	15,800	20,800	25,000	30,900	30,900	43,313	보온공	33
8,990	9,210	9,750	10,280	11,220	12,570	14,500	17,350	22,400	29,000	36,600	38,200	53,419	도장공	34
8,790	8,920	9,300	9,920	11,060	12,390	14,250	17,100	23,600	31,700	40,100	42,400	55,882	내장공	35
8,900	8,940	9,570	9,820	10,640	11,920	13,750	16,600	21,600	27,000	34,900	34,900	47,742	도배공	36
9,410	9,570	9,930	10,380	11,380	12,750	14,700	17,550	22,600	28,300	36,400	38,800	46,029	아스타일공	37
9,400	9,400	9,830	10,040	11,320	13,070	14,800	17,650	23,200	30,200	38,300	42,200	68,249	기와공	38
8,780	8,840	9,170	9,300	9,450	10,590	12,700	15,550	22,100	28,700	34,300	38,300	84,693	스레이트공	39
-	-	-	-	-	-	-	-	-	-	-	-	-	지붕잇기공	40
-	-	-	-	-	-	-	-	-	-	-	-	-	견출공	41
-	-	-	-	-	-	-	-	-	-	-	-	-	판넬조립공	42
11,420	11,480	11,760	12,010	12,010	13,300	14,900	17,750	22,800	30,600	39,300	41,200	60,299	화약취급공	43
9,270	9,700	10,040	10,660	10,740	12,030	13,850	16,700	21,700	28,100	35,100	36,500	44,064	착암공	44
6,760	6,830	7,030	7,030	7,450	8,350	10,000	12,900	19,800	21,600	27,100	27,100	33,895	보안공	45
8,560	9,000	9,560	10,060	10,500	12,120	13,950	16,800	21,800	28,300	37,700	40,300	42,095	포장공	46
9,370	9,530	9,790	10,000	10,080	11,290	13,500	16,350	21,400	27,800	35,200	36,200	49,005	포설공	47
6,900	7,110	7,320	7,540	7,990	8,950	10,700	13,550	18,100	21,700	27,300	27,300	34,708	궤도공	48
11,000	11,330	11,670	11,880	11,930	13,370	15,000	17,850	22,900	29,800	37,400	37,800	58,557	용접공(철도)	49
(50,990)	(55,250)	(56,090)	(57,420)	(57,420)	(58,390)	(65,400)	18,950	28,000	36,400	45,700	53,700	60,308	잠수부/()안은4인조기준	50
12,330	12,700	13,080	13,470	14,280	16,000	17,950	20,550	25,600	30,700	38,500	38,500	-	잠함공	51
7,990	8,580	9,210	9,680	10,260	11,100	12,300	16,150	21,200	25,400	30,900	33,000	44,658	보링공	52
8,000	8,000	8,530	8,850	9,380	10,510	12,260	15,450	17,100	23,900	30,000	30,000	46,448	우물공	53
10,790	11,110	11,440	11,780	12,490	13,990	15,700	18,300	23,300	28,000	35,000	35,000	85,000	영림기사	54
8,780	9,040	9,040	9,290	10,680	10,760	12,900	15,750	20,800	26,000	35,500	35,500	44,190	조경공	55
7,630	7,630	7,860	7,910	8,630	9,960	11,950	14,800	19,800	23,800	29,900	29,900	41,848	벌목부	56
7,710	8,000	8,240	8,490	9,410	10,540	12,600	15,450	20,500	25,600	32,200	32,200	38,787	조림인부	57
11,970	12,330	12,330	12,400	12,990	14,550	14,550	17,400	26,400	33,000	41,900	41,900	61,934	플랜트기계설치공	58
-	-	-	-	-	-	-	-	32,200	39,600	49,700	49,700	63,933	플랜트특수용접공	59
9,790	9,790	9,790	10,350	11,560	13,340	14,950	17,800	26,800	35,800	43,200	43,200	61,357	플랜트용접공	60
9,940	10,500	10,500	10,800	11,410	13,170	14,800	17,650	26,700	33,400	41,600	41,600	55,703	플랜트배관공	61
10,150	10,460	10,770	11,350	12,140	12,430	14,300	17,150	26,200	32,800	40,300	40,300	51,591	플랜트제관공	62
-	-	-	-	-	-	-	-	-	-	-	-	-	석면해체공	63
11,260	11,310	11,310	11,480	11,780	13,200	14,800	17,650	22,700	28,200	30,700	30,700	42,185	시공측량사	64
6,380	6,860	6,890	6,890	7,880	8,830	10,600	13,450	17,300	21,800	21,800	21,800	27,764	시공측량사조수	65
5,280	5,390	5,700	5,810	6,110	6,850	8,200	11,100	15,500	18,600	19,200	20,000	24,027	측부	66
4,440	4,570	4,710	4,860	5,390	6,040	7,110	10,010	13,800	16,600	18,800	19,600	-	검조부	67

정부(시중)노임단가 (2)

(단위:원/인)

직종번호	직 종 명	1995.9	1996.1	1996.9	1997.1	1997.9	1998.1	1998.9	1999.1	1999.9	2000.1	2000.9	2001.1	2001.9
1	갱부(우마차포함)	47,737	52,762	53,965	56,477	62,028	56,352	50,308	46,995	48,318	51,318	53,322	51,617	48,994
2	도목수	71,191	83,905	78,123	78,097	80,541	81,068	-	-	-	-	-	-	-
3	건축목공	60,339	63,706	63,220	67,285	69,710	71,703	65,712	62,310	63,888	60,176	61,692	63,257	66,753
4	형틀목공	61,835	67,246	65,580	70,616	72,515	75,306	65,381	62,603	62,381	61,483	63,219	64,943	67,648
5	창호공(창호목공)	58,232	63,841	64,898	64,829	65,138	66,162	61,043	56,563	55,718	51,776	55,960	53,621	55,545
6	철골공	58,845	84,832	65,054	66,046	72,992	73,514	64,796	60,500	60,700	64,454	64,572	64,609	66,569
7	철공	58,947	66,655	66,194	67,900	73,156	72,430	59,917	59,797	60,682	63,441	68,851	65,845	64,286
8	철근공	61,510	66,050	69,452	70,979	75,509	77,839	66,944	65,147	64,665	63,607	66,745	68,758	70,167
9	철판공	59,563	63,685	66,869	69,932	70,072	73,217	68,465	61,774	61,447	58,465	59,039	61,903	59,175
10	셔터공	51,949	52,989	58,987	62,226	69,166	64,659	-	-	-	-	-	-	-
11	창호공(샷시공)	50,023	59,541	57,717	63,505	62,029	66,647	58,035	55,318	55,655	56,652	60,072	58,429	59,368
12	절단공	56,756	59,963	65,939	64,126	59,851	65,881	67,321	59,642	58,164	61,395	61,292	59,029	63,118
13	석공	67,845	71,740	70,616	71,945	75,449	77,005	67,292	69,257	66,104	60,879	64,890	65,443	69,479
14	특수비계공	74,315	76,360	86,144	91,943	83,352	85,884	75,380	78,766	69,820	66,312	72,456	73,285	73,274
15	비계공	65,265	67,869	74,682	78,568	77,373	79,467	69,324	66,531	66,225	66,149	67,640	68,645	71,272
16	동발공(터널)	40,065	50,282	52,204	55,773	61,841	65,485	59,691	61,285	59,084	58,938	58,692	55,046	60,263
17	조적공	56,054	61,121	63,036	62,381	66,437	67,986	58,379	58,512	56,120	57,968	56,969	57,592	61,286
18	치장벽돌공	65,912	71,899	69,294	71,541	73,827	73,288	64,317	61,897	60,632	61,553	61,167	63,567	61,878
19	벽돌(블럭)제작공	56,372	63,854	64,323	62,112	71,848	61,291	57,334	56,942	55,205	57,286	56,981	55,132	60,197
20	연돌공	54,103	55,661	55,361	61,895	64,279	72,745	-	-	-	-	-	-	-
21	미장공	60,814	65,070	65,740	67,466	69,194	71,283	61,569	59,451	58,995	54,467	58,263	59,187	62,196
22	방수공	47,192	53,953	54,255	55,579	57,209	57,701	51,640	50,866	49,182	49,062	48,704	50,753	52,636
23	타일공	57,466	64,202	66,101	65,646	66,528	68,147	60,760	58,994	59,268	56,533	56,154	57,740	61,694
24	줄눈공	53,274	56,412	63,278	69,425	56,155	63,589	55,387	58,172	57,286	52,633	53,392	54,268	56,218
25	연마공	51,430	55,251	56,906	57,426	63,517	67,289	54,957	56,709	61,143	56,884	60,073	60,676	62,946
26	콘크리트공	57,135	59,988	61,538	64,591	67,783	71,184	63,605	60,596	61,529	62,281	64,308	63,355	67,489
27	바이브레이터공	49,465	58,110	61,317	65,146	63,032	69,081	-	-	-	-	-	-	-
28	보일러공	51,076	51,610	56,911	57,708	59,920	56,787	52,463	48,190	48,055	46,165	47,931	47,570	48,864
29	배관공	45,096	48,933	51,160	53,408	56,402	58,907	52,004	48,833	47,788	47,537	49,542	51,272	54,533
30	배관공(수도)	-	-	-	-	-	-	-	-	-	-	-	-	-
31	온돌공	47,875	50,126	53,989	58,907	60,000	54,720	-	-	-	-	-	-	-
32	위생공	44,120	49,667	50,341	52,401	57,768	59,212	51,145	48,855	47,747	49,691	48,198	51,626	53,112
33	보온공	46,747	51,545	60,859	61,630	58,460	63,143	54,125	49,987	49,300	51,700	50,900	52,961	55,637
34	도장공	49,493	55,408	60,159	59,569	60,229	63,038	55,640	52,915	53,130	53,370	56,361	57,502	57,454
35	내장공	59,064	64,991	64,540	66,457	69,893	72,244	59,767	58,768	56,336	53,250	56,117	58,925	62,326
36	도배공	47,968	54,852	59,238	55,228	56,356	58,443	52,201	51,632	55,621	53,277	52,655	53,852	50,711
37	아스타일공	55,469	56,750	60,592	62,199	67,874	71,686	-	-	-	-	-	-	-
38	기와공	64,584	66,473	68,801	72,101	78,724	69,476	-	-	-	-	-	-	-
39	스레이트공	61,145	76,515	73,049	75,895	74,212	72,727	-	-	-	-	-	-	-
40	지붕잇기공	62,051	68,727	71,306	73,202	75,804	60,407	64,891	68,363	67,773	67,057	67,216	64,670	66,038
41	견출공	-	-	-	-	-	68,717	60,203	59,133	58,060	55,628	57,314	59,672	60,095
42	판넬조립공	-	-	-	-	-	67,380	58,782	55,888	59,171	58,823	58,910	60,190	63,694
43	화약취급공	56,904	64,371	63,146	65,568	66,262	69,595	60,578	67,520	70,722	70,920	67,924	68,580	66,179
44	착암공	49,584	56,255	53,477	52,686	54,443	57,292	54,279	50,107	49,906	52,818	52,647	50,430	54,280
45	보안공	32,868	32,352	34,873	39,804	38,773	41,290	44,036	41,224	40,511	41,597	41,261	42,925	44,195
46	포장공	56,260	71,104	70,037	68,240	64,084	65,494	56,237	59,695	61,600	63,929	63,034	59,901	58,672
47	포설공	62,709	67,418	69,371	66,328	65,376	65,082	54,013	53,731	53,542	55,613	56,843	56,799	56,860
48	궤도공	40,389	43,063	47,906	-	76,255	60,000	62,818	53,629	53,982	58,339	57,795	58,478	62,234
49	용접공(철도)	55,714	56,717	54,676	58,149	65,104	67,201	55,736	58,661	61,831	58,398	61,016	64,144	63,629
50	잠수부/()안은4인조기준	75,184	73,646	82,746	75,164	92,040	81,832	73,901	87,712	90,328	85,405	90,140	89,256	88,034
51	잠함공	-	-	-	-	-	-	-	-	-	-	-	-	-
52	보링공	44,584	50,222	48,972	45,887	50,958	58,626	53,721	50,288	50,970	48,651	48,022	47,958	46,378
53	우물공	-	-	-	-	52,316	50,558	-	-	-	-	-	-	-
54	영림기사	56,790	70,938	56,221	57,037	57,965	72,675	-	-	-	-	-	-	-
55	조경공	51,060	52,553	55,950	56,546	55,442	60,207	50,321	50,250	53,931	51,756	53,468	54,828	55,700
56	벌목부	51,860	53,704	51,833	53,731	61,479	66,433	64,902	57,718	59,480	60,289	62,409	60,692	63,702
57	조림인부	33,108	41,218	45,778	49,339	49,506	53,688	32,014	43,854	43,582	44,577	44,544	40,995	40,152
58	플랜트기계설치공	65,839	69,396	82,970	82,195	84,592	80,805	61,521	59,903	61,529	65,612	64,281	66,009	66,046
59	플랜트특수용접공	88,664	85,059	100,125	119,232	127,162	141,121	93,828	100,475	91,094	88,272	87,594	87,559	85,784
60	플랜트용접공	79,335	75,981	89,492	93,816	97,692	95,379	69,101	63,349	61,564	57,021	60,712	61,599	62,886
61	플랜트배관공	78,492	73,390	93,817	92,953	97,774	97,219	76,135	66,377	65,803	63,995	63,923	63,723	63,034
62	플랜트제관공	57,016	59,942	79,771	80,697	85,993	81,966	60,834	54,813	56,205	53,914	57,994	53,665	53,497
63	석면해체공	-	-	-	-	-	-	-	-	-	-	-	-	-
64	시공측량사	49,795	53,524	56,005	55,504	50,559	58,506	47,571	44,848	50,942	50,453	49,167	51,058	48,997
65	시공측량사조수	31,625	35,323	35,962	34,324	35,894	38,777	32,619	33,985	36,017	34,386	34,305	32,808	31,559
66	측부	25,116	28,115	32,570	33,929	31,106	32,725	32,690	26,699	29,586	29,428	31,115	29,562	31,179
67	검조부	-	-	-	-	31,220	32,800	-	-	-	-	-	-	-

(단위:원/인)

2002.1	2002.9	2003.1	2003.9	2004.1	2004.9	2005.1	2005.9	2006.1	2006.9	2007.1	2007.9	2008.1	직종명	직종번호
49,863	50,355	54,463	54,468	50,903	52,551	52,806	53,063	53,900	54,234	55,316	57,869	66,063	갱부(우마차포함)	1
-	-	-	-	-	-	-	-	-	-	-	-	-	도목수	2
69,086	78,068	86,872	89,931	87,481	88,581	88,571	90,370	90,046	92,518	96,578	96,686	102,164	건축목공	3
71,251	79,997	91,573	92,041	92,242	92,709	92,862	93,642	91,893	92,808	92,614	94,357	96,690	형틀목공	4
55,664	66,561	74,970	78,506	82,618	86,478	86,080	85,388	81,895	83,652	85,461	87,926	88,407	창호공(창호목공)	5
67,147	70,490	79,079	83,811	89,660	92,775	93,061	95,091	94,733	92,667	95,336	96,553	100,401	철골공	6
63,963	75,336	85,754	85,952	90,908	94,778	94,502	93,202	93,552	92,135	97,539	93,962	103,303	철공	7
73,192	84,113	93,853	96,310	93,842	95,566	95,897	97,761	97,389	98,887	99,590	100,345	100,835	철근공	8
64,601	76,518	81,995	79,446	83,753	87,376	86,533	87,581	90,303	89,096	95,084	93,464	95,595	철판공	9
-	-	-	-	-	-	-	-	-	-	-	-	-	셔터공	10
65,205	71,143	81,464	81,363	81,707	81,729	81,570	81,639	83,138	88,219	85,979	83,859	84,868	창호공(샷시공)	11
57,667	62,686	75,064	77,240	79,726	82,384	83,145	82,480	79,276	83,943	87,467	89,707	88,232	절단공	12
78,296	82,964	94,158	93,922	95,056	97,837	95,946	93,579	96,009	92,637	90,997	94,805	97,834	석공	13
77,976	83,129	98,910	99,020	100,895	99,410	99,717	99,532	98,891	102,509	105,519	106,414	117,101	특수비계공	14
75,140	80,461	93,650	97,513	97,360	95,541	95,622	97,356	98,529	101,854	103,867	104,231	107,592	비계공	15
56,000	60,415	64,424	67,654	67,311	68,243	68,277	68,371	71,485	74,120	71,779	-	77,671	동발공(터널)	16
66,461	74,460	83,651	83,302	85,904	85,568	85,554	84,806	83,710	83,561	87,613	87,829	86,508	조적공	17
62,612	73,307	81,817	85,233	86,484	90,122	87,596	85,899	84,240	84,617	87,729	88,020	85,979	치장벽돌공	18
58,386	64,192	71,966	75,677	81,450	78,445	81,362	81,865	85,266	86,192	90,626	88,153	85,103	벽돌(블럭)제작공	19
-	-	-	-	-	-	-	-	-	-	-	-	-	연돌공	20
67,451	78,939	89,051	87,975	87,223	89,016	88,863	86,978	86,731	86,273	88,300	88,702	89,567	미장공	21
56,597	57,461	69,668	66,538	70,788	70,655	70,360	69,892	71,223	69,384	72,274	69,549	76,130	방수공	22
67,477	81,170	97,463	100,870	98,192	95,268	95,194	97,014	97,355	97,148	97,883	100,416	98,698	타일공	23
60,197	70,657	77,158	75,121	79,875	77,812	77,783	78,606	77,168	78,247	77,223	81,493	87,793	줄눈공	24
66,696	68,702	76,357	79,620	77,869	81,721	80,949	79,348	76,365	79,014	79,847	78,217	82,822	연마공	25
68,884	77,157	90,048	87,613	88,153	90,529	90,480	88,759	89,575	91,208	93,109	94,550	97,531	콘크리트공	26
-	-	-	-	-	-	-	-	-	-	-	-	-	바이브레이터공	27
44,487	52,274	62,087	64,560	65,972	69,773	70,093	71,069	75,456	73,557	72,717	77,939	81,886	보일러공	28
60,590	64,676	76,823	73,514	73,508	74,921	75,046	76,209	76,528	76,816	78,893	79,781	83,392	배관공	29
-	-	-	91,883	88,528	91,448	93,683	96,117	101,443	100,549	103,468	100,674	98,857	배관공(수도)	30
-	-	-	-	-	-	-	-	-	-	-	-	-	온돌공	31
53,984	59,941	67,979	69,137	73,589	74,058	73,974	73,151	73,159	75,542	73,771	74,533	78,195	위생공	32
58,030	67,013	71,545	73,286	72,946	76,164	76,656	77,097	80,092	82,710	82,684	78,823	81,730	보온공	33
59,780	70,380	79,956	77,382	82,782	81,436	81,720	82,503	84,343	83,825	88,603	88,520	91,764	도장공	34
67,326	79,456	82,336	85,714	84,105	88,124	88,014	86,954	88,373	88,125	90,652	86,871	94,793	내장공	35
54,579	64,526	78,284	81,724	84,417	82,635	79,152	79,785	77,499	77,240	79,754	78,836	77,185	도배공	36
-	-	-	-	-	-	-	-	-	-	-	-	-	아스타일공	37
-	-	-	-	-	-	-	-	-	-	-	-	-	기와공	38
-	-	-	-	-	-	-	-	-	-	-	-	-	스레이트공	39
66,982	76,687	81,437	79,139	81,949	86,408	85,507	86,338	85,466	83,644	88,774	84,604	92,296	지붕잇기공	40
64,564	74,977	77,536	81,735	81,207	85,418	86,667	88,634	88,586	88,769	87,141	88,841	89,647	견출공	41
59,771	69,879	77,022	80,749	83,201	84,056	83,848	81,695	84,223	87,052	87,667	86,540	90,139	판넬조립공	42
73,666	78,393	88,068	81,573	81,540	81,236	79,230	76,932	73,968	74,277	77,724	81,753	88,932	화약취급공	43
56,840	58,322	62,427	65,785	68,402	66,640	66,491	66,437	67,072	70,899	68,984	71,788	71,432	착암공	44
39,737	-	40,355	-	49,639	50,283	52,495	53,112	54,507	54,848	-	58,099	62,439	보안공	45
63,786	64,059	75,117	77,498	83,276	87,513	89,164	88,353	84,916	86,020	90,740	90,780	88,878	포장공	46
52,740	61,070	69,338	69,844	71,760	73,751	74,884	75,198	75,216	77,160	80,814	78,073	85,175	포설공	47
65,978	73,102	73,763	75,353	72,675	76,159	77,196	75,401	78,100	80,644	82,155	86,126	86,117	궤도공	48
65,262	75,250	78,637	78,694	86,402	85,937	88,287	86,048	84,916	89,637	85,787	85,832	86,478	용접공(철도)	49
91,893	92,469	100,665	99,415	103,094	109,358	115,575	117,101	120,266	119,692	127,596	125,866	125,171	잠수부/()안은4인조기준	50
-	-	-	-	-	-	-	-	-	-	-	-	-	잠함공	51
51,152	57,812	65,692	64,752	68,006	71,899	74,595	75,681	77,400	79,682	79,215	81,833	83,739	보링공	52
-	-	-	-	-	-	-	-	-	-	-	-	-	우물공	53
-	-	-	-	-	-	-	-	-	-	-	-	-	영림기사	54
60,423	61,271	68,999	70,973	74,905	75,810	74,406	73,643	71,972	72,778	73,765	76,926	79,562	조경공	55
64,595	68,116	70,227	72,894	75,772	80,390	79,326	78,178	80,578	82,465	85,581	85,124	81,108	벌목부	56
40,705	48,339	55,397	54,684	58,649	61,063	59,010	59,978	64,171	66,116	69,291	69,214	71,000	조림인부	57
67,802	75,711	84,725	86,185	87,070	85,632	84,789	86,182	90,260	92,968	96,128	100,611	106,830	플랜트기계설치공	58
89,849	101,262	109,022	111,865	107,487	107,339	106,751	107,980	111,905	116,416	120,954	131,235	140,351	플랜트특수용접공	59
65,712	77,855	88,312	88,116	92,780	91,065	94,448	94,966	99,121	103,978	107,520	118,206	121,942	플랜트용접공	60
69,836	77,614	89,935	90,775	94,175	93,458	94,685	95,256	99,842	104,831	104,371	109,815	117,001	플랜트배관공	61
56,906	67,334	75,035	79,159	82,426	81,260	82,689	83,153	86,524	91,288	93,412	98,678	102,841	플랜트제관공	62
-	-	-	-	-	-	-	-	-	-	-	-	-	석면해체공	63
46,927	57,703	59,021	62,558	62,981	67,328	65,038	65,929	69,577	68,369	65,864	67,779	69,562	시공측량사	64
33,274	38,824	42,620	44,147	44,666	46,438	45,716	46,250	47,743	49,815	52,392	51,466	53,912	시공측량사조수	65
30,212	31,786	36,149	38,098	38,725	38,861	38,903	39,817	42,022	40,269	41,661	40,820	43,396	측부	66
-	-	-	-	-	-	-	-	-	-	-	-	-	검조부	67

정부(시중)노임단가 (3)

(단위:원/인)

직종번호	직 종 명	2008.9	2009.1	2009.9	2010.1	2010.9	2011.1	2011.9	2012.1	2012.9	2013.1	2013.9	2014.1	2014.9
1	갱부(우마차포함)	64,238	69,527	69,954	-	-	-	-	-	-	-	-	-	-
2	도 목 수	-	-	-	-	-	-	-	-	-	-	-	-	-
3	건 축 목 공	102,173	101,831	99,763	96,310	98,254	99,722	106,641	104,682	113,281	113,962	123,200	123,567	133,609
4	형 틀 목 공	97,678	100,469	101,873	100,730	101,932	104,308	105,805	114,466	107,506	115,082	132,235	132,373	143,562
5	창호공(창호목공)	92,176	91,294	91,260	91,121	96,641	-	-	-	-	-	-	-	-
6	철 골 공	105,185	104,340	106,050	105,994	108,881	111,501	115,954	114,141	120,830	124,625	130,770	126,237	129,299
7	철 공	107,740	111,574	107,463	109,702	107,079	109,857	104,518	113,632	117,844	122,482	123,225	132,283	134,827
8	철 근 공	106,266	110,775	111,980	110,803	108,427	109,325	111,058	114,884	118,389	118,264	127,758	128,252	137,204
9	철 판 공	101,619	98,616	96,999	103,664	100,784	104,801	107,902	111,670	118,154	120,277	121,590	124,319	124,199
10	셔 터 공	-	-	-	-	-	-	-	-	-	-	-	-	-
11	창호공(샷시공)	90,281	92,773	88,710	91,121	96,641	97,457	101,494	107,183	110,390	117,090	121,799	128,451	126,072
12	절 단 공	89,768	94,852	92,056	-	-	-	-	-	-	-	-	-	-
13	석 공	97,243	103,576	104,596	109,066	111,569	106,512	112,871	119,030	128,509	128,544	133,267	128,136	135,109
14	특 수 비 계 공	119,729	128,429	119,739	-	-	-	-	-	-	-	-	-	-
15	비 계 공	114,640	116,264	116,944	118,515	117,090	120,681	123,972	126,924	136,740	141,535	150,673	149,852	153,958
16	동발공(터널)	74,727	-	75,350	-	-	-	-	-	-	-	-	-	-
17	조 적 공	91,518	89,437	90,619	95,916	100,263	102,200	104,754	109,297	117,597	116,217	120,532	122,344	119,163
18	치 장 벽 돌 공	87,746	92,669	91,588	-	-	-	-	-	-	-	-	-	-
19	벽돌(블럭)제작공	92,945	91,608	91,957	-	-	-	-	-	-	-	-	-	-
20	연 돌 공	-	-	-	-	-	-	-	-	-	-	-	-	-
21	미 장 공	93,122	93,579	94,140	95,659	98,280	100,562	103,210	107,403	112,225	115,095	123,123	129,924	135,353
22	방 수 공	76,896	75,703	76,579	80,553	81,638	82,178	77,442	81,612	88,799	87,417	92,902	91,971	98,523
23	타 일 공	98,480	95,954	96,865	101,048	104,474	105,611	110,585	115,534	120,603	123,611	130,375	126,339	132,287
24	줄 눈 공	84,091	86,407	86,543	87,652	83,265	83,415	87,103	88,140	90,959	94,619	99,219	99,267	102,821
25	연 마 공	88,184	83,169	84,497	87,598	88,269	88,551	86,165	90,245	96,541	96,799	103,896	104,643	113,333
26	콘 크 리 트 공	99,880	98,735	100,639	103,780	100,947	103,765	102,951	107,477	111,559	117,989	123,616	125,217	131,474
27	바이브레이터공	-	-	-	-	-	-	-	-	-	-	-	-	-
28	보 일 러 공	86,214	90,556	85,080	89,899	84,813	86,950	90,595	97,465	105,230	103,571	111,174	113,314	119,278
29	배 관 공	86,717	87,372	86,513	89,975	91,564	92,988	94,293	95,187	103,242	104,844	112,679	108,729	117,068
30	배관공(수도)	106,785	114,758	114,043	113,593	119,760	120,692	113,702	121,189	124,928	130,795	133,005	129,456	137,091
31	온 돌 공	-	-	-	-	-	-	-	-	-	-	-	-	-
32	위 생 공	82,511	81,777	82,016	85,352	82,119	83,210	87,613	93,707	102,698	101,593	105,651	112,110	113,837
33	보 온 공	84,692	85,836	86,727	84,400	87,698	86,307	89,836	93,112	90,568	98,179	107,815	105,408	106,975
34	도 장 공	90,721	93,734	93,715	92,700	95,987	96,119	100,929	105,730	106,840	109,720	114,929	115,265	121,900
35	내 장 공	96,284	95,706	95,998	93,324	99,352	97,939	100,066	108,686	114,792	116,367	124,831	126,011	129,598
36	도 배 공	78,714	79,641	79,056	81,322	83,005	80,414	84,052	89,724	96,090	97,428	103,928	108,172	112,571
37	아 스 타 일 공	-	-	-	-	-	-	-	-	-	-	-	-	-
38	기 와 공	-	-	-	-	-	-	-	-	-	-	-	-	-
39	스 레 이 트 공	-	-	-	-	-	-	-	-	-	-	-	-	-
40	지 붕 잇 기 공	98,458	96,512	97,124	99,773	104,050	105,110	110,267	114,953	122,326	121,564	118,435	118,788	122,074
41	견 출 공	94,282	90,015	90,624	94,633	95,001	98,669	102,932	103,673	112,082	111,378	117,866	115,792	121,588
42	판 넬 조 립 공	88,421	95,224	95,379	95,410	97,417	99,232	102,363	103,162	111,345	111,372	119,474	122,756	118,192
43	화 약 취 급 공	88,875	91,390	86,934	93,030	91,167	95,130	98,620	107,051	116,554	116,803	126,015	126,338	136,494
44	착 암 공	77,435	77,924	78,325	79,533	81,112	84,470	88,645	83,149	90,510	89,295	97,004	96,782	104,951
45	보 안 공	66,264	70,848	70,564	-	-	-	-	-	-	-	-	-	-
46	포 장 공	95,722	94,418	95,740	93,077	98,247	99,638	99,661	96,988	105,237	105,320	113,536	112,897	117,562
47	포 설 공	89,444	91,832	89,203	87,120	90,496	91,993	88,444	84,211	91,841	93,140	100,604	103,648	110,164
48	궤 도 공	86,606	91,851	90,244	94,909	99,599	99,412	98,292	96,970	104,948	104,006	108,682	-	103,369
49	용접공(철도)	91,769	90,331	91,303	108,464	108,866	110,123	115,090	118,003	123,164	118,754	128,244	129,095	129,940
50	잠수부/()안은4인조기준	130,014	140,154	141,632	148,257	144,015	152,890	155,679	142,472	155,876	157,610	158,273	166,216	185,400
51	잠 함 공	-	-	-	-	-	-	-	-	-	-	-	-	-
52	보 링 공	80,455	85,532	83,862	88,782	84,617	87,934	90,591	87,389	96,008	97,175	100,791	104,870	106,648
53	우 물 공	-	-	-	-	-	-	-	-	-	-	-	-	-
54	영 림 기 사	-	-	-	-	-	-	-	-	-	-	-	-	-
55	조 경 공	81,394	87,542	87,634	84,090	89,787	87,905	90,072	95,540	103,362	104,904	113,194	113,331	119,232
56	벌 목 부	87,600	85,877	84,917	89,169	91,695	90,524	97,349	99,200	105,800	105,911	114,201	115,303	122,125
57	조 림 인 부	72,136	75,915	72,516	-	-	-	-	-	-	-	-	-	-
58	플랜트기계설치공	115,352	123,613	116,850	124,328	131,716	135,389	145,425	152,521	162,361	173,641	190,147	182,205	189,035
59	플랜트특수용접공	154,662	163,473	164,739	165,273	175,802	180,511	-	176,077	182,554	187,135	203,604	200,635	216,240
60	플랜트용접공	131,501	143,061	143,946	143,296	153,374	159,756	164,849	176,855	163,191	168,786	182,147	189,801	191,416
61	플랜트배관공	125,221	137,627	130,214	136,587	144,674	148,074	155,151	155,819	157,877	172,716	180,976	184,655	191,518
62	플랜트제관공	112,215	121,065	121,318	125,905	131,115	126,004	134,336	132,884	145,093	146,253	149,292	151,437	159,019
63	석 면 해 체 공	-	-	-	88,854	92,842	95,386	98,119	99,179	93,868	97,473	99,818	105,370	111,020
64	시 공 측 량 사	74,978	78,731	79,255	-	-	-	-	-	-	-	-	-	-
65	시공측량사조수	58,426	58,966	58,477	-	-	-	-	-	-	-	-	-	-
66	측 부	46,477	51,040	50,285	-	-	-	-	-	-	-	-	-	-
67	검 조 부	-	-	-	-	-	-	-	-	-	-	-	-	-

(단위:원/인)

2015.1	2015.9	2016.1	2016.9	2017.1	2017.9	2018.1	2018.9	2019.1	2019.9	2020.1	2020.9	2021.1	직 종 명	직종번호
-	-	-	-	-	-	-	-	-	-	-	-	-	갱부(우마차포함)	1
-	-	-	-	-	-	-	-	-	-	-	-	-	도 목 수	2
139,327	142,205	148,851	158,297	163,377	169,062	175,760	188,225	200,925	203,532	210,176	217,895	224,657	건 축 목 공	3
151,091	152,831	160,431	168,448	174,036	179,290	189,303	197,929	201,951	207,239	215,964	220,808	226,280	형 틀 목 공	4
-	-	-	-	-	-	-	-	-	-	-	-	-	창호공(창호목공)	5
132,746	138,516	143,120	152,524	156,660	163,899	176,388	185,739	195,321	198,829	203,456	204,375	205,246	철 골 공	6
138,946	138,413	146,509	151,564	156,492	162,422	170,500	177,994	178,249	184,100	192,968	194,315	200,155	철 공	7
140,157	148,057	154,424	164,864	170,033	179,665	189,585	199,266	210,096	212,935	219,392	225,461	228,896	철 근 공	8
120,603	128,022	131,821	140,589	143,643	148,955	153,766	160,892	164,550	178,010	183,489	186,880	181,604	철 판 공	9
-	-	-	-	-	-	-	-	-	-	-	-	-	셔 터 공	10
132,695	133,792	139,607	147,229	151,907	157,823	163,191	175,176	187,530	195,972	199,185	205,617	217,409	창호공(샷시공)	11
-	-	-	-	-	-	-	-	-	-	-	-	-	절 단 공	12
138,838	143,609	151,583	157,965	162,796	168,680	173,847	190,800	204,601	204,974	209,932	218,442	212,629	석 공	13
-	-	-	-	-	-	-	-	-	-	-	-	-	특 수 비 계 공	14
158,014	161,990	167,860	175,367	180,153	187,771	196,261	208,195	224,359	228,462	234,297	236,858	247,977	비 계 공	15
-	-	-	-	-	-	-	-	-	-	-	-	-	동발공(터널)	16
125,105	126,631	135,009	143,356	148,121	153,959	161,334	172,091	185,725	192,633	209,720	210,537	217,664	조 적 공	17
-	-	-	-	-	-	-	-	-	-	-	-	-	치 장 벽 돌 공	18
-	-	-	-	-	-	-	-	-	-	-	-	-	벽돌(블럭)제작공	19
-	-	-	-	-	-	-	-	-	-	-	-	-	연 돌 공	20
140,811	141,989	149,091	157,810	162,424	169,508	175,547	188,228	209,611	214,502	216,528	217,740	228,423	미 장 공	21
101,093	105,008	110,271	116,958	120,907	126,051	130,819	139,009	148,971	153,086	158,594	165,332	174,334	방 수 공	22
133,837	141,147	145,574	153,735	159,509	164,998	174,390	187,087	199,848	206,065	210,086	214,930	230,160	타 일 공	23
104,254	109,670	114,424	117,880	121,906	126,210	126,890	134,900	146,786	150,525	156,858	161,213	169,920	줄 눈 공	24
114,286	116,489	121,211	126,629	129,000	135,816	-	145,883	148,870	153,200	-	164,445	-	연 마 공	25
139,853	142,556	148,586	157,427	161,530	167,893	176,062	199,737	198,242	208,492	216,409	211,203	215,145	콘 크 리 트 공	26
-	-	-	-	-	-	-	-	-	-	-	-	-	바이브레이터공	27
122,300	118,057	125,520	130,838	136,450	142,144	147,079	159,406	171,738	178,567	182,298	193,985	190,000	보 일 러 공	28
116,622	122,333	125,901	134,427	137,910	143,420	148,689	163,004	176,011	186,665	189,003	189,198	201,852	배 관 공	29
129,775	136,044	140,704	143,391	149,515	158,481	163,848	177,266	173,600	180,219	182,347	197,689	205,381	배관공(수도)	30
-	-	-	-	-	-	-	-	-	-	-	-	-	온 돌 공	31
114,023	116,013	121,038	126,225	131,450	136,613	141,618	153,392	166,350	173,148	179,133	188,808	193,773	위 생 공	32
101,978	107,826	112,777	118,712	123,274	127,821	133,195	147,179	160,788	174,352	180,707	188,789	184,244	보 온 공	33
122,128	127,681	132,552	138,445	141,733	148,659	153,890	174,277	184,508	188,854	198,613	200,386	213,676	도 장 공	34
135,112	137,611	144,150	150,050	154,536	160,195	165,367	177,322	189,600	192,305	203,246	206,710	206,253	내 장 공	35
116,098	116,463	122,699	129,887	133,325	138,737	145,618	157,719	165,558	169,575	174,513	179,138	185,814	도 배 공	36
-	-	-	-	-	-	-	-	-	-	-	-	-	아 스 타 일 공	37
-	-	-	-	-	-	-	-	-	-	-	-	-	기 와 공	38
-	-	-	-	-	-	-	-	-	-	-	-	-	스 레 이 트 공	39
122,862	127,218	133,189	141,063	144,009	150,969	155,855	155,527	159,703	169,590	177,964	185,074	181,305	지 붕 잇 기 공	40
126,819	129,962	134,289	141,250	146,052	151,518	159,626	170,221	182,686	187,174	199,140	203,611	199,735	견 출 공	41
122,968	127,665	132,250	137,435	141,394	146,994	152,318	160,436	166,716	176,700	183,762	191,294	186,646	판 넬 조 립 공	42
137,626	140,738	147,280	152,163	157,414	164,637	169,977	164,540	170,086	177,500	184,533	189,117	206,294	화 약 취 급 공	43
103,874	106,060	113,289	119,308	122,918	128,508	129,160	135,852	142,030	150,052	156,731	164,614	173,250	착 암 공	44
-	-	-	-	-	-	-	-	-	-	-	-	-	보 안 공	45
121,878	126,728	131,508	137,978	141,226	148,118	154,530	162,899	176,515	185,736	194,484	196,174	212,761	포 장 공	46
110,430	113,795	114,608	115,556	119,124	125,125	131,820	138,693	145,489	151,602	158,482	161,580	172,935	포 설 공	47
104,040	106,163	110,698	118,155	121,380	125,226	130,850	140,101	149,629	159,726	172,081	167,430	163,911	궤 도 공	48
134,516	138,252	143,509	153,849	157,183	163,001	169,201	180,350	198,711	209,394	223,094	224,357	225,966	용접공(철도)	49
179,574	185,057	199,391	220,486	228,347	242,022	249,104	269,167	249,770	275,382	255,749	285,436	285,645	잠수부/()안은4인조기준	50
-	-	-	-	-	-	-	-	-	-	-	-	-	잠 함 공	51
111,074	116,234	120,813	127,977	131,456	136,757	142,459	150,050	161,455	169,406	174,955	180,135	191,340	보 링 공	52
-	-	-	-	-	-	-	-	-	-	-	-	-	우 물 공	53
-	-	-	-	-	-	-	-	-	-	-	-	-	영 림 기 사	54
124,463	128,487	135,114	137,988	143,852	147,748	147,733	159,410	169,758	175,057	179,178	183,149	181,378	조 경 공	55
123,948	126,094	133,882	139,681	144,976	153,571	-	162,884	166,034	174,278	188,584	185,580	200,000	벌 목 부	56
-	-	-	-	-	-	-	-	-	-	-	-	-	조 림 인 부	57
185,554	198,390	208,340	208,455	216,166	215,100	217,129	219,777	223,690	219,705	204,705	223,207	217,415	플랜트기계설치공	58
225,221	231,482	238,902	-	238,468	236,835	242,882	245,943	266,702	-	242,150	274,337	285,714	플랜트특수용접공	59
192,353	198,280	206,005	214,492	221,554	218,675	211,791	214,751	220,359	221,110	229,620	237,886	238,123	플랜트용접공	60
199,445	207,691	215,183	228,165	236,621	234,786	227,813	240,654	255,579	249,688	252,529	263,753	266,618	플랜트배관공	61
169,175	174,450	181,919	186,570	194,858	193,931	202,953	208,835	218,174	210,021	215,389	218,683	208,513	플랜트제관공	62
108,037	117,550	123,810	129,920	134,648	141,192	147,482	159,868	168,117	178,514	186,578	175,708	184,615	석 면 해 체 공	63
-	-	-	-	-	-	-	-	-	-	-	-	-	시 공 측 량 사	64
-	-	-	-	-	-	-	-	-	-	-	-	-	시공측량사조수	65
-	-	-	-	-	-	-	-	-	-	-	-	-	측 부	66
-	-	-	-	-	-	-	-	-	-	-	-	-	검 조 부	67

정부(시중)노임단가 (4)

(단위:원/인)

직종번호	직종명	2021.9	2022.1	2022.9	2023.1	2023.9
1	갱부(우마차포함)	-	-	-	-	-
2	도목수	-	-	-	-	-
3	건축목공	225,210	237,273	242,631	254,714	267,639
4	형틀목공	230,766	242,138	246,376	259,126	274,955
5	창호공(창호목공)	-	-	-	-	-
6	철골공	207,346	214,374	216,712	230,145	238,762
7	철공	202,032	209,189	211,415	223,124	230,289
8	철근공	229,629	236,805	240,080	252,113	261,936
9	철판공	185,232	188,181	193,615	202,901	208,846
10	셔터공	-	-	-	-	-
11	창호공(샷시공)	219,260	224,380	234,564	236,675	242,050
12	절단공	-	-	-	-	-
13	석공	217,417	226,394	236,050	245,307	249,245
14	특수비계공	-	-	-	-	-
15	비계공	254,117	262,297	269,039	278,151	281,721
16	동발공(터널)	-	-	-	-	-
17	조적공	219,340	222,862	233,781	242,636	250,950
18	치장벽돌공	-	-	-	-	-
19	벽돌(블럭)제작공	-	-	-	-	-
20	연돌공	-	-	-	-	-
21	미장공	228,820	237,304	239,846	251,976	256,225
22	방수공	176,933	184,934	191,620	199,427	206,323
23	타일공	234,370	247,079	253,427	258,576	269,214
24	줄눈공	173,416	176,807	181,682	185,459	189,100
25	연마공	170,190	-	186,660	-	-
26	콘크리트공	220,755	227,269	235,988	245,223	255,373
27	바이브레이터공	-	-	-	-	-
28	보일러공	193,938	-	205,072	210,465	216,022
29	배관공	202,212	202,689	208,255	214,118	224,209
30	배관공(수도)	208,005	216,011	220,741	226,771	237,446
31	온돌공	-	-	-	-	-
32	위생공	193,759	196,165	201,663	202,504	204,242
33	보온공	183,071	185,212	191,095	194,048	201,180
34	도장공	217,123	229,273	235,799	242,035	249,977
35	내장공	211,250	217,517	222,738	228,883	236,263
36	도배공	188,914	192,426	199,187	205,156	211,861
37	아스타일공	-	-	-	-	-
38	기와공	-	-	-	-	-
39	스레이트공	-	-	-	-	-
40	지붕잇기공	187,839	194,244	204,039	209,602	219,230
41	견출공	209,167	218,209	227,145	232,725	240,727
42	판넬조립공	192,957	198,691	205,422	213,197	216,928
43	화약취급공	207,145	223,097	226,437	236,187	246,180
44	착암공	174,178	185,264	189,031	194,463	207,037
45	보안공	-	-	-	-	-
46	포장공	215,034	225,104	232,804	237,245	255,303
47	포설공	-	183,371	192,239	194,853	201,946
48	궤도공	167,662	175,508	182,713	190,168	199,932
49	용접공(철도)	230,706	234,564	238,739	249,748	262,551
50	잠수부/()안은4인조기준	295,409	322,115	323,830	346,760	362,612
51	잠함공	-	-	-	-	-
52	보링공	193,659	199,076	199,921	212,226	220,391
53	우물공	-	-	-	-	-
54	영림기사	-	-	-	-	-
55	조경공	185,347	189,749	192,790	203,631	213,634
56	벌목부	201,640	213,333	219,920	224,390	237,386
57	조림인부	-	-	-	-	-
58	플랜트기계설치공	224,492	232,558	228,112	240,797	236,212
59	플랜트특수용접공	-	309,714	-	-	-
60	플랜트용접공	240,972	254,611	263,081	273,303	276,653
61	플랜트배관공	271,268	289,075	296,124	296,392	292,829
62	플랜트제관공	220,871	228,994	232,031	236,086	242,760
63	석면해체공	186,269	181,057	191,523	198,675	202,830
64	시공측량사	-	-	-	-	-
65	시공측량사조수	-	-	-	-	-
66	측부	-	-	-	-	-
67	검조부	-	-	-	-	-

(단위:원/인)

1970	1971	1972	1973	1974	1975	1976	1977	1978	1979	1980	1981	1982	직종명	직종번호
-	-	-	-	-	-	4,070	4,790	6,130	7,830	10,210	12,400	13,640	송전전공	68
-	-	-	-	-	-	-	-	-	-	-	-	-	송전활선전공	69
1,360	1,500	920	920	1,280	1,730	3,290	3,880	4,450	6,500	8,230	10,860	10,980	배전전공	70
-	-	-	-	-	-	-	-	-	-	-	-	-	배전활선전공	71
-	-	-	-	-	-	3,010	3,550	4,430	5,550	7,480	9,460	10,050	플랜트전공	72
-	-	-	-	-	-	2,450	2,890	3,730	4,760	6,580	8,370	8,620	내선전공	73
-	-	-	-	-	-	-	-	4,940	9,930	12,120	14,450	16,100	특고압케이블전공	74
-	-	-	-	-	-	-	-	4,910	6,650	8,820	10,670	12,270	고압케이블전공	75
-	-	-	-	-	-	-	-	4,580	6,200	7,440	9,000	10,350	저압케이블전공	76
-	-	-	-	-	2,770	2,880	3,400	4,600	6,210	8,210	9,030	9,930	철도신호공	77
-	-	-	-	-	-	3,060	3,610	4,740	5,680	7,510	9,010	9,010	계장공	78
-	-	-	-	-	-	-	-	6,410	7,730	10,530	11,680	13,430	전기공사기사1급	79
-	-	-	-	-	-	-	-	4,040	5,530	8,790	10,090	11,600	전기공사기사2급	80
-	2,200	1,420	1,420	1,980	2,570	2,940	3,470	4,470	4,640	8,420	9,670	10,270	통신외선공	81
-	-	-	1,160	1,620	2,260	2,490	3,040	3,990	4,570	7,450	9,460	9,900	통신설비공	82
1,600	1,600	1,160	1,160	1,620	2,110	2,320	2,840	3,760	4,390	7,360	8,870	9,600	통신내선공	83
-	-	1,420	1,420	1,980	2,670	2,940	3,600	4,720	5,640	9,120	11,850	13,110	통신케이블공	84
2,530	3,000	1,490	1,490	1,930	2,320	2,470	2,910	5,110	6,890	9,110	10,880	11,970	무선안테나공	85
-	-	-	-	-	-	-	-	-	8,340	11,470	13,330	15,330	통신기사1급	86
-	-	-	-	-	-	-	-	-	5,800	9,180	10,600	12,720	통신기사2급	87
-	-	-	-	-	-	-	-	-	4,040	8,320	9,960	9,960	통신기능사	88
-	-	-	-	-	-	-	-	4,400	5,390	7,210	10,150	10,600	수작업반장	89
1,000	1,300	780	780	1,090	1,520	1,600	2,030	3,500	4,610	6,050	7,850	8,660	작업반장	90
1,300	1,400	800	800	1,240	1,610	1,770	2,240	3,700	4,900	6,600	9,070	9,120	인력운반공(목도)	91
-	-	740	740	1,180	1,300	1,380	1,810	2,820	3,800	5,030	5,530	6,080	조력공	92
710	900	690	690	970	1,260	1,400	1,800	2,730	4,000	5,270	6,530	7,010	특별인부	93
540	680	300	600	820	1,030	1,200	1,500	2,110	2,990	4,080	4,820	5,070	보통인부	94
1,400	1,600	1,010	1,010	1,410	1,830	2,020	2,650	4,270	5,960	7,400	8,750	9,530	건설기계운전사 (건설기계운전기사)	95
-	-	-	-	-	-	-	-	-	-	-	-	-	건설기계조장	96
1,100	1,300	800	800	1,040	1,500	1,680	2,130	3,500	5,030	6,540	8,300	9,130	화물차운전사 (운전사(운반차))	97
1,400	1,600	780	780	1,130	1,630	1,770	2,160	3,710	4,820	6,120	8,080	8,890	일반기계운전사 (운전사(기계))	98
-	-	620	620	860	1,160	1,280	2,570	2,460	3,690	4,820	5,720	6,530	건설기계운전조수	99
-	-	870	870	1,300	1,880	2,110	2,770	4,640	5,290	7,230	9,700	10,960	고급선원	100
-	-	720	720	1,040	1,500	1,620	2,060	3,040	3,710	5,430	7,080	7,670	보통선원	101
-	-	-	-	-	-	-	-	-	-	-	-	-	선원	102
-	-	720	720	900	1,300	1,380	1,690	2,730	2,920	5,210	6,230	6,850	선부	103
-	-	-	-	-	-	-	-	4,030	7,240	9,940	11,200	12,320	준설선선장	104
-	-	-	-	-	-	-	-	-	-	8,920	10,420	11,460	준설선기관장	105
-	-	-	-	-	-	-	-	3,630	5,330	7,060	8,460	9,310	준설선기관사	106
-	-	-	-	-	-	-	-	3,200	4,450	6,890	7,810	8,590	준설선운전사	107
-	-	-	-	-	-	-	-	3,520	4,400	6,670	7,660	8,430	준설선전기사	108
-	-	-	-	-	-	1,910	2,510	4,540	5,740	7,100	7,630	8,770	기계설비공(기계설치공)	109
1,400	1,500	920	920	1,280	1,730	1,970	2,410	3,480	3,950	6,310	7,540	7,830	기계설비공(기계공)	110
-	-	-	-	1,370	1,780	1,900	2,410	2,880	4,720	6,240	7,060	7,960	선반공	111
-	-	1,110	1,110	1,330	1,730	1,840	2,330	3,470	4,950	6,430	7,280	7,770	정비공	112
-	-	730	730	940	1,130	1,230	1,560	2,650	3,450	4,570	5,030	5,530	벨트콘베이어작업공	113
-	-	-	-	1,230	1,780	1,870	2,460	5,420	6,780	8,970	8,970	10,320	현도사	114
-	-	770	770	1,150	1,660	1,780	2,100	4,120	5,860	7,830	9,170	9,170	제도사	115
-	-	-	-	-	-	-	-	-	-	-	-	-	시험관련기사 (특급품질관리원)	116
-	-	-	-	-	-	-	-	-	-	-	-	-	시험관련산업기사 (고급품질관리원)	117
-	-	-	-	-	-	-	-	-	-	-	-	-	중급품질관리원	118
-	-	-	-	-	-	-	-	-	-	-	-	-	시험관련기능사 (초급품질관리원)	119
-	-	-	-	1,750	2,100	2,310	3,030	6,100	7,870	9,230	10,730	12,340	시험사1급	120
-	-	-	-	1,280	1,660	1,820	2,390	4,130	6,110	8,020	9,700	10,750	시험사2급	121
-	-	-	-	1,130	1,470	1,570	1,850	3,270	5,340	6,710	8,120	8,930	시험사3급	122
-	-	-	-	1,020	1,220	1,290	1,690	2,770	4,320	5,500	6,660	7,330	시험사4급	123
-	-	-	-	680	-	970	1,230	2,240	3,080	4,290	5,320	5,850	시험보조수	124
-	-	-	-	-	-	-	-	5,280	7,660	9,360	12,620	13,860	안전관리기사1급	125
-	-	-	-	-	-	-	-	4,000	5,640	7,020	8,300	9,370	안전관리기사2급	126
1,200	1,400	780	780	1,090	1,580	1,740	2,200	3,890	6,570	7,080	7,480	8,540	유리공	127
1,300	1,400	880	880	1,270	1,710	1,880	2,340	3,770	5,140	7,080	7,120	8,190	덕트공(함석공)	128
1,500	1,600	1,080	1,080	1,400	1,890	2,090	2,650	3,940	5,200	6,780	8,120	8,340	용접공(일반)	129
-	-	-	-	1,460	1,900	2,060	2,520	3,830	6,410	8,480	9,330	10,280	리벳공	130
-	-	-	-	1,140	1,540	1,640	2,010	3,490	5,000	6,610	7,730	7,730	루핑공	131
-	-	-	-	-	-	-	-	-	-	-	-	-	닥트공	132
1,300	1,450	800	800	1,240	1,730	1,810	2,400	3,520	3,900	5,160	6,200	6,820	대장공	133
-	-	800	800	1,240	1,850	2,000	2,540	4,150	5,350	6,780	8,830	9,400	할석공	134
-	-	-	-	-	-	3,170	3,730	4,880	9,110	12,050	13,260	14,590	제철축로공	135
-	-	800	800	1,230	1,060	1,120	1,470	2,410	3,400	4,810	5,820	5,830	양생공	136
-	-	700	700	980	1,270	1,400	1,710	3,180	3,730	4,930	5,420	5,960	계령공	137
-	-	-	-	-	-	-	-	-	-	-	-	-	모래분사공	138

정부(시중)노임단가 (5)

(단위:원/인)

직종번호	직종명	1983	1984	1985	1986	1987	1988	1989	1990	1991	1992	1993	1994	1995.1
68	송 전 전 공	15,580	16,090	16,730	17,230	19,390	21,720	24,350	26,850	31,900	42,500	53,400	72,000	138,834
69	송전활선전공	-	-	-	-	-	-	-	32,200	37,200	49,200	61,800	77,800	-
70	배 전 전 공	12,540	12,870	13,510	14,020	15,860	17,880	20,050	22,550	27,600	35,900	42,700	54,000	110,919
71	배전활선전공	-	-	-	-	-	-	-	27,000	35,000	46,000	50,600	60,900	132,504
72	플 랜 트 전 공	11,480	11,920	11,920	12,340	13,650	15,760	17,700	20,300	29,300	36,600	43,300	43,300	48,481
73	내 선 전 공	9,910	10,220	10,650	11,010	12,410	13,900	15,600	18,200	23,200	28,800	35,300	36,400	43,680
74	특고압케이블전공	16,100	16,100	16,120	16,620	17,710	20,440	22,900	25,400	30,400	42,400	60,000	64,000	85,550
75	고압케이블전공	13,020	13,150	13,540	14,090	15,050	16,860	18,900	21,500	26,500	34,500	47,300	49,100	53,761
76	저압케이블전공	10,970	11,610	11,960	12,250	12,480	14,410	16,150	18,750	23,800	30,900	42,400	43,900	52,942
77	철 도 신 호 공	9,930	10,230	10,540	10,860	11,510	12,900	14,800	17,650	22,700	31,700	39,800	50,400	66,263
78	계 장 공	9,550	9,840	10,140	10,340	10,590	12,200	14,100	16,950	22,000	26,400	33,500	34,400	43,941
79	전기공사기사1급	15,320	15,350	15,350	15,420	15,480	17,340	19,450	22,050	-	-	-	-	58,856
80	전기공사기사2급	11,600	11,700	12,070	12,800	12,800	13,960	15,650	18,250	-	-	-	-	49,922
81	통 신 외 선 공	11,020	11,290	11,760	12,120	12,410	13,970	15,650	18,250	23,300	29,100	41,700	42,700	62,206
82	통 신 설 비 공	10,290	10,830	10,840	11,300	12,700	14,660	16,450	19,050	24,100	28,900	37,000	37,700	62,028
83	통 신 내 선 공	9,810	10,140	10,670	11,020	12,570	14,350	16,100	18,700	23,700	29,600	36,200	36,200	53,611
84	통신케이블공	13,110	13,480	13,560	13,850	14,200	15,910	17,850	20,450	25,500	31,900	44,300	47,000	64,905
85	무선안테나공	12,690	13,070	13,460	13,860	14,690	16,820	18,850	21,450	26,500	33,100	41,600	44,600	89,797
86	통 신 기 사 1 급	15,670	16,160	16,640	17,120	17,210	19,280	21,110	21,630	-	-	-	-	51,942
87	통 신 기 사 2 급	12,720	12,980	13,370	13,740	13,860	14,980	16,800	19,400	-	-	-	-	63,470
88	통 신 기 능 사	10,950	11,230	11,650	12,050	12,460	14,360	14,360	17,210	-	-	-	-	63,939
89	수 작 업 반 장	11,350	11,380	11,380	11,890	11,890	13,700	15,350	17,950	23,000	29,800	41,800	41,800	57,031
90	작 업 반 장	8,740	9,150	9,440	9,970	10,410	11,660	13,500	16,350	21,400	26,700	33,200	36,100	46,672
91	인력운반공(목도)	9,400	10,050	10,350	10,470	10,470	11,730	13,500	16,350	21,400	28,100	43,700	43,700	56,625
92	조 력 공	6,450	6,640	6,840	6,970	7,600	8,520	10,200	13,050	18,100	21,700	26,000	26,000	38,645
93	특 별 인 부	7,210	7,460	8,000	8,490	9,100	10,200	12,200	15,050	20,100	26,100	30,000	31,200	40,376
94	보 통 인 부	5,290	5,560	5,930	6,120	6,520	7,270	8,150	11,050	16,100	19,300	21,200	22,300	27,218
95	건설기계운전사 (건설기계운전기사)	10,010	10,410	10,410	10,910	11,690	13,100	14,800	17,650	22,700	28,200	35,300	37,200	43,278
96	건설기계조장	-	-	-	-	-	-	-	19,420	24,500	31,900	38,000	38,000	52,057
97	화물차운전사 (운전사(운반차))	9,430	9,570	9,630	9,860	10,040	11,330	13,500	16,350	21,400	25,700	30,900	33,800	40,190
98	일반기계운전사 (운전사(기계))	8,890	9,070	9,760	9,760	9,760	11,270	13,500	16,350	21,400	25,700	30,400	30,400	36,826
99	건설기계운전조수	6,530	6,840	6,930	7,180	7,190	7,430	8,900	11,800	16,100	20,300	22,600	27,300	35,946
100	고 급 선 원	11,710	12,000	12,630	13,420	13,450	15,530	17,400	20,000	25,000	30,000	35,500	35,600	39,571
101	보 통 선 원	7,840	8,110	8,650	9,240	10,230	11,810	13,600	16,450	19,200	21,500	26,800	26,800	47,189
102	선 원	-	-	-	-	-	-	-	-	-	-	-	23,800	41,423
103	선 부	7,260	7,260	7,840	7,670	8,240	9,230	11,050	13,900	18,800	18,800	23,800	-	-
104	준 설 선 선 장	12,320	13,050	13,440	14,560	14,830	17,120	19,200	21,800	25,700	30,800	37,700	40,300	55,484
105	준설선기관장	11,460	12,290	12,660	13,390	13,480	15,560	17,450	20,050	25,100	26,400	32,900	34,900	49,658
106	준설선기관사	9,310	10,100	10,400	10,560	10,660	12,310	14,200	17,050	21,800	21,800	27,700	29,200	43,112
107	준설선운전사	9,110	10,020	10,320	10,580	10,670	12,320	14,200	17,050	22,100	22,100	28,500	29,100	43,435
108	준설선전기사	8,940	9,830	10,120	10,400	10,570	12,200	14,050	16,900	21,700	21,700	26,400	28,600	43,046
109	기계설비공(기계설치공)	8,910	9,290	9,570	9,870	11,340	12,120	13,950	16,800	21,800	26,200	34,000	34,000	49,313
110	기계설비공(기계공)	8,630	8,640	8,640	8,990	8,990	10,070	12,050	14,900	19,900	25,900	30,900	30,900	46,852
111	선 반 공	8,440	8,690	8,950	9,470	10,040	11,250	13,450	16,200	21,200	25,400	31,900	42,600	-
112	정 비 공	9,180	9,480	9,480	9,760	10,350	10,390	12,450	15,300	20,300	21,800	25,700	30,500	37,612
113	벨트콘베이어작업공	6,640	7,280	7,460	7,680	8,140	9,120	10,900	13,750	18,800	22,600	28,400	28,400	-
114	현 도 사	10,940	11,590	11,940	12,230	14,060	14,550	16,300	18,900	23,900	28,700	37,200	37,800	80,457
115	제 도 사	9,170	9,170	9,550	9,550	10,120	11,340	11,340	10,910	20,000	24,000	30,100	30,100	40,438
116	시험관련기사 (특급품질관리원)	-	-	-	-	-	-	-	-	-	-	-	-	-
117	시험관련산업기사 (고급품질관리원)	-	-	-	-	-	-	-	-	-	-	-	-	-
118	중급품질관리원	-	-	-	-	-	-	-	-	-	-	-	-	-
119	시험관련기능사 (초급품질관리원)	-	-	-	-	-	-	-	-	-	-	-	-	-
120	시 험 사 1 급	12,340	12,610	12,990	12,990	13,770	14,550	16,300	18,900	23,900	28,700	33,800	36,100	46,918
121	시 험 사 2 급	10,750	11,300	11,300	11,300	11,300	12,120	13,950	16,800	21,800	22,900	25,800	25,800	28,895
122	시 험 사 3 급	9,070	9,560	9,850	9,850	10,440	11,700	13,500	16,350	21,000	22,100	24,400	24,400	26,513
123	시 험 사 4 급	8,020	8,020	8,260	8,300	8,550	9,580	11,450	14,300	19,300	20,300	22,500	22,500	21,135
124	시 험 보 조 수	5,870	6,260	6,450	6,540	6,950	8,020	9,600	12,500	14,100	16,900	-	-	24,536
125	안전관리기사1급	13,860	14,440	14,440	14,440	14,440	14,450	16,200	18,800	-	-	-	-	39,468
126	안전관리기사2급	9,700	10,270	10,270	10,510	10,510	11,780	13,550	16,400	-	-	20,000	20,000	27,836
127	유 리 공	9,110	9,800	10,150	10,450	10,450	12,060	13,900	16,750	21,800	29,300	36,000	36,000	52,861
128	덕트공(함석공)	8,680	9,020	9,030	9,450	10,480	12,100	13,950	16,800	21,800	27,300	34,000	34,000	45,935
129	용접공(일반)	8,910	9,550	9,770	10,110	11,100	12,440	14,350	17,200	22,200	28,800	36,900	39,500	51,895
130	리 벳 공	10,280	10,280	10,280	10,590	12,230	12,580	14,500	17,350	22,400	30,000	36,900	43,400	-
131	루 핑 공	7,730	7,960	8,200	8,250	8,750	9,800	11,750	14,600	19,600	24,500	35,600	38,300	-
132	닥 트 공	-	-	-	10,120	10,120	11,340	13,500	16,350	21,400	25,700	31,400	31,400	42,678
133	대 장 공	7,230	7,450	7,450	7,670	8,130	9,110	10,900	13,750	18,800	22,600	28,400	28,400	47,273
134	할 석 공	10,180	10,180	10,400	10,710	11,760	13,530	15,200	17,800	22,800	28,400	37,100	39,300	54,077
135	제 철 축 로 공	15,470	15,930	16,410	16,900	17,910	20,060	22,500	25,000	30,400	38,000	49,700	53,100	78,981
136	양 생 공	6,610	6,770	6,890	7,100	8,070	9,040	10,850	13,700	18,700	22,400	24,800	25,500	44,277
137	계 령 공	6,320	6,510	7,140	7,350	7,790	8,950	10,700	13,550	18,600	22,300	28,000	28,000	-
138	모 래 분 사 공	-	-	-	-	-	-	-	14,910	20,000	26,600	34,000	35,300	-

(단위:원/인)

1995.9	1996.1	1996.9	1997.1	1997.9	1998.1	1998.9	1999.1	1999.9	2000.1	2000.9	2001.1	2001.9	직종명	직종번호
182,855	194,975	220,908	213,858	213,626	234,733	188,956	197,482	205,591	217,032	223,961	226,235	228,665	송전전공	68
-	205,682	-	-	220,000	-	250,000	235,109	238,947	238,668	245,138	258,018	273,511	송전활선전공	69
141,261	146,383	152,246	176,675	177,197	192,602	164,094	176,615	183,689	182,333	184,746	180,602	165,958	배전전공	70
158,473	172,465	167,262	202,051	203,832	215,055	188,915	182,772	189,317	189,457	202,982	207,143	222,274	배전활선전공	71
54,702	55,122	60,807	62,877	63,743	64,285	54,503	52,369	53,300	53,292	57,299	56,509	59,158	플랜트전공	72
44,880	48,028	50,851	53,181	54,556	57,286	51,021	47,911	48,079	49,296	49,969	51,165	53,401	내선전공	73
93,478	87,304	74,036	86,408	92,800	98,463	102,881	97,565	103,937	111,738	105,463	113,924	109,081	특고압케이블전공	74
61,011	64,085	72,597	68,516	70,173	74,584	74,151	66,547	67,955	70,455	75,996	74,140	80,902	고압케이블전공	75
51,546	61,343	61,271	63,007	61,980	61,877	55,486	59,146	60,999	62,694	67,062	66,313	67,695	저압케이블전공	76
73,215	79,213	87,213	85,260	87,102	88,167	73,483	79,766	81,310	86,699	88,161	89,120	91,681	철도신호공	77
55,118	53,782	61,657	59,259	60,716	60,822	57,587	50,009	57,774	56,174	59,029	56,122	57,107	계장공	78
-	-	-	-	-	-	-	-	-	-	-	-	-	전기공사기사1급	79
-	-	-	-	-	-	-	-	-	-	-	-	-	전기공사기사2급	80
69,325	69,427	76,579	84,302	88,577	89,013	77,946	73,980	78,603	80,630	86,391	88,931	89,403	통신외선공	81
65,417	63,014	66,382	73,709	77,056	76,852	66,296	64,758	67,740	68,225	71,782	73,094	77,635	통신설비공	82
58,956	62,228	63,196	70,804	72,860	72,591	63,738	60,168	61,107	56,623	57,139	57,615	60,507	통신내선공	83
70,361	73,494	78,241	87,823	89,854	90,455	80,042	75,788	81,640	83,279	89,004	90,922	94,873	통신케이블공	84
103,927	108,316	104,700	103,707	108,946	110,956	97,216	91,475	94,904	96,205	91,530	94,774	95,069	무선안테나공	85
-	-	-	-	-	-	-	-	-	-	-	-	-	통신기사1급	86
-	-	-	-	-	-	-	-	-	-	-	-	-	통신기사2급	87
-	-	-	-	-	-	-	-	-	-	-	-	-	통신기능사	88
57,103	65,524	71,432	70,402	76,102	74,369	-	-	-	-	-	-	-	수작업반장	89
50,127	57,302	60,639	59,231	60,264	60,326	54,191	57,364	55,210	57,379	56,204	56,993	58,657	작업반장	90
56,706	56,907	57,859	58,119	61,251	64,758	63,101	64,408	61,735	61,182	65,233	65,769	65,052	인력운반공(목도)	91
45,959	42,334	46,407	43,128	47,289	48,921	40,427	39,371	39,745	39,572	40,070	41,366	45,775	조력공	92
43,490	49,575	53,828	55,074	52,048	57,379	46,659	48,674	48,996	50,160	51,490	52,232	52,788	특별인부	93
29,933	31,866	34,005	34,947	35,932	37,736	34,098	33,755	33,323	34,360	37,052	37,483	38,932	보통인부	94
47,845	52,927	52,815	52,194	55,114	56,951	52,855	53,715	55,024	56,517	56,369	55,245	57,633	건설기계운전사 (건설기계운전기사)	95
50,133	51,867	59,143	57,402	55,503	55,484	56,042	64,260	61,773	63,589	65,668	63,182	66,191	건설기계조장	96
41,152	43,017	47,888	44,779	51,708	51,077	53,159	49,633	51,326	53,633	53,094	54,064	55,534	화물차운전사 (운전사(운반차))	97
41,444	41,899	48,780	48,031	53,634	54,325	45,276	45,575	47,548	47,972	47,371	47,406	48,859	일반기계운전사 (운전사(기계))	98
31,972	39,004	44,504	44,184	47,733	42,762	39,194	40,706	40,627	42,524	44,521	43,082	44,975	건설기계운전조수	99
53,028	68,981	62,082	66,877	67,166	63,950	63,746	67,380	67,061	64,343	64,242	64,818	63,465	고급선원	100
46,915	48,752	46,666	45,857	55,984	49,346	54,986	52,274	52,777	49,156	50,686	48,040	48,348	보통선원	101
40,155	38,308	41,003	37,353	42,542	40,088	45,267	41,303	41,914	38,787	40,188	40,659	42,756	선원	102
-	-	-	-	-	-	-	-	-	-	-	-	-	선부	103
57,521	70,370	71,508	74,955	74,876	79,532	77,929	77,084	83,294	79,639	75,444	73,997	71,491	준설선선장	104
50,236	67,447	64,445	73,526	63,958	70,637	66,667	65,732	72,765	78,016	73,482	70,014	71,301	준설선기관장	105
49,606	52,853	51,995	57,379	62,763	56,955	63,333	62,000	62,094	64,781	58,361	56,766	55,913	준설선기관사	106
49,967	58,685	57,509	62,982	68,370	66,688	58,033	64,200	63,045	61,555	55,028	54,405	54,347	준설선운전사	107
48,067	61,321	54,779	58,712	60,631	63,631	66,000	66,400	62,792	58,341	58,324	56,004	54,471	준설선전기사	108
48,776	54,671	58,636	52,520	62,084	67,415	51,838	56,925	52,976	52,839	54,218	54,111	54,468	기계설비공(기계설치공)	109
51,132	50,746	58,644	58,509	56,508	58,906	49,600	49,611	51,297	46,967	47,926	45,607	50,809	기계설비공(기계공)	110
60,931	69,694	70,591	70,175	-	78,752	-	-	-	-	-	-	-	선반공	111
41,439	47,587	48,947	49,414	54,258	52,502	-	-	-	-	-	-	-	정비공	112
58,915	60,000	-	-	-	-	-	-	-	-	-	-	-	벨트콘베이어작업공	113
65,452	68,430	74,388	79,284	89,673	-	-	66,579	60,150	-	60,534	-	60,789	현도사	114
37,613	44,875	42,988	49,968	54,997	46,978	52,957	42,366	45,300	49,792	50,526	52,322	54,433	제도사	115
-	-	-	-	-	-	-	-	-	-	-	-	-	시험관련기사 (특급품질관리원)	116
-	-	-	-	-	-	-	-	-	-	-	-	-	시험관련산업기사 (고급품질관리원)	117
-	-	-	-	-	-	-	-	-	-	-	-	-	중급품질관리원	118
-	-	-	-	-	-	-	-	-	-	-	-	-	시험관련기능사 (초급품질관리원)	119
50,793	49,719	50,738	51,485	56,810	47,867	51,959	48,017	50,020	54,542	53,359	50,610	46,634	시험사1급	120
39,301	40,889	41,389	39,852	40,464	42,272	39,935	36,857	43,794	42,241	41,450	39,180	36,671	시험사2급	121
30,798	36,200	39,607	38,667	37,439	36,667	-	-	-	-	-	-	-	시험사3급	122
29,994	32,863	28,374	30,680	32,399	30,223	-	-	-	-	-	-	-	시험사4급	123
26,635	25,797	28,396	28,817	29,065	31,003	31,260	29,231	29,340	31,443	30,537	29,385	32,484	시험보조수	124
-	-	-	-	-	-	-	-	-	-	-	-	-	안전관리기사1급	125
-	-	-	-	-	-	-	-	-	-	-	-	-	안전관리기사2급	126
55,517	59,646	59,324	62,176	65,935	63,783	61,877	57,574	57,521	56,548	58,188	60,295	58,873	유리공	127
47,509	53,826	54,346	66,277	64,474	68,943	56,465	56,248	58,194	60,537	60,061	62,933	61,305	덕트공(함석공)	128
52,064	60,429	60,956	65,529	70,228	74,016	61,021	60,784	59,532	59,048	60,370	58,758	60,389	용접공(일반)	129
55,368	67,368	71,236	72,500	70,070	71,579	-	-	-	-	-	-	-	리벳공	130
36,650	47,273	51,003	54,737	61,818	-	-	-	-	-	-	-	-	루핑공	131
44,134	45,314	53,919	58,660	58,342	58,041	52,125	48,478	48,376	47,860	48,494	47,697	51,634	닥트공	132
-	-	-	-	-	-	-	-	-	-	-	-	-	대장공	133
62,901	68,030	68,864	65,748	75,231	77,728	63,908	63,951	61,149	65,634	64,153	66,464	68,036	할석공	134
85,818	90,000	90,028	92,000	90,142	93,345	93,072	92,419	91,162	92,241	92,079	92,761	93,594	제철축로공	135
36,966	36,395	41,336	44,843	45,929	42,244	-	-	-	-	-	-	-	양생공	136
29,474	-	-	41,937	-	-	-	-	-	-	-	-	-	계령공	137
-	-	74,838	71,470	70,247	49,962	-	-	-	-	-	-	-	모래분사공	138

정부(시중)노임단가 (6)

(단위:원/인)

직종번호	직종명	2002.1	2002.9	2003.1	2003.9	2004.1	2004.9	2005.1	2005.9	2006.1	2006.9	2007.1	2007.9	2008.1
68	송전전공	238,611	246,064	253,222	254,876	256,296	257,779	245,642	249,192	260,549	268,583	272,065	273,417	274,720
69	송전활선전공	279,149	281,277	284,000	288,263	291,495	291,077	285,822	281,458	294,624	294,659	296,536	304,914	303,505
70	배전전공	156,907	162,375	171,178	175,995	176,342	173,271	171,985	171,904	172,551	170,320	171,907	176,562	180,878
71	배전활선전공	236,090	242,256	247,705	249,319	251,315	255,412	258,763	261,466	265,023	268,557	272,189	271,592	273,360
72	플랜트전공	59,669	70,035	77,517	78,094	80,465	82,619	80,149	81,360	83,741	83,673	85,139	89,959	94,145
73	내선전공	56,143	66,042	72,268	74,199	77,372	81,127	81,196	79,955	81,450	81,852	83,961	85,734	88,317
74	특고압케이블전공	122,075	123,095	134,962	134,963	137,538	135,487	138,004	139,318	146,779	153,662	157,669	161,285	167,973
75	고압케이블전공	89,217	99,183	99,875	105,855	110,551	115,876	118,207	116,146	122,430	128,801	129,121	130,647	136,931
76	저압케이블전공	73,973	81,347	79,938	85,714	85,964	89,719	91,867	92,825	98,042	100,277	102,797	108,311	114,656
77	철도신호공	88,110	93,303	97,162	101,796	104,965	107,939	110,020	109,631	115,523	117,087	115,513	119,765	126,300
78	계장공	62,012	73,834	79,270	82,768	83,629	86,342	88,927	89,203	92,401	95,188	95,669	101,057	100,234
79	전기공사기사1급	-	-	-	-	-	-	-	-	-	-	-	-	-
80	전기공사기사2급	-	-	-	-	-	-	-	-	-	-	-	-	-
81	통신외선공	90,961	100,911	111,743	113,477	113,671	116,322	117,747	119,153	121,389	122,040	122,656	121,459	122,341
82	통신설비공	77,401	82,904	89,760	90,296	91,509	92,326	92,328	92,803	93,996	94,355	98,150	101,353	104,351
83	통신내선공	63,806	70,580	75,957	79,008	82,159	82,617	82,661	83,906	84,899	84,957	83,209	84,026	87,990
84	통신케이블공	95,424	106,043	114,666	112,799	116,681	120,384	122,838	123,626	123,196	124,107	127,864	134,136	139,735
85	무선안테나공	95,000	98,787	100,371	99,578	94,930	92,296	93,195	94,851	98,866	99,598	101,347	104,869	109,876
86	통신기사1급	-	-	-	-	-	-	-	-	-	-	-	-	-
87	통신기사2급	-	-	-	-	-	-	-	-	-	-	-	-	-
88	통신기능사	-	-	-	-	-	-	-	-	-	-	-	-	-
89	수작업반장	-	-	-	-	-	-	-	-	-	-	-	-	-
90	작업반장	63,904	64,905	69,109	69,514	69,773	70,132	70,235	71,300	75,504	76,122	80,125	82,570	80,830
91	인력운반공(목도)	67,725	70,798	77,076	79,926	75,609	73,434	74,772	72,756	77,443	77,108	78,738	82,424	86,378
92	조력공	52,283	59,862	63,043	66,584	63,399	60,980	61,644	63,298	63,868	65,268	65,304	68,154	70,889
93	특별인부	55,970	62,902	65,734	67,141	66,051	66,586	66,422	67,570	70,264	72,914	74,230	77,522	80,531
94	보통인부	40,922	45,031	50,683	52,483	52,374	52,565	52,585	53,090	55,252	56,822	57,820	58,883	60,547
95	건설기계운전사 (건설기계운전기사)	56,603	60,505	81,246	79,113	78,015	77,604	77,606	76,364	77,953	78,468	80,166	82,124	86,771
96	건설기계조장	68,228	78,291	87,216	83,161	85,318	82,890	79,984	77,633	79,304	78,049	80,244	79,058	85,854
97	화물차운전사 (운전사(운반차))	55,214	55,729	61,857	64,701	63,443	65,217	65,086	65,442	66,286	68,230	67,192	68,903	70,950
98	일반기계운전사 (운전사(기계))	47,653	53,154	59,707	60,879	61,525	62,251	62,252	61,373	63,226	62,728	64,667	67,088	65,671
99	건설기계운전조수	43,994	50,520	53,719	51,861	49,488	50,268	51,211	50,528	52,731	55,000	53,305	52,537	52,471
100	고급선원	65,527	75,129	83,989	85,000	87,190	82,137	79,136	79,981	86,732	85,941	87,803	89,589	91,731
101	보통선원	49,165	50,810	58,642	58,537	62,006	60,465	58,491	59,008	63,645	66,057	66,016	69,456	68,343
102	선원	43,883	48,112	48,000	-	40,913	44,548	45,025	45,600	-	-	-	-	-
103	선부	-	-	-	-	-	-	-	-	49,483	-	49,389	49,300	51,861
104	준설선선장	77,731	86,555	84,922	84,211	86,560	88,531	89,553	91,330	100,617	99,912	93,612	93,225	98,120
105	준설선기관장	68,798	76,505	77,395	75,789	80,865	80,527	78,718	79,954	83,881	83,198	77,951	81,856	85,489
106	준설선기관사	56,920	65,784	63,014	63,158	64,117	67,818	65,733	66,118	70,024	72,465	71,004	73,482	76,691
107	준설선운전사	56,831	61,727	65,768	67,368	68,993	71,524	70,227	69,592	73,252	75,808	73,628	77,437	81,916
108	준설선전기사	51,756	55,735	63,981	62,439	63,626	62,934	64,251	64,800	69,814	72,253	71,669	74,800	77,939
109	기계설비공(기계설치공)	57,749	66,078	67,007	68,477	69,484	72,326	71,841	72,782	76,814	79,538	81,608	79,763	81,846
110	기계설비공(기계공)	40,113	56,132	58,291	61,664	62,214	64,630	65,205	65,477	67,754	70,524	73,626	76,071	74,069
111	선반공	-	-	-	-	-	-	-	-	-	-	-	-	-
112	정비공	-	-	-	-	-	-	-	-	-	-	-	-	-
113	벨트콘베이어작업공	-	-	-	-	-	-	-	-	-	-	-	-	-
114	현도사	-	62,247	-	-	-	71,394	72,008	-	78,942	-	-	84,785	-
115	제도사	51,818	53,621	62,965	64,000	64,391	65,819	66,699	64,800	67,017	67,200	69,484	72,772	70,783
116	시험관련기사 (특급품질관리원)	-	-	-	-	-	-	-	-	60,426	60,962	62,273	64,499	64,129
117	시험관련산업기사 (고급품질관리원)	-	-	-	-	-	-	-	-	54,770	55,319	-	55,000	54,730
118	중급품질관리원	-	-	-	-	-	-	-	-	-	-	-	-	-
119	시험관련기능사 (초급품질관리원)	-	-	-	-	-	-	-	-	-	43,818	48,936	52,364	54,318
120	시험사1급	52,142	52,618	57,903	58,923	59,796	61,469	61,181	59,511	-	-	-	-	-
121	시험사2급	41,297	41,970	47,331	50,133	52,266	52,027	53,040	-	-	-	-	-	-
122	시험사3급	-	-	-	-	-	-	-	-	-	-	-	-	-
123	시험사4급	-	-	-	-	-	-	-	-	-	-	-	-	-
124	시험보조수	34,308	36,480	37,789	-	40,673	42,308	43,360	43,581	-	-	-	-	-
125	안전관리기사1급	-	-	-	-	-	-	-	-	-	-	-	-	-
126	안전관리기사2급	-	-	-	-	-	-	-	-	-	-	-	-	-
127	유리공	66,670	72,411	77,104	77,851	76,752	79,510	79,776	80,725	83,433	87,842	86,030	86,201	84,379
128	덕트공(함석공)	63,308	61,893	69,049	71,725	74,277	75,930	73,732	75,000	80,533	76,455	78,814	84,839	87,658
129	용접공(일반)	63,468	69,775	79,947	81,112	82,490	87,771	87,854	89,071	89,422	90,337	92,456	96,295	97,714
130	리벳공	-	-	-	-	-	-	-	-	-	-	-	-	-
131	루핑공	-	-	-	-	-	-	-	-	-	-	-	-	-
132	닥트공	52,693	60,059	70,033	71,982	77,551	77,834	76,871	77,757	77,604	77,596	75,664	78,099	82,269
133	대장공	-	-	-	-	-	-	-	-	-	-	-	-	-
134	할석공	72,869	78,884	86,271	89,000	87,655	91,529	89,794	90,225	92,153	91,816	88,493	90,279	91,324
135	제철축로공	102,605	113,585	119,506	122,352	129,415	135,750	139,534	142,425	153,293	153,914	159,621	174,288	183,691
136	양생공	-	-	-	-	-	-	-	-	-	-	-	-	-
137	계령공	-	-	-	-	-	-	-	-	-	-	-	-	-
138	모래분사공	-	-	-	-	-	-	-	-	-	-	-	-	-

(단위:원/인)

2008.9	2009.1	2009.9	2010.1	2010.9	2011.1	2011.9	2012.1	2012.9	2013.1	2013.9	2014.1	2014.9	직 종 명	직종번호
283,873	287,923	293,068	296,392	314,465	322,635	326,438	317,565	332,019	341,541	342,661	344,087	345,127	송 전 전 공	68
312,072	312,010	324,121	326,162	343,602	351,951	355,581	363,254	367,817	372,088	373,352	374,490	375,466	송 전 활 선 전 공	69
183,802	184,446	177,157	180,608	193,646	200,344	213,248	195,794	214,518	216,877	232,495	237,193	244,965	배 전 전 공	70
281,123	294,114	303,563	307,778	318,440	327,793	332,195	338,780	341,528	345,506	349,284	352,345	361,522	배 전 활 선 전 공	71
101,557	110,014	111,096	117,737	125,566	129,208	136,915	144,303	158,613	163,491	177,610	182,761	190,040	플 랜 트 전 공	72
91,062	94,191	97,161	101,742	108,345	113,858	116,754	122,891	134,897	135,106	144,239	145,901	151,380	내 선 전 공	73
174,060	179,209	187,184	197,326	203,302	207,924	217,870	222,742	230,335	237,241	243,173	246,203	247,913	특고압케이블전공	74
139,772	143,780	148,885	156,007	163,237	166,370	175,292	187,417	188,200	205,729	217,218	219,958	222,944	고 압 케 이 블 전 공	75
115,893	116,832	119,817	125,857	133,274	136,290	138,576	149,599	162,923	163,808	173,655	179,717	185,731	저 압 케 이 블 전 공	76
130,000	125,056	127,740	134,363	142,615	146,262	153,096	154,561	168,896	175,048	183,404	185,464	189,906	철 도 신 호 공	77
107,457	113,833	116,991	121,975	128,284	132,564	136,021	139,784	145,900	148,981	152,177	156,673	158,680	계 장 공	78
-	-	-	-	-	-	-	-	-	-	-	-	-	전기공사기사1급	79
-	-	-	-	-	-	-	-	-	-	-	-	-	전기공사기사2급	80
131,620	140,017	143,535	147,853	155,521	159,344	165,848	172,407	173,041	174,902	184,490	193,017	197,710	통 신 외 선 공	81
110,280	115,305	109,942	115,757	124,022	125,590	129,480	124,758	136,710	137,172	149,755	151,363	159,843	통 신 설 비 공	82
90,819	93,973	95,635	101,088	107,365	112,141	116,089	122,975	128,024	129,963	138,712	143,290	146,101	통 신 내 선 공	83
147,137	157,299	151,281	161,169	166,346	172,119	183,146	191,885	209,638	210,204	223,084	223,853	235,275	통 신 케 이 블 공	84
113,338	119,649	120,105	125,344	131,918	134,812	142,274	149,521	156,739	164,612	176,534	178,124	181,233	무 선 안 테 나 공	85
-	-	-	-	-	-	-	-	-	-	-	-	-	통 신 기 사 1 급	86
-	-	-	-	-	-	-	-	-	-	-	-	-	통 신 기 사 2 급	87
-	-	-	-	-	-	-	-	-	-	-	-	-	통 신 기 능 사	88
-	-	-	-	-	-	-	-	-	-	-	-	-	수 작 업 반 장	89
85,203	90,786	89,559	92,218	95,671	98,329	100,879	102,573	103,595	106,156	105,174	105,826	109,664	작 업 반 장	90
92,895	90,995	91,974	97,235	93,344	-	-	88,865	95,422	94,666	93,747	91,429	97,436	인력운반공(목도)	91
75,925	80,139	81,120	78,676	82,036	84,508	87,687	88,637	92,694	95,261	101,122	103,497	99,380	조 력 공	92
81,596	84,686	85,320	84,404	89,835	92,956	95,366	97,283	92,512	97,951	100,936	102,334	106,569	특 별 인 부	93
63,530	66,622	67,909	68,965	70,497	72,415	74,008	75,608	80,732	81,443	83,975	84,166	86,686	보 통 인 부	94
90,462	95,508	96,164	98,693	97,425	100,237	105,406	109,748	104,611	108,713	114,259	112,268	121,654	건 설 기 계 운 전 사 (건설기계운전기사)	95
86,316	92,297	90,525	94,350	96,755	98,314	95,501	92,878	96,560	96,741	100,397	101,301	106,163	건 설 기 계 조 장	96
73,110	79,737	80,337	84,942	85,587	85,888	83,850	90,701	95,017	98,507	105,884	105,175	111,861	화 물 차 운 전 사 (운전사(운반차))	97
71,349	69,388	70,204	71,594	75,366	74,998	75,660	81,728	78,273	82,849	89,737	-	90,954	일 반 기 계 운 전 사 (운전사(기계))	98
53,053	55,282	55,784	-	-	-	-	-	-	-	-	-	-	건설기계운전조수	99
96,955	-	96,894	-	-	-	-	-	-	-	-	-	-	고 급 선 원	100
72,990	73,337	74,567	-	-	-	-	-	-	-	-	-	-	보 통 선 원	101
-	-	-	80,558	78,945	79,138	81,609	83,617	89,177	91,692	93,160	100,991	102,894	선 원	102
56,046	-	-	-	-	-	-	-	-	-	-	-	-	선 부	103
104,735	100,428	101,382	107,747	112,072	112,106	117,431	119,215	-	126,154	116,571	-	118,056	준 설 선 선 장	104
90,170	88,597	91,118	-	-	-	-	-	-	-	-	-	-	준 설 선 기 관 장	105
81,906	81,042	82,871	86,507	88,436	90,916	90,764	98,825	-	107,692	100,290	110,167	111,883	준 설 선 기 관 사	106
86,607	89,831	90,685	90,838	92,224	92,858	92,121	98,299	-	102,857	98,425	-	99,884	준 설 선 운 전 사	107
83,950	82,800	83,760	-	-	-	-	-	-	-	-	-	-	준 설 선 전 기 사	108
85,043	85,723	82,817	86,521	90,102	91,570	94,807	95,011	94,676	100,381	107,755	106,812	112,867	기계설비공(기계설치공)	109
79,128	81,094	81,297	86,521	90,102	-	-	-	-	-	-	-	-	기계설비공(기계공)	110
-	-	-	-	-	-	-	-	-	-	-	-	-	선 반 공	111
-	-	-	-	-	-	-	-	-	-	-	-	-	정 비 공	112
-	-	-	-	-	-	-	-	-	-	-	-	-	벨트콘베이어작업공	113
-	-	84,211	-	-	-	-	-	-	-	-	-	-	현 도 사	114
76,818	74,919	72,180	77,030	81,538	82,428	87,155	88,987	91,037	93,466	101,657	108,774	110,834	제 도 사	115
68,846	72,502	72,055	97,102	101,604	102,456	-	109,418	119,477	117,460	123,169	124,954	135,667	시 험 관 련 기 사 (특급품질관리원)	116
59,887	62,979	61,000	90,942	94,662	97,258	102,462	106,383	97,623	97,066	100,414	101,427	109,707	시험관련산업기사 (고급품질관리원)	117
-	-	-	87,471	87,676	87,691	91,128	93,802	89,894	88,837	91,909	96,934	102,339	중 급 품 질 관 리 원	118
-	59,227	56,421	81,522	82,250	83,471	87,968	90,660	85,278	86,364	84,561	84,739	88,983	시 험 관 련 기 능 사 (초급품질관리원)	119
-	-	-	-	-	-	-	-	-	-	-	-	-	시 험 사 1 급	120
-	-	-	-	-	-	-	-	-	-	-	-	-	시 험 사 2 급	121
-	-	-	-	-	-	-	-	-	-	-	-	-	시 험 사 3 급	122
-	-	-	-	-	-	-	-	-	-	-	-	-	시 험 사 4 급	123
-	-	-	-	-	-	-	-	-	-	-	-	-	시 험 보 조 수	124
-	-	-	-	-	-	-	-	-	-	-	-	-	안전관리기사1급	125
-	-	-	-	-	-	-	-	-	-	-	-	-	안전관리기사2급	126
90,126	94,593	93,358	90,764	94,934	96,963	99,467	101,191	105,193	106,359	116,298	117,474	123,299	유 리 공	127
91,429	98,591	98,910	86,730	84,482	87,190	90,070	88,603	96,913	96,182	100,200	100,659	105,056	덕 트 공 (함 석 공)	128
101,790	102,522	103,216	108,464	108,866	110,123	115,090	118,003	123,164	118,754	128,244	129,095	129,940	용 접 공 (일 반)	129
-	-	-	-	-	-	-	-	-	-	-	-	-	리 벳 공	130
-	-	-	-	-	-	-	-	-	-	-	-	-	루 핑 공	131
86,792	85,692	81,574	86,730	84,482	-	-	-	-	-	-	-	-	닥 트 공	132
-	-	-	-	-	-	-	-	-	-	-	-	-	대 장 공	133
93,989	100,194	94,602	101,602	94,720	96,658	95,502	103,334	101,771	107,298	116,402	112,398	119,120	할 석 공	134
191,455	199,890	205,113	212,848	224,479	234,667	250,777	250,667	275,263	255,951	230,603	225,000	211,829	제 철 축 로 공	135
-	-	-	-	-	-	-	-	-	-	-	-	-	양 생 공	136
-	-	-	-	-	-	-	-	-	-	-	-	-	계 령 공	137
-	-	-	-	-	-	-	-	-	-	-	-	-	모 래 분 사 공	138

정부(시중)노임단가 (7)

(단위:원/인)

직종번호	직 종 명	2015.1	2015.9	2016.1	2016.9	2017.1	2017.9	2018.1	2018.9	2019.1	2019.9	2020.1	2020.9	2021.1
68	송 전 전 공	346,129	358,569	351,506	356,456	366,921	371,019	385,403	394,532	402,795	425,796	436,350	435,947	458,124
69	송 전 활 선 전 공	377,103	392,819	390,035	377,712	397,543	405,013	408,278	407,698	434,661	451,971	465,125	492,927	501,102
70	배 전 전 공	247,311	254,503	274,706	300,525	304,689	310,429	303,747	322,317	336,973	350,233	334,072	354,231	361,209
71	배 전 활 선 전 공	366,779	373,173	376,824	385,385	387,463	389,223	393,347	414,974	424,632	439,018	440,180	457,321	472,721
72	플 랜 트 전 공	189,168	183,097	180,382	185,583	184,766	192,777	202,202	209,529	205,890	206,738	216,865	215,110	216,250
73	내 선 전 공	154,049	160,882	169,202	179,883	185,611	191,336	199,157	212,226	225,408	233,369	239,716	239,171	242,731
74	특고압케이블전공	249,446	260,975	264,903	258,175	268,590	277,601	288,346	308,360	323,944	343,650	354,829	367,852	371,737
75	고 압 케 이 블 전 공	226,338	235,019	235,207	239,949	249,846	267,103	276,182	281,860	295,582	288,852	300,453	304,797	313,970
76	저 압 케 이 블 전 공	189,301	193,986	199,868	192,705	200,964	212,186	219,560	223,581	235,560	237,221	237,385	250,394	254,661
77	철 도 신 호 공	202,908	203,649	213,802	208,591	207,768	216,069	211,706	218,618	229,729	243,070	259,555	265,376	254,765
78	계 장 공	169,609	171,877	182,853	179,627	183,803	191,809	195,084	203,065	210,643	218,322	223,793	230,782	245,687
79	전 기 공 사 기 사 1 급	-	-	-	-	-	-	-	-	-	-	-	-	-
80	전 기 공 사 기 사 2 급	-	-	-	-	-	-	-	-	-	-	-	-	-
81	통 신 외 선 공	200,255	206,221	217,488	228,133	236,760	247,618	257,995	281,811	290,398	302,821	315,405	321,822	319,849
82	통 신 설 비 공	162,844	165,682	175,822	186,932	184,999	193,302	203,165	219,053	224,927	233,636	245,030	248,060	245,619
83	통 신 내 선 공	147,290	152,692	160,672	168,154	174,758	180,623	187,873	200,374	204,358	214,857	219,422	225,032	224,251
84	통 신 케 이 블 공	237,581	247,227	254,897	261,699	271,248	281,658	297,858	314,268	326,000	326,966	332,485	343,333	339,623
85	무 선 안 테 나 공	185,961	189,061	197,143	203,950	210,980	219,758	228,313	251,889	246,693	254,636	268,208	273,124	273,520
86	통 신 기 사 1 급	-	-	-	-	-	-	-	-	-	-	-	-	-
87	통 신 기 사 2 급	-	-	-	-	-	-	-	-	-	-	-	-	-
88	통 신 기 능 사	-	-	-	-	-	-	-	-	-	-	-	-	-
89	수 작 업 반 장	-	-	-	-	-	-	-	-	-	-	-	-	-
90	작 업 반 장	108,086	111,998	117,612	124,304	128,126	132,631	137,535	145,013	153,186	159,003	175,081	174,074	180,013
91	인력운반공(목도)	98,311	98,941	104,483	110,197	113,766	120,074	124,911	131,775	138,477	146,205	154,522	151,659	152,601
92	조 력 공	98,132	102,144	105,790	110,194	112,847	116,344	120,416	127,124	133,863	140,220	140,722	144,651	152,740
93	특 별 인 부	108,245	111,771	115,272	120,716	123,074	127,391	133,417	141,507	152,019	155,599	166,063	167,926	179,203
94	보 통 인 부	87,805	89,566	94,338	99,882	102,628	106,846	109,819	118,130	125,427	130,264	138,290	138,989	141,096
95	건 설 기 계 운 전 사 (건설기계운전기사)	123,642	130,411	135,644	143,601	148,613	154,499	162,022	181,074	187,069	190,235	202,885	203,878	212,637
96	건 설 기 계 조 장	106,921	108,152	113,244	122,763	126,645	131,364	138,494	150,798	148,214	150,469	160,039	160,000	162,226
97	화 물 차 운 전 사 (운전사(운반차))	115,755	117,523	122,499	125,031	128,673	133,521	138,151	149,306	158,708	166,752	176,227	176,975	173,879
98	일 반 기 계 운 전 사 (운전사(기계))	88,379	90,909	96,512	101,844	106,400	110,000	118,763	117,754	123,282	131,528	138,956	137,974	137,143
99	건설기계운전조수	-	-	-	-	-	-	-	-	-	-	-	-	-
100	고 급 선 원	-	-	-	-	-	-	-	-	-	-	-	-	-
101	보 통 선 원	-	-	-	-	-	-	-	-	-	-	-	-	-
102	선 원	107,255	107,317	108,000	-	110,424	114,850	118,553	125,707	130,194	137,972	142,201	148,607	-
103	선 부	-	-	-	-	-	-	-	-	-	-	-	-	-
104	준 설 선 선 장	123,810	126,060	-	-	131,924	136,571	-	149,178	-	153,960	-	191,388	-
105	준 설 선 기 관 장	-	-	-	-	-	-	-	-	-	-	-	-	-
106	준 설 선 기 관 사	117,463	120,000	-	-	125,150	129,869	-	141,301	-	140,829	-	168,421	-
107	준 설 선 운 전 사	104,482	106,774	-	-	112,007	-	119,424	126,892	131,778	139,161	-	164,411	-
108	준 설 선 전 기 사	-	-	-	-	-	-	-	-	-	-	-	-	-
109	기계설비공(기계설치공)	114,481	120,482	124,953	131,319	135,407	140,008	145,131	153,426	166,666	175,669	185,702	191,587	190,522
110	기계설비공(기계공)	-	-	-	-	-	-	-	-	-	-	-	-	-
111	선 반 공	-	-	-	-		-	-	-	-	-	-	-	-
112	정 비 공	-	-	-	-	-	-	-	-	-	-	-	-	-
113	벨트콘베이어작업공	-	-	-	-	-	-	-	-	-	-	-	-	-
114	현 도 사	-	-	-	-	-	-	-	-	-	-	-	-	-
115	제 도 사	113,453	117,921	122,341	128,795	132,819	138,832	144,980	153,608	159,514	167,434	171,952	178,602	186,251
116	시 험 관 련 기 사 (특급품질관리원)	138,292	138,407	141,211	145,116	151,429	157,891	163,055	165,589	161,386	166,727	175,338	179,942	182,441
117	시험관련산업기사 (고급품질관리원)	112,496	114,532	121,054	128,297	134,065	140,800	145,529	149,200	153,385	159,454	171,650	172,710	175,386
118	중 급 품 질 관 리 원	104,633	109,937	113,011	117,817	122,121	128,520	133,063	136,237	140,389	146,887	157,863	159,277	160,900
119	시 험 관 련 기 능 사 (초급품질관리원)	91,359	94,545	99,902	105,716	110,001	114,770	120,681	124,164	119,905	124,000	132,897	134,483	136,668
120	시 험 사 1 급	-	-	-	-	-	-	-	-	-	-	-	-	-
121	시 험 사 2 급	-	-	-	-	-	-	-	-	-	-	-	-	-
122	시 험 사 3 급	-	-	-	-	-	-	-	-	-	-	-	-	-
123	시 험 사 4 급	-	-	-	-	-	-	-	-	-	-	-	-	-
124	시 험 보 조 수	-	-	-	-	-	-	-	-	-	-	-	-	-
125	안 전 관 리 기 사 1 급	-	-	-	-	-	-	-	-	-	-	-	-	-
126	안 전 관 리 기 사 2 급	-	-	-	-	-	-	-	-	-	-	-	-	-
127	유 리 공	123,257	129,263	133,910	139,664	143,608	148,516	155,803	167,287	181,240	190,247	193,212	197,685	205,044
128	덕 트 공 (함 석 공)	108,388	112,186	116,121	122,054	126,874	130,860	137,653	147,452	152,631	164,907	168,742	177,520	181,676
129	용 접 공 (일 반)	134,516	138,252	143,509	153,849	157,183	163,001	169,201	180,350	198,711	209,394	223,094	224,357	225,966
130	리 벳 공	-	-	-	-	-	-	-	-	-	-	-	-	-
131	루 핑 공	-	-	-	-	-	-	-	-	-	-	-	-	-
132	닥 트 공	-	-	-	-	-	-	-	-	-	-	-	-	-
133	대 장 공	-	-	-	-	-	-	-	-	-	-	-	-	-
134	할 석 공	119,672	124,273	128,283	135,760	139,420	145,761	152,559	163,030	170,023	176,436	182,443	189,535	189,028
135	제 철 축 로 공	223,949	229,812	227,911	233,932	233,372	232,456	235,955	237,472	250,533	260,000	260,000	260,000	260,000
136	양 생 공	-	-	-	-	-	-	-	-	-	-	-	-	-
137	계 령 공	-	-	-	-	-	-	-	-	-	-	-	-	-
138	모 래 분 사 공	-	-	-	-	-	-	-	-	-	-	-	-	-

(단위:원/인)

2021.9	2022.1	2022.9	2023.1	2023.9	직종명	직종번호
478,574	494,608	518,464	536,946	592,622	송전전공	68
521,531	542,726	568,157	590,847	618,655	송전활선전공	69
367,399	379,666	387,818	397,259	397,884	배전전공	70
496,651	508,299	509,392	520,394	528,123	배전활선전공	71
221,799	228,988	241,264	251,195	259,896	플랜트전공	72
246,868	258,917	259,089	265,460	269,968	내선전공	73
379,743	398,124	399,437	420,571	421,236	특고압케이블전공	74
321,061	338,864	340,018	353,395	354,087	고압케이블전공	75
261,463	271,717	272,282	288,442	290,333	저압케이블전공	76
258,264	255,337	261,379	271,097	290,890	철도신호공	77
252,262	259,947	268,571	283,405	304,711	계장공	78
-	-	-	-	-	전기공사기사1급	79
-	-	-	-	-	전기공사기사2급	80
334,353	339,610	357,144	363,102	380,953	통신외선공	81
256,098	262,069	272,067	280,506	293,037	통신설비공	82
226,011	235,597	242,964	251,790	263,371	통신내선공	83
356,624	364,905	381,041	389,536	407,575	통신케이블공	84
284,467	299,544	311,012	319,190	334,429	무선안테나공	85
-	-	-	-	-	통신기사 1급	86
-	-	-	-	-	통신기사 2급	87
-	-	-	-	-	통신기능사	88
-	-	-	-	-	수작업반장	89
182,544	189,313	191,344	197,546	204,626	작업반장	90
152,837	161,039	162,860	170,594	166,401	인력운반공(목도)	91
153,674	160,048	162,577	165,635	171,630	조력공	92
181,293	187,435	192,375	197,450	208,527	특별인부	93
144,481	148,510	153,671	157,068	161,858	보통인부	94
215,834	229,676	230,245	243,295	255,803	건설기계운전사 (건설기계운전기사)	95
165,046	172,131	183,489	186,691	-	건설기계조장	96
178,501	190,297	192,000	208,927	218,549	화물차운전사 (운전사(운반차))	97
-	140,351	151,669	-	-	일반기계운전사 (운전사(기계))	98
-	-	-	-	-	건설기계운전조수	99
-	-	-	-	-	고급선원	100
-	-	-	-	-	보통선원	101
148,716	160,646	-	175,538	191,869	선원	102
-	-	-	-	-	선부	103
-	-	-	209,438	231,855	준설선선장	104
-	-	-	-	-	준설선기관장	105
-	-	-	184,956	204,039	준설선기관사	106
-	-	-	180,381	198,611	준설선운전사	107
-	-	-	-	-	준설선전기사	108
194,812	199,489	210,486	213,337	232,974	기계설비공(기계설치공)	109
-	-	-	-	-	기계설비공(기계공)	110
-	-	-	-	-	선반공	111
-	-	-	-	-	정비공	112
-	-	-	-	-	벨트콘베이어작업공	113
-	-	-	-	-	현도사	114
188,233	194,662	207,792	209,231	217,544	제도사	115
184,123	-	186,667	-	192,294	시험관련기사 (특급품질관리원)	116
178,915	179,705	183,333	186,338	-	시험관련산업기사 (고급품질관리원)	117
163,497	165,777	167,559	166,550	175,758	중급품질관리원	118
137,759	138,833	140,000	139,589	146,453	시험관련기능사 (초급품질관리원)	119
-	-	-	-	-	시험사 1급	120
-	-	-	-	-	시험사 2급	121
-	-	-	-	-	시험사 3급	122
-	-	-	-	-	시험사 4급	123
-	-	-	-	-	시험보조수	124
-	-	-	-	-	안전관리기사1급	125
-	-	-	-	-	안전관리기사2급	126
211,036	221,409	229,105	235,191	241,506	유리공	127
181,078	188,856	189,441	198,718	203,376	덕트공(함석공)	128
230,706	234,564	238,739	249,748	262,551	용접공(일반)	129
-	-	-	-	-	리벳공	130
-	-	-	-	-	루핑공	131
-	-	-	-	-	닥트공	132
-	-	-	-	-	대장공	133
195,374	200,625	208,344	210,767	220,443	할석공	134
260,000	270,000	282,707	292,571	323,683	제철축로공	135
-	-	-	-	-	양생공	136
-	-	-	-	-	계령공	137
-	-	-	-	-	모래분사공	138

정부(시중)노임단가 (8)

(단위:원/인)

직종번호	직종명	1970	1971	1972	1973	1974	1975	1976	1977	1978	1979	1980	1981	1982
139	사공	-	-	1,760	1,760	2,890	3,440	2,580	4,220	5,690	6,940	9,180	9,360	10,300
140	마부	2,200	2,500	1,550	1,550	2,090	2,820	2,940	3,470	6,670	6,870	9,090	13,510	15,400
141	제재공	1,200	1,500	760	760	1,100	1,380	1,440	1,760	4,260	5,490	7,260	7,990	8,790
142	철도궤도공	1,400	-	970	970	1,400	1,750	1,980	2,340	3,580	4,870	6,390	7,600	9,120
143	지적기사1급	-	-	-	-	-	-	-	-	-	-	-	-	-
144	지적기사2급	-	-	-	-	-	-	-	-	-	-	-	-	-
145	지적기능사1급	-	-	-	-	-	-	-	-	-	-	-	-	-
146	지적기능사2급	-	-	-	-	-	-	-	-	-	-	-	-	-
147	지적기사	-	-	-	-	-	-	-	-	-	-	-	-	-
148	지적산업기사	-	-	-	-	-	-	-	-	-	-	-	-	-
149	지적기능사	-	-	-	-	-	-	-	-	-	-	-	-	-
150	H/W설치사	-	-	-	-	-	-	-	-	-	-	-	-	-
151	H/W시험사	-	-	-	-	-	-	-	-	-	-	-	-	-
152	S/W시험사	-	-	-	-	-	-	-	-	-	-	-	-	-
153	CPU시험사	-	-	-	-	-	-	-	-	-	-	-	-	-
154	광통신설치사	-	-	-	-	-	-	-	-	-	-	-	-	-
155	광케이블설치사	-	-	-	-	-	-	-	-	-	-	-	-	-
156	도편수	-	-	-	-	-	-	-	-	-	-	-	-	-
157	목조각공	-	-	-	-	-	-	-	-	-	-	-	-	-
158	한식목공	-	-	-	-	-	-	-	-	-	-	-	-	-
159	한식석공	-	-	-	-	-	-	-	-	-	-	-	-	-
160	한식목공조공	-	-	-	-	-	-	-	-	-	-	-	-	-
161	드잡이공	-	-	-	-	-	-	-	-	-	-	-	-	-
162	한식와공	-	-	-	-	-	-	-	-	-	-	-	-	-
163	한식와공조공	-	-	-	-	-	-	-	-	-	-	-	-	-
164	석조각공	-	-	-	-	-	-	-	-	-	-	-	-	-
165	특수화공	-	-	-	-	-	-	-	-	-	-	-	-	-
166	화공	-	-	-	-	-	-	-	-	-	-	-	-	-
167	한식미장공	-	-	-	-	-	-	-	-	-	-	-	-	-
168	드잡이공편수	-	-	-	-	-	-	-	-	-	-	-	-	-
169	한식미장공편수	-	-	-	-	-	-	-	-	-	-	-	-	-
170	한식와공편수	-	-	-	-	-	-	-	-	-	-	-	-	-
171	한식단청공편수	-	-	-	-	-	-	-	-	-	-	-	-	-
172	한식석공조공	-	-	-	-	-	-	-	-	-	-	-	-	-
173	한식미장공조공	-	-	-	-	-	-	-	-	-	-	-	-	-
174	원자력배관공	-	-	-	-	-	-	-	-	-	-	-	-	-
175	원자력용접공	-	-	-	-	-	-	-	-	-	-	-	-	-
176	원자력기계설치공	-	-	-	-	-	-	-	-	-	-	-	-	-
177	원자력덕트공 (플랜트덕트공)	-	-	-	-	-	-	-	-	-	-	-	-	-
178	원자력제관공	-	-	-	-	-	-	-	-	-	-	-	-	-
179	원자력케이블전공 (플래트케이블전공)	-	-	-	-	-	-	-	-	-	-	-	-	-
180	원자력계장공 (플랜트계장공)	-	-	-	-	-	-	-	-	-	-	-	-	-
181	원자력기술자	-	-	-	-	-	-	-	-	-	-	-	-	-
182	중급원자력기술자	-	-	-	-	-	-	-	-	-	-	-	-	-
183	상급원자력기술자	-	-	-	-	-	-	-	-	-	-	-	-	-
184	원자력품질관리사	-	-	-	-	-	-	-	-	-	-	-	-	-
185	원자력특별인부 (플랜트특별인부)	-	-	-	-	-	-	-	-	-	-	-	-	-
186	원자력보온공 (플랜트보온공)	-	-	-	-	-	-	-	-	-	-	-	-	-
187	원자력플랜트전공	-	-	-	-	-	-	-	-	-	-	-	-	-
188	비파괴시험공 (고급원자력)	-	-	-	-	-	-	-	-	-	-	-	-	-
189	비파괴시험공 (특급원자력)	-	-	-	-	-	-	-	-	-	-	-	-	-
190	통신관련기사	-	-	-	-	-	-	-	-	-	-	-	-	-
191	통신관련산업기사	-	-	-	-	-	-	-	-	-	-	-	-	-
192	통신관련기능사	-	-	-	-	-	-	-	-	-	-	-	-	-
193	노즐공	-	-	-	-	-	-	-	-	-	-	-	-	-
194	코킹공	-	-	-	-	-	-	-	-	-	-	-	-	-
195	전기공사기사	-	-	-	-	-	-	-	-	-	-	-	-	-
196	전기공사산업기사	-	-	-	-	-	-	-	-	-	-	-	-	-
197	변전전공	-	-	-	-	-	-	-	-	-	-	-	-	-
198	특급품질관리기술인	-	-	-	-	-	-	-	-	-	-	-	-	-
199	고급품질관리기술인	-	-	-	-	-	-	-	-	-	-	-	-	-
200	중급품질관리기술인	-	-	-	-	-	-	-	-	-	-	-	-	-
201	초급품질관리기술인	-	-	-	-	-	-	-	-	-	-	-	-	-

(단위:원/인)

1983	1984	1985	1986	1987	1988	1989	1990	1991	1992	1993	1994	1995.1	직 종 명	직종 번호
10,920	11,250	11,590	11,940	12,660	14,180	15,900	18,500	23,500	28,200	35,200	35,200	-	사 공	139
16,330	16,820	16,820	17,320	18,360	21,190	23,750	26,250	26,600	31,900	40,100	40,100	-	마 부	140
9,320	9,600	9,890	10,190	10,800	12,100	13,950	16,800	21,800	26,200	32,900	32,900	-	제 재 공	141
9,880	10,180	10,490	-	11,120	11,280	13,500	16,350	21,400	27,800	45,800	45,800	58,899	철 도 궤 도 공	142
-	-	-	-	15,500	17,890	20,050	22,550	27,600	34,500	44,200	46,300	70,643	지 적 기 사 1 급	143
-	-	-	-	13,900	15,570	17,450	20,050	25,100	31,400	38,300	38,500	54,306	지 적 기 사 2 급	144
-	-	-	-	9,690	10,910	13,050	15,900	20,900	25,100	29,700	29,700	38,889	지 적 기 능 사 1 급	145
-	-	-	-	7,860	8,810	10,550	13,400	17,100	20,000	22,200	22,200	25,036	지 적 기 능 사 2 급	146
-	-	-	-	-	-	-	-	-	-	-	-	-	지 적 기 사	147
-	-	-	-	-	-	-	-	-	-	-	-	-	지 적 산 업 기 사	148
-	-	-	-	-	-	-						-	지 적 기 능 사	149
-	-	-	-	-	-	-	25,600	30,100	34,600	44,700	47,400	68,376	H / W 설 치 사	150
-	-	-	-	-	-	-	24,350	29,400	32,300	42,800	46,500	66,017	H / W 시 험 사	151
-	-	-	-	-	-	-	25,580	29,100	32,000	42,600	46,700	65,946	S / W 시 험 사	152
-	-	-	-	-	-	-	26,200	29,700	34,200	44,500	46,700	97,440	C P U 시 험 사	153
-	-	-	-	-	-	-	30,660	34,700	39,900	59,900	63,000	120,000	광 통 신 설 치 사	154
-	-	-	-	-	-	-	26,200	29,000	36,300	56,300	61,500	96,756	광 케 이 블 설 치 사	155
-	-	-	-	-	-	-	25,670	33,700	43,100	58,900	69,400	114,095	도 편 수	156
-	-	-	-	-	-	-	21,820	27,900	36,300	46,700	50,200	74,835	목 조 각 공	157
-	-	-	-	-	-	-	20,940	26,000	33,300	43,000	43,000	76,840	한 식 목 공	158
-	-	-	-	-	-	-	-	-	-	-	-	-	한 식 석 공	159
-	-	-	-	-	-	-	17,000	20,900	26,800	33,200	33,200	54,974	한 식 목 공 조 공	160
-	-	-	-	-	-	-	22,200	29,200	35,000	51,200	51,200	103,231	드 잡 이 공	161
-	-	-	-	-	-	-	31,380	40,400	52,500	66,100	74,600	120,254	한 식 와 공	162
-	-	-	-	-	-	-	20,960	24,900	32,400	41,200	45,200	70,972	한 식 와 공 조 공	163
-	-	-	-	-	-	-	23,450	31,500	41,000	61,000	65,000	73,110	석 조 각 공	164
-	-	-	-	-	-	-	23,600	30,600	39,200	52,900	69,700	99,211	특 수 화 공	165
-	-	-	-	-	-	-	18,910	25,000	33,300	48,000	50,000	75,365	화 공	166
-	-	-	-	-	-	-	20,900	27,900	35,700	45,300	45,300	74,489	한 식 미 장 공	167
-	-	-	-	-	-	-	-	-	-	-	-	-	드 잡 이 공 편 수	168
-	-	-	-	-	-	-	-	-	-	-	-	-	한 식 미 장 공 편 수	169
-	-	-	-	-	-	-	-	-	-	-	-	-	한 식 와 공 편 수	170
-	-	-	-	-	-	-	-	-	-	-	-	-	한 식 단 청 공 편 수	171
-	-	-	-	-	-	-	-	-	-	-	-	-	한 식 석 공 조 공	172
-	-	-	-	-	-	-	-	-	-	-	-	-	한 식 미 장 공 조 공	173
-	-	-	-	-	-	-	-	39,200	45,100	49,600	49,600	61,095	원 자 력 배 관 공	174
-	-	-	-	-	-	-	-	39,200	45,100	49,600	49,600	54,064	원 자 력 용 접 공	175
-	-	-	-	-	-	-	-	39,200	45,100	49,600	49,600	55,381	원자력기계설치공	176
-	-	-	-	-	-	-	-	39,200	45,100	49,600	49,600	59,060	원 자 력 덕 트 공 (플랜트덕트공)	177
-	-	-	-	-	-	-	-	39,200	45,100	49,600	49,600	38,220	원 자 력 제 관 공	178
-	-	-	-	-	-	-	-	39,200	45,100	50,100	50,100	59,828	원자력케이블전공 (플래트케이블전공)	179
-	-	-	-	-	-	-	-	39,200	45,100	49,100	49,100	57,556	원 자 력 계 장 공 (플랜트계장공)	180
-	-	-	-	-	-	-	-	32,600	37,500	41,500	41,500	48,633	원 자 력 기 술 자	181
-	-	-	-	-	-	-	-	39,200	45,100	49,000	49,000	58,904	중급원자력기술자	182
-	-	-	-	-	-	-	-	41,800	50,200	55,800	55,800	65,540	상급원자력기술자	183
-	-	-	-	-	-	-	-	32,600	37,500	40,500	40,500	58,687	원자력품질관리사	184
-	-	-	-	-	-	-	-	23,100	27,800	31,800	34,300	34,878	원 자 력 특 별 인 부 (플랜트특별인부)	185
-	-	-	-	-	-	-	-	39,200	40,200	45,100	45,100	58,435	원 자 력 보 온 공 (플랜트보온공)	186
-	-	-	-	-	-	-	-	39,200	45,100	48,700	48,700	45,750	원자력플랜트전공	187
-	-	-	-	-	-	-	-	27,200	31,300	34,300	-	55,149	비 파 괴 시 험 공 (고급원자력)	188
-	-	-	-	-	-	-	-	26,700	32,000	35,100	-	68,310	비 파 괴 시 험 공 (특급원자력)	189
-	-	-	-	-	-	-	-	-	-	-	-	51,942	통 신 관 련 기 사	190
-	-	-	-	-	-	-	-	-	-	-	-	63,470	통신관련산업기사	191
-	-	-	-	-	-	-	-	-	-	-	-	63,919	통 신 관 련 기 능 사	192
-	-	-	-	-	-	-	-	-	-	-	-	58,435	노 즐 공	193
-	-	-	-	-	-	-	-	-	-	-	-	51,703	코 킹 공	194
-	-	-	-	-	-	-	-	-	-	-	-	58,856	전 기 공 사 기 사	195
-	-	-	-	-	-	-	-	-	-	-	-	49,922	전기공사산업기사	196
-	-	-	-	-	-	-	-	-	-	-	-	-	변 전 전 공	197
-	-	-	-	-	-	-	-	-	-	-	-	-	특급품질관리기술인	198
-	-	-	-	-	-	-	-	-	-	-	-	-	고급품질관리기술인	199
-	-	-	-	-	-	-	-	-	-	-	-	-	중급품질관리기술인	200
-	-	-	-	-	-	-	-	-	-	-	-	-	초급품질관리기술인	201

정부(시중)노임단가 (9)

(단위:원/인)

직종번호	직종명	1995.9	1996.1	1996.9	1997.1	1997.9	1998.1	1998.9	1999.1	1999.9	2000.1	2000.9	2001.1	2001.9
139	사공	-	-	-	-	-	-	-	-	-	-	-	-	-
140	마부	-	-	-	-	-	-	-	-	-	-	-	-	-
141	제재공	-	-	-	-	-	-	-	-	-	-	-	-	-
142	철도궤도공	58,209	57,883	57,589	57,972	61,518	65,636	-	-	-	-	-	-	-
143	지적기사 1급	80,576	82,663	85,975	88,314	92,878	93,540	93,295	91,687	88,602	88,613	90,205	93,249	97,558
144	지적기사 2급	64,710	64,607	68,243	69,598	72,206	72,183	72,840	69,173	72,461	74,075	74,735	77,363	81,569
145	지적기능사 1급	46,202	48,066	49,876	50,708	53,073	53,062	50,316	48,878	49,865	52,771	53,516	55,223	57,871
146	지적기능사 2급	30,629	28,851	31,845	32,382	32,372	32,715	34,731	35,131	33,860	37,466	39,603	42,030	44,111
147	지적기사	-	-	-	-	-	-	-	-	-	-	-	-	-
148	지적산업기사	-	-	-	-	-	-	-	-	-	-	-	-	-
149	지적기능사	-	-	-	-	-	-	-	-	-	-	-	-	-
150	H/W설치사	69,145	72,561	78,858	79,720	80,297	82,913	82,162	83,297	83,505	83,518	80,720	81,821	81,405
151	H/W시험사	68,102	71,268	74,583	75,373	80,594	84,088	82,402	85,165	85,559	85,899	85,172	86,593	88,498
152	S/W시험사	68,052	71,253	74,316	75,292	81,691	85,238	84,693	86,583	86,920	87,283	88,655	91,329	98,454
153	CPU시험사	68,417	71,284	75,460	76,241	77,149	80,163	79,138	81,182	81,914	82,349	82,953	85,241	86,879
154	광통신설치사	119,087	122,436	144,388	149,536	151,365	149,857	132,875	108,175	109,748	109,868	110,881	105,532	101,131
155	광케이블설치사	100,121	100,948	127,122	130,983	136,647	120,493	110,336	90,147	94,054	93,734	97,185	95,081	100,005
156	도편수	99,929	122,500	113,004	125,519	135,605	132,909	131,984	120,804	128,797	138,573	133,019	128,685	114,173
157	목조각공	74,669	101,111	95,833	94,989	100,000	95,674	96,291	109,226	109,000	100,732	100,282	100,000	93,242
158	한식목공	76,241	95,044	78,830	80,650	103,043	86,465	87,000	89,987	91,741	100,201	94,374	92,284	91,540
159	한식석공	-	-	-	-	-	-	-	-	-	-	-	-	-
160	한식목공조공	57,661	70,899	61,772	73,355	74,295	62,022	69,203	73,861	66,383	70,045	67,241	62,550	63,750
161	드잡이공	82,302	87,332	100,683	93,850	100,000	98,108	106,667	98,743	100,093	104,584	105,185	102,255	100,000
162	한식와공	152,839	172,380	152,512	147,859	126,250	126,465	153,013	144,566	134,380	146,203	138,273	134,432	136,422
163	한식와공조공	80,066	108,654	90,562	88,360	77,258	91,058	80,622	98,830	90,152	96,400	88,063	91,458	90,129
164	석조각공	92,486	94,237	87,134	101,295	111,797	108,908	112,022	97,323	102,500	106,541	103,966	109,756	105,942
165	특수화공	120,987	127,500	137,500	126,316	131,930	121,264	106,000	130,909	125,780	-	125,000	121,148	118,338
166	화공	72,967	77,285	91,111	101,053	99,225	86,801	92,685	98,506	91,429	93,768	92,041	90,256	92,088
167	한식미장공	83,804	78,957	80,064	85,139	91,749	79,972	78,989	83,400	87,343	84,709	83,959	88,928	87,575
168	드잡이공편수	-	-	-	-	-	-	-	-	-	-	-	-	-
169	한식미장공편수	-	-	-	-	-	-	-	-	-	-	-	-	-
170	한식와공편수	-	-	-	-	-	-	-	-	-	-	-	-	-
171	한식단청공편수	-	-	-	-	-	-	-	-	-	-	-	-	-
172	한식석공조공	-	-	-	-	-	-	-	-	-	-	-	-	-
173	한식미장공조공	-	-	-	-	-	-	-	-	-	-	-	-	-
174	원자력배관공	65,835	64,139	82,054	88,727	85,275	85,331	84,091	85,504	93,015	91,915	93,495	93,197	95,518
175	원자력용접공	63,881	68,633	84,664	89,903	89,144	98,842	97,054	91,598	94,229	83,851	94,222	95,257	95,314
176	원자력기계설치공	71,297	73,492	81,837	83,347	80,109	98,364	97,451	95,966	83,837	79,232	87,672	89,397	90,643
177	원자력덕트공 (플랜트덕트공)	64,261	62,686	70,397	76,473	72,094	104,350	84,386	88,404	84,402	81,702	85,120	85,736	87,579
178	원자력제관공	50,047	57,920	64,156	71,541	69,263	76,379	79,640	76,226	80,957	81,702	85,933	85,224	81,226
179	원자력케이블전공 (플래트케이블전공)	63,624	62,946	72,748	77,606	90,248	85,474	66,411	61,338	68,504	76,596	81,920	79,698	86,496
180	원자력계장공 (플랜트계장공)	67,842	59,579	80,363	78,422	73,303	-	48,839	58,478	68,430	67,250	74,219	74,105	78,849
181	원자력기술자	56,145	60,345	78,152	73,936	81,749	66,616	67,556	71,548	69,637	73,226	82,316	82,403	82,531
182	중급원자력기술자	66,643	71,401	91,524	87,798	84,945	77,992	78,598	85,398	85,859	82,845	92,187	85,270	89,064
183	상급원자력기술자	77,974	80,319	96,511	97,272	108,299	114,125	116,994	109,491	98,319	92,071	100,664	100,304	102,040
184	원자력품질관리사	66,624	70,837	85,480	83,891	86,421	105,586	103,736	104,799	92,704	94,012	97,811	97,845	94,015
185	원자력특별인부 (플랜트특별인부)	48,488	52,622	73,512	70,364	65,293	64,294	68,094	58,187	68,648	73,191	74,351	69,988	71,115
186	원자력보온공 (플랜트보온공)	65,282	65,409	83,546	81,651	77,697	89,519	83,402	65,826	86,717	74,349	76,989	81,509	79,558
187	원자력플랜트전공	60,555	65,170	78,360	76,057	75,986	98,008	93,332	84,229	79,123	77,225	82,298	86,619	88,190
188	비파괴시험공 (고급원자력)	65,056	64,472	66,508	77,351	78,672	92,315	91,089	89,172	82,281	72,526	78,665	81,499	87,624
189	비파괴시험공 (특급원자력)	78,098	77,597	85,540	91,853	93,228	100,409	99,701	94,950	97,673	130,155	118,155	-	131,022
190	통신관련기사	71,662	79,468	92,125	89,527	96,544	92,723	87,004	84,229	84,743	89,331	95,528	90,809	92,459
191	통신관련산업기사	65,937	71,896	79,144	78,395	81,131	82,395	78,519	79,642	81,480	85,223	91,106	86,019	86,709
192	통신관련기능사	65,372	66,184	78,066	72,145	76,166	72,194	68,332	67,759	69,609	73,535	78,296	75,633	73,945
193	노즐공	61,202	56,066	62,079	85,075	63,392	67,815	57,373	63,577	67,930	70,400	68,514	67,469	66,731
194	코킹공	59,474	54,371	66,781	62,564	69,602	63,600	66,077	57,954	57,844	53,986	54,767	57,940	56,412
195	전기공사기사	57,455	60,899	58,218	65,241	64,723	64,241	-	63,956	63,126	56,924	64,247	65,838	63,980
196	전기공사산업기사	53,344	54,308	57,405	57,636	55,027	55,069	-	56,130	57,307	52,819	57,654	57,636	58,372
197	변전전공	-	-	-	-	-	-	-	85,699	82,306	87,939	88,662	84,845	84,511
198	특급품질관리기술인	-	-	-	-	-	-	-	-	-	-	-	-	-
199	고급품질관리기술인	-	-	-	-	-	-	-	-	-	-	-	-	-
200	중급품질관리기술인	-	-	-	-	-	-	-	-	-	-	-	-	-
201	초급품질관리기술인	-	-	-	-	-	-	-	-	-	-	-	-	-

(단위:원/인)

2002.1	2002.9	2003.1	2003.9	2004.1	2004.9	2005.1	2005.9	2006.1	2006.9	2007.1	2007.9	2008.1	직 종 명	직종번호
-	-	-	-	-	-	-	-	-	-	-	-	-	사공	139
-	-	-	-	-	-	-	-	-	-	-	-	-	마부	140
-	-	-	-	-	-	-	-	-	-	-	-	-	제재공	141
-	-	-	-	-	-	-	-	-	-	-	-	-	철도궤도공	142
98,423	103,376	109,524	113,829	117,742	123,289	123,590	125,546	-	-	-	-	-	지적기사 1급	143
81,508	90,015	91,820	96,633	98,765	103,939	104,251	107,173	-	-	-	-	-	지적기사 2급	144
60,647	64,073	68,453	73,627	77,799	79,668	80,021	80,000	-	-	-	-	-	지적기능사 1급	145
45,735	50,714	54,339	56,108	61,492	63,602	63,884	65,101	-	-	-	-	-	지적기능사 2급	146
-	-	-	-	-	-	-	-	138,609	142,804	145,688	152,254	156,425	지적기사	147
-	-	-	-	-	-	-	-	119,414	123,110	127,658	131,594	135,359	지적산업기사	148
-	-	-	-	-	-	-	-	73,437	77,080	81,315	85,139	92,543	지적기능사	149
82,720	92,856	98,174	98,597	103,042	106,011	106,214	106,918	111,540	112,837	112,166	116,692	123,422	H/W설치사	150
89,846	106,630	115,185	116,161	117,777	119,130	119,159	119,648	124,892	126,440	128,609	131,807	140,644	H/W시험사	151
98,026	115,612	121,567	122,160	125,795	128,099	128,300	128,755	133,148	135,028	131,872	135,798	142,435	S/W시험사	152
88,355	103,195	107,074	108,804	111,646	113,736	113,780	114,860	114,597	114,487	120,325	124,452	128,406	CPU시험사	153
108,739	112,374	122,519	124,010	126,550	126,819	127,223	127,889	129,486	126,859	131,605	135,951	145,803	광통신설치사	154
104,231	114,336	119,224	121,763	124,966	126,476	126,937	128,307	131,027	132,222	132,421	138,438	145,826	광케이블설치사	155
106,094	128,101	137,669	139,064	142,221	144,913	146,113	145,520	140,258	146,336	148,722	149,421	152,031	도편수	156
93,853	107,408	107,333	110,526	108,727	109,539	110,040	109,091	110,408	113,684	105,785	112,026	113,333	목조각공	157
88,290	103,133	109,115	115,271	116,974	118,192	118,334	117,078	116,318	116,576	113,607	113,142	115,056	한식목공	158
-	-	-	-	-	-	-	-	-	-	-	-	-	한식석공	159
70,383	74,440	74,172	75,815	77,683	81,065	80,023	79,730	81,448	84,185	88,397	88,543	91,000	한식목공조공	160
104,894	107,186	117,073	117,031	115,088	116,374	116,890	115,742	120,031	120,603	124,878	131,842	130,000	드잡이공	161
149,444	148,248	156,657	160,905	170,386	170,663	167,954	168,885	166,102	161,349	160,423	160,632	164,370	한식와공	162
101,281	100,928	109,827	114,141	115,632	118,228	116,420	115,120	114,844	110,732	110,214	110,592	112,149	한식와공조공	163
96,532	102,089	114,286	104,567	106,986	109,288	110,487	109,821	110,444	116,364	122,553	129,710	133,053	석조각공	164
133,493	143,333	154,545	159,186	154,303	146,665	143,359	141,727	141,964	144,724	145,455	152,002	-	특수화공	165
88,944	93,873	98,512	104,884	97,726	98,986	98,191	97,786	101,032	101,818	104,818	110,977	-	화공	166
85,636	86,597	93,659	96,476	98,036	99,297	100,054	98,986	97,815	99,550	101,818	107,279	108,834	한식미장공	167
-	-	-	-	-	-	-	-	-	-	-	-	-	드잡이공편수	168
-	-	-	-	-	-	-	-	-	-	-	-	-	한식미장공편수	169
-	-	-	-	-	-	-	-	-	-	-	-	-	한식와공편수	170
-	-	-	-	-	-	-	-	-	-	-	-	-	한식단청공편수	171
-	-	-	-	-	-	-	-	-	-	-	-	-	한식석공조공	172
-	-	-	-	-	-	-	-	-	-	-	-	-	한식미장공조공	173
96,766	101,018	107,985	107,250	99,434	-	98,816	101,123	113,767	119,880	128,327	134,270	141,582	원자력배관공	174
99,944	99,637	109,000	108,486	108,898	110,194	110,621	112,181	123,219	129,968	136,573	140,190	150,698	원자력용접공	175
91,634	96,746	98,147	104,495	108,186	111,268	112,549	113,878	123,343	129,900	135,424	136,964	141,189	원자력기계설치공	176
90,726	90,880	92,497	93,200	89,006	-	-	-	-	-	-	117,860	-	원자력덕트공 (플랜트덕트공)	177
85,710	82,666	85,747	84,818	86,371	79,544	-	-	-	-	-	-	-	원자력제관공	178
87,150	89,087	90,833	95,200	95,940	-	96,837	99,036	106,148	112,308	115,896	121,377	131,198	원자력케이블전공 (플래트케이블전공)	179
76,509	82,098	83,708	85,000	88,816	-	93,084	95,096	102,330	109,585	115,611	120,815	130,325	원자력계장공 (플랜트계장공)	180
84,905	-	75,113	82,320	85,455	87,690	89,162	90,119	94,412	99,148	103,513	104,785	103,883	원자력기술자	181
92,182	91,057	92,889	94,275	98,667	101,462	102,500	104,182	110,067	115,767	121,669	127,447	132,981	중급원자력기술자	182
105,581	106,819	115,921	122,419	127,995	130,874	132,480	134,832	144,411	151,425	156,921	160,446	168,147	상급원자력기술자	183
94,169	105,578	110,937	113,580	115,823	116,278	117,953	119,621	129,327	135,637	141,623	149,148	159,042	원자력품질관리사	184
71,397	75,199	78,611	74,533	70,000	-	73,179	74,121	77,729	81,784	82,487	83,195	84,345	원자력특별인부 (플랜트특별인부)	185
84,891	-	104,927	108,179	102,108	103,802	105,740	108,000	119,589	125,998	127,999	132,613	142,956	원자력보온공 (플랜트보온공)	186
85,861	95,452	96,076	100,383	104,710	106,573	108,308	110,288	120,011	126,663	131,528	133,496	138,128	원자력플랜트전공	187
89,445	96,916	97,395	102,258	105,914	109,714	112,320	114,926	123,262	130,102	134,682	137,971	144,506	비파괴시험공 (고급원자력)	188
136,394	135,096	138,883	128,583	130,869	130,162	132,229	134,504	144,971	153,729	153,334	151,510	154,786	비파괴시험공 (특급원자력)	189
92,355	101,288	110,211	108,413	106,136	106,603	107,303	108,401	112,911	113,863	112,395	112,052	115,879	통신관련기사	190
91,949	93,385	101,160	101,796	100,760	103,973	102,015	102,108	106,556	107,477	109,315	111,655	109,769	통신관련산업기사	191
73,064	80,652	87,246	89,102	93,644	92,685	93,209	92,170	96,861	96,940	99,308	102,212	105,478	통신관련기능사	192
63,841	65,520	70,244	72,686	71,903	74,157	73,506	74,131	-	80,717	81,684	-	83,000	노즐공	193
61,248	68,776	78,498	81,129	79,407	77,641	77,140	78,079	81,049	85,934	86,845	89,803	89,735	코킹공	194
64,800	74,008	79,564	81,972	84,424	86,807	87,345	88,509	91,837	93,044	93,213	95,366	99,222	전기공사기사	195
62,990	70,109	73,543	74,333	76,461	77,697	77,926	78,275	81,786	83,991	86,412	91,278	92,611	전기공사산업기사	196
87,479	98,233	105,151	106,670	111,640	112,781	112,878	113,345	118,328	120,581	119,064	120,543	123,390	변전전공	197
-	-	-	-	-	-	-	-	-	-	-	-	-	특급품질관리기술인	198
-	-	-	-	-	-	-	-	-	-	-	-	-	고급품질관리기술인	199
-	-	-	-	-	-	-	-	-	-	-	-	-	중급품질관리기술인	200
-	-	-	-	-	-	-	-	-	-	-	-	-	초급품질관리기술인	201

정부(시중)노임단가 (10)

(단위:원/인)

직종번호	직 종 명	2008.9	2009.1	2009.9	2010.1	2010.9	2011.1	2011.9	2012.1	2012.9	2013.1	2013.9	2014.1	2014.9
139	사 공	-	-	-	-	-	-	-	-	-	-	-	-	-
140	마 부	-	-	-	-	-	-	-	-	-	-	-	-	-
141	제 재 공	-	-	-	-	-	-	-	-	-	-	-	-	-
142	철 도 궤 도 공	-	-	-	-	-	-	-	-	-	-	-	-	-
143	지 적 기 사 1 급	-	-	-	-	-	-	-	-	-	-	-	-	-
144	지 적 기 사 2 급	-	-	-	-	-	-	-	-	-	-	-	-	-
145	지 적 기 능 사 1 급	-	-	-	-	-	-	-	-	-	-	-	-	-
146	지 적 기 능 사 2 급	-	-	-	-	-	-	-	-	-	-	-	-	-
147	지 적 기 사	155,345	163,633	164,522	174,709	181,586	185,892	191,190	195,584	193,114	196,139	211,122	210,950	201,493
148	지 적 산 업 기 사	142,481	148,210	150,217	155,776	150,144	152,002	159,262	163,870	168,906	173,201	176,646	175,205	180,780
149	지 적 기 능 사	98,778	104,831	104,987	110,974	115,850	117,740	125,193	130,795	141,524	151,646	149,064	149,139	155,121
150	H / W 설 치 사	129,565	136,387	137,761	-	-	-	-	-	-	-	-	-	-
151	H / W 시 험 사	146,801	152,910	155,943	160,012	170,735	173,041	177,071	183,444	191,461	191,839	194,224	196,712	204,329
152	S / W 시 험 사	147,358	155,202	160,049	166,532	175,429	176,440	186,776	194,219	207,425	211,502	215,253	218,372	222,435
153	C P U 시 험 사	136,389	141,376	145,322	-	-	-	-	-	-	-	-	-	-
154	광 통 신 설 치 사	150,602	155,434	157,653	-	-	-	-	-	-	-	-	-	-
155	광 케 이 블 설 치 사	153,619	158,142	162,111	170,411	178,381	181,474	192,441	195,695	213,445	214,819	223,842	226,062	236,098
156	도 편 수	161,563	165,889	156,282	167,990	167,760	170,360	178,234	185,455	204,917	224,975	236,222	262,142	281,023
157	목 조 각 공	118,421	115,789	116,480	-	-	-	123,429	125,806	135,932	-	141,176	141,279	-
158	한 식 목 공	120,320	125,125	118,239	126,090	133,382	127,988	133,426	142,682	141,103	146,007	161,551	168,479	180,750
159	한 식 석 공	-	-	-	137,425	141,519	144,386	148,117	148,638	156,226	165,635	179,488	189,313	202,080
160	한 식 목 공 조 공	89,191	92,575	86,975	92,083	95,011	96,248	99,755	103,992	111,298	113,741	123,791	122,875	126,451
161	드 잡 이 공	140,351	140,488	142,332	153,216	-	151,579	-	-	168,500	184,113	203,833	203,735	215,746
162	한 식 와 공	162,904	160,018	153,802	160,788	155,698	160,314	170,490	182,853	176,307	188,315	192,090	197,938	204,605
163	한 식 와 공 조 공	119,766	116,067	113,450	121,768	125,457	126,649	128,120	135,713	142,699	148,018	148,319	147,986	156,549
164	석 조 각 공	145,261	151,504	149,623	156,391	-	156,098	162,857	176,959	-	-	186,191	186,667	-
165	특 수 화 공	162,406	166,504	162,787	168,421	175,639	172,059	184,825	-	200,625	-	-	-	-
166	화 공	109,350	112,167	113,731	120,294	123,696	-	129,191	129,787	141,010	141,172	156,938	160,000	175,297
167	한 식 미 장 공	116,878	119,976	115,419	123,412	119,791	121,091	124,738	125,647	124,978	127,502	134,752	139,425	143,089
168	드 잡 이 공 편 수	-	-	-	-	-	-	-	-	-	-	-	-	-
169	한 식 미 장 공 편 수	-	-	-	-	-	-	-	-	-	-	-	-	-
170	한 식 와 공 편 수	-	-	-	-	-	-	-	-	-	-	-	-	-
171	한 식 단 청 공 편 수	-	-	-	-	-	-	-	-	-	-	-	-	-
172	한 식 석 공 조 공	-	-	-	-	-	-	-	-	-	-	-	-	-
173	한 식 미 장 공 조 공	-	-	-	-	-	-	-	-	-	-	-	-	-
174	원 자 력 배 관 공	142,897	142,019	132,694	-	-	-	-	-	-	-	-	-	-
175	원 자 력 용 접 공	150,989	149,641	142,089	143,258	151,834	145,953	154,106	156,656	167,617	172,174	183,937	197,483	194,833
176	원 자 력 기 계 설 치 공	142,892	143,496	144,144	144,457	149,519	148,960	155,383	163,689	172,326	176,595	189,975	195,206	196,822
177	원 자 력 덕 트 공 (플랜트덕트공)	-	116,586	-	-	116,491	113,986	-	124,424	-	-	-	131,657	137,752
178	원 자 력 제 관 공	-	92,624	-	-	-	-	-	-	-	-	-	-	-
179	원자력케이블전공 (플랜트케이블전공)	137,313	137,269	139,224	140,299	141,231	136,505	143,083	152,273	160,969	167,857	174,054	182,762	199,626
180	원 자 력 계 장 공 (플랜트계장공)	135,412	136,036	136,276	131,946	140,852	134,801	146,019	141,831	154,515	157,124	169,175	177,113	168,859
181	원 자 력 기 술 자	103,812	101,765	93,866	-	-	-	-	-	-	-	-	-	-
182	중급원자력기술자	133,874	132,048	136,852	-	-	-	-	-	-	-	-	-	-
183	상급원자력기술자	166,963	170,372	170,818	-	-	-	-	-	-	-	-	-	-
184	원자력품질관리사	159,411	161,481	160,884	160,842	165,073	167,167	175,725	180,233	192,265	196,636	227,463	233,236	233,709
185	원 자 력 특 별 인 부 (플랜트특별인부)	85,857	86,899	86,557	86,165	90,160	88,321	95,482	101,412	102,645	108,090	116,557	118,883	126,616
186	원 자 력 보 온 공 (플랜트보온공)	143,211	144,823	146,320	145,453	142,365	138,345	145,855	138,852	149,843	151,459	165,375	171,547	188,572
187	원자력플랜트전공	139,957	138,997	139,411	142,078	144,980	145,896	151,628	163,143	170,961	174,547	191,525	198,348	196,244
188	비 파 괴 시 험 공 (고급원자력)	150,923	150,183	151,912	153,630	154,526	156,533	165,624	167,675	181,152	184,376	196,403	202,305	208,460
189	비 파 괴 시 험 공 (특급원자력)	154,856	152,961	155,976	153,630	154,526	156,533	165,624	167,675	181,152	184,376	196,403	202,305	208,460
190	통 신 관 련 기 사	118,839	124,612	126,659	132,479	136,957	140,036	147,395	155,534	158,648	165,315	174,039	179,003	184,592
191	통신관련산업기사	115,189	118,653	119,664	123,749	128,249	130,718	136,269	145,230	155,584	156,769	163,285	165,872	170,777
192	통 신 관 련 기 능 사	102,396	108,138	108,790	112,922	115,218	119,248	123,820	124,291	133,039	136,086	143,507	145,107	151,219
193	노 즐 공	-	85,354	83,741	-	-	-	-	-	-	-	-	-	-
194	코 킹 공	87,149	94,234	89,049	94,448	95,213	96,365	99,928	102,894	110,727	111,902	110,360	105,115	114,347
195	전 기 공 사 기 사	103,906	107,657	109,872	116,015	120,056	124,668	128,372	137,423	137,191	141,540	145,542	150,348	157,425
196	전기공사산업기사	97,983	96,203	97,830	101,863	106,627	108,837	115,183	120,357	124,244	126,445	134,188	134,482	139,356
197	변 전 전 공	129,459	133,679	134,834	142,295	146,116	146,732	157,676	166,496	170,049	176,596	182,511	186,606	202,834
198	특급품질관리기술인	-	-	-	-	-	-	-	-	-	-	-	-	-
199	고급품질관리기술인	-	-	-	-	-	-	-	-	-	-	-	-	-
200	중급품질관리기술인	-	-	-	-	-	-	-	-	-	-	-	-	-
201	초급품질관리기술인	-	-	-	-	-	-	-	-	-	-	-	-	-

(단위:원/인)

2015.1	2015.9	2016.1	2016.9	2017.1	2017.9	2018.1	2018.9	2019.1	2019.9	2020.1	2020.9	2021.1	직종명	직종번호
-	-	-	-	-	-	-	-	-	-	-	-	-	사공	139
-	-	-	-	-	-	-	-	-	-	-	-	-	마부	140
-	-	-	-	-	-	-	-	-	-	-	-	-	제재공	141
-	-	-	-	-	-	-	-	-	-	-	-	-	철도궤도공	142
-	-	-	-	-	-	-	-	-	-	-	-	-	지적기사1급	143
-	-	-	-	-	-	-	-	-	-	-	-	-	지적기사2급	144
-	-	-	-	-	-	-	-	-	-	-	-	-	지적기능사1급	145
-	-	-	-	-	-	-	-	-	-	-	-	-	지적기능사2급	146
202,574	213,060	206,417	223,006	223,382	237,460	236,268	236,123	235,513	235,826	243,896	244,812	248,325	지적기사	147
178,013	189,484	176,057	190,980	192,665	205,029	205,925	205,702	204,765	204,511	210,073	214,803	211,956	지적산업기사	148
154,961	160,774	152,797	163,334	169,586	174,452	174,105	173,700	173,954	171,936	176,698	174,004	172,575	지적기능사	149
-	-	-	-	-	-	-	-	-	-	-	-	-	H/W설치사	150
207,463	210,314	221,946	232,334	240,107	250,248	258,122	281,211	300,441	316,006	322,434	329,985	330,411	H/W시험사	151
225,925	228,481	240,506	253,927	261,513	273,048	282,126	306,008	316,695	335,062	344,600	354,908	354,793	S/W시험사	152
-	-	-	-	-	-	-	-	-	-	-	-	-	CPU시험사	153
-	-	-	-	-	-	-	-	-	-	-	-	-	광통신설치사	154
242,548	246,430	259,367	278,477	286,348	297,118	307,477	329,592	332,790	340,232	339,533	360,798	360,206	광케이블설치사	155
291,962	292,427	302,639	293,638	303,876	316,058	323,645	320,137	331,207	350,394	369,417	-	421,053	도편수	156
151,580	153,936	153,936	167,273	171,338	179,802	192,209	206,235	210,559	222,398	-	253,883	245,000	목조각공	157
185,268	193,133	201,547	195,547	205,220	213,912	220,935	228,846	237,124	250,387	263,480	261,656	246,346	한식목공	158
213,744	218,163	231,118	240,644	247,633	253,955	261,844	280,936	302,185	323,048	334,710	333,973	324,939	한식석공	159
138,585	138,734	145,409	156,441	161,097	162,262	170,364	181,486	189,704	197,677	210,126	210,502	202,105	한식목공조공	160
-	232,345	243,036	244,077	245,410	249,149	247,924	248,421	262,340	275,200	285,258	-	-	드잡이공	161
210,692	216,076	230,714	239,973	250,452	264,383	271,936	269,964	280,534	275,649	289,703	284,919	290,026	한식와공	162
157,685	163,628	170,393	169,974	176,580	177,441	188,279	202,769	213,333	201,885	206,937	216,217	227,495	한식와공조공	163
-	190,475	-	193,297	-	203,196	-	-	-	-	-	-	-	석조각공	164
-	230,344	-	235,175	-	238,720	-	-	-	-	-	-	238,720	특수화공	165
180,615	184,318	190,523	198,632	195,899	205,586	212,787	228,571	-	-	-	-	-	화공	166
147,594	154,122	160,875	172,651	178,490	188,152	235,833	221,715	217,332	197,427	249,945	249,672	246,667	한식미장공	167
-	-	-	-	-	-	273,371	-	-	-	284,800	-	-	드잡이공편수	168
-	-	-	-	-	-	251,074	-	-	271,307	285,813	256,667	261,429	한식미장공편수	169
-	-	-	-	-	-	292,847	-	-	306,667	316,204	-	365,113	한식와공편수	170
-	-	-	-	-	-	241,517	243,477	-	-	257,143	-	247,727	한식단청공편수	171
-	-	-	-	-	-	192,636	205,926	219,117	231,071	241,942	246,892	256,000	한식석공조공	172
-	-	-	-	-	-	165,089	180,980	195,281	207,538	218,105	213,333	220,000	한식미장공조공	173
-	-	-	-	-	-	-	-	-	-	-	-	-	원자력배관공	174
189,944	208,389	196,167	201,816	199,842	202,847	202,130	204,448	208,245	195,389	193,853	190,809	201,040	원자력용접공	175
197,200	201,619	187,724	202,174	199,758	210,518	210,144	211,263	201,203	213,022	215,382	213,079	214,418	원자력기계설치공	176
141,804	-	148,990	-	152,204	-	160,714	-	161,831	160,300	168,365	178,111	183,708	원자력덕트공 (플랜트덕트공)	177
-	-	-	-	-	-	-	-	-	-	-	-	-	원자력제관공	178
207,818	210,066	220,324	232,364	239,501	251,985	251,985	257,060	252,875	246,036	266,554	265,163	274,707	원자력케이블전공 (플래트케이블전공)	179
169,435	165,415	162,516	167,232	167,787	179,406	182,976	184,732	193,134	189,623	179,826	188,726	196,381	원자력계장공 (플랜트계장공)	180
-	-	-	-	-	-	-	-	-	-	-	-	-	원자력기술자	181
-	-	-	-	-	-	-	-	-	-	-	-	-	중급원자력기술자	182
-	-	-	-	-	-	-	-	-	-	-	-	-	상급원자력기술자	183
228,353	233,836	247,738	256,484	252,432	260,445	265,941	266,892	258,644	274,651	266,390	268,091	261,522	원자력품질관리사	184
128,250	131,788	137,324	144,628	150,555	150,630	158,269	167,839	162,616	161,468	170,378	176,096	176,704	원자력특별인부 (플랜트특별인부)	185
187,469	199,137	207,683	218,315	209,797	207,593	214,681	227,973	225,972	237,525	229,121	222,011	219,868	원자력보온공 (플랜트보온공)	186
194,339	201,150	205,807	205,068	207,172	215,411	213,364	214,003	209,162	197,852	223,119	218,784	219,796	원자력플랜트전공	187
212,015	218,104	215,672	228,210	236,018	244,733	252,642	272,157	266,376	258,161	211,907	210,048	227,625	비파괴시험공 (고급원자력)	188
212,015	218,104	215,672	228,210	236,018	244,733	252,642	272,157	266,376	258,161	211,907	210,048	227,625	비파괴시험공 (특급원자력)	189
189,428	196,575	203,680	208,604	215,428	224,214	231,472	246,909	259,492	260,736	254,887	260,229	257,342	통신관련기사	190
172,614	174,836	183,684	190,556	196,722	203,601	211,847	228,022	239,569	250,535	252,472	256,656	254,403	통신관련산업기사	191
152,339	152,766	161,950	168,459	173,162	179,968	185,358	199,652	199,216	199,056	205,859	206,278	206,555	통신관련기능사	192
-	-	-	-	-	-	-	-	-	-	-	-	-	노즐공	193
115,796	118,066	122,525	129,804	134,606	142,317	149,882	163,904	167,882	176,693	179,334	181,699	187,843	코킹공	194
159,262	164,207	173,285	189,482	194,979	205,010	214,690	228,507	240,346	261,628	263,992	267,522	263,081	전기공사기사	195
141,107	141,478	151,967	164,000	170,252	179,744	191,600	203,354	211,437	231,347	237,693	240,324	241,167	전기공사산업기사	196
211,751	219,634	229,801	244,383	257,066	269,720	280,556	297,950	305,887	320,009	338,501	348,736	369,045	변전전공	197
-	-	-	-	-	-	-	-	-	-	-	257,972	265,082	특급품질관리기술인	198
-	-	-	-	-	-	-	-	-	-	-	207,449	206,730	고급품질관리기술인	199
-	-	-	-	-	-	-	-	-	-	-	176,238	180,381	중급품질관리기술인	200
-	-	-	-	-	-	-	-	-	-	-	146,028	150,360	초급품질관리기술인	201

정부(시중)노임단가 (11)

(단위:원/인)

직종번호	직종명	2021.9	2022.1	2022.9	2023.1	2023.9
139	사공	-	-	-	-	-
140	마부	-	-	-	-	-
141	제재공	-	-	-	-	-
142	철도궤도공	-	-	-	-	-
143	지적기사1급	-	-	-	-	-
144	지적기사2급	-	-	-	-	-
145	지적기능사1급	-	-	-	-	-
146	지적기능사2급	-	-	-	-	-
147	지적기사	245,110	250,223	250,962	246,481	255,175
148	지적산업기사	217,040	219,307	219,741	215,026	231,699
149	지적기능사	177,107	179,864	181,993	188,071	189,226
150	H/W설치사	-	-	-	-	-
151	H/W시험사	332,268	330,981	349,792	354,947	364,183
152	S/W시험사	364,327	377,187	391,265	401,195	423,318
153	CPU시험사	-	-	-	-	-
154	광통신설치사	-	-	-	-	-
155	광케이블설치사	374,910	388,288	398,214	409,726	430,849
156	도편수	-	-	-	457,143	508,529
157	목조각공	-	-	-	-	-
158	한식목공	247,685	271,227	279,380	-	321,528
159	한식석공	330,000	322,914	322,748	368,240	377,463
160	한식목공조공	-	-	209,937	-	234,248
161	드잡이공	281,481	-	280,702	-	301,714
162	한식와공	-	293,446	298,868	322,581	339,525
163	한식와공조공	-	250,000	245,275	-	271,844
164	석조각공	-	-	-	-	-
165	특수화공	300,000	-	285,714	-	-
166	화공	269,504	261,905	252,000	-	271,248
167	한식미장공	262,880	278,417	286,134	-	308,123
168	드잡이공편수	-	-	-	-	-
169	한식미장공편수	279,896	298,667	-	325,333	-
170	한식와공편수	374,422	409,618	-	-	458,667
171	한식단청공편수	-	-	250,000	-	-
172	한식석공조공	260,000	284,211	267,610	308,571	300,729
173	한식미장공조공	226,634	224,000	227,310	-	255,320
174	원자력배관공	-	-	-	-	-
175	원자력용접공	201,082	194,568	196,805	197,956	209,427
176	원자력기계설치공	222,881	223,770	229,295	228,419	234,810
177	원자력덕트공 (플랜트덕트공)	-	-	-	-	-
178	원자력제관공	-	-	-	-	-
179	원자력케이블선공 (플래트케이블전공)	290,040	206,879	293,572	290,265	285,303
180	원자력계장공 (플랜트계장공)	194,262	208,010	214,700	215,631	209,366
181	원자력기술자	-	-	-	-	-
182	중급원자력기술자	-	-	-	-	-
183	상급원자력기술자	-	-	-	-	-
184	원자력품질관리사	275,550	282,525	301,308	281,198	290,732
185	원자력특별인부 (플랜트특별인부)	182,649	187,735	198,285	205,095	207,815
186	원자력보온공 (플랜트보온공)	227,694	236,000	248,570	-	248,017
187	원자력플랜트전공	220,447	221,666	230,848	228,504	234,603
188	비파괴시험공 (고급원자력)	222,653	218,137	221,714	224,819	211,797
189	비파괴시험공 (특급원자력)	222,653	218,137	221,714	224,819	211,797
190	통신관련기사	265,371	275,633	284,842	292,454	305,033
191	통신관련산업기사	263,046	268,910	273,786	284,281	292,400
192	통신관련기능사	213,828	221,858	227,878	234,222	240,768
193	노즐공	-	-	-	-	-
194	코킹공	186,456	184,209	191,040	194,831	199,797
195	전기공사기사	272,340	279,912	292,105	299,140	314,544
196	전기공사산업기사	246,849	249,961	260,292	265,465	281,158
197	변전전공	388,030	410,051	429,168	437,936	451,145
198	특급품질관리기술인	264,217	260,237	266,992	266,470	265,252
199	고급품질관리기술인	206,224	211,437	214,705	216,510	214,819
200	중급품질관리기술인	177,964	180,523	181,589	183,604	185,766
201	초급품질관리기술인	149,841	155,277	158,045	158,227	157,179

참고 **● 보통인부와 특별인부 노임 추이 ●**

보통인부 노임은 1970년 540원에서 2023년 상반기 157,068원으로 약 290배가량 인상되었고, 특별인부 노임은 710원에서 197,450원으로 약 278배가량 인상되었다.

그리고 1970년부터 꾸준히 인상추세를 보이던 노임은 IMF영향이 미치기 시작하는 1998년 하반기에 같은해 상반기보다 보통인부 노임이 약 9.6%, 특별인부 노임이 약 18.6% 인하되었다. 한편, 고용노동부에 따르면 2023년 최저임금은 시간급 9,620원이며, 일급(8시간 기준)은 76,960원이다.

● 정부노임단가에서 시중노임단가로 변경된 시기와 이유 ●

〈변경시기〉

정부계약의 원가계산에 의한 예정가격 작성시 적용하는 노임단가 기준이 1994년까지는 (구)재무부장관이 결정·고시하는 "정부고시노임"이였으나 1995년부터 통계법 제3조의 규정에 의하여 통계작성 승인을 받은 기관이 조사·공표하는 "시중노임"으로 변경됨.

〈변경이유〉

1994년까지 정부에서 고시하는 정부노임단가가 일반적으로 시중노임단가보다 현저히 낮아 정부노임단가에 의한 인력사용이 공사지연과 부실공사의 원인이 되어 왔다. 여기에 편법적으로 노동인력수 및 시간 조정 등으로 시장단가에 상응하는 노임으로 변칙집행을 해와 이에 정부에서는 노임을 현실화하기 위해 1995년부터 시중노임단가로 변경함.

※ 조사직종변경

구 분 / 직 종	1999년 상반기 조사부터 개편	2005년 상반기 조사부터 개편	2010년 상반기 조사부터 개편	2020년 하반기 조사부터 개편
전체직종	145개 직종	146개 직종	117개 직종	127개 직종
일반공사직종	104개 직종	105개 직종	91개 직종	91개 직종
광전자직종	6개 직종	6개 직종	3개 직종	3개 직종
문화재직종	11개 직종	11개 직종	12개 직종	18개 직종
원자력직종	16개 직종	16개 직종	4개 직종	4개 직종
기타직종	8개 직종	8개 직종	7개 직종	11개 직종

※ 평균임금현황

직종명 / 적용일	전 체 직 종	일반공사 직 종	광전자 직 종	문화재 직 종	원자력 직 종	기 타 직 종
2023. 1. 1	255,016	244,456	388,623	289,247	234,019	257,558
2022. 9. 1	248,819	237,006	379,757	286,364	239,564	252,767
2022. 1. 1	242,931	231,044	365,485	283,907	230,632	245,273
2021. 9. 1	235,815	223,499	357,168	276,915	229,990	239,470
2021. 1. 1	230,798	219,213	348,470	268,825	224,194	234,726
2020. 9. 1	226,947	215,178	348,564	264,191	222,691	231,739
2020. 1. 1	222,803	209,168	335,522	262,914	224,686	247,534
2019. 9. 1	216,770	203,891	330,433	252,022	220,229	242,858
2019. 1. 1	210,195	197,897	316,642	244,131	219,314	231,976
2018. 9. 1	203,332	190,702	305,604	237,460	224,152	224,043
2018. 1. 1	193,770	181,134	282,575	230,322	222,895	209,344
2017. 9. 1	186,026	175,804	273,471	221,051	222,305	200,653
2017. 1. 1	179,690	169,999	262,656	213,706	214,801	191,745
2016. 9. 1	175,071	165,389	254,913	208,944	216,386	185,041
2016. 1. 1	168,571	159,184	240,606	204,251	209,359	175,270
2015. 9. 1	163,339	154,343	228,408	197,308	211,249	166,795
2015. 1. 1	158,590	149,959	225,312	190,064	202,459	163,185

직종명 / 적용일	전 체 직 종	일반공사 직 종	광전자 직 종	문화재 직 종	원자력 직 종	기 타 직 종
2014. 9. 1	155,796	147,352	220,954	184,513	205,402	160,079
2014. 1. 1	150,664	142,586	213,715	176,705	206,068	152,362
2013. 9. 1	148,380	140,833	211,106	172,081	198,225	150,490
2013. 1. 1	141,724	134,901	206,053	162,750	179,988	144,950
2012. 9. 1	138,571	132,168	204,110	156,713	175,792	141,355
2012. 1. 1	132,576	126,684	191,119	149,495	165,930	136,032
2011. 9. 1	129,029	123,735	185,429	144,563	159,211	129,806
2011. 1. 1	124,746	120,031	176,985	138,912	151,994	123,801
2010. 9. 1	123,031	118,090	174,848	138,670	152,852	121,205
2010. 1. 1	119,717	114,847	165,652	137,030	147,659	117,682
2009. 9. 1	117,333	111,664	156,581	130,640	146,190	110,820
2009. 1. 1	117,524	111,661	153,277	134,021	146,937	110,576
2008. 9. 1	114,642	108,559	147,292	132,221	146,159	106,679
2008. 1. 1	110,546	104,226	140,851	126,407	144,482	104,282
2007. 9. 1	107,261	101,241	133,455	124,886	138,384	102,436
2007. 1. 1	104,651	99,171	129,001	121,275	133,106	100,354

※ 통합직종

당 초	통합직종명	당 초	통합직종명
선부+보통인부	보통인부	치장벽돌공+조적공	조적공
갱부+특별인부	특별인부	함석공+덕트공	덕트공
조림인부+조력공	조력공	창호목공+샷시공	창호공
특수비계공+비계공	비계공	기계공+기계설치공	기계설비공
동발공(터널)+형틀목공	형틀목공	원자력배관공+플랜트배관공	플랜트배관공
절단공	철근공, 철공, 철판공, 철골공으로 각각 통합	원자력제관공+플랜트제관공	플랜트제관공
용접공(일반)+용접공(철도)	용접공	특급원자력비파괴시험공+고급원자력비파괴시험공	비파괴시험공
노즐공+콘크리트공	콘크리트공	광통신설치사+광케이블설치사	광케이블설치사
준설선기관장+준설선기관사, 준설선전기사+준설선기관사	준설선기관사	H/W설치사+H/W시험사	H/W시험사
보통선원+고급선원	선원	CPU시험사+S/W시험사	S/W시험사

※ 직종명칭 변경

당 초	변경명칭	당 초	변경명칭
보링공(지질조사)	보링공	원자력계장공	플랜트계장공
목도	인력운반공	원자력덕트공	플랜트덕트공
건설기계운전기사	건설기계운전사	원자력보온공	플랜트보온공
운전사(운반차)	화물차운전사	시험관련기사	특급품질관리원
운전사(기계)	일반기계운전사	시험관련산업기사	고급품질관리원
원자력특별인부	플랜트특별인부	시험관련기능사	초급품질관리원
원자력케이블전공	플랜트케이블전공	-	-

※ 폐지 및 신설직종

신설직종(13)	폐지직종(10)
중급품질관리원, 한식석공, 석면해체공, 드잡이공편수, 한식미장공편수, 한식와공편수, 한식단청공편수, 한식석공조공, 한식미장공조공, 특급품질관리기술인, 고급품질관리기술인, 중급품질관리기술인, 초급품질관리기술인	현도사, 벽돌(블럭)제작공, 보안공, 건설기계운전조수, 시공측량사, 시공측량사조수, 측부, 상급원자력기술자, 중급원자력기술자, 원자력기술자

정부(시중)노임단가 (12)

2. 제조부문

(단위:원)

직종번호	직 종 명	단위	1972	1973	1974	1975	1976	1977	1978	1979	1980	1981	1982	1983	1984	1985
1	기계설계사	인	1,280	1,280	1,720	1,980	2,100	2,480	3,630	5,610	6,410	7,660	8,180	8,670	8,870	9,460
2	회로설계사	〃	1,220	1,220	1,760	2,020	2,310	2,720	4,490	5,880	6,550	8,340	9,600	9,770	10,010	10,050
3	제도사	〃	770	770	1,150	1,660	1,780	2,100	4,120	4,360	4,360	5,310	6,020	6,280	6,320	6,460
4	현도사	〃	770	770	1,230	1,780	1,870	2,460	5,420	5,420	5,420	5,730	6,080	9,180	6,440	6,860
5	마킹공	〃	720	720	1,000	1,300	1,430	1,790	2,990	3,390	3,390	3,920	4,700	4,780	4,970	5,240
6	철물재단사	〃	600	600	900	1,220	1,430	1,790	2,170	3,410	4,260	5,520	6,350	6,680	7,000	7,290
7	철물재단공	〃	700	700	940	1,230	1,380	1,730	2,830	2,850	3,610	4,040	4,650	4,970	5,310	5,610
8	산소절단공	〃	840	840	1,250	1,520	1,750	2,190	2,820	2,900	3,410	4,260	4,740	5,340	5,640	5,940
9	회전쇠톱공	〃	680	680	980	1,330	1,550	1,940	2,420	2,440	3,060	4,110	4,470	4,880	5,330	5,660
10	금속쇠톱공	〃	580	580	980	1,140	1,280	1,600	2,160	2,280	3,670	4,290	4,290	4,290	4,590	4,780
11	모형절단공	〃	700	700	-	1,330	1,520	1,900	2,400	2,570	2,960	3,730	4,290	4,560	4,890	4,920
12	가위절단공	〃	580	580	870	1,090	1,170	1,460	1,750	1,750	2,210	2,700	3,240	3,340	3,580	3,670
13	단금절단공	〃	580	580	870	1,090	1,170	1,460	1,830	1,830	2,320	3,440	3,830	4,320	4,360	4,360
14	초음파절단공	〃	800	800	1,240	1,620	1,690	2,110	2,580	2,580	3,270	3,490	3,780	4,010	4,290	4,390
15	방전절단공	〃	800	800	1,160	1,570	1,690	2,110	2,550	2,550	4,240	4,610	5,300	5,300	5,320	5,410
16	샤링공	〃	760	760	1,020	1,330	1,460	1,830	2,330	2,960	3,560	4,140	4,760	4,940	5,070	5,260
17	프레스공	〃	750	750	1,010	1,370	1,600	2,000	2,510	2,810	3,570	3,850	4,430	4,440	4,660	4,900
18	밀링공	〃	700	700	980	1,350	1,560	1,950	2,420	2,990	3,590	4,330	4,760	5,070	5,420	5,610
19	쉐파공	〃	700	700	940	1,270	1,330	1,660	2,120	3,140	3,920	4,560	5,170	5,200	5,420	5,600
20	홉핑공	〃	900	900	1,210	1,580	1,650	2,060	2,460	2,850	3,210	4,110	4,730	4,900	5,330	5,650
21	로구로공	〃	740	740	960	1,350	1,520	1,900	2,270	2,470	3,510	4,110	4,400	4,620	4,840	5,030
22	드릴공	〃	690	690	890	1,120	1,310	1,640	2,610	2,630	3,100	3,870	4,450	4,600	4,800	5,050
23	태핑공	〃	-	-	-	-	-	-	-	2,280	3,170	3,630	4,160	4,160	4,420	4,420
24	착암공	〃	-	-	-	-	-	-	-	-	-	-	-	-	-	-
25	화차원	〃	-	-	-	-	-	-	-	-	-	-	-	-	-	-
26	보링공	〃	840	840	1,170	1,530	1,640	2,050	2,690	3,690	3,690	4,570	5,260	5,750	5,930	6,080
27	자동선반공	〃	-	-	-	-	-	-	-	3,270	4,240	4,600	5,060	5,520	5,800	5,870
28	수동선반공	〃	-	-	-	-	-	-	-	2,950	3,460	4,500	4,950	5,300	5,560	5,810
29	프레나공	〃	840	840	1,170	1,530	1,600	2,000	2,390	2,890	3,690	4,420	4,980	5,270	5,580	5,700
30	스루타공	〃	850	850	1,190	1,490	1,560	1,950	2,460	3,400	3,670	4,520	5,200	5,420	5,720	5,800
31	볼반공	〃	840	840	1,130	1,470	1,610	2,010	2,640	2,650	3,560	3,880	4,320	4,460	4,370	4,880
32	강판공	〃	760	760	1,100	1,380	1,450	1,810	2,220	2,520	4,240	4,240	4,510	4,700	4,790	4,950
33	판금공	〃	800	800	1,120	1,460	1,520	1,900	2,260	3,050	3,720	4,860	4,970	5,200	5,580	5,790
34	함석공	〃	880	880	1,270	1,710	1,880	2,340	3,770	3,770	4,050	4,800	5,210	5,880	6,030	6,410
35	문자조각기공	〃	840	840	1,130	1,470	1,610	2,010	2,440	3,260	4,690	4,690	4,970	4,970	5,220	5,500
36	모형조각기공	〃	750	750	1,050	1,320	1,520	1,900	2,400	2,400	3,040	4,140	4,760	5,045	5,130	5,360
37	3본로라공	〃	680	680	980	1,230	1,350	1,690	1,690	2,210	2,970	4,610	5,200	5,600	5,640	5,830
38	벤딩머쉰공	〃	850	850	1,140	1,430	1,530	1,910	2,400	2,590	3,320	3,810	4,250	4,370	4,390	4,420
39	절곡공	〃	900	900	1,210	1,460	1,560	1,950	2,470	2,560	3,350	3,670	4,050	4,770	5,030	5,320
40	수동교정공	〃	840	840	1,130	1,300	1,420	1,780	2,250	2,610	3,330	4,260	4,730	5,070	5,360	5,720
41	벨런스머쉰공	〃	500	500	870	1,140	1,220	1,560	2,130	3,720	3,270	4,600	4,930	5,310	5,390	5,520
42	요철공	〃	780	780	1,090	1,370	1,500	1,880	2,370	2,370	2,790	3,110	3,460	4,160	4,430	4,570
43	열처리공	〃	720	720	1,040	1,410	1,540	1,930	2,390	3,090	3,490	4,330	4,820	5,160	5,360	5,470
44	용해공	〃	800	800	1,080	1,300	1,420	1,780	2,370	2,710	3,600	4,350	4,990	5,140	5,400	5,450
45	금형공	〃	-	-	-	-	-	-	-	3,260	4,510	5,020	5,510	5,820	6,100	6,350
46	트레일러공	〃	-	-	-	-	-	-	-	-	-	-	-	-	-	-
47	목형공	〃	1,030	1,030	1,390	1,600	1,710	2,140	2,890	3,280	4,550	4,940	5,400	5,980	6,020	6,100
48	주물공	〃	810	810	1,130	1,470	1,610	2,010	2,630	3,280	3,690	4,060	4,620	5,190	5,420	5,640
49	다이케스트공	〃	-	-	-	-	-	-	-	3,320	3,340	4,500	5,000	5,160	5,360	5,670
50	단조공	〃	780	780	1,090	1,370	1,470	1,840	2,380	2,960	4,000	4,930	5,110	5,660	5,740	5,940
51	압연공	〃	760	760	1,100	1,490	1,560	1,950	2,490	3,140	3,760	4,610	5,300	5,650	5,820	6,040

(단위:원)

1986	1987	1988	1989	1990	1991	1992	1993	1994	1995	1996	1997	1998	1999	단위	직 종 명	직종 번호
9,800	10,350	11,600	13,000	15,850	20,100	21,600	22,900	23,700	28,137	30,943	37,068	37,832	37,114	인	기계설계사	1
10,230	10,770	12,070	13,550	16,400	20,600	22,600	23,100	24,900	28,772	30,620	37,545	39,819	38,595	〃	회로설계사	2
6,810	7,330	8,210	9,200	12,100	16,900	20,000	22,400	23,000	27,167	28,462	30,689	32,747	32,368	〃	제도사	3
6,990	7,410	8,380	9,400	12,300	17,300	18,200	19,400	19,400	21,913	22,248	24,945	28,487	29,309	〃	현도사	4
5,530	5,800	6,380	7,350	10,250	15,300	17,600	18,800	18,900	21,003	21,639	22,536	26,924	27,195	〃	마킹공	5
7,660	7,990	8,950	9,750	10,650	15,500	18,400	20,700	21,300	23,923	28,750	29,463	32,666	29,425	〃	철물재단사	6
5,840	6,370	7,140	8,100	11,000	15,800	18,200	19,400	20,000	21,370	22,203	27,772	27,694	26,589	〃	철물재단공	7
6,110	6,820	7,640	8,600	11,500	16,500	17,600	19,700	19,700	23,269	27,149	28,440	31,794	29,318	〃	산소절단공	8
5,970	5,970	6,690	7,700	10,600	12,800	17,900	19,000	19,300	20,727	22,739	24,863	27,656	28,372	〃	회전쇠톱공	9
4,850	5,000	5,770	6,900	9,800	11,400	14,700	17,400	18,100	20,813	21,703	25,666	27,137	27,971	〃	금속쇠톱공	10
5,240	5,490	6,150	7,100	10,000	14,200	16,900	18,100	18,800	21,834	24,567	25,874	25,901	26,680	〃	모형절단공	11
3,870	4,100	4,740	5,700	8,600	12,200	14,600	18,300	19,100	20,000	23,674	23,889	24,872	25,720	〃	가위절단공	12
4,520	4,790	5,530	6,650	9,550	14,600	18,600	19,000	19,000	20,160	25,774	-	-	26,000	〃	단금절단공	13
4,390	4,650	5,370	6,450	9,350	11,000	13,700	15,600	17,600	22,400	25,116	26,773	28,884	29,300	〃	초음파절단공	14
5,750	5,860	6,770	7,800	10,700	15,700	16,500	17,600	18,100	20,397	24,853	26,814	27,047	28,089	〃	방전절단공	15
5,490	5,980	6,740	7,800	10,700	12,400	14,800	17,400	18,000	21,469	24,110	26,683	29,508	27,211	〃	샤링공	16
5,150	5,600	6,470	7,450	10,350	12,600	15,000	16,000	16,800	20,883	21,600	24,194	26,250	25,512	〃	프레스공	17
5,830	5,600	7,090	8,100	11,000	13,800	16,400	18,300	19,200	21,250	24,286	26,702	27,252	26,307	〃	밀링공	18
5,780	6,160	6,900	7,950	19,850	14,700	15,500	17,500	17,900	21,439	23,536	27,387	29,955	28,478	〃	쉐파공	19
6,020	6,250	7,140	8,100	11,000	14,300	15,100	16,100	16,100	17,901	20,237	24,287	25,363	25,947	〃	홉핑공	20
5,300	5,560	6,420	7,400	10,300	11,400	13,200	15,700	16,700	20,511	22,880	22,923	24,998	24,867	〃	로구로공	21
5,150	5,250	6,060	7,000	9,500	11,900	13,700	16,000	16,600	19,810	22,917	25,840	27,215	25,568	〃	드릴공	22
4,510	4,770	5,510	6,600	9,500	10,900	13,000	13,300	14,000	17,366	18,186	20,871	22,077	23,460	〃	태핑공	23
-	-	-	-	9,500	11,300	13,500	16,000	20,800	21,507	26,364	30,673	33,454	33,610	〃	착암공	24
-	-	-	-	9,500	14,500	15,800	17,900	20,000	20,603	23,861	-	-	-	〃	화차원	25
6,330	6,690	7,500	8,400	11,300	14,300	14,300	15,300	15,600	18,705	21,239	26,470	28,378	28,529	〃	보링공	26
6,040	6,600	7,400	8,300	11,200	14,100	16,200	17,300	17,800	20,770	23,769	25,358	27,466	25,190	〃	자동선반공	27
6,080	6,320	7,080	8,100	8,100	13,100	15,100	17,600	18,200	20,463	23,940	27,027	27,350	26,181	〃	수동선반공	28
5,850	6,270	7,180	8,100	11,000	14,100	15,300	16,400	17,300	20,700	20,961	22,946	25,035	24,862	〃	프레나공	29
6,090	6,450	7,280	8,200	11,100	12,800	15,200	15,800	16,100	21,395	24,019	29,596	31,324	32,037	〃	스롯타공	30
4,880	5,270	6,040	6,950	9,850	12,500	13,400	14,300	16,700	20,087	21,808	26,420	27,778	26,399	〃	볼반공	31
5,210	5,700	6,390	7,350	10,250	14,800	17,500	18,600	19,400	21,976	25,038	31,329	32,376	30,126	〃	강판공	32
6,090	6,440	7,220	8,100	11,000	13,100	15,600	16,700	17,000	21,063	24,921	28,921	28,947	28,447	〃	판금공	33
6,610	6,920	7,750	8,700	11,600	13,800	15,900	17,800	18,000	20,000	21,840	-	-	30,472	〃	함석공	34
5,500	5,880	6,790	7,850	10,010	13,100	15,100	16,900	19,200	19,536	24,941	29,143	31,633	32,345	〃	문자조각기공	35
5,380	5,700	6,580	7,600	10,500	13,800	18,600	21,900	22,400	24,400	27,811	30,959	34,225	24,154	〃	모형조각기공	36
6,070	6,640	7,440	8,200	11,000	12,400	16,400	22,200	23,400	26,254	27,535	31,991	34,250	35,667	〃	3본로라공	37
4,600	5,110	5,900	6,950	9,850	14,500	14,500	16,400	16,700	19,656	22,902	26,551	29,076	26,749	〃	벤딩머쉰공	38
5,550	5,870	6,780	7,800	10,700	14,900	16,000	18,100	18,700	21,324	25,275	28,312	28,966	27,344	〃	절곡공	39
5,860	6,160	7,110	8,100	11,000	16,000	16,800	18,800	18,800	21,783	22,823	25,005	25,582	25,229	〃	수동교정공	40
5,550	5,550	6,220	7,200	10,100	14,800	15,900	18,300	19,000	21,030	23,235	-	-	-	〃	벨런스머쉰공	41
4,730	4,910	5,670	6,800	9,700	14,700	16,900	18,000	18,000	22,155	25,600	26,500	30,132	30,949	〃	요철공	42
5,700	6,150	6,890	7,950	10,850	13,600	14,800	16,700	17,500	19,533	22,451	24,270	25,392	26,159	〃	열처리공	43
5,540	5,960	6,880	7,950	10,850	14,500	17,200	20,000	20,900	23,096	23,511	25,075	25,672	25,540	〃	용해공	44
6,550	7,000	7,840	8,800	11,700	14,400	16,600	18,600	19,300	22,762	26,022	28,718	29,677	30,029	〃	금형공	45
-	-	-	-	11,700	16,700	19,200	24,300	27,200	27,829	29,331	35,547	34,030	33,285	〃	트레일러공	46
6,350	6,600	7,400	8,300	11,200	14,700	16,900	19,000	19,400	22,059	24,333	26,511	28,022	27,731	〃	목형공	47
5,800	6,300	7,060	8,100	11,000	15,400	16,900	18,000	18,000	21,799	26,303	28,091	25,636	26,668	〃	주물공	48
5,760	5,870	6,780	7,800	10,700	14,700	16,900	19,700	20,800	21,246	22,878	25,694	26,112	24,022	〃	다이케스트공	49
6,130	6,540	7,400	8,300	11,200	16,200	17,600	18,700	18,900	20,242	25,148	25,798	26,695	28,126	〃	단조공	50
6,290	6,500	7,280	8,200	11,100	14,300	16,400	19,300	20,100	22,573	23,756	25,048	26,549	27,821	〃	압연공	51

정부(시중)노임단가 (13)

(단위:원)

직종 번호	직 종 명	단위	2000	2001	2002	2003	2004	2005	2006	2007	2008	2009	2010	2011	2012	2013
1	기계설계사	인	38,307	38,781	41,009	47,352	53,274	58,131	62,240	71,600	79,759	83,750	91,652	88,338	85,158	95,645
2	회로설계사	〃	42,723	41,208	43,016	47,149	53,903	57,901	61,925	62,920	67,959	68,113	74,971	73,259	-	98,479
3	제 도 사	〃	33,261	33,462	37,556	43,791	49,046	51,576	54,552	56,801	65,237	73,008	77,076	77,513	81,983	90,432
4	현 도 사	〃	30,254	32,889	36,601	43,245	46,226	49,838	53,688	55,056	64,779	70,833	73,565	76,667	92,370	106,225
5	마 킹 공	〃	26,865	27,622	29,915	33,455	36,779	39,565	42,417	46,657	50,211	59,006	63,713	70,079	76,264	68,903
6	철물재단사	〃	29,851	30,602	32,451	36,996	42,352	44,704	47,573	51,080	53,236	55,451	56,535	55,910	57,394	59,018
7	철물재단공	〃	27,832	29,276	30,161	34,921	39,038	41,215	44,079	45,739	47,081	47,498	49,120	50,989	55,713	55,171
8	산소절단공	〃	31,562	31,867	34,192	34,944	40,600	42,411	45,384	45,745	48,794	50,970	57,606	59,659	62,787	64,840
9	회전쇠톱공	〃	31,005	30,994	32,798	36,600	-	36,531	38,979	39,930	42,640	43,810	43,375	45,613	51,230	53,146
10	금속쇠톱공	〃	28,895	30,590	32,584	35,694	39,383	41,826	44,700	45,731	50,251	57,402	60,899	69,274	64,260	65,035
11	모형절단공	〃	28,480	28,697	30,965	33,822	37,132	37,880	40,715	40,958	43,032	46,027	49,531	56,789	62,699	65,115
12	가위절단공	〃	25,089	25,351	25,610	25,819	27,039	28,750	30,750	37,150	41,226	48,166	48,885	46,700	46,423	43,706
13	단금절단공	〃	27,926	29,718	29,319	31,890	-	-	-	-	-	-	-	-	-	-
14	초음파절단공	〃	30,738	-	35,210	37,839	38,212	40,737	43,211	44,080	-	-	-	-	-	-
15	방전절단공	〃	30,351	31,331	32,772	35,454	-	47,173	50,397	51,648	54,812	61,377	68,178	66,000	-	87,754
16	샤 링 공	〃	27,436	27,636	30,476	31,406	34,795	37,029	39,673	46,720	50,960	56,904	59,633	66,891	60,268	71,115
17	프 레 스 공	〃	26,503	28,853	29,112	31,139	32,506	35,153	37,618	40,913	46,049	47,348	50,536	53,008	57,236	65,678
18	밀 링 공	〃	28,544	28,083	31,340	32,609	35,519	37,973	40,636	44,773	50,483	55,178	55,237	61,699	67,356	62,272
19	쉐 파 공	〃	29,873	31,822	34,378	38,143	36,154	37,934	40,517	43,270	46,154	51,760	51,707	56,907	60,947	69,110
20	홉 핑 공	〃	27,050	26,477	28,087	29,417	29,920	32,026	-	-	-	-	-	-	-	-
21	로 구 로 공	〃	27,003	29,797	31,168	31,796	-	36,643	39,186	44,886	52,748	54,335	54,403	54,475	61,681	55,562
22	드 릴 공	〃	26,247	26,664	28,116	32,430	37,019	37,986	40,634	43,567	47,482	49,753	52,805	51,123	60,027	64,690
23	태 핑 공	〃	25,119	26,962	29,033	32,222	37,589	37,387	40,043	43,808	46,019	51,960	57,269	57,114	53,352	53,218
24	착 암 공	〃	-	30,019	32,577	38,924	39,406	42,650	44,471	50,145	57,655	68,220	64,545	72,985	75,352	68,601
25	화 차 원	〃	-	-	-	-	-	-	-	-	-	-	-	-	-	-
26	보 링 공	〃	29,985	29,981	31,988	33,888	34,795	36,478	39,096	43,892	51,439	52,094	52,154	58,366	68,593	69,509
27	자동선반공	〃	26,787	26,207	29,425	32,319	36,074	38,449	40,967	44,352	52,469	53,125	52,689	56,199	60,782	58,407
28	수동선반공	〃	28,446	29,855	33,406	35,700	40,945	42,425	46,111	47,951	56,497	59,246	58,899	67,631	68,107	73,339
29	프 레 나 공	〃	26,193	29,050	31,724	32,692	38,617	42,283	45,155	53,614	61,985	62,838	63,912	74,792	72,378	65,300
30	스 롯 타 공	〃	32,085	33,728	34,921	35,126	35,913	38,001	40,618	41,318	46,600	47,260	49,590	51,461	53,913	61,011
31	볼 반 공	〃	25,134	27,768	29,722	31,077	34,454	36,371	38,091	38,697	40,595	-	48,882	51,033	-	68,770
32	강 판 공	〃	30,387	32,506	33,278	36,318	43,187	46,110	49,329	52,965	62,230	64,540	66,137	67,841	78,380	79,818
33	판 금 공	〃	31,141	30,675	33,801	39,103	39,061	40,283	43,119	48,125	56,708	63,403	63,525	62,512	68,569	70,763
34	함 석 공	〃	32,893	32,220	-	-	-	-	-	-	-	-	-	-	-	-
35	문자조각기공	〃	34,433	35,839	-	-	-	-	-	-	-	-	-	-	-	-
36	모형조각기공	〃	34,451	35,791	35,456	40,611	39,278	42,506	45,457	52,366	55,528	56,489	55,798	63,814	76,225	82,068
37	3본로라공	〃	-	30,422	-	-	-	-	-	-	-	-	-	-	-	-
38	벤딩머쉰공	〃	28,032	30,357	32,332	33,581	38,900	41,426	44,321	48,109	48,362	54,067	57,494	61,495	55,341	64,573
39	절 곡 공	〃	29,276	30,254	29,317	34,533	34,480	36,164	38,686	40,722	45,780	54,867	56,973	62,721	65,680	74,421
40	수동교정공	〃	27,737	28,536	30,400	31,053	34,000	35,281	37,770	42,904	48,680	60,040	58,326	60,631	70,897	60,917
41	벨런스머쉰공	〃	-	-	28,169	34,276	35,554	37,573	40,246	47,777	50,403	60,417	59,420	56,100	71,620	59,346
42	요 철 공	〃	31,600	-	-	-	-	-	-	-	-	-	-	-	-	-
43	열 처 리 공	〃	27,918	27,262	30,100	30,833	36,897	38,054	40,724	48,290	51,985	53,061	56,996	55,826	70,470	72,535
44	용 해 공	〃	26,230	28,556	31,327	35,621	36,096	37,596	39,558	42,407	49,814	51,329	58,140	58,200	62,219	65,565
45	금 형 공	〃	29,561	32,596	31,900	37,781	40,979	43,411	46,475	54,736	57,830	61,483	65,710	71,889	70,259	78,029
46	트레일러공	〃	31,805	32,975	34,898	35,764	-	41,455	42,735	44,120	49,400	51,450	61,810	-	53,490	62,600
47	목 형 공	〃	28,410	28,023	29,698	35,347	37,585	40,305	42,055	44,567	48,193	58,192	59,550	62,061	74,030	72,788
48	주 물 공	〃	26,477	27,368	28,755	31,879	32,895	35,356	38,807	42,378	51,663	51,789	51,975	57,613	55,815	60,378
49	다이케스트공	〃	23,608	25,483	27,768	30,426	34,280	35,963	38,451	39,092	45,644	47,861	47,434	47,730	60,812	60,336
50	단 조 공	〃	29,453	31,409	33,146	36,800	38,987	40,435	43,262	44,524	49,641	54,880	54,694	56,032	64,078	65,772
51	압 연 공	〃	28,953	29,272	30,860	32,208	36,410	37,816	40,471	48,136	49,357	51,123	55,323	60,851	67,637	74,111

(단위:원)

1972	1973	1974	1975	1976	1977	1978	1979	1980	1981	1982	1983	1984	1985	단위	직 종 명	직종번호
760	760	1,100	1,430	1,530	1,910	2,490	2,950	3,730	4,370	4,440	4,440	4,440	4,440	인	인 발 공	52
750	750	1,120	1,400	1,500	1,910	2,460	2,460	3,840	4,650	5,120	5,340	5,450	5,810	〃	압 출 공	53
760	760	1,140	1,430	1,500	1,880	2,300	2,470	3,780	4,490	5,160	5,160	5,530	5,660	〃	합 금 공	54
880	880	1,230	1,540	1,650	1,880	2,580	2,580	3,270	3,600	4,320	4,710	4,850	5,000	〃	제 금 공	55
-	-	-	-	-	-	-	2,030	3,170	4,220	4,850	4,410	4,500	4,610	〃	연 화 공	56
-	-	-	-	-	-	-	2,110	3,100	3,740	4,070	4,230	4,600	4,630	〃	신 선 공	57
-	-	-	-	-	-	-	-	-	-	-	-	-	-	〃	알루미늄절단공	58
-	-	-	-	-	-	-	-	-	-	-	-	-	-	〃	연포장재접합공	59
-	-	-	-	-	-	-	-	-	-	-	-	-	-	〃	제품출하공	60
-	-	-	-	-	-	-	-	-	-	-	-	-	-	〃	전기정비공	61
-	-	-	-	-	-	-	1,980	2,510	2,890	3,140	3,760	4,140	4,250	〃	연 선 공	62
-	-	-	-	-	-	-	2,500	3,020	3,620	4,050	4,410	4,500	4,610	〃	절 연 공	63
-	-	-	-	-	-	-	2,450	3,130	4,140	4,550	4,550	4,550	4,570	〃	연 합 공	64
-	-	-	-	-	-	-	2,570	3,110	3,590	4,030	4,030	4,190	4,190	〃	대 연 공	65
-	-	-	-	-	-	-	2,340	3,320	4,200	4,730	4,730	4,870	4,880	〃	테 이 핑 공	66
-	-	-	-	-	-	-	1,780	2,930	3,610	3,920	4,060	4,080	4,200	〃	케이블건조공	67
-	-	-	-	-	-	-	2,020	2,550	3,230	3,880	3,880	4,180	4,180	〃	케이블제조공	68
-	-	-	-	-	-	-	2,410	3,310	3,650	3,860	4,280	4,280	4,280	〃	피 복 공	69
-	-	-	-	-	-	-	1,610	2,730	3,490	4,010	4,010	4,160	4,270	〃	권 취 공	70
750	750	1,050	1,260	1,320	1,650	2,090	2,190	2,770	3,570	4,110	4,340	4,340	4,340	〃	구 목 공	71
1,010	1,010	1,460	1,900	2,060	2,520	3,830	3,830	3,830	4,210	4,210	4,210	4,320	4,430	〃	리 벳 공	72
1,080	1,080	1,400	1,890	-	-	-	3,940	3,980	4,400	4,690	5,030	5,170	5,270	〃	용 접 공	73
-	-	-	-	-	-	-	2,730	2,950	3,600	3,600	3,600	3,790	3,810	〃	접 전 공	74
-	-	-	-	-	-	-	2,120	2,680	3,410	3,880	4,250	4,590	4,740	〃	권선공(코일)	75
-	-	-	-	-	-	-	2,670	2,800	2,870	3,300	3,690	3,850	4,060	〃	랍 핑 공	76
810	810	1,210	1,520	1,660	2,080	2,630	4,940	6,250	6,250	6,250	6,630	6,830	6,890	〃	레이저광선공	77
630	630	850	1,110	1,220	1,530	1,890	2,070	2,620	2,880	3,080	3,470	3,820	3,860	〃	양극처리공	78
850	850	1,140	1,320	1,410	1,760	2,090	2,200	3,820	4,510	4,510	4,750	5,060	5,120	〃	합성수지피막공	79
610	610	880	1,110	1,220	1,530	1,920	2,570	3,280	3,520	3,520	3,730	3,840	3,960	〃	진공침적함침공	80
-	-	-	-	-	-	-	-	-	-	-	-	-	-	〃	제 정 공	81
950	950	1,180	1,540	1,730	2,160	3,240	3,480	4,050	4,810	5,350	5,460	5,750	6,070	〃	일반화학공	82
-	-	-	-	-	-	-	3,160	3,980	4,780	5,500	5,500	6,050	6,310	〃	조성화학공	83
890	890	1,200	1,440	1,500	1,880	2,280	3,170	3,320	3,650	3,930	3,930	3,930	3,930	〃	고무제품제조공	84
-	-	-	-	-	-	-	-	-	-	-	-	-	-	〃	금 박 공	85
540	540	780	1,100	1,240	1,550	2,800	3,150	3,830	4,560	4,560	4,960	5,150	5,440	〃	요 업 공	86
700	700	940	1,230	1,320	1,650	2,330	3,250	4,110	4,480	5,150	5,210	5,210	5,430	〃	유리제품제조공	87
550	550	820	1,110	1,250	1,560	2,190	2,620	3,550	3,550	3,840	4,290	4,380	4,630	〃	그라인더공	88
610	610	820	1,110	1,250	1,560	1,830	2,790	3,690	4,060	4,060	4,660	4,750	5,070	〃	지석연마공	89
470	470	700	980	1,100	1,380	1,800	1,940	2,450	3,150	3,150	3,340	3,430	3,530	〃	사 지 공	90
680	680	850	1,150	1,200	1,500	1,830	2,510	3,390	3,490	4,010	4,310	4,310	4,560	〃	세 척 공	91
-	-	-	-	-	-	-	-	-	-	-	-	-	-	〃	기 관 사	92
-	-	-	-	-	-	-	-	-	-	-	-	-	-	〃	조 차 원	93
-	-	-	-	-	-	-	-	-	-	-	-	-	-	〃	제 지 공	94
-	-	-	-	-	-	-	-	-	-	-	-	-	-	〃	돌 분 쇄 공	95
630	630	850	1,190	1,240	1,550	2,020	2,360	2,980	3,890	4,470	5,160	5,160	5,170	〃	빠 후 공	96
630	630	850	1,190	1,250	1,560	1,940	2,700	3,760	4,120	4,740	5,030	5,140	5,480	〃	콤파운드연마공	97
720	720	1,040	1,410	1,470	1,840	2,360	2,460	3,110	3,500	4,030	4,760	4,760	4,940	〃	전해연마공	98
850	850	1,140	1,430	1,490	1,860	2,330	2,330	2,950	3,480	4,000	4,630	4,630	4,700	〃	화학연마공	99
1,000	1,000	1,350	1,690	1,770	2,210	2,880	2,880	3,640	3,890	4,150	4,810	4,930	5,160	〃	호 닝 공	100
850	850	1,140	1,370	1,470	1,840	2,630	2,630	4,030	4,450	4,930	5,170	5,310	5,390	〃	도장공(취부)	101

정부(시중)노임단가 (14)

(단위:원)

직종번호	직 종 명	단위	1986	1987	1988	1989	1990	1991	1992	1993	1994	1995	1996	1997	1998	1999
52	인 발 공	인	4,470	4,650	5,370	6,450	9,350	14,400	18,800	21,100	21,100	24,994	25,097	29,523	29,014	28,030
53	압 출 공	〃	5,810	5,910	6,820	7,850	10,010	13,400	18,100	19,200	19,400	22,853	27,080	27,443	28,959	27,224
54	합 금 공	〃	6,060	6,420	7,190	8,100	11,000	14,900	15,600	18,400	19,000	24,305	24,397	25,990	29,689	28,888
55	제 금 공	〃	5,000	5,300	5,940	6,950	9,850	9,900	11,900	15,400	15,700	20,822	24,867	25,420	28,432	-
56	연 화 공	〃	4,870	5,080	5,870	6,950	11,000	16,000	17,900	20,000	20,000	21,773	23,662	26,375	-	28,748
57	신 선 공	〃	4,740	5,100	5,720	6,850	9,750	10,700	14,800	18,300	19,200	21,021	24,111	25,205	25,667	23,588
58	알루미늄절단공	〃	-	-	-	-	9,650	14,700	15,800	16,700	16,700	20,374	22,045	23,353	23,944	24,372
59	연포장재접합공	〃	-	-	-	-	9,650	14,700	19,100	21,300	21,600	24,788	25,613	26,821	25,306	24,537
60	제 품 출 하 공	〃	-	-	-	-	9,650	13,700	16,500	17,600	18,100	20,396	24,355	27,190	26,791	28,330
61	전 기 정 비 공	〃	-	-	-	-	9,650	14,700	18,600	20,900	21,800	22,154	22,900	29,274	30,607	29,646
62	연 선 공	〃	4,400	4,460	5,150	6,200	9,100	11,100	13,300	16,600	17,000	19,209	21,033	23,384	24,148	23,187
63	절 연 공	〃	4,870	5,080	5,870	6,950	9,850	13,400	16,600	17,700	19,600	20,538	21,975	24,908	26,035	26,035
64	연 합 공	〃	4,850	5,070	5,860	6,950	9,850	11,200	11,900	14,900	15,500	19,087	22,934	23,776	23,631	24,264
65	대 연 공	〃	4,200	4,580	5,290	6,350	9,250	13,400	14,100	15,900	15,900	19,161	20,450	24,011	24,667	24,477
66	테 이 핑 공	〃	5,010	5,320	6,020	6,950	9,850	9,900	14,400	18,100	18,600	19,831	23,272	26,787	29,040	27,996
67	케이블건조공	〃	4,210	4,650	5,370	6,450	9,650	14,400	16,600	19,300	20,400	20,974	23,036	25,197	25,520	26,805
68	케이블제조공	〃	4,290	4,460	5,150	6,200	9,100	12,000	14,300	16,100	16,700	18,766	21,856	24,890	23,148	23,231
69	피 복 공	〃	4,280	4,690	5,420	6,500	9,400	13,900	16,000	17,100	17,300	19,422	24,288	24,356	27,648	27,663
70	권 취 공	〃	4,290	4,500	5,200	6,250	9,150	13,400	15,400	17,300	17,600	20,141	21,311	21,639	24,360	23,787
71	구 목 공	〃	4,480	4,750	5,490	6,600	6,700	9,200	13,000	15,400	16,800	17,000	-	-	-	24,150
72	리 벳 공	〃	4,510	4,510	5,210	6,250	7,670	8,600	10,400	11,800	12,100	15,204	18,496	18,509	23,106	23,865
73	용 접 공	〃	5,540	5,940	6,860	7,900	10,800	14,200	17,500	18,700	19,800	22,522	24,269	27,082	27,908	26,603
74	접 전 공	〃	3,840	4,250	4,910	5,900	8,800	9,500	11,900	13,500	13,500	17,009	20,956	23,710	23,730	24,661
75	권선공(코일)	〃	5,040	5,370	6,020	6,950	9,850	12,200	14,500	14,800	15,500	17,330	21,163	21,537	25,094	25,846
76	랍 핑 공	〃	4,230	4,350	5,020	6,000	8,900	10,400	12,000	12,900	13,100	17,253	22,253	22,601	27,102	26,003
77	레이저광선공	〃	7,100	7,530	8,440	8,440	10,830	13,100	17,200	22,200	23,000	24,000	29,943	31,842	32,466	30,323
78	양 극 처 리 공	〃	3,950	4,050	4,680	5,600	8,500	10,800	12,900	14,600	15,800	18,268	19,683	19,996	22,956	-
79	합성수지피막공	〃	5,210	5,490	6,150	6,150	9,050	11,500	13,200	15,000	15,200	17,612	20,697	23,560	27,170	28,102
80	진공침적함침공	〃	4,080	4,320	4,990	6,000	6,980	7,700	9,400	14,900	20,200	22,000	24,535	-	-	24,500
81	제 성 공	〃	-		-	-	8,900	9,300	13,200	17,600	20,500	22,456	26,285	27,728	28,658	27,693
82	일 반 화 학 공	〃	6,190	6,670	7,700	8,650	11,550	14,300	18,200	20,500	20,600	22,997	25,033	28,320	30,672	31,772
83	조 성 화 학 공	〃	6,400	6,910	7,740	8,700	9,850	15,800	15,800	18,500	19,800	22,307	23,692	26,577	29,129	29,219
84	고무제품제조공	〃	4,010	4,040	4,670	5,600	8,390	11,400	13,100	14,900	16,300	18,984	19,697	22,706	23,643	24,203
85	금 박 공	〃	-	-	-	-	8,430	11,100	14,300	16,700	16,700	18,215	24,219	25,109	28,878	27,611
86	요 업 공	〃	5,750	5,920	6,280	7,250	7,590	11,400	12,100	14,300	14,900	15,660	17,177	19,507	19,954	21,731
87	유리제품제조공	〃	5,430	5,460	6,250	7,200	10,100	15,100	17,900	18,600	19,600	22,036	22,569	25,280	25,177	26,758
88	그 라 인 더 공	〃	4,790	5,260	5,970	6,950	9,850	14,900	15,600	16,200	17,100	19,014	22,075	25,891	26,023	27,613
89	지 석 연 마 공	〃	5,220	5,720	6,610	7,650	9,440	12,000	13,800	14,800	14,800	18,160	21,263	23,479	25,687	24,863
90	사 지 공	〃	3,640	3,860	4,460	5,350	8,250	13,300	17,500	18,200	20,700	21,200	-	27,002	27,407	24,950
91	세 척 공	〃	4,690	4,720	5,450	6,550	9,450	11,300	11,900	13,900	14,600	17,475	21,926	22,196	24,121	24,754
92	기 관 사	〃	-	-	-	-	9,450	14,500	16,700	17,300	18,000	22,106	25,397	25,965	-	-
93	조 차 원	〃	-	-	-	-	9,450	13,300	15,300	23,600	24,800	24,907	28,870	-	-	-
94	제 지 공	〃	-	-	-	-	9,450	14,100	14,800	16,700	16,700	21,140	24,756	27,517	26,327	25,646
95	돌 분 쇄 공	〃	-	-	-	-	9,450	14,500	19,400	20,600	21,900	22,712	26,862	28,197	31,328	28,438
96	빠 후 공	〃	5,230	5,610	6,290	7,250	9,080	9,100	10,500	12,500	16,400	19,752	25,267	25,774	25,919	24,324
97	콤파운드연마공	〃	5,710	5,960	6,200	7,150	8,450	13,500	15,500	16,500	16,700	17,447	21,729	24,049	24,700	23,967
98	전 해 연 마 공	〃	4,950	5,460	6,120	7,050	7,600	8,600	10,800	14,900	19,200	22,492	24,719	24,961	29,326	29,006
99	화 학 연 마 공	〃	4,920	5,660	6,340	7,300	10,200	15,200	17,500	18,200	18,200	21,550	24,652	25,745	28,077	29,932
100	호 닝 공	〃	5,200	5,710	6,410	7,400	9,920	12,100	14,400	17,100	18,000	21,079	24,393	25,068	27,427	25,728
101	도장공(취부)	〃	5,640	5,990	6,710	7,750	10,650	14,900	15,600	16,700	17,200	20,756	26,031	26,539	28,204	25,865

(단위:원)

2000	2001	2002	2003	2004	2005	2006	2007	2008	2009	2010	2011	2012	2013	단위	직 종 명	직종번호
26,782	27,252	29,999	35,771	36,745	38,935	41,657	42,691	49,519	50,388	49,629	52,549	64,123	70,891	인	인 발 공	52
27,633	30,726	29,699	30,452	34,992	36,763	38,572	43,119	50,924	55,067	54,436	60,583	65,201	64,409	〃	압 출 공	53
30,521	30,353	34,173	35,127	36,477	38,469	41,437	46,226	49,787	50,336	55,737	59,842	62,527	79,240	〃	합 금 공	54
28,087	29,281	28,769	31,072	38,191	40,549	41,830	43,025	50,716	50,814	54,310	59,278	80,468	-	〃	제 금 공	55
-	29,511	31,464	35,277	34,414	34,156	-	-	-	-	-	-	-	-	〃	연 화 공	56
25,054	27,623	28,112	31,826	34,285	35,763	38,268	38,721	44,819	50,496	50,087	58,070	67,211	70,040	〃	신 선 공	57
25,481	27,104	28,938	33,430	33,417	36,025	38,582	43,230	47,955	48,234	52,509	52,719	60,838	67,934	〃	알루미늄절단공	58
27,348	29,424	31,421	33,011	35,302	36,425	38,959	44,962	53,221	60,906	60,944	59,731	60,863	64,678	〃	연포장재접합공	59
27,904	27,360	28,826	33,030	34,678	35,753	38,249	42,861	49,723	51,897	54,175	60,843	62,934	69,784	〃	제 품 출 하 공	60
31,518	32,026	33,673	36,330	41,247	43,797	45,490	49,888	57,251	64,069	64,144	76,014	73,451	80,047	〃	전 기 정 비 공	61
23,198	25,059	27,337	29,245	33,864	35,080	37,520	41,296	47,633	50,024	52,282	50,076	58,645	63,314	〃	연 선 공	62
27,070	28,293	29,931	33,924	37,575	39,017	41,750	44,010	51,115	61,717	59,508	60,099	70,744	64,234	〃	절 연 공	63
25,500	28,288	30,730	39,516	39,102	40,261	43,031	46,449	53,333	62,046	59,755	64,974	68,068	77,458	〃	연 합 공	64
26,850	27,045	28,881	34,701	-	34,146	36,892	-	50,609	61,008	60,893	-	-	68,369	〃	대 연 공	65
28,263	27,968	29,429	32,501	32,799	-	-	-	-	-	-	-	-	-	〃	테 이 핑 공	66
-	-	-	-	-	-	-	-	-	-	-	-	-	-	〃	케이블건조공	67
25,061	27,909	28,817	35,410	42,740	43,639	46,548	47,826	49,972	51,335	55,486	54,013	48,945	51,284	〃	케이블제조공	68
26,246	28,901	29,188	36,489	37,451	38,870	41,109	45,259	47,353	56,754	56,449	62,493	63,402	71,716	〃	피 복 공	69
25,141	26,470	28,482	33,474	34,478	35,780	38,285	45,567	49,187	50,419	47,815	52,948	-	-	〃	권 취 공	70
-	-	-	-	-	-	-	-	-	-	-	-	-	-	〃	구 목 공	71
24,543	25,005	25,407	27,930	33,972	35,630	38,122	43,864	48,146	48,286	50,331	58,310	65,854	59,198	〃	리 벳 공	72
27,451	29,419	31,889	38,704	40,328	41,427	44,398	50,296	56,846	64,814	65,789	70,090	70,387	72,580	〃	용 접 공	73
28,527	30,874	-	-	-	-	-	-	-	-	-	-	-	-	〃	접 전 공	74
26,971	27,057	28,279	32,394	33,522	35,407	37,887	41,211	43,830	46,537	47,353	55,341	61,812	54,797	〃	권선공(코일)	75
27,217	27,110	30,314	33,143	39,719	40,733	43,570	44,002	51,112	51,409	56,164	57,200	54,412	73,406	〃	랍 핑 공	76
31,926	31,000	31,820	34,652	35,276	38,070	40,659	42,710	44,497	50,346	55,153	63,222	62,426	66,724	〃	레이저광선공	77
24,227	-	-	-	-	-	-	-	-	-	-	-	-	-	〃	양 극 처 리 공	78
-	28,346	28,115	33,117	38,591	39,887	42,615	43,160	45,629	47,975	55,531	53,656	70,174	76,396	〃	합성수지피막공	79
27,551	27,396	-	-	-	-	-	-	-	-	-	-	-	-	〃	진공침적함침공	80
27,299	26,690	29,758	32,167	-	36,280	38,813	40,572	46,033	47,288	54,189	53,539	58,299	-	〃	제 정 공	81
31,478	31,517	32,970	36,786	38,427	41,485	44,373	50,765	58,818	67,767	65,833	75,774	82,514	87,931	〃	일 반 화 학 공	82
28,070	29,657	29,271	33,276	-	36,661	39,243	44,801	52,136	57,179	55,514	59,066	63,711	71,450	〃	조 성 화 학 공	83
25,525	26,183	26,842	28,523	32,213	33,404	35,749	41,940	43,250	45,667	49,420	52,249	57,577	62,805	〃	고무제품제조공	84
27,495	28,528	28,934	31,500	35,697	37,683	40,396	41,242	49,250	53,642	59,923	62,624	65,749	73,256	〃	금 박 공	85
23,459	25,356	26,732	28,156	30,620	32,087	34,299	39,702	45,953	49,828	51,561	53,309	66,527	68,090	〃	요 업 공	86
26,943	27,438	28,532	30,507	31,148	32,189	34,423	40,064	44,989	45,851	47,048	54,061	66,352	71,259	〃	유리제품제조공	87
27,734	27,880	30,776	34,347	36,383	37,835	40,206	43,337	50,662	59,152	57,746	60,711	68,483	72,281	〃	그 라 인 더 공	88
25,024	26,108	28,541	28,814	32,582	34,075	36,465	39,583	44,864	51,465	51,834	50,564	60,411	65,963	〃	지 석 연 마 공	89
27,908	29,109	28,111	33,742	34,064	35,410	37,841	43,100	46,554	48,771	47,201	45,927	42,999	56,205	〃	사 지 공	90
27,982	29,120	28,511	29,697	29,882	31,932	34,241	39,554	46,946	53,191	52,823	54,488	63,348	65,759	〃	세 척 공	91
36,026	-	-	-	-	-	-	-	-	-	-	-	-	-	〃	기 관 사	92
-	-	-	-	-	-	-	-	-	-	-	-	-	-	〃	조 차 원	93
25,316	25,831	26,276	30,679	36,482	37,950	40,609	48,455	55,140	56,829	60,680	59,305	63,951	67,296	〃	제 지 공	94
29,425	29,079	31,732	34,220	34,892	37,635	40,340	42,029	47,539	48,229	60,202	74,570	75,690	68,600	〃	돌 분 쇄 공	95
24,020	25,237	28,183	34,431	37,790	39,989	42,784	43,623	45,388	46,026	46,935	52,271	59,439	57,095	〃	빠 후 공	96
23,954	23,698	26,306	31,070	34,977	36,266	38,832	42,136	45,541	45,750	46,929	53,980	59,205	63,407	〃	콤파운드연마공	97
30,229	31,969	31,145	33,018	-	34,449	36,720	37,591	41,922	46,552	48,228	54,110	60,787	56,171	〃	전 해 연 마 공	98
29,593	31,661	31,962	33,212	35,090	38,110	40,650	40,808	48,013	50,290	50,611	58,544	55,529	63,897	〃	화 학 연 마 공	99
25,022	26,726	28,889	28,960	35,357	38,265	40,986	42,075	47,195	47,660	46,737	45,990	46,445	59,261	〃	호 닝 공	100
25,584	27,223	30,299	36,800	39,201	41,203	44,089	44,644	50,180	56,661	57,709	57,895	58,781	63,185	〃	도장공(취부)	101

정부(시중)노임단가 (15)

(단위:원)

직종번호	직종명	단위	1972	1973	1974	1975	1976	1977	1978	1979	1980	1981	1982	1983	1984	1985
102	유리절단및재단공	인	-	-	-	-	-	-	-	-	-	-	-	-	-	-
103	도장공(붓칠)	〃	-	-	-	-	-	-	-	2,490	3,400	3,720	3,720	3,950	4,240	4,460
104	목장도장공	〃	950	950	1,280	1,670	1,750	2,190	2,740	3,440	4,260	4,590	5,280	5,300	5,370	5,750
105	빠데도포공	〃	780	780	1,010	1,410	1,550	1,900	3,370	3,370	3,540	4,250	4,250	4,710	4,850	4,900
106	정유공	〃	-	-	-	-	-	-	-	-	-	-	-	-	-	-
107	홈밍공	〃	660	660	920	1,200	1,340	1,680	2,180	2,180	2,760	2,760	3,170	3,470	3,660	3,770
108	배선공	〃	-	-	-	-	-	-	-	2,640	3,740	4,490	5,160	5,980	6,060	6,410
109	전기도금공	〃	750	860	1,160	1,450	1,590	1,990	3,324	3,240	3,440	3,700	3,740	4,080	4,410	4,550
110	침적도금공	〃	750	750	1,080	1,350	1,510	1,890	3,240	2,680	3,190	3,630	4,170	4,270	4,580	4,610
111	보일러공	〃	-	-	-	-	-	-	-	-	-	-	-	-	-	-
112	배관공	〃	-	-	-	-	-	-	-	-	-	-	-	-	-	-
113	사출공	〃	760	760	1,020	1,330	1,390	1,740	2,550	2,550	3,770	3,920	4,220	4,220	4,360	4,550
114	소성공	〃	-	-	-	-	-	-	-	-	-	-	-	-	-	-
115	성형공	〃	630	630	850	1,190	1,250	1,560	1,940	2,700	3,760	4,120	4,740	4,530	4,540	4,650
116	압출공	〃	610	610	880	1,150	1,290	1,610	2,250	2,250	3,300	4,100	4,720	4,910	5,060	5,180
117	제재공	〃	760	760	1,100	1,380	1,440	1,760	4,260	4,260	5,290	5,290	5,290	5,530	5,580	5,850
118	정척공	〃	-	-	-	-	-	-	-	1,730	2,190	2,970	3,270	3,860	3,980	4,100
119	제재기계운전공	〃	-	-	-	-	-	-	-	3,190	3,190	4,600	4,600	5,280	5,360	5,420
120	목재기계운전공	〃	-	-	-	-	-	-	-	1,620	4,410	4,410	4,410	4,410	4,410	4,680
121	합판제조공	〃	-	-	-	-	-	-	-	1,410	1,780	3,160	3,160	3,160	3,160	3,200
122	가구공	〃	950	950	1,420	1,850	1,970	2,140	4,010	4,010	5,070	5,180	5,180	5,200	5,340	5,520
123	목공및유리공	〃	-	-	-	-	-	-	-	3,890	4,070	4,540	5,220	5,420	5,570	5,950
124	벨트콘베이어작업공	〃	730	730	940	1,130	1,230	1,560	2,650	3,090	3,990	4,310	4,650	5,580	5,580	5,660
125	부품조립공	〃	-	-	-	-	-	-	-	1,570	2,590	3,080	3,540	3,690	3,990	4,090
126	전자제품조립공	〃	-	-	-	-	-	-	-	1,740	2,280	2,540	2,920	3,370	3,710	3,890
127	선로원	〃	-	-	-	-	-	-	-	-	-	-	-	-	-	-
128	약전기계조립공	〃	-	-	-	-	-	-	-	1,660	3,250	3,580	4,120	4,950	4,990	5,230
129	강전기계조립공	〃	-	-	-	-	-	-	-	2,400	2,900	4,480	5,040	5,650	5,960	5,990
130	경기계조립공	〃	-	-	-	-	-	-	-	3,000	3,000	4,000	4,220	4,420	4,760	4,870
131	중기계조립공	〃	-	-	-	-	-	-	-	2,570	3,760	4,570	5,050	5,540	5,680	5,840
132	제품시험공	〃	-	-	-	-	-	-	-	2,890	2,890	4,120	4,740	5,230	5,450	5,810
133	제품조정공	〃	-	-	-	-	-	-	-	3,360	3,940	3,940	4,330	4,640	4,850	4,960
134	제품검사공	〃	-	-	-	-	-	-	-	2,920	3,060	3,310	3,790	3,950	3,950	4,210
135	물품포장공	〃	490	490	630	890	1,040	1,300	2,170	2,170	2,690	3,100	3,490	3,640	3,640	3,770
136	철강포장공	〃	-	-	-	-	-	-	-	3,190	4,040	4,350	4,570	4,700	4,740	4,740
137	도안공	〃	1,030	1,030	1,140	2,010	2,300	2,880	4,750	4,750	6,390	7,120	7,120	7,290	7,290	7,330
138	제본공	〃	350	350	560	760	890	1,110	2,140	2,470	4,270	4,940	5,130	5,440	5,680	6,020
139	공판인쇄공	〃	-	-	-	-	-	-	-	3,280	5,170	5,800	5,950	6,010	6,250	6,340
140	옵셋인쇄공	〃	700	700	980	1,330	1,490	1,860	3,190	3,190	5,590	6,200	6,200	6,200	6,390	6,620
141	활판인쇄공	〃	550	550	790	1,030	1,210	1,510	2,830	2,830	5,090	5,600	5,600	5,780	6,010	6,190
142	사진제판공	〃	490	490	850	1,240	1,420	1,780	2,950	2,950	5,920	6,550	6,550	6,710	6,900	6,990
143	인쇄동판제조공	〃	-	-	-	-	-	-	-	3,010	3,810	4,570	5,160	5,920	5,920	6,100
144	인쇄연판제조공	〃	-	-	-	-	-	-	-	3,100	3,380	4,730	5,340	5,420	5,680	5,790
145	활판식자공	〃	550	550	770	1,010	1,180	1,480	3,080	3,080	3,860	4,630	5,300	5,750	5,920	6,040
146	문선공	〃	550	550	740	970	1,090	1,360	2,830	2,990	3,780	4,580	5,120	5,740	5,930	6,070
147	필경사	〃	-	-	-	-	-	-	-	4,170	5,760	6,630	7,220	7,510	7,970	8,200
148	공판타자수	〃	-	-	-	-	-	1,830	2,610	2,890	5,140	5,360	5,360	6,050	6,140	6,430
149	프린트인쇄공	〃	-	-	-	-	-	-	-	1,220	4,470	4,920	4,920	5,510	5,510	5,570
150	교정사	〃	-	-	-	-	-	-	-	-	5,500	6,390	6,860	7,240	7,590	7,710
151	지류제단공	〃	-	-	-	-	-	-	-	2,560	4,320	4,460	4,690	5,000	5,000	5,300

(단위:원)

1986	1987	1988	1989	1990	1991	1992	1993	1994	1995	1996	1997	1998	1999	단위	직종명	직종번호
-	-	-	-	9,650	12,900	17,000	19,200	19,800	21,486	23,613	26,415	29,070	27,542	인	유리절단및재단공	102
4,640	4,910	5,670	6,800	9,700	14,700	15,400	17,400	18,000	21,625	23,309	24,768	27,407	24,422	〃	도장공(붓칠)	103
5,820	6,100	7,040	8,100	11,000	12,400	14,800	17,500	18,500	21,014	24,739	25,108	28,647	30,594	〃	목장도장공	104
4,900	5,600	6,280	7,250	10,150	12,300	14,100	18,400	19,100	22,276	24,433	26,142	27,866	26,124	〃	빠데도포공	105
-	-	-	-	10,150	15,800	20,000	20,700	21,300	25,185	26,029	29,172	30,360	30,553	〃	정유공	106
3,840	4,070	4,700	5,650	8,550	11,800	14,100	14,700	14,700	-	-	-	-	-	〃	홈밍공	107
6,560	6,790	7,610	8,550	11,450	14,500	16,700	18,700	19,200	19,924	22,614	26,734	28,956	28,094	〃	배선공	108
4,680	5,020	5,800	6,950	11,450	10,800	14,500	16,900	17,500	20,340	25,913	27,330	27,765	26,043	〃	전기도금공	109
4,660	4,760	5,500	6,600	9,500	14,000	18,800	19,500	19,500	21,254	24,166	28,657	27,503	26,873	〃	침적도금공	110
-	-	-	-	9,500	14,500	16,700	18,800	19,400	23,354	28,118	34,394	33,255	33,587	〃	보일러공	111
-	-	-	-	-	21,000	21,000	21,300	21,600	25,730	26,836	27,372	29,799	31,083	〃	배관공	112
4,590	4,790	5,530	6,650	9,550	13,100	15,100	16,100	16,200	19,644	22,962	23,377	25,394	24,140	〃	사출공	113
-	-	-	-	9,550	14,600	16,800	16,800	17,400	18,528	22,010	25,833	28,404	27,427	〃	소성공	114
4,890	5,290	5,970	6,950	8,460	12,000	14,900	16,700	16,900	18,678	19,709	21,438	24,421	23,490	〃	성형공	115
5,280	5,600	6,380	7,350	10,250	13,600	15,600	16,700	17,300	19,166	23,601	28,961	27,326	25,398	〃	압출공	116
5,950	6,310	7,070	8,100	11,000	11,100	15,300	19,000	19,300	23,180	25,986	30,178	31,180	30,521	〃	제재공	117
4,220	4,470	5,160	6,200	9,100	14,100	18,900	21,100	21,900	23,000	24,276	27,500	29,133	27,056	〃	정척공	118
5,430	5,690	6,380	7,350	10,250	15,300	18,900	21,200	21,500	24,183	27,571	33,111	35,869	34,265	〃	제재기계운전공	119
4,820	5,110	5,730	6,850	9,750	13,300	17,000	18,100	18,100	22,846	23,196	30,121	33,642	30,477	〃	목재기계운전공	120
3,520	3,730	4,310	5,150	7,540	8,200	10,800	13,600	13,900	19,596	20,331	25,091	26,408	24,280	〃	합판제조공	121
5,610	6,000	6,270	6,720	10,130	10,300	13,400	16,600	18,100	21,766	25,637	27,407	26,317	24,398	〃	가구공	122
6,080	6,700	7,740	7,750	11,600	14,000	18,800	19,500	19,500	21,846	22,581	25,694	26,333	26,050	〃	목공및유리공	123
6,060	6,090	6,820	8,700	10,750	13,500	14,700	15,300	17,200	19,767	24,245	27,718	30,255	30,190	〃	벨트콘베이어작업공	124
4,230	4,650	5,370	7,850	9,350	14,400	15,300	15,600	15,600	17,417	18,727	20,665	21,471	21,674	〃	부품조립공	125
4,100	4,400	5,080	6,450	9,000	9,700	11,700	13,300	13,600	15,092	19,305	20,871	21,553	21,992	〃	전자제품조립공	126
-	-	-	-	9,050	12,200	14,000	15,400	21,500	21,760	22,400	-	-	-	〃	선로원	127
5,510	5,820	6,520	6,100	10,400	12,000	14,300	16,100	16,800	17,928	21,162	23,595	22,840	21,000	〃	약전기계조립공	128
6,260	6,600	7,400	7,500	11,450	16,200	18,600	19,800	20,600	21,100	25,672	26,417	27,614	26,393	〃	강전기계조립공	129
5,160	5,540	6,210	8,300	7,930	8,700	12,400	16,100	16,700	18,745	22,881	23,711	24,649	25,832	〃	경기계조립공	130
6,020	6,380	7,180	7,150	11,000	16,000	18,400	19,600	20,000	22,901	25,189	28,676	32,395	29,644	〃	중기계조립공	131
6,000	6,200	6,950	8,100	10,900	12,500	14,900	16,900	17,600	21,743	23,599	25,299	24,929	26,043	〃	제품시험공	132
5,230	5,230	6,040	8,000	9,850	12,000	14,900	17,600	17,900	20,136	22,549	23,534	26,798	28,077	〃	제품조정공	133
4,370	4,750	5,490	6,950	9,470	10,700	11,800	13,300	13,900	17,828	20,093	22,450	22,822	24,126	〃	제품검사공	134
3,930	4,200	4,850	6,600	8,700	9,300	11,700	13,200	13,300	16,590	18,691	23,908	24,289	22,488	〃	물품포장공	135
4,850	4,950	5,720	5,800	9,750	13,800	18,100	18,500	18,500	21,212	25,045	25,909	25,631	23,568	〃	철강포장공	136
7,750	8,060	9,030	6,850	12,700	15,100	17,400	19,700	20,000	23,914	26,829	27,402	-	-	〃	도안공	137
6,180	6,480	7,260	10,150	8,170	12,200	14,500	17,200	18,300	19,679	20,780	21,783	25,005	26,319	〃	제본공	138
6,500	6,770	7,590	8,150	9,400	13,100	17,700	18,400	19,500	23,994	28,294	29,736	-	-	〃	공판인쇄공	139
6,870	7,250	8,370	8,500	12,300	14,600	18,500	20,900	21,400	24,823	28,280	33,503	35,315	34,200	〃	옵셋인쇄공	140
6,410	7,230	8,250	9,400	12,150	17,200	18,200	21,500	22,300	22,320	23,892	25,436	29,109	29,972	〃	활판인쇄공	141
7,110	7,480	8,380	9,250	12,300	15,000	17,800	20,700	21,200	23,922	27,295	33,476	35,127	33,911	〃	사진제판공	142
6,500	6,890	7,720	9,400	11,550	16,600	17,400	21,700	22,200	23,223	25,368	29,798	32,090	30,895	〃	인쇄동판제조공	143
6,060	6,420	7,190	8,100	11,000	17,500	20,100	21,300	24,500	-	-	25,461	29,538	29,826	〃	인쇄연판제조공	144
6,370	6,590	7,610	8,550	11,450	16,500	17,300	18,400	18,600	21,557	23,638	-	-	30,504	〃	활판식자공	145
6,340	6,870	7,930	8,900	11,800	16,800	21,200	23,700	23,700	-	-	-	-	-	〃	문선공	146
8,660	9,120	10,200	11,450	14,300	15,900	18,800	20,000	32,500	-	-	-	-	-	〃	필경사	147
6,600	7,020	7,730	8,070	10,970	14,500	18,400	19,100	19,100	20,664	21,235	30,981	-	-	〃	공판타자수	148
5,640	5,690	6,380	7,190	9,770	10,600	12,700	13,600	14,700	19,916	24,274	28,441	-	-	〃	프린트인쇄공	149
7,710	8,010	8,980	10,100	12,950	14,000	16,100	17,200	21,900	25,226	26,946	26,804	30,415	32,582	〃	교정사	150
5,510	5,880	6,730	7,750	10,650	14,500	16,700	17,800	18,600	21,440	24,366	27,661	27,458	28,253	〃	지류제단공	151

정부(시중)노임단가 (16)

(단위:원)

직종번호	직종명	단위	2000	2001	2002	2003	2004	2005	2006	2007	2008	2009	2010	2011	2012	2013
102	유리절단및재단공	인	28,882	30,176	32,774	33,216	33,936	36,506	39,048	42,347	49,399	57,069	58,974	56,494	64,280	69,795
103	도장공(붓칠)	〃	24,963	26,816	29,050	31,970	32,246	34,125	36,504	42,153	44,758	47,867	52,840	57,209	57,381	65,681
104	목장도장공	〃	31,207	31,585	31,666	33,599	37,651	38,741	40,364	44,292	44,737	44,916	48,414	50,189	56,458	66,671
105	빠데도포공	〃	24,688	25,582	28,588	32,310	-	31,477	33,528	34,267	38,003	40,074	40,232	43,613	55,445	61,516
106	정유공	〃	30,751	32,587	-	-	-	-	-	-	-	-	-	-	-	-
107	홈밍공	〃	-	-	-	-	-	-	-	-	-	-	-	-	-	-
108	배선공	〃	29,637	29,511	30,524	34,975	34,515	36,743	39,367	43,013	49,000	50,342	52,057	56,838	83,252	71,900
109	전기도금공	〃	26,478	28,699	30,899	35,578	37,169	38,937	41,499	46,408	48,098	48,859	49,583	57,798	69,043	68,082
110	침적도금공	〃	28,193	32,127	30,913	31,579	33,313	35,112	37,623	43,828	45,369	48,984	50,286	58,607	65,412	69,730
111	보일러공	〃	36,504	36,656	37,307	39,239	39,247	40,652	43,494	51,361	57,035	63,263	63,759	61,894	77,504	84,412
112	배관공	〃	29,608	31,983	36,435	37,287	41,436	43,287	46,307	52,579	61,784	66,913	71,064	73,420	86,141	89,312
113	사출공	〃	24,901	24,895	28,193	29,283	31,892	33,807	36,175	41,352	43,423	43,535	48,132	53,718	57,605	62,881
114	소성공	〃	27,930	-	30,447	37,556	33,429	34,450	36,818	40,624	44,260	51,251	51,759	53,028	70,855	77,956
115	성형공	〃	22,715	26,112	27,282	30,578	34,093	36,019	37,729	40,158	46,947	52,221	53,996	51,749	59,727	66,075
116	압출공	〃	27,053	30,622	31,033	32,812	34,776	36,054	39,336	43,805	51,170	51,715	53,181	56,779	58,230	65,896
117	제재공	〃	31,492	32,015	32,974	39,326	39,740	41,531	44,439	50,320	51,579	53,529	52,958	54,257	66,197	66,005
118	정척공	〃	29,617	-	-	-	-	-	-	-	-	-	-	-	-	-
119	제재기계운전공	〃	33,002	34,403	37,543	38,260	42,199	44,039	48,200	52,077	56,076	65,429	64,842	69,101	70,981	77,936
120	목재기계운전공	〃	31,680	33,710	36,509	40,667	45,732	48,952	52,276	52,979	54,675	57,886	55,704	53,695	61,362	65,403
121	합판제조공	〃	23,920	24,971	27,877	31,472	35,168	37,967	40,983	41,243	46,452	50,066	52,355	58,192	56,342	62,843
122	가구공	〃	24,428	26,213	29,905	34,640	35,023	37,005	39,585	43,018	46,665	51,767	53,217	51,432	64,119	66,620
123	목공및유리공	〃	26,684	28,594	30,816	35,619	37,049	39,040	41,485	41,976	47,541	57,709	58,748	61,282	63,318	68,396
124	벨트콘베이어작업공	〃	29,848	32,084	32,320	33,530	34,035	36,156	38,690	39,379	45,275	45,816	46,827	66,108	73,632	68,948
125	부품조립공	〃	22,810	23,047	26,451	29,373	29,397	31,985	33,606	38,997	44,107	47,018	48,434	53,926	56,671	57,443
126	전자제품조립공	〃	23,233	24,315	27,192	28,260	28,379	30,092	32,198	35,500	42,156	47,712	48,192	56,909	57,132	57,036
127	선로원	〃	-	-	-	-	-	-	-	-	-	-	-	-	-	-
128	약전기계조립공	〃	23,177	26,413	28,985	33,390	34,575	36,937	39,563	39,843	47,577	-	46,732	49,915	64,799	66,301
129	강전기계조립공	〃	27,658	29,768	31,471	34,299	35,979	37,581	40,213	43,102	49,076	57,597	56,168	57,858	70,475	70,556
130	경기계조립공	〃	26,929	28,256	30,847	34,834	38,115	40,346	43,179	43,679	45,480	50,233	57,822	58,994	69,050	64,329
131	중기계조립공	〃	31,163	31,794	33,691	34,517	38,600	40,976	43,823	51,516	58,842	62,621	62,290	66,592	64,021	74,049
132	제품시험공	〃	26,916	28,806	32,373	32,622	34,342	36,577	39,130	43,875	49,774	58,143	63,346	67,154	70,202	81,214
133	제품조정공	〃	29,650	29,360	30,342	35,983	36,710	38,279	40,916	42,663	50,397	57,628	62,118	59,004	61,213	67,179
134	제품검사공	〃	25,982	26,503	25,480	27,504	27,799	30,425	32,544	37,934	46,093	46,951	47,972	50,940	56,312	57,609
135	물품포장공	〃	22,715	22,556	25,389	27,283	28,354	30,637	33,285	36,898	42,632	46,897	46,978	49,081	54,855	56,968
136	철강포장공	〃	24,103	25,209	28,313	31,337	32,278	33,723	36,082	42,155	44,189	46,296	45,669	47,739	60,132	63,729
137	도안공	〃	-	-	-	-	-	-	-	-	-	-	-	-	-	-
138	제본공	〃	28,291	29,799	30,062	35,547	40,994	42,742	45,737	46,104	50,520	60,573	60,767	69,372	66,247	72,052
139	공판인쇄공	〃	-	-	-	-	-	-	-	-	-	-	-	-	-	-
140	옵셋인쇄공	〃	36,282	35,468	36,711	42,019	42,573	44,537	47,596	51,449	58,144	63,979	63,020	67,793	73,980	88,251
141	활판인쇄공	〃	29,194	30,319	31,911	32,460	34,702	37,011	39,607	45,640	49,270	57,421	65,252	75,476	73,527	84,462
142	사진제판공	〃	34,665	35,430	39,431	41,558	41,723	42,695	45,636	54,086	60,550	61,925	62,934	70,563	80,578	80,891
143	인쇄동판제조공	〃	33,620	36,500	37,262	40,791	47,857	48,835	52,170	57,070	59,801	64,449	62,928	74,579	65,740	81,076
144	인쇄연판제조공	〃	29,656	32,555	34,924	38,779	43,648	45,456	48,646	53,787	56,712	69,061	67,928	71,961	88,253	99,117
145	활판식자공	〃	30,590	30,320	32,436	35,292	-	-	-	-	-	-	-	-	-	-
146	문선공	〃	-	-	-	-	-	-	-	-	-	-	-	-	-	-
147	필경사	〃	-	-	-	-	-	-	-	-	-	-	-	-	-	-
148	공판타자수	〃	-	-	-	-	-	-	-	-	-	-	-	-	-	-
149	프린트인쇄공	〃	-	-	-	-	-	-	-	-	-	-	-	-	-	-
150	교정사	〃	31,788	32,452	34,822	38,866	38,955	40,241	43,012	43,385	48,369	56,166	60,674	59,387	56,233	57,546
151	지류제단공	〃	27,181	28,722	32,345	36,292	37,566	39,606	42,356	44,660	50,318	60,233	60,316	68,291	67,916	80,136

(단위:원)

1972	1973	1974	1975	1976	1977	1978	1979	1980	1981	1982	1983	1984	1985	단위	직종명	직종번호
990	990	1,380	1,730	1,940	2,430	3,650	6,000	8,300	8,300	8,300	8,300	8,650	8,700	인	직물재단사	152
-	-	-	-	-	-	-	3,650	3,670	3,670	3,820	3,820	3,850	3,850	〃	직물재단공	153
-	-	-	-	-	-	-	2,240	2,420	2,740	3,140	3,190	3,210	3,240	〃	상침공	154
-	-	-	-	-	-	-	1,800	1,950	2,080	2,500	2,660	2,670	2,740	〃	하침공	155
-	-	-	-	-	-	-	2,240	3,380	3,380	3,830	3,830	3,830	3,930	〃	이본침공	156
-	-	-	-	-	-	-	2,240	2,350	2,610	3,000	3,000	3,130	3,230	〃	오바로그공	157
-	-	-	-	-	-	-	2,370	2,480	2,640	2,640	2,810	3,050	3,260	〃	징검기공	158
-	-	-	-	-	-	-	2,240	2,530	2,530	2,560	2,810	2,940	3,070	〃	인타로그공	159
-	-	-	-	-	-	-	2,110	2,180	2,190	2,470	2,610	2,730	2,870	〃	스냅공	160
-	-	-	-	-	-	-	1,720	2,060	2,300	2,650	3,180	3,230	3,420	〃	연단공	161
360	360	520	710	830	1,040	2,850	2,850	2,850	2,850	3,280	3,480	3,480	3,510	〃	직포공	162
450	450	650	-	970	1,210	2,360	2,480	2,900	3,130	3,130	3,320	3,420	3,520	〃	침염공	163
-	-	-	-	780	980	2,750	2,750	2,750	2,750	3,150	3,360	3,360	3,410	〃	연사공	164
360	360	500	950	1,040	1,300	2,830	2,830	2,830	2,830	3,160	3,200	3,200	3,240	〃	정경공	165
-	-	-	700	820	1,030	2,160	2,160	2,730	3,400	4,080	4,240	4,240	4,400	〃	염직공	166
-	-	-	-	790	990	2,310	2,310	2,930	2,930	2,930	2,930	3,000	3,000	〃	관권공	167
-	-	-	-	-	-	-	-	-	-	-	-	-	-	〃	견출공	168
-	-	-	-	-	-	-	-	-	-	-	-	-	-	〃	마정공	169
-	-	-	-	-	-	-	-	-	-	-	-	-	-	〃	특정공	170
-	-	-	-	-	-	-	-	-	-	-	-	-	-	〃	조형공	171
-	-	-	-	-	-	-	-	-	-	-	-	-	-	〃	폐수처리공	172
-	-	-	-	-	-	-	-	-	-	-	-	-	-	〃	아연도금공	173
810	810	1,050	1,320	1,510	1,890	3,050	3,380	3,430	4,120	4,740	4,920	4,940	5,150	〃	재봉기계사	174
620	620	890	1,120	1,310	1,640	3,800	3,800	4,120	5,380	5,380	5,750	5,930	6,020	〃	방직기계보전공	175
660	660	920	1,110	1,300	1,630	2,530	2,530	2,610	3,040	3,500	3,580	3,750	3,880	〃	편직공	176
-	-	-	-	-	-	-	-	4,240	4,830	4,830	5,300	5,300	5,650	〃	횡편공	177
890	890	1,110	1,340	1,530	1,910	2,780	2,780	3,520	3,520	4,070	4,300	4,300	4,300	〃	제화공	178
-	-	-	-	-	-	-	1,750	2,750	2,850	3,120	3,120	3,230	3,310	〃	피혁공	179
890	890	1,200	1,560	1,630	2,040	2,520	2,560	3,230	3,560	4,270	4,620	4,960	5,190	〃	식품제조공(빵과자및식품제조공)	180
730	730	1,050	1,370	1,540	1,930	2,560	3,460	4,380	4,660	4,880	4,880	4,990	5,230	〃	조리사	181
900	900	1,170	1,470	1,690	2,110	2,700	3,510	4,170	5,440	5,700	6,090	6,210	6,490	〃	영양사	182
-	-	-	-	-	-	-	2,320	2,930	3,880	3,890	4,320	4,370	4,580	〃	보통인부	183
780	780	1,090	1,520	1,600	2,030	3,500	3,500	4,590	5,510	6,130	6,130	6,140	6,230	〃	작업반장	184
-	-	-	-	-	-	-	2,150	4,930	5,920	5,920	6,200	6,220	6,420	〃	양곡처리공	185
-	-	-	-	-	-	-	3,800	4,620	5,840	5,840	6,250	6,400	6,560	〃	컴퓨터운전사	186
1,040	1,040	1,400	1,890	-	-	-	4,670	4,670	5,660	6,220	6,730	7,170	7,340	〃	기계기술공	187
-	-	-	-	-	-	-	4,130	4,150	5,200	5,600	6,080	6,210	6,250	〃	보선공	188
-	-	-	-	-	-	-	3,600	4,270	5,260	5,800	6,680	6,870	7,060	〃	차량정비공	189
-	-	-	-	-	-	-	3,660	4,420	5,280	5,640	6,150	6,350	6,750	〃	기계정비공	190
-	-	-	-	-	-	-	7,000	7,060	7,860	8,990	9,250	9,430	9,630	〃	안전관리사	191
-	-	-	-	-	-	-	6,180	7,910	9,740	9,740	10,210	10,300	10,750	〃	품질관리사	192
-	-	-	-	-	-	-	2,440	3,690	4,250	4,290	4,870	4,990	5,110	〃	품질관리공	193
-	-	-	-	-	-	-	2,740	3,630	3,930	4,190	4,490	4,780	5,000	〃	다듬질공	194
1,010	1,010	1,410	1,830	2,020	2,650	4,270	4,270	4,730	5,480	6,220	6,450	6,580	6,990	〃	중기운전사	195
-	-	-	-	-	-	-	-	-	13,010	13,010	13,010	13,010	13,010	〃	컴퓨터S/W기사	196
-	-	-	-	-	-	-	-	-	13,220	13,220	13,910	13,910	14,070	〃	컴퓨터H/W기사	197
-	-	-	-	-	-	-	-	-	2,930	3,000	3,500	3,570	3,650	〃	통신기계조립공	198
-	-	-	-	-	-	-	-	-	4,130	4,750	5,110	5,110	5,430	〃	컴퓨터키펀치공	199
-	-	-	-	-	-	-	-	-	6,430	6,430	6,670	7,060	7,130	〃	통신외선공	200
-	-	-	-	-	-	-	-	-	5,660	6,020	6,110	6,460	6,490	〃	통신내선공	201

정부(시중)노임단가 (17)

(단위:원)

직종번호	직종명	단위	1986	1987	1988	1989	1990	1991	1992	1993	1994	1995	1996	1997	1998	1999
152	직물재단사	인	8,730	8,730	9,290	10,450	9,020	12,800	15,900	17,900	19,900	22,810	24,205	28,077	29,255	28,809
153	직물재단공	〃	3,930	4,270	4,930	5,900	6,430	11,200	14,900	15,500	15,800	18,593	21,367	23,113	24,432	23,510
154	상침공	〃	3,560	3,820	4,410	5,300	5,840	10,700	12,800	13,700	14,100	16,985	17,832	20,640	22,721	23,520
155	하침공	〃	3,340	3,480	4,020	5,000	6,670	9,800	11,300	12,100	12,300	14,101	15,292	15,783	20,195	20,135
156	이본침공	〃	4,000	4,230	4,890	5,850	7,110	11,500	13,700	16,000	16,800	19,725	22,485	23,009	23,337	23,638
157	오바로그공	〃	3,550	3,950	4,250	5,100	6,460	8,000	10,600	12,600	13,400	16,418	19,272	20,856	23,290	23,963
158	징검기공	〃	3,340	3,380	4,000	5,000	5,520	8,300	10,500	12,300	13,700	16,265	19,060	22,093	22,981	21,804
159	인타로그공	〃	3,380	3,670	4,240	5,100	7,720	9,800	12,800	12,900	13,100	16,931	19,048	24,472	24,366	24,263
160	스냅공	〃	3,340	3,810	4,400	5,300	6,530	9,200	10,600	12,500	13,200	17,064	22,177	23,879	24,281	23,135
161	연단공	〃	3,440	3,790	4,380	5,250	7,520	10,200	10,700	12,700	13,700	18,634	20,210	21,992	21,523	22,137
162	직포공	〃	3,580	3,860	4,460	5,350	7,810	10,400	13,000	14,700	14,700	17,680	21,095	24,224	25,264	24,650
163	침염공	〃	3,520	3,730	4,310	5,150	8,050	10,200	13,200	15,700	17,500	21,026	25,378	25,887	26,443	27,348
164	연사공	〃	3,580	3,940	4,550	5,450	6,600	7,900	9,600	12,000	12,700	16,007	19,945	21,865	23,465	23,306
165	정경공	〃	3,560	3,910	4,520	5,450	8,230	8,700	11,500	12,100	12,800	14,280	19,344	22,509	23,880	22,324
166	염직공	〃	4,540	5,220	5,930	6,950	9,430	12,400	15,400	18,100	19,000	20,535	24,015	29,214	28,464	28,902
167	관권공	〃	3,340	3,340	4,000	5,000	7,900	9,500	11,400	12,900	13,500	14,045	17,297	19,112	21,748	22,491
168	견출공	〃	-	-	-	-	5,970	8,100	11,700	13,700	14,600	-	-	-	-	-
169	마정공	〃	-	-	-	-	7,150	7,600	11,100	15,500	17,700	20,455	22,811	-	-	-
170	특정공	〃	-	-	-	-	7,460	7,600	8,700	9,500	12,900	14,545	16,847	-	-	25,209
171	조형공	〃	-	-	-	-	7,600	12,600	14,500	16,400	17,400	21,552	22,992	23,474	26,005	24,445
172	폐수처리공	〃	-	-	-	-	7,720	12,800	15,200	16,200	16,900	21,267	24,833	29,148	29,499	30,662
173	아연도금공	〃	-	-	-	-	7,710	12,000	14,300	18,000	19,600	21,833	23,548	25,068	25,350	25,976
174	재봉기계사	〃	5,470	5,890	6,600	7,600	7,600	9,400	12,300	12,900	13,600	17,904	20,814	23,994	24,979	24,300
175	방직기계보전공	〃	6,210	6,740	7,280	8,200	7,960	10,400	12,000	15,000	16,500	18,579	24,294	26,624	30,145	29,158
176	편직공	〃	3,980	4,340	5,010	6,000	8,900	13,200	15,200	17,700	17,800	20,057	24,775	25,350	24,861	24,591
177	횡편공	〃	5,900	6,250	6,610	7,650	10,030	13,000	15,000	15,600	15,600	16,333	18,700	21,020	23,893	24,539
178	제화공	〃	4,310	4,570	5,280	6,350	8,090	12,600	14,500	16,300	17,000	21,529	22,415	24,100	27,595	28,997
179	피혁공	〃	3,640	3,790	4,380	5,250	8,060	8,800	11,100	14,300	15,200	19,088	20,919	25,429	27,103	26,605
180	식품제조공(빵과자및식품제조공)	〃	5,270	5,400	6,120	7,050	9,500	10,600	13,700	15,200	15,800	19,840	23,120	23,848	25,264	24,895
181	조리사	〃	5,510	6,790	6,490	7,500	9,710	9,800	11,800	13,800	15,200	19,867	24,157	24,948	25,936	23,422
182	영양사	〃	6,640	7,250	8,120	9,100	11,410	12,700	14,600	16,500	17,500	21,127	26,404	27,903	28,910	28,361
183	보통인부	〃	4,740	5,180	5,810	6,550	9,450	10,500	12,600	14,300	15,300	19,180	20,967	23,684	24,226	23,312
184	작업반장	〃	6,540	6,940	8,010	9,000	11,900	16,900	19,400	20,700	21,400	26,378	30,079	33,800	33,617	34,575
185	양곡처리공	〃	6,740	7,610	8,530	9,600	12,500	16,800	17,600	20,500	21,100	26,421	28,200	32,936	32,255	31,140
186	컴퓨터운전사	〃	6,860	7,430	8,440	9,500	12,400	17,400	21,900	23,300	23,300	24,776	25,570	32,508	35,897	37,016
187	기계기술공	〃	7,470	7,750	8,680	9,750	12,650	15,200	18,000	19,200	19,700	25,628	27,007	29,254	31,114	31,256
188	보선공	〃	6,310	6,650	7,450	8,350	11,250	14,400	17,100	18,200	19,700	24,607	25,485	29,069	32,345	32,202
189	차량정비공	〃	7,250	7,980	8,940	10,050	12,900	14,900	18,100	24,300	25,400	26,112	31,042	34,074	35,843	32,912
190	기계정비공	〃	6,930	7,620	8,540	9,600	12,500	17,000	19,600	22,000	22,000	24,436	27,211	30,332	30,566	28,657
191	안전관리사	〃	9,940	10,380	11,630	13,050	15,900	16,700	19,200	21,600	21,900	25,121	30,529	35,257	40,956	40,565
192	품질관리사	〃	11,140	11,970	13,380	15,000	17,850	18,900	19,800	22,200	23,400	28,532	30,587	36,490	39,294	36,349
193	품질관리공	〃	5,190	5,630	6,500	7,500	10,400	15,400	16,500	18,600	19,600	23,768	25,649	28,935	29,489	28,674
194	다듬질공	〃	5,060	5,280	6,100	7,050	9,950	15,000	15,800	17,800	17,800	20,917	25,919	24,989	25,495	25,178
195	중기운전사	〃	7,320	7,800	8,740	9,800	12,700	17,100	21,000	23,600	24,300	27,309	30,926	34,426	37,599	34,873
196	컴퓨터S/W기사	〃	13,150	13,240	14,830	15,200	17,800	22,400	23,500	24,900	25,000	28,660	31,463	35,320	40,459	40,295
197	컴퓨터H/W기사	〃	14,100	14,450	14,830	16,650	19,250	22,000	25,300	25,400	25,500	31,794	33,821	36,752	41,794	41,982
198	통신기계조립공	〃	3,680	3,750	4,330	5,200	8,100	10,000	11,500	13,500	14,000	-	16,629	25,559	29,097	27,815
199	컴퓨터키펀치공	〃	5,690	6,170	6,910	7,950	9,440	12,100	14,400	15,400	16,400	19,000	22,379	25,261	-	-
200	통신외선공	〃	7,550	7,980	8,720	9,290	12,190	13,500	16,000	18,600	19,200	-	-	-	30,800	29,640
201	통신내선공	〃	6,840	7,090	7,940	8,900	11,800	15,200	17,500	18,600	19,200	20,960	24,700	26,240	30,800	29,640

(단위:원)

2000	2001	2002	2003	2004	2005	2006	2007	2008	2009	2010	2011	2012	2013	단위	직종명	직종번호
28,882	30,176	32,774	33,216	33,936	36,506	39,048	42,347	49,399	57,069	58,974	63,305	66,769	65,989	인	직물재단사	152
24,963	26,816	29,050	31,970	32,246	34,125	36,504	42,153	44,758	47,867	52,840	49,595	62,911	72,193	〃	직물재단공	153
31,207	31,585	31,666	33,599	37,651	38,741	40,364	44,292	44,737	44,916	48,414	48,353	56,790	58,371	〃	상침공	154
24,688	25,582	28,588	32,310	-	31,477	33,528	34,267	38,003	40,074	40,232	43,376	50,088	51,470	〃	하침공	155
30,751	32,587	-	-	-	-	-	-	-	-	-	45,839	49,964	68,692	〃	이본침공	156
-	-	-	-	-	-	-	-	-	-	-	46,538	47,172	51,416	〃	오바로그공	157
29,637	29,511	30,524	34,975	34,515	36,743	39,367	43,013	49,000	50,342	52,057	-	-	-	〃	징검기공	158
26,478	28,699	30,899	35,578	37,169	38,937	41,499	46,408	48,098	48,859	49,583	39,626	-	54,697	〃	인타로그공	159
28,193	32,127	30,913	31,579	33,313	35,112	37,623	43,828	45,369	48,984	50,286	43,136	45,204	52,915	〃	스냅공	160
36,504	36,656	37,307	39,239	39,247	40,652	43,494	51,361	57,035	63,263	63,759	51,888	58,435	64,688	〃	연단공	161
29,608	31,983	36,435	37,287	41,436	43,287	46,307	52,579	61,784	66,913	71,064	56,574	66,338	71,205	〃	직포공	162
24,901	24,895	28,193	29,283	31,892	33,807	36,175	41,352	43,423	43,535	48,132	50,125	57,020	58,364	〃	침염공	163
27,930	-	30,447	37,556	33,429	34,450	36,818	40,624	44,260	51,251	51,759	53,581	56,364	53,821	〃	연사공	164
22,715	26,112	27,282	30,578	34,093	36,019	37,729	40,158	46,947	52,221	53,996	58,059	63,047	67,610	〃	정경공	165
27,053	30,622	31,033	32,812	34,776	36,054	39,336	43,805	51,170	51,715	53,181	55,814	63,451	66,898	〃	염직공	166
31,492	32,015	32,974	39,326	39,740	41,531	44,439	50,320	51,579	53,529	52,958	50,118	53,637	54,121	〃	관권공	167
29,617	-	-	-	-	-	-	-	-	-	-	-	-	-	〃	견출공	168
33,002	34,403	37,543	38,260	42,199	44,039	48,200	52,077	56,076	65,429	64,842	-	-	-	〃	마정공	169
31,680	33,710	36,509	40,667	45,732	48,952	52,276	52,979	54,675	57,886	55,704	-	-	-	〃	특정공	170
23,920	24,971	27,877	31,472	35,168	37,967	40,983	41,243	46,452	50,066	52,355	55,522	56,513	65,507	〃	조형공	171
24,428	26,213	29,905	34,640	35,023	37,005	39,585	43,018	46,665	51,767	53,217	66,367	68,316	74,141	〃	폐수처리공	172
26,684	28,594	30,816	35,619	37,049	39,040	41,485	41,976	47,541	57,709	58,748	50,844	60,503	61,490	〃	아연도금공	173
29,848	32,084	32,320	33,530	34,035	36,156	38,690	39,379	45,275	45,816	46,827	47,506	52,756	55,156	〃	재봉기계사	174
22,810	23,047	26,451	29,373	29,397	31,985	33,606	38,997	44,107	47,018	48,434	59,473	60,796	70,001	〃	방직기계보전공	175
23,233	24,315	27,192	28,260	28,379	30,092	32,198	35,500	42,156	47,712	48,192	53,626	60,745	70,258	〃	편직공	176
-	-	-	-	-	-	-	-	-	-	-	-	-	-	〃	횡편공	177
23,177	26,413	28,985	33,390	34,575	36,937	39,563	39,843	47,577	-	46,732	60,226	59,397	69,044	〃	제화공	178
27,658	29,768	31,471	34,299	35,979	37,581	40,213	43,102	49,076	57,597	56,168	60,925	57,536	62,028	〃	피혁공	179
26,929	28,256	30,847	34,834	38,115	40,346	43,179	43,679	45,480	50,233	57,822	52,058	52,495	57,661	〃	식품제조공(빵과자및식품제조공)	180
31,163	31,794	33,691	34,517	38,600	40,976	43,823	51,516	58,842	62,621	62,290	-	-	-	〃	조리사	181
26,916	28,806	32,373	32,622	34,342	36,577	39,130	43,875	49,774	58,143	63,346	-	-	-	〃	영양사	182
29,650	29,360	30,342	35,983	36,710	38,279	40,916	42,663	50,397	57,628	62,118	53,160	57,859	60,236	〃	보통인부	183
25,982	26,503	25,480	27,504	27,799	30,425	32,544	37,934	46,093	46,951	47,972	74,290	78,307	87,508	〃	작업반장	184
22,715	22,556	25,389	27,283	28,354	30,637	33,285	36,898	42,632	46,897	46,978	-	-	-	〃	양곡처리공	185
24,103	25,209	28,313	31,337	32,278	33,723	36,082	42,155	44,189	46,296	45,669	107,264	96,200	84,268	〃	컴퓨터운전사	186
-	-	-	-	-	-	-	-	-	-	-	72,085	80,203	81,795	〃	기계기술공	187
28,291	29,799	30,062	35,547	40,994	42,742	45,737	46,104	50,520	60,573	60,767	62,355	74,050	83,566	〃	보선공	188
-	-	-	-	-	-	-	-	-	-	-	79,670	81,411	85,588	〃	차량정비공	189
36,282	35,468	36,711	42,019	42,573	44,537	47,596	51,449	58,144	63,979	63,020	71,266	75,906	82,521	〃	기계정비공	190
29,194	30,319	31,911	32,460	34,702	37,011	39,607	45,640	49,270	57,421	65,252	90,616	87,939	95,228	〃	안전관리사	191
34,665	35,430	39,431	41,558	41,723	42,695	45,636	54,086	60,550	61,925	62,934	90,729	92,449	109,318	〃	품질관리사	192
33,620	36,500	37,262	40,791	47,857	48,835	52,170	57,070	59,801	64,449	62,928	66,813	64,574	77,273	〃	품질관리공	193
29,656	32,555	34,924	38,779	43,648	45,456	48,646	53,787	56,712	69,061	67,928	48,917	58,463	53,419	〃	다듬질공	194
30,590	30,320	32,436	35,292	-	-	-	-	-	-	-	69,123	64,678	80,007	〃	중기운전사	195
-	-	-	-	-	-	-	-	-	-	-	100,204	92,502	95,361	〃	컴퓨터S/W기사	196
-	-	-	-	-	-	-	-	-	-	-	124,092	98,036	113,365	〃	컴퓨터H/W기사	197
-	-	-	-	-	-	-	-	-	-	-	56,112	70,671	69,621	〃	통신기계조립공	198
-	-	-	-	-	-	-	-	-	-	-	-	-	-	〃	컴퓨터키펀치공	199
31,788	32,452	34,822	38,866	38,955	40,241	43,012	43,385	48,369	56,166	60,674	65,449	81,774	84,997	〃	통신외선공	200
27,181	28,722	32,345	36,292	37,566	39,606	42,356	44,660	50,318	60,233	60,316	65,449	81,774	84,997	〃	통신내선공	201

정부(시중)노임단가 (18)

(단위:원)

1972	1973	1974	1975	1976	1977	1978	1979	1980	1981	단위	직종명	직종번호
1,490	1,490	1,930	2,320	2,470	2,910	–	–	–	5,850	인	무선안테나공	202
–	–	–	–	–	–	–	–	–	12,440	〃	통신기사 1급	203
–	–	–	–	–	–	–	–	–	8,820	〃	통신기사 2급	204
–	–	–	–	–	–	–	–	–	5,540	〃	통신기능사	205
–	–	–	–	–	–	–	–	–	3,520	〃	목재포장공	206
800	800	1,240	1,610	1,770	2,240	3,700	–	–	4,100	〃	목도	207
–	–	–	–	–	–	–	–	–	–	〃	사진식자공	208
650	650	980	1,230	1,410	1,760	2,340	4,220	5,340	5,340	〃	도자기및애자공	209
–	–	–	–	–	–	–	–	–	–	〃	철도보선공	210
–	–	–	–	–	–	–	–	–	–	〃	전기기사(전기기사1급)	211
–	–	–	–	–	–	–	–	–	–	〃	전기산업기사(전기기사2급)	212
–	–	–	–	–	–	–	–	–	–	〃	전기기능사(전기기기기능사1급)	213
–	–	–	–	–	–	–	–	–	–	〃	전기기기기능사2급	214
–	–	–	–	–	–	–	–	–	–	〃	배합공	215
–	–	–	–	–	–	–	–	–	–	〃	전산용지정합공	216
–	–	–	–	–	–	–	–	–	–	〃	스켄기능공	217
–	–	–	–	–	–	–	–	–	–	〃	전자편집디자인	218
–	–	–	–	–	–	–	–	–	–	〃	스티카인쇄공	219
–	–	–	–	–	–	–	–	–	–	〃	전자조판공	220
–	–	–	–	–	–	–	–	–	–	〃	전자출판출력공	221
–	–	–	–	–	–	–	–	–	–	〃	자료입력원	222
–	–	–	–	–	–	–	–	–	–	〃	시멘트제품성형공	223
–	–	–	–	–	–	–	–	–	–	〃	조선목공	224
–	–	–	–	–	–	–	–	–	–	〃	청락공	225
–	–	–	–	–	–	–	–	–	–	〃	인조석가공공	226
–	–	–	–	–	–	–	–	–	–	〃	골판지제조공	227

1982	1983	1984	1985	1986	1987	1988	1989	1990	1991	단위	직종명	직종번호
5,850	6,250	6,820	7,210	7,210	7,470	8,370	9,400	12,300	17,300	인	무선안테나공	202
12,530	12,650	12,660	13,200	13,330	14,120	15,820	17,750	20,350	–	〃	통신기사 1급	203
9,010	10,070	10,070	10,430	10,630	10,710	11,060	12,400	15,250	–	〃	통신기사 2급	204
5,540	5,660	5,700	5,720	6,010	6,110	6,850	7,900	10,800	–	〃	통신기능사	205
3,920	4,560	4,730	4,940	5,190	5,520	6,280	7,250	10,150	13,900	〃	목재포장공	206
4,510	4,780	4,920	5,040	5,090	5,400	6,050	7,000	9,540	13,900	〃	목도	207
–	–	–	–	7,590	7,740	8,670	9,750	10,670	15,700	〃	사진식자공	208
5,870	5,870	6,050	6,150	–	6,710	7,200	7,200	6,820	7,700	〃	도자기및애자공	209
–	–	–	–	–	–	–	–	–	13,500	〃	철도보선공	210
–	–	–	–	–	–	–	–	–	–	〃	전기기사(전기기사1급)	211
–	–	–	–	–	–	–	–	–	–	〃	전기산업기사(전기기사2급)	212
–	–	–	–	–	–	–	–	–	–	〃	전기기능사(전기기기기능사1급)	213
–	–	–	–	–	–	–	–	–	–	〃	전기기기기능사2급	214
–	–	–	–	–	–	–	–	–	–	〃	배합공	215
–	–	–	–	–	–	–	–	–	–	〃	전산용지정합공	216
–	–	–	–	–	–	–	–	–	–	〃	스켄기능공	217
–	–	–	–	–	–	–	–	–	–	〃	전자편집디자인	218
–	–	–	–	–	–	–	–	–	–	〃	스티카인쇄공	219
–	–	–	–	–	–	–	–	–	–	〃	전자조판공	220
–	–	–	–	–	–	–	–	–	–	〃	전자출판출력공	221
–	–	–	–	–	–	–	–	–	–	〃	자료입력원	222
–	–	–	–	–	–	–	–	–	–	〃	시멘트제품성형공	223
–	–	–	–	–	–	–	–	–	–	〃	조선목공	224
–	–	–	–	–	–	–	–	–	–	〃	청락공	225
–	–	–	–	–	–	–	–	–	–	〃	인조석가공공	226
–	–	–	–	–	–	–	–	–	–	〃	골판지제조공	227

(단위:원)

직종번호	직종명	단위	1992	1993	1994	1995	1996	1997	1998	1999	2000	2001	2002
202	무선안테나공	인	19,900	20,300	22,600	24,442	27,074	30,253	32,058	30,291	31,413	32,183	-
203	통신기사1급	〃	-	-	-	-	-	-	-	-	-	-	-
204	통신기사2급	〃	-	-	-	-	-	-	-	-	-	-	-
205	통신기능사	〃	-	-	-	-	-	-	-	-	-	-	-
206	목재포장공	〃	17,700	18,800	18,900	22,633	24,802	25,421	28,378	30,070	32,745	32,154	32,564
207	목도	〃	16,000	17,600	20,800	-	-	-	-	-	-	-	-
208	사진식자공	〃	16,500	18,500	19,000	20,762	22,382	25,894	-	27,371	-	-	-
209	도자기및애자공	〃	10,700	11,200	11,500	14,470	18,314	23,083	24,920	25,041	26,227	27,934	28,068
210	철도보선공	〃	16,000	17,100	19,500	21,364	23,199	-	-	-	-	-	-
211	전기기사(전기기사1급)	〃	27,600	29,100	29,100	31,766	37,306	40,216	46,190	45,110	45,977	44,874	48,265
212	전기산업기사(전기기사2급)	〃	25,100	26,600	26,600	29,698	33,118	34,506	39,694	40,244	42,344	43,778	45,097
213	전기기능사(전기기기기능사1급)	〃	20,900	21,300	22,300	27,707	28,734	32,400	34,419	36,030	37,303	37,910	39,875
214	전기기기기능사2급	〃	17,100	18,200	19,100	22,060	23,261	29,137	30,377	31,087	32,058	33,061	33,270
215	배합공	〃	-	-	-	-	-	-	-	27,407	27,991	30,465	32,864
216	전산용지정합공	〃	-	-	-	-	-	-	-	26,528	28,269	29,898	30,032
217	스켄기능공	〃	-	-	-	-	-	-	-	34,822	35,808	36,827	37,199
218	전자편집디자인	〃	-	-	-	-	-	-	-	31,078	32,414	31,631	34,728
219	스티카인쇄공	〃	-	-	-	-	-	-	-	26,812	27,835	30,473	34,322
220	전자조판공	〃	-	-	-	-	-	-	-	-	28,058	31,184	32,689
221	전자출판출력공	〃	-	-	-	-	-	-	-	32,389	32,000	32,050	-
222	자료입력원	〃	-	-	-	-	-	-	-	30,295	31,003	32,836	33,414
223	시멘트제품성형공	〃	-	-	-	-	-	-	-	26,086	30,912	30,536	30,952
224	조선목공	〃	-	-	-	-	-	-	-	33,217	35,600	-	42,870
225	청락공	〃	-	-	-	-	-	-	-	22,037	24,261	26,734	27,355
226	인조석가공공	〃	-	-	-	-	-	-	-	-	-	-	-
227	골판지제조공	〃	-	-	-	-	-	-	-	-	-	-	-

직종번호	직종명	단위	2003	2004	2005	2006	2007	2008	2009	2010	2011	2012	2013
202	무선안테나공	인	45,051	-	-	-	-	-	-	-	-	-	-
203	통신기사1급	〃	-	-	-	-	-	-	-	-	-	-	-
204	통신기사2급	〃	-	-	-	-	-	-	-	-	-	-	-
205	통신기능사	〃	-	-	-	-	-	-	-	-	-	-	-
206	목재포장공	〃	33,639	37,171	39,064	41,744	47,891	48,825	49,453	53,055	52,942	57,278	61,773
207	목도	〃	-	-	-	-	-	-	-	-	-	-	-
208	사진식자공	〃	-	-	-	-	-	-	-	-	-	-	-
209	도자기및애자공	〃	28,917	29,729	31,475	33,515	38,386	42,185	47,197	46,044	48,931	48,687	54,892
210	철도보선공	〃	-	-	-	-	-	-	-	-	-	-	-
211	전기기사(전기기사1급)	〃	60,813	60,990	63,326	67,771	68,751	71,840	82,046	82,417	89,150	81,905	109,617
212	전기산업기사(전기기사2급)	〃	49,376	50,074	52,482	56,153	56,963	64,227	73,599	80,193	77,482	87,038	90,620
213	전기기능사(전기기기기능사1급)	〃	35,785	37,190	39,583	42,327	42,424	48,685	62,209	67,249	78,685	79,263	88,402
214	전기기기기능사2급	〃	-	-	-	-	-	-	-	-	-	-	-
215	배합공	〃	33,113	33,611	35,562	38,084	44,778	47,283	48,716	49,744	54,927	58,627	63,999
216	전산용지정합공	〃	35,894	36,063	37,637	40,272	41,961	50,218	61,124	61,165	64,505	68,216	79,551
217	스켄기능공	〃	38,722	43,435	44,545	47,680	49,018	54,545	60,318	63,968	65,275	61,764	63,558
218	전자편집디자인	〃	39,760	44,551	47,871	51,232	54,719	60,682	68,812	72,396	85,212	90,829	97,485
219	스티카인쇄공	〃	40,341	44,604	47,186	50,491	50,975	57,600	66,100	71,263	72,590	73,936	64,596
220	전자조판공	〃	35,696	40,360	42,262	45,208	47,570	52,671	66,781	69,535	66,306	66,362	78,621
221	전자출판출력공	〃	42,928	44,603	45,884	49,030	50,710	57,655	65,788	71,158	76,587	72,952	106,101
222	자료입력원	〃	33,643	37,017	38,239	40,951	44,988	-	-	-	-	-	-
223	시멘트제품성형공	〃	33,083	35,048	37,094	39,677	44,484	50,734	58,534	60,502	65,544	67,512	78,905
224	조선목공	〃	46,000	44,185	46,669	49,908	50,204	57,557	57,805	58,953	62,149	66,153	75,896
225	청락공	〃	32,315	34,774	-	-	-	-	-	-	-	-	-
226	인조석가공공	〃	-	-	-	-	-	48,390	54,351	61,434	63,377	70,288	63,962
227	골판지제조공	〃	-	-	-	-	-	-	46,433	47,278	51,458	64,220	60,707

정부(시중)노임단가 (19)

(단위:원)

직종번호	직종명	단위	2014	2015	2016	2017	2018. 1	2018. 7	2019. 1
1	기계설계사	인	100,490	101,207	103,191	104,559	108,531	111,099	111,366
2	회로설계사	〃	113,756	114,918	115,706	118,472	120,888	124,546	124,211
3	제도사	〃	104,257	104,569	105,402	106,949	-	-	-
4	현도사	〃	101,417	101,817	103,688	104,141	-	-	-
5	강판원	〃	71,336	72,799	76,984	77,852	-	-	-
6	드릴링기조작원	〃	65,350	66,318	67,802	73,809	73,979	77,790	80,687
7	공작기계조작원	〃	75,418	76,361	77,629	79,158	87,119	87,962	88,937
8	마킹원	〃	63,914	64,359	69,119	72,197	75,288	78,763	-
9	밀링기조작원	〃	69,111	70,589	71,481	73,353	-	-	-
10	보링기조작원	〃	73,287	73,505	76,355	79,152	-	-	-
11	볼반기조작원	〃	63,630	66,105	-	-	-	-	-
12	절곡원	〃	77,508	78,623	79,563	80,800	85,161	86,314	84,511
13	귀금속세공원	〃	84,436	84,676	89,699	91,705	96,282	-	-
14	주물원	〃	69,352	69,978	71,679	72,698	79,941	81,555	81,229
15	단조원	〃	67,023	68,262	69,437	70,597	71,464	80,497	81,767
16	금형원	〃	77,689	78,105	79,658	80,837	85,500	89,009	89,736
17	목형원	〃	79,902	80,813	81,941	82,444	82,515	-	96,375
18	조형원	〃	69,006	71,613	72,747	74,774	75,246	78,280	76,287
19	압연원	〃	83,522	85,388	86,423	88,185	90,312	91,820	90,292
20	압출기조작원	〃	75,598	76,330	77,412	78,156	82,567	83,940	83,525
21	열처리원	〃	76,078	76,668	77,526	78,816	80,866	82,925	80,782
22	용해원	〃	69,742	70,046	71,368	73,215	80,951	82,233	82,661
23	인발기조작원	〃	72,278	73,268	75,522	77,366	79,734	87,565	88,492
24	태핑기조작원	〃	51,920	-	66,734	68,462	76,312	-	-
25	판금원	〃	78,510	80,245	82,089	83,130	85,577	86,407	87,918
26	합금원	〃	72,415	73,392	80,390	81,379	90,792	92,660	93,181
27	제정기조작원	〃	68,012	-	-	-	-	-	-
28	다이케스트원	〃	63,117	64,229	66,012	67,969	74,710	75,625	75,869
29	철물재단원	〃	58,776	60,477	65,897	66,939	-	-	-
30	쇠톱기조작원	〃	63,492	64,510	65,572	68,123	79,127	80,421	77,087
31	모형조각기원	〃	79,782	79,745	82,088	83,602	88,115	90,305	89,870
32	절단원	〃	73,944	74,759	75,812	76,986	87,136	88,373	88,131
33	프레스기조작원(자동절단원)	〃	67,001	68,318	69,118	70,665	-	-	-
34	유리절단및재단원	〃	74,043	74,947	75,622	78,282	90,139	94,009	95,810
35	벤딩머쉰조작원	〃	70,443	71,392	72,153	73,346	87,001	89,009	86,214
36	금속교정원	〃	69,091	69,791	70,869	75,424	89,917	92,304	93,156
37	선반원	〃	68,352	69,796	71,355	73,294	81,703	83,980	84,632
38	프레나기조작원	〃	65,485	65,872	69,696	71,319	72,586	77,812	78,123
39	레이저광선원	〃	62,947	63,526	67,642	68,533	81,717	88,380	89,253
40	일반화학원	〃	87,586	88,973	89,921	92,216	93,246	94,421	92,839
41	요업원	〃	63,550	64,267	66,108	71,455	72,117	73,806	75,978
42	합성수지피막원	〃	85,132	86,426	86,426	87,677	88,737	89,507	86,717
43	권취원	〃	62,552	67,564	68,406	70,103	79,679	-	77,888
44	연선기·연합기조작원	〃	66,902	67,181	67,954	68,697	73,043	-	-
45	신선기조작원	〃	71,318	71,368	71,982	74,173	77,373	-	78,140
46	절연원	〃	65,756	67,774	68,541	69,772	78,618	-	-
47	피복원	〃	66,339	67,049	69,747	70,445	75,786	-	-
48	고무제품생산원	〃	57,945	60,801	64,242	65,845	74,396	76,552	76,252
49	리벳팅기조작원	〃	61,561	-	-	-	-	-	-
50	용접원	〃	70,615	73,271	75,031	76,501	89,386	91,285	88,936
51	연삭기및연마기조작원	〃	70,266	71,267	72,146	74,192	84,041	86,731	86,808
52	연마원(기타)	〃	62,865	64,177	65,789	67,911	76,877	79,648	79,069
53	세척원	〃	70,914	72,699	73,575	73,890	74,825	75,743	74,372
54	목제품도장원	〃	60,209	61,027	65,941	69,079	75,213	79,308	80,022
55	도장원(취부)	〃	66,519	67,812	70,594	72,419	84,482	87,760	88,334
56	응용도금기조작원	〃	68,865	68,993	70,495	71,444	76,079	76,955	77,448
57	전기도금원	〃	73,234	73,557	74,480	75,200	86,236	91,374	92,701
58	플라스틱사출기조작원	〃	73,989	75,236	76,499	77,500	78,806	82,602	82,131
59	배합원	〃	71,368	71,801	73,145	74,752	80,743	87,574	87,986
60	가구제조원	〃	74,925	76,558	77,345	80,422	82,039	83,855	83,930
61	유리제품제조원	〃	74,653	75,560	-	-	-	-	-
62	제재원	〃	69,314	70,388	71,272	73,847	82,768	84,684	84,919
63	펄프제조장치조작원	〃	65,699	67,356	69,806	71,185	72,167	79,252	78,888
64	합판제조원	〃	61,417	63,526	67,988	68,869	78,980	81,832	81,988
65	제재기계운전원	〃	79,592	80,787	81,524	83,340	90,229	94,171	93,250
66	목재건조기계조작원	〃	64,210	66,205	68,172	71,456	85,564	90,037	90,650
67	제지원	〃	70,875	72,853	74,001	74,884	75,697	78,042	79,439
68	조선목원	〃	63,851	-	-	-	-	-	-
69	골판지제조원	〃	69,867	71,052	71,619	72,581	78,181	79,374	79,569
70	부품조립원	〃	62,675	63,360	65,657	67,420	71,369	76,056	76,358

(단위:원)

직종번호	직종명	단위	2014	2015	2016	2017	2018. 1	2018. 7	2019. 1
71	전기기계조립원	인	75,014	75,202	76,278	77,796	78,998	83,173	83,555
72	중기계조립원	〃	70,753	71,174	75,599	-	78,612	83,955	84,613
73	경기계조립원	〃	66,643	67,721	69,842	71,001	73,755	78,969	80,158
74	전자제품조립원	〃	61,173	64,023	66,237	67,318	70,166	74,906	74,250
75	통신기계조립원	〃	75,134	76,233	77,079	79,378	80,496	90,885	85,450
76	화학공학제품시험원	〃	90,031	91,171	92,008	93,530	94,645	96,561	99,507
77	금속재료제품시험원	〃	76,685	76,905	80,665	80,915	82,727	91,196	-
78	전기전자및기계제품시험원	〃	78,713	79,420	80,279	81,510	90,146	96,546	97,816
79	기타공학제품시험원	〃	81,552	81,654	82,340	84,331	85,303	91,270	92,699
80	화학공학품질관리원	〃	84,975	86,132	86,885	88,024	88,923	95,267	96,537
81	금속재료품질관리원	〃	89,594	90,894	91,243	92,264	94,086	97,875	96,634
82	전기전자및기계품질관리원	〃	76,783	78,886	80,059	82,674	87,268	96,154	97,270
83	기타공학품질관리원	〃	80,839	81,194	81,863	82,970	83,866	87,902	87,840
84	화학공학품질관리사	〃	98,123	98,714	99,041	101,865	102,619	113,782	114,416
85	금속재료품질관리사	〃	92,462	93,000	95,529	96,941	98,150	106,550	109,833
86	전기전자및기계품질관리사	〃	92,303	93,001	94,653	96,191	97,038	112,376	114,930
87	품질관리사	〃	93,517	93,683	94,080	95,697	-	112,887	-
88	기계정비원	〃	83,238	83,626	84,926	85,904	89,215	99,317	101,170
89	전기정비원	〃	78,422	80,807	82,639	84,417	90,313	93,126	93,481
90	차량정비원	〃	76,998	85,932	86,167	88,124	89,088	-	-
91	제품검사및조정원	〃	62,109	62,954	65,404	67,697	72,958	80,725	78,509
92	기계기술자	〃	93,317	93,769	95,838	97,000	98,661	103,299	107,064
93	전선원	〃	59,402	-	72,343	76,762	86,702	99,746	99,184
94	배관원	〃	91,408	89,757	91,745	-	102,029	111,565	113,803
95	목재포장원	〃	66,910	67,836	68,531	70,060	82,634	83,645	75,871
96	기계물품포장원	〃	65,771	66,438	67,584	68,489	74,427	77,748	74,648
97	수동물품포장원	〃	61,968	62,729	64,618	66,340	71,177	73,701	73,562
98	철강포장원	〃	57,576	57,658	65,043	67,312	80,499	82,565	82,305
99	제품출하원	〃	69,435	70,002	70,635	71,889	75,192	82,868	83,074
100	전산용지정합원	〃	61,160	62,330	67,541	69,996	75,688	80,575	81,345
101	전자조판원	〃	76,095	76,523	77,322	79,910	81,843	90,534	92,004
102	교정사	〃	60,546	61,042	66,581	68,249	78,693	-	-
103	컴퓨터웹디자이너	〃	93,517	94,479	98,300	101,562	103,170	104,507	103,194
104	컴퓨터편집사무원	〃	89,233	90,508	93,999	95,387	-	-	-
105	인쇄기조작원	〃	86,204	87,176	88,341	89,866	91,279	94,048	94,759
106	제본기조작원	〃	81,525	81,879	82,876	84,345	-	-	-
107	전자출판출력원	〃	104,895	86,609	-	-	-	-	-
108	연포장재접합원	〃	74,812	75,412	76,821	77,343	77,428	80,449	80,713
109	방직기조작원	〃	54,308	58,006	61,591	63,364	68,900	74,889	78,263
110	방직기계정비원	〃	74,854	75,508	76,256	77,875	79,373	87,047	89,917
111	재봉원	〃	62,044	63,867	65,491	66,495	67,318	77,364	79,168
112	직물재단사	〃	75,730	76,538	77,702	78,625	80,105	87,504	88,824
113	염직원	〃	73,760	75,030	75,785	77,470	79,176	83,307	83,206
114	재봉기운용사	〃	62,076	64,768	65,828	67,231	73,402	78,539	78,349
115	제화원	〃	71,716	72,184	73,483	75,202	76,968	79,183	79,053
116	직포원	〃	69,566	70,186	71,666	73,207	78,478	83,465	82,518
117	편직원	〃	62,774	64,526	69,011	70,567	78,996	84,690	83,066
118	피혁가공원	〃	71,022	72,048	73,278	74,634	76,412	81,157	82,837
119	통신케이블설치및수리원	〃	84,738	-	-	-	-	-	-
120	전기기사	〃	99,082	99,868	101,578	103,045	115,569	120,776	121,638
121	전기산업기사	〃	91,105	93,059	94,311	95,201	107,480	110,947	113,009
122	전기기능사	〃	83,341	83,815	85,836	86,394	97,959	102,245	99,783
123	목공및유리공	〃	76,088	-	-	-	-	-	-
124	컴퓨터H/W기사	〃	100,397	-	120,614	-	-	-	-
125	컴퓨터S/W기사	〃	97,519	98,037	113,072	-	-	-	-
126	컴퓨터운용사	〃	97,378	100,998	103,725	-	-	-	102,294
127	콘크리트제품성형기조작원	〃	76,495	77,949	79,849	82,527	85,853	95,327	95,890
128	특수차운전원	〃	78,052	78,877	80,713	83,850	84,574	87,532	88,018
129	돌분쇄원	〃	73,459	74,320	76,443	78,695	80,831	85,729	91,683
130	착암기조작원	〃	79,438	82,394	-	-	-	-	-
131	소성원	〃	71,529	61,927	70,032	71,863	73,574	81,144	81,940
132	인조석가공원	〃	73,624	-	-	-	-	-	-
133	폐수처리원	〃	79,457	79,858	80,553	82,603	85,357	90,266	91,022
134	식품제조원	〃	61,142	62,210	65,052	66,662	68,547	75,037	72,847
135	단순노무종사원	〃	63,326	64,150	65,674	66,630	68,899	71,837	72,020
136	작업반장	〃	88,642	90,278	91,689	94,029	96,656	107,247	108,234
137	안전관리사	〃	104,663	105,970	107,249	108,666	109,480	114,579	115,509
138	벨트콘베이어작업원	〃	67,477	67,807	69,417	70,290	72,177	77,699	79,289
139	보일러조작원	〃	81,094	81,812	84,713	85,699	86,975	88,351	89,370

정부(시중)노임단가 (20)

(단위:원)

직종번호	직종명	단위	2019. 7	2020. 1	2020. 7
1	CAD설계사(기계)	인	111,414	110,008	111,292
2	CAD설계사(회로)	〃	122,906	127,699	129,864
3	컴퓨터웹디자이너	〃	99,010	100,125	99,840
4	컴퓨터운용사	〃	-	-	-
5	제과제빵떡제조원	〃	82,383	82,383	85,144
6	식품가공원	〃	82,029	85,730	86,898
7	식품가공기계조작원	〃	86,229	87,344	88,245
8	귀금속보석세공원	〃	86,673	86,673	87,632
9	목재가공기계조작원	〃	93,378	93,275	94,047
10	목재건조기계조작원	〃	-	-	-
11	펄프종이제조장치조작원	〃	99,275	106,326	108,999
12	합판제조원	〃	93,032	92,446	93,416
13	종이제품생산기계조작원	〃	93,611	96,718	97,923
14	목제품도장원	〃	86,951	86,727	87,452
15	가구목제품제조원	〃	91,654	89,475	89,847
16	유리제품생산기계조작원	〃	75,724	74,629	75,452
17	점토제품생산기계조작원	〃	82,134	82,143	85,289
18	채석 및 석재절단원	〃	103,490	-	-
19	시멘트광물제품생산기계조작원	〃	99,369	98,141	99,449
20	화학제품생산기계조작원	〃	93,741	95,196	95,315
21	플라스틱제품생산기계조작원	〃	97,889	98,564	99,797
22	고무제품생산기계조작원	〃	82,947	82,105	84,602
23	고무·합성수지·도료배합원	〃	91,415	89,707	91,621
24	유약·점토제품원료배합원	〃	92,961	92,871	96,314
25	시멘트·아스콘배합원	〃	95,048	95,799	97,024
26	소성로조작원	〃	-	-	82,616
27	세척원	〃	77,664	78,123	78,204
28	전자조판원	〃	101,787	103,867	107,103
29	편집교정사	〃	-	-	-
30	종이 및 합성수지인쇄기계조작원	〃	101,502	103,953	103,965
31	인쇄기능원	〃	87,263	90,717	92,848
32	연포장재접합원	〃	88,754	92,184	-
33	방적기계(섬유기계)조작원	〃	81,258	84,172	85,321
34	섬유기계정비원	〃	94,315	95,775	95,160
35	직조기조작원	〃	94,488	94,469	94,913
36	편직기조작원	〃	93,301	99,397	101,025
37	염색기계조작원	〃	96,598	100,095	101,334
38	재단사	〃	91,757	96,485	97,084
39	패턴사	〃	121,218	129,140	129,721
40	재봉사	〃	85,507	91,102	91,347
41	재봉기능원	〃	82,158	83,904	84,470
42	모피가죽제조원	〃	90,555	95,518	97,088
43	제화원	〃	79,457	80,515	79,695
44	신발제조기조작원	〃	95,148	95,863	96,110
45	판금원	〃	91,545	92,491	95,820
46	제관원	〃	97,829	100,498	102,206
47	단조원	〃	82,905	80,953	81,470
48	주물(주조)원	〃	87,831	93,421	93,923
49	용접원	〃	89,876	91,928	95,052
50	목형원	〃	87,457	87,457	-
51	금형원	〃	94,932	100,143	100,393
52	다이캐스트원	〃	-	-	-
53	조형원	〃	76,771	75,216	74,230
54	절곡원	〃	89,639	90,308	92,348
55	압연원	〃	99,429	104,866	104,893
56	열처리원	〃	81,907	80,332	80,617
57	용해원	〃	88,071	93,698	93,414
58	합금원	〃	93,633	-	-
59	절단원	〃	86,303	85,740	85,643
60	권취원	〃	74,344	73,823	74,735
61	수동연마원	〃	81,566	84,796	87,379
62	전선원	〃	100,926	97,446	-
63	절연원	〃	82,824	82,569	82,115
64	도장원(취부)	〃	89,656	89,409	89,011
65	전기도금원	〃	93,941	93,309	93,994
66	피복원	인	85,455	85,455	-
67	합성수지피막원	〃	87,721	86,860	86,779
68	금속교정원	〃	-	-	-
69	선반기조작원	〃	90,137	91,151	91,868
70	드릴링기조작원	〃	79,415	79,358	80,854
71	쇠톱기조작원	〃	81,836	82,272	82,454
72	벤딩머쉰조작원	〃	104,737	-	105,839
73	프레나기조작원	〃	83,678	81,932	84,262
74	레이저광선원	〃	87,622	87,935	89,468
75	신선기조작원	〃	72,310	72,918	75,417
76	용융도금기조작원	〃	73,909	74,710	77,933
77	플라스틱사출기조작원	〃	89,322	93,284	93,931
78	압출기조작원	〃	91,758	91,484	93,027
79	인발기조작원	〃	85,447	86,332	-
80	태핑기조작원	〃	-	-	79,461
81	연삭기 및 연마기조작원	〃	83,184	80,761	82,793
82	모형조각기조작원	〃	-	-	94,452
83	머쉬닝센터조작원	〃	88,557	90,729	91,769
84	기타공작기계조작원	〃	85,380	87,053	89,036
85	기계기술자	〃	105,050	108,933	110,147
86	로봇기술자	〃	-	-	-
87	기계장치정비원	〃	107,298	109,823	112,184
88	보일러설치정비원	〃	101,365	106,416	107,512
89	전기전자설비정비원	〃	105,273	106,799	108,015
90	자동차정비원	〃	-	-	-
91	일반기계수리원	〃	102,874	106,102	110,659
92	전기 및 정밀기기수리원	〃	99,515	101,903	106,602
93	공업배관원	〃	108,964	108,225	107,569
94	폐수처리장치조작원	〃	110,626	113,605	117,761
95	전기기사	〃	123,617	122,645	123,190
96	전기산업기사	〃	118,220	117,064	121,210
97	전기기능사	〃	104,304	110,103	114,708
98	전자제품조립원	〃	79,306	82,567	85,725
99	전기기계조립원	〃	87,415	90,540	91,301
100	고무플라스틱제품조립원	〃	89,517	88,230	89,798
101	경기계조립원	〃	85,671	86,626	88,068
102	중기계조립원	〃	100,018	103,605	104,229
103	통신기게조립원	〃	-	-	87,602
104	벨트콘베이어작업원	〃	-	-	-
105	부품조립원	〃	76,928	79,162	81,430
106	제품검사 및 조정원	〃	85,546	85,655	86,491
107	상표부착원	〃	78,711	80,526	79,788
108	기계물품포장원	〃	82,682	83,903	85,130
109	수동물품포장원	〃	78,772	78,949	80,340
110	목재포장원	〃	89,845	89,198	87,996
111	철강포장원	〃	-	-	84,605
112	화학공학품질관리사	〃	120,841	122,269	125,929
113	화학공학품질관리원	〃	103,406	106,010	108,558
114	화학공학제품시험원	〃	106,331	104,964	106,155
115	금속재료품질관리사	〃	107,933	106,906	106,792
116	금속재료품질관리원	〃	95,434	94,702	97,691
117	금속재료제품시험원	〃	97,648	96,078	98,044
118	전기·전자 및 기계품질관리사	〃	113,032	116,090	121,631
119	전기·전자 및 기계품질관리원	〃	99,022	101,534	101,942
120	전기·전자 및 기계제품시험원	〃	97,736	99,083	102,091
121	기타공학품질관리사	〃	117,791	119,879	120,826
122	기타공학품질관리원	〃	98,940	102,113	101,347
123	기타공학제품시험원	〃	99,046	101,958	102,907
124	제품하역적재원	〃	85,336	86,009	88,862
125	내부특수차운전원	〃	93,542	94,160	94,974
126	외부특수차운전원	〃	92,422	94,072	96,153
127	단순노무종사원	〃	78,023	79,552	80,103
128	안전관리사	〃	115,525	115,011	116,466
129	작업반장	〃	115,049	115,918	117,914

(단위:원)

직종번호	직종명	단위	2021. 1	2021. 7	2022. 1	직종번호	직종명	단위	2021. 1	2021. 7	2022. 1
1	CAD설계사(기계)	인	112,939	120,074	126,798	66	피복원	인	-	87,489	95,726
2	CAD설계사(회로)	〃	134,108	137,273	139,921	67	합성수지피막원	〃	91,907	95,826	113,095
3	컴퓨터웹디자이너	〃	103,008	107,273	111,523	68	금속교정원	〃	-	-	-
4	컴퓨터운용사	〃	-	-	105,783	69	선반기조작원	〃	96,692	99,508	101,255
5	제과제빵떡제조원	〃	83,916	84,640	80,742	70	드릴링기조작원	〃	80,141	87,450	88,548
6	식품가공원	〃	88,685	88,837	90,040	71	쇠톱기조작원	〃	82,798	91,251	109,270
7	식품가공기계조작원	〃	88,332	88,409	91,119	72	벤딩머쉰조작원	〃	-	110,031	110,031
8	귀금속보석세공원	〃	89,772	96,003	96,544	73	프레나기조작원	〃	85,048	90,009	91,740
9	목재가공기계조작원	〃	95,795	96,215	96,145	74	레이저광선원	〃	94,382	91,656	91,656
10	목재건조기계조작원	〃	-	-	72,442	75	신선기조작원	〃	76,252	85,528	90,185
11	펄프종이제조장치조작원	〃	108,795	113,649	113,128	76	용융도금기조작원	〃	77,933	-	-
12	합판제조원	〃	93,937	94,707	94,291	77	플라스틱사출기조작원	〃	92,383	91,122	92,535
13	종이제품생산기계조작원	〃	100,389	101,452	101,715	78	압출기조작원	〃	94,016	94,580	97,238
14	목제품도장원	〃	87,452	-	-	79	인발기조작원	〃	-	-	97,602
15	가구목제품제조원	〃	89,608	92,396	92,116	80	태핑기조작원	〃	79,461	82,461	104,191
16	유리제품생산기계조작원	〃	73,616	78,011	78,452	81	연삭기 및 연마기조작원	〃	85,587	89,059	91,456
17	점토제품생산기계조작원	〃	88,062	-	75,791	82	모형조각기조작원	〃	99,929	-	-
18	채석 및 석재절단원	〃	-	-	-	83	머쉬닝센터조작원	〃	94,112	100,348	103,650
19	시멘트광물제품생산기계조작원	〃	101,554	106,047	109,006	84	기타공작기계조작원	〃	90,581	94,156	94,894
20	화학제품생산기계조작원	〃	97,752	101,784	104,204	85	기계기술자	〃	112,524	119,272	119,984
21	플라스틱제품생산기계조작원	〃	105,884	107,092	109,752	86	로봇기술자	〃	-	-	104,996
22	고무제품생산기계조작원	〃	87,767	92,737	94,014	87	기계장치정비원	〃	111,400	110,721	110,840
23	고무·합성수지·도료배합원	〃	93,726	94,255	95,412	88	보일러설치정비원	〃	104,799	105,147	109,364
24	유약·점토제품원료배합원	〃	96,314	100,254	100,991	89	전기전자설비정비원	〃	114,079	114,794	115,009
25	시멘트·아스콘배합원	〃	99,746	102,915	102,915	90	자동차정비원	〃	-	-	-
26	소성로조작원	〃	82,616	89,284	-	91	일반기계수리원	〃	111,416	110,929	111,208
27	세척원	〃	78,520	82,785	85,656	92	전기 및 정밀기기수리원	〃	106,943	111,193	111,193
28	전자조판원	〃	107,103	-	90,628	93	공업배관원	〃	-	104,401	104,401
29	편집교정사	〃	-	-	-	94	폐수처리장치조작원	〃	118,043	116,764	112,825
30	종이 및 합성수지인쇄기계조작원	〃	103,094	109,604	112,478	95	전기기사	〃	128,578	133,795	135,314
31	인쇄기능원	〃	96,351	101,503	108,312	96	전기산업기사	〃	122,551	128,475	132,018
32	연포장재접합원	〃	-	109,683	-	97	전기기능사	〃	114,098	113,564	113,564
33	방적기계(섬유기계)조작원	〃	89,544	92,315	94,186	98	전자제품조립원	〃	87,316	88,054	88,725
34	섬유기계정비원	〃	100,286	102,656	101,747	99	전기기계조립원	〃	93,130	97,028	97,036
35	직조기조작원	〃	92,407	92,739	92,740	100	고무플라스틱제품조립원	〃	87,285	86,988	87,683
36	편직기조작원	〃	99,420	98,317	92,277	101	경기계조립원	〃	90,805	97,401	99,324
37	염색기계조작원	〃	99,234	99,956	90,889	102	중기계조립원	〃	106,057	112,089	114,742
38	재단사	〃	102,368	103,709	105,728	103	통신기계조립원	〃	91,664	100,127	100,127
39	패턴사	〃	130,107	130,932	135,650	104	벨트콘베이어작업원	〃	-	95,545	95,545
40	재봉사	〃	96,436	96,661	95,589	105	부품조립원	〃	83,488	84,628	85,726
41	재봉기능원	〃	82,194	75,363	73,516	106	제품검사 및 조정원	〃	86,920	88,467	88,155
42	모피가죽제조원	〃	97,760	100,425	100,425	107	상표부착원	〃	79,029	79,788	80,396
43	제화원	〃	78,884	91,421	-	108	기계물품포장원	〃	85,676	87,025	88,166
44	신발제조기조작원	〃	96,110	-	77,503	109	수동물품포장원	〃	80,678	79,836	80,178
45	판금원	〃	95,986	97,107	97,107	110	목재포장원	〃	87,996	-	75,389
46	제관원	〃	105,949	105,893	105,648	111	철강포장원	〃	84,598	85,959	85,959
47	단조원	〃	82,131	92,012	94,667	112	화학공학품질관리사	〃	130,827	135,678	135,678
48	주물(주조)원	〃	95,806	96,483	93,424	113	화학공학품질관리원	〃	109,804	110,259	111,463
49	용접원	〃	95,632	100,451	102,118	114	화학공학제품시험원	〃	107,317	117,908	117,269
50	목형원	〃	-	-	-	115	금속재료품질관리사	〃	104,387	-	-
51	금형원	〃	106,942	110,965	110,931	116	금속재료품질관리원	〃	96,261	100,079	102,738
52	다이캐스트원	〃	-	99,275	98,049	117	금속재료제품시험원	〃	95,448	103,731	106,406
53	조형원	〃	74,039	79,045	82,478	118	전기·전자 및 기계품질관리사	〃	122,441	122,339	109,210
54	절곡원	〃	91,859	95,716	96,262	119	전기·전자 및 기계품질관리원	〃	102,756	104,306	104,566
55	압연원	〃	106,774	-	88,923	120	전기·전자 및 기계제품시험원	〃	101,478	102,759	104,892
56	열처리원	〃	82,090	85,678	87,847	121	기타공학품질관리사	〃	118,312	120,741	120,741
57	용해원	〃	94,508	96,075	91,685	122	기타공학품질관리원	〃	100,343	107,204	110,331
58	합금원	〃	-	-	-	123	기타공학제품시험원	〃	100,828	102,806	102,710
59	절단원	〃	84,914	88,348	90,851	124	제품하역적재원	〃	89,596	92,897	93,791
60	권취원	〃	76,493	82,256	85,411	125	내부특수차운전원	〃	95,158	93,123	93,675
61	수동연마원	〃	86,060	85,170	86,573	126	외부특수차운전원	〃	97,535	103,200	104,645
62	전선원	〃	-	-	-	127	단순노무종사원	〃	80,656	81,196	82,001
63	절연원	〃	80,013	102,303	107,227	128	안전관리사	〃	115,311	122,630	129,642
64	도장원(취부)	〃	89,534	94,806	99,093	129	작업반장	〃	119,095	119,345	119,878
65	전기도금원	〃	93,994	102,629	102,629	130	유리절단 및 재단원		-	70,167	70,167

정부(시중)노임단가 (21)

(단위:원)

직종번호	직종명	단위	2022. 7	2023. 1	2023. 7	직종번호	직종명	단위	2022. 7	2023. 1	2023. 7
1	CAD설계사(기계)	인	129,046	129,650	131,943	66	피복원	인	85,847	87,226	-
2	CAD설계사(회로)	〃	134,419	133,120	135,238	67	합성수지피막원	〃	-	87,218	93,800
3	컴퓨터웹디자이너	〃	111,956	111,956	97,814	68	금속교정원	〃	-	-	-
4	컴퓨터운용사	〃	120,658	123,825	116,325	69	선반기조작원	〃	99,621	99,374	102,095
5	제과제빵떡제조원	〃	82,156	82,040	80,574	70	드릴링기조작원	〃	91,499	91,709	90,624
6	식품가공원	〃	91,749	92,292	92,209	71	쇠톱기조작원	〃	106,281	107,930	-
7	식품가공기계조작원	〃	91,301	91,855	92,678	72	벤딩머쉰조작원	〃	95,204	95,204	99,244
8	귀금속보석세공원	〃	96,928	98,455	-	73	프레나기조작원	〃	89,858	89,861	86,359
9	목재가공기계조작원	〃	99,248	100,856	104,025	74	레이저광선원	〃	92,752	92,744	95,468
10	목재건조기계조작원	〃	80,405	80,405	117,835	75	신선기조작원	〃	87,483	90,946	97,950
11	펄프종이제조장치조작원	〃	104,265	100,573	100,977	76	용융도금기조작원	〃	-	-	-
12	합판제조원	〃	92,448	93,419	100,289	77	플라스틱사출기조작원	〃	92,219	92,590	96,449
13	종이제품생산기계조작원	〃	99,425	100,373	105,357	78	압출기조작원	〃	97,702	98,347	98,948
14	목제품도장원	〃	-	-	90,586	79	인발기조작원	〃	-	-	90,306
15	가구목제품제조원	〃	90,898	92,468	95,344	80	태핑기조작원	〃	100,797	100,797	-
16	유리제품생산기계조작원	〃	84,198	83,926	85,915	81	연삭기 및 연마기조작원	〃	91,781	92,104	93,090
17	점토제품생산기계조작원	〃	78,913	78,913	98,993	82	모형조각기조작원	〃	-	-	-
18	채석 및 석재절단원	〃	-	-	-	83	머쉬닝센터조작원	〃	97,837	98,023	99,013
19	시멘트광물제품생산기계조작원	〃	113,745	114,220	116,825	84	기타공작기계조작원	〃	95,246	95,201	99,382
20	화학제품생산기계조작원	〃	105,819	106,472	107,896	85	기계기술자	〃	123,954	124,604	134,277
21	플라스틱제품생산기계조작원	〃	104,374	105,764	108,321	86	로봇기술자	〃	-	-	-
22	고무제품생산기계조작원	〃	91,243	91,751	92,503	87	기계장치정비원	〃	112,427	113,691	118,387
23	고무·합성수지·도료배합원	〃	96,380	98,665	104,383	88	보일러설치정비원	〃	111,953	111,999	108,848
24	유약·점토제품원료배합원	〃	93,336	92,312	93,540	89	전기전자설비정비원	〃	116,137	115,359	122,927
25	시멘트·아스콘배합원	〃	108,849	113,528	119,043	90	자동차정비원	〃	-	-	-
26	소성로조작원	〃	95,197	95,197	-	91	일반기계수리원	〃	111,683	111,823	114,630
27	세척원	〃	89,554	92,276	88,931	92	전기 및 정밀기기수리원	〃	111,711	113,437	116,050
28	전자조판원	〃	90,988	89,509	95,001	93	공업배관원	〃	94,218	94,111	-
29	편집교정사	〃	129,906	129,906	93,024	94	폐수처리장치조작원	〃	107,774	106,547	112,526
30	종이 및 합성수지인쇄기계조작원	〃	112,137	112,227	112,717	95	전기기사	〃	136,672	137,598	139,616
31	인쇄기능원	〃	109,328	110,092	111,719	96	전기산업기사	〃	134,262	134,143	-
32	연포장재접합원	〃	-	-	99,535	97	전기기능사	〃	114,526	115,580	99,873
33	방적기계(섬유기계)조작원	〃	94,652	94,422	92,922	98	전자제품조립원	〃	89,809	89,618	90,685
34	섬유기계정비원	〃	101,676	99,360	95,651	99	전기기계조립원	〃	97,721	97,713	102,660
35	직조기조작원	〃	92,759	92,180	94,297	100	고무플라스틱제품조립원	〃	79,831	79,761	83,087
36	편직기조작원	〃	86,236	86,236	93,510	101	경기계조립원	〃	100,595	101,157	101,502
37	염색기계조작원	〃	85,691	85,690	87,285	102	중기계조립원	〃	117,429	119,406	110,067
38	재단사	〃	110,941	110,801	101,116	103	통신기계조립원	〃	-	-	89,995
39	패턴사	〃	130,822	130,706	137,060	104	벨트콘베이어작업원	〃	98,780	98,285	80,974
40	재봉사	〃	99,701	99,740	95,524	105	부품조립원	〃	88,369	88,920	92,152
41	재봉기능원	〃	75,961	75,980	80,117	106	제품검사 및 조정원	〃	93,289	93,864	96,692
42	모피가죽제조원	〃	99,570	102,014	103,727	107	상표부착원	〃	82,059	82,285	86,484
43	제화원	〃	-	-	91,363	108	기계물품포장원	〃	89,632	89,550	91,978
44	신발제조기조작원	〃	78,707	78,707	81,031	109	수동물품포장원	〃	83,636	84,226	86,720
45	판금원	〃	102,098	105,663	119,071	110	목재포장원	〃	90,831	90,305	103,346
46	제관원	〃	108,304	108,369	114,907	111	철강포장원	〃	79,994	79,962	-
47	단조원	〃	96,410	96,410	96,561	112	화학공학품질관리사	〃	144,007	146,603	152,242
48	주물(주조)원	〃	93,825	93,047	95,664	113	화학공학품질관리원	〃	116,690	116,604	117,277
49	용접원	〃	102,934	102,665	111,200	114	화학공학제품시험원	〃	119,723	120,555	122,225
50	목형원	〃	102,021	102,021	-	115	금속재료품질관리사	〃	135,670	135,670	141,157
51	금형원	〃	113,214	113,413	113,938	116	금속재료품질관리원	〃	106,570	107,900	116,912
52	다이캐스트원	〃	99,025	99,025	79,207	117	금속재료제품시험원	〃	107,831	107,494	-
53	조형원	〃	82,974	84,351	90,743	118	전기·전자 및 기계품질관리사	〃	119,211	131,019	148,938
54	절곡원	〃	96,867	96,861	98,442	119	전기·전자 및 기계품질관리원	〃	110,136	112,683	120,888
55	압연원	〃	94,151	95,882	94,994	120	전기·전자 및 기계제품시험원	〃	93,364	93,364	99,668
56	열처리원	〃	90,905	91,928	91,515	121	기타공학품질관리사	〃	124,862	128,432	136,968
57	용해원	〃	93,070	93,106	95,420	122	기타공학품질관리원	〃	113,083	113,004	116,637
58	합금원	〃	95,136	-	106,260	123	기타공학제품시험원	〃	103,193	104,573	105,653
59	절단원	〃	94,186	94,070	97,128	124	제품하역적재원	〃	96,642	96,979	99,130
60	권취원	〃	86,090	85,471	-	125	내부특수차운전원	〃	96,600	96,971	100,879
61	수동연마원	〃	90,673	92,661	95,390	126	외부특수차운전원	〃	105,422	105,231	106,889
62	전선원	〃	86,908	94,027	87,085	127	단순노무종사원	〃	84,303	84,618	86,303
63	절연원	〃	-	84,110	-	128	안전관리사	〃	130,998	131,590	133,698
64	도장원(취부)	〃	100,045	100,296	102,320	129	작업반장	〃	120,898	121,072	125,583
65	전기도금원	〃	-	85,266	89,855	130	유리절단 및 재단원		74,494	74,494	-

엔지니어링사업노임단가 (1)

(단위:원/인)

부문	구 분	1984년	1985년	1986년	1987년	1988년	1989년	1990년	1991년	1992년	1993년	1994년
원자력발전	특 급 기 술 자	61,300	63,140	65,030	68,900	77,200	77,200	84,100	88,600	93,000	-	-
	고 급 기 술 자	47,400	48,820	50,280	53,300	59,700	59,700	65,100	69,600	73,800	95,800	100,600
	중 급 기 술 자	34,500	35,540	36,610	38,800	43,500	43,500	47,400	51,400	55,300	76,000	79,800
	초 급 기 술 자	22,700	23,380	24,080	25,500	28,600	28,600	31,400	34,900	37,900	57,000	59,900
	고급숙련기술자	26,800	27,600	28,430	30,100	33,700	33,700	36,700	39,700	42,900	39,000	41,000
	중급숙련기술자	14,200	14,630	15,070	16,000	18,500	18,500	20,300	22,800	25,100	44,200	46,400
	초급숙련기술자	10,100	10,400	10,710	11,400	13,200	13,200	14,500	16,500	18,300	25,900	27,200
											18,800	19,700

부문	구 분	1995년	1996년	1997년	1998년	1999년	2000년	2001년	2002년	2003년	2004년	2005년
원자력발전	기 술 사	-	-	-	202,296	201,064	193,859	199,465	220,477	236,345	256,982	306,744
	특 급 기 술 자	107,869	127,706	168,004	194,878	192,226	194,468	201,915	217,657	228,100	225,616	267,052
	고 급 기 술 자	86,647	107,403	131,791	157,865	151,279	157,804	162,339	167,504	172,993	191,206	216,988
	중 급 기 술 자	73,722	88,759	104,455	127,142	123,924	133,984	131,034	138,986	148,356	169,694	181,740
	초 급 기 술 자	61,624	68,086	80,272	89,740	88,610	97,370	103,624	102,825	113,300	125,257	121,251
	고급숙련기술자	62,160	82,152	98,410	104,680	100,640	113,484	114,168	125,794	139,616	154,469	188,408
	중급숙련기술자	52,780	60,374	66,167	78,048	71,106	80,769	83,866	86,825	99,331	114,259	125,674
	초급숙련기술자	-	49,493	53,833	59,265	60,149	67,309	64,562	68,055	74,423	92,993	91,971

부문	구 분	2006년	2007년	2008년	2009년	2010년	2011년	2012년	2013년	2014년	2015년	비 고
원자력발전	기 술 사	330,209	335,459	342,079	349,831	344,618	402,579	412,124	423,826	452,006	452,202	
	특 급 기 술 자	312,105	322,377	326,602	335,871	339,500	360,629	368,158	378,439	381,953	395,965	
	고 급 기 술 자	246,636	251,333	268,966	274,244	283,311	299,132	308,849	305,210	308,547	310,036	
	중 급 기 술 자	193,250	202,063	218,028	224,341	233,700	249,103	261,341	248,856	252,957	258,353	
	초 급 기 술 자	136,189	152,866	167,923	170,336	179,608	189,727	197,919	183,580	194,959	205,559	
	고급숙련기술자	208,528	221,758	239,108	264,478	277,589	292,388	302,968	267,108	267,386	255,438	
	중급숙련기술자	143,329	154,630	170,724	186,338	198,486	209,391	223,375	226,062	228,033	215,141	
	초급숙련기술자	114,156	117,024	122,166	127,756	133,420	145,781	149,039	141,507	134,282	130,673	

부문	구 분	1984년	1985년	1986년	1987년	1988년	1989년	1990년	1991년	1992년	1993년	1994년
산업공장	특 급 기 술 자	61,300	59,640	61,430	65,100	72,900	72,900	79,500	84,000	88,200	-	-
	고 급 기 술 자	47,400	49,840	47,220	50,100	56,100	56,100	61,100	65,600	69,500	90,800	95,300
	중 급 기 술 자	34,500	33,370	34,370	36,400	40,800	40,800	44,500	48,500	52,100	71,600	75,200
	초 급 기 술 자	22,700	22,250	22,920	24,300	27,200	27,200	29,900	33,400	36,200	53,700	56,400
	고급숙련기술자	26,800	26,160	26,940	28,600	32,000	32,000	34,900	37,900	40,900	37,300	39,200
	중급숙련기술자	14,200	14,010	14,430	15,300	17,700	17,700	19,500	22,000	24,200	42,100	44,200
	초급숙련기술자	10,100	10,090	10,390	11,000	12,700	12,700	14,000	16,000	17,800	24,900	26,100
											18,300	19,200

부문	구 분	1995년	1996년	1997년	1998년	1999년	2000년	2001년	2002년	2003년	2004년	2005년
산업공장	기 술 사	-	-	-	187,287	165,538	164,856	176,713	179,554	203,037	192,879	267,586
	특 급 기 술 자	125,744	131,693	143,537	144,101	139,809	142,328	159,658	169,460	175,725	201,642	239,551
	고 급 기 술 자	95,047	100,711	113,748	118,302	116,744	114,729	124,903	135,244	144,212	164,999	192,930
	중 급 기 술 자	79,841	84,119	98,973	99,626	97,632	100,062	101,968	111,068	115,735	138,328	159,762
	초 급 기 술 자	61,199	60,483	76,615	78,513	72,384	82,636	78,894	83,526	86,669	113,108	115,558
	고급숙련기술자	52,704	57,174	60,684	70,814	63,362	71,206	77,109	80,925	82,078	115,857	116,451
	중급숙련기술자	43,704	47,724	55,461	63,329	55,627	57,613	66,126	68,548	68,706	90,751	95,630
	초급숙련기술자	32,628	39,907	43,698	55,568	48,228	49,714	48,713	58,531	59,262	66,249	74,240

부문	구 분	2006년	2007년	2008년	2009년	2010년	2011년	2012년	2013년	2014년	2015년	비 고
산업공장	기 술 사	293,586	313,502	339,421	366,454	355,680	367,499	388,830	392,773	407,566	392,867	
	특 급 기 술 자	252,694	274,065	291,165	317,373	326,675	324,978	346,318	347,918	363,237	354,360	
	고 급 기 술 자	206,956	213,533	229,035	240,068	247,192	248,131	259,132	269,091	273,921	278,193	
	중 급 기 술 자	161,351	166,173	178,245	192,094	196,823	208,469	218,166	216,427	204,641	222,605	
	초 급 기 술 자	117,459	125,467	139,096	150,392	154,684	161,124	171,467	164,957	179,981	191,622	
	고급숙련기술자	134,546	136,169	138,532	152,955	160,137	165,162	174,727	170,458	186,339	208,620	
	중급숙련기술자	105,672	108,359	109,007	113,519	122,250	142,143	149,677	160,749	154,689	180,455	
	초급숙련기술자	86,856	89,635	89,737	91,893	99,160	116,627	121,474	120,769	136,658	145,050	

엔지니어링사업노임단가 (2)

(단위:원/인)

부문	구 분	1984년	1985년	1986년	1987년	1988년	1989년	1990년	1991년	1992년	1993년	1994년
건설및기타	특급기술자	57,500	59,230	61,010	64,700	72,500	72,500	79,000	83,500	87,700	90,300	94,800
	고급기술자	44,000	45,320	46,680	49,500	55,400	55,400	60,400	64,900	68,800	70,900	74,400
	중급기술자	32,100	33,060	34,050	36,100	40,400	40,400	44,000	48,000	51,600	53,100	55,800
	초급기술자	21,400	22,040	22,700	24,100	27,000	27,000	29,700	33,200	36,000	37,100	39,000
	고급숙련기술자	25,200	25,960	26,740	28,300	31,700	31,700	34,600	37,600	40,600	41,800	43,900
	중급숙련기술자	13,400	13,800	14,210	15,100	17,400	17,400	19,100	21,600	23,800	24,500	25,700
	초급숙련기술자	9,700	9,990	10,290	10,900	12,600	12,600	13,800	15,800	17,500	18,000	18,900

부문	구 분	1995년	1996년	1997년	1998년	1999년	2000년	2001년	2002년	2003년	2004년	2005년
건설및기타	기술사	-	-	-	186,816	173,852	169,300	181,248	183,237	197,001	205,071	230,020
	특급기술자	107,652	129,809	153,805	142,203	132,166	127,689	138,714	140,793	162,903	158,335	177,096
	고급기술자	78,449	94,007	111,484	117,410	109,695	108,537	118,674	120,231	131,950	132,936	148,224
	중급기술자	63,339	76,473	90,147	97,488	91,968	88,632	96,387	100,560	108,828	111,576	123,952
	초급기술자	43,855	55,983	63,872	69,405	65,947	65,216	69,746	71,973	79,518	81,676	89,202
	고급숙련기술자	55,968	61,149	65,323	68,094	67,006	74,234	79,018	90,072	98,387	95,221	107,740
	중급숙련기술자	40,890	54,923	55,263	60,249	55,830	56,261	62,505	71,771	79,392	81,499	96,271
	초급숙련기술자	35,005	45,578	45,598	48,652	46,933	51,959	52,348	57,485	65,063	60,759	72,051

부문	구 분	2006년	2007년	2008년	2009년	2010년	2011년	2012년	2013년	2014년	2015년	비 고
건설및기타	기술사	252,897	263,837	270,525	296,530	320,277	325,979	330,109	319,299	334,901	340,765	
	특급기술자	196,337	204,020	217,535	234,433	258,303	258,726	258,612	245,203	247,598	249,900	
	고급기술자	164,387	173,417	180,902	189,895	203,277	203,802	205,855	199,093	205,518	208,973	
	중급기술자	139,232	146,066	150,970	162,228	174,482	174,250	181,472	175,860	187,789	181,229	
	초급기술자	98,848	104,129	108,805	120,491	127,396	131,853	133,629	134,313	140,332	140,862	
	고급숙련기술자	110,769	114,757	125,348	130,396	130,603	136,699	145,353	144,136	153,967	163,029	
	중급숙련기술자	97,468	100,340	107,821	120,811	134,427	138,346	136,981	141,106	147,647	141,768	
	초급숙련기술자	73,229	77,785	85,543	95,576	106,708	111,171	115,960	107,668	118,217	123,044	

참고 엔지니어링기술자의 등급 및 자격기준 (2013년 1월 1일 이후)

기준 / 구분	기술자격 및 경험기준	학력 및 경험기준
기술사	해당 전문분야의 관련기술사	
특급기술자	기사 10년 이상 산업기사 13년 이상	
고급기술자	기사 7년 이상 산업기사 10년 이상	
중급기술자	기사 4년 이상 산업기사 7년 이상	
초급기술자	기사, 산업기사 2년이상	석사, 학사, 전문대졸 3년이상
고급숙련기술자	기능장 산업기사 4년 이상 기능사 7년 이상 기능사보 10년 이상	
중급숙련기술자	산업기사 기능사 3년 이상 기능사보 5년 이상	
초급숙련기술사	기능사 기능사보 2년 이상	고졸 1년이상

주: 가) 위 표의 '국가기술자격자란'의 각 자격은「국가기술자격법」에 따른 국가기술자격의 종목 중 별표 1 제2호의 전문분야와 관련되는 종목의 국가기술자격을 말한다.
나) 위 표에서 '학력자란'의 각 학력은 다음의 어느 하나에 해당하는 학력을 말한다.
(1)「초·중등교육법」 또는 「고등교육법」에 따른 학교에서 엔지니어링기술 관련 학과의 정해진 과정의 이수와 졸업에 따라 취득한 학력
(2) 그 밖의 관계 법령에 따른 국내외에서 받은 (1)과 같은 수준 이상의 학력
다) 위 표에서 "해당 전문분야"란 별표 1 제2호의 전문분야를 말한다.
라) 위 가) 및 나)에 따른 엔지니어링기술자의 관련 자격·학력·경력의 세부기준은 지식경제부장관이 정하여 고시한다.
마) 2013년 1월 1일 전에 제2호에 따른 기준에 따라 법 제26조에 따른 엔지니어링기술자의 신고를 한 자는 제3호에 따른 기술계엔지니어링기술자 및 숙련기술계 엔지니어링기술자의 구분에 따른 해당 기술등급으로 신고를 한 것으로 본다.

(단위:원/인)

부 문	구 분	2016년	2017년	2018년	2019년	2020년
기계/설비	기술사	362,508	364,492	370,786	371,152	380,332
	특급기술자	312,387	310,906	317,111	309,774	320,865
	고급기술자	247,763	244,451	261,966	259,231	266,614
	중급기술자	200,366	207,720	210,081	212,496	218,272
	초급기술자	171,713	176,081	179,361	190,486	191,435
	고급숙련기술자	189,033	198,567	214,514	223,530	231,219
	중급숙련기술자	170,126	170,875	176,256	187,789	190,082
	초급숙련기술자	157,450	152,104	155,909	156,169	160,022

부 문	구 분	2016년	2017년	2018년	2019년	2020년
전 기	기술사	358,692	354,588	370,418	373,307	376,782
	특급기술자	277,366	282,385	283,140	278,739	278,900
	고급기술자	223,803	226,393	245,485	240,205	240,454
	중급기술자	177,160	190,623	205,546	207,386	217,583
	초급기술자	179,163	176,106	177,311	192,733	200,502
	고급숙련기술자	189,379	202,528	218,722	221,639	229,382
	중급숙련기술자	168,064	160,116	163,851	168,105	177,851
	초급숙련기술자	142,866	142,380	150,383	158,516	163,155

부 문	구 분	2016년	2017년	2018년	2019년	2020년
정보통신	기술사	343,430	346,425	350,148	355,354	366,143
	특급기술자	241,254	249,997	250,848	252,039	264,610
	고급기술자	219,797	222,682	235,406	230,181	238,021
	중급기술자	176,287	180,836	191,798	208,194	221,440
	초급기술자	153,175	162,724	163,804	175,747	175,817
	고급숙련기술자	169,625	169,946	179,154	183,680	194,235
	중급숙련기술자	153,762	151,310	158,289	159,697	165,458
	초급숙련기술자	125,508	136,883	141,039	138,096	144,174

부 문	구 분	2016년	2017년	2018년	2019년	2020년
건 설	기술사	348,160	351,417	363,289	367,654	369,831
	특급기술자	264,306	270,333	276,720	281,833	288,036
	고급기술자	209,485	219,469	224,307	224,061	235,682
	중급기술자	190,910	194,687	198,567	207,080	219,451
	초급기술자	149,647	152,187	156,448	160,096	170,615
	고급숙련기술자	175,906	188,392	196,898	198,902	204,010
	중급숙련기술자	148,700	156,364	162,349	169,477	174,996
	초급숙련기술자	128,933	140,151	147,296	150,170	157,750

부 문	구 분	2016년	2017년	2018년	2019년	2020년
환 경	기술사	357,318	347,860	352,065	358,937	370,148
	특급기술자	263,145	264,374	266,641	263,009	271,754
	고급기술자	204,180	221,318	234,230	240,222	247,322
	중급기술자	183,703	182,691	196,148	197,330	199,510
	초급기술자	150,977	158,171	161,365	163,087	175,373
	고급숙련기술자	159,267	160,896	166,433	177,406	189,577
	중급숙련기술자	140,660	148,624	158,090	173,426	174,180
	초급숙련기술자	133,165	139,643	140,341	152,245	157,690

부 문	구 분	2016년	2017년	2018년	2019년	2020년
원자력	기술사	469,203	460,251	461,737	461,795	473,603
	특급기술자	426,888	433,208	448,259	431,017	422,724
	고급기술자	298,148	302,945	309,433	313,732	323,208
	중급기술자	257,578	248,735	260,755	266,054	270,681
	초급기술자	202,770	215,537	227,870	238,142	231,169
	고급숙련기술자	261,220	255,233	265,599	270,473	274,760
	중급숙련기술자	227,626	233,184	253,960	257,404	260,517
	초급숙련기술자	134,872	140,331	147,578	166,486	160,899

부 문	구 분	2016년	2017년	2018년	2019년	2020년
기 타	기술사	321,854	309,039	325,036	338,818	345,558
	특급기술자	255,025	269,759	281,964	276,817	278,662
	고급기술자	218,132	213,462	226,731	224,376	232,210
	중급기술자	184,257	190,700	191,066	186,030	192,491
	초급기술자	150,083	145,234	146,656	154,454	164,798
	고급숙련기술자	161,120	174,137	183,359	201,120	210,778
	중급숙련기술자	143,957	138,642	149,534	158,079	163,000
	초급숙련기술자	132,161	130,960	141,854	148,627	143,934

엔지니어링사업노임단가 (3)

(단위:원/인)

부 문	구 분	2021년	2022년	2023년
기계/설비	기술사	382,922	405,940	445,789
	특급기술자	322,321	332,140	367,153
	고급기술자	282,109	286,405	313,547
	중급기술자	219,603	236,742	266,506
	초급기술자	203,384	210,727	228,792
	고급숙련기술자	232,720	247,467	273,502
	중급숙련기술자	190,557	193,280	207,122
	초급숙련기술자	168,953	175,259	185,413

부 문	구 분	2021년	2022년	2023년
전 기	기술사	386,790	398,476	431,962
	특급기술자	288,765	294,925	325,361
	고급기술자	242,820	254,591	285,820
	중급기술자	219,050	235,752	268,378
	초급기술자	199,763	206,042	224,434
	고급숙련기술자	238,484	251,294	283,141
	중급숙련기술자	179,526	187,474	211,043
	초급숙련기술자	153,750	167,322	181,762

부 문	구 분	2021년	2022년	2023년
정보통신	기술사	367,129	387,707	417,280
	특급기술자	267,977	282,727	310,245
	고급기술자	242,904	258,258	281,987
	중급기술자	222,620	230,402	254,590
	초급기술자	182,192	194,606	218,500
	고급숙련기술자	194,866	207,847	232,694
	중급숙련기술자	172,952	184,077	202,588
	초급숙련기술자	149,870	155,003	175,059

부 문	구 분	2021년	2022년	2023년
건 설	기술사	371,891	390,500	432,440
	특급기술자	292,249	308,530	335,638
	고급기술자	242,055	253,985	282,545
	중급기술자	220,497	231,775	261,571
	초급기술자	172,529	182,591	205,686
	고급숙련기술자	207,510	218,613	240,947
	중급숙련기술자	185,073	194,638	220,894
	초급숙련기술자	162,285	169,084	186,909

부 문	구 분	2021년	2022년	2023년
환 경	기술사	367,057	379,482	424,902
	특급기술자	281,068	290,502	322,680
	고급기술자	253,264	262,115	293,753
	중급기술자	207,859	221,815	246,709
	초급기술자	190,246	199,370	217,342
	고급숙련기술자	203,924	216,523	234,982
	중급숙련기술자	184,340	186,419	209,077
	초급숙련기술자	160,472	173,122	183,671

부 문	구 분	2021년	2022년	2023년
원자력	기술사	457,398	482,622	539,581
	특급기술자	407,303	420,219	450,664
	고급기술자	314,111	325,702	361,182
	중급기술자	285,982	294,250	324,116
	초급기술자	235,216	238,441	267,042
	고급숙련기술자	293,640	293,964	324,521
	중급숙련기술자	264,761	273,315	301,470
	초급숙련기술자	167,847	174,680	201,653

부 문	구 분	2021년	2022년	2023년
기 타	기술사	351,929	363,780	400,781
	특급기술자	288,326	292,190	325,337
	고급기술자	240,794	247,580	280,031
	중급기술자	193,223	204,917	228,300
	초급기술자	175,897	183,146	202,067
	고급숙련기술자	203,120	218,687	250,442
	중급숙련기술자	169,272	180,777	201,395
	초급숙련기술자	140,473	143,332	166,204

학술연구용역 연구비단가

(단위:원/인)

구 분	1986년	1987년	1988년	1989년	1990년	비 고
책임연구원	576,000	576,000	576,000	662,400	662,400	
연구원	360,000	360,000	360,000	414,000	414,000	
연구보조원	246,000	246,000	246,000	282,900	282,900	
보조원	120,000	120,000	120,000	138,000	138,000	
구 분	**1991년**	**1992년**	**1993년**	**1994년**	**1995년**	**비 고**
책임연구원	662,400	976,860	976,860	1,195,700	1,262,659	
연구원	414,000	621,000	621,000	760,100	802,665	
연구보조원	282,900	424,350	424,350	519,400	548,486	
보조원	138,000	276,000	276,000	337,800	356,716	
구 분	**1996년**	**1997년**	**1998년**	**1999년**	**2000년**	**비 고**
책임연구원	1,398,670	1,461,610	1,558,075	1,674,931	1,655,071	
연구원	889,130	929,140	990,463	1,064,747	1,052,122	
연구보조원	607,560	634,900	676,803	727,563	713,936	
보조원	395,130	412,910	440,162	473,174	467,563	
구 분	**2001년**	**2002년**	**2003년**	**2004년**	**2005년**	**비 고**
책임연구원	1,693,138	1,762,557	1,810,146	1,875,311	1,942,822	
연구원	1,076,321	1,120,450	1,150,702	1,192,127	1,235,043	
연구보조원	735,472	765,626	786,298	814,603	843,928	
보조원	478,317	497,928	511,372	529,781	548,853	
구 분	**2006년**	**2007년**	**2008년**	**2009년**	**2010년**	**비 고**
책임연구원	2,416,620	2,469,786	2,531,531	2,650,513	2,724,727	
연구원	1,853,030	1,893,797	1,941,142	2,032,376	2,089,283	
연구보조원	1,238,690	1,265,941	1,297,590	1,358,577	1,396,617	
보조원	929,050	949,489	973,226	1,018,968	1,047,499	
구 분	**2011년**	**2012년**	**2013년**	**2014년**	**2015년**	**비 고**
책임연구원	2,803,744	2,915,894	2,980,044	3,018,785	3,058,029	
연구원	2,149,871	2,235,867	2,285,056	2,314,762	2,344,854	
연구보조원	1,437,118	1,494,604	1,527,485	1,547,342	1,567,457	
보조원	1,077,876	1,120,991	1,145,653	1,160,546	1,175,633	
구 분	**2016년**	**2017년**	**2018년**	**2019년**	**2020년**	**비 고**
책임연구원	3,079,435	3,110,229	3,169,323	3,216,863	3,229,730	
연구원	2,361,268	2,384,881	2,430,194	2,466,647	2,476,514	
연구보조원	1,578,429	1,594,213	1,624,503	1,648,871	1,655,466	
보조원	1,183,862	1,195,701	1,218,419	1,236,695	1,241,642	
구 분	**2021년**	**2022년**	**2023년**	**-**	**-**	**비 고**
책임연구원	3,245,879	3,327,026	3,496,704			
연구원	2,488,897	2,551,119	2,681,226			
연구보조원	1,663,743	1,705,337	1,792,309			
보조원	1,247,850	1,279,046	1,344,277			

※ 인건비는 해당 계약목적에 직접 종사하는 연구요원의 급료를 말하며, 위 표에서 정한 기준단가에 의하되, 「근로기준법」에서 규정하고 있는 상여금, 퇴직급여충당금의 합계액으로 한다. 다만, 상여금은 기준단가의 연 400%를 초과하여 계상할 수 없다.

해설
① "학술연구용역"이라 함은 "학문분야의 기초과학과 응용과학에 관한 연구용역 및 이에 준하는 용역"을 말한다.
② "책임연구원"이라 함은 당해 용역수행을 지휘·감독하며 결론을 도출하는 역할을 수행하는 자를 말하여, 대학교수 수준의 기능을 보유하고 있어야 한다. 이 경우 책임연구원은 1인을 원칙으로 하되, 당해 용역의 성격상 다수의 책임자가 필요한 경우에는 그러하지 아니하다.
③ "연구원"이라 함은 책임연구원을 보조하는 자로서 대학 조교수 수준의 기능을 보유하고 있어야 한다.
④ "연구보조원"이라 함은 통계처리·번역 등의 역할을 수행하는 자로서 당해 연구분야에 대한 조교정도의 전문지식을 가진자를 말한다.
⑤ "보조원"이라 함은 타자, 계산, 원고 정리 등 단순한 업무처리를 수행하는 자를 말한다.

전 기 요 금(1)

(단위:원)

종 별	구 분 \ 연도별요금	1970	1971	1972	1973	1974
주 택 용	3kWh까지	142.50	142.50	163.88	163.88	(기본)213.00
	27 〃 kW당	13.50	13.50	15.53	15.53	(kW당)20.19
	180 〃 〃	10.25	10.25	11.79	11.79	-
	210kWh초과 〃	7.90	7.90	9.09	9.09	-
공 장 용 (소 동 력)	50kW까지 kW당	160.00	160.00	184.00	184.00	240.00
	450 〃 〃	127.00	127.00	146.00	146.00	190.00
	500kW초과 〃	95.00	95.00	109.00	109.00	142.00
	처음 90시간 kW/h당	8.25	8.25	9.49	9.49	12.34
	다음 90시간 〃	5.56	5.65	6.50	6.50	8.45
	다음180시간 〃	4.07	4.07	4.68	4.68	3.09
	360시간초과 〃	2.75	2.75	3.16	3.16	4.11
공 장 용 (대 동 력)	500kW kW당	-	-	152.00	152.00	198.00
	500kW초과 〃	-	-	101.00	101.00	132.00
	처음 90시간 kW/h당	-	-	9.49	9.49	12.34
	다음 90시간 〃	-	-	6.18	6.18	8.05
	다음180시간 〃	-	-	4.30	4.30	5.59
	360시간초과 〃	-	-	2.71	2.71	3.53
농 사 용	kW당	-	-	0.54	0.54	0.71
	kW/h당	-	-	3.51	3.51	4.57
정액전등	처음 60W당	-	-	5.44	5.44	7.04
	60W초과분	-	-	3.68	3.68	4.79
	최저요금	-	-	92.00	92.00	120.00

전 기 요 금(2)

(단위:원)

구 분	적용범위 \ 연도별 수용요금(kW당)	1975	1976	1977	1978	1979	1980	1981	1982
일반전력	갑 호 당	234	234	234	224	246	288	317	345
	을 제1종(공공용)								
	A 4kW이상 수용 계약전력에 대해	1,022	1,178	1,178	1,125	2,133	3,436	3,780	4,045
	B 20kV이상 500kW이상 수용계약전력에 대해	845	974	974	930	2,133	-	-	-
	C 140kV이상 1,000kW이상 수용계약전력에 대해	565	651	651	622	2,133	-	-	-
	제2종(영업용)								
	A 4kW이상 수용 계약전력에 대해	1,033	1,190	1,190	1,136	2,133	3,436	3,780	4,045
	B 20kV이상 500kW이상 수용계약전력에 대해	853	983	983	939	2,133	-	-	-
	C 140kV이상 1,000kW이상 수용계약전력에 대해	571	658	658	629	2,133	-	-	-
산업용전력	소동력 상시전력 계약전력에 대해	933	1,103	1,053	1,580	2,176	3,008	3,309	3,541
	대동력 상시전력 A계약전력에 대해	771	919	878	1,141	1,571	2,509	2,760	2,953
	〃 B계약전력에 대해	516	651	587	763	1,051	1,676	1,884	1,973
농업용전력	갑(양곡 생산용)	-	119	119	131	198	319	300	321
	을(전열 재배용)	-	323	323	355	537	865	814	871
	병(기타 양수용)	-	323	323	355	537	865	952	1,091
가 로 등	최저요금(월간)	-	339	339	373	564	908	999	1,069
농사용전력	최저요금(월간)	-	198	198	217	328	528	581	622

전 기 요 금(3)

(단위:원)

종 별	구 분 \ 연도별요금	1983	1984	1985	1986	1987	1987 (11.6)	1988 (3.21)	1988 (11.30)	1989	1990 (5.1)	1991 (6.1)
주택용전력	호당(1987년까지) (1988년 이후)											
	기본 100kWh 이하 100kWh 이하	338	338	338	338	338	338	338	338	338	338	338
	101~300kWh 101~200k 〃	676	676	676	676	676	676	676	676	676	676	676
	300kWh 200kWh 초과	1,014	1,014	1,014	1,014	1,014	1,014	1,014	1,014	1,014	1,014	1,014
	사용전력에 대하여											
	처음 50kWh까지	31.90	31.90	31.90	31.30	31.30	31.30	31.30	30.70	30.70	30.70	30.70
	다음 〃	75.71	75.71	75.71	74.20	74.20	74.20	73.50	70.60	68.50	68.50	68.50
	다음 〃 다음100kWh까지	102.07	102.07	102.07	100.05	100.05	100.05	-	-	-	-	102.90
	다음150kWh까지 다음100kWh까지	148.01	148.01	148.01	145.05	140.90	140.90	98.10	94.20	89.50	89.50	148.80
	300kWh 초과시 200kWh 초과시	202.35	202.35	202.35	194.16	183.10	183.10	159.20	145.35	129.40	129.40	-
	300kWh 초과시	-	-	-	-	-	-	-	-	-	-	215
업무용전력	1종(공공용)											
	기본계약전력에 대하여	4,050	4,050	4,050	4,045	4,045	4,045	4,045	4,045	4,045	4,045	4,050
	처음 90시간 사용	78.76	78.76	78.76	78.76	78.76	76.45	75.65	66.50	50.90	-	-
	(저압)3kV급 미만 수용											
	다음 45시간 사용	92.06	92.06	92.06	-	-	-	74.90	65.80	49.80	49.60	49.60
	(고압)3kV~140kV급 미만											
	다음 45시간 사용	105.60	105.60	105.60	-	-	-	74.15	65.10	48.70	48.50	48.50
	(고압) 140kV급 이상											
	180시간 초과사용	119.23	119.23	119.23	113.90	113.90	-	-	-	-	47.40	47.40
산업용전력 (갑)	기본계약전력에 대하여											
	소동력(3kV급 미만 수용)저압	3,495	3,495	3,495	2,970	2,850	2,850	2,850	2,850	2,850	2,850	2,850
	대동력											
	기본A(3kV~140kV급 미만 수용)고압	2,979	2,979	2,979	2,815	2,815	2,815	2,815	2,815	2,820	2,820	2,820
	B(140kV급 이상 수용)고압	1,992	1,992	1,992	1,973	1,973	2,270	2,385	2,500	2,630	2,630	2,630
농사용전력	기본계약전력에 대하여											
	갑(양곡생산용)	321	321	321	315	315	315	315	315	300	300	300
	을(육묘, 전조재배용)	871	871	871	854	854	854	854	850	810	810	810
	병(기타양수용)	1,019	1,019	1,019	999	999	999	999	1,000	950	950	950
농사용전등	최저요금(월간)	622	622	622	610	610	610	610	600	570	570	570
가로등(갑)	최저요금(월간)	983	983	983	954	765	765	610	610	570	570	570

전 기 요 금(4)

구 분	적용범위 \ 연도별 수용요금(kW당)	1992 (2.1)	1993	1994	1995 (5.1)
주택용전력	기본요금(호당, 95년)				
	100kWh이하 사용	338	338	338	338
	100~200kWh	740	740	740	740
	201~300kWh	1,310	1,310	1,310	1,310
	301~400kWh (300kWh초과사용시	1,310	1,310	1,310	2,620
	401~500kWh 초과100kW당-94년까지)	-	-	-	4,210
	500kWh초과	-	-	-	7,490
	전력량요금(100kW당, 95년) 전력량요금(94년까지)				
	50kWh까지 처음 50kWh까지 kWh당	30.70	30.70	30.70	30.70
	51~100kWh 다음 〃	72.50	72.50	72.50	72.50
	101~200kWh 다음 100kWh까지 kWh당	108.90	108.90	108.90	108.90
	201~300kWh 다음 〃	157.50	157.50	157.50	157.50
	301~400kWh 300kWh초과 kWh당	227.70	227.70	227.70	227.70
	401~500kWh	-	-	-	257.00
	500kWh초과	-	-	-	405.10
산 업 전 력 (95년은 갑-봄, 가을기준, 기타는 여름철 제외 기준)	기본요금(kW당-95년) (적용전력에 대하여 kW당-94년까지)				
	저압전력 저압전력	4,370	4,370	4,370	4,520
	선택 I -고압A 고압전력A	4,370	4,370	4,370	4,520
	선택 I -고압B 고압전력B	4,370	4,370	4,370	4,520
	전력량요금(kWh당)				
	저압전력 저압전력	52.10	52.10	52.10	55.90
	선택-고압A 고압전력A	51.10	51.10	51.10	55.50
	〃 -고압B 고압전력B	50.00	50.00	50.00	54.10
산 업 전 력 (95년은 갑-봄, 가을기준, 기타는 갑-여름철 제외 기준)	기본요금(kW당)				
	저압전력 저압전력	3,280	3,280	3,280	3,340
	선택 I -고압A 고압전력A	3,250	3,250	3,250	3,310
	선택 I -고압B 고압전력B	3,020	3,020	3,020	3,070
	전력량요금(kWh당)				
	저압전력 저압전력	36.00	36.00	36.00	38.30
	선택 I -고압A 고압전력A	35.70	35.70	35.70	38.10
	〃 -고압B 고압전력B	35.50	35.50	35.50	37.60
농 사 용 전 력 (갑)	기본요금(kW당)	300	300	300	300
	전력량요금(kWh당)	18.30	18.30	18.30	18.30
농 사 용 전 등	최저요금(월간)	570	570	570	570
가 로 등(갑)	최저요금(월간)	600	600	600	620

전 기 요 금(5)

(단위:원)

구 분	연도별 수용요금(kW당) / 적용범위		1996 (95.5.1)	1997 (97.7.1)	1998 (98.1.1)	1999 (99.11.5)	2000 (99.11.5)	2001 (00.11.15)	2002 (02.6.1)	2003 (03.1.1)	2004 (04.3.1)
주택용전력 (2002년 6월 1일 이후 : 저압기준) (2004년 3월 1일 이후 : 표준전압 110V이상 ~ 380V 이하)	기본요금 (호당)	100kWh이하 사용	338	370	390	390	390	390	370	370	370
		101~200kWh	740	800	850	850	850	850	810	810	810
		201~300kWh	1,310	1,410	1,500	1,500	1,500	1,500	1,440	1,390	1,390
		301~400kWh	2,620	2,810	2,990	2,990	2,990	3,590	3,440	3,330	3,330
		401~500kWh	4,210	4,520	4,820	4,820	4,820	6,750	6,450	6,240	6,240
		500kWh초과	7,490	8,030	8,560	8,560	8,560	11,980	11,440	11,440	11,440
	전력량요금 (100kWh당)	50kWh까지 사용	30.70	32.40	34.50	34.50	34.50	34.50	33.00	33.00	-
		51~100kWh사용	72.50	76.70	81.70	81.70	81.70	81.70	78.10	78.10	54.60
		101~200kWh	-	-	-	-	-	122.90	117.50	113.60	112.80
		201~300kWh	108.90	115.30	122.90	122.90	122.90	177.70	169.80	164.20	162.90
		301~400kWh	157.50	166.80	177.70	177.70	177.70	308.00	245.30	237.00	235.20
		401~500kWh	227.70	241.00	256.70	256.70	256.70	405.70	360.40	348.50	345.90
		500kWh초과	257.00	272.10	289.80	289.80	289.80	639.40	611.40	611.40	606.80
			405.10	428.80	456.70	456.70	456.70	-	-	-	-
일반용전력 (갑)	기본요금 (kWh당)	저압전력	4,520	4,920	5,240	5,560	5,560	5,720	5,470	5,360	5,170
		선택(Ⅰ)요금-고압A	4,520	5,070	5,400	5,720	5,720	5,890	5,630	5,520	5,330
		선택(Ⅰ)요금-고압B	4,520	5,070	5,400	5,720	5,720	5,890	5,630	5,520	5,330
(봄, 가을기준)	전력량요금 (kWh당)	저압전력	55.90	58.00	61.80	65.50	65.50	67.50	64.50	63.20	61.00
		선택(Ⅰ)요금-고압A	55.50	57.80	61.60	65.30	65.30	67.30	64.30	63.00	60.80
		선택(Ⅰ)요금-고압B	54.10	56.10	59.80	63.30	63.30	65.30	62.40	61.10	59.00
교육용전력	기본요금 (kWh당)	저압전력	4,045	4,480	4,770	5,060	5,060	5,210	4,980	4,980	4,830
		선택(Ⅰ)요금-고압A	4,045	4,750	5,060	5,360	5,360	5,520	5,280	5,280	5,120
		선택(Ⅰ)요금-고압B	4,045	4,750	5,060	5,360	5,360	5,520	5,280	5,280	5,120
(봄, 가을기준)	전력량요금 (kWh당)	저압전력	49.80	51.30	54.70	58.00	58.00	59.70	57.10	57.10	55.40
		선택(Ⅰ)요금-고압A	49.20	51.10	54.40	57.70	57.70	59.40	56.80	56.80	55.10
		선택(Ⅰ)요금-고압B	48.80	50.70	54.00	57.30	57.30	59.00	56.40	56.40	54.70
산업용전력 (갑) (봄, 가을기준)	기본요금 (kWh당)	저압전력	3,340	3,510	3,740	4,040	4,040	4,240	4,050	4,150	4,150
		선택(Ⅰ)요금-고압A	3,310	3,720	3,960	4,280	4,280	4,490	4,290	4,400	4,400
		선택(Ⅰ)요금-고압B	3,070	3,440	3,660	3,950	3,950	4,140	3,960	4,060	4,060
(봄, 가을기준)	전력량요금 (kWh당)	저압전력	38.30	40.70	43.30	46.80	46.80	49.10	47.00	48.10	48.10
		선택(Ⅰ)요금-고압A	38.10	40.50	43.20	46.60	46.60	48.90	46.80	48.00	48.00
		선택(Ⅰ)요금-고압B	37.60	39.70	42.30	45.80	45.80	48.10	46.00	47.20	47.20
농사용전력	기본요금 (kWh당)	갑	300	300	350	350	350	360	340	340	340
		을	810	810	930	930	930	960	920	920	920
		병	950	950	1,070	1,070	1,070	1,100	1,060	1,060	1,060
	전력량요금 (kWh당)	갑	18.30	18.30	20.70	20.70	20.70	21.40	20.40	20.40	20.40
		을	23.50	23.50	26.40	26.40	26.40	27.20	26.10	26.10	26.10
		병	32.40	32.40	36.70	36.70	36.70	37.80	36.10	36.10	36.10
농사용전등	월간최저요금		570	600	640	640	640	660	630	630	630
	설비용량에 대해(W당)		17.00	18.00	19.20	19.20	19.20	19.80	18.90	18.90	18.90
가로등	기본요금	갑(정액등)월간최저요금	620	660	700	740	740	760	730	730	730
	전력량요금	갑(정액등)	18.90	20.00	21.30	22.60	22.60	23.30	22.30	22.30	22.30

㈜ 선택(Ⅰ)요금은 전기사용시간(설비가동율)이 적은 고객에게 유리.
저압전력은 표준전압 110V이상 380V이하 고객
고압A는 표준전압 3,300V이상 66,000이하 고객
고압B는 표준전압 154,000V이상 고객

전 기 요 금(6)

(단위:원)

구 분	적용범위	연도별 수용요금(kW당)	2005 (05.12.28)	2007 (07.1.15)	2008 (08.1.1)	2008 (08.11.13)	2009 (09.6.27)	2010 (10.8.1)
주택용전력 (2002년 6월 1일 이후 : 저압기준) (2004년 3월 1일 이후 : 표준전압 110V이상~380V이하)	기본요금(호당)	100kWh이하 사용	370	370	370	370	370	380
		101~200kWh	820	820	820	820	820	840
		201~300kWh	1,430	1,430	1,430	1,430	1,430	1,460
		301~400kWh	3,420	3,420	3,420	3,420	3,420	3,490
		401~500kWh	6,410	6,410	6,410	6,410	6,410	6,540
		500kWh초과	11,750	11,750	11,750	11,750	11,750	11,990
	전력량요금(100kWh당)	50kWh까지사용	-	-	-	-	-	-
		51 ~100kWh사용(처음100kWh까지)	55.10	55.10	55.10	55.10	55.10	56.20
		101~200kWh (다음100kWh까지)	113.80	113.80	113.80	113.80	113.80	116.10
		201~300kWh (다음100kWh까지)	168.30	168.30	168.30	168.30	168.30	171.60
		301~400kWh (다음100kWh까지)	248.60	248.60	248.60	248.60	248.60	253.60
		401~500kWh (다음100kWh까지)	366.40	366.40	366.40	366.40	366.40	373.70
		500kWh초과	643.90	643.90	643.90	643.90	643.90	656.20
일반용전력(갑)	기본요금(kW당)	저압전력	5,320	5,320	5,160	5,160	5,280	5,280
		선택(Ⅰ)요금-고압A	5,480	5,480	5,320	5,660	5,790	5,790
		선택(Ⅰ)요금-고압B	5,480	5,480	5,320	5,660	5,790	5,790
(봄, 가을기준)	전력량요금(kWh당)	저압전력	62.70	62.70	60.90	60.90	62.30	58.30
		선택(Ⅰ)요금-고압A	62.50	62.50	60.70	63.90	65.40	61.20
		선택(Ⅰ)요금-고압B	60.70	60.70	58.90	62.60	64.00	60.20
교육용전력	기본요금(kW당)	저압전력	4,090	4,090	4,090	4,280	4,580	4,850
		선택(Ⅰ)요금-고압A	4,340	4,340	4,340	4,540	4,850	5,140
		선택(Ⅰ)요금-고압B	4,340	4,340	4,340	4,540	4,850	5,140
(봄, 가을기준)	전력량요금(kWh당)	저압전력	46.90	46.90	46.90	49.00	52.40	52.40
		선택(Ⅰ)요금-고압A	46.70	46.70	46.70	48.80	52.20	52.40
		선택(Ⅰ)요금-고압B	46.30	46.30	46.30	48.40	51.80	52.00
산업용전력(갑) (봄, 가을기준)	기본요금(kW당)	저압전력	4,190	4,190	4,190	4,190	4,350	4,610
		선택(Ⅰ)요금-고압A	4,440	4,440	4,440	4,440	4,610	4,880
		선택(Ⅰ)요금-고압B	4,100	4,100	4,100	4,100	4,260	4,510
(봄, 가을기준)	전력량요금(kWh당)	저압전력	48.50	48.50	48.50	48.50	50.40	52.10
		선택(Ⅰ)요금-고압A	48.40	48.40	48.40	48.40	50.30	52.10
		선택(Ⅰ)요금-고압B	47.60	47.60	47.60	47.60	49.50	51.20
농사용전력	기본요금(kW당)	갑	340	340	340	340	340	340
		을	930	930	930	930	930	930
		병	1,070	1,070	1,070	1,070	1,070	1,070
	전력량요금(kWh당)	갑	20.60	20.60	20.60	20.60	20.60	20.60
		을	26.30	26.30	26.30	26.30	26.30	26.30
		병	36.40	36.40	36.40	36.40	36.40	36.40
농사용전등	월간최저요금		-	-	-	-	-	-
	사용설비용량에 대해(W당)		-	-	-	-	-	-
가로등	월간최저요금	갑(정액등)	750	780	780	820	880	930
	(kW당)	갑(정액등)	23.10	24.10	24.10	25.20	26.90	28.50

㊟ 선택(Ⅰ)요금은 전기사용시간(설비가동율)이 적은 고객에게 유리.
저압전력은 표준전압 110V이상 380V이하 고객
고압A는 표준전압 3,300V이상 66,000V이하 고객
고압B는 표준전압 154,000V이상 고객

전 기 요 금(7)

(단위:원)

구 분	적용범위 \ 연도별 수용요금(kW당)		2011 (2011.8.1)	2012 (2012.8.6)	2013 (2013.1.14)	2014 (2013.11.21)	2015 (2013.11.21)	2016 (2013.11.21)
주택용전력 (2002년 6월 1일 이후 : 저압기준) (2004년 3월 1일 이후 : 표준전압 110V이상~380V이하)	기본요금(호당)	100kWh이하 사용	390	390	400	410	410	410
		101~200kWh	860	870	890	910	910	910
		201~300kWh	1,490	1,530	1,560	1,600	1,600	1,600
		301~400kWh	3,560	3,680	3,750	3,850	3,850	3,850
		401~500kWh	6,670	6,970	7,110	7,300	7,300	7,300
		500kWh초과	12,230	12,350	12,600	12,940	12,940	12,940
	전력량요금(100kWh당)	50kWh까지사용	-	-	-	-	-	-
		51 ~100kWh사용(처음100kWh까지)	57.30	57.90	59.10	60.70	60.70	60.70
		101~200kWh (다음100kWh까지)	118.40	120.20	122.60	125.90	125.90	125.90
		201~300kWh (다음100kWh까지)	175	179.40	183	187.90	187.90	187.90
		301~400kWh (다음100kWh까지)	258.70	267.80	273.20	280.60	280.60	280.60
		401~500kWh (다음100kWh까지)	381.50	398.70	406.70	417.70	417.70	417.70
		500kWh초과	670.60	677.30	690.80	709.50	709.50	709.50
일반용전력(갑)	기본요금(kW당)	저압전력	5,400	5,830	5,990	6,160	6,160	6,160
		선택(Ⅰ)요금-고압A	6,160	6,790	6,990	7,170	7,170	7,170
		선택(Ⅰ)요금-고압B	6,160	6,790	6,990	7,170	7,170	7,170
(봄, 가을기준)	전력량요금(kWh당)	저압전력	58.90	62.40	64.10	65.20	65.20	65.20
		선택(Ⅰ)요금-고압A	64.20	68.70	70.80	71.90	71.90	71.90
		선택(Ⅰ)요금-고압B	63.10	67.60	69.70	70.80	70.80	70.80
교육용전력	기본요금(kW당)	저압전력	5,160	5,550	5,740	5,230	5,230	5,230
		선택(Ⅰ)요금-고압A	5,460	5,880	6,090	5,550	5,550	5,550
		선택(Ⅰ)요금-고압B	5,460	5,880	6,090	5,550	5,550	5,550
(봄, 가을기준)	전력량요금(kWh당)	저압전력	54.70	57.70	59.70	59.70	59.70	59.70
		선택(Ⅰ)요금-고압A	54.70	57.80	59.80	59.80	59.80	59.80
		선택(Ⅰ)요금-고압B	54.30	57.30	59.40	59.40	59.40	59.40
산업용전력(갑) (봄, 가을기준)	기본요금(kW당)	저압전력	4,720	5,090	5,270	5,550	5,550	5,550
		선택(Ⅰ)요금-고압A	5,190	5,890	6,200	6,490	6,490	6,490
		선택(Ⅰ)요금-고압B	4,000	5,450	5,740	6,000	6,000	6,000
(봄, 가을기준)	전력량요금(kWh당)	저압전력	52.70	55.90	57.90	59.20	59.20	59.20
		선택(Ⅰ)요금-고압A	54.50	60.70	63.90	65.90	65.90	65.90
		선택(Ⅰ)요금-고압B	53.60	59.60	62.80	64.80	64.80	64.80
농사용전력	기본요금 (kWh당)	갑	340	340	350	360	360	360
		을	930	930	1,130	1,150	1,150	1,150
		병	1,070	1,100	1,150	-	-	-
	전력량요금 (kWh당)	갑	20.60	20.60	21.20	21.60	21.60	21.60
		을	26.30	26.30	38.40	39.20	39.20	39.20
		병	36.40	37.30	39.10	-	-	-
농사용전등	월간최저요금		-	-	-	-	-	-
	사용설비용량에 대해(W당)		-	-	-	-	-	-
가로등	월간최저요금 (kW당)	갑(정액등)	990	1,100	1,160	1,220	1,220	1,220
		갑(정액등)	30.30	33.90	35.60	37.50	37.50	37.50

㊟ 선택(Ⅰ)요금은 전기사용시간(설비가동율)이 적은 고객에게 유리.
저압전력은 표준전압 110V이상 380V이하 고객
고압A는 표준전압 3,300V이상 66,000V이하 고객
고압B는 표준전압 154,000V이상 고객

전 기 요 금(8)

(단위:원)

구 분	적용범위	연도별 수용요금(kW당)	2017 (2017.1.1)	2018 (2017.1.1)	2019 (2019.7.1)	2020 (2019.7.1)	2021 (2021.1.1)
주택용전력 (2002년 6월 1일 이후 : 저압기준) (2004년 3월1일 이후 : 표준전압 110V이상~380V이하	기본요금(호당)	200kWh 이하사용	910	910	910	910	910
		201~400kWh 사용	1,600	1,600	1,600	1,600	1,600
		400kWh초과	7,300	7,300	7,300	7,300	7,300
	전력량요금(kWh당)	처음 200kWh까지	93.30	93.30	93.30	93.30	88.30
		다음 200kWh까지	187.90	187.90	187.90	187.90	182.90
		400kWh 초과	280.60	280.60	280.60	280.60	275.60
일반용전력(갑)	기본요금(kW당)	저압전력	6,160	6,160	6,160	6,160	6,160
		선택(Ⅰ)요금-고압A	7,170	7,170	7,170	7,170	7,170
		선택(Ⅰ)요금-고압B	7,170	7,170	7,170	7,170	7,170
(봄, 가을기준)	전력량요금(kWh당)	저압전력	65.20	65.20	65.20	65.20	60.20
		선택(Ⅰ)요금-고압A	71.90	71.90	71.90	71.90	66.90
		선택(Ⅰ)요금-고압B	70.80	70.80	70.80	70.80	65.80
교육용전력	기본요금(kW당)	저압전력	5,230	5,230	5,230	5,230	5,230
		선택(Ⅰ)요금-고압A	5,550	5,550	5,550	5,550	5,550
		선택(Ⅰ)요금-고압B	5,550	5,550	5,550	5,550	5,550
(봄, 가을기준)	전력량요금(kWh당)	저압전력	59.70	59.70	59.70	59.70	54.70
		선택(Ⅰ)요금-고압A	59.80	59.80	59.80	59.80	54.80
		선택(Ⅰ)요금-고압B	59.40	59.40	59.40	59.40	54.40
산업용전력(갑)	기본요금(kW당)	저압전력	5,550	5,550	5,550	5,550	5,550
		선택(Ⅰ)요금-고압A	6,490	6,490	6,490	6,490	6,490
		선택(Ⅰ)요금-고압B	6,000	6,000	6,000	6,000	6,000
(봄, 가을기준)	전력량요금(kWh당)	저압전력	59.20	59.20	59.20	59.20	54.20
		선택(Ⅰ)요금-고압A	65.90	65.90	65.90	65.90	60.90
		선택(Ⅰ)요금-고압B	64.80	64.80	64.80	64.80	59.80
농사용 전력	기본요금(kW당)	갑	360	360	360	360	360
		을 (저압)	1,150	1,150	1,150	1,150	1,150
		을 (고압 A,B)	1,210	1,210	1,210	1,210	1,210
	전력량요금(kWh당)	갑	21.60	21.60	21.60	21.60	16.60
		을	39.20	39.20	39.20	39.20	34.20
		(여름철)	41.90	41.90	41.90	41.90	36.90
		(봄, 가을철)	39.90	39.90	39.90	39.90	34.90
		(겨울철)	41.90	41.90	41.90	41.90	36.90
가로등	월간최저요금 (W당)	갑(정액등)	1,220	1,220	1,220	1,220	1,220
		갑(정액등)	37.50	37.50	37.50	37.50	35.70

주 선택(Ⅰ)요금은 전기사용시간(설비가동율)이 적은 고객에게 유리.
저압전력은 표준전압 110V이상 380V이하 고객
고압A는 표준전압 3,300V이상 66,000V이하 고객
고압B는 표준전압 154,000V이상 고객

전 기 요 금(9)

(단위:원)

구 분	적용범위	연도별 수용요금(kW당)	2022 (2022.4.1)	2022 (2022.7.1)	2022 (2022.10.1)	2023 (2023.1.1)	2023 (2023.5.16)
주택용전력 (2002년 6월 1일 이후 : 저압기준) (2004년 3월1일 이후 : 표준전압 110V이상~380V이하	기본요금(호당)	200kWh 이하사용	910	910	910	910	910
		201~400kWh 사용	1,600	1,600	1,600	1,600	1,600
		400kWh초과	7,300	7,300	7,300	7,300	7,300
	전력량요금(kWh당)	처음 200kWh까지	93.20	93.20	100.60	112.00	120.00
		다음 200kWh까지	187.80	187.80	195.20	206.60	214.60
		400kWh 초과	280.50	280.50	287.90	299.30	307.30
일반용전력(갑)	기본요금(kW당)	저압전력	6,160	6,160	6,160	6,160	6,160
		선택(Ⅰ)요금-고압A	7,170	7,170	7,170	7,170	7,170
		선택(Ⅰ)요금-고압B	7,170	7,170	7,170	7,170	7,170
(봄, 가을기준)	전력량요금(kWh당)	저압전력	65.10	65.10	72.50	83.90	91.90
		선택(Ⅰ)요금-고압A	71.80	71.80	79.20	90.60	98.60
		선택(Ⅰ)요금-고압B	70.70	70.70	78.10	89.50	97.50
교육용전력	기본요금(kW당)	저압전력	5,230	5,230	5,230	5,230	5,230
		선택(Ⅰ)요금-고압A	5,550	5,550	5,550	5,550	5,550
		선택(Ⅰ)요금-고압B	5,550	5,550	5,550	5,550	5,550
(봄, 가을기준)	전력량요금(kWh당)	저압전력	59.60	59.60	67.00	78.40	86.40
		선택(Ⅰ)요금-고압A	59.70	59.70	67.10	78.50	86.50
		선택(Ⅰ)요금-고압B	59.30	59.30	66.70	78.10	86.10
산업용전력(갑)	기본요금(kW당)	저압전력	5,550	5,550	5,550	5,550	5,550
		선택(Ⅰ)요금-고압A	6,490	6,490	6,490	6,490	6,490
		선택(Ⅰ)요금-고압B	6,000	6,000	6,000	6,000	6,000
(봄, 가을기준)	전력량요금(kWh당)	저압전력	59.10	59.10	66.50	77.90	85.90
		선택(Ⅰ)요금-고압A	65.80	65.80	73.20	84.60	92.60
		선택(Ⅰ)요금-고압B	64.70	64.70	72.10	83.50	91.50
농사용 전력	기본요금(kW당)	갑	360	360	360	360	360
		을 (저압)	1,150	1,150	1,150	1,150	1,150
		을 (고압 A,B)	1,210	1,210	1,210	1,210	1,210
	전력량요금(kWh당)	갑	21.50	21.50	28.90	32.70	35.40
		을	39.10	39.10	46.50	50.30	53.00
		(여름철)	41.80	41.80	49.20	53.00	55.70
		(봄, 가을철)	39.80	39.80	47.20	51.00	53.70
		(겨울철)	41.80	41.80	49.20	53.00	55.70
가로등	월간최저요금	갑(정액등)	1,220	1,220	1,220	1,220	1,220
	(W당)	갑(정액등)	37.50	37.50	40.20	44.30	47.20

㊟ 선택(Ⅰ)요금은 전기사용시간(설비가동율)이 적은 고객에게 유리.
저압전력은 표준전압 110V이상 380V이하 고객
고압A는 표준전압 3,300V이상 66,000V이하 고객
고압B는 표준전압 154,000V이상 고객

상 수 도 요 금(1)

(단위:원)

용 도	구 분	'70	'71	'72	'73	'74	'75	'76
제 1 종	1栓1개월기본수량 30(t)기본요금	3,000	3,000	1,350	1,350	1,350	1,500	2,550
제 2 종	〃 20	900	900	900	900	900	1,200	1,200
제 3 종	〃 15	(10㎥당)80	(10㎥당)80	(10㎥당)150	150	150	305	360
제 4 종	〃 500	7,500	7,500	48,000	48,000	48,000	60,000	75,000
제 5 종	〃 500	6,000	6,000	12,000	12,000	12,000	15,000	22,500
제 6 종	사용수량 톤당	(㎥당)10	(㎥당)10	20	20	20	35	55
제 7 종	100	-	-	-	-	-	-	5,000
제 8 종	사용수량 톤당	-	-	-	-	-	-	110

용 도	구 분	'77	'78	'79	'80	'81	'82	'83
제 1 종	1栓1개월기본수량 30(t)기본요금	3,000	3,000	4,000	5,500	6,300	7,880	7,880
제 2 종	〃 20	1,200	1,200	1,200	1,400	1,600	2,000	2,000
제 3 종	〃 15	350	350	400	400	460	575	575
제 4 종	〃 500	90,000	90,000	125,000	175,000	200,000	250,000	250,000
제 5 종	〃 500	22,500	22,500	27,500	35,000	40,000	50,000	50,000
제 6 종	사용수량 톤당	65	65	85	110	125	140	160
제 7 종	100	5,000	5,000	5,000	5,000	5,000	5,000	5,000
제 8 종	사용수량 톤당	110	110	200	270	310	390	390

용 도	구 분	'84	'85	'86	'87	'88	'89~'90	'91
제 1 종	1栓1개월기본수량 30(t)기본요금	8,270	8,270	8,270	8,270	8,270	8,270	10,000
제 2 종	〃 20	2,100	2,100	2,100	2,100	2,100	2,100	2,500
제 3 종	〃 15	600	600	600	600	600	600	700
제 4 종	〃 500	260,000	260,000	273,000	273,000	273,000	273,000	310,000
제 5 종	〃 500	54,000	54,000	54,000	54,000	54,000	54,000	60,000
제 6 종	사용수량 톤당	170	170	170	170	170	170	190
제 7 종	100	5,000	5,000	5,000	5,000	5,000	5,000	5,680
제 8 종	사용수량 톤당	410	410	410	410	410	410	470

㈜ 1983.11.25. 제3종 기본량을 15㎥에서 10㎥로 하향조정

상 수 도 요 금(2)

용 도	구 분	'92 (9.23)	'93	'94 (7.1)	'95
가 정 용	월기본요금 기본수량 0~10㎥	780	780	1,090	1,090
영업1종	〃 0~20	2,700	2,700	3,400	3,400
영업2종	〃 0~30	10,500	10,500	11,040	11,040
욕탕1종	〃 0~500	63,000	63,000	88,100	88,100
욕탕2종	〃 0~200	100,000	100,000	104,700	104,700
공 공 용	〃 0~30	3,000	3,000	5,000	5,000
가 정 용	초과요금 수량 11~30㎥(㎥당)	110	110	160	160
〃	〃 31~50	220	220	320	320
〃	〃 51이상	270	270	430	430
영업1종	〃 21~50	300	300	360	360
〃	〃 51~100	320	320	440	440
〃	〃 101~300	340	340	460	460
〃	〃 301이상	360	360	530	530

용 도	구 분	'92 (9.23)	'93	'94 (7.1)	'95
영업2종	초과요금 수량 31~50㎥(㎥당)	450	450	460	460
〃	〃 51~100	470	470	540	540
〃	〃 101~200	490	490	670	670
〃	〃 201~300	630	630	780	780
〃	〃 301이상	820	820	860	860
욕탕1종	〃 501~700	150	150	210	210
〃	〃 701~1,000	150	150	210	210
〃	〃 1,001~2,000	170	170	240	240
〃	〃 2,001~3,000	190	190	280	280
〃	〃 3,001이상	200	200	320	320
욕탕2종	〃 201~500	820	820	860	860
〃	〃 501~1,000	930	930	980	980
〃	〃 1,001~2,000	1,000	1,000	1,060	1,060
〃	〃 2,001~3,000	1,030	1,030	1,100	1,100
〃	〃 3,001이상	1,050	1,050	1,130	1,130
공 공 용	〃 31이상	210	210	300	300

상 수 도 요 금(3)

(단위:원)

업 종 별	구 분	1996 (1996.3.1시행)	1997 (1997.10.1시행)	1998 (1998.10.1시행)	1999 (1999.1.15시행)	2000 (1999.1.15시행)
가 정 용	1~10m^3	①1,200	190	190	270	270
	11~20m^3	180	240	240	270	270
	21~30m^3	220	270	270	270	270
	31~40m^3	460	460	460	460	460
	41~50m^3	540	540	540	540	540
	51m^3이상	770	770	770	770	770
대중목욕탕용	1~ 500m^3	① 96,910	190	190	230	230
	501~1,000m^3	-	240	240	270	270
	1,001~2,000m^3	-	260	260	270	270
	2,001m^3이상	-	330	330	360	360
	3,001m^3이상	-	360	360	-	-
업 무 용	1~ 20m^3	① 3,740	-	-	400	400
	21~ 50m^3	400	-	-	400	400
	51~ 100m^3	480	-	-	520	520
	101~ 300m^3	510	-	-	520	520
	301m^3이상	580	-	-	590	590
영 업 용 (영업용 2종)	1~ 30m^3	① 12,400	500	500	690	690
	31~ 50m^3	520	570	570	690	690
	51~ 100m^3	630	690	690	690	690
	101~ 200m^3	-	830	830	830	830
	201~ 300m^3	-	960	960	960	960
	301~1,000m^3	-	1,020	1,020	1,020	1,020
	1,001~2,000m^3	-	1,020	1,020	1,170	1,170
	2,001~3,000m^3	-	1,020	1,020	1,210	1,210
	3,001m^3이상	-	1,020	1,020	1,240	1,240
욕 탕 용 2 종	1~ 200m^3	① 115,170	830	830	영업2종과 통 합	영업2종과 통 합
	201~ 500m^3	960	960	960		
	501~1,000m^3	1,070	1,070	1,070		
	1,001m^3이상	-	1,170	1,170		
	2,001m^3이상	-	1,210	1,210		
	3,001m^3이상	-	1,240	1,240		

업종별	구 분	2001~11 (01.3.1시행)	업종별	구 분	2012 (2012. 3 시행)	2013 (2012. 3 시행)	2014 (2012. 3 시행)	2015~2020 (2012. 3 시행)
가정용	0~30m^3이하	320	가정용	0~30m^3이하	360	360	360	360
	30초과~40m^3이하	510		30초과~50m^3이하	550	550	550	550
	40초과~50m^3이하	570		50m^3초과	790	790	790	790
	50m^3초과	790						
대중 목욕탕용	0~500m^3이하	270	욕탕용	0~500m^3이하	360	360	360	360
	500초과~ 2,000m^3이하	320		500초과~ 2,000m^3이하	420	420	420	420
	2,000m^3초과	430		2,000m^3초과	560	560	560	560
업무용	0~50m^3이하	470	공공용	0~50m^3이하	570	570	570	570
	50초과~300m^3이하	600		50초과~300m^3이하	730	730	730	730
	300m^3초과	680		300m^3초과	830	830	830	830
영업용	0~100m^3이하	800	일반용	0~50m^3이하	800	800	800	800
	100초과~200m^3이하	900		50초과~300m^3이하	950	950	950	950
	200초과~1,000m^3이하	1,100		300m^3초과	1,260	1,260	1,260	1,260
	1,000m^3초과	1,260						

주 1. 부가세면세
2. 1996년도 요금은 ①은 월 기본요금이고, 초과요금을 나타냄.
3. 1999년 8월 9일 이후 사용분부터 m^3당 80원, 2001년 1월이후 사용분부터 110원, 2003년 1월이후 사용분부터 120원, 2005년 1월이후 사용분부터 130원, 2008년 1월 이후 사용분부터 160원, 2001년 3월 이후 사용분부터 170원 물이용부담금 부과.
4. 상수도 요금은 서울을 기준으로 함.

상 수 도 요 금(4)

(단위:원)

업 종 별	구 분	2021 (2021.7월 시행)	2022	2023	-
가 정 용	구분없음	390	480	580	
욕 탕 용	0~500㎥이하	400	440	500	
	500㎥초과	440	440	500	
공 공 용	0~300㎥이하	920	폐 지 (일반용으로통합)		
	300㎥초과	1,040			
일 반 용	0~300㎥이하	980	1,150	1,270	
	300㎥초과	1,040	1,150	1,270	

㊟ 상수도 요금은 서울을 기준으로 함.

하 수 도 요 금(1)

(단위:원)

업 종 별	구 분	1996	1997	1998	1999	2000
가 정 용	기본수량: [15㎥]10㎥	[490]	[490]	[490]	490	490
	사용수량: [16]11~30㎥에 대하여	[60]	[60]	[60]	70	70
	: 31~50초과 1㎥당	165	165	165	200	200
	: 51이상	330	330	330	350	350
영업용1종	기본수량: [15㎥]10㎥	[490]	[490]	[490]	500	500
	사용수량: [16]11~30㎥에 대하여	[60]	[60]	[60]	70	70
	: 31~50초과 1㎥당	165	165	165	200	200
	: 51이상	275	275	275	370	370
영업용1종	기본수량: [15㎥]10㎥	[490]	[490]	[490]	500	500
	사용수량: [16]11~30㎥에 대하여	[60]	[60]	[60]	70	70
	: 31~50초과 1㎥당	165	165	165	200	200
	: 51~100	279	279	279	370	370
	: 101~500	419	419	419	470	470
	: 501이상	496	496	496	540	540
욕탕용1종	사용수량 1㎥당	104	104	104	100	100
욕탕용2종	기본수량: 200㎥	80,000	80,000	80,000	86,000	86,000
	사용수량: 201~300㎥에 대하여	480	480	480	540	540
	: 301~500초과 1㎥당	650	650	650	740	740
	: 501이상	750	750	750	850	850
	사용수량 1㎥당					
공 공 용	사용수량 1㎥당	93	93	93	120	120
공 중 용	사용수량 1㎥당	36	36	36	40	40
산 업 용	사용수량 1㎥당	95	95	95	120	120

㊟ 수량의 변경으로 변경전과 후를[ ]로 표시

하 수 도 요 금(2)

(단위:원)

업 종 별	구 분	2001 (2001.3월납기분부터)	2002 (2002.2월납기분부터)	2003~2004 (2003.6월납기분부터)	2005~2011 (2005.8월납기분부터)
가 정 용	사용수량: 0 ~30㎥이하 : 30초과~50㎥이하 : 50㎥초과	90 240 400	90 240 400	120 280 440	160 380 580
대중목욕탕용	사용수량: 0 ~ 500㎥이하 : 500초과~2,000㎥이하 : 2,000㎥초과	110 130 150	110 130 150	130 160 180	180 220 250
업 무 용	사용수량: 0 ~ 50㎥이하 : 50초과~300㎥이하 : 300㎥초과	150 230 250	150 230 250	180 270 300	260 390 440
영 업 용	사용수량: 0 ~ 30㎥이하 : 30초과 ~ 50㎥이하 : 50초과 ~ 100㎥이하 :100초과 ~ 200㎥이하 :200초과 ~1,000㎥이하 :1,000㎥초과	90 240 400 510 580 650	90 240 400 510 580 650	120 280 440 560 640 720	170 410 650 790 850 880
산 업 용	사용수량: 0 ~ 50㎥이하 :50초과~300㎥이하 :300㎥초과	110 140 170	없음	없음	없음
미사용지하수	업종구분없음	없음	없음	없음	170

㈜ 하수도 요금은 서울을 기준으로 함.

하 수 도 요 금(3)

(단위:원)

업 종 별	구 분	2012 (2012.3월납기분부터)	2013 (2013.3월납기분부터)	2014 (2014.3월납기분부터)	2015~2016 (2014.3월납기분부터)
가 정 용	사용수량: 0 ~30㎥이하 :30초과~50㎥이하 :50㎥초과	220 510 780	260 610 930	300 700 1,070	300 700 1,070
욕 탕 용	사용수량: 0 ~ 500㎥이하 :500초과~2,000㎥이하 :2,000㎥초과	240 300 340	290 360 410	330 410 470	330 410 470
공 공 용	사용수량: 0 ~ 50㎥이하 :50초과~300㎥이하 :300㎥초과	370 560 640	460 730 840	550 880 1,000	550 880 1,000
일 반 용	사용수량: 0 ~ 30㎥이하 : 30초과~ 50㎥이하 : 50초과~ 100㎥이하 :100초과~ 200㎥이하 :200초과~1,000㎥이하 :1,000㎥초과	250 550 870 1,030 1,080 1,130	320 660 1,010 1,220 1,270 1,330	380 750 1,140 1,370 1,440 1,520	380 750 1,140 1,370 1,440 1,520
산 업 용	사용수량: 0 ~ 50㎥이하 :50초과~300㎥이하 :300㎥초과	없음	없음	없음	없음
미사용지하수	업종구분없음	없음	없음	없음	없음

㈜ 하수도 요금은 서울을 기준으로 함.

하 수 도 요 금(4)

(단위:원)

업종별	구분	2017 (2017.1월납기분부터)	2018 (2018.1월납기분부터)	2019 (2019.1월납기분부터)	2020 (2019.1월납기분부터)
가정용	사용수량: 0 ~30㎥이하 :30초과~50㎥이하 :50㎥초과	330 770 1,180	360 850 1,290	400 930 1,420	400 930 1,420
욕탕용	사용수량: 0 ~ 500㎥이하 : 500초과~2000㎥이하 :2000㎥초과	360 450 520	400 500 570	440 550 630	440 550 630
공공용	사용수량: 0 ~ 50㎥이하 :50초과~300㎥이하 :300㎥초과	610 970 1,100	670 1,060 1,210	730 1,170 1,330	730 1,170 1,330
일반용	사용수량: 0 ~ 30㎥이하 : 30초과~ 50㎥이하 : 50초과~ 100㎥이하 :100초과~ 200㎥이하 :200초과~1000㎥이하 :1000㎥초과	420 830 1,250 1,510 1,580 1,670	460 910 1,380 1,660 1,740 1,840	500 1,000 1,520 1,830 1,920 2,030	500 1,000 1,520 1,830 1,920 2,030
유출지하수의 사용요금	(사용여부 및 업종구분 없음)	330	360	400	400

업종별	구분	2021 (2019.1월납기분부터)	2022 (2019.1월납기분부터)	2023 (2019.1월납기분부터)	
가정용	사용수량: 0 ~30㎥이하 :30초과~50㎥이하 :50㎥초과	400 930 1,420	400 930 1,420	400 930 1,420	
욕탕용	사용수량: 0 ~ 500㎥이하 : 500초과~2000㎥이하 :2000㎥초과	440 550 630	440 550 630	440 550 630	
공공용	사용수량: 0 ~ 50㎥이하 :50초과~300㎥이하 :300㎥초과	일반용으로 통합 〈 2021. 12. 31. 이전 공공용 업종으로 사용하던 수용가는 2022. 12. 31.까지 일반용(구 공공용)으로 적용 〉			
일반용	사용수량: 0 ~ 30㎥이하 : 30초과~ 50㎥이하 : 50초과~ 100㎥이하 :100초과~ 200㎥이하 :200초과~1000㎥이하 :1000㎥초과	500 1,000 1,520 1,830 1,920 2,030	500 1,000 1,520 1,830 1,920 2,030	500 1,000 1,520 1,830 1,920 2,030	
유출지하수의 사용요금	(사용여부 및 업종구분 없음)	400	400	400	

注 1. 매년 1월 1일 사용량부터 적용한다. 다만, 적용일 전날까지의 사용량에 대해서는 해당 연도 요율로 날 수대로 계산하여 적용한다.
2. 유출지하수에 대해서는 업종 및 사용 여부에 관계없이 동일한 요율을 적용한다.
3. 하수도 요금은 서울을 기준으로 함.
4. 하수도 사용요금은 서울시 하수도 사용조례 제23조의 규정에 의거 부과하고 있고 4개업종 3~6단계의 누진요금체계로 되어있습니다.
5. 물이용부담금은 업종에 관계없이 1㎥당 170원을 부과하고 있습니다.(2011.1.1일이후 사용분부터)
6. 일반용(구 공공용) : 2021. 12. 31. 이전 공공용 업종으로 사용하던 수용가는 2022. 12. 31.까지 일반용(구 공공용)으로 적용.

국 제 전 보 요 금(1)

착신지역 (1語당)	'70		'71		'72		'73		'74		'75		'76		'77		'78		'79		'80	
	통상	서신	통상	서신	통상	서신	통상	서신	통상	서신	통상	서신	통상	서신	통상	서신	통상	서신	통상	서신	통상	서신
호주	-	-	-	-	-	-	-	-	-	-	-	-	-	-	-	-	-	-	-	-	550	275
캐나다	132	66	132	66	132	66	188	94	250	125	294	147	304	152	304	152	304	152	304	152	370	185
대만	80	40	80	40	80	40	108	54	150	75	-	-	-	-	-	-	-	-	-	-	210	105
하와이	-	-	-	-	-	-	-	-	-	-	-	-	-	-	-	-	-	-	-	-	240	120
홍콩	90	45	90	45	90	45	122	61	160	80	192	96	192	96	192	96	192	96	192	96	230	115
인도	194	97	194	97	194	97	264	132	410	205	416	208	494	247	494	247	494	247	494	247	600	300
이란	-	-	-	-	-	-	-	-	-	-	-	-	-	-	-	-	-	-	-	-	630	315
이탈리아	-	-	-	-	-	-	-	-	-	-	-	-	-	-	-	-	-	-	-	-	560	280
일본	54	27	54	27	54	27	72	36	100	50	114	57	172	86	172	86	172	86	172	86	210	105
인도네시아	-	-	-	-	-	-	-	-	-	-	-	-	-	-	-	-	-	-	-	-	370	185
스위스	-	-	-	-	-	-	-	-	-	-	-	-	-	-	-	-	-	-	-	-	600	300
아르헨티나	-	-	-	-	-	-	-	-	-	-	-	-	-	-	-	-	-	-	-	-	520	260
멕시코	-	-	-	-	-	-	-	-	-	-	-	-	-	-	-	-	-	-	-	-	430	215
말레이지아	174	87	174	87	174	87	238	119	310	155	372	186	372	186	372	186	372	186	372	186	450	225
네덜란드	202	101	202	101	202	101	276	138	370	185	432	216	432	216	432	216	432	216	432	216	600	300
싱가포르	-	-	-	-	-	-	-	-	-	-	372	186	372	186	372	186	372	186	372	186	450	225
태국	110	55	110	55	110	55	194	97	200	100	236	118	236	118	236	118	236	118	236	118	290	145
알래스카	114	57	114	57	114	57	-	-	210	105	242	121	242	121	242	121	242	121	242	121	330	165
샌프란시스코	94	47	94	47	94	47	-	-	117	85	200	100	200	100	200	100	200	100	200	100	240	120
독일	138	69	138	69	138	69	188	94	250	125	304	152	304	152	304	152	304	152	304	152	370	185
파키스탄	194	97	194	97	194	97	264	132	410	205	416	208	484	242	484	242	484	242	484	242	580	290
오스트리아	-	-	-	-	-	-	-	-	-	-	-	-	-	-	-	-	-	-	-	-	600	300
파나마	-	-	-	-	-	-	-	-	-	-	-	-	-	-	-	-	-	-	-	-	520	260
괌	-	-	-	-	-	-	-	-	-	-	-	-	-	-	-	-	-	-	-	-	250	125
뉴질랜드	-	-	-	-	-	-	-	-	-	-	-	-	-	-	-	-	-	-	-	-	530	265

㈜ 2005년 1월 1일부로 일반국제전보 서비스가 폐지됨.

국 제 전 보 요 금(2)

착신지역 (1語당)	'81~'82		'83		'84		'85		'86		'87		'88		'89		'90		'91~'95		'96~2004	
	통상	서신	통상	서신	통상	서신	통상	서신	통상	서신	통상	서신	통상	서신	통상	서신	통상	서신	통상	서신	통상	서신
호 주	660	330	660	330	660	-	660	-	660	-	660	-	660	-	660	-	660	-	660	-	660	-
캐 나 다	430	215	430	215	430	-	430	-	430	-	430	-	430	-	430	-	430	-	430	-	430	-
대 만	240	120	240	120	240	120	240	120	240	120	240	120	240	120	240	120	240	120	240	120	240	-
하 와 이	280	140	280	140	280	140	280	140	280	140	280	140	280	140	280	140	280	140	280	140	280	140
홍 콩	270	135	270	135	270	135	270	135	270	135	270	135	270	135	270	135	270	135	270	135	270	135
인 도	710	355	710	355	710	355	710	355	710	355	710	355	710	355	710	355	710	355	710	355	710	355
이 란	750	375	750	375	750	375	750	375	750	375	750	375	750	375	750	375	750	375	750	375	750	375
이 탈 리 아	660	330	660	330	660	-	660	-	660	-	660	-	660	-	660	-	660	-	660	-	660	-
일 본	240	120	240	120	240	120	240	120	240	120	240	120	240	120	240	120	240	120	240	120	240	-
인 도 네 시 아	430	215	430	215	430	-	430	-	430	-	430	-	430	-	430	-	430	-	430	-	430	-
스 위 스	680	340	720	360	720	360	720	360	720	360	720	360	720	360	720	360	720	360	720	360	720	-
아 르 헨 티 나	610	305	610	305	610	305	610	305	610	305	610	305	610	305	610	305	610	305	610	305	610	305
멕 시 코	500	250	500	250	500	-	500	-	500	-	500	-	500	-	500	-	500	-	500	-	500	-
말 레 이 지 아	530	265	530	265	530	265	530	265	530	265	530	265	530	265	530	265	530	265	530	265	530	265
네 덜 란 드	720	360	720	360	720	360	720	360	720	360	720	360	720	360	720	360	720	360	720	360	720	-
싱 가 포 르	530	265	530	265	530	265	530	265	530	265	530	265	530	265	530	265	530	265	530	265	530	265
태 국	340	170	340	170	340	-	340	-	340	-	340	-	340	-	340	-	340	-	340	-	340	-
알 래 스 카	390	195	390	195	390	195	390	195	390	195	390	195	390	195	390	195	390	195	390	195	390	195
샌프란시스코	280	140	280	140	280	140	280	140	280	140	280	140	280	140	280	140	280	140	280	140	280	140
독 일	430	215	430	215	430	215	430	215	430	215	430	215	430	215	430	215	430	215	430	215	430	215
파 키 스 탄	690	345	690	345	690	345	690	345	690	345	690	345	690	345	690	345	690	345	690	345	690	345
오 스 트 리 아	730	365	730	365	730	365	730	365	730	365	730	365	730	365	730	365	730	365	730	365	730	365
파 나 마	610	305	610	305	610	-	610	-	610	-	610	-	610	-	610	-	610	-	610	-	610	-
괌	300	150	300	150	300	150	300	150	300	150	300	150	300	150	300	150	300	150	300	150	300	150
뉴 질 랜 드	620	310	620	310	620	-	620	-	620	-	620	-	620	-	620	-	620	-	620	-	620	-

㈜ 2005년 1월 1일부로 일반국제전보 서비스가 폐지됨.

국 내 우 편 요 금(1)

구분	종 별	내 용	'70	'71	'72	'73	'74	'75	'76	'77	'78	'79	'80	'81	'82	'83
통상우편	제1종	필서·인쇄봉서	10	10	10	10	10	20	20	20	20	20	30	40	60	60
	제2종	통상엽서	5	5	5	5	5	10	10	10	10	10	15	20	30	30
		왕복엽서	10	10	10	10	10	20	20	20	20	20	30	40	60	60
		봉함엽서	10	10	10	10	10	20	20	20	20	20	30	40	60	60
	제3종	注1	1	1	1	1	1	3	3	3	3	3	5	10	10	10
		注2	2	2	2	2	2	6	6	6	6	6	10	10	10	10
	제4종	注3	2	2	2	2	2	6	6	6	6	6	10	10	10	10
	소포우편물		50	50	50	50	50	160	160	160	160	160	300	400	*10	*10
특수우편	등기		20	20	20	20	20	20	60	60	60	60	60	140	300	300
	통화·물품등기		30	30	30	30	30	30	150	150	150	150	230	600	600	600
	접수시각증명		5	5	5	5	5	5	10	20	20	20	30	40	60	60
	배달증명	발송당시	10	10	10	10	10	10	20	60	60	60	90	140	200	200
		발송후	20	20	20	20	20	20	40	60	60	60	180	280	400	400
	내용증명	발본 1매	20	20	20	20	20	20	40	40	40	40	60	100	200	200
		1매증가시	10	10	10	10	10	10	20	20	20	20	30	50	100	100
	대금교환		30	30	30	30	30	30	60	60	60	60	80	200	200	200
	특별송달		30	30	30	30	30	30	60	60	60	60	90	140	200	200
	속달		30	30	30	30	30	30	60	60	60	60	90	150	200	200

구분	종 별	내 용	'84	'85	'86	'87	'88	'89	'90	'91	'92	'93
통상우편	제1종	필서·인쇄봉서	–	–	–	–	–	–	–	–	–	–
		규격봉서	70	70	80	80	80	80	100	100	100	110
		규격외봉서	80	80	90	90	90	90	150	150	150	160
	제2종	통상엽서	40	50	60	60	60	60	70	70	70	80
		왕복엽서	80	100	120	120	120	120	140	140	140	160
		봉함엽서	70	70	80	80	80	80	100	100	100	110
	제3종	注1	–	–	–	–	–	–	–	–	–	–
		注2	–	–	–	–	–	–	–	–	–	–
		가급	10	20	20	20	30	30	40	40	40	50
		나급	10	30	40	40	40	40	50	50	50	60
	제4종	注3	–	–	–	–	–	–	–	–	–	–
		서적류	10	–	60	60	60	60	70	70	70	80
		농산물종자	30	30	70	70	70	70	80	80	80	80
	소포우편물		500	550	700	700	700	700	800	800	800	800
특수우편	등기		330	380	470	470	470	470	500	500	600	800
	통화·물품등기		600	600	600	600	600	600	600	600	600	600
	접수시각증명		60	60	60	60	60	60	100	100	100	100
	배달증명	발송당시	330	380	470	470	470	470	500	500	500	700
		발송후	660	760	940	940	940	940	1,000	1,000	1,000	1,400
	내용증명	발본 1매	330	380	470	470	470	470	500	500	600	800
		1매증가시	160	190	230	230	230	230	250	250	300	400
	대금교환		200	200	200	200	200	200	250	250	250	250
	특별송달		330	380	470	470	470	470	500	500	500	700
	속달		330	380	470	470	470	470	500	500	500	500
	국내특급		1,000	1,000	1,000	1,000	1,000	1,000	1,100	1,100	1,100	1,100
	민원우편		1,460	1,500	1,500	1,500	1,500	1,500	1,500	1,500	1,500	1,700

注 1:월 4회 이상 발행간행물로서 1부 또는 1일분의 신문 및 통신을 발행인 또는 판매인이 발송할 경우
2:기타 신문·잡지로서 제3종 우편물로 인가된 것을 일반인이 발송할 경우
3:서적·서화·그림·사진·인쇄물·상품견본 및 모형·맹인용 점자의 서적·인쇄물·사무용서류
* 등기료제외

국 내 우 편 요 금 (2)

구분	종별	내용	'94	'95	'96	'97	'98	'99	2000
통상우편	보통우편	5g까지	100	120	120	140	140	140	140
		5g초과~25g까지	–	–	–	170	170	170	170
		25g초과~50g까지	130	150	150	190	190	190	190
	빠른우편	5g까지	300	330	330	280	280	280	280
		5g초과~25g까지	–	–	–	340	340	340	340
		25g초과~50g까지	390	400	400	380	380	380	380
	소포(보통)	2kg까지	1,000	1,200	1,200	1,500	1,500	1,500	1,500
		5kg까지	(2kg초과	(2kg초과	(2kg초과	(2kg초과	(2kg초과	2,000	2,000
		10kg까지	1kg까지	1kg까지	1kg까지	2kg까지	2kg까지	3,000	3,000
		20kg까지	마다	마다	마다	마다	마다	4,000	4,000
		30kg까지	500원)	600원)	600원)	500원)	500원)	5,000	5,000
	소포(빠른)	2kg까지	3,000	3,300	3,300	3,000	3,000	2,500	2,500
		5kg까지	(2kg초과	(2kg초과	(2kg초과	(2kg초과	(2kg초과	3,000	3,000
		10kg까지	1kg까지	1kg까지	1kg까지	1kg까지	1kg까지	4,000	4,000
		20kg까지	마다	마다	마다	마다	마다	5,000	5,000
		30kg까지	500원)	600원)	600원)	1,000원)	1,000원)	6,000	6,000
특수우편	등기		800	900	900	900	900	900	900
	통화·물품등기		600	800	800	800	800	800	800
	접수시각증명		100	300	300	300	300	300	300
	배달증명	발송당시	700	900	900	900	900	900	900
		발송후	1,400	1,400	1,400	1,800	1,800	1,800	1,800
	내용증명	발본 1매	800	1,100	1,100	1,100	1,100	1,100	1,100
		1매증가시	400	500	500	500	500	500	500
	대금교환		250	750	750	750	750	750	750
	특별송달		700	900	900	900	900	900	900
	속달		500	–	–	–	–	–	–
	국내특급		1,100	1,400	1,400	1,000	1,000	1,000	1,000
	민원우편		1,700	2,000	2,000	2,500	2,500	2,500	2,500

구분	종별	내용	2001	2002	2003	2004	2005	2006	2007
통상우편	보통우편	5g까지	140	160	160	190	190	220	220
		5g초과~25g까지	170	190	190	220	220	250	250
		25g초과~50g까지	190	210	210	240	240	270	270
	빠른우편	5g까지	280	240	240	270	270	–	–
		5g초과~25g까지	340	280	280	310	310	–	–
		25g초과~50g까지	380	310	310	340	340	–	–
	소포(보통)	2kg까지	–	–	–	–	–	2,200	2,200
		5kg까지	2,000	2,000	2,000	2,500	2,500	2,700	2,700
		10kg까지	3,000	2,500	2,500	3,200	3,200	3,700	3,700
		20kg까지	4,000	3,500	3,500	4,000	4,000	4,700	4,700
		30kg까지	5,000	4,500	4,500	5,000	5,000	5,700	5,700
	소포(빠른)	2kg까지	2,500	2,500	2,500	2,700	2,700	3,500	3,500
		5kg까지	3,000	3,000	3,000	3,200	3,200	4,000	4,000
		10kg까지	4,000	3,500	3,500	3,900	3,900	5,000	5,000
		20kg까지	5,000	4,500	4,500	4,700	4,700	6,000	6,000
		30kg까지	6,000	5,500	5,500	5,700	5,700	7,000	7,000
특수우편	등기		900	1,100	1,300	1,300	1,500	1,500	1,500
	통화·물품등기		800	1,000	1,000	1,000	1,000	1,000	1,000
	접수시각증명		300	300	300	300	300	300	300
	배달증명	발송당시	900	1,000	1,000	1,000	1,000	1,000	1,000
		발송후	1,800	1,000	1,000	1,000	1,000	1,000	1,000
	내용증명	발본 1매	1,100	1,000	1,000	1,000	1,000	1,000	1,000
		1매증가시	500	500	500	500	500	500	500
	대금교환		750	1,000	1,000	1,000	1,000	1,000	1,000
	특별송달		900	1,000	1,000	1,000	1,000	1,000	1,000
	속달		–	–	–	–	–	–	–
	국내특급		1,000	1,000	1,000	1,000	1,000	1,000	1,000
	민원우편		2,500	2,500	2,500	2,500	2,500	2,500	2,500

㊟ 1:2002년부터 소포요금은 동일지역요금(2002년부터 동일지역과 타지역으로 구분하여 요금체계 개편).
2:빠른우편은 2006.3.1부로 폐지됨.
3:특수우편의 각각의 요금은 우편요금이 제외된 금액임.
-요금의 예) 2005년 5g초과~25g까지의 통상규격 보통등기우편의 요금=우편요금 220원 + 등기수수료 1,500 = 1,720원
4:2011년부터 민원우편요금은 발송시(우편요금+등기수수료+익일특급수수료)+회송시(50g규격우편요금+등기수수료+익일특급수수료.

국 내 우 편 요 금(3)

구분	종별	내용	2008	2009	2010	2011	2012	2013	2014
통상우편	보통우편	5g까지	220	220	220	240	240	270	270
		5g초과~25g까지	250	250	250	270	270	300	300
		25g초과~50g까지	270	270	270	290	290	320	320
	빠른우편	5g까지	-	-	-	-	-	-	-
		5g초과~25g까지	-	-	-	-	-	-	-
		25g초과~50g까지	-	-	-	-	-	-	-
	소포(보통)	2kg까지	2,200	2,200	2,200	2,200	2,200	2,200	2,200
		5kg까지	2,700	2,700	2,700	2,700	2,700	2,700	2,700
		10kg까지	3,700	3,700	3,700	3,700	3,700	3,700	4,200
		20kg까지	4,700	4,700	4,700	4,700	4,700	4,700	5,700
		30kg까지	5,700	5,700	5,700	5,700	5,700	5,700	7,200
	소포(빠른)	2kg까지	3,500	3,500	3,500	3,500	3,500	3,500	3,500
		5kg까지	4,000	4,000	4,000	4,000	4,000	4,000	4,000
		10kg까지	5,000	5,000	5,000	5,000	5,000	5,000	5,500
		20kg까지	6,000	6,000	6,000	6,000	6,000	6,000	7,000
		30kg까지	7,000	7,000	7,000	7,000	7,000	7,000	8,500
특수우편	등기		1,500	1,500	1,500	1,500	1,630	1,630	1,630
	통화·물품등기		1,000	1,000	1,000	1,000	1,000	1,000	1,000
	접수시각증명		300	300	300	300	300	300	-
	배달증명	발송당시	1,000	1,000	1,000	1,000	1,000	1,000	1,300
		발송후	1,000	1,000	1,000	1,000	1,000	1,000	1,300
	내용증명	발본1매	1,000	1,000	1,000	1,000	1,000	1,000	1,300
		1매증가시	500	500	500	500	500	500	650
	대금교환		1,000	1,000	1,000	1,000	-	-	-
	특별송달		1,000	1,000	1,000	1,000	1,000	1,000	1,300
	속달		-	-	-	-	-	-	-
	국내특급		1,000	2,090	2,090	2,090	2,090	2,090	2,090
	민원우편		2,500	2,500	2,500	-	-	-	-

구분	종별	내용	2015	2016	2017	2018	2019	2020	2021~2023
통상우편	보통우편	5g까지	270	270	300	300	350	350	400
		5g초과~25g까지	300	300	330	330	380	380	430
		25g초과~50g까지	320	320	350	350	400	400	450
	빠른우편	5g까지	-	-	-	-	-	-	-
		5g초과~25g까지	-	-	-	-	-	-	-
		25g초과~50g까지	-	-	-	-	-	-	-
	소포(보통)	3kg까지	2,200	2,200	2,200	2,700	2,700	2,700	2,700
		5kg까지	2,700	2,700	2,700	3,200	3,200	3,200	3,200
		10kg까지	4,200	4,200	4,200	4,700	4,700	4,700	4,700
		20kg까지	5,700	5,700	5,700	6,700	6,700	6,700	6,700
		30kg까지	7,200	7,200	7,200	9,700	9,700	9,700	10,700
	소포(빠른)	3kg까지	3,500	3,500	3,500	4,000	4,000	4,000	4,000
		5kg까지	4,000	4,000	4,000	4,500	4,500	4,500	4,500
		10kg까지	5,500	5,500	5,500	6,000	6,000	6,000	6,000
		20kg까지	7,000	7,000	7,000	8,000	8,000	8,000	8,000
		30kg까지	8,500	8,500	8,500	11,000	11,000	11,000	12,000
특수우편	등기		1,630	1,630	1,630	1,800	1,800	2,100	2,100
	통화·물품등기		1,000	1,000	1,000	1,000	1,000	1,000	1,000
	접수시각증명		-	-	-	-	-	-	-
	배달증명	발송당시	1,300	1,300	1,300	1,300	1,300	1,300	1,600
		발송후	1,300	1,300	1,300	1,300	1,300	1,300	1,600
	내용증명	발본1매	1,300	1,300	1,300	1,300	1,300	1,300	1,300
		1매증가시	650	650	650	650	650	650	650
	대금교환		-	-	-	-	-	-	-
	특별송달		1,300	1,300	1,300	2,000	2,000	2,000	2,000
	속달		-	-	-	-	-	-	-
	국내특급		2,090	2,090	2,090	2,090	5,000	5,000	1,000
	민원우편		-	-	-	-	-	-	-

㊟ 1:2002년부터 소포요금은 동일지역요금(2002년부터 동일지역과 타지역으로 구분하여 요금체계 개편).
2:빠른우편은 2006.3.1부로 폐지됨.
3:특수우편의 각각의 요금은 우편요금이 제외된 금액임.
-요금의 예) 2005년 5g초과~25g까지의 통상규격 보통등기우편의 요금=우편요금 220원 + 등기수수료 1,500 = 1,720원
4:2011년부터 민원우편요금은 발송시(우편요금+등기수수료+익일특급수수료)+회송시(50g규격우편요금+등기수수료+익일특급수수료.
5:2021년부터 특수우편(국내특급 요금)은 우편요금 및 등기수수료에 가산.

국제통상우편물요금(선편)

구분	APPU 회원국가						기타국가					
서장	20g	100g	250g	500g	1,000g	2,000g	20g	100g	250g	500g	1,000g	2,000g
78~79	115	280	470	900	1,560	2,535	195	460	780	1,495	2,600	4,225
80	140	340	560	1,080	1,870	3,030	230	550	940	1,790	3,110	5,050
81~83	260	610	1,220	1,640	4,050	6,780	340	810	1,620	3,100	5,400	8,770
84~86	260	610	1,220	1,640	4,050	6,780	340	810	1,620	3,100	5,400	8,770
87~89	260	610	1,220	1,640	4,050	6,780	340	810	1,620	3,100	5,400	8,770
90~94	260	610	1,220	1,640	4,050	6,780	340	810	1,620	3,100	5,400	8,770
95~99	350	800	1,600	3,100	5,400	8,750	350	800	1,600	3,100	5,400	8,750
00~01	350	800	1,600	3,100	5,400	8,750	350	800	1,600	3,100	5,400	8,750
02~06	400	1,200	2,000	3,500	5,500	9,000	400	1,200	2,000	3,500	5,500	9,000
07~12	400	1,200	2,000	3,500	5,500	9,000	400	1,200	2,000	3,500	5,500	9,000
13~17	440	1,350	2,260	3,960	6,220	10,190	440	1,350	2,260	3,960	6,220	10,190
2018~2023	470	1,430	2,400	4,200	6,590	10,800	470	1,430	2,400	4,200	6,590	10,800
인쇄물	20g	100g	250g	500g	1,000g	2,000g	20g	100g	250g	500g	1,000g	2,000g
78~79	60	130	195	350	585	820	95	210	325	585	975	1,365
80	70	160	230	420	700	980	110	250	390	700	1,170	1,630
81~83	130	280	500	920	1,520	2,120	170	370	670	1,220	2,020	2,830
84~86	130	280	500	920	1,520	2,120	170	370	670	1,220	2,020	2,830
87~89	130	280	500	920	1,520	2,120	170	370	670	1,220	2,020	2,830
90~94	130	280	500	920	1,520	2,120	170	370	670	1,220	2,020	2,830
95~99	200	450	800	1,450	2,400	3,400	200	450	800	1,450	2,400	3,400
00~01	200	450	800	1,450	2,400	3,400	200	450	800	1,450	2,400	3,400
02~06	300	700	1,200	2,500	4,000	6,000	300	700	1,200	2,500	4,000	6,000
07~12	300	700	1,200	2,500	4,000	6,000	300	700	1,200	2,500	4,000	6,000
13~17	320	770	1,320	2,770	4,440	6,660	320	770	1,320	2,770	4,440	6,660
2018~2023	340	820	1,400	2,940	4,710	7,060	340	820	1,400	2,940	4,710	7,060

소형 포장물	APPU 100g	APPU 250g	APPU 500g	APPU 1,000g	기타 100g	기타 250g	기타 500g	기타 1,000g
78~79	130	195	350	585	210	325	585	975
80	160	230	420	700	250	390	700	1,170
81~83	500	700	1,150	1,750	600	950	1,400	2,200
84~86	500	700	1,150	1,750	600	950	1,400	2,200
87~89	500	700	1,150	1,750	600	950	1,400	2,200
90~94	500	700	1,150	1,750	600	950	1,400	2,200
95~99	700	1,100	1,700	2,700	700	1,100	1,700	2,700
00~01	700	1,100	1,700	2,700	700	1,100	1,700	2,700
02~06	800	1,500	2,200	3,800	800	1,500	2,200	3,800
07~12	800	1,500	2,200	3,800	800	1,500	2,200	3,800
13~16	930	1,770	2,600	4,490	930	1,770	2,600	4,490
2017	930	1,770	2,600	4,490	930	1,770	2,600	4,490
2018~2023	-	-	-	-	-	-	-	-

㈜ APPU(아시아·태평양 우편연합) 회원국명:
호주, 방글라데시, 부탄, 중국, 인도, 인도네시아, 일본, 라오스, 말레이지아, 몰디브, 나우루, 네팔, 뉴질랜드, 파키스탄, 파푸아뉴기니, 필리핀, 싱가폴, 스리랑카, 태국, 베트남, 아프간, 브루나이(대만은 APPU회원국 요금적용).

국제통상우편물요금(항공편)

■ 서 장

(단위:원)

중 량	10g				11~20g				21~30g				31~40g			
지역별	1	2	3	4	1	2	3	4	1	2	3	4	1	2	3	4
82~84	370	400	440	470	400	460	540	600	600	700	800	900	700	800	900	1,100
85~89	370	400	440	470	400	460	540	600	600	700	800	900	700	800	900	1,100
90~94	370	400	440	470	400	460	540	600	600	700	800	900	700	800	900	1,100
95~99	420	450	480	500	450	480	570	600	500	600	800	800	600	700	900	1,000
00~01	420	450	480	500	450	480	570	600	500	600	800	800	600	700	900	1,000
02~06	480	520	580	600	520	580	650	700	580	700	840	900	690	820	1,030	1,150
07~12	480	520	580	600	520	580	650	700	580	700	840	900	690	820	1,030	1,150
13~17	540	580	660	680	580	650	740	800	650	790	950	1,030	780	930	1,170	1,310
2018~2023	570	610	700	720	610	690	780	850	690	840	1,010	1,090	830	990	1,240	1,390

중 량	41~50g				51~60g				61~70g				71~80g			
82~84	800	950	1,100	1,260	900	1,100	1,250	1,500	1,020	1,230	1,500	1,700	1,050	1,290	1,610	1,850
85~89	800	950	1,100	1,260	900	1,100	1,250	1,500	1,020	1,230	1,500	1,700	1,050	1,290	1,610	1,850
90~94	800	950	1,100	1,260	900	1,100	1,250	1,500	1,020	1,230	1,500	1,700	1,050	1,290	1,610	1,850
95~99	700	800	1,000	1,200	800	900	1,250	1,500	900	1,000	1,500	1,700	1,050	1,100	1,600	1,850
00~01	700	800	1,000	1,200	800	900	1,250	1,500	900	1,000	1,500	1,700	1,050	1,100	1,600	1,850
02~06	810	940	1,220	1,400	930	1,060	1,410	1,650	1,050	1,180	1,600	1,900	1,170	1,300	1,790	2,150
07~12	810	940	1,220	1,400	930	1,060	1,410	1,650	1,050	1,180	1,600	1,900	1,170	1,300	1,790	2,150
13~17	910	1,060	1,390	1,610	1,050	1,200	1,610	1,890	1,180	1,330	1,820	2,180	1,320	1,480	2,040	2,470
2018~2023	960	1,120	1,470	1,710	1,110	1,270	1,710	2,000	1,250	1,410	1,930	2,310	1,400	1,570	2,160	2,620

중 량	81~90g				91~100g				101~110g				111~120g			
82~84	1,100	1,350	1,710	2,000	1,300	1,450	1,850	2,200	1,600	1,700	2,100	2,500	1,900	2,000	2,400	2,800
85~89	1,100	1,350	1,710	2,000	1,300	1,450	1,850	2,200	1,600	1,700	2,100	2,500	1,900	2,000	2,400	2,800
90~94	1,100	1,350	1,710	2,000	1,300	1,450	1,850	2,200	1,600	1,700	2,100	2,500	1,900	2,000	2,400	2,800
95~99	1,100	1,200	1,700	2,000	1,300	1,300	1,850	2,200	1,700	1,950	2,650	3,200	1,700	1,950	2,650	3,200
00~01	1,100	1,200	1,700	2,000	1,300	1,300	1,850	2,200	1,700	1,950	2,650	3,200	1,700	1,950	2,650	3,200
02~06	1,290	1,420	1,980	2,400	1,450	1,540	2,170	2,650	1,900	2,260	2,970	3,750	1,900	2,260	2,970	3,750
07~12	1,290	1,420	1,980	2,400	1,450	1,540	2,170	2,650	1,900	2,260	2,970	3,750	1,900	2,260	2,970	3,750
13~17	1,450	1,610	2,260	2,750	1,640	1,750	2,480	3,040	2,150	2,580	3,390	4,310	2,150	2,580	3,390	4,310
2018~2023	1,540	1,710	2,400	2,920	1,740	1,860	2,630	3,220	2,280	2,730	3,590	4,570	2,280	2,730	3,590	4,570

⊙ 요금적용 지역별 국명

(통상, 소포, 특급)

지역별	국 명
1	일본, 중국, 대만, 홍콩, 마카오
2	동남아시아:방글라데시, 브루나이, 미얀마, 캄보디아, 동티모르, 인도네시아, 라오스, 말레이시아, 필리핀, 싱가포르, 태국, 베트남, 몽고
3	북 미:미국본토(하와이, 알래스카 포함), 캐나다 서구라파:벨기에, 덴마크, 핀란드, 프랑스본토, 독일, 영국본토, 그리스, 이탈리아, 룩셈부르크, 네덜란드본토, 노르웨이, 포르투갈, 스페인, 스위스, 스웨덴, 오스트리아 등 동구라파:러시아, 루마니아, 폴란드, 헝가리, 체코, 구 소련연방 등 중 동:바레인, 이란, 이라크, 이스라엘, 요르단, 쿠웨이트, 사우디아라비아, 카타르, 시리아, 터키 등 대 양 주:호주, 뉴질랜드본토, 파푸아뉴기니, 괌, 사이판 아 시 아:아프가니스탄, 인도, 네팔, 파키스탄, 스리랑카 등
4	아 프 리 카:이집트, 케냐, 리비아 등 중 · 남 미:멕시코, 파나마, 아르헨티나, 브라질, 우루과이, 페루 등 서인도제도:쿠바, 하이티, 도미니카 등 남 태 평 양:피지, 키리바티, 솔로몬제도, 사모아 등

국제소포우편요금(선편)

㈜ 중량기준변경시행(2002년) : 1kg→2kg/3kg→4kg/5kg→6kg

(단위:원)

지역별	미국				브라질				독일				스위스			
중량	1kg	3kg	5kg	10kg	1kg	3kg	5kg	10kg	1kg	3kg	5kg	10kg	1kg	3kg	5kg	10kg
78~79	1,070	2,800	4,590	8,840	2,460	3,180	3,970	5,440	1,390	1,910	2,510	3,800	1,540	2,200	2,960	4,360
80	1,280	3,360	5,510	10,610	5,950	3,820	4,760	6,530	1,670	2,300	3,010	4,560	1,840	2,630	3,540	5,210
81~85	2,400	6,500	10,600	21,100	5,800	7,700	9,600	13,800	3,800	5,500	7,100	10,500	3,800	5,500	7,100	10,500
86~94	3,100	8,400	13,700	27,400	6,800	9,000	11,200	15,500	4,900	7,100	9,200	13,600	4,900	7,100	9,200	13,600
95~96	6,100	8,900	11,500	17,000	7,100	9,400	11,600	16,100	6,100	8,900	11,500	17,000	6,100	8,900	11,500	17,000
97~99	8,000	11,000	14,000	20,000	9,000	13,000	16,500	22,500	8,000	11,000	14,000	20,000	8,000	11,000	14,000	20,000
00~01	8,000	11,000	14,000	20,000	9,000	13,000	16,500	22,500	8,000	11,000	14,000	20,000	8,000	11,000	14,000	20,000
02~06	12,000	16,000	20,000	28,000	13,000	18,000	23,000	33,000	12,000	16,000	20,000	28,000	12,000	16,000	20,000	28,000
07~12	12,000	16,000	20,000	28,000	13,000	18,000	23,000	33,000	12,000	16,000	20,000	28,000	12,000	16,000	20,000	28,000
13~17	13,300	17,800	22,300	31,300	14,500	20,000	25,700	36,800	13,300	17,800	22,300	31,300	13,300	17,800	22,300	31,300
2018~2023	12,000	24,500	30,500	43,000	13,000	27,500	35,500	50,500	12,000	24,500	30,500	43,000	-	-	-	-
지역별	스페인				사모아				싱가포르				스웨덴			
78~79	2,020	2,820	3,760	5,450	1,320	3,460	5,710	10,980	1,480	2,030	2,690	3,890	1,800	2,520	3,370	5,130
80	2,420	3,380	4,550	6,540	1,580	4,150	6,850	13,180	1,770	2,430	3,220	4,650	2,150	3,010	4,030	6,130
81~85	3,800	5,500	7,100	10,500	3,100	4,600	6,100	9,500	3,300	4,700	6,000	8,600	3,800	5,500	7,100	10,500
86~94	4,900	7,100	9,200	13,600	4,000	5,900	7,900	12,300	4,200	6,100	7,800	11,100	4,900	7,100	9,200	13,600
95~96	6,100	8,900	11,500	17,000	7,100	9,400	11,600	16,100	4,800	7,000	9,000	12,800	6,100	8,900	11,500	17,000
97~99	8,000	11,000	14,000	20,000	9,000	13,000	16,500	22,500	7,000	9,500	12,500	16,500	8,000	11,000	14,000	20,000
00~01	8,000	11,000	14,000	20,000	9,000	13,000	16,500	22,500	7,000	9,500	12,500	16,500	8,000	11,000	14,000	20,000
02~06	12,000	16,000	20,000	28,000	13,000	18,000	23,000	33,000	11,000	14,000	17,000	23,000	12,000	16,000	20,000	28,000
07~12	12,000	16,000	20,000	28,000	13,000	18,000	23,000	33,000	11,000	14,000	17,000	23,000	12,000	16,000	20,000	28,000
13~17	13,300	17,800	22,300	31,300	14,500	20,000	25,700	36,800	12,200	15,600	18,900	25,700	13,300	17,800	22,300	31,300
2018~2023	12,000	24,500	30,500	43,000	-	-	-	-	11,000	21,500	30,500	35,500	12,000	24,500	30,500	43,000
지역별	일본				영국				오스트레일리아				프랑스			
78~79	2,450	2,850	3,250	4,060	2,810	3,860	5,080	6,960	1,990	2,650	3,570	5,210	1,810	2,560	3,420	4,970
80	2,930	3,410	3,890	4,860	3,360	4,620	6,080	8,320	2,390	3,180	4,280	6,520	2,160	3,060	4,090	5,940
81~85	4,000	5,300	6,700	8,600	3,800	5,500	7,100	10,500	3,100	4,600	6,100	9,500	3,800	5,500	7,100	10,500
86~94	5,200	6,800	8,700	11,100	4,900	7,100	9,200	13,600	4,000	5,900	7,900	12,300	4,900	7,100	9,200	13,600
95~96	6,000	7,800	10,000	12,800	6,100	8,900	11,500	17,000	6,100	8,900	11,500	17,000	6,100	8,900	11,500	17,000
97~99	6,500	9,000	12,000	16,000	8,000	11,000	14,000	20,000	8,000	11,000	14,000	20,000	8,000	11,000	14,000	20,000
00~01	6,500	9,000	12,000	16,000	8,000	11,000	14,000	20,000	8,000	11,000	14,000	20,000	8,000	11,000	14,000	20,000
02~06	10,000	13,000	16,000	22,000	12,000	16,000	20,000	28,000	12,000	16,000	20,000	28,000	12,000	16,000	20,000	28,000
07~12	10,000	13,000	16,000	22,000	12,000	16,000	20,000	28,000	12,000	16,000	20,000	28,000	12,000	16,000	20,000	28,000
13~17	11,100	14,500	17,800	24,600	13,300	17,800	22,300	31,300	13,300	17,800	22,300	31,300	13,300	17,800	22,300	31,300
2018~2023	9,900	20,000	24,500	34,000	12,000	24,500	30,500	43,000	12,000	24,500	30,500	43,000	12,000	24,500	30,500	43,000

국제소포우편요금(항공편) (1)

(단위:원)

지역별	미 국						브 라 질					
중 량	1kg	2kg	3kg	4kg	5kg	10kg	1kg	2kg	3kg	4kg	5kg	10kg
78~79	2,830	5,470	8,110	8,110	13,380	26,570	6,120	10,330	14,240	18,450	22,370	42,530
80	3,400	6,560	9,730	9,730	16,060	31,880	7,340	12,330	17,090	22,140	26,840	51,040
81~85	6,700	13,200	15,700	15,700	32,700	65,100	14,000	23,300	29,600	39,000	51,300	94,500
86~94	8,700	17,100	25,600	25,600	42,500	84,600	17,600	30,100	41,500	54,000	65,400	122,800
95~96	13,700	23,300	30,900	30,900	47,600	81,600	19,000	32,500	44,800	58,300	70,600	132,600
97~99	14,000	24,000	33,000	33,000	51,000	81,000	20,000	32,500	45,000	56,000	67,000	122,000
00~01	14,000	24,000	33,000	33,000	51,000	81,000	20,000	32,500	45,000	56,000	67,000	122,000
02~05	18,000	28,000	38,000	38,000	54,000	86,200	24,000	38,000	52,000	64,000	76,000	136,000
06~12	20,200	26,200	32,200	32,200	44,200	74,200	22,900	32,300	43,100	53,900	64,700	118,700
13~17	23,400	31,000	40,500	40,500	59,800	107,900	25,500	36,100	48,200	60,200	72,400	132,800
2018~2023	28,000	37,000	48,000	48,000	71,000	128,000	32,000	40,000	49,500	62,000	74,500	136,000
지역별	독 일						스 위 스					
78~79	3,410	5,800	7,960	10,370	12,530	24,080	3,540	6,010	8,230	10,710	12,930	24,580
80	4,090	6,960	9,520	12,440	15,040	28,900	4,230	7,190	9,840	12,810	15,460	29,400
81~85	7,800	13,200	17,700	23,000	27,400	51,200	7,800	13,200	17,700	23,000	27,400	51,200
86~94	10,100	17,100	22,700	29,500	35,000	64,500	10,100	17,100	22,700	29,500	35,000	64,500
95~96	13,700	23,300	30,900	40,100	47,600	81,600	13,700	23,300	30,900	40,100	47,600	81,600
97~99	14,000	24,000	33,000	42,000	51,000	81,000	14,000	24,000	33,000	42,000	51,000	81,000
00~01	14,000	24,000	33,000	42,000	51,000	81,000	14,000	24,000	33,000	42,000	51,000	81,000
02~05	18,000	28,000	38,000	46,000	54,000	86,200	18,000	28,000	38,000	46,000	54,000	86,200
06~12	20,200	26,200	32,200	38,200	44,200	74,200	20,200	26,200	32,200	38,200	44,200	74,200
13~17	22,500	29,200	36,000	42,700	49,400	83,000	22,500	29,200	36,000	42,700	49,400	83,000
2018~2023	23,000	29,500	36,500	43,500	50,000	84,500	24,500	31,500	39,000	46,000	53,500	89,500
지역별	스 페 인						사 모 아					
78~79	4,230	7,020	9,520	12,310	14,820	27,910	2,760	5,320	7,880	10,440	13,000	25,810
80	5,080	8,420	11,420	14,770	17,780	33,490	3,310	6,380	9,460	12,530	15,600	30,970
81~85	7,800	13,200	17,700	23,000	27,400	51,200	7,600	11,300	17,900	23,600	28,400	54,100
86~94	10,100	17,100	22,700	29,500	35,000	64,500	9,800	16,900	23,200	30,300	36,100	67,000
95~96	13,700	23,300	30,900	40,100	47,600	81,600	19,000	32,500	44,800	58,300	70,600	132,600
97~99	14,000	24,000	33,000	42,000	51,000	81,000	20,000	32,500	45,000	56,000	67,000	122,000
00~01	14,000	24,000	33,000	42,000	51,000	81,000	20,000	32,500	45,000	56,000	67,000	122,000
02~05	18,000	28,000	38,000	46,000	54,000	86,200	24,000	38,000	52,000	64,000	76,000	136,000
06~12	20,200	26,200	32,200	38,200	44,200	74,200	22,900	32,300	43,100	53,900	64,700	118,700
13~17	22,400	29,000	35,700	42,400	49,100	82,500	25,500	36,100	48,200	60,200	72,400	132,800
2018~2023	23,000	30,000	37,000	44,000	50,500	85,000	27,500	39,000	52,000	65,000	78,000	143,500

국제소포우편요금(항공편) (2)

(단위:원)

지역별	싱가포르						스웨덴					
중량	1kg	2kg	3kg	4kg	5kg	10kg	1kg	2kg	3kg	4kg	5kg	10kg
78~79	2,180	3,360	4,300	5,470	6,410	11,570	3,650	6,010	8,070	10,470	12,530	23,750
80	2,610	4,020	5,140	6,540	7,670	13,840	4,370	7,190	9,650	12,520	14,990	28,410
81~85	5,200	8,300	10,500	13,500	15,800	28,100	7,800	13,200	17,700	23,000	27,400	51,200
86~94	6,700	10,700	13,100	16,700	19,100	32,900	10,100	17,100	22,700	29,500	35,000	64,500
95~96	8,500	13,600	16,600	21,200	24,300	41,800	13,700	23,300	30,900	40,100	47,600	81,600
97~99	9,800	13,600	16,600	21,200	24,300	41,800	14,000	24,000	33,000	42,000	51,000	81,000
00~01	9,800	13,600	16,600	21,200	24,300	41,800	14,000	24,000	33,000	42,000	51,000	81,000
02~05	12,000	16,000	20,000	24,000	28,000	50,000	18,000	28,000	38,000	46,000	54,000	86,200
06~12	17,700	22,900	28,100	33,300	38,500	64,500	20,200	26,200	32,200	38,200	44,200	74,200
13~17	18,000	20,900	23,700	26,600	29,600	44,100	22,500	29,200	36,000	42,700	49,400	83,000
2018~2023	18,000	21,000	26,000	27,000	30,000	44,500	24,500	31,500	39,000	46,000	53,500	89,500
지역별	일본						영국					
78~79	2,700	3,290	3,600	4,190	4,500	6,310	4,710	7,420	9,580	12,370	15,300	27,430
80	3,230	3,930	4,310	5,010	5,380	7,550	5,630	8,870	11,460	14,790	18,300	32,810
81~85	4,500	6,300	6,900	8,700	9,500	14,300	7,800	13,200	17,700	23,000	27,400	51,200
86~94	5,800	8,100	8,900	11,300	12,300	18,500	10,100	17,100	22,700	29,500	35,000	64,500
95~96	7,300	10,200	11,200	14,200	15,500	23,300	13,700	23,300	30,900	40,100	47,600	81,600
97~99	9,000	11,400	13,700	15,900	18,100	28,700	14,000	24,000	33,000	42,000	51,000	81,000
00~01	9,000	11,400	13,700	15,900	18,100	28,700	14,000	24,000	33,000	42,000	51,000	81,000
02~05	10,300	12,900	15,500	18,100	20,700	33,700	18,000	28,000	38,000	46,000	54,000	86,200
06~12	12,800	15,800	19,000	22,200	25,400	41,400	20,200	26,200	32,200	38,200	44,200	74,200
13~17	17,000	19,500	22,000	24,500	26,800	39,200	22,400	29,000	35,700	42,400	49,100	82,500
2018~2023	18,000	21,000	23,500	26,000	28,500	42,000	30,500	34,000	37,000	44,000	51,000	86,000
지역별	오스트레일리아						이탈리아					
78~79	3,820	6,190	8,240	10,770	12,820	23,950	3,850	6,450	8,760	11,360	13,670	25,810
80	4,580	7,430	9,890	12,920	15,380	28,740	4,600	7,710	10,480	13,590	16,350	30,870
81~85	7,600	13,000	17,900	23,600	28,400	54,100	7,800	13,200	17,700	23,000	27,400	51,200
86~94	9,800	16,900	23,200	30,300	36,100	67,000	10,100	17,100	22,700	29,500	35,000	64,500
95~96	13,700	23,300	30,900	40,100	47,600	81,600	13,700	23,300	30,900	40,100	47,600	81,600
97~99	14,000	24,000	33,000	42,000	51,000	81,000	14,000	24,000	33,000	42,000	51,000	81,000
00~01	14,000	24,000	33,000	42,000	51,000	81,000	14,000	24,000	33,000	42,000	51,000	81,000
02~05	18,000	28,000	38,000	46,000	54,000	86,200	18,000	28,000	38,000	46,000	54,000	86,200
06~12	20,200	26,200	32,200	38,200	44,200	74,200	20,200	26,200	32,200	38,200	44,200	74,200
13~17	18,200	25,100	32,000	39,000	45,900	80,600	22,500	29,200	36,000	42,700	49,400	83,000
2018~2023	21,000	28,500	36,500	44,000	52,000	91,500	24,500	31,500	39,000	46,000	53,500	89,500

국 제 전 화 요 금

통화지역 (수동)	'70~'72		'73		'74		'75		'76		'77~'79		'80	
	최 초 3분간	매추가 1분마다	최 초 3분간	매추가 1분마다	최 초 3분간	매추가 1분마다	최 초 3분간	매추가 1분마다	최 초 3분간	매추가 1분마다	최 초 3분간	매추가 1분마다	최 초 3분간	매추가 1분마다
일 본	1,602	534	2,178	726	3,000	1,000	3,408	1,136	3,408	1,136	5,203	1,041	6,290	1,260
대 만	1,602	534	-	-	3,000	1,000	3,976	994	3,976	994	3,976	994	4,800	1,200
홍 콩	2,002	667	2,724	908	3,600	1,200	4,730	946	4,730	946	4,730	946	5,700	1,140
필 리 핀	2,448	816	-	816	3,600	1,200	4,320	1,440	4,320	1,440	4,320	1,440	5,220	1,310
태 국	3,204	1,068	-	1,068	6,000	2,000	-	-	5,676	1,892	5,676	1,136	6,870	1,370
말 레 이 시 아	3,204	1,068	-	1,068	-	-	-	-	6,813	2,271	6,813	2,271	5,560	1,230
싱 가 포 르	3,204	1,068	-	1,068	5,700	1,900	5,961	1,325	5,961	1,325	5,961	1,325	7,200	1,600
호 주	3,204	1,068	-	1,068	4,800	1,600	-	-	6,813	2,271	6,813	1,514	8,220	1,830
독 일	4,080	1,360	4,356	1,452	6,000	2,000	6,813	2,271	6,813	2,271	6,813	1,703	7,830	2,060
미 국	3,264	1,088	4,452	1,484	4,800	1,600	5,760	1,920	5,760	1,920	6,480	1,440	7,830	1,740
캐 나 다	3,264	1,088	4,452	1,484	4,800	1,600	5,760	1,920	5,760	1,920	6,480	1,440	8,910	1,740
영 국	-	-	-	-	-	-	-	-	-	-	-	-	-	2,060

통화지역 (수동)	'81~'83		'84~'88		'89		'90~'92		'93~'94		'95~'97		'98~'00	
	최 초 3분간	매추가 1분마다	최 초 3분간	매추가 1분마다	최 초 1분간	매추가 1분마다	최 초 1분간	매추가 1분마다	최 초 1분간	매추가 1분마다	최 초 1분간	매추가 1분마다	최 초 1분간	매추가 1분마다
일 본	7,450	1,490	1,420	1,420	1,300	1,100	1,300	970	1,210	900	1,150	860	984	738
대 만	5,690	1,410	1,350	1,350	1,300	1,100	1,300	970	1,210	900	1,150	860	1,176	882
홍 콩	6,780	1,360	1,290	1,290	1,300	1,100	1,300	970	1,210	900	1,150	860	1,158	870
필 리 핀	6,180	1,550	1,420	1,420	1,300	1,100	1,300	970	1,210	900	1,150	860	1,272	954
태 국	8,130	1,630	1,420	1,420	1,300	1,100	1,300	970	1,210	900	1,150	860	1,272	954
말 레 이 시 아	6,590	1,460	1,390	1,390	1,300	1,100	1,300	970	1,210	900	1,150	860	1,272	954
싱 가 포 르	8,540	1,900	1,420	1,420	1,300	1,100	1,300	970	1,210	900	1,150	860	1,158	870
호 주	9,750	2,170	1,960	1,960	1,700	1,440	1,700	1,270	1,580	1,180	1,500	1,130	1,326	996
독 일	9,750	2,440	2,320	2,320	2,100	1,780	2,000	1,500	1,860	1,400	1,770	1,330	1,560	1,170
미 국	9,270	2,060	1,960	1,960	1,700	1,440	1,700	1,270	1,580	1,180	1,500	1,130	840	630
캐 나 다	9,270	2,060	1,960	1,960	1,700	1,440	1,700	1,270	1,580	1,180	1,500	1,130	1,734	1,302
영 국	10,550	2,440	1,550	1,550	1,550	1,310	1,550	1,160	1,510	1,130	1,480	1,110	1,320	990

통화지역 (수동)	'01~'02		'03~'04		'05		'06~'15		'16~'20		'21~'23
	최 초 1분간	매추가 1분마다	최 초 1분간	매추가 1분마다	최 초 1분간	매추가 1분마다	최 초 1분간	매추가 1분마다	최 초 1분간	매추가 1분마다	1분 환산
일 본	840	588	690	624	696	624	696	696	745	745	950.4
대 만	1,008	708	960	864	960	864	960	960	1,056	1,056	950.4
홍 콩	1,008	702	978	882	978	882	978	978	1,075	1,075	950.4
필 리 핀	1,092	762	1,128	1,014	1,128	1,014	1,128	1,128	1,240	1,240	1,458.6
태 국	1,146	804	1,146	1,032	1,146	1,032	1,146	1,146	1,260	1,260	1,458.6
말 레 이 시 아	1,146	804	1,032	930	1,032	930	1,032	1,032	1,135	1,135	1,458.6
싱 가 포 르	1,008	702	978	882	978	882	978	978	1,075	1,075	950.4
호 주	1,152	804	1,092	984	1,086	978	1,086	1,086	1,194	1,194	1,293.6
독 일	1,344	942	948	852	948	852	948	948	1,042	1,042	1,293.6
미 국	726	510	288	258	282	252	282	282	310	310	950.4
캐 나 다	1,488	1,038	1,296	1,164	1,290	1,164	1,290	1,290	1,419	1,419	950.4
영 국	1,134	792	1,008	906	1,008	906	1,008	1,008	1,108	1,108	1,293.6

주
1. 1983. 8. 1부 국제자동통화(ISD)요금제정 시행
2. 1986. 9. 1부 대역별 요금제 및 야간할인제 시행
 ○ 대역…1대역(동남아)
  2대역(대양주, 북미)
  3대역(유럽, 중동, 서남아, 중남미, 아프리카)
  특수대역(홍콩, 타이완, 말레이지아, 영국, 이란, 미얀마, 몽고, 스와인, 상삐에르미켈론)
 ○ 야간할인제…ISD야간통화 요금 20% 할인
3. 1987. 12. 1부 할인율 및 할인시간 확대
4. 1988. 7. 1부 공휴일 할인제 시행
 …ISD공휴일요금 30%할인 (임시공휴일 포함)
5. 1988. 12. 25부 요금인하 및 구조조정시행
6. 1983년까지는 수동, 1984년 이후에는 자동IDD 요금 적용함.
7. 2021년부터 KT 001 요금제 기준.

공 중 전 화 요 금

연 도	1월	2월	3월	4월	5월	6월	7월	8월	9월	10월	11월	12월
1970~1976	5	5	5	5	5	5	5	5	5	5	5	5
1977~1981	10	10	10	10	10	10	10	10	10	10	10	10
1982~1985	20	20	20	20	20	20	20	20	20	20	20	20
1986~1991	20	20	20	20	20	20	20	20	20	20	20	20
1992	20	20	20	20	20	20	20	20	20	20	20	20
1993	20	30	30	30	30	30	30	30	30	30	30	30
1994	30	30	30	30	30	30	30	40	40	40	40	40
1995	40	40	40	40	40	40	40	40	40	40	40	40
1996	40	40	40	40	40	40	40	40	40	40	40	40
1997	40	40	40	40	40	40	40	40	50	50	50	50
1998	50	50	50	50	50	50	50	50	50	50	50	50
1999	50	50	50	50	50	50	50	50	50	50	50	50
2000	50	50	50	50	50	50	50	50	50	50	50	50
2001	50	50	50	50	50	50	50	50	50	50	50	50
2002	50	50	50	50	70	70	70	70	70	70	70	70
2003	70	70	70	70	70	70	70	70	70	70	70	70
2004	70	70	70	70	70	70	70	70	70	70	70	70
2005	70	70	70	70	70	70	70	70	70	70	70	70
2006	70	70	70	70	70	70	70	70	70	70	70	70
2007	70	70	70	70	70	70	70	70	70	70	70	70
2008	70	70	70	70	70	70	70	70	70	70	70	70
2009	70	70	70	70	70	70	70	70	70	70	70	70
2010~2022	70	70	70	70	70	70	70	70	70	70	70	70
2023	70	70	70	70	70	70	70	70	70	70	-	-

시내전화도수료(자동전화)

연 도	1월	2월	3월	4월	5월	6월	7월	8월	9월	10월	11월	12월
1970~1974	4	4	4	4	4	4	4	4	4	4	4	4
1975	6	6	6	6	6	6	8	8	8	8	8	8
1976~1979	8	8	8	8	8	8	8	8	8	8	8	8
1980	12	12	12	12	12	12	12	12	12	12	12	12
1981	12	12	12	12	12	15	15	15	15	15	15	20
1982~1985	20	20	20	20	20	20	20	20	20	20	20	20
1986	20	25	25	25	25	25	25	25	25	25	25	25
1987~1989	25	25	25	25	25	25	25	25	25	25	25	25
1990~1992	25	25	25	25	25	25	25	25	25	25	25	25
1993	25	30	30	30	30	30	30	30	30	30	30	30
1994	30	30	30	30	30	30	30	40	40	40	40	40
1995	40	40	40	40	40	40	40	40	40	40	40	40
1996	40	40	40	40	40	40	40	40	40	40	40	41.6
1997	41.6	41.6	41.6	41.6	41.6	41.6	41.6	41.6	45	45	45	45
1998~2000	45	45	45	45	45	45	45	45	45	45	45	45
2001	45	45	45	39	39	39	39	39	39	39	39	39
2002~2015	39	39	39	39	39	39	39	39	39	39	39	39
2016	42.9	42.9	42.9	42.9	42.9	42.9	42.9	42.9	42.9	42.9	42.9	42.9
2017	42.9	42.9	42.9	42.9	42.9	42.9	42.9	42.9	42.9	42.9	42.9	42.9
2018	42.9	42.9	42.9	42.9	42.9	42.9	42.9	42.9	42.9	42.9	42.9	42.9
2019~2022	42.9	42.9	42.9	42.9	42.9	42.9	42.9	42.9	42.9	42.9	42.9	42.9
2023	42.9	42.9	42.9	42.9	42.9	42.9	42.9	42.9	42.9	42.9	-	-

지 하 철 요 금

(단위:원)

연도별	구 분	1월	2월	3월	4월	5월	6월	7월	8월	9월	10월	11월	12월
1974	기 본	-	-	-	-	-	-	-	30	30	30	30	30
	초 과	-	-	-	-	-	-	-	3	3	3	3	3
'75	기 본	30	30	30	30	30	30	40	40	40	40	40	40
	초 과	3	3	3	3	3	3	3.60	3.60	3.60	3.60	3.60	3.60
'76~'77	기 본	40	40	40	40	40	40	40	40	40	40	40	40
	초 과	3.60	3.60	3.60	3.60	3.60	3.60	3.60	3.60	3.60	3.60	3.60	3.60
'78	기 본	40	40	40	40	40	50	50	50	50	50	50	50
	초 과	3.60	3.60	3.60	3.60	4.63	4.21	4.21	4.21	4.21	4.21	4.21	4.21
'79	기 본	50	50	50	50	60	60	60	60	60	60	60	60
	초 과	4.21	4.21	4.21	4.21	4.63	4.63	4.63	4.63	4.63	4.63	4.63	4.63
'80	기 본	80	80	80	80	80	80	80	90	90	90	90	90
	초 과	5.32	5.32	5.32	5.32	5.32	5.32	5.32	6.38	6.38	6.38	6.38	6.38
'81	기 본	90	90	90	90	90	100	100	100	100	100	100	110
	초 과	6.38	6.38	6.38	6.38	6.38	7.45	7.45	7.45	7.45	7.45	7.45	7.82
'82	기 본	110	110	110	110	110	110	110	110	110	110	110	110
	초 과	7.82	7.82	7.82	7.82	7.82	7.82	8.21	8.21	8.21	8.21	8.21	8.62
'83	기 본	110	110	110	110	110	110	110	110	110	110	110	110
	초 과	8.62	8.62	8.62	8.62	8.62	8.62	8.62	8.62	8.62	8.62	8.62	8.62
'84	기 본	110	110	110	110	110	110	110	140	140	140	140	140
	초 과	8.62	8.62	8.62	8.62	8.62	8.62	8.62	10	10	10	10	10
'85	기본(1구역)	140	140	140	140	140	140	140	140	140	170	170	170
	초과(2구역)	10	10	10	10	10	10	10	10	10	250	250	250
'86	1구역	170	170	170	170	170	170	170	170	170	170	170	200
	2구역	250	250	250	250	250	250	250	250	250	250	250	300
'87~'89	1구역	200	200	200	200	200	200	200	200	200	200	200	200
	2구역	300	300	300	300	300	300	300	300	300	300	300	300
'90	1구역	200	200	200	200	200	200	200	200	200	200	200	250
	2구역	300	300	300	300	300	300	300	300	300	300	300	350
'91~'92	1구역	250	250	250	250	250	250	250	250	250	250	250	250
	2구역	350	350	350	350	350	350	350	350	350	350	350	350
'93	1구역	250	300	300	300	300	300	300	300	300	300	300	300
	2구역	350	400	400	400	400	400	400	400	400	400	400	400
'94	1구역	350	350	350	350	350	350	350	350	350	350	350	350
	2구역	450	450	450	450	450	450	450	450	450	450	450	450
'95	1구역	350	350	350	350	350	350	350	350	350	350	400	400
	2구역	450	450	450	450	450	450	450	450	450	450	500	500
'96	1구역	400	400	400	400	400	400	400	400	400	400	400	400
	2구역	500	500	500	500	500	500	500	500	500	500	500	500
'97	1구역	400	400	400	400	400	400	450	450	450	450	450	450
	2구역	500	500	500	500	500	500	550	550	550	550	550	550
'98	1구역	450	450	450	450	450	450	450	450	450	450	450	450
	2구역	550	550	550	550	550	550	550	550	550	550	550	550
'99	1구역	500	500	500	500	500	500	500	500	500	500	500	500
	2구역	600	600	600	600	600	600	600	600	600	600	600	600
2000	1구역	500	500	500	500	500	500	500	500	600	600	600	600
	2구역	600	600	600	600	600	600	600	600	700	700	700	700
2001~02	1구역	600	600	600	600	600	600	600	600	600	600	600	600
	2구역	700	700	700	700	700	700	700	700	700	700	700	700
2003	1구역	600	600	700	700	700	700	700	700	700	700	700	700
	2구역	700	700	800	800	800	800	800	800	800	800	800	800
2004	1구역	700	700	700	700	700	700	-	-	-	-	-	-
	2구역	800	800	800	800	800	800	-	-	-	-	-	-
	기 본	-	-	-	-	-	-	800	800	800	800	800	800
2005~06	기 본	800	800	800	800	800	800	800	800	800	800	800	800
2007	기 본	800	800	800	900	900	900	900	900	900	900	900	900
2008~11	기 본	900	900	900	900	900	900	900	900	900	900	900	900
2012	기 본	900	900	1,050	1,050	1,050	1,050	1,050	1,050	1,050	1,050	1,050	1,050
2013~14	기 본	1,050	1,050	1,050	1,050	1,050	1,050	1,050	1,050	1,050	1,050	1,050	1,050
2015	기 본	1,050	1,050	1,050	1,050	1,050	1,050	1,250	1,250	1,250	1,250	1,250	1,250
2016~22	기 본	1,250	1,250	1,250	1,250	1,250	1,250	1,250	1,250	1,250	1,250	1,250	1,250
2023	기 본	1,250	1,250	1,250	1,250	1,250	1,250	1,250	1,250	1,250	1,400	-	-

㊟ 1974~1985. 9의 초과금액은 ㎞당 가격임.
※변경일 ① 74. 8. 15 ④ 79. 5. 1 ⑦ 81. 12. 15 ⑩ 84. 8. 18 ⑬ 90. 12. 31 ⑯ 95. 11. 20 ⑲ 2000. 9. 1 ㉒ 2007. 4. 1
② 75. 7. 1 ⑤ 80. 8. 5 ⑧ 82. 7. 1 ⑪ 85. 10. 18 ⑭ 93. 2. 10 ⑰ 97. 7. 4 ⑳ 2003. 3. 1 ㉓ 2012. 2. 25
③ 78. 6. 21 ⑥ 81. 6. 1 ⑨ 82. 12. 15 ⑫ 86. 12. 29 ⑮ 94. 1. 15 ⑱ 99. 2. 18 ㉑ 2004. 7. 1 ㉔ 2015. 6. 27
㉕ 2020. 9. 29
※2004. 7. 1부터 거리비례제 시행
2004. 7. 1~2007. 3. 31 기본 12㎞, 초과 6㎞당(42㎞ 초과시 12㎞마다) 100원
2007. 4. 1~2015. 6. 26 기본 10㎞, 초과 5㎞당(40㎞ 초과시 10㎞마다) 100원
2015. 6. 27~ 현재 기본 10㎞, 초과 5㎞당(50㎞ 초과시 8㎞마다) 100원

일 반 택 시 요 금

(단위:원)

연 도	기 본 요 금											
	1월	2월	3월	4월	5월	6월	7월	8월	9월	10월	11월	12월
1970	60	80	80	80	80	80	80	80	80	80	80	80
71	80	80	80	80	80	80	80	80	80	80	80	80
72~73	90	90	90	90	90	90	90	90	90	90	90	90
74	90	160	160	160	160	160	160	160	160	160	160	160
75	160	160	160	160	160	160	200	200	200	200	200	200
76~77	200	200	200	200	200	200	200	200	200	200	200	200
78	200	200	200	200	200	250	250	250	250	250	250	250
79	250	250	250	250	250	250	250	250	250	250	250	400
80	400	500	500	500	500	500	500	500	500	500	500	500
81	500	500	500	500	500	600	600	600	600	600	600	600
82~88	600	600	600	600	600	600	600	600	600	600	600	600
89	600	600	600	600	600	600	700	700	700	700	700	700
90	700	700	700	700	700	700	700	700	700	700	700	700
91	700	800	800	800	800	800	800	800	800	800	800	800
92	800	800	800	800	800	900	900	900	900	900	900	900
93	900	900	900	900	900	900	900	900	900	900	900	900
94	900	1,000	1,000	1,000	1,000	1,000	1,000	1,000	1,000	1,000	1,000	1,000
95~97	1,000	1,000	1,000	1,000	1,000	1,000	1,000	1,000	1,000	1,000	1,000	1,000
98	1,000	1,300	1,300	1,300	1,300	1,300	1,300	1,300	1,300	1,300	1,300	1,300
99~00	1,300	1,300	1,300	1,300	1,300	1,300	1,300	1,300	1,300	1,300	1,300	1,300
2001	1,300	1,300	1,300	1,300	1,300	1,300	1,300	1,300	1,600	1,600	1,600	1,600
2002~04	1,600	1,600	1,600	1,600	1,600	1,600	1,600	1,600	1,600	1,600	1,600	1,600
2005	1,600	1,600	1,600	1,600	1,600	1,900	1,900	1,900	1,900	1,900	1,900	1,900
2006~08	1,900	1,900	1,900	1,900	1,900	1,900	1,900	1,900	1,900	1,900	1,900	1,900
2009	1,900	1,900	1,900	1,900	1,900	2,400	2,400	2,400	2,400	2,400	2,400	2,400
2010~12	2,400	2,400	2,400	2,400	2,400	2,400	2,400	2,400	2,400	2,400	2,400	2,400
2013	2,400	2,400	2,400	2,400	2,400	2,400	2,400	2,400	2,400	3,000	3,000	3,000
2014~18	3,000	3,000	3,000	3,000	3,000	3,000	3,000	3,000	3,000	3,000	3,000	3,000
2019	3,000	3,800	3,800	3,800	3,800	3,800	3,800	3,800	3,800	3,800	3,800	3,800
2020~22	3,800	3,800	3,800	3,800	3,800	3,800	3,800	3,800	3,800	3,800	3,800	3,800
2023	3,800	4,800	4,800	4,800	4,800	4,800	4,800	4,800	4,800	4,800	-	-

주 행 요 금

(단위:원)

연 도	기 본 요 금											
	1월	2월	3월	4월	5월	6월	7월	8월	9월	10월	11월	12월
1970	30	40	40	40	40	40	40	40	40	40	40	40
71	40	40	40	40	40	40	40	40	40	40	40	40
72~73	45	45	45	45	45	45	45	45	45	45	45	45
74	45	80	80	80	80	80	80	80	80	80	80	80
75	80	80	80	80	80	80	100	100	100	100	100	100
76~77	100	100	100	100	100	100	100	100	100	100	100	100
78	100	100	100	100	100	125	100	100	100	100	100	100
79	125	125	125	125	125	125	125	125	125	125	125	200
80	200	250	250	250	250	250	250	250	250	250	250	250
81	250	250	250	250	250	300	300	300	300	300	300	300
82~88	300	300	300	300	300	300	300	300	300	300	300	300
89	300	300	300	300	300	300	50	50	50	50	50	50
90	50	50	50	50	50	50	50	50	50	50	50	50
91	50	100	100	100	100	100	100	100	100	100	100	100
92~93	100	100	100	100	100	100	100	100	100	100	100	100
94	100	100	100	100	100	100	100	100	100	100	100	100
95~97	100	100	100	100	100	100	100	100	100	100	100	100
98~00	100	100	100	100	100	100	100	100	100	100	100	100
2001~04	100	100	100	100	100	100	100	100	100	100	100	100
2005	100	100	100	100	100	100	100	100	100	100	100	100
2006~08	100	100	100	100	100	100	100	100	100	100	100	100
2009	100	100	100	100	100	100	100	100	100	100	100	100
2010~12	100	100	100	100	100	100	100	100	100	100	100	100
2013	100	100	100	100	100	100	100	100	100	100	100	100
2014~15	100	100	100	100	100	100	100	100	100	100	100	100
2016~22	100	100	100	100	100	100	100	100	100	100	100	100
2023	100	100	100	100	100	100	100	100	100	100	-	-

주 ※기본요금: 2㎞ 기준임, (2023.2.1 04시 이후 1.6㎞ 기준임)
※주행요금: '70~'89. 7. 1이전 ㎞당, '89. 7. 1 이후 353m, '91. 2. 20 이후 424m, '92. 6. 24 이후 381m, '94. 2. 15 이후 279m, '95. 9. 1 이후 247m, '98. 2. 20 이후 210m, '01. 9. 1 이후 168m, '05. 6. 1 이후 144m, '13. 10. 12이후 142m. '23. 2. 1 이후 131m.
※시간요금: '85. 11. 1 이후 50원/96초, '89. 7. 1 이후 50원/85초, '91. 2. 20 이후 100원/102초, '92. 6. 14 이후 100원/92초, '94. 2. 15 이후 100원/67초, '95. 9. 1 이후 100원/60초, '98. 2. 20 이후 100원/51초, '01. 9. 1 이후 100원/41초, '05. 6. 1 이후 100원/35초. '23. 2. 1 이후 100원/30초.
※ '91. 2. 20 이후 중형택시 기준임.

시 내 버 스 요 금(1)

연도별	구분 \ 월별	1월	2월	3월	4월	5월	6월	7월	8월	9월	10월	11월	12월
1970	일반	10	10	10	10	10	10	10	10	10	15	15	15
	좌석	-	-	-	-	-	-	-	-	-	25	25	25
	일반할인	-	-	-	-	-	-	-	-	-	10	10	10
	좌석할인	-	-	-	-	-	-	-	-	-	20	20	20
1971	일반	15	15	15	15	15	15	15	15	15	15	15	15
	좌석	25	25	25	25	25	25	25	25	25	25	25	25
	일반할인	10	10	10	10	10	10	10	10	10	10	10	10
	좌석할인	20	20	20	20	20	20	20	20	20	20	20	20
1972	일반	15	20	20	20	20	20	20	20	20	20	20	20
	좌석	25	30	30	30	30	30	30	30	30	30	30	30
	일반할인	10	10	10	10	10	10	10	10	10	10	10	10
	좌석할인	20	20	20	20	20	20	20	20	20	20	20	20
1973	일반	20	20	20	20	20	20	20	20	20	20	20	20
	좌석	30	30	30	30	30	30	30	30	30	30	30	30
	일반할인	10	10	10	10	10	10	10	10	10	10	10	10
	좌석할인	20	20	20	20	20	20	20	20	20	20	20	20
1974	일반	20	25	25	25	25	25	25	25	25	25	25	25
	도시형	-	30	30	30	30	30	30	30	30	30	30	30
	좌석	30	35	35	35	35	35	35	35	35	35	35	35
	일반할인	10	15	15	15	15	15	15	15	15	15	15	15
	도시형할인	-	20	20	20	20	20	20	20	20	20	20	20
	좌석할인	20	-	-	-	-	-	-	-	-	-	-	-
1975	일반	25	25	25	25	25	25	30	30	30	30	30	30
	도시형	30	30	30	30	30	30	35	35	35	35	35	35
	좌석	35	35	35	35	35	35	35	35	35	35	35	35
	일반할인	15	15	15	15	15	15	20	20	20	20	20	20
	도시형할인	20	20	20	20	20	20	25	25	25	25	25	25
1976	일반	30	30	30	30	30	30	30	30	30	30	30	30
	도시형	35	35	35	35	35	35	35	35	35	35	35	35
	좌석	35	35	35	35	35	35	35	35	35	35	35	35
	일반할인	20	20	20	20	20	20	20	20	20	20	20	20
	도시형할인	25	25	25	25	25	25	25	25	25	25	25	25
1977	일반	30	30	30	30	30	30	30	30	30	35	35	35
	도시형	35	35	35	35	35	35	35	35	35	40	40	40
	좌석	35	35	35	35	35	35	35	35	35	-	-	-
	일반할인	20	20	20	20	20	20	20	20	20	25	25	25
	도시형할인	25	25	25	25	25	25	25	25	25	30	30	30
1978	일반	35	35	35	35	35	45	45	45	45	45	45	45
	도시형	40	40	40	40	40	50	50	50	50	50	50	50
	일반할인	25	25	25	25	25	30	30	30	30	30	30	30
	도시형할인	30	30	30	30	30	35	35	35	35	35	35	35
1979	일반	45	45	45	60	-	-	-	-	-	-	-	-
	도시형	50	50	50	60	60	60	60	60	60	60	60	80
	직행좌석	-	-	-	-	-	300	300	300	300	300	300	300
	일반할인	30	30	30	40	-	-	-	-	-	-	-	-
	도시형할인	35	35	35	50	50	50	50	50	50	50	50	55
1980	도시형	80	80	80	80	80	80	80	90	90	90	90	90
	직행좌석	300	300	300	300	300	300	300	300	300	300	300	300
	도시형할인	55	55	55	55	55	55	55	65	65	65	65	65
1981	도시형	90	90	90	90	90	110	110	110	110	110	110	110
	직행좌석	350	350	350	350	350	350	350	350	350	350	350	350
	도시형할인	65	65	65	65	65	60	60	60	60	60	60	60
1982	도시형	110	110	110	110	110	110	110	110	110	110	110	110
	직행좌석	350	350	350	350	350	350	350	350	350	350	350	350
	도시형할인	60	60	60	60	60	-	-	-	-	-	-	-
	도시형할인(초등학생)	-	-	-	-	-	60	60	60	60	60	60	60
	〃 (중·고·대학생)	-	-	-	-	-	85	85	85	85	85	85	85
1983	도시형	110	110	110	110	110	110	110	110	110	110	110	110
	직행좌석	350	350	350	350	350	350	350	350	350	350	350	350
	도시형할인(초등학생)	60	60	60	60	60	60	60	60	60	60	60	60
	〃 (중·고·대학생)	85	85	85	85	85	85	85	85	85	85	85	85

시 내 버 스 요 금(2)

연도별	구분 \ 월별	1월	2월	3월	4월	5월	6월	7월	8월	9월	10월	11월	12월
1984	도 시 형	110	110	110	110	110	110	110	120	120	120	120	120
	직 행 좌 석	350	350	350	350	350	350	350	350	350	350	350	350
	도시형할인(초등학생)	60	60	60	60	60	60	60	60	60	60	60	60
	〃 (중·고·대학생)	85	85	85	85	85	85	85	90	90	90	90	90
1985	도 시 형	120	120	120	120	120	120	120	120	120	120	120	120
	직 행 좌 석	350	350	350	350	350	350	350	350	350	350	350	350
	도시형할인(초등학생)	60	60	60	60	60	60	60	60	60	60	60	60
	〃 (중·고·대학생)	90	90	90	90	90	90	90	90	90	90	90	90
1986	도 시 형	120	120	120	120	120	120	120	120	120	120	120	120
	직 행 좌 석	350	350	350	350	350	350	350	350	350	350	350	350
	도시형할인(초등학생)	60	60	60	60	60	60	60	60	60	60	60	60
	〃 (중·고·대학생)	90	90	90	90	90	90	90	90	90	90	90	90
1987	도 시 형	120	120	120	120	120	120	120	120	120	120	120	120
	직 행 좌 석	350	350	350	350	350	350	350	350	350	350	350	350
	도시형할인(초등학생)	60	60	60	60	60	60	60	60	60	60	60	60
	〃 (중·고·대학생)	90	90	90	90	90	90	90	90	90	90	90	90
1988	도 시 형	140	140	140	140	140	140	140	140	140	140	140	140
	직 행 좌 석	400	400	400	400	400	400	400	400	400	400	400	400
	도시형할인(초등학생)	70	70	70	70	70	70	70	70	70	70	70	70
	〃 (중·고·대학생)	100	100	100	100	100	100	100	100	100	100	100	100
1989	도 시 형	140	140	140	140	140	140	140	140	140	140	140	140
	직 행 좌 석	400	400	400	400	400	400	400	400	400	400	400	400
	도시형할인(초등학생)	70	70	70	70	70	70	70	70	70	70	70	70
	〃 (중·고·대학생)	100	100	100	100	100	100	100	100	100	100	100	100
1990	도 시 형	140	140	140	140	140	140	140	140	140	140	140	140
	직 행 좌 석	400	400	400	400	400	400	400	400	400	400	400	400
	도시형할인(초등학생)	70	70	70	70	70	70	70	70	70	70	70	70
	〃 (중·고등학생)	100	100	100	100	100	100	100	100	100	100	100	100
1991	도 시 형	140	170	170	170	170	170	170	170	170	170	170	170
	직 행 좌 석	400	470	470	470	470	470	470	470	470	470	470	470
	도시형할인(초등학생)	70	80	80	80	80	80	80	80	80	80	80	80
	〃 (중·고등학생)	100	120	120	120	120	120	120	120	120	120	120	120
1992	도 시 형	170	210	210	210	210	210	210	210	210	210	210	210
	직 행 좌 석	470	500	500	500	500	500	500	500	500	500	500	500
	도시형할인(초등학생)	80	100	100	100	100	100	100	100	100	100	100	100
	〃 (중·고등학생)	120	150	150	150	150	150	150	150	150	150	150	150
1993	도 시 형	250	250	250	250	250	250	250	250	250	250	250	250
	좌 석	550	550	550	550	550	550	550	550	550	550	550	550
	도시형할인(초등학생)	120	120	120	120	120	120	120	120	120	120	120	120
	〃 (중·고등학생)	180	180	180	180	180	180	180	180	180	180	180	180
1994	도 시 형	250	290	290	290	290	290	290	290	290	290	290	290
	좌 석	550	600	600	600	600	600	600	600	600	600	600	600
	도시형할인(초등학생)	120	140	140	140	140	140	140	140	140	140	140	140
	〃 (중·고등학생)	180	200	200	200	200	200	200	200	200	200	200	200
1995	도 시 형	290	290	320	320	320	320	340	340	340	340	340	340
	좌 석	600	600	700	700	700	700	700	700	700	700	700	700
	도시형할인(초등학생)	140	140	150	150	150	150	150	150	150	150	150	150
	〃 (중·고등학생)	200	200	240	240	240	240	240	240	240	240	240	240
1996	도 시 형	340	340	340	340	340	340	400	400	400	400	400	400
	좌 석	700	700	700	700	700	700	800	800	800	800	800	800
	도시형할인(초등학생)	150	150	150	150	150	150	160	160	160	160	160	160
	〃 (중·고등학생)	240	240	240	240	240	240	270	270	270	270	270	270
1997	도 시 형	400	400	400	400	430	430	430	430	430	430	430	430
	좌 석	800	800	800	800	850	850	850	850	850	850	850	850
	도시형할인(초등학생)	160	160	160	160	170	170	170	170	170	170	170	170
	〃 (중·고등학생)	270	270	270	270	290	290	290	290	290	290	290	290
1998	도 시 형	500	500	500	500	500	500	500	500	500	500	500	500
	좌 석	1,000	1,000	1,000	1,000	1,000	1,000	1,000	1,000	1,000	1,000	1,000	1,000
	도시형할인(초등학생)	200	200	200	200	200	200	200	200	200	200	200	200
	〃 (중·고등학생)	340	340	340	340	340	340	340	340	340	340	340	340
1999	도 시 형	500	500	500	500	500	500	500	500	500	500	500	500
	좌 석	1,000	1,000	1,000	1,000	1,000	1,000	1,000	1,000	1,000	1,000	1,000	1,000
	도시형할인(초등학생)	200	200	200	200	200	200	200	200	200	200	200	200
	〃 (중·고등학생)	340	340	340	340	340	340	340	340	340	340	340	340
2000	도 시 형	500	500	500	500	500	500	600	600	600	600	600	600
	좌 석	1,000	1,000	1,000	1,000	1,000	1,000	1,200	1,200	1,200	1,200	1,200	1,200
	도시형할인(초등학생)	200	200	200	200	200	200	250	250	250	250	250	250
	〃 (중·고등학생)	340	340	340	340	340	340	450	450	450	450	450	450
2001	도 시 형	600	600	600	600	600	600	600	600	600	600	600	600
	좌 석	1,200	1,200	1,200	1,200	1,200	1,200	1,200	1,200	1,200	1,200	1,200	1,200
	도시형할인(초등학생)	250	250	250	250	250	250	250	250	250	250	250	250
	〃 (중·고등학생)	450	450	450	450	450	450	450	450	450	450	450	450
2002	도 시 형	600	600	600	600	600	600	600	600	600	600	600	600
	좌 석	1,200	1,200	1,200	1,200	1,200	1,200	1,200	1,200	1,200	1,200	1,200	1,200
	도시형할인(초등학생)	250	250	250	250	250	250	250	250	250	250	250	250
	〃 (중·고등학생)	450	450	450	450	450	450	450	450	450	450	450	450
2003	도 시 형	600	600	700	700	700	700	700	700	700	700	700	700
	좌 석	1,200	1,200	1,300	1,300	1,300	1,300	1,300	1,300	1,300	1,300	1,300	1,300
	도시형할인(초등학생)	250	250	300	300	300	300	300	300	300	300	300	300
	〃 (중·고등학생)	450	450	550	550	550	550	550	550	550	550	550	550
2004	간 선 , 지 선 형	700	700	700	700	700	700	900	900	900	900	900	900
	광 역	1,300	1,300	1,300	1,300	1,300	1,300	1,500	1,500	1,500	1,500	1,500	1,500
	간선,지선형할인(초등학생)	300	300	300	300	300	300	400	400	400	400	400	400
	〃 (청소년)	550	550	550	550	550	550	640	640	640	640	640	640

연도별	구 분 \ 월별	1월	2월	3월	4월	5월	6월	7월	8월	9월	10월	11월	12월
2005	파랑(간선),초록(지선)형	900	900	900	900	900	900	900	900	900	900	900	900
	빨 강 (광 역)	1,500	1,500	1,500	1,500	1,500	1,500	1,500	1,500	1,500	1,500	1,500	1,500
	파랑(간선),초록(지선)형할인(초등학생)	400	400	400	400	400	400	400	400	400	400	400	400
	〃 (청소년)	640	640	640	640	640	640	640	640	640	640	640	640
2006	파랑(간선),초록(지선)형	900	900	900	900	900	900	900	900	900	900	900	900
	빨 강 (광 역)	1,500	1,500	1,500	1,500	1,500	1,500	1,500	1,500	1,500	1,500	1,500	1,500
	파랑(간선),초록(지선)형할인(초등학생)	400	400	400	400	400	400	400	400	400	400	400	400
	〃 (청소년)	640	640	640	640	640	640	640	640	640	640	640	640
2007	파랑(간선),초록(지선)형	900	900	900	1,000	1,000	1,000	1,000	1,000	1,000	1,000	1,000	1,000
	빨 강 (광 역)	1,500	1,500	1,500	1,800	1,800	1,800	1,800	1,800	1,800	1,800	1,800	1,800
	파랑(간선),초록(지선)형할인(초등학생)	400	400	400	450	450	450	450	450	450	450	450	450
	〃 (청소년)	640	640	640	720	720	720	720	720	720	720	720	720
2008	파랑(간선),초록(지선)형	1,000	1,000	1,000	1,000	1,000	1,000	1,000	1,000	1,000	1,000	1,000	1,000
	빨 강 (광 역)	1,800	1,800	1,800	1,800	1,800	1,800	1,800	1,800	1,800	1,800	1,800	1,800
	파랑(간선),초록(지선)형할인(초등학생)	450	450	450	450	450	450	450	450	450	450	450	450
	〃 (청소년)	720	720	720	720	720	720	720	720	720	720	720	720
2009	파랑(간선),초록(지선)형	1,000	1,000	1,000	1,000	1,000	1,000	1,000	1,000	1,000	1,000	1,000	1,000
	빨 강 (광 역)	1,800	1,800	1,800	1,800	1,800	1,800	1,800	1,800	1,800	1,800	1,800	1,800
	파랑(간선),초록(지선)형할인(초등학생)	450	450	450	450	450	450	450	450	450	450	450	450
	〃 (청소년)	720	720	720	720	720	720	720	720	720	720	720	720
2010	파랑(간선),초록(지선)형	1,000	1,000	1,000	1,000	1,000	1,000	1,000	1,000	1,000	1,000	1,000	1,000
	빨 강 (광 역)	1,800	1,800	1,800	1,800	1,800	1,800	1,800	1,800	1,800	1,800	1,800	1,800
	파랑(간선),초록(지선)형할인(초등학생)	450	450	450	450	450	450	450	450	450	450	450	450
	〃 (청소년)	720	720	720	720	720	720	720	720	720	720	720	720
2011	파랑(간선),초록(지선)형	1,000	1,000	1,000	1,000	1,000	1,000	1,000	1,000	1,000	1,000	1,000	1,000
	빨 강 (광 역)	1,800	1,800	1,800	1,800	1,800	1,800	1,800	1,800	1,800	1,800	1,800	1,800
	파랑(간선),초록(지선)형할인(초등학생)	450	450	450	450	450	450	450	450	450	450	450	450
	〃 (청소년)	720	720	720	720	720	720	720	720	720	720	720	720
2012	파랑(간선),초록(지선)형	1,000	1,150	1,150	1,150	1,150	1,150	1,150	1,150	1,150	1,150	1,150	1,150
	빨 강 (광 역)	1,800	1,950	1,950	1,950	1,950	1,950	1,950	1,950	1,950	1,950	1,950	1,950
	파랑(간선),초록(지선)형할인(초등학생)	450	450	450	450	450	450	450	450	450	450	450	450
	〃 (청소년)	720	720	720	720	720	720	720	720	720	720	720	720
2013	파랑(간선),초록(지선)형	1,150	1,150	1,150	1,150	1,150	1,150	1,150	1,150	1,150	1,150	1,150	1,150
	빨 강 (광 역)	1,950	1,950	1,950	1,950	1,950	1,950	1,950	1,950	1,950	1,950	1,950	1,950
	파랑(간선),초록(지선)형할인(초등학생)	450	450	450	450	450	450	450	450	450	450	450	450
	〃 (청소년)	720	720	720	720	720	720	720	720	720	720	720	720
2014	파랑(간선),초록(지선)형	1,150	1,150	1,150	1,150	1,150	1,150	1,150	1,150	1,150	1,150	1,150	1,150
	빨 강 (광 역)	1,950	1,950	1,950	1,950	1,950	1,950	1,950	1,950	1,950	1,950	1,950	1,950
	파랑(간선),초록(지선)형할인(초등학생)	450	450	450	450	450	450	450	450	450	450	450	450
	〃 (청소년)	720	720	720	720	720	720	720	720	720	720	720	720
2015	파랑(간선),초록(지선)형	1,150	1,150	1,150	1,150	1,150	1,200	1,200	1,200	1,200	1,200	1,200	1,200
	빨 강 (광 역)	1,950	1,950	1,950	1,950	1,950	2,300	2,300	2,300	2,300	2,300	2,300	2,300
	파랑(간선),초록(지선)형할인(초등학생)	450	450	450	450	450	450	450	450	450	450	450	450
	〃 (청소년)	720	720	720	720	720	720	720	720	720	720	720	720
2016	파랑(간선),초록(지선)형	1,200	1,200	1,200	1,200	1,200	1,200	1,200	1,200	1,200	1,200	1,200	1,200
	빨 강 (광 역)	2,300	2,300	2,300	2,300	2,300	2,300	2,300	2,300	2,300	2,300	2,300	2,300
	파랑(간선),초록(지선)형할인(초등학생)	450	450	450	450	450	450	450	450	450	450	450	450
	〃 (청소년)	720	720	720	720	720	720	720	720	720	720	720	720
2017	파랑(간선),초록(지선)형	1,200	1,200	1,200	1,200	1,200	1,200	1,200	1,200	1,200	1,200	1,200	1,200
	빨 강 (광 역)	2,300	2,300	2,300	2,300	2,300	2,300	2,300	2,300	2,300	2,300	2,300	2,300
	파랑(간선),초록(지선)형할인(초등학생)	450	450	450	450	450	450	450	450	450	450	450	450
	〃 (청소년)	720	720	720	720	720	720	720	720	720	720	720	720
2018	파랑(간선),초록(지선)형	1,200	1,200	1,200	1,200	1,200	1,200	1,200	1,200	1,200	1,200	1,200	1,200
	빨 강 (광 역)	2,300	2,300	2,300	2,300	2,300	2,300	2,300	2,300	2,300	2,300	2,300	2,300
	파랑(간선),초록(지선)형할인(초등학생)	450	450	450	450	450	450	450	450	450	450	450	450
	〃 (청소년)	720	720	720	720	720	720	720	720	720	720	720	720
2019 ~2022	파랑(간선),초록(지선)형	1,200	1,200	1,200	1,200	1,200	1,200	1,200	1,200	1,200	1,200	1,200	1,200
	빨 강 (광 역)	2,300	2,300	2,300	2,300	2,300	2,300	2,300	2,300	2,300	2,300	2,300	2,300
	파랑(간선),초록(지선)형할인(초등학생)	450	450	450	450	450	450	450	450	450	450	450	450
	〃 (청소년)	720	720	720	720	720	720	720	720	720	720	720	720
2023	파랑(간선),초록(지선)형	1,200	1,200	1,200	1,200	1,200	1,200	1,200	1,200	1,500	1,500	-	-
	빨 강 (광 역)	2,300	2,300	2,300	2,300	2,300	2,300	2,300	2,300	3,000	3,000	-	-
	파랑(간선),초록(지선)형할인(초등학생)	450	450	450	450	450	450	450	450	550	550	-	-
	〃 (청소년)	720	720	720	720	720	720	720	720	900	900	-	-

[주] 변경년월일

① 70. 10. 6　⑤ 77. 10. 1　⑨ 79. 12. 19　⑬ 84. 8. 18　⑰ 92. 2. 16　㉑ 95. 7. 15　㉕ 00. 7. 1　㉙ 12. 2.25
② 72. 2. 11　⑥ 78. 6. 13　⑩ 80. 8. 5　⑭ 88. 2. 8　⑱ 93. 1. 25　㉒ 96. 7. 1　㉖ 03. 3. 10　㉚ 15. 6.27
③ 74. 2. 4　⑦ 79. 4. 15　⑪ 81. 6. 10　⑮ 90. 1. 1　⑲ 94. 2. 27　㉓ 97. 5. 26　㉗ 04. 7. 1
④ 75. 7. 1　⑧ 79. 6. 20　⑫ 82. 6. 1　⑯ 91. 2. 20　⑳ 95. 3. 20　㉔ 98. 1. 15　㉘ 07. 4. 1

[주] 2004년 7월 1일부터 할인요금(청소년, 초등학생)은 교통카드 할인요금 적용.

시외버스요금(완행) (1)

(1인 1㎞당)

연도별	구분 \ 월별	1월	2월	3월	4월	5월	6월	7월	8월	9월	10월	11월	12월
1970	포장	2.49	2.49	2.49	2.49	2.49	2.49	2.49	2.49	2.49	2.49	2.49	2.49
	비포장	2.78	2.78	2.78	2.78	2.78	2.78	2.78	2.78	2.78	2.78	2.78	2.78
	경인간	1.78	1.78	1.78	1.78	1.78	1.78	1.78	1.78	1.78	1.78	1.78	1.78
	최저요금(6㎞까지)	20	20	20	20	20	20	20	20	20	20	20	20
1971	포장	2.49	2.49	2.49	2.49	2.49	2.49	2.49	2.49	2.49	2.49	2.49	2.49
	비포장	2.78	2.78	2.78	2.78	2.78	2.78	2.78	2.78	2.78	2.78	2.78	2.78
	경인간	1.78	1.78	1.78	1.78	1.78	1.78	1.78	1.78	1.78	1.78	1.78	1.78
	최저요금(6㎞까지)	20	20	20	20	20	20	20	20	20	20	20	20
1972	포장	2.49	3.21	3.21	3.21	3.21	3.21	3.21	3.21	3.21	3.21	3.21	3.21
	비포장	2.78	3.59	3.59	3.59	3.59	3.59	3.59	3.59	3.59	3.59	3.59	3.59
	경인간	1.78	2.29	2.29	2.29	2.29	2.29	2.29	2.29	2.29	2.29	2.29	2.29
	최저요금(6㎞까지)	20	-	-	-	-	-	-	-	-	-	-	-
	〃 (8 〃)	-	30	30	30	30	30	30	30	30	30	30	30
1973	포장	3.21	3.21	3.21	3.21	3.21	3.21	3.21	3.21	3.21	3.21	3.21	3.21
	비포장	3.59	3.59	3.59	3.59	3.59	3.59	3.59	3.59	3.59	3.59	3.59	3.59
	경인간	2.29	2.29	2.29	2.29	2.29	2.29	2.29	2.29	2.29	2.29	2.29	2.29
	최저요금(8㎞까지)	30	30	30	30	30	30	30	30	30	30	30	30
1974	포장	3.21	4.45	4.45	4.45	4.45	4.45	4.45	4.45	4.45	4.45	4.45	4.45
	비포장	3.59	4.98	4.98	4.98	4.98	4.98	4.98	4.98	4.98	4.98	4.98	4.98
	경인간	2.29	3.17	3.17	3.17	3.17	3.17	3.17	3.17	3.17	3.17	3.17	3.17
	최저요금(8㎞까지)	30	40	40	40	40	40	40	40	40	40	40	40
1975	포장	4.45	4.45	4.45	4.45	4.45	4.45	5.18	5.18	5.18	5.18	5.18	5.18
	비포장	4.98	4.98	4.98	4.98	4.98	4.98	5.90	5.90	5.90	5.90	5.90	5.90
	경인간	3.17	3.17	3.17	3.17	3.17	3.17	3.68	3.68	3.68	3.68	3.68	3.68
	최저요금(8㎞까지)	40	40	40	40	40	40	45	45	45	45	45	45
1976	포장	5.18	5.18	5.18	5.18	5.18	5.18	5.18	5.18	5.18	5.18	5.18	5.18
	비포장	5.90	5.90	5.90	5.90	5.90	5.90	5.90	5.90	5.90	5.90	5.90	5.90
	경인간	3.68	3.68	3.68	3.68	3.68	3.68	3.68	3.68	3.68	3.68	3.68	3.68
	최저요금(8㎞까지)	45	45	45	45	45	45	45	45	45	45	45	45
1977	포장	5.18	5.18	5.18	5.18	5.18	5.18	5.18	5.18	5.18	5.18	5.18	5.18
	비포장	5.90	5.90	5.90	5.90	5.90	5.90	5.90	5.90	5.90	5.90	5.90	5.90
	경인간	3.68	3.68	3.68	3.68	3.68	3.68	3.68	3.68	3.68	3.68	3.68	3.68
	최저요금(8㎞까지)	45	45	45	45	45	45	45	45	45	45	45	45
1978	포장	5.18	5.18	5.18	5.18	5.18	6.73	6.73	6.73	6.73	6.73	6.73	6.73
	비포장	5.90	5.90	5.90	5.90	5.90	7.53	7.53	7.53	7.53	7.53	7.53	7.53
	경인간	3.68	3.68	3.68	3.68	3.68	4.78	4.78	4.78	4.78	4.78	4.78	4.78
	최저요금(8㎞까지)	45	45	45	45	45	60	60	60	60	60	60	60
1979	포장	6.73	6.73	6.73	6.73	8.78	8.78	8.78	8.78	8.78	8.78	8.78	10.31
	비포장	7.53	7.53	7.53	7.53	9.83	9.83	9.83	9.83	9.83	9.83	9.83	11.55
	경인간	4.78	4.78	4.78	4.78	6.24	6.24	6.24	6.24	6.24	6.24	6.24	7.80
	최저요금(8㎞까지)	60	60	60	60	80	80	80	80	80	80	80	-
	〃 (10 〃)	-	-	-	-	-	-	-	-	-	-	-	100
1980	포장	10.31	10.31	10.31	10.31	10.31	10.31	10.31	11.32	11.32	11.32	11.32	12.95
	비포장	11.55	11.55	11.55	11.55	11.55	11.55	11.55	12.68	12.68	12.68	12.68	14.51
	경인간	7.80	7.80	7.80	7.80	7.80	7.80	7.80	8.56	8.56	8.56	8.56	9.79
	최저요금(10㎞까지)	100	100	100	100	100	100	100	100	100	100	100	120
1981	포장	12.95	12.95	12.95	12.95	12.95	14.27	14.27	14.27	14.27	14.27	14.27	14.27
	비포장	14.51	14.51	14.51	14.51	14.51	16.00	16.00	16.00	16.00	16.00	16.00	16.00
	경인간	9.79	9.79	9.79	9.79	9.79	10.79	10.79	10.79	10.79	10.79	10.79	10.79
	최저요금(10㎞까지)	120	120	120	120	120	130	130	130	130	130	130	130
1982	포장	14.27	14.27	14.27	14.27	14.27	14.27	14.27	14.27	14.27	14.27	14.27	15.61
	비포장	16.00	16.00	16.00	16.00	16.00	16.00	16.00	16.00	16.00	16.00	16.00	17.51
	경인간	10.79	10.79	10.79	10.79	10.79	10.79	10.79	10.79	10.79	10.79	10.79	12.52
	최저요금(10㎞까지)	130	130	130	130	130	130	130	130	130	130	130	140
1983	포장	15.61	15.61	15.61	15.61	15.61	15.61	15.61	15.61	15.61	15.61	15.61	15.61
	비포장	17.51	17.51	17.51	17.51	17.51	17.51	17.51	17.51	17.51	17.51	17.51	17.51
	경인간	12.52	12.52	12.52	12.52	12.52	12.52	12.52	12.52	12.52	12.52	12.52	12.52
	최저요금(10㎞까지)	140	140	140	140	140	140	140	140	140	140	140	140
1984	포장	15.61	15.61	15.61	15.61	15.61	15.61	15.61	15.61	15.61	15.61	15.61	15.61
	비포장	17.51	17.51	17.51	17.51	17.51	17.51	17.51	17.51	17.51	17.51	17.51	17.51
	경인간	12.52	12.52	12.52	12.52	12.52	12.52	12.52	12.52	12.52	12.52	12.52	12.52
	최저요금(10㎞까지)	140	140	140	140	140	140	140	140	140	140	140	140
1985	포장	15.61	15.61	15.61	15.61	15.61	15.61	15.61	15.61	15.61	15.61	15.61	16.82
	비포장	17.51	17.51	17.51	17.51	17.51	17.51	17.51	17.51	17.51	17.51	17.51	18.88
	경인간	12.52	12.52	12.52	12.52	12.52	12.52	12.52	12.52	12.52	12.52	12.52	13.50
	최저요금(10㎞까지)	140	140	140	140	140	140	140	140	140	140	140	150
1986	포장	16.82	16.82	16.42	16.42	16.42	16.42	16.42	16.42	16.42	16.42	16.42	16.42
	비포장	18.88	18.88	18.44	18.44	18.44	18.44	18.44	18.44	18.44	18.44	18.44	18.44
	경인간	13.50	13.50	13.19	13.19	13.19	13.19	13.19	13.19	13.19	13.19	13.19	13.19
	최저요금(10㎞까지)	150	150	150	150	150	150	150	150	150	150	150	150
1987	포장	16.42	16.42	16.42	16.42	16.42	16.42	16.42	16.42	16.42	16.42	16.42	16.42
	비포장	18.44	18.44	18.44	18.44	18.44	18.44	18.44	18.44	18.44	18.44	18.44	18.44
	경인간	13.19	13.19	13.19	13.19	13.19	13.19	13.19	13.19	13.19	13.19	13.19	13.19
	최저요금(10㎞까지)	150	150	150	150	150	150	150	150	150	150	150	150
1988	포장	16.42	16.42	16.42	16.42	16.42	16.42	16.42	16.42	16.42	16.42	16.42	16.42
	비포장	18.44	18.44	18.44	18.44	18.44	18.44	18.44	18.44	18.44	18.44	18.44	18.44
	경인간	13.19	13.19	13.19	13.19	13.19	13.19	13.19	13.19	13.19	13.19	13.19	13.19
	최저요금(10㎞까지)	150	150	150	150	150	150	150	150	150	150	150	150

(1인 1km당)

연도별	구분 \ 월별	1월	2월	3월	4월	5월	6월	7월	8월	9월	10월	11월	12월
1989	포장	16.42	18.75	18.75	18.75	18.75	18.75	18.75	18.75	18.75	18.75	18.75	18.75
	비포장	18.44	21.06	21.06	21.06	21.06	21.06	21.06	21.06	21.06	21.06	21.06	21.06
	경인간	13.19	16.87	16.87	16.87	16.87	16.87	16.87	16.87	16.87	16.87	16.87	16.87
	최저요금(10km까지)	150	170	170	170	170	170	170	170	170	170	170	170
1990	포장	18.75	18.75	18.75	18.75	18.75	18.75	18.75	18.75	18.75	18.75	18.75	18.75
	비포장	21.06	21.06	21.06	21.06	21.06	21.06	21.06	21.06	21.06	21.06	21.06	21.06
	경인간	16.87	16.87	16.87	16.87	16.87	16.87	16.87	16.87	16.87	16.87	16.87	16.87
	최저요금(10km까지)	170	170	170	170	170	170	170	170	170	170	170	170
1991	포장	18.75	23.06	23.06	23.06	23.06	23.06	23.06	23.06	23.06	23.06	23.06	23.06
	비포장	21.06	25.90	25.90	25.90	25.90	25.90	25.90	25.90	25.90	25.90	25.90	25.90
	경인간	16.87	20.75	20.75	20.75	20.75	20.75	20.75	20.75	20.75	20.75	20.75	20.75
	최저요금(10km까지)	170	210	210	210	210	210	210	210	210	210	210	210
1992	포장	23.06	28.62	28.62	28.62	28.62	28.62	28.62	28.62	28.62	28.62	28.62	28.62
	비포장	25.90	32.14	32.14	32.14	32.14	32.14	32.14	32.14	32.14	32.14	32.14	32.14
	경인간	20.75	26.78	26.78	26.78	26.78	26.78	26.78	26.78	26.78	26.78	26.78	26.78
	최저요금(10km까지)	210	260	260	260	260	260	260	260	260	260	260	260
1993	포장	34.49	34.49	34.49	34.49	34.49	34.49	34.49	34.49	34.49	34.49	34.49	34.49
	비포장	38.73	38.73	38.73	38.73	38.73	38.73	38.73	38.73	38.73	38.73	38.73	38.73
	경인간	33.60	33.60	33.60	33.60	33.60	33.60	33.60	33.60	33.60	33.60	33.60	33.60
	최저요금(10km까지)	310	310	310	310	310	310	310	310	310	310	310	310
1994	포장	34.49	34.49	40.00	40.00	40.00	40.00	40.00	40.00	40.00	40.00	40.00	40.00
	비포장	38.73	38.73	44.92	44.92	44.92	44.92	44.92	44.92	44.92	44.92	44.92	44.92
	경인간	33.60	33.60	40.00	40.00	40.00	40.00	40.00	40.00	40.00	40.00	40.00	40.00
	최저요금(10km까지)	310	310	350	350	350	350	350	350	350	350	350	350
1995	포장	40.00	40.00	40.00	44.00	44.00	44.00	44.00	44.00	44.00	44.00	44.00	44.00
	비포장	44.92	44.92	44.92	49.00	49.00	49.00	49.00	49.00	49.00	49.00	49.00	49.00
	경인간	40.00	40.00	40.00	44.00	44.00	44.00	44.00	44.00	44.00	44.00	44.00	44.00
	최저요금(10km까지)	350	350	350	400	400	400	400	400	400	400	400	400
1996	포장	44.00	44.00	44.00	47.74	47.74	47.74	47.74	47.74	47.74	47.74	47.74	47.74
	비포장	49.00	49.00	49.00	53.17	53.17	53.17	53.17	53.17	53.17	53.17	53.17	53.17
	경인간	44.00	44.00	44.00	47.74	47.74	47.74	47.74	47.74	47.74	47.74	47.74	47.74
	최저요금(10km까지)	400	400	400	450	450	450	450	450	450	450	450	450
1997	포장	47.74	47.74	47.74	47.74	51.56	51.56	51.56	51.56	51.56	51.56	51.56	51.56
	비포장	53.17	53.17	53.17	53.17	57.42	57.42	57.42	57.42	57.42	57.42	57.42	57.42
	경인간	47.74	47.74	47.74	47.74	51.56	51.56	51.56	51.56	51.56	51.56	51.56	51.56
	최저요금(10km까지)	450	450	450	450	500	500	500	500	500	500	500	500
1998	포장	62.90	62.90	62.90	62.90	62.90	62.90	62.90	62.90	62.90	62.90	62.90	62.90
	비포장	70.05	70.05	70.05	70.05	70.05	70.05	70.05	70.05	70.05	70.05	70.05	70.05
	경인간	62.90	62.90	62.90	62.90	62.90	62.90	62.90	62.90	62.90	62.90	62.90	62.90
	최저요금(10km까지)	600	600	600	600	600	600	600	600	600	600	600	600
1999	포장	62.90	62.90	62.90	62.90	62.90	62.90	62.90	62.90	62.90	62.90	62.90	62.90
	비포장	70.05	70.05	70.05	70.05	70.05	70.05	70.05	70.05	70.05	70.05	70.05	70.05
	경인간	62.90	62.90	62.90	62.90	62.90	62.90	62.90	62.90	62.90	62.90	62.90	62.90
	최저요금(10km까지)	600	600	600	600	600	600	600	600	600	600	600	600
2000	포장	62.90	62.90	62.90	62.90	62.90	62.90	69.19	69.19	69.19	69.19	69.19	69.19
	비포장	70.05	70.05	70.05	70.05	70.05	70.05	77.06	77.06	77.06	77.06	77.06	77.06
	경인간	62.90	62.90	62.90	62.90	62.90	62.90	69.19	69.19	69.19	69.19	69.19	69.19
	최저요금(10km까지)	600	600	600	600	600	600	700	700	700	700	700	700
2001	포장	69.19	69.19	69.19	69.19	69.19	69.19	69.19	69.19	69.19	69.19	69.19	69.19
	비포장	77.06	77.06	77.06	77.06	77.06	77.06	77.06	77.06	77.06	77.06	77.06	77.06
	경인간	69.19	69.19	69.19	69.19	69.19	69.19	69.19	69.19	69.19	69.19	69.19	69.19
	최저요금(10km까지)	700	700	700	700	700	700	700	700	700	700	700	700
2002	포장	69.19	69.19	74.72	74.72	74.72	74.72	74.72	74.72	74.72	74.72	74.72	74.72
	비포장	77.06	77.06	-	-	-	-	-	-	-	-	-	-
	경인간	69.19	69.19	74.72	74.72	74.72	74.72	74.72	74.72	74.72	74.72	74.72	74.72
	최저요금(10km까지)	700	700	750	750	750	750	750	750	750	750	750	750
2003	포장	74.72	74.72	74.72	74.72	74.72	74.72	74.72	74.72	74.72	74.72	74.72	74.72
	비포장	-	-	-	-	-	-	-	-	-	-	-	-
	경인간	74.72	74.72	74.72	74.72	74.72	74.72	74.72	74.72	74.72	74.72	74.72	74.72
	최저요금(10km까지)	750	750	750	750	750	750	750	750	750	750	750	750
2004	포장	74.72	74.72	74.72	74.72	74.72	74.72	83.68	83.68	83.68	83.68	83.68	83.68
	비포장	-	-	-	-	-	-	-	-	-	-	-	-
	경인간	74.72	74.72	74.72	74.72	74.72	74.72	83.68	83.68	83.68	83.68	83.68	83.68
	최저요금(10km까지)	750	750	750	750	750	750	850	850	850	850	850	850
2005	포장	83.68	83.68	83.68	83.68	83.68	83.68	83.68	83.68	83.68	83.68	83.68	83.68
	비포장	-	-	-	-	-	-	-	-	-	-	-	-
	경인간	83.68	83.68	83.68	83.68	83.68	83.68	83.68	83.68	83.68	83.68	83.68	83.68
	최저요금(10km까지)	850	850	850	850	850	850	850	850	850	850	850	850
2006	일반국도구간	83.68	83.68	83.68	83.68	83.68	83.68	83.68	92.55	92.55	92.55	92.55	92.55
	고속도로구간												
	1~200km	-	-	-	-	-	-	-	57.20	57.20	57.20	57.20	57.20
	201~400km	-	-	-	-	-	-	-	52.19	52.19	52.19	52.19	52.19
	401km이상	-	-	-	-	-	-	-	47.48	47.48	47.48	47.48	47.48
	최저요금	850	850	850	850	850	850	850	1,000	1,000	1,000	1,000	1,000
2007	일반국도구간	92.55	92.55	92.55	92.55	92.55	92.55	92.55	92.55	92.55	92.55	92.55	92.55
	고속도로구간												
	1~200km	57.20	57.20	57.20	57.20	57.20	57.20	57.20	57.20	57.20	57.20	57.20	57.20
	201~400km	52.19	52.19	52.19	52.19	52.19	52.19	52.19	52.19	52.19	52.19	52.19	52.19
	401km이상	47.48	47.48	47.48	47.48	47.48	47.48	47.48	47.48	47.48	47.48	47.48	47.48
	최저요금	1,000	1,000	1,000	1,000	1,000	1,000	1,000	1,000	1,000	1,000	1,000	1,000

시외버스요금(완행) (2)

(1인 1㎞당)

연도별	구분 \ 월별	1월	2월	3월	4월	5월	6월	7월	8월	9월	10월	11월	12월
2008	일반국도구간	92.55	92.55	92.55	92.55	92.55	92.55	92.55	92.55	92.55	100.88	100.88	100.88
	고속도로구간												
	1~200㎞	57.20	57.20	57.20	57.20	57.20	57.20	57.20	57.20	57.20	57.20	57.20	57.20
	201~400㎞	52.19	52.19	52.19	52.19	52.19	52.19	52.19	52.19	52.19	52.19	52.19	52.19
	401㎞이상	47.48	47.48	47.48	47.48	47.48	47.48	47.48	47.48	47.48	47.48	47.48	47.48
	최저요금	1,000	1,000	1,000	1,000	1,000	1,000	1,000	1,000	1,000	1,100	1,100	1,100
2009	일반국도구간	100.88	100.88	100.88	100.88	100.88	100.88	100.88	100.88	100.88	100.88	100.88	100.88
	고속도로구간												
	1~200㎞	57.20	57.20	57.20	57.20	57.20	57.20	57.20	57.20	57.20	57.20	57.20	57.20
	201~400㎞	52.19	52.19	52.19	52.19	52.19	52.19	52.19	52.19	52.19	52.19	52.19	52.19
	401㎞이상	47.48	47.48	47.48	47.48	47.48	47.48	47.48	47.48	47.48	47.48	47.48	47.48
	최저요금	1,100	1,100	1,100	1,100	1,100	1,100	1,100	1,100	1,100	1,100	1,100	1,100
2010	일반국도구간	100.88	100.88	100.88	100.88	100.88	100.88	100.88	107.84	107.84	107.84	107.84	107.84
	고속도로구간												
	1~200㎞	57.20	57.20	57.20	57.20	57.20	57.20	57.20	59.78	59.78	59.78	59.78	59.78
	201~400㎞	52.19	52.19	52.19	52.19	52.19	52.19	52.19	52.90	52.90	52.90	52.90	52.90
	401㎞이상	47.48	47.48	47.48	47.48	47.48	47.48	47.48	48.30	48.30	48.30	48.30	48.30
	최저요금	1,100	1,100	1,100	1,100	1,100	1,100	1,100	1,200	1,200	1,200	1,200	1,200
2011	일반국도구간	107.84	107.84	107.84	107.84	107.84	107.84	107.84	107.84	107.84	107.84	107.84	107.84
	고속도로구간												
	1~200㎞	59.78	59.78	59.78	59.78	59.78	59.78	59.78	59.78	59.78	59.78	59.78	59.78
	201~400㎞	52.90	52.90	52.90	52.90	52.90	52.90	52.90	52.90	52.90	52.90	52.90	52.90
	401㎞이상	48.30	48.30	48.30	48.30	48.30	48.30	48.30	48.30	48.30	48.30	48.30	48.30
	최저요금	1,200	1,200	1,200	1,200	1,200	1,200	1,200	1,200	1,200	1,200	1,200	1,200
2012	일반국도구간	107.84	107.84	107.84	107.84	107.84	107.84	107.84	107.84	107.84	107.84	107.84	107.84
	고속도로구간												
	1~200㎞	59.78	59.78	59.78	59.78	59.78	59.78	59.78	59.78	59.78	59.78	59.78	59.78
	201~400㎞	52.90	52.90	52.90	52.90	52.90	52.90	52.90	52.90	52.90	52.90	52.90	52.90
	401㎞이상	48.30	48.30	48.30	48.30	48.30	48.30	48.30	48.30	48.30	48.30	48.30	48.30
	최저요금	1,200	1,200	1,200	1,200	1,200	1,200	1,200	1,200	1,200	1,200	1,200	1,200
2013	일반국도구간	107.84	107.84	116.14	116.14	116.14	116.14	116.14	116.14	116.14	116.14	116.14	116.14
	고속도로구간												
	1~200㎞	59.78	59.78	62.35	62.35	62.35	62.35	62.35	62.35	62.35	62.35	62.35	62.35
	201~400㎞	52.90	52.90	55.17	55.17	55.17	55.17	55.17	55.17	55.17	55.17	55.17	55.17
	401㎞이상	48.30	48.30	50.38	50.38	50.38	50.38	50.38	50.38	50.38	50.38	50.38	50.38
	최저요금	1,200	1,200	1,300	1,300	1,300	1,300	1,300	1,300	1,300	1,300	1,300	1,300
2014~2018	일반국도구간	116.14	116.14	116.14	116.14	116.14	116.14	116.14	116.14	116.14	116.14	116.14	116.14
	고속도로구간												
	1~200㎞	62.35	62.35	62.35	62.35	62.35	62.35	62.35	62.35	62.35	62.35	62.35	62.35
	201~400㎞	55.17	55.17	55.17	55.17	55.17	55.17	55.17	55.17	55.17	55.17	55.17	55.17
	401㎞이상	50.38	50.38	50.38	50.38	50.38	50.38	50.38	50.38	50.38	50.38	50.38	50.38
	최저요금	1,300	1,300	1,300	1,300	1,300	1,300	1,300	1,300	1,300	1,300	1,300	1,300
2019~2021	일반국도구간	116.14	116.14	116.14	116.14	116.14	116.14	116.14	116.14	116.14	116.14	116.14	116.14
	고속도로구간												
	1~200㎞	62.35	62.35	70.77	70.77	70.77	70.77	70.77	70.77	70.77	70.77	70.77	70.77
	201~400㎞	55.17	55.17	62.62	62.62	62.62	62.62	62.62	62.62	62.62	62.62	62.62	62.62
	401㎞이상	50.38	50.38	57.18	57.18	57.18	57.18	57.18	57.18	57.18	57.18	57.18	57.18
	최저요금	1,300	1,300	1,300	1,300	1,300	1,300	1,300	1,300	1,300	1,300	1,300	1,300
2022	일반국도구간	116.14	116.14	116.14	116.14	116.14	116.14	116.14	116.14	116.14	116.14	138.41	138.41
	고속도로구간												
	1~200㎞	70.77	70.77	70.77	70.77	70.77	70.77	70.77	70.77	70.77	70.77	74.31	74.31
	201~400㎞	62.62	62.62	62.62	62.62	62.62	62.62	62.62	62.62	62.62	62.62	65.75	65.75
	401㎞이상	57.18	57.18	57.18	57.18	57.18	57.18	57.18	57.18	57.18	57.18	60.04	60.04
	최저요금	1,300	1,300	1,300	1,300	1,300	1,300	1,300	1,300	1,300	1,300	1,600	1,600
2023	일반국도구간	138.41	138.41	138.41	138.41	138.41	138.41	145.33	145.33	145.33	145.33	-	-
	고속도로구간												
	1~200㎞	74.31	74.31	74.31	74.31	74.31	74.31	78.03	78.03	78.03	78.03	-	-
	201~400㎞	65.75	65.75	65.75	65.75	65.75	65.75	69.04	69.04	69.04	69.04	-	-
	401㎞이상	60.04	60.04	60.04	60.04	60.04	60.04	63.04	63.04	63.04	63.04	-	-
	최저요금	1,600	1,600	1,600	1,600	1,600	1,600	1,700	1,700	1,700	1,700	-	-

㈜ 변경년월일

①72. 2. 1 ②74. 2. 4 ③75. 7. 1 ④78. 6. 1
⑤79. 5. 1 ⑥79. 12. 23 ⑦80. 2. 5 ⑧80. 8. 10
⑨80. 12. 21 ⑩81. 6. 10 ⑪82. 12. 15 ⑫85. 12. 3
⑬86. 3. 17 ⑭89. 2. 10 ⑮91. 2. 20 ⑯92. 2. 16
⑰93. 1. 25 ⑱94. 3. 26 ⑲95. 4. 1 ⑳96. 4. 16
㉑97. 5. 9 ㉒98. 1. 5 ㉓00. 7. 25 ㉔02. 3. 25
㉕04. 7. 1 ㉖06. 8. 8 ㉗08.10.20 ㉘10. 8.16
㉙13. 3. 2 ㉚19. 3. 1 ㉛22. 11. 1 ㉜23. 7. 11

고속직행버스요금 (1)

(1인 1km당)

연도별	구분 ＼ 월별	1월	2월	3월	4월	5월	6월	7월	8월	9월	10월	11월	12월
1970	1~200km	-	-	-	-	-	-	-	-	-	-	-	-
	201~400	3.50	3.50	3.50	3.50	3.50	3.50	3.50	3.50	3.50	3.50	3.50	3.50
	401 이상	-	-	-	-	-	-	-	-	-	-	-	-
1971	1~200	-	-	-	-	-	-	-	-	-	-	-	-
	201~400	3.50	3.50	3.50	3.50	3.50	3.50	3.50	3.50	3.50	3.50	3.50	3.50
	401 이상	-	-	-	-	-	-	-	-	-	-	-	-
1972	1~200	-	-	-	-	-	-	-	-	-	-	-	-
	201~400	3.50	4.28	4.28	4.28	4.28	4.28	4.28	4.28	4.28	4.28	4.28	4.28
	401 이상	-	-	-	-	-	-	-	-	-	-	-	-
1973	1~200	-	-	-	-	-	-	-	-	-	-	-	-
	201~400	4.28	4.28	4.28	4.28	4.28	4.28	4.28	4.28	4.28	4.28	4.28	4.28
	401 이상	-	-	-	-	-	-	-	-	-	-	-	-
1974	1~200	-	-	-	-	-	-	-	-	-	-	-	-
	201~400	4.28	4.39	4.39	4.39	4.39	4.39	4.39	4.39	4.39	4.39	4.39	4.39
	401 이상	-	-	-	-	-	-	-	-	-	-	-	-
1975	1~200	-	-	-	-	-	-	5.27	5.27	5.27	5.27	5.27	5.27
	201~400	4.39	4.39	4.39	4.39	4.39	4.39	4.83	4.83	4.83	4.83	4.83	4.83
	401 이상	-	-	-	-	-	-	4.39	4.39	4.39	4.39	4.39	4.39
1976	1~200	5.27	5.27	5.27	5.27	5.27	5.27	5.27	5.27	5.27	5.27	5.27	5.27
	201~400	4.83	4.83	4.83	4.83	4.83	4.83	4.83	4.83	4.83	4.83	4.83	4.83
	401 이상	4.39	4.39	4.39	4.39	4.39	4.39	4.39	4.39	4.39	4.39	4.39	4.39
1977	1~200	5.27	5.27	5.27	5.27	5.27	5.27	5.01	5.01	5.01	5.01	5.01	5.01
	201~400	4.83	4.83	4.83	4.83	4.83	4.83	4.59	4.59	4.59	4.59	4.59	4.59
	401 이상	4.39	4.39	4.39	4.39	4.39	4.39	4.17	4.17	4.17	4.17	4.17	4.17
1978	1~200	5.01	5.01	5.01	5.01	5.01	6.00	6.00	6.00	6.00	6.00	6.00	6.00
	201~400	4.59	4.59	4.59	4.59	4.59	5.50	5.50	5.50	5.50	5.50	5.50	5.50
	401 이상	4.17	4.17	4.17	4.17	4.17	5.00	5.00	5.00	5.00	5.00	5.00	5.00
1979	1~200	6.00	6.00	6.00	6.00	7.71	7.71	7.71	7.71	7.71	7.71	7.71	9.75
	201~400	5.50	5.50	5.50	5.50	7.07	7.07	7.07	7.07	7.07	7.07	7.07	8.94
	401 이상	5.00	5.00	5.00	5.00	6.43	6.43	6.43	6.43	6.43	6.43	6.43	8.13
1980	1~200	9.75	10.52	10.52	10.52	10.52	10.52	10.52	10.52	10.52	10.52	10.52	11.84
	201~400	8.94	9.63	9.63	9.63	9.63	9.63	9.63	9.63	9.63	9.63	9.63	10.83
	401 이상	8.13	8.76	8.76	8.76	8.76	8.76	8.76	8.76	8.76	8.76	8.76	9.85
1981	1~200	11.84	11.84	11.84	11.84	11.84	12.79	12.79	12.79	12.79	12.79	12.79	12.79
	201~400	10.83	10.83	10.83	10.83	10.83	11.69	11.69	11.69	11.69	11.69	11.69	11.69
	401 이상	9.85	9.85	9.85	9.85	9.85	10.63	10.63	10.63	10.63	10.63	10.63	10.63
1982	1~200	12.79	12.79	12.79	12.79	12.79	12.79	12.79	12.79	12.79	12.79	12.79	13.87
	201~400	11.69	11.69	11.69	11.69	11.69	11.69	11.69	11.69	11.69	11.69	11.69	12.67
	401 이상	10.63	10.63	10.63	10.63	10.63	10.63	10.63	10.63	10.63	10.63	10.63	11.52
1983	1~200	13.87	13.87	13.87	13.87	13.87	13.87	13.87	13.87	13.87	13.87	13.87	13.87
	201~400	12.67	12.67	12.67	12.67	12.67	12.67	12.67	12.67	12.67	12.67	12.67	12.67
	401 이상	11.52	11.52	11.52	11.52	11.52	11.52	11.52	11.52	11.52	11.52	11.52	11.52
1984	1~200	13.87	13.87	13.87	13.87	13.87	13.87	13.87	13.87	13.87	13.87	13.87	13.87
	201~400	12.67	12.67	12.67	12.67	12.67	12.67	12.67	12.67	12.67	12.67	12.67	12.67
	401 이상	11.52	11.52	11.52	11.52	11.52	11.52	11.52	11.52	11.52	11.52	11.52	11.52
1985	1~200	13.87	13.87	13.87	13.87	13.87	13.87	13.87	13.87	13.87	13.87	13.87	14.92
	201~400	12.67	12.67	12.67	12.67	12.67	12.67	12.67	12.67	12.67	12.67	12.67	13.62
	401 이상	11.52	11.52	11.52	11.52	11.52	11.52	11.52	11.52	11.52	11.52	11.52	12.38
1986	1~200	14.92	14.92	14.61	14.61	14.61	14.61	14.61	14.61	14.61	14.61	14.61	14.61
	201~400	13.62	13.62	13.33	13.33	13.33	13.33	13.33	13.33	13.33	13.33	13.33	13.33
	401 이상	12.38	12.38	12.12	12.12	12.12	12.12	12.12	12.12	12.12	12.12	12.12	12.12
1987	1~200	14.61	14.61	14.61	14.61	14.61	14.61	14.61	14.61	14.61	14.61	14.61	14.61
	201~400	13.33	13.33	13.33	13.33	13.33	13.33	13.33	13.33	13.33	13.33	13.33	13.33
	401 이상	12.12	12.12	12.12	12.12	12.12	12.12	12.12	12.12	12.12	12.12	12.12	12.12
1988	1~200	14.61	14.61	14.61	14.61	14.61	14.61	14.61	14.61	14.61	14.61	14.61	14.61
	201~400	13.33	13.33	13.33	13.33	13.33	13.33	13.33	13.33	13.33	13.33	13.33	13.33
	401 이상	12.12	12.12	12.12	12.12	12.12	12.12	12.12	12.12	12.12	12.12	12.12	12.12
1989	1~200	14.61	14.61	14.61	14.61	14.61	14.61	14.61	14.61	14.61	14.61	14.61	14.61
	201~400	13.33	13.33	13.33	13.33	13.33	13.33	13.33	13.33	13.33	13.33	13.33	13.33
	401 이상	12.12	12.12	12.12	12.12	12.12	12.12	12.12	12.12	12.12	12.12	12.12	12.12
1990	1~200km	14.61	14.61	14.61	14.61	14.61	14.61	14.61	14.61	14.61	14.61	14.61	14.61
	201~400	13.33	13.33	13.33	13.33	13.33	13.33	13.33	13.33	13.33	13.33	13.33	13.33
	401 이상	12.12	12.12	12.12	12.12	12.12	12.12	12.12	12.12	12.12	12.12	12.12	12.12
1991	1~200	14.61	17.67	17.67	17.67	17.67	17.67	17.67	17.67	17.67	17.67	17.67	17.67
	201~400	13.33	16.12	16.12	16.12	16.12	16.12	16.12	16.12	16.12	16.12	16.12	16.12
	401 이상	12.12	14.66	14.66	14.66	14.66	14.66	14.66	14.66	14.66	14.66	14.66	14.66
1992	1~200	17.67	19.00	19.00	19.00	19.00	19.00	19.00	19.00	19.00	19.00	19.00	19.00
	201~400	16.12	17.33	17.33	17.33	17.33	17.33	17.33	17.33	17.33	17.33	17.33	17.33
	401 이상	14.66	15.76	15.76	15.76	15.76	15.76	15.76	15.76	15.76	15.76	15.76	15.76
1993	1~200km(직행)	22.61	22.61	22.61	22.61	22.61	22.61	22.61	22.61	22.61	22.61	22.61	22.61
	〃 (우등)	33.92	33.92	33.92	33.92	33.92	33.92	33.92	33.92	33.92	33.92	33.92	33.92
	201~400 (직행)	20.62	20.62	20.62	20.62	20.62	20.62	20.62	20.62	20.62	20.62	20.62	20.62
	〃 (우등)	30.93	30.93	30.93	30.93	30.93	30.93	30.93	30.93	30.93	30.93	30.93	30.93
	401 이상 (직행)	18.75	18.75	18.75	18.75	18.75	18.75	18.75	18.75	18.75	18.75	18.75	18.75
	〃 (우등)	28.13	28.13	28.13	28.13	28.13	28.13	28.13	28.13	28.13	28.13	28.13	28.13
1994	1~200km(직행)	22.61	22.61	25.84	25.84	25.84	25.84	25.84	25.84	25.84	25.84	25.84	25.84
	〃 (우등)	33.92	33.92	38.76	38.76	38.76	38.76	38.76	38.76	38.76	38.76	38.76	38.76
	201~400 (직행)	20.62	20.62	23.56	23.56	23.56	23.56	23.56	23.56	23.56	23.56	23.56	23.56
	〃 (우등)	30.93	30.93	35.34	35.34	35.34	35.34	35.34	35.34	35.34	35.34	35.34	35.34
	401 이상 (직행)	18.75	18.75	21.43	21.43	21.43	21.43	21.43	21.43	21.43	21.43	21.43	21.43
	〃 (우등)	28.13	28.13	32.14	32.14	32.14	32.14	32.14	32.14	32.14	32.14	32.14	32.14

고속직행버스요금 (2)

(1인 1㎞당)

연도별	구 분 (월별)	1월	2월	3월	4월	5월	6월	7월	8월	9월	10월	11월	12월
1995	1~200㎞(직행)	25.84	25.84	25.84	28.60	28.60	28.60	28.60	28.60	28.60	28.60	28.60	28.60
	〃 (우등)	38.76	38.76	38.76	41.80	41.80	41.80	41.80	41.80	41.80	41.80	41.80	41.80
	201~400 (직행)	23.56	23.56	23.56	25.30	25.30	25.30	25.30	25.30	25.30	25.30	25.30	25.30
	〃 (우등)	35.34	35.34	35.34	38.50	38.50	38.50	38.50	38.50	38.50	38.50	38.50	38.50
	401 이상 (직행)	21.43	21.43	21.43	23.10	23.10	23.10	23.10	23.10	23.10	23.10	23.10	23.10
	〃 (우등)	32.14	32.14	32.14	35.20	35.20	35.20	35.20	35.20	35.20	35.20	35.20	35.20
1996	1~200㎞(직행)	28.60	28.60	28.60	31.17	31.17	31.17	31.17	31.17	31.17	31.17	31.17	31.17
	〃 (우등)	41.80	41.80	41.80	45.56	45.56	45.56	45.56	45.56	45.56	45.56	45.56	45.56
	201~400 (직행)	25.30	25.30	25.30	27.58	27.58	27.58	27.58	27.58	27.58	27.58	27.58	27.58
	〃 (우등)	38.50	38.50	38.50	41.97	41.97	41.97	41.97	41.97	41.97	41.97	41.97	41.97
	401 이상 (직행)	23.10	23.10	23.10	25.18	25.18	25.18	25.18	25.18	25.18	25.18	25.18	25.18
	〃 (우등)	35.20	35.20	35.20	38.37	38.37	38.37	38.37	38.37	38.37	38.37	38.37	38.37
1997	1~200㎞(직행)	31.17	31.17	31.17	31.17	33.51	33.51	33.51	33.51	33.51	33.51	33.51	33.51
	〃 (우등)	45.56	45.56	45.56	45.56	48.98	48.98	48.98	48.98	48.98	48.98	48.98	48.98
	201~400 (직행)	27.58	27.58	27.58	27.58	29.65	29.65	29.65	29.65	29.65	29.65	29.65	29.65
	〃 (우등)	41.97	41.97	41.97	41.97	45.12	45.12	45.12	45.12	45.12	45.12	45.12	45.12
	401 이상 (직행)	25.18	25.18	25.18	25.18	27.07	27.07	27.07	27.07	27.07	27.07	27.07	27.07
	〃 (우등)	38.37	38.37	38.37	38.37	41.25	41.25	41.25	41.25	41.25	41.25	41.25	41.25
1998	1~200㎞(직행)	38.87	38.87	38.87	38.87	38.87	38.87	38.87	38.87	38.87	38.87	38.87	38.87
	〃 (우등)	56.82	56.82	56.82	56.82	56.82	56.82	56.82	56.82	56.82	56.82	56.82	56.82
	201~400 (직행)	34.39	34.39	34.39	34.39	34.39	34.39	34.39	34.39	34.39	34.39	34.39	34.39
	〃 (우등)	52.34	52.34	52.34	52.34	52.34	52.34	52.34	52.34	52.34	52.34	52.34	52.34
	401 이상 (직행)	31.40	31.40	31.40	31.40	31.40	31.40	31.40	31.40	31.40	31.40	31.40	31.40
	〃 (우등)	47.85	47.85	47.85	47.85	47.85	47.85	47.85	47.85	47.85	47.85	47.85	47.85
1999	1~200㎞(직행)	38.87	38.87	38.87	38.87	38.87	38.87	38.87	38.87	38.87	38.87	38.87	38.87
	〃 (우등)	56.82	56.82	56.82	56.82	56.82	56.82	56.82	56.82	56.82	56.82	56.82	56.82
	201~400 (직행)	34.39	34.39	34.39	34.39	34.39	34.39	34.39	34.39	34.39	34.39	34.39	34.39
	〃 (우등)	52.34	52.34	52.34	52.34	52.34	52.34	52.34	52.34	52.34	52.34	52.34	52.34
	401 이상 (직행)	31.40	31.40	31.40	31.40	31.40	31.40	31.40	31.40	31.40	31.40	31.40	31.40
	〃 (우등)	47.85	47.85	47.85	47.85	47.85	47.85	47.85	47.85	47.85	47.85	47.85	47.85
2000	1~200㎞(직행)	38.87	38.87	38.87	38.87	38.87	38.87	42.37	42.37	42.37	42.37	42.37	42.37
	〃 (우등)	56.82	56.82	56.82	56.82	56.82	56.82	61.93	61.93	61.93	61.93	61.93	61.93
	201~400 (직행)	34.39	34.39	34.39	34.39	34.39	34.39	37.49	37.49	37.49	37.49	37.49	37.49
	〃 (우등)	52.34	52.34	52.34	52.34	52.34	52.34	57.05	57.05	57.05	57.05	57.05	57.05
	401 이상 (직행)	31.40	31.40	31.40	31.40	31.40	31.40	34.23	34.23	34.23	34.23	34.23	34.23
	〃 (우등)	47.85	47.85	47.85	47.85	47.85	47.85	52.16	52.16	52.16	52.16	52.16	52.16
2001	1~200㎞(직행)	42.37	42.37	42.37	42.37	42.37	42.37	42.37	42.37	42.37	42.37	42.37	42.37
	〃 (우등)	61.93	61.93	61.93	61.93	61.93	61.93	61.93	61.93	61.93	61.93	61.93	61.93
	201~400 (직행)	37.49	37.49	37.49	37.49	37.49	37.49	37.49	37.49	37.49	37.49	37.49	37.49
	〃 (우등)	57.05	57.05	57.05	57.05	57.05	57.05	57.05	57.05	57.05	57.05	57.05	57.05
	401 이상 (직행)	34.23	34.23	34.23	34.23	34.23	34.23	34.23	34.23	34.23	34.23	34.23	34.23
	〃 (우등)	52.16	52.16	52.16	52.16	52.16	52.16	52.16	52.16	52.16	52.16	52.16	52.16
2002	1~200㎞(직행)	42.37	42.37	45.76	45.76	45.76	45.76	45.76	45.76	45.76	45.76	45.76	45.76
	〃 (우등)	61.93	61.93	66.88	66.88	66.88	66.88	66.88	66.88	66.88	66.88	66.88	66.88
	201~400 (직행)	37.49	37.49	40.49	40.49	40.49	40.49	40.49	40.49	40.49	40.49	40.49	40.49
	〃 (우등)	57.05	57.05	61.61	61.61	61.61	61.61	61.61	61.61	61.61	61.61	61.61	61.61
	401 이상 (직행)	34.23	34.23	36.97	36.97	36.97	36.97	36.97	36.97	36.97	36.97	36.97	36.97
	〃 (우등)	52.16	52.16	56.33	56.33	56.33	56.33	56.33	56.33	56.33	56.33	56.33	56.33
2003	1~200㎞(직행)	45.76	45.76	45.76	45.76	45.76	45.76	45.76	45.76	45.76	45.76	45.76	45.76
	〃 (우등)	66.88	66.88	66.88	66.88	66.88	66.88	66.88	66.88	66.88	66.88	66.88	66.88
	201~400 (직행)	40.49	40.49	40.49	40.49	40.49	40.49	40.49	40.49	40.49	40.49	40.49	40.49
	〃 (우등)	61.61	61.61	61.61	61.61	61.61	61.61	61.61	61.61	61.61	61.61	61.61	61.61
	401 이상 (직행)	36.97	36.97	36.97	36.97	36.97	36.97	36.97	36.97	36.97	36.97	36.97	36.97
	〃 (우등)	56.33	56.33	56.33	56.33	56.33	56.33	56.33	56.33	56.33	56.33	56.33	56.33
2004	1~200㎞(직행)	45.76	45.76	45.76	45.76	45.76	45.76	49.87	49.87	49.87	49.87	49.87	49.87
	〃 (우등)	66.88	66.88	66.88	66.88	66.88	66.88	72.89	72.89	72.89	72.89	72.89	72.89
	201~400 (직행)	40.49	40.49	40.49	40.49	40.49	40.49	44.13	44.13	44.13	44.13	44.13	44.13
	〃 (우등)	61.61	61.61	61.61	61.61	61.61	61.61	67.15	67.15	67.15	67.15	67.15	67.15
	401 이상 (직행)	36.97	36.97	36.97	36.97	36.97	36.97	40.29	40.29	40.29	40.29	40.29	40.29
	〃 (우등)	56.33	56.33	56.33	56.33	56.33	56.33	61.39	61.39	61.39	61.39	61.39	61.39
2005	1~200㎞(직행)	49.87	49.87	49.87	49.87	49.87	49.87	49.87	49.87	49.87	49.87	49.87	49.87
	〃 (우등)	72.89	72.89	72.89	72.89	72.89	72.89	72.89	72.89	72.89	72.89	72.89	72.89
	201~400 (직행)	44.13	44.13	44.13	44.13	44.13	44.13	44.13	44.13	44.13	44.13	44.13	44.13
	〃 (우등)	67.15	67.15	67.15	67.15	67.15	67.15	67.15	67.15	67.15	67.15	67.15	67.15
	401 이상 (직행)	40.29	40.29	40.29	40.29	40.29	40.29	40.29	40.29	40.29	40.29	40.29	40.29
	〃 (우등)	61.39	61.39	61.39	61.39	61.39	61.39	61.39	61.39	61.39	61.39	61.39	61.39
2006	1~200㎞(직행)	49.87	49.87	49.87	49.87	49.87	49.87	49.87	53.51	53.51	53.51	53.51	53.51
	〃 (우등)	72.89	72.89	72.89	72.89	72.89	72.89	72.89	78.21	78.21	78.21	78.21	78.21
	201~400 (직행)	44.13	44.13	44.13	44.13	44.13	44.13	44.13	47.35	47.35	47.35	47.35	47.35
	〃 (우등)	67.15	67.15	67.15	67.15	67.15	67.15	67.15	72.05	72.05	72.05	72.05	72.05
	401 이상 (직행)	40.29	40.29	40.29	40.29	40.29	40.29	40.29	43.23	43.23	43.23	43.23	43.23
	〃 (우등)	61.39	61.39	61.39	61.39	61.39	61.39	61.39	65.87	65.87	65.87	65.87	65.87

(1인 1㎞당)

연도별	구 분	1월	2월	3월	4월	5월	6월	7월	8월	9월	10월	11월	12월
2007	1~200㎞(직행)	53.51	53.51	53.51	53.51	53.51	53.51	53.51	53.51	53.51	53.51	53.51	53.51
	〃 (우등)	78.21	78.21	78.21	78.21	78.21	78.21	78.21	78.21	78.21	78.21	78.21	78.21
	201~400 (직행)	47.35	47.35	47.35	47.35	47.35	47.35	47.35	47.35	47.35	47.35	47.35	47.35
	〃 (우등)	72.05	72.05	72.05	72.05	72.05	72.05	72.05	72.05	72.05	72.05	72.05	72.05
	401 이상 (직행)	43.23	43.23	43.23	43.23	43.23	43.23	43.23	43.23	43.23	43.23	43.23	43.23
	〃 (우등)	65.87	65.87	65.87	65.87	65.87	65.87	65.87	65.87	65.87	65.87	65.87	65.87
2008	1~200㎞(직행)	53.51	53.51	53.51	53.51	53.51	53.51	53.51	53.51	53.51	56.77	56.77	56.77
	〃 (우등)	78.21	78.21	78.21	78.21	78.21	78.21	78.21	78.21	78.21	82.98	82.98	82.98
	201~400 (직행)	47.35	47.35	47.35	47.35	47.35	47.35	47.35	47.35	47.35	50.24	50.24	50.24
	〃 (우등)	72.05	72.05	72.05	72.05	72.05	72.05	72.05	72.05	72.05	76.45	76.45	76.45
	401 이상 (직행)	43.23	43.23	43.23	43.23	43.23	43.23	43.23	43.23	43.23	45.87	45.87	45.87
	〃 (우등)	65.87	65.87	65.87	65.87	65.87	65.87	65.87	65.87	65.87	69.89	69.89	69.89
2009	1~200㎞(직행)	56.77	56.77	56.77	56.77	56.77	56.77	56.77	56.77	56.77	56.77	56.77	56.77
	〃 (우등)	82.98	82.98	82.98	82.98	82.98	82.98	82.98	82.98	82.98	82.98	82.98	82.98
	201~400 (직행)	50.24	50.24	50.24	50.24	50.24	50.24	50.24	50.24	50.24	50.24	50.24	50.24
	〃 (우등)	76.45	76.45	76.45	76.45	76.45	76.45	76.45	76.45	76.45	76.45	76.45	76.45
	401 이상 (직행)	45.87	45.87	45.87	45.87	45.87	45.87	45.87	45.87	45.87	45.87	45.87	45.87
	〃 (우등)	69.89	69.89	69.89	69.89	69.89	69.89	69.89	69.89	69.89	69.89	69.89	69.89
2010	1~200㎞(직행)	56.77	56.77	56.77	56.77	56.77	56.77	56.77	59.78	59.78	59.78	59.78	59.78
	〃 (우등)	82.98	82.98	82.98	82.98	82.98	82.98	82.98	87.38	87.38	87.38	87.38	87.38
	201~400 (직행)	50.24	50.24	50.24	50.24	50.24	50.24	50.24	52.90	52.90	52.90	52.90	52.90
	〃 (우등)	76.45	76.45	76.45	76.45	76.45	76.45	76.45	80.50	80.50	80.50	80.50	80.50
	401 이상 (직행)	45.87	45.87	45.87	45.87	45.87	45.87	45.87	48.30	48.30	48.30	48.30	48.30
	〃 (우등)	69.89	69.89	69.89	69.89	69.89	69.89	69.89	73.59	73.59	73.59	73.59	73.59
2011~2012	1~200㎞(직행)	56.77	56.77	56.77	56.77	56.77	56.77	56.77	56.77	56.77	56.77	56.77	56.77
	〃 (우등)	82.98	82.98	82.98	82.98	82.98	82.98	82.98	82.98	82.98	82.98	82.98	82.98
	201~400 (직행)	50.24	50.24	50.24	50.24	50.24	50.24	50.24	50.24	50.24	50.24	50.24	50.24
	〃 (우등)	76.45	76.45	76.45	76.45	76.45	76.45	76.45	76.45	76.45	76.45	76.45	76.45
	401 이상 (직행)	45.87	45.87	45.87	45.87	45.87	45.87	45.87	45.87	45.87	45.87	45.87	45.87
	〃 (우등)	69.89	69.89	69.89	69.89	69.89	69.89	69.89	69.89	69.89	69.89	69.89	69.89
2013	1~200㎞(직행)	56.77	56.77	62.35	62.35	62.35	62.35	62.35	62.35	62.35	62.35	62.35	62.35
	〃 (우등)	82.98	82.98	91.14	91.14	91.14	91.14	91.14	91.14	91.14	91.14	91.14	91.14
	201~400 (직행)	50.24	50.24	50.38	50.38	50.38	50.38	50.38	50.38	50.38	50.38	50.38	50.38
	〃 (우등)	76.45	76.45	83.96	83.96	83.96	83.96	83.96	83.96	83.96	83.96	83.96	83.96
	401 이상 (직행)	45.87	45.87	48.30	48.30	48.30	48.30	48.30	48.30	48.30	48.30	48.30	48.30
	〃 (우등)	69.89	69.89	76.75	76.75	76.75	76.75	76.75	76.75	76.75	76.75	76.75	76.75
2014~2018	1~200㎞(직행)	62.35	62.35	62.35	62.35	62.35	62.35	62.35	62.35	62.35	62.35	62.35	62.35
	〃 (우등)	91.14	91.14	91.14	91.14	91.14	91.14	91.14	91.14	91.14	91.14	91.14	91.14
	201~400 (직행)	50.38	50.38	50.38	50.38	50.38	50.38	50.38	50.38	50.38	50.38	50.38	50.38
	〃 (우등)	83.96	83.96	83.96	83.96	83.96	83.96	83.96	83.96	83.96	83.96	83.96	83.96
	401 이상 (직행)	48.30	48.30	48.30	48.30	48.30	48.30	48.30	48.30	48.30	48.30	48.30	48.30
	〃 (우등)	76.75	76.75	76.75	76.75	76.75	76.75	76.75	76.75	76.75	76.75	76.75	76.75
2019	1~200㎞(직행)	62.35	62.35	70.77	70.77	70.77	70.77	70.77	70.77	70.77	70.77	70.77	70.77
	〃 (우등)	91.14	91.14	98.39	98.39	98.39	98.39	98.39	98.39	98.39	98.39	98.39	98.39
	201~400 (직행)	50.38	50.38	62.62	62.62	62.62	62.62	62.62	62.62	62.62	62.62	62.62	62.62
	〃 (우등)	83.96	83.96	90.63	90.63	90.63	90.63	90.63	90.63	90.63	90.63	90.63	90.63
	401 이상 (직행)	48.30	48.30	57.18	57.18	57.18	57.18	57.18	57.18	57.18	57.18	57.18	57.18
	〃 (우등)	76.75	76.75	82.85	82.85	82.85	82.85	82.85	82.85	82.85	82.85	82.85	82.85
2020~2021	1~200㎞(직행)	70.77	70.77	70.77	70.77	70.77	70.77	70.77	70.77	70.77	70.77	70.77	70.77
	〃 (우등)	98.39	98.39	98.39	98.39	98.39	98.39	98.39	98.39	98.39	98.39	98.39	98.39
	201~400 (직행)	62.62	62.62	62.62	62.62	62.62	62.62	62.62	62.62	62.62	62.62	62.62	62.62
	〃 (우등)	90.63	90.63	90.63	90.63	90.63	90.63	90.63	90.63	90.63	90.63	90.63	90.63
	401 이상 (직행)	57.18	57.18	57.18	57.18	57.18	57.18	57.18	57.18	57.18	57.18	57.18	57.18
	〃 (우등)	82.85	82.85	82.85	82.85	82.85	82.85	82.85	82.85	82.85	82.85	82.85	82.85
2022	1~200㎞(직행)	70.77	70.77	70.77	70.77	70.77	70.77	70.77	70.77	70.77	70.77	74.31	74.31
	〃 (우등)	98.39	98.39	98.39	98.39	98.39	98.39	98.39	98.39	98.39	98.39	96.59	96.59
	201~400 (직행)	62.62	62.62	62.62	62.62	62.62	62.62	62.62	62.62	62.62	62.62	65.75	65.75
	〃 (우등)	90.63	90.63	90.63	90.63	90.63	90.63	90.63	90.63	90.63	90.63	85.47	85.47
	401 이상 (직행)	57.18	57.18	57.18	57.18	57.18	57.18	57.18	57.18	57.18	57.18	60.04	60.04
	〃 (우등)	82.85	82.85	82.85	82.85	82.85	82.85	82.85	82.85	82.85	82.85	78.05	78.05
2023	1~200㎞(직행)	74.31	74.31	74.31	74.31	74.31	74.31	74.21	74.21	74.21	74.21	-	-
	〃 (우등)	96.59	96.59	96.59	96.59	96.59	96.59	108.48	108.48	108.48	108.48	-	-
	201~400 (직행)	65.75	65.75	65.75	65.75	65.75	65.75	65.67	65.67	65.67	65.67	-	-
	〃 (우등)	85.47	85.47	85.47	85.47	85.47	85.47	99.92	99.92	99.92	99.92	-	-
	401 이상 (직행)	60.04	60.04	60.04	60.04	60.04	60.04	59.97	59.97	59.97	59.97	-	-
	〃 (우등)	78.05	78.05	78.05	78.05	78.05	78.05	91.34	91.34	91.34	91.34	-	-

주 변경년월일

① 72. 2. 1　② 74. 2. 4　③ 75. 7. 1　④ 77. 7.
⑤ 78. 6. 14　⑥ 79. 5. 1　⑦ 79. 12. 23　⑧ 80. 2. 5
⑨ 80. 12. 21　⑩ 81. 6. 10　⑪ 82. 12. 15　⑫ 85. 12. 3
⑬ 86. 3. 17　⑭ 91. 2. 20　⑮ 92. 2. 16　⑯ 93. 1. 25
⑰ 94. 3. 26　⑱ 95. 4. 1　⑲ 96. 4. 16　⑳ 97. 5. 9
㉑ 98. 1. 5　㉒ 00. 7. 25　㉓ 02. 3. 25　㉔ 04. 7. 1
㉕ 06. 8. 8　㉖ 08. 10. 20　㉗ 10. 8. 16　㉘ 13. 3. 2
㉙ 19. 3. 1　㉚ 22. 11. 1　㉛ 23. 7. 11

우등고속버스요금(1)

선별	지역별 \ 연도별	'92	'93	'94	'95	'96	'97	'98	'99	'00
호남선	서울-유성	–	5,280	6,000	6,500	7,100	7,600	8,800	8,800	9,600
	-논산	–	6,940	7,900	8,600	9,300	10,000	11,600	11,600	12,700
	-전주	–	7,780	8,900	9,600	10,500	11,200	13,000	13,000	14,200
	동서울-전주	–	8,190	9,400	10,100	11,000	11,900	13,800	13,800	15,000
	서울-익산	–	–	–	–	10,300	11,100	12,800	12,800	14,000
	-김제	–	8,140	9,300	10,100	11,000	11,800	13,700	13,700	14,900
	-군산	–	8,330	9,500	10,300	11,200	12,000	14,000	14,000	15,200
	-정읍	–	–	–	10,900	11,900	12,800	14,800	14,800	16,100
	-남원	–	9,680	11,100	12,000	13,000	14,000	16,300	16,300	17,700
	-영광	–	10,450	11,900	12,900	14,100	15,100	17,600	17,600	19,100
	-광주	8,830	10,510	12,000	13,000	14,200	15,200	17,700	17,700	19,300
	동서울-광주	–	10,830	12,400	13,400	14,600	15,700	18,200	18,200	19,900
	서울-영산포	–	11,130	12,700	13,800	15,000	16,100	18,700	18,700	20,400
	-목포	–	12,440	14,200	15,400	16,800	18,000	20,900	20,900	22,800
	-강진	–	12,640	14,400	15,600	17,100	18,300	21,400	21,400	23,300
	-순천	–	13,120	15,000	16,200	17,700	18,700	21,700	21,700	23,700
	-여수	–	14,200	16,200	17,600	19,200	20,500	23,800	23,800	25,900
	수원-광주	–	9,860	11,300	12,200	13,300	14,300	16,600	16,600	18,100
	대전-전주	–	3,290	3,800	4,100	4,400	4,700	5,500	5,500	5,600
	-광주	–	6,280	7,200	7,700	8,400	9,100	10,500	10,500	11,100
	성남-전주	–	7,540	8,600	9,300	10,100	10,900	12,700	12,700	13,800
	-광주	–	10,240	11,700	12,700	13,800	14,800	17,200	17,200	18,800
	청주-광주	–	7,130	7,900	8,500	9,300	10,000	11,600	11,800	12,800
	춘천-광주	–	13,000	14,900	16,100	17,500	18,900	21,900	21,900	23,900
	의정부-광주	–	–	–	–	–	–	–	19,200	20,900
경인선	인천-대전	–	6,840	7,800	8,400	9,100	9,800	11,000	9,900	10,800
	-대구	–	10,680	12,200	13,200	14,400	15,400	17,500	17,500	19,100
	-전주	–	8,690	9,900	10,700	11,700	12,500	14,200	14,200	15,400
88선	광주-대구	–	7,380	8,400	9,100	9,900	10,700	12,400	12,400	13,500
	-포항	–	10,550	12,100	13,000	14,200	15,300	16,900	16,900	18,400
	-울산	–	–	–	–	–	–	–	18,300	20,000
	전주-대구	–	7,390	8,400	9,100	9,900	10,700	12,400	12,400	13,500
	-부산	–	10,590	12,100	13,100	14,300	15,300	17,800	17,800	19,400
	-울산	–	10,750	12,300	13,300	14,500	15,700	18,200	18,200	19,900
영동선	서울-원주	–	4,130	4,700	5,100	5,500	6,000	6,900	6,900	7,500
	-제천	–	5,700	6,500	7,000	7,200	7,700	8,900	8,900	9,700
	-강릉	–	8,200	9,400	10,100	10,900	11,700	13,500	13,500	14,800
	동서울-강릉	–	8,200	9,400	10,100	10,900	11,700	13,500	13,500	14,800
	서울-속초	8,710	10,360	11,800	12,800	13,900	15,000	17,300	17,300	18,900
	동서울-속초	–	10,360	11,800	12,800	13,900	15,000	17,300	17,300	18,900
	원주-강릉	–	4,390	5,000	5,400	5,800	6,200	7,200	7,200	7,900
	대전-강릉	–	9,600	11,000	11,900	12,800	13,700	15,900	15,900	17,400
남해선	부산-진주	–	3,890	4,400	4,800	5,200	5,600	6,500	6,500	7,100
	-순천	–	6,590	7,500	8,100	8,900	9,500	11,000	11,000	12,000
	-광주	–	8,960	10,200	11,100	12,100	12,900	14,900	14,900	16,300
	-여수	–	7,610	8,700	9,400	10,200	11,000	12,800	12,800	13,900
	광주-진주	–	–	–	–	–	–	–	9,300	10,100
	-마산	–	–	–	–	–	–	–	12,100	13,200

'02	'04	'06	'08	'10	'13	'15	'17	'19	'23
10,400	11,300	12,200	12,900	13,600	14,200	14,200	14,200	15,300	15,300
13,700	-	-	-	13,900	15,300	15,300	14,500	15,600	15,600
15,400	15,000	16,000	17,000	17,900	18,700	18,700	18,700	20,100	20,100
16,200	17,600	18,900	18,900	19,900	-	-	-	-	-
15,100	14,700	15,700	16,000	16,800	17,500	17,500	17,500	19,700	19,700
16,100	15,800	16,900	17,900	18,900	14,300	19,700	19,700	21,500	21,500
16,100	16,900	18,100	19,200	17,900	18,700	18,700	18,700	20,100	20,100
17,400	17,200	18,500	19,600	20,600	21,500	21,500	21,500	23,200	23,200
19,100	19,100	20,500	21,700	22,800	23,300	23,300	23,300	25,200	25,200
20,700	20,700	22,200	23,600	24,800	24,800	25,900	25,900	27,900	27,900
20,800	20,900	22,400	23,700	25,000	28,700	26,100	26,100	26,100	28,100
21,400	23,400	25,100	26,600	27,000	28,200	28,200	28,200	30,400	30,400
22,000	22,200	23,800	25,300	26,600	27,800	27,800	27,800	29,900	29,900
24,000	24,400	26,200	27,700	29,200	30,400	30,400	30,400	32,800	32,800
25,200	25,700	27,500	29,200	30,700	33,200	33,200	33,200	35,800	35,800
25,600	26,200	28,100	30,000	30,400	28,600	28,600	28,600	30,800	30,800
28,000	28,600	30,600	32,500	33,100	30,800	30,800	30,800	33,200	33,200
19,000	18,900	20,200	21,500	22,600	23,600	23,600	23,600	25,400	25,400
6,000	6,600	7,100	7,500	7,900	-	-	-	-	10,100
12,000	13,000	14,000	14,800	15,600	16,300	16,300	16,300	17,600	17,600
14,900	14,600	15,600	16,600	17,500	18,200	18,200	18,200	19,600	19,600
20,200	20,500	21,900	23,200	24,500	25,500	25,500	25,500	27,500	27,500
13,800	15,100	16,200	17,200	18,100	18,800	18,800	18,800	20,300	20,300
26,100	28,400	30,500	32,300	34,100	35,500	35,500	35,500	38,300	38,300
22,600	24,600	26,400	28,000	29,500	30,800	30,800	30,800	33,400	33,400
11,600	12,700	13,600	14,400	15,200	15,900	15,900	15,900	17,100	17,100
20,600	22,500	23,100	24,500	25,800	26,900	26,900	26,900	29,100	29,100
16,700	16,400	17,600	18,600	19,600	18,100	20,400	20,400	22,000	22,000
14,600	15,900	17,000	18,100	19,000	-	-	-	-	20,800
19,800	21,700	23,300	25,000	26,300	26,900	26,900	26,900	28,100	28,100
21,200	23,200	24,800	26,400	27,800	29,000	29,000	29,000	39,600	30,500
14,600	15,900	17,100	16,500	17,300	18,100	18,100	18,100	19,500	19,500
19,100	20,800	21,700	21,600	22,700	23,700	23,700	23,700	24,900	24,900
21,500	23,400	25,100	24,900	26,200	27,400	27,400	27,400	29,000	29,000
8,100	8,600	8,900	9,500	10,000	10,400	10,400	10,400	11,300	11,300
10,500	11,500	12,300	13,100	13,700	14,300	14,300	14,300	15,500	15,500
15,800	17,200	18,400	19,600	20,600	21,500	21,500	21,500	21,500	21,500
15,800	17,200	18,400	19,600	20,600	15,000	15,000	15,000	15,600	20,200
18,800	20,500	22,000	23,400	24,400	18,100	18,100	18,100	20,300	20,300
18,800	20,500	22,000	-	-	17,200	17,200	17,300	17,300	18,900
8,300	9,200	9,900	10,500	11,100	7,900	7,900	7,900	8,800	-
18,900	20,600	22,100	23,400	24,700	17,400	17,400	25,500	25,500	25,500
8,900	-	-	-	-	-	-	-	-	-
14,200	15,500	15,400	16,600	17,400	18,200	18,200	18,200	18,800	18,800
18,700	20,400	21,200	22,500	23,700	19,800	22,300	24,700	26,000	26,000
16,200	17,600	17,600	18,700	19,600	20,500	20,500	20,500	21,400	-
10,900	11,900	9,700	13,500	14,300	14,900	14,900	14,900	16,000	16,000
14,300	15,500	16,700	17,700	18,600	19,400	19,400	19,400	21,000	19,800

우등고속버스요금(2)

선별	연도별 / 지역별	'92	'93	'94	'95	'96	'97	'98	'99	'00
경부선	서울-평택	-	2,330	2,700	2,900	3,200	3,400	4,000	4,000	4,300
	-안성	-	2,510	2,900	3,100	3,400	3,600	4,200	4,200	4,600
	-천안	-	2,850	3,300	3,500	3,800	4,100	4,800	4,800	5,200
	-아산	-	-	-	-	4,600	4,900	5,700	5,700	6,200
	-조치원	-	-	-	-	-	-	-	7,300	7,900
	-청주	-	4,350	5,000	5,400	5,800	6,300	7,300	7,300	7,600
	동서울-청주	-	4,650	5,300	5,700	6,300	6,700	7,800	7,600	8,200
	서울-공주	-	5,170	5,900	6,400	6,000	6,500	7,500	7,500	8,200
	-대전	-	5,200	5,900	6,400	7,000	7,500	8,700	8,700	9,500
	동서울-대전	-	5,650	6,500	7,000	7,600	8,200	9,500	9,500	10,300
	서울-금산	-	6,440	7,700	8,300	9,000	9,700	11,200	11,200	12,200
	-김천	-	7,640	8,700	9,400	10,300	11,000	12,800	12,800	14,000
	-상주	-	8,860	10,100	10,900	11,800	12,700	14,800	14,800	16,100
	-구미	-	8,470	9,700	10,500	11,400	12,300	14,200	14,200	15,500
	-대구	8,220	9,780	11,200	12,100	13,200	14,200	16,400	16,400	17,900
	동서울-대구	-	10,200	11,700	12,600	13,700	14,800	17,100	17,100	18,700
	서울-경주	-	11,820	13,500	14,600	15,900	17,100	19,900	19,900	21,700
	-포항	-	12,940	14,800	16,000	17,500	18,800	21,000	21,000	22,900
	-울산	-	13,100	15,000	16,200	17,700	19,100	22,200	22,200	24,200
	-부산	11,650	13,870	15,800	17,200	18,700	20,100	23,400	23,400	25,500
	동서울-부산	-	14,250	16,300	17,700	19,200	20,700	24,000	24,000	26,200
	대전-수원	-	4,500	5,100	5,500	6,000	6,500	7,500	7,500	8,200
	-천안	-	2,470	2,800	3,000	3,300	3,600	4,100	4,100	4,500
	-대구	-	5,040	5,800	6,200	6,800	7,300	8,400	8,400	9,200
	-경주	-	7,230	8,300	8,900	9,700	10,400	12,100	12,100	13,200
	-포항	-	5,570	9,500	10,300	11,200	12,100	13,200	13,200	14,400
	-울산	-	8,530	9,700	10,500	11,500	12,500	14,500	14,500	15,800
	-부산	-	9,360	10,700	11,600	12,600	13,600	15,700	15,700	17,100
	청주-부산	-	10,680	12,000	13,000	14,100	15,200	17,600	17,800	19,400
	대구-경주	-	2,250	2,600	2,800	3,000	3,300	3,800	3,800	4,100
	-울산	-	3,670	4,200	4,500	4,900	5,400	6,300	6,300	6,900
	-부산	-	4,600	5,300	5,700	6,200	6,600	7,700	7,700	8,400
	포항-마산	-	3,890	6,700	7,200	7,800	7,600	8,800	8,800	9,600
	부산-경주	-	2,680	3,100	3,300	3,600	3,900	4,500	4,500	4,900
	성남-대구	-	6,360	10,900	11,800	12,800	13,800	16,000	16,000	17,500
	-부산	-	13,680	15,600	16,900	18,500	19,900	23,000	23,000	25,100
	춘천-부산	-	16,170	18,500	20,100	21,900	23,500	27,300	27,300	-
	청주-대구	-	6,910	7700	8,300	9,000	9,700	11,200	11,400	-
구마선										
	서울-마산	-	12,330	14,100	15,300	16,600	17,900	20,800	20,800	22,600
	-창원	-	12,470	14,300	15,400	16,800	18,100	21,000	21,000	22,900
	-진주	-	13,510	15,400	16,700	18,200	19,600	22,700	22,700	24,800
	대구-마산	-	3,460	4,000	4,300	4,700	5,000	5,800	5,800	6,300
	-진주	-	4,870	5,600	6,000	6,500	7,000	8,200	8,200	8,900
	-순천	-	7,360	8,400	9,100	9,900	10,600	12,300	12,300	13,400
	대전-마산	-	7,730	8,800	9,500	10,400	11,200	13,000	13,000	14,100
동해선										
	서울-동해	-	9,440	10,800	11,700	12,700	13,600	15,800	15,800	17,200
	-삼척	-	9,930	11,300	12,300	13,300	14,300	16,600	16,600	18,100

'02	'04	'06	'08	'10	'13	'15	'17	'19	'23
4,700	5,100	5,500	4,000	–	–	–	–	–	–
4,900	5,400	5,800	5,100	–	–	–	–	–	8,500
5,600	6,100	6,600	7,000	7,300	–	–	–	–	8,000
6,700	7,300	7,800	8,300	8,700	–	–	–	–	9,600
8,600	8,700	9,300	9,900	10,400	–	–	–	–	13,400
8,200	9,000	9,600	9,600	8,400	8,800	8,800	9,100	11,600	11,600
8,900	9,700	10,400	10,400	9,000	9,800	9,800	9,800	10,700	10,700
8,800	6,300	10,100	8,200	8,600	9,000	9,000	9,000	11,900	12,200
10,200	11,200	12,000	12,700	13,400	14,000	14,000	14,000	15,100	15,100
11,100	12,200	13,000	13,800	14,600	15,200	15,200	15,200	16,400	16,400
12,600	13,700	14,700	15,600	16,500	17,200	17,200	17,200	18,500	18,500
15,200	16,500	17,700	17,000	17,000	19,000	19,000	19,000	22,300	–
15,800	17,200	13,000	13,300	13,500	14,100	14,100	17,600	19,200	19,200
16,700	18,200	15,000	14,000	15,000	18,000	18,000	18,000	22,000	22,000
19,400	21,100	21,600	22,900	24,100	25,200	25,200	25,200	27,200	27,200
20,200	22,000	21,800	23,100	24,400	25,400	25,400	25,400	27,400	27,400
23,400	25,500	26,000	27,600	29,000	30,300	30,300	30,300	30,500	30,500
24,700	26,900	27,700	29,400	30,900	31,800	28,000	28,000	31,200	31,200
26,100	28,500	29,300	29,300	29,300	32,000	32,000	32,000	34,700	34,700
27,500	29,900	29,400	31,100	32,800	34,200	34,000	34,000	34,000	36,000
28,200	30,800	29,500	31,300	32,900	34,300	34,300	34,300	36,200	–
8,300	9,000	–	–	–	–	–	–	–	–
4,900	5,300	5,700	6,000	–	–	–	–	–	–
9,900	10,800	11,600	12,300	13,000	13,600	13,600	13,600	14,600	14,600
14,300	15,500	16,700	17,700	18,600	19,400	19,400	–	–	–
15,500	16,900	18,400	19,500	20,600	20,900	20,900	20,900	22,600	22,600
17,000	18,500	19,900	21,100	22,200	21,000	21,000	21,000	25,000	–
18,500	20,200	20,000	21,200	22,300	23,300	23,300	23,300	25,100	–
20,900	22,800	22,500	23,400	24,600	25,600	25,600	25,600	26,800	26,800
4,400	4,800	5,400	3,900	4,200	4,900	–	–	–	–
7,400	8,100	8,900	9,500	10,000	10,400	–	–	–	9,500
9,000	9,800	8,400	8,900	9,300	9,700	9,700	9,700	9,700	10,400
10,300	11,300	12,100	11,000	12,500	–	–	–	–	–
5,300	3,900	3,900	4,000	4,500	4,800	4,800	4,800	5,400	5,400
18,800	20,700	21,300	22,600	23,800	24,800	24,800	24,800	26,800	26,800
27,100	29,700	29,000	30,800	32,400	33,800	33,800	33,800	35,600	35,600
–	–	–	–	–	–	–	–	–	–
–	14,600	15,700	15,000	15,800	16,500	16,500	16,500	17,800	17,800
24,400	26,800	27,100	27,800	29,300	30,500	30,500	30,500	33,000	33,000
24,700	27,100	27,400	28,200	29,600	30,900	30,900	30,900	33,400	33,400
21,300	23,200	21,000	21,000	22,000	23,000	23,000	23,000	31,300	31,300
6,800	7,400	8,000	8,500	8,900	7,500	7,500	7,500	10,500	10,500
9,600	10,500	11,200	11,900	12,500	13,100	13,100	13,100	14,100	14,100
14,500	15,800	17,000	18,200	19,200	20,000	20,000	20,000	21,600	21,600
15,500	16,900	18,100	13,000	13,100	19,400	19,400	19,400	19,800	–
18,400	20,100	21,300	22,600	23,800	24,800	24,800	24,800	25,800	25,800
19,400	21,100	22,100	23,400	24,700	25,700	25,700	25,700	26,700	26,700

일반고속버스요금(1)

선별	지역별 \ 연도별	'75	'76	'77	'78	'79	'80	'81	'82	'83	'84	'85	'86
경부선	서울-평택	430	430	410	450	560	770	880	880	950	950	950	1,000
	-안성	460	460	440	450	600	820	950	950	1,030	1,030	1,030	1,080
	-천안	520	520	500	510	690	950	1,100	1,100	1,190	1,190	1,190	1,230
	-온양	600	600	580	610	800	1,100	1,280	1,280	1,390	1,390	1,390	1,460
	-청주	740	740	710	770	1,020	1,400	1,640	1,640	1,780	1,780	1,780	1,870
	-공주	-	-	-	910	1,210	1,660	1,960	1,960	2,120	2,120	2,120	2,240
	-대전	890	890	780	940	1,210	1,660	1,960	1,960	2,120	2,120	2,120	2,240
	-보은	-	-	-	-	-	-	-	-	-	2,750	2,750	2,860
	-영동	-	-	-	-	-	2,200	2,640	2,640	2,870	2,870	2,870	3,020
	-금산	-	-	-	-	-	-	2,430	2,430	2,630	2,630	2,630	2,770
	-김천	1,270	1,270	1,150	1,370	1,770	2,410	2,880	2,880	3,120	3,120	3,120	3,290
	-상주	-	-	-	-	-	-	-	-	3,620	3,620	3,620	3,820
	-구미	1,380	1,380	1,260	1,500	1,960	2,670	3,200	3,200	3,460	3,460	3,460	3,650
	-대구	1,590	1,590	1,460	1,740	2,260	3,080	3,690	3,690	4,000	4,000	4,000	4,220
	-경주	1,910	1,910	1,760	2,110	2,720	3,710	4,460	4,460	4,840	4,840	4,840	5,090
	-포항	2,060	2,060	1,900	2,270	2,980	4,060	4,880	4,880	5,300	5,300	5,300	5,570
	-울산	2,130	2,130	1,970	2,360	3,020	4,120	4,960	4,960	5,380	5,380	5,380	5,660
	-부산	2,260	2,260	2,100	2,510	3,280	4,470	5,340	5,340	5,780	5,680	5,680	5,970
	대전-수원	-	-	-	-	-	-	1,700	1,700	1,840	1,840	1,840	1,940
	-천안	400	400	380	460	580	790	960	960	1,040	1,040	1,040	1,070
	-대구	800	800	760	910	1,150	1,560	1,900	1,900	2,000	2,060	2,060	2,170
	-경주	-	-	-	-	1,640	2,240	2,730	2,730	2,960	2,960	2,960	3,110
	-포항	-	-	-	1,460	1,900	2,590	3,150	3,150	3,420	3,420	3,420	3,600
	-울산	-	-	-	1,550	1,950	2,660	3,230	3,230	3,510	3,510	3,510	3,690
	-부산	1,510	1,510	1,430	1,720	2,230	3,040	3,640	3,640	3,950	3,950	3,950	4,030
	청주-부산	-	-	-	-	-	-	-	-	-	-	-	4,600
	대구-경주	360	360	350	410	510	700	850	850	920	920	920	970
	-울산	600	600	570	690	850	1,150	1,400	1,400	1,520	1,520	1,520	1,600
	-부산	760	760	730	870	1,150	1,570	1,850	1,850	2,010	2,010	2,010	1,980
	포항-마산	-	-	-	-	-	-	2,200	2,200	2,390	2,390	2,390	2,510
	부산-경주	470	470	450	540	720	980	1,130	1,130	1,230	1,230	1,230	1,150
	청주-대구	-	-	-	-	-	-	-	-	-	-	-	2,890
	성남-대구	-	-	-	-	-	-	-	-	-	-	-	4,240
	-부산	-	-	-	-	-	-	-	-	-	-	-	6,010
	의정부-대구	-	-	-	-	-	-	-	-	-	-	-	4,720
	-부산	-	-	-	-	-	-	-	-	-	-	-	6,450
	춘천-대구	-	-	-	-	-	-	-	-	-	-	-	5,470
	-부산	-	-	-	-	-	-	-	-	-	-	-	7,130
호남선1	서울-유성	-	-	-	-	-	-	-	-	2,160	2,160	2,160	2,270
	-연무대	1,050	1,050	980	1,120	1,550	2,110	2,510	2,510	2,720	2,720	2,720	2,870
	-논산	-	-	-	1,170	1,610	2,190	2,620	2,620	2,840	2,840	2,840	2,990
	-전주	1,270	1,270	1,150	1,370	1,800	2,450	2,930	2,930	3,180	3,180	3,180	3,350
	-익산	1,290	1,290	1,170	1,400	1,850	2,520	2,890	2,890	3,130	3,130	3,130	3,300
	-김제	-	-	-	1,510	1,930	2,630	3,070	3,070	3,330	3,330	3,330	3,510
	-군산	1,390	1,390	1,270	1,520	1,970	2,690	3,140	3,140	3,410	3,410	3,410	3,590
	-정읍	1,430	1,430	1,300	1,550	2,040	2,780	3,330	3,330	3,610	3,610	3,610	3,800
	-남원	-	-	-	-	-	-	-	-	3,960	3,960	3,960	4,170
	-광주	1,680	1,680	1,540	1,850	2,420	3,300	3,960	3,960	4,300	4,300	4,300	4,530
	-나주	-	-	-	-	-	-	-	-	-	-	-	4,880
	-영산포	-	-	-	-	-	-	-	-	-	-	-	4,960
	-목포	-	-	-	2,310	2,960	4,040	4,860	4,860	5,270	5,270	5,270	5,520
	-순천	2,100	2,100	1,940	2,320	3,020	4,110	4,950	4,950	5,370	5,570	5,570	5,650
	-여수	-	-	-	2,520	3,260	4,450	5,360	5,360	5,810	5,850	5,850	6,120

'87	'88	'89	'90	'91	'92	'93	'94	'95	'96	'97	'98	연도별 / 지역별	선별
1,000	1,000	1,000	1,000	1,210	1,310	1,550	1,800	2,000	2,200	2,300	2,700	서울-평택	경부선
1,080	1,080	1,080	1,080	1,310	1,410	1,670	1,900	2,100	2,300	2,500	2,900	-안성	
1,230	1,230	1,230	1,230	1,490	1,600	1,900	2,200	2,400	2,600	2,800	3,300	-천안	
1,460	1,460	1,460	1,460	1,770	1,900	2,260	2,600	2,900	-	-	-	-온양	
1,870	1,870	1,870	1,870	2,270	2,440	2,900	3,300	3,700	4,000	4,300	5,000	-청주	
2,240	2,240	2,240	2,240	2,710	2,910	3,440	3,900	4,400	4,100	4,400	5,100	-공주	
2,240	2,240	2,240	2,240	2,710	2,910	3,460	4,000	4,400	4,800	5,100	6,000	-대전	
2,860	2,860	2,860	2,860	3,460	3,720	4,430	5,100	5,600	6,100	6,600	7,600	-보은	
3,020	3,020	3,020	3,020	3,650	3,930	4,670	5,300	5,900	6,400	6,900	8,000	-영동	
2,770	2,770	2,770	2,770	3,350	3,610	4,290	5,100	5,700	6,200	6,600	7,700	-금산	
3,290	3,290	3,290	3,290	3,980	4,280	5,090	5,800	6,400	7,000	7,500	8,700	-김천	
3,820	3,820	3,820	3,820	4,610	4,960	5,900	6,700	7,400	8,000	8,600	10,000	-상주	
3,650	3,650	3,650	3,650	4,410	4,740	5,650	6,500	7,100	7,700	8,300	9,600	-구미	
4,220	4,220	4,220	4,220	5,100	5,480	6,520	7,500	8,200	8,900	9,600	11,100	-대구	
5,090	5,090	5,090	5,090	6,160	6,620	7,880	9,000	9,800	10,700	11,500	13,400	-경주	
5,570	5,570	5,570	5,570	6,740	7,250	8,630	9,900	10,800	11,700	12,600	14,100	-포항	
5,660	5,660	5,660	5,660	6,850	7,360	8,760	10,000	10,900	11,900	12,800	14,900	-울산	
5,970	5,970	5,970	5,970	7,230	7,770	9,240	10,600	11,500	12,600	13,500	15,700	-부산	
1,940	1,940	1,940	1,940	2,340	2,520	3,000	3,400	3,800	4,100	4,400	5,200	대전-수원	
1,070	1,070	1,070	1,070	1,290	1,390	1,650	1,900	2,100	2,300	2,400	2,800	-천안	
2,170	2,170	2,170	2,170	2,630	2,830	3,360	3,800	4,300	4,600	5,000	5,800	-대구	
3,110	3,110	3,110	3,110	3,760	4,050	4,820	5,500	6,100	6,600	7,100	8,300	-경주	
3,600	3,600	3,600	3,600	4,350	4,680	5,570	6,400	7,000	7,600	8,200	9,000	-포항	
3,690	3,690	3,690	3,690	4,460	4,800	5,710	6,500	7,100	7,800	8,500	9,800	-울산	
4,030	4,030	4,030	4,030	4,880	5,250	6,240	7,100	7,800	8,500	9,200	10,600	-부산	
4,600	4,600	4,600	4,600	5,560	5,980	7,120	8,000	8,700	9,500	10,200	11,900	청주-부산	
970	970	970	970	1,170	1,260	1,500	1,700	1,900	2,100	2,200	2,600	대구-경주	
1,600	1,600	1,600	1,600	1,940	1,360	2,480	2,800	3,100	3,400	3,700	4,300	-울산	
1,980	1,980	1,980	1,980	2,390	2,570	3,060	3,500	3,900	4,200	4,500	5,300	-부산	
2,510	2,510	2,510	2,510	3,040	3,270	3,890	4,400	4,900	5,400	5,200	6,000	포항-마산	
1,150	1,150	1,150	1,150	1,400	1,500	1,790	2,000	2,300	2,500	2,600	3,100	부산-경주	
2,890	2,890	2,890	2,890	3,600	3,870	4,600	5,100	5,600	6,200	6,600	7,700	청주-대구	
4,240	4,240	4,240	4,240	-	-	6,360	7,300	8,000	8,700	9,300	10,800	성남-대구	
6,010	6,010	6,010	6,010	-	-	9,120	10,400	11,400	12,400	13,300	15,400	-부산	
4,720	4,720	4,720	4,720	-	-	7,130	8,100	8,900	9,700	10,400	12,100	의정부-대구	
6,450	6,450	6,450	6,450	-	-	9,810	11,200	12,200	13,300	14,300	16,600	-부산	
5,470	5,470	5,470	5,470	-	-	8,190	9,400	10,200	11,100	12,000	13,900	춘천-대구	
7,130	7,130	7,130	7,130	-	-	10,780	12,300	13,400	14,600	15,700	18,200	-부산	
2,270	2,270	2,270	2,270	2,750	2,960	3,520	4,000	4,500	4,900	5,200	6,100	서울-유성	호남선 1
2,870	2,870	2,870	2,870	3,470	3,730	4,440	5,100	5,600	6,100	6,600	-	-연무대	
2,990	2,990	2,990	2,990	3,620	3,890	4,630	5,300	5,800	6,400	6,900	7,900	-논산	
3,350	3,350	3,350	3,350	4,050	4,350	5,180	5,900	6,500	7,100	7,700	8,900	-전주	
3,300	3,300	3,300	3,300	3,990	4,290	5,100	5,800	6,400	-	-	-	-익산	
3,510	3,510	3,510	3,510	4,240	4,560	5,430	6,200	6,800	7,400	8,000	9,300	-김제	
3,590	3,590	3,590	3,590	4,340	4,650	5,550	6,300	7,000	7,600	8,200	9,500	-군산	
3,800	3,800	3,800	3,800	4,590	4,940	5,880	6,700	7,400	8,000	8,700	10,000	-정읍	
4,170	4,170	4,170	4,170	5,040	5,420	6,450	7,400	8,100	8,800	9,500	11,000	-남원	
4,530	4,530	4,530	4,530	5,470	5,880	7,000	8,000	8,800	9,600	10,300	11,900	-광주	
4,880	4,880	4,880	4,880	5,900	6,340	7,550	8,300	9,100	9,900	10,700	-	-나주	
4,960	4,960	4,960	4,960	6,000	6,450	7,670	8,500	9,300	10,100	10,900	-	-영산포	
5,520	5,520	5,520	5,520	6,680	7,180	8,550	9,500	10,300	11,300	12,100	-	-목포	
5,650	5,650	5,650	5,650	6,840	7,350	8,570	10,000	10,900	11,900	12,600	-	-순천	
6,120	6,120	6,120	6,120	7,400	7,950	9,460	10,800	11,800	12,800	13,700	-	-여수	

일반고속버스요금(2)

선별	지역별 \ 연도별	'99	'00	'02	'04	'06	'08	'10	'13	'15	'17	'19	'23
경부선	서울-평택	2,700	3,000	3,200	3,500	3,700	4,000	4,200	4,500	4,500	4,500	5,300	5,300
	-안성	2,900	3,100	3,400	3,700	4,000	4,400	-	5,700	5,700	5,700	6,600	6,600
	-천안	3,300	3,600	3,800	4,200	4,500	4,800	5,000	5,400	5,400	5,400	6,200	6,200
	-온양	-	-	-	-	-	-	-	-	-	-	-	7,400
	-청주	5,000	5,200	5,600	6,100	6,600	7,000	7,400	7,700	7,700	7,700	8,300	8,300
	-공주	5,100	5,600	6,000	5,400	6,900	7,300	7,700	8,000	8,000	8,000	8,600	8,600
	-대전	6,000	6,500	7,000	7,600	8,200	8,700	9,200	9,600	9,600	9,600	10,300	10,300
	-보은	-	-	-	-	-	-	-	-	-	-	-	-
	-영동	-	-	-	-	-	-	-	-	-	-	-	-
	-금산	7,700	8,400	8,600	9,400	10,100	10,700	11,300	11,700	11,700	11,700	12,700	12,700
	-김천	8,700	9,500	10,300	11,300	12,100	12,800	13,500	14,100	14,100	14,100	15,200	-
	-상주	10,000	10,900	10,700	11,700	10,400	11,100	11,600	12,100	12,100	12,100	13,100	13,100
	-구미	9,600	10,500	11,400	12,400	12,500	13,200	14,000	14,500	14,500	14,500	15,700	-
	-대구	11,100	12,100	13,100	14,300	14,600	15,500	16,300	17,000	17,200	17,200	18,400	18,400
	-경주	13,400	14,600	15,700	17,200	17,500	18,600	19,500	20,400	20,400	20,400	20,600	20,600
	-포항	14,100	15,400	16,600	18,100	18,600	19,800	20,800	21,400	21,400	21,400	21,000	21,000
	-울산	14,900	16,200	17,500	19,100	19,700	20,900	22,000	22,900	22,900	22,900	23,300	-
	-부산	15,700	17,100	18,400	20,100	19,800	20,900	22,000	23,000	23,000	23,000	23,000	24,200
	대전-수원	5,200	5,600	5,700	6,200	-	-	-	8,200	8,200	8,200	10,000	-
	-천안	2,800	3,100	3,300	3,600	3,900	4,100	4,400	4,800	4,800	4,800	5,400	5,400
	-대구	5,800	6,300	6,800	7,400	8,000	8,400	8,900	9,300	9,300	9,300	10,000	10,000
	-경주	8,300	9,000	9,700	10,600	11,400	12,100	12,700	-	-	-	-	-
	-포항	9,000	9,800	10,600	11,500	12,500	13,300	14,000	14,200	14,200	14,200	15,400	-
	-울산	9,800	10,700	11,500	12,600	13,500	14,300	15,100	15,700	15,700	15,700	17,000	-
	-부산	10,600	11,600	12,500	13,600	13,600	14,400	15,200	15,800	15,800	15,800	17,000	-
	청주-부산	12,000	13,100	14,100	15,300	15,300	15,800	16,600	17,400	17,400	17,400	18,100	-
	대구-경주	2,600	2,800	3,000	3,300	3,700	3,900	4,200	4,900	4,900	4,900	5,500	-
	-울산	4,300	4,700	5,100	5,500	6,100	6,500	6,800	7,100	7,100	7,100	7,700	-
	-부산	5,300	5,700	6,200	6,700	5,800	6,100	6,400	6,700	6,700	6,700	7,200	7,200
	포항-마산	6,000	6,600	7,100	7,700	8,300	8,800	9,200	-	-	-	-	-
	부산-경주	3,100	3,300	3,600	3,900	3,700	3,900	4,100	4,800	4,800	4,800	5,400	-
	청주-대구	7,800	8,500	9,200	10,000	10,700	10,300	10,800	11,300	11,300	11,300	12,200	-
	성남-대구	10,800	11,800	12,700	14,000	14,400	15,300	16,100	16,800	16,800	16,800	18,100	18,100
	-부산	15,400	16,800	18,200	19,900	19,500	20,700	21,800	22,700	22,700	22,700	23,900	-
	의정부-대구	12,100	13,200	14,300	15,600	15,500	16,400	17,300	18,100	18,100	18,100	19,500	-
	-부산	16,600	18,100	19,500	-	-	-	-	-	-	-	-	-
	춘천-대구	13,900	15,200	13,200	14,400	15,400	16,300	17,200	18,000	18,000	18,000	19,400	-
	-부산	-	-	-	-	-	-	-	-	-	-	-	-
호남선 1	서울-유성	6,100	6,600	7,100	7,800	8,300	8,800	9,300	9,700	9,700	9,700	10,500	10,500
	-연무대	-	-	-	8,400	9,000	9,500	10,000	10,400	10,400	10,400	11,300	11,300
	-논산	7,900	8,700	9,400	-	-	-	9,500	10,400	10,400	10,400	10,700	10,700
	-전주	8,900	9,700	10,500	10,200	11,000	10,500	12,200	12,800	12,800	12,800	13,800	13,800
	-익산	-	-	-	-	-	-	-	-	-	-	-	-
	-김제	9,300	10,100	10,900	10,800	11,500	12,200	12,900	14,300	14,300	15,000	15,000	-
	-군산	9,500	10,300	10,900	11,500	12,300	12,000	12,200	12,800	12,800	12,800	13,800	13,800
	-정읍	10,000	10,900	11,800	11,700	12,600	13,300	14,000	14,600	14,600	14,600	15,800	15,800
	-남원	11,000	12,000	12,900	12,900	13,900	14,700	15,500	15,800	15,800	15,800	17,100	-
	-광주	11,900	13,000	14,000	14,100	15,100	16,100	16,900	17,600	17,600	17,600	17,600	19,000
	-나주	-	-	-	-	-	-	17,600	18,400	18,400	18,400	19,900	-
	-영산포	-	13,700	14,800	15,000	16,100	17,100	18,000	18,700	18,700	18,700	20,200	-
	-목포	-	15,300	16,100	16,400	17,600	18,700	19,600	20,500	20,500	20,500	22,100	-
	-순천	-	15,900	17,200	17,600	18,900	20,200	20,400	19,300	19,300	19,900	20,800	20,800
	-여수	-	17,400	18,800	19,200	20,600	21,800	22,200	20,700	20,700	20,700	22,300	-

일반고속버스요금(3)

선별	지역별 \ 연도별	'75	'76	'77	'78	'79	'80	'81	'82	'83	'84	'85	'86	'87	'88
호남선2	수원-광주	-	-	-	-	-	-	-	-	-	-	-	4,250	4,250	4,250
	대전-전주	540	540	520	620	750	1,020	1,240	1,240	1,340	1,340	1,340	1,420	1,420	1,420
	-광주	1,000	1,000	950	1,140	1,430	1,950	2,370	2,370	2,570	2,570	2,570	2,700	2,700	2,700
	성남-전주	-	-	-	-	-	-	-	-	-	-	-	3,250	3,250	3,250
	-광주	-	-	-	-	-	-	-	-	-	-	-	4,410	4,410	4,410
	청주-광주	-	-	-	-	-	-	-	-	-	-	-	3,070	3,070	3,070
	의정부-광주	-	-	-	-	-	-	-	-	-	-	-	5,030	5,030	5,030
	전주-광주	520	520	500	600	820	1,110	1,350	1,350	1,470	1,470	1,470	1,550	1,550	1,550
남해선	부산-진주	680	680	650	780	980	1,370	1,650	1,650	1,790	1,790	1,790	1,680	1,680	1,680
	-순천	1,100	1,100	1,050	1,250	1,610	2,200	2,660	2,660	2,890	2,890	2,890	2,840	2,840	2,840
	-광주	1,490	1,490	1,420	1,690	2,150	2,930	3,550	3,550	3,850	3,850	3,850	3,860	3,860	3,860
	-여수	-	-	-	1,410	1,840	2,510	3,040	3,040	3,300	3,300	3,300	3,280	3,280	3,280
	광주-진주	890	890	850	1,020	1,280	1,740	2,120	2,120	2,300	2,300	2,300	2,420	2,420	2,420
	-마산	-	-	-	1,290	1,700	2,310	2,850	2,850	3,050	3,050	3,050	3,150	3,150	3,150
	-부곡	-	-	-	-	-	-	-	-	-	-	-	3,450	3,450	3,450
구마선	서울-마산	2,460	2,460	2,280	2,200	2,880	3,930	4,720	4,720	5,120	5,070	5,070	5,310	5,310	5,310
	-창원	-	-	-	-	-	-	-	-	-	5,100	5,100	5,370	5,370	5,370
	-부곡	-	-	-	-	-	-	-	-	-	4,710	4,710	4,960	4,960	4,960
	-진주	2,710	2,710	2,590	2,420	3,130	4,270	5,140	5,140	5,570	5,530	5,530	5,820	5,820	5,820
	대구-마산	-	-	-	620	820	1,110	1,350	1,350	1,470	1,470	1,470	1,490	1,490	1,490
	-진주	-	-	-	870	1,110	1,510	1,840	1,840	1,990	1,990	1,990	2,100	2,100	2,100
	-순천	-	-	-	-	1,670	2,280	2,770	2,770	3,010	3,010	3,010	3,170	3,170	3,170
	대전-마산	-	-	-	-	1,800	2,460	2,990	2,990	3,190	3,190	3,240	3,330	3,330	3,330
영동선	서울-용인	290	290	280	250	350	480	530	530	570	570	570	600	600	600
	-이천	450	450	430	430	600	810	930	930	1,010	1,010	1,010	1,070	1,070	1,070
	-여주	520	520	500	520	700	960	1,110	1,110	1,210	1,210	1,210	1,270	1,270	1,270
	-원주	720	720	690	750	970	1,320	1,560	1,560	1,690	1,690	1,690	1,780	1,780	1,780
	-제천	-	-	-	-	-	-	-	-	2,330	2,330	2,330	2,450	2,450	2,450
	-강릉	1,260	1,260	1,140	1,510	1,990	2,710	3,240	3,240	3,350	3,350	3,350	3,530	3,530	3,530
	-속초	-	-	-	1,910	2,480	3,390	4,060	4,060	4,240	4,240	4,240	4,460	4,460	4,460
	대전-강릉	-	-	-	-	-	-	-	-	-	-	-	4,140	4,140	4,140
	원주-여주	-	-	-	260	320	490	530	530	580	580	580	610	610	610
	-강릉	-	-	-	840	1,080	1,480	1,800	1,800	1,800	1,800	1,800	1,890	1,890	1,890
동해선	서울-동해	-	-	-	-	-	-	-	-	3,860	3,860	3,860	4,070	4,070	4,070
	-삼척	-	-	-	1,810	2,420	3,310	3,960	3,960	4,060	4,060	4,060	4,280	4,280	4,280
	원주-삼척	-	-	-	1,250	1,390	-	2,310	2,310	2,310	2,310	2,310	2,430	2,430	2,430
경인선	인천-대전	-	-	-	-	-	-	-	-	-	-	-	2,890	2,890	2,890
	-전주	-	-	-	-	-	-	-	-	-	-	-	3,690	3,690	3,690
	-광주	-	-	-	-	-	-	-	-	-	-	-	4,850	4,850	4,850
	-대구	-	-	-	-	-	-	-	-	-	-	-	4,550	4,550	4,550
	-부산	-	-	-	-	-	-	-	-	-	-	-	6,280	6,280	6,280
88선	광주-대구	-	-	-	-	-	-	-	-	-	-	-	3,180	3,180	3,180
	-경주	-	-	-	-	-	-	-	-	-	-	-	4,080	4,080	4,080
	-울산	-	-	-	-	-	-	-	-	-	-	-	4,670	4,670	4,670
	전주-대구	-	-	-	-	-	-	-	-	-	-	-	3,180	3,180	3,180
	-울산	-	-	-	-	-	-	-	-	-	-	-	4,650	4,650	4,650
	-부산	-	-	-	-	-	-	-	-	-	-	-	4,560	4,560	4,560
	포항-광주	-	-	-	-	-	-	-	-	-	-	-	4,540	4,540	4,540

일반고속버스요금(4)

선별	지역별 \ 연도별	'89	'90	'91	'92	'93	'94	'95	'96	'97	'98	'99
호남선2	수원-광주	4,250	4,250	5,140	5,520	6,580	7,500	8,200	9,000	9,700	11,200	11,200
	대전-전주	1,420	1,420	1,710	1,840	2,190	2,500	2,800	3,000	3,200	3,800	3,800
	-광주	2,700	2,700	3,270	3,520	4,190	4,800	5,300	5,800	6,200	7,200	7,200
	성남-전주	3,250	3,250	3,930	4,230	5,030	5,700	6,300	6,900	7,400	8,600	8,600
	-광주	4,410	4,410	5,330	5,730	6,820	7,800	8,500	9,300	10,000	11,600	11,600
	청주-광주	3,070	3,070	3,710	3,990	4,760	5,300	5,800	6,400	6,800	7,900	8,000
	의정부-광주	5,030	5,030	-	-	7,600	8,700	9,500	10,400	11,100	12,900	12,900
	전주-광주	1,550	1,550	1,870	2,010	2,390	2,700	3,000	-	-	-	-
남해선	부산-진주	1,680	1,680	2,030	2,180	2,590	3,000	3,300	3,600	3,800	4,500	4,500
	-순천	2,840	2,840	3,430	3,690	4,390	5,000	5,600	6,100	6,500	7,600	7,600
	-광주	3,860	3,860	4,670	5,020	5,980	6,800	7,500	8,200	8,700	10,100	10,100
	-여수	3,280	3,280	3,970	4,260	5,070	5,800	6,400	7,000	7,500	8,700	8,700
	광주-진주	2,420	2,420	2,920	3,140	3,740	4,300	4,700	5,200	5,500	6,300	6,300
	-마산	3,150	3,150	3,800	4,090	4,870	5,600	6,100	6,700	7,100	8,300	8,300
	-부곡	3,450	3,450	4,180	4,480	-	-	-	-	-	-	-
구마선	서울-마산	5,310	5,310	6,430	6,910	8,220	9,400	10,300	11,200	12,000	13,900	13,900
	-창원	5,370	5,370	6,500	6,990	8,310	9,500	10,400	11,300	12,200	14,100	14,100
	-부곡	4,960	4,960	5,990	6,440	7,670	8,800	9,600	10,400	11,200	13,000	13,000
	-진주	5,820	5,820	7,040	7,570	9,000	10,300	11,200	12,200	13,100	15,300	15,300
	대구-마산	1,490	1,490	1,800	1,940	2,310	2,600	2,900	3,200	3,400	4,000	4,000
	-진주	2,100	2,100	2,540	2,730	3,240	3,700	4,100	4,500	4,800	5,600	5,600
	-순천	3,170	3,170	3,830	4,120	4,900	5,600	6,200	6,700	7,300	8,400	8,400
	대전-마산	3,330	3,330	4,030	4,330	5,150	5,900	6,500	7,100	7,600	8,800	8,800
영동선	서울-용인	600	600	730	790	940	1,100	1,200	1,300	1,400	1,600	1,600
	-이천	1,070	1,070	2,390	1,390	1,650	1,900	2,100	2,300	2,400	2,800	2,800
	-여주	1,270	1,270	1,540	1,660	1,970	2,300	2,500	2,700	2,900	3,400	3,400
	-원주	1,780	1,780	2,150	2,310	2,750	3,100	3,500	3,800	4,100	4,700	4,700
	-제천	2,450	2,450	2,970	3,190	3,800	4,300	4,800	4,900	5,300	6,100	6,100
	-강릉	3,530	3,530	4,270	4,590	5,460	6,200	6,900	7,400	7,900	9,200	9,200
	-속초	4,460	4,460	5,400	5,800	6,910	7,900	8,700	9,400	10,100	11,700	11,700
	대전-강릉	4,140	4,140	5,000	5,380	6,400	7,300	8,000	8,600	9,300	10,800	10,800
	원주-여주	610	610	740	-	1,000	-	-	-	-	-	-
	-강릉	1,890	1,890	2,290	2,450	2,930	3,300	3,700	4,000	4,300	4,900	4,900
동해선	서울-동해	4,070	4,070	4,920	5,290	6,290	7,200	7,900	8,600	9,200	10,700	10,700
	-삼척	4,280	4,280	5,170	5,560	6,260	7,600	8,300	9,000	9,700	11,200	11,200
	원주-삼척	2,430	2,430	2,690	-	3,970	-	-	-	-	-	-
경인선	인천-대전	2,890	2,890	-	-	4,560	5,200	5,700	6,300	6,700	7,500	7,500
	-전주	3,690	3,690	-	-	5,790	6,600	7,300	7,900	8,500	9,600	9,600
	-광주	4,850	4,850	-	-	7,600	8,700	9,500	10,300	11,100	12,600	12,600
	-대구	4,550	4,550	-	-	7,120	8,100	8,900	9,700	10,400	11,800	11,800
	-부산	6,280	6,280	-	-	9,800	11,200	12,200	13,300	14,300	16,300	16,300
88선	광주-대구	3,180	3,180	-	-	4,920	5,600	6,200	6,800	7,300	8,400	8,400
	-경주	4,080	4,080	-	-	6,310	7,200	7,900	8,600	9,300	10,800	10,800
	-울산	4,670	4,670	-	-	7,230	8,200	9,000	9,800	10,600	12,300	12,300
	전주-대구	3,180	3,180	-	-	4,930	5,600	6,200	6,800	7,300	8,500	8,500
	-울산	4,650	4,650	-	-	7,200	8,200	8,800	9,800	10,600	12,300	12,300
	-부산	4,560	4,560	-	-	7,060	8,100	9,000	9,600	10,300	12,000	12,000
	포항-광주	4,540	4,540	-	-	5,910	8,000	8,800	9,600	10,300	11,400	11,400

'00	'02	'04	'06	'08	'10	'13	'15	'17	'19	'23	연도별 / 지역별	선별
12,200	12,800	12,800	13,700	14,600	15,300	16,000	16,000	16,000	17,200	-	수원-광주	호남선2
3,800	4,100	4,500	4,800	5,100	5,400	6,900	6,900	6,900	7,800	7,800	대전-전주	
7,600	8,200	8,900	9,600	10,100	10,700	11,100	11,100	11,100	13,200	-	-광주	
9,400	10,100	10,000	10,700	11,300	11,900	12,400	12,400	12,400	13,400	13,400	성남-전주	
12,700	13,700	13,800	14,800	15,700	16,600	17,300	17,300	17,300	18,600	-	-광주	
8,800	9,500	10,300	11,100	11,700	12,300	12,900	12,900	12,900	13,900	-	청주-광주	
14,100	15,200	16,600	17,800	18,900	19,900	20,700	20,700	20,700	22,500	-	의정부-광주	
-	-	-	5,700	6,000	6,300	6,600	6,600	6,600	7,000	7,000	전주-광주	
												남해선
4,900	6,100	-	-	-	-	-	-	-	-	-	부산-진주	
8,200	9,700	10,600	10,500	11,300	11,900	12,500	12,500	12,500	12,900	-	-순천	
11,000	12,700	13,800	14,400	15,300	16,100	13,500	16,800	16,800	17,600	-	-광주	
9,500	11,000	12,000	12,000	12,700	13,400	14,000	14,000	14,000	14,600	-	-여수	
6,900	7,500	8,100	8,600	9,300	9,800	10,200	10,200	10,200	11,000	-	광주-진주	
9,000	9,700	10,600	11,400	12,100	12,700	13,300	13,300	13,300	14,300	-	-마산	
-	-	-	-	-	-	-	-	-	-	-	-부곡	
												구마선
15,200	16,400	18,000	18,200	18,700	19,700	20,600	20,600	20,600	22,200	22,200	서울-마산	
15,400	16,600	18,200	18,400	19,000	20,000	20,800	20,800	20,800	22,500	22,500	-창원	
-	-	-	-	-	-	-	-	-	-	-	-부곡	
16,600	14,300	15,600	16,800	17,800	18,700	19,500	19,500	19,500	21,100	21,100	-진주	
4,300	4,700	5,100	5,500	5,800	6,100	7,500	7,500	7,500	8,500	8,500	대구-마산	
6,100	6,600	7,200	7,700	8,100	8,600	8,900	8,900	8,900	9,700	-	-진주	
9,200	9,900	10,800	11,600	12,400	13,100	13,600	-	-	-	-	-순천	
9,600	10,500	11,500	12,300	12,100	12,700	-	-	-	-	-	대전-마산	
												영동선
1,800	1,900	2,100	2,200	-	-	2,900	2,900	2,900	3,300	3,300	서울-용인	
3,100	3,300	3,600	3,900	4,100	4,400	4,700	4,700	4,700	5,300	5,300	-이천	
3,700	4,000	4,300	4,700	4,900	5,200	5,700	5,700	5,700	6,500	6,500	-여주	
5,200	5,600	5,900	6,100	6,500	6,800	7,100	7,100	7,100	7,700	7,700	-원주	
6,700	7,200	7,800	8,400	8,900	9,400	9,800	9,800	9,800	10,600	10,600	-제천	
10,000	10,700	11,700	12,600	13,300	14,000	14,600	14,600	14,600	14,600	14,600	-강릉	
12,800	12,800	13,900	14,900	15,800	16,500	18,100	18,100	13,800	15,600	15,600	-속초	
11,800	12,800	13,900	14,900	15,900	16,700	17,400	17,400	16,800	18,100	-	대전-강릉	
-	-	-	-	-	-	-	-	-	-	-	원주-여주	
5,400	5,700	6,300	6,800	7,200	7,600	7,900	7,900	7,900	8,800	-	-강릉	
11,700	12,500	13,600	14,400	15,300	16,100	16,800	16,800	16,800	17,500	17,500	서울-동해	동해선
12,300	13,100	14,300	14,900	15,900	16,700	17,400	17,400	17,400	18,100	18,100	-삼척	
-	-	-	-	-	-	-	-	-	-	-	원주-삼척	
7,400	8,000	8,700	9,300	9,900	10,400	10,800	10,800	10,800	11,700	11,700	인천-대전	경인선
10,500	11,300	11,200	12,000	12,700	13,400	12,400	12,400	12,400	13,900	-	-전주	
13,800	14,900	15,000	16,100	17,100	18,000	18,800	18,800	18,800	20,200	20,200	-광주	
12,900	13,900	15,200	15,600	16,600	17,400	18,200	18,200	18,200	19,600	-	-대구	
17,800	19,200	20,900	20,700	22,000	23,100	24,100	24,100	24,100	25,400	-	-부산	
9,200	9,900	10,800	11,600	12,300	13,000	13,800	13,500	13,500	14,200	14,200	광주-대구	88선
11,700	12,700	13,800	14,800	15,700	16,600	17,300	-	-	-	-	-경주	
13,400	14,300	15,600	16,800	17,800	18,700	19,500	19,500	19,500	20,600	-	-울산	
9,200	9,900	10,800	11,600	11,300	11,900	12,400	-	-	-	-	전주-대구	
13,400	14,500	15,800	16,900	16,800	17,700	18,500	18,200	18,200	19,600	-	-울산	
13,100	12,900	14,100	14,700	14,600	15,400	16,100	16,100	16,100	-	-	-부산	
12,500	13,500	14,700	15,700	16,900	17,700	18,200	18,200	18,200	19,000	-	포항-광주	

고속도로통행요금

지역별 \ 연도별	'69. 9	'69. 12	'70. 10	'72. 5	'75. 10	'79. 5	'80. 10	'81. 12	'82. 12	'86. 2	'86. 9	'89. 9
서울-수원	100	100	100	150	350	500	800	800	800	800	900	500
-오산	150	150	150	200	500	700	1,000	1,000	1,100	1,100	1,200	800
-천안	250	200	250	350	850	1,200	1,600	1,700	1,700	1,700	1,900	1,600
-청주	350	300	350	500	1,150	1,700	2,200	2,300	2,400	2,400	2,600	2,300
-청원	-	-	-	-	-	-	-	-	2,600	2,600	2,900	2,500
-신탄진	-	-	-	-	-	-	-	-	2,800	2,800	3,100	2,800
-대전	450	400	450	600	1,450	2,100	2,700	2,800	3,000	3,000	3,300	3,000
-옥천	500	450	500	650	1,600	2,300	3,000	3,100	3,200	3,200	3,600	3,300
-영동	450	450	550	800	1,800	2,600	3,400	3,500	3,700	3,700	4,100	3,800
-황간	600	500	600	850	1,900	2,700	3,600	3,700	3,900	3,900	4,400	4,000
-김천	650	550	650	900	2,050	3,000	3,900	4,100	4,300	4,300	4,800	4,500
-구미	700	600	700	950	2,200	3,400	4,400	4,600	4,800	4,800	5,400	5,100
-왜관	700	600	700	1,000	2,300	3,600	4,700	4,900	5,100	5,100	5,700	5,400
-동대구	750	650	750	2,500	2,500	4,000	5,200	5,400	5,700	5,700	6,400	6,000
-경산	-	-	-	-	2,550	4,200	5,400	5,600	5,900	5,900	6,600	6,200
경주	900	750	900	1,200	2,750	4,700	6,100	6,400	6,700	6,700	7,400	7,100
-울산	-	-	-	-	-	-	-	7,300	7,700	7,700	8,300	8,000
-부산	850	850	1,000	1,400	3,100	5,600	7,200	7,500	7,900	7,900	8,800	8,500
-서대전	-	-	500	700	1,550	2,200	2,900	3,000	3,100	3,200	3,600	3,200
-이리	-	-	-	-	-	-	3,500	3,600	3,800	4,000	4,400	4,100
-전주	-	-	-	-	-	2,800	3,600	3,800	4,000	4,200	4,600	4,400
-정주	-	-	-	-	-	-	-	-	-	-	-	5,200
-광주	-	-	-	-	-	-	-	-	-	-	-	6,300
-여주	-	-	-	-	-	-	1,400	1,500	1,500	1,500	1,700	1,300
-원주	-	-	-	-	-	1,400	1,900	2,000	2,100	2,100	2,300	1,900
-동서울	-	-	-	-	-	-	-	-	-	-	-	1,800
-곤지암	-	-	-	-	-	-	-	-	-	-	-	1,300
-진천	-	-	-	-	-	-	-	-	-	-	-	1,500
-서청주	-	-	-	-	-	-	-	-	-	-	-	2,300
부산-울산	-	-	-	-	-	-	-	1,400	1,500	1,500	1,300	1,300
-경주	250	200	250	350	700	1,000	1,400	1,400	1,500	1,500	1,600	1,600
-동대구	350	350	400	550	1,200	1,700	2,200	2,300	2,400	2,400	2,700	2,700
-구미	450	450	550	750	1,650	2,300	3,100	3,200	3,400	3,400	3,700	3,700
-김천	500	500	600	800	1,850	2,700	3,500	3,700	3,800	3,800	4,300	4,300
-영동	600	600	700	900	2,100	3,100	4,000	4,200	4,400	4,400	4,900	4,900
-대전	700	700	800	1,050	2,350	3,600	4,700	4,900	5,200	5,200	5,900	5,900
-청주	700	700	850	1,150	2,500	4,000	5,200	5,500	5,800	5,800	6,400	6,400
-천안	750	750	900	1,200	2,700	4,500	5,800	6,100	6,400	6,400	7,100	7,100
-오산	800	800	950	1,250	2,850	5,000	6,400	6,700	7,100	7,100	7,900	7,900
-수원	850	850	1,000	1,300	2,950	5,200	6,700	7,000	7,300	7,300	8,200	8,200
광주-정주	-	-	-	-	-	-	-	-	-	-	-	1,300
-전주	-	-	-	-	-	-	-	-	-	-	-	2,100
-익산	-	-	-	-	-	-	-	-	-	-	-	2,400
-서대전	-	-	-	-	-	-	-	-	-	-	-	3,300
-청주	-	-	-	-	-	-	-	-	-	-	-	4,200

주 2004년 3월부터 이리는 익산, 정주는 정읍지역으로 변경.

'91. 9	'91. 12	'92. 7	'94. 12	'97. 5	'99. 8	'02. 4	'04. 3	'06. 2	'10. 9	'11. 11	'20. 11	'23. 05	연도별 / 지역별
600	600	900	1,000	1,200	1,300	1,300	1,500	1,700	1,700	1,700	1,900	1,900	서울-수원
1,000	1,000	1,300	1,400	1,700	1,900	2,000	2,300	2,400	2,400	2,500	2,600	2,600	-오산
2,000	2,000	2,300	2,700	3,200	3,500	3,700	4,100	4,200	4,200	4,300	4,600	4,600	-천안
2,900	2,900	3,300	3,900	4,500	5,000	5,300	5,700	5,900	5,900	6,100	6,500	6,500	-청주
3,300	3,300	3,600	4,400	5,000	5,500	5,900	6,300	6,500	6,500	-	-	-	-청원
3,700	3,700	4,000	4,700	5,400	5,900	6,400	6,800	7,100	7,100	7,200	7,700	7,700	-신탄진
4,000	4,000	4,400	5,000	5,700	6,300	6,800	7,300	7,500	7,500	7,700	8,200	8,200	-대전
4,400	4,400	4,700	5,500	6,200	6,800	7,300	7,800	8,100	8,100	8,300	8,900	8,900	-옥천
5,100	5,100	5,400	6,200	7,000	7,700	8,300	8,800	9,300	9,300	9,500	10,100	10,200	-영동
5,400	5,400	5,700	6,600	7,400	8,100	8,700	9,300	9,700	9,700	10,000	10,700	10,700	-황간
6,000	6,000	6,300	7,200	8,000	8,800	9,500	10,100	10,600	10,600	11,100	11,800	11,900	-김천
6,800	6,800	7,100	7,900	8,800	9,700	10,500	9,800	10,300	10,300	10,700	11,400	11,400	-구미
7,200	7,200	7,600	8,500	9,400	10,400	11,200	10,700	11,200	11,200	11,700	12,400	12,400	-왜관
8,100	8,100	8,400	9,400	10,400	11,400	12,400	12,200	12,800	13,100	13,500	14,400	14,400	-동대구
8,400	8,400	8,700	9,700	10,800	11,700	12,800	12,500	13,200	13,200	13,700	14,600	14,600	-경산
9,600	9,600	9,900	10,900	12,000	13,200	14,400	14,300	15,000	15,000	15,700	17,700	17,000	-경주
10,700	10,700	11,000	12,200	13,300	14,600	15,900	15,900	16,200	16,700	17,400	19,800	19,000	-울산
11,400	11,400	11,700	12,900	14,100	15,500	16,200	16,900	18,100	18,100	18,800	21,300	18,600	-부산
4,300	4,300	4,700	5,400	6,100	6,700	6,700	7,800	8,100	8,100	8,300	8,800	8,800	-서대전
5,600	5,600	5,900	6,700	-	-	-	9,500	9,900	9,900	10,300	10,500	11,000	-이리(익산)
5,900	5,900	6,300	7,100	8,000	8,700	9,500	10,100	10,400	10,400	10,900	11,100	11,500	-전주
7,000	7,000	7,400	8,300	-	-	-	11,600	12,100	12,100	12,500	12,900	13,400	-정주(정읍)
8,400	8,400	8,700	9,700	10,800	11,800	12,900	13,400	13,900	13,900	14,400	14,700	15,200	-광주
1,700	1,700	2,000	2,400	2,800	3,100	3,200	3,700	3,900	3,900	4,200	4,400	4,400	-여주
2,500	2,500	2,800	3,300	3,900	4,300	4,600	5,100	5,400	5,400	5,700	6,000	6,000	-원주
2,300	2,300	2,600	3,000	3,400	3,800	4,000	4,300	4,500	4,500	4,800	5,200	5,200	-동서울
1,600	1,600	2,000	2,300	2,700	2,900	3,100	3,400	3,600	3,600	3,900	4,100	4,100	-곤지암
2,200	2,200	2,700	3,000	3,500	3,800	4,100	4,500	4,600	4,600	4,900	5,200	5,200	-진천
2,900	2,900	3,400	3,800	4,400	4,800	5,100	5,500	5,800	5,800	6,000	6,400	6,400	-서청주
1,700	1,700	1,700	1,800	2,100	2,300	2,400	2,800	3,200	3,200	3,400	3,600	3,600	부산-울산
2,100	2,100	2,100	2,200	2,500	2,800	3,000	3,500	3,900	3,900	4,000	4,500	4,500	-경주
3,500	3,500	3,500	3,700	4,200	4,700	5,000	5,600	6,200	6,500	6,800	7,700	7,700	-동대구
4,800	4,800	4,800	5,200	5,800	6,400	6,900	7,900	8,600	8,600	9,000	10,000	10,000	-구미
5,600	5,600	5,600	5,900	6,700	7,300	7,900	9,000	9,800	9,800	10,400	16,400	9,600	-김천
6,500	6,500	6,500	6,900	7,700	8,500	9,100	10,300	11,200	11,200	11,900	18,100	11,300	-영동
7,900	7,900	7,900	8,100	9,000	9,900	10,700	11,900	12,900	12,900	13,700	20,000	13,300	-대전
8,600	8,600	8,600	9,000	10,100	11,100	12,100	13,400	13,800	13,800	14,200	16,400	13,800	-청주
9,600	9,600	9,600	10,400	11,400	12,500	13,600	15,100	15,500	15,500	16,000	18,200	15,600	-천안
10,600	10,600	10,600	11,700	12,800	14,000	15,300	16,900	17,400	17,400	17,900	20,300	17,600	-오산
11,000	11,000	11,000	12,100	13,300	14,600	15,900	16,400	17,500	17,500	18,600	20,700	18,100	-수원
1,600	1,600	1,600	1,700	-	-	-	2,500	2,600	2,600	2,700	2,700	2,700	광주-정읍
2,700	2,700	2,700	2,800	3,300	3,600	3,800	4,100	4,300	4,300	4,400	4,500	4,500	-전주
3,100	3,100	3,100	3,200	-	-	-	4,700	4,900	4,900	4,900	5,100	5,100	-익산
4,300	4,300	4,300	4,500	5,100	5,600	6,100	6,500	6,700	6,700	7,000	7,400	7,400	-서대전
5,700	5,700	5,700	6,000	6,700	7,400	8,000	8,500	8,800	8,800	9,200	9,600	9,600	-청주

고속도로구간거리표

남해고속도로

(거리:㎞)

순천	8.77	20.39	24.81	31.79	48.24	62.15	64.66	67.91	71.92	78.76	93.95	100.43	121.01	124.55	129.61	135.89	147.67	152.22	162.55
	광양	11.62	16.04	23.02	39.47	53.38	55.89	59.14	63.15	69.99	85.18	91.66	112.24	115.78	120.84	127.12	138.90	143.45	153.78
부산		옥곡	4.42	11.40	27.85	41.76	44.27	47.52	51.53	58.37	73.56	80.04	100.62	104.16	109.22	115.50	127.28	131.83	142.16
17.94	양산		진월	6.98	23.43	37.34	39.85	43.10	47.11	53.95	69.14	75.62	96.20	99.74	104.80	111.08	122.86	127.41	137.74
38.48	20.54	서울산		하동	16.45	30.36	32.87	36.12	40.13	46.97	62.16	68.64	89.22	92.76	97.82	104.10	115.88	120.43	130.76
68.26	50.32	29.78	경주		곤양	13.91	16.42	19.67	23.68	30.52	45.71	52.19	72.77	76.31	81.37	87.65	99.43	103.98	114.31
96.39	78.45	57.91	28.13	영천		사천	2.51	5.76	9.77	16.61	31.80	38.28	58.86	62.40	67.46	73.74	85.52	90.07	100.40
122.11	104.17	83.63	53.85	25.72	동대구		진주J	3.25	7.26	14.10	29.29	35.77	56.35	59.89	64.95	71.23	83.01	87.56	97.89
153.27	135.33	114.79	85.01	56.88	31.16	왜관		진주	4.01	10.85	26.04	32.52	53.10	56.64	61.70	67.98	79.76	84.31	94.64
172.32	154.38	133.84	104.06	75.93	50.21	19.05	구미		문산	6.84	22.03	28.51	49.09	52.63	57.69	63.97	75.75	80.30	90.63
200.27	182.33	161.79	132.01	103.88	78.16	47.00	27.95	김천		진성	15.19	21.67	42.25	45.79	50.85	57.13	68.91	73.46	83.79
212.32	194.38	173.84	144.06	115.93	90.21	59.05	40.00	12.05	추풍령		군북	6.48	27.06	30.60	35.66	41.94	53.72	58.27	68.60
232.27	214.33	193.79	164.01	135.88	110.16	79.00	59.95	32.00	19.95	영동		함안	20.58	24.12	29.18	35.46	47.24	51.79	62.12
259.71	241.77	221.23	191.45	163.32	137.60	106.44	87.39	59.44	47.39	27.44	옥천		북창원	3.54	8.60	14.88	26.66	31.21	41.54
271.94	254.00	233.46	203.68	175.55	149.83	118.67	99.62	71.67	59.62	39.67	12.23	대전		창원J	5.06	11.34	23.12	27.67	38.00
281.97	264.03	243.49	213.71	185.58	159.86	128.70	109.65	81.70	69.65	49.70	22.26	10.03	신탄진		동창원	6.28	18.06	22.61	32.94
305.11	287.17	266.63	236.85	208.72	183.00	151.84	132.79	104.84	92.79	72.84	45.40	33.17	23.14	청주		진례	11.78	16.33	26.66
340.14	322.20	301.66	271.88	243.75	218.03	186.87	167.82	139.87	127.82	107.87	80.43	68.20	58.17	35.03	천안		서김해	4.55	14.88
378.21	360.27	339.73	309.95	281.82	256.10	224.94	205.89	177.94	165.89	145.94	118.50	106.27	96.24	73.10	38.07	오산		동김해	10.33
392.28	374.34	353.80	324.02	295.89	270.17	239.01	219.96	192.01	179.96	160.01	132.57	120.34	110.31	87.17	52.14	14.07	수원		부산
406.94	389.00	368.46	338.68	310.55	284.83	253.67	234.62	206.67	194.62	174.67	147.23	135.00	124.97	101.83	66.80	28.73	14.66	판교	
416.05	398.11	377.57	347.79	319.66	293.94	262.78	243.73	215.78	203.73	183.78	156.34	144.11	134.08	110.94	75.91	37.84	23.77	9.11	양재

경부고속도로

서해고속도로

(거리:㎞)

목포	23.28	33.55	57.88	76.68	110.64	124.57	145.52	160.73	193.34	223.86	248.26	264.21	284.92	299.27	312.89	316.91	325.83	333.03	339.90
	무안	10.27	34.60	53.40	87.36	101.29	122.24	137.45	170.06	200.58	224.98	240.93	261.64	275.99	289.61	293.63	302.55	309.75	316.62
서창		함평	24.33	43.13	77.09	91.02	111.97	127.18	159.79	190.31	214.71	230.66	251.37	265.72	279.34	283.36	292.28	299.48	306.35
6.00	월곶J		영광	18.80	52.76	66.69	87.64	102.85	135.46	165.98	190.38	206.33	227.04	241.39	255.01	259.03	267.95	275.15	282.02
15.87	9.87	안산		고창	33.96	47.89	68.84	84.05	116.66	147.18	171.58	187.53	208.24	222.59	236.21	240.23	249.15	256.35	263.22
24.42	18.42	8.55	군포		부안	13.93	34.88	50.09	82.70	113.22	137.62	153.57	174.28	188.63	202.25	206.27	215.19	222.39	229.26
27.96	21.96	12.09	3.54	부곡		서김제	20.95	36.16	68.77	99.29	123.69	139.64	160.35	174.70	188.32	192.34	201.26	208.46	215.33
30.80	24.80	14.93	6.38	2.84	북수원		군산	15.21	47.82	78.34	102.74	118.69	139.40	153.75	167.37	171.39	180.31	187.51	194.38
36.89	30.89	21.02	12.47	8.93	6.09	동수원		서천	32.61	63.13	87.53	103.48	124.19	138.54	152.16	156.18	165.10	172.30	179.17
41.79	35.79	25.92	17.37	13.83	10.99	4.90	신갈J		대천	30.52	54.92	70.87	91.58	105.93	119.55	123.57	132.49	139.69	146.56
52.51	46.51	36.64	28.09	24.55	21.71	15.62	10.72	용인		홍성	24.40	40.35	61.06	75.41	89.03	93.05	101.97	109.17	116.04
73.22	67.22	57.35	48.80	45.26	42.42	36.33	31.43	20.71	호법J		서산	15.95	36.66	51.01	64.63	68.65	77.57	84.77	91.64
79.63	73.63	63.76	55.21	51.67	48.83	42.74	37.84	27.12	6.41	이천		당진	20.71	35.06	48.68	52.70	61.62	68.82	75.69
94.47	88.47	78.60	70.05	66.51	63.67	57.58	52.68	41.96	21.25	14.84	여주		서평택	14.35	27.97	31.99	40.91	48.11	54.98
114.45	108.45	98.58	90.03	86.49	83.65	77.56	72.66	61.94	41.23	34.82	19.98	문막		발안	13.62	17.64	26.56	33.76	40.63
130.20	124.20	114.33	105.78	102.24	99.40	93.31	88.41	77.69	56.98	50.57	35.73	15.75	원주		비봉	4.02	12.94	20.14	27.01
142.93	136.93	127.06	118.51	114.97	112.13	106.04	101.14	90.42	69.71	63.30	48.46	28.48	12.73	새말		매송	8.92	16.12	22.99
160.01	154.01	144.14	135.59	132.05	129.21	123.12	118.22	107.50	86.79	80.38	65.54	45.56	29.81	17.08	둔내		안산J	7.20	14.07
182.69	176.69	166.82	158.27	154.73	151.89	145.80	140.90	130.18	109.47	103.06	88.22	68.24	52.49	39.76	22.68	장평		광명역	6.87
191.85	185.85	175.98	167.43	163.89	161.05	154.96	150.06	139.34	118.63	112.22	97.38	77.40	61.65	48.92	31.84	9.16	속사		금천
211.84	205.84	195.97	187.42	183.88	181.04	174.95	170.05	159.33	138.62	132.21	117.37	97.39	81.64	68.91	51.83	29.15	19.99	횡계	
234.40	228.40	218.53	209.98	206.44	203.60	197.51	192.61	181.89	161.18	154.77	139.93	119.95	104.20	91.47	74.39	51.71	42.55	22.56	강릉J

영동고속도로

철도여객운임(1)

(단위:원)

구 간		구분	'72	'73	'74	'75	'76	'77	'78	'79
경부선	서울-영등포	통일호	-	-	-	-	-	-	-	1,150
		통일호	-	-	-	-	-	-	-	750
	-수 원	무궁화	-	-	-	-	-	-	-	1,150
		통일호	350	350	410	490	490	500	600	750
	-천 안	무궁화	-	-	-	-	-	-	-	1,150
		통일호	450	450	520	630	630	500	600	750
	-조치원	무궁화	-	-	-	-	-	-	-	1,440
		통일호	510	510	590	710	710	630	760	950
	-대 전	새마을	1,020	1,020	1,180	1,420	1,420	1,570	1,960	2,650
		무궁화	-	-	-	-	-	-	-	1,850
		통일호	570	570	670	800	800	810	980	1,220
	-영 동	무궁화	-	-	-	-	-	-	-	2,360
		통일호	820	820	950	1,130	1,130	1,040	1,240	1,550
	-김 천	새마을	-	-	-	-	-	-	-	-
		무궁화	-	-	-	-	-	-	-	2,830
		통일호	890	890	1,030	1,240	1,240	1,240	1,490	1,860
	-구 미	새마을	-	-	-	-	-	-	-	-
		무궁화	-	-	-	-	-	-	-	3,080
		통일호	-	-	-	-	-	1,350	1,350	2,030
	-동대구	새마을	1,840	1,840	2,120	2,530	2,530	3,090	3,860	5,210
		무궁화	-	-	-	-	-	-	-	3,640
		통일호	1,030	1,030	1,190	1,420	1,420	1,600	1,920	2,390
	-밀 양	무궁화	-	-	-	-	-	-	-	4,260
		통일호	1,130	1,130	1,300	1,560	1,560	1,870	2,240	2,800
	-삼랑진	무궁화	-	-	-	-	-	-	-	4,400
		통일호	1,150	1,150	1,330	1,600	1,600	1,930	2,320	2,900
	-부 산	새마을	2,690	2,690	3,090	3,710	3,710	4,190	5,230	7,070
		무궁화	-	-	-	-	-	-	-	4,940
		통일호	1,570	1,570	1,810	2,170	2,170	2,170	2,600	3,250
	-영 천	새마을	-	-	-	-	-	-	-	-
	-경 주	새마을	-	-	-	-	-	-	-	6,350
호남선	서울-영등포	무궁화	-	-	-	-	-	-	-	-
	-수 원	무궁화	-	-	-	-	-	-	-	-
	-천 안	무궁화	-	-	-	-	-	-	-	-
	-조치원	무궁화	-	-	-	-	-	-	-	-
	-서대전	새마을	-	-	-	-	-	1,630	1,630	2,750
		무궁화	-	-	-	-	-	-	-	-
	-논 산	새마을	-	-	-	-	-	-	-	3,480
		무궁화	-	-	-	-	-	-	-	-
	-강 경	무궁화	-	-	-	-	-	-	-	-
	-익 산	새마을	-	-	-	-	-	2,410	2,410	4,070
		무궁화	-	-	-	-	-	-	-	-
	-김 제	무궁화	-	-	-	-	-	-	-	-
	-정 읍	새마을	-	-	-	-	-	2,820	2,820	5,670
		무궁화	-	-	-	-	-	-	-	-
	-송정리	새마을	-	-	-	-	-	-	-	5,670
		무궁화	-	-	-	-	-	-	-	-
	-광 주	새마을	-	-	-	-	-	3,490	3,490	5,890
		무궁화	-	-	-	-	-	-	-	-
	-나 주	무궁화	-	-	-	-	-	-	-	-
	-영산포	새마을	-	-	-	-	-	3,590	3,590	5,960
		무궁화	-	-	-	-	-	-	-	-
	-목 포	새마을	-	-	-	-	-	4,030	4,030	6,800
		무궁화	-	-	-	-	-	-	-	-

※1984. 1월 명칭변경:우등→무궁화호, 특급→통일호

철 도 여 객 운 임(2)

(단위:원)

구 간		구분	'80	'81	'82	'83	'84	'85	'86	'87
경부선	서울-영등포	통일호	1,520	1,700	1,800	1,900	1,900	1,900	1,900	1,900
		통일호	1,080	1,200	1,300	1,400	1,400	1,400	1,400	1,400
	-수 원	무궁화	1,520	1,700	1,800	1,900	1,900	1,900	1,900	1,900
		통일호	1,080	1,200	1,300	1,400	1,400	1,400	1,400	1,400
	-천 안	무궁화	1,520	1,700	1,800	1,900	1,900	1,900	1,900	1,900
		통일호	1,080	1,200	1,300	1,400	1,400	1,400	1,400	1,400
	-조치원	무궁화	1,900	2,100	2,300	2,400	2,400	2,400	2,400	2,400
		통일호	1,370	1,500	1,700	1,800	1,800	1,800	1,800	1,800
	-대 전	새마을	4,140	4,600	5,100	5,400	5,400	5,400	5,400	5,400
		무궁화	2,440	2,700	3,000	3,100	3,100	3,100	3,100	3,100
		통일호	1,760	1,900	2,100	2,300	2,300	2,300	2,300	2,300
	-영 동	무궁화	3,120	3,500	3,800	4,000	4,000	4,000	4,000	4,000
		통일호	2,240	2,500	2,700	2,900	2,900	2,900	2,900	2,900
	-김 천	새마을	-	-	-	8,200	8,200	8,200	8,200	8,200
		무궁화	3,730	4,100	4,600	4,800	4,800	4,800	4,800	4,800
		통일호	2,680	3,000	3,300	3,400	3,400	3,400	3,400	3,400
	-구 미	새마을	-	-	-	8,900	8,900	8,900	8,900	8,900
		무궁화	4,070	4,500	5,000	5,200	5,200	5,200	5,200	5,200
		통일호	2,920	3,200	3,600	3,800	3,800	3,800	3,800	3,800
	-동대구	새마을	8,130	9,100	10,000	10,500	10,500	10,500	10,500	10,500
		무궁화	4,800	5,300	5,900	6,200	6,200	6,200	6,200	6,200
		통일호	3,450	3,800	4,200	4,400	4,400	4,400	4,400	4,400
	-밀 양	무궁화	5,620	6,300	6,900	7,200	7,200	7,200	7,200	7,200
		통일호	4,040	4,500	5,000	5,200	5,200	5,200	5,200	5,200
	-삼랑진	무궁화	5,810	6,500	7,100	7,500	7,500	7,500	7,500	7,500
		통일호	4,170	4,600	5,100	5,400	5,400	5,400	5,400	5,400
	-부 산	새마을	11,030	12,300	13,600	14,300	14,300	14,300	14,300	14,300
		무궁화	6,510	7,200	8,000	8,400	8,400	8,400	8,400	8,400
		통일호	4,680	5,200	5,700	6,000	6,000	6,000	6,000	6,000
	-영 천	새마을	-	-	-	11,600	11,600	11,600	11,600	11,600
	-경 주	새마을	9,910	11,100	12,200	12,900	12,900	12,900	12,900	12,900
호남선	서울-영등포	무궁화	-	-	1,900	1,900	1,900	1,900	1,900	1,900
	-수 원	무궁화	-	-	1,900	1,900	1,900	1,900	1,900	1,900
	-천 안	무궁화	-	-	1,900	1,900	1,900	1,900	1,900	1,900
	-조치원	무궁화	-	-	2,400	2,400	2,400	2,400	2,400	2,400
	-서대전	새마을	4,290	4,800	7,600	7,600	7,600	5,600	5,600	5,600
		무궁화	-	-	3,300	3,300	3,300	3,300	3,300	3,300
	-논 산	새마을	5,430	6,000	9,900	9,900	9,900	7,000	7,000	7,000
		무궁화	-	-	4,100	4,100	4,100	4,100	4,100	4,100
	-강 경	무궁화	-	-	4,300	4,300	4,300	4,300	4,300	4,300
	-익 산	새마을	6,340	7,100	11,100	11,100	11,100	8,200	8,200	8,200
		무궁화	-	-	4,800	4,800	4,800	4,800	4,800	4,800
	-김 제	무궁화	-	-	5,100	5,100	5,100	5,100	5,100	5,100
	-정 읍	새마을	8,850	9,900	12,500	12,500	12,500	9,600	9,600	9,600
		무궁화	-	-	5,600	5,600	5,600	5,600	5,600	5,600
	-송정리	새마을	8,850	9,900	14,300	14,300	14,300	11,400	11,400	11,400
		무궁화	-	-	6,700	6,700	6,700	6,700	6,700	6,700
	-광 주	새마을	9,190	10,300	14,800	14,800	14,800	11,900	11,900	11,900
		무궁화	-	-	7,000	7,000	7,000	7,000	7,000	7,000
	-나 주	무궁화	-	-	7,000	7,000	7,000	7,000	7,000	7,000
	-영산포	새마을	9,290	10,400	14,900	14,900	14,900	12,000	12,000	12,000
		무궁화	-	-	7,000	7,000	7,000	7,000	7,000	7,000
	-목 포	새마을	10,610	11,800	17,700	17,700	17,700	13,700	13,700	13,700
		무궁화	-	-	8,000	8,000	8,000	8,000	8,000	8,000

※1984. 1월 명칭변경:우등→무궁화호, 특급→통일호

(단위:원)

구 간		구분	'88	'89	'90	'91	'92	'93	'94	'95
경부선	서울-영등포	통일호	1,900	1,900	2,000	2,000	2,300	2,500	3,000	3,000
		통일호	1,400	1,400	1,500	1,500	1,600	1,700	2,100	2,100
	-수 원	무궁화	1,900	1,900	2,000	2,000	2,300	2,500	3,000	3,000
		통일호	1,400	1,400	1,500	1,500	1,600	1,700	2,100	2,100
	-천 안	무궁화	1,900	1,900	2,000	2,000	2,300	2,500	3,000	3,000
		통일호	1,400	1,400	1,500	1,500	1,600	1,700	2,100	2,100
	-조치원	무궁화	2,400	2,400	2,600	2,600	3,000	3,200	3,900	3,900
		통일호	1,800	1,800	1,900	1,900	2,100	2,200	2,700	2,700
	-대 전	새마을	5,400	5,400	6,200	6,200	7,300	8,100	8,400	8,400
		무궁화	3,100	3,100	3,400	3,400	3,800	4,100	5,000	5,000
		통일호	2,300	2,300	2,500	2,500	2,700	2,800	3,400	3,400
	-영 동	무궁화	4,000	4,000	4,300	4,300	4,800	5,300	6,400	6,400
		통일호	2,900	2,900	3,200	3,200	3,400	3,600	4,400	4,400
	-김 천	새마을	8,200	8,200	–	–	–	12,300	12,800	12,800
		무궁화	4,800	4,800	5,200	5,200	5,800	6,300	7,600	7,600
		통일호	3,400	3,400	3,800	3,800	4,100	4,300	5,200	5,200
	-구 미	새마을	8,900	8,900	10,300	10,300	12,100	13,400	14,000	14,000
		무궁화	5,200	5,200	5,600	5,600	6,300	6,900	8,300	8,300
		통일호	3,800	3,800	4,100	4,100	4,500	4,700	5,700	5,700
	-동대구	새마을	10,500	10,500	12,100	12,100	14,300	15,800	16,500	16,500
		무궁화	6,200	6,200	6,700	6,700	7,500	8,100	9,800	9,800
		통일호	4,500	4,500	4,900	4,900	5,300	5,600	6,700	6,700
	-밀 양	무궁화	7,200	7,200	7,800	7,800	8,800	9,500	11,500	11,500
		통일호	5,300	5,300	5,700	5,700	6,200	6,500	7,900	7,900
	-삼랑진	무궁화	7,500	7,500	8,100	8,100	9,000	9,800	11,900	11,900
		통일호	5,500	5,500	5,900	5,900	6,400	6,700	8,100	8,100
	-부 산	새마을	14,300	14,300	16,400	16,400	19,400	21,500	22,300	22,300
		무궁화	8,400	8,400	9,000	9,000	10,100	11,000	13,300	13,300
		통일호	6,100	6,100	6,600	6,600	7,100	7,600	9,100	9,100
	-영 천	새마을	11,600	11,600	–	–	–	–	–	–
	-경 주	새마을	12,900	12,900	–	–	–	–	–	–
호남선	서울-영등포	무궁화	1,900	1,900	2,000	2,000	2,300	2,500	2,800	3,500
	-수 원	무궁화	1,900	1,900	2,000	2,000	2,300	2,500	2,800	3,500
	-천 안	무궁화	1,900	1,900	2,000	2,000	2,300	2,500	2,800	3,500
	-조치원	무궁화	2,400	2,400	2,600	2,600	3,000	3,200	3,700	4,500
	-서대전	새마을	5,600	5,600	6,400	6,400	7,300	8,100	8,100	8,900
		무궁화	3,300	3,300	3,500	3,500	3,800	4,200	4,800	5,800
	-논 산	새마을	7,000	7,000	8,100	8,100	9,300	10,300	10,300	11,200
		무궁화	4,100	4,100	4,400	4,400	4,800	5,300	6,100	7,400
	-강 경	무궁화	4,300	4,300	4,600	4,600	5,100	5,500	–	–
	-익 산	새마을	8,200	8,200	9,400	9,400	10,900	12,100	12,100	13,200
		무궁화	4,800	4,800	5,200	5,200	5,700	6,200	7,100	8,700
	-김 제	무궁화	5,100	5,100	5,500	5,500	6,100	6,600	7,600	9,300
	-정 읍	새마을	9,600	9,600	11,000	11,000	12,800	14,200	14,200	15,500
		무궁화	5,600	5,600	6,100	6,100	6,700	7,300	8,400	10,200
	-송정리	새마을	11,400	11,400	13,000	13,000	15,100	16,800	16,800	18,300
		무궁화	6,700	6,700	7,200	7,200	7,900	8,600	9,900	12,100
	-광 주	새마을	11,900	11,900	–	–	–	–	–	–
		무궁화	7,000	7,000	–	–	–	–	–	–
	-나 주	무궁화	7,000	7,000	7,500	7,500	8,200	9,000	10,300	12,600
	-영산포	새마을	12,000	12,000	13,700	13,700	15,900	17,700	17,700	19,300
		무궁화	7,000	7,000	7,500	7,500	8,300	9,100	10,400	12,700
	-목 포	새마을	13,700	13,700	15,700	15,700	18,200	20,200	20,200	22,100
		무궁화	8,000	8,000	8,600	8,600	9,500	10,400	11,900	14,500

철 도 여 객 운 임(3)

(단위:원)

노선	구 간	구분	96	97	98	99	2000	2001	2002	2003
경부선	서울-영등포	통일호	3,500	3,800	4,100	4,100	4,700	4,700	5,200	5,600
		통일호	2,400	2,600	2,600	2,600	2,900	2,900	1,100	-
	-수 원	무궁화	3,500	3,800	4,100	4,100	4,700	4,700	5,200	5,600
		통일호	2,400	2,600	2,600	2,600	2,900	2,900	1,600	-
	-천 안	무궁화	3,500	3,800	4,100	4,100	4,700	4,700	5,200	5,600
		통일호	2,400	2,600	2,600	2,600	2,900	2,900	2,500	-
	-조치원	무궁화	4,500	4,900	5,300	5,300	6,200	6,200	6,700	7,300
		통일호	3,100	3,400	3,400	3,400	3,700	3,700	3,100	-
	-대 전	새마을	8,800	9,600	9,900	9,900	11,500	11,500	12,600	13,900
		무궁화	5,800	6,300	6,800	6,800	7,900	7,900	8,600	9,400
		통일호	4,000	4,400	4,400	4,400	4,800	4,800	4,100	-
	-영 동	무궁화	7,400	8,000	8,700	8,700	10,000	10,000	10,900	11,900
		통일호	5,100	5,500	5,500	5,500	6,100	6,100	4,900	-
	-김 천	새마을	13,400	14,700	15,100	15,100	17,600	17,600	19,300	21,200
		무궁화	8,800	9,700	10,400	10,400	12,100	12,100	13,100	14,300
		통일호	6,100	6,600	6,600	6,600	7,300	7,300	5,800	-
	-구 미	새마을	14,700	16,000	16,500	16,500	19,100	19,100	21,100	23,200
		무궁화	9,600	10,600	11,300	11,300	13,200	13,200	14,300	15,600
		통일호	6,600	7,200	7,200	7,200	8,000	8,000	6,400	-
	-동대구	새마을	17,300	18,900	19,400	19,400	22,500	22,500	24,800	27,200
		무궁화	11,400	12,400	13,300	13,300	15,500	15,500	16,900	18,300
		통일호	7,800	8,500	8,500	8,500	9,400	9,400	7,500	-
	-밀 양	무궁화	13,300	14,600	15,700	15,700	18,200	18,200	19,800	21,500
		통일호	9,200	10,000	10,000	10,000	11,100	11,100	8,900	-
	-삼랑진	무궁화	13,800	15,100	16,200	16,200	18,800	18,800	20,500	22,300
		통일호	9,400	10,300	10,300	10,300	11,400	11,400	9,100	-
	-부 산	새마을	23,500	25,700	26,400	26,400	30,600	30,600	33,600	37,000
		무궁화	15,400	16,900	18,200	18,200	21,000	21,000	22,900	24,900
		통일호	10,600	11,600	11,600	11,600	12,800	12,800	9,200	-
	-영 천	새마을	-	-	-	-	-	-	-	-
	-경 주	새마을	-	-	-	-	-	-	-	-
호남선	서울-영등포	무궁화	3,500	3,800	3,800	4,100	4,700	4,700	5,200	5,600
	-수 원	무궁화	3,500	3,800	3,800	4,100	4,700	4,700	5,200	5,600
	-천 안	무궁화	3,500	3,800	3,800	4,100	4,700	4,700	5,200	5,600
	-조치원	무궁화	4,500	4,900	4,900	5,300	6,200	6,200	6,700	7,300
	-서대전	새마을	8,900	9,700	9,700	10,000	11,600	11,600	12,700	14,000
		무궁화	5,800	6,400	6,400	6,900	8,000	8,000	8,700	9,400
	-논 산	새마을	11,200	12,300	12,300	12,600	14,700	14,700	16,100	17,700
		무궁화	7,400	8,100	8,100	8,700	10,100	10,100	11,000	11,900
	-강 경	무궁화	-	-	-	-	-	-	-	12,500
	-익 산	새마을	13,200	14,400	14,400	14,800	17,200	17,200	18,900	20,800
		무궁화	8,700	9,500	9,500	10,200	11,800	11,800	12,900	14,000
	-김 제	무궁화	9,300	10,200	10,200	10,900	12,700	12,700	13,800	15,000
	-정 읍	새마을	15,500	17,000	17,000	17,400	20,200	20,200	22,300	24,500
		무궁화	10,200	11,200	11,200	12,000	13,900	13,900	15,200	16,500
	-송정리	새마을	18,300	20,100	20,100	20,600	24,000	24,000	26,400	29,000
		무궁화	12,100	13,200	13,200	14,200	16,500	16,500	17,900	19,500
	-광 주	새마을	-	-	-	-	-	-	-	30,000
		무궁화	-	-	-	-	-	-	-	20,200
	-나 주	무궁화	12,600	13,700	13,700	14,800	17,200	17,200	18,800	20,400
	-영산포	새마을	19,300	21,100	21,100	21,600	25,100	25,100	27,600	-
		무궁화	12,700	13,900	13,900	14,900	17,300	17,300	-	-
	-목 포	새마을	22,100	24,200	24,200	24,800	28,800	28,800	31,400	34,600
		무궁화	14,500	15,900	15,900	17,100	19,900	19,900	21,400	23,300

(단위:원)

구간		2004			2005			2006			2007		
		무궁화	새마을	KTX	무궁화	새마을	KTX	무궁화	새마을	KTX	무궁화	새마을	KTX
경부선	서울-영등포	2,800	-	-	2,800	-	-	3,100	7,200	-	3,200	7,500	-
	-수 원	2,800	-	-	2,800	-	-	3,100	7,200	-	3,200	7,500	-
	-천 안	5,400	-	11,400	5,400	-	11,400	5,900	8,700	12,800	6,000	9,000	13,600
	-조치원	7,300	-	-	7,300	-	-	7,900	11,600	-	8,100	12,000	-
	-대 전	9,300	13,900	19,700	9,300	13,900	19,500	10,200	15,000	21,500	10,500	15,500	22,900
	-영 동	11,900	-	-	11,900	-	-	12,900	19,000	-	13,200	19,700	-
	-김 천	14,200	21,100	-	14,200	21,100	-	15,500	22,800	-	15,900	23,600	-
	-구 미	15,500	23,000	-	15,500	23,000	-	16,900	24,900	-	17,300	25,800	-
	-동대구	18,300	27,200	34,900	18,300	27,200	34,900	20,000	29,400	38,600	20,500	30,400	41,100
	-밀 양	21,400	-	-	21,400	-	-	23,300	34,300	43,200	23,900	35,500	46,000
	-삼랑진	22,100	-	-	22,100	-	-	24,100	-	-	24,700	-	-
	-부 산	24,800	36,800	45,000	24,800	36,800	44,800	27,000	39,700	48,100	27,700	41,100	51,200
	-영 천	-	-	-	-	-	-	-	-	-	-	-	-
	-경 주	-	-	-	-	-	-	-	-	-	-	-	-
호남선	서울-영등포	2,800	-	-	2,800	-	-	3,100	7,200	-	3,200	7,500	-
	-수 원	2,800	-	-	2,800	-	-	3,100	7,200	-	3,200	7,500	-
	-천 안	5,400	-	11,100	5,400	-	11,100	5,700	8,400	12,500	5,800	8,700	13,300
	-조치원	7,300	-	-	7,300	-	-	7,700	11,300	-	7,900	11,700	-
	-서대전	9,400	13,900	19,500	9,400	13,900	19,300	10,000	14,800	21,300	10,300	15,300	22,700
	-논 산	11,900	17,700	23,500	11,900	17,700	22,900	12,800	18,800	25,500	13,100	19,500	27,200
	-강 경	12,500	-	-	12,500	-	-	13,400	19,700	-	13,700	20,400	-
	-익 산	14,000	20,800	26,700	14,000	20,800	25,500	-	-	-	-	-	-
	-김 제	15,000	-	28,300	15,000	-	26,900	16,100	23,700	29,300	16,500	24,500	31,200
	-정 읍	16,400	24,400	30,500	16,400	24,400	28,300	17,700	26,100	31,400	18,100	27,000	33,400
	-송정리	19,500	28,900	35,300	19,500	28,900	33,100	21,000	31,000	35,200	21,500	32,100	37,500
	-광 주	20,200	29,900	36,300	20,200	29,900	33,300	21,800	32,000	36,100	22,300	33,100	38,400
	-나 주	20,400	-	36,600	20,400	-	34,000	22,000	32,400	36,500	22,600	33,500	38,900
	-영산포	-	-	-	-	-	-	-	-	-	-	-	-
	-목 포	23,200	34,500	41,100	23,200	34,500	38,000	25,100	37,000	40,700	25,700	38,300	43,300

구간		2008~2010			2011~2015			2016~2021			2022~2023		
		무궁화	새마을	KTX	무궁화	새마을	KTX	무궁화	새마을	KTX	무궁화	새마을	KTX
경부선	서울-영등포	2,500	4,700	-	2,600	4,800	-	2,600	4,800	-	2,600	4,800	-
	-수 원	2,600	4,700	-	2,700	4,800	-	2,700	4,800	-	2,700	4,800	-
	-천 안	6,000	9,000	13,600	6,300	9,300	14,100	6,300	9,300	14,100	6,300	9,300	14,100
	-조치원	8,100	12,000	-	8,400	12,500	-	8,400	12,500	-	8,400	12,500	-
	-대 전	10,500	15,500	22,900	10,800	16,000	23,700	10,800	16,000	23,700	10,800	16,000	23,700
	-영 동	13,200	19,700	-	13,700	20,400	-	13,700	20,400	-	13,700	20,400	-
	-김 천	15,900	23,600	-	16,400	24,500	-	16,400	24,500	-	16,400	24,500	35,100
	-구 미	17,300	25,800	-	17,900	26,700	-	17,900	26,700	-	17,900	26,700	35,100
	-동대구	20,500	30,400	41,100	21,100	31,400	43,500	21,100	31,400	43,500	21,100	31,400	43,500
	-밀 양	23,900	35,500	46,000	24,700	36,800	48,500	24,700	36,800	48,500	24,700	36,800	48,500
	-삼랑진	24,700	-	-	25,500	-	-	25,500	38,000	-	25,500	38,000	-
	-부 산	27,700	41,100	51,200	28,600	42,600	59,800	28,600	42,600	59,800	28,600	42,600	59,800
	-영 천	-	-	-	-	-	-	-	-	-	-	-	-
	-경 주	-	-	-	-	-	-	-	-	-	-	-	-
호남선	서울-영등포	2,500	4,700	-	2,600	4,800	-	2,600	4,800	-	2,600	4,800	-
	-수 원	2,500	4,700	-	2,700	4,800	-	2,700	4,800	-	2,600	4,800	-
	-천 안	5,800	8,700	13,300	6,300	9,300	14,100	6,300	9,000	14,100	6,100	9,000	14,100
	-조치원	7,900	11,700	-	8,400	12,500	-	8,400	12,200	-	8,200	12,200	-
	-서대전	10,300	15,300	22,700	10,600	15,800	23,700	10,600	15,800	23,800	10,600	15,800	23,800
	-논 산	13,100	19,500	27,200	13,500	20,200	28,100	13,500	20,200	28,100	13,500	20,200	28,400
	-강 경	13,700	20,400	-	14,200	21,100	-	14,200	21,100	-	14,200	21,100	-
	-익 산	-	-	-	-	-	-	-	-	-	-	-	-
	-김 제	16,500	24,500	31,200	17,100	25,400	-	17,100	25,400	-	17,100	25,400	32,600
	-정 읍	18,100	27,000	33,400	18,800	27,900	39,100	18,800	27,900	39,500	18,800	27,900	39,800
	-송정리	21,500	32,100	37,500	-	-	50,800	-	-	50,800	-	-	-
	-광 주	22,300	33,100	38,400	22,400	-	-	22,300	33,200	47,100	23,000	34,300	47,100
	-나 주	22,600	33,500	38,900	23,500	34,700	49,300	23,300	34,700	48,500	23,300	34,700	48,500
	-영산포	-	-	-	-	-	-	-	-	-	-	-	-
	-목 포	25,700	38,300	43,300	26,800	39,600	53,900	26,800	39,600	53,100	26,600	39,600	53,100

철 도 여 객 운 임(4)

(단위:원)

노선	구 간	'78	'79	'80	'81	'82		'83~87		'88~89		'90~'91		'92		'93	
		통일호	통일호	통일호	통일호	통일호	무궁화	통일호	무궁화	통일호	무궁화	통일호	무궁화	통일호	무궁화	통일호	무궁화
전라선	서울-영등포	-	750	1,080	1,200	1,300	1,900	1,400	1,900	1,400	1,900	1,500	2,000	1,600	2,300	1,700	2,500
	수 원	500	750	1,080	1,200	1.300	1,900	1,400	1,900	1,400	1,900	1,500	2,000	1,600	2,300	1,700	2,500
	천 안	500	750	1,080	1,200	1,300	1,900	1,400	1,900	1,400	1,900	1,500	2,000	1,600	2,300	1,700	2,500
	조치원	630	950	1,370	1,500	1,700	2,400	1,800	2,400	1,800	2,400	1,900	2,600	2,100	3,000	2,200	3,200
	서대전	840	1,260	1,820	2,000	2,200	3,300	2,300	3,300	2,400	3,300	2,600	3,500	2,700	3,800	2,900	4,200
	논 산	1,070	1,600	2,300	2,500	2,800	4,100	2,900	4,100	3,000	4,100	3,200	4,400	3,400	4,800	3,600	5,300
	강 경	1,120	1,670	2,410	2,700	2,900	4,300	3,100	4,300	3,100	4,300	3,400	4,600	3,600	5,100	3,800	5,500
	이 리	1,250	1,870	2,690	3,000	3,300	4,800	3,400	4,800	3,500	4,800	3,800	5,200	4,000	5,700	4,300	6,200
	전 주	1,370	2,050	2,950	3,600	3,600	5,300	3,800	5,300	3,900	5,300	4,200	5,700	4,400	6,300	4,700	6,800
	임 실	1,500	2,260	3,250	4,000	4,000	-	4,200	-	4,300	-	4,600	6,300	4,900	6,900	5,200	7,500
	남 원	1,670	2,500	3,590	4,200	4,400	6,400	4,600	6,400	4,700	6,400	5,100	6,900	5,400	7,700	5,700	8,400
	구 례	1,760	2,800	4,030	4,500	4,900	7,200	5,200	7,200	5,300	7,200	5,700	7,800	6,100	8,600	6,400	9,400
	순 천	2,020	3,020	4,350	4,800	5,300	7,800	5,600	7,800	5,700	7,800	6,200	8,400	6,600	9,300	7,000	10,200
	여 수	2,210	3,310	4,770	5,300	5,800	8,500	6,100	8,500	6,300	8,500	6,800	9,200	7,200	10,200	7,600	11,200

노선	구 간	'94		'95		'96		'97~'98		'99		2000~2001		2002	2003	2004
		통일호	무궁화	통일호	무궁화	통일호	무궁화	통일호	무궁화	통일호	무궁화	통일호	무궁화	무궁화	무궁화	무궁화
전라선	서울-영등포	2,100	2,800	2,100	3,500	2,400	3,500	2,600	3,800	2,600	4,100	2,600	4,700	5,200	5,600	2,800
	수 원	2,100	2,800	2,100	3,500	2,400	3,500	2,600	3,800	2,600	4,100	2,600	4,700	5,200	5,600	2,800
	천 안	2,100	2,800	2,100	3,500	2,400	3,500	2,600	3,800	2,600	4,100	2,600	4,700	5,200	5,600	5,200
	조치원	2,700	3,700	2,700	4,500	3,100	4,500	3,400	4,900	3,400	5,300	3,400	6,200	6,700	7,300	7,100
	서대전	3,400	4,800	3,400	5,800	4,000	5,800	4,400	6,400	4,400	6,900	4,400	8,000	8,700	9,400	9,200
	논 산	4,400	6,100	4,400	7,400	5,100	7,400	5,500	8,100	5,500	8,700	5,500	10,100	11,000	11,900	11,700
	강 경	4,600	6,300	4,600	7,700	5,300	7,700	5,800	8,500	5,800	9,100	5,800	10,600	11,500	12,500	12,300
	이 리	5,100	-	5,100	-	-	-	-	-	-	-	-	-	-	14,000	13,800
	전 주	5,700	7,900	5,700	9,600	6,600	9,600	7,200	10,500	7,200	11,300	7,200	13,100	14,200	15,500	15,300
	임 실	6,200	8,700	6,200	10,500	7,200	10,500	7,900	11,500	7,900	12,400	7,900	14,400	15,600	17,000	16,800
	남 원	6,900	9,600	6,900	11,700	8,000	11,700	8,800	12,800	8,800	13,800	8,800	15,900	17,300	18,800	18,600
	구 례	7,800	10,800	7,800	13,100	9,000	13,100	9,900	14,400	9,900	15,500	9,900	17,800	19,400	21,100	20,900
	순 천	8,400	11,700	8,400	14,200	9,800	14,200	10,700	15,600	10,700	17,600	10,700	19,100	20,800	22,700	22,500
	여 수	9,200	12,800	9,200	15,600	10,700	15,600	11,700	17,000	11,700	18,300	11,700	21,000	22,900	24,900	24,700

노선	구 간	2005		2006		2007		2008~2010		2011~2015		2016~2021		2022~2023		비 고
		무궁화	새마을	무궁화	새마을	무궁화	새마을	무궁화	새마을	무궁화	새마을	무궁화	새마을	무궁화	새마을	
전라선	서울-영등포	2,800	6,700	3,100	7,200	3,200	7,500	2,500	4,700	2,600	4,800	2,600	4,800	2,600	4,800	
	수 원	2,800	6,700	3,100	7,200	3,200	7,500	2,500	4,700	2,600	4,800	2,700	4,800	2,600	4,800	
	천 안	5,200	8,000	5,700	8,400	5,800	8,700	5,800	8,700	6,100	9,000	6,300	9,300	6,100	9,000	
	조치원	7,100	10,800	7,700	-	7,900	-	7,900	-	8,200	12,200	8,400	12,500	8,200	12,200	
	서대전	9,200	13,900	10,000	14,800	10,300	15,400	10,300	15,300	10,600	15,800	10,600	-	10,600	15,800	
	논 산	11,700	17,700	12,800	18,800	13,100	19,600	13,100	19,500	13,500	20,100	13,500	20,100	13,500	20,200	
	강 경	12,300	18,500	13,400	-	13,700	-	13,700	-	14,200	21,100	14,200	21,100	14,200	21,100	
	이 리	13,800	20,800	15,100	22,200	15,500	23,100	15,500	23,000	16,000	23,700	16,000	23,700	16,000	23,700	
	전 주	15,300	22,900	16,600	24,500	17,000	25,500	17,000	25,400	17,600	26,200	17,600	-	17,600	26,200	
	임 실	16,800	-	18,300	-	18,800	-	18,800	-	19,400	-	19,400	-	19,400	-	
	남 원	18,600	27,900	19,900	29,300	20,400	30,500	20,400	30,300	21,100	31,400	20,700	31,400	21,100	31,400	
	구 례	20,900	31,300	22,200	32,700	22,800	34,000	22,800	33,800	23,600	35,000	23,600	-	23,600	35,000	
	순 천	22,500	33,600	24,000	35,200	24,600	36,600	24,600	36,400	25,400	37,800	25,400	-	25,400	37,800	
	여 수	24,700	36,900	26,400	38,800	27,100	40,400	27,100	40,200	27,600	41,100	27,600	-	27,000	41,100	

※1984. 1월 명칭변경:우등→무궁화호, 특급→통일호

철도여객운임률(1)

구분			'70	'71	'72	'73	'74	'75	'76	'77	'77	'78
기본임률	비둘기(보통)	임률	-	-	-	-	-	-	-	2.51	2.51	2.94
		최저운임	-	-	-	-	-	-	-	40	40	50
	통일호(특급)	임률	-	-	-	-	-	-	-	4.87	4.87	5.84
		최저운임	-	-	-	-	-	-	-	500	500	600
	무궁화(우등)	임률	-	-	-	-	-	-	-	-	-	8.54
		최저운임	-	-	-	-	-	-	-	-	-	880
	새마을	임률	-	-	-	-	-	-	-	9.41	9.41	11.76
		최저운임	-	-	-	-	-	-	-	1,040	1,040	1,306
침대요금	통일호(특급)	상단	-	-	840	-	970	1.750	-	2,000	2,000	2,500
		하단	-	-	1,200	-	1,380	2,480	-	2,700	2,700	3,380
	무궁화(우등)	상단	-	-	-	-	-	-	-	2,800	2,800	3,500
		하단	-	-	-	-	-	-	-	3,780	3,780	4,730
특실요금	새마을	200km 까지	-	-	-	-	-	-	-	500	500	630
		400km 까지	-	-	-	-	-	-	-	750	750	940
		401km 이상	-	-	-	-	-	-	-	1,000	1,000	1,250
	무궁화(우등)	200km 까지	-	-	-	-	-	-	-	-	-	500
		400km 까지	-	-	-	-	-	-	-	-	-	750
		401km 이상	-	-	-	-	-	-	-	-	-	1,000
	통일호(특급)	200km 까지	-	-	-	-	-	-	-	300	300	380
		400km 까지	-	-	-	-	-	-	-	500	500	630
		401km 이상	-	-	-	-	-	-	-	700	700	880
정기최저여객운임	통학	비둘기(보통)	-	-	-	-	-	-	-	-	-	-
		통일호(특급)	-	-	-	-	-	-	-	-	-	-
	통근	비둘기(보통)	-	-	-	-	-	-	-	-	-	-
		통일호(특급)	-	-	-	-	-	-	-	-	-	-

구분			'79	'80	'81	'82	'83	'84	'85	'86	'87	'88
기본임률	비둘기(보통)	임률	3.24	4.86	5.83	6.43	6.75	7.80	7.80	7.80	7.80	7.80
		최저운임	60	100	120	130	140	160	160	160	160	160
	통일호(특급)	임률	7.30	10.51	11.67	12.86	13.50	13.77	13.77	13.77	13.77	13.77
		최저운임	750	1,080	1,200	1,300	1,400	1,400	1,400	1,400	1,400	1,400
	무궁화(우등)	임률	11.09	14,64	16.25	17.91	18.81	18.81	18.81	18.81	18.81	18.81
		최저운임	1,150	1,520	1,700	1,800	1,900	1,900	1,900	1,900	1,900	1,900
	새마을	임률	15.88	24.78	27.75	30.60	32.13	32.13	32.13	32.13	32.13	32.13
		최저운임	1,760	2,760	3,100	3,330	3,500	3,500	3,500	3,500	3,500	3,500
침대요금	통일호(특급)	상단	3,380	5,280	6,900	7,500	7,900	7,900	7,900	7,900	7,900	7,900
		하단	4,560	7,110	9,200	10,200	10,700	10,700	10,700	10,700	10,700	10,700
	무궁화(우등)	상단	4,730	7,380	9,600	10,600	11,100	11,100	11,100	11,100	11,100	11,100
		하단	6,390	9,970	13,000	14,300	15,000	15,000	15,000	15,000	15,000	15,000
특실요금	새마을	200km 까지	850	1,330	1,700	1,900	2,000	2,000	2,000	2,000	2,000	2,000
		400km 까지	1,270	1,980	2,600	2,800	2,900	2,900	2,900	2,900	2,900	2,900
		401km 이상	1,960	2,640	3,400	3,800	4,000	4,000	4,000	4,000	4,000	4,000
	무궁화(우등)	200km 까지	680	1,070	1,400	1,500	1,600	1,600	1,600	1,600	1,600	1,600
		400km 까지	1,010	1,570	2,000	2,200	2,300	2,300	2,300	2,300	2,300	2,300
		401km 이상	1,350	2,110	2,700	2,900	3,000	3,000	3,000	3,000	3,000	3,000
	통일호(특급)	200km 까지	510	790	1,000	1,100	1,200	1,200	1,200	1,600	1,200	1,200
		400km 까지	850	1,330	1,700	1,900	2,000	2,000	2,000	2,000	2,000	2,000
		401km 이상	1,190	1,860	2,400	2,600	2,700	2,700	2,700	2,700	2,700	2,700
정기최저여객운임	통학	비둘기(보통)	-	-	-	-	3,500	5,200	5,200	5,200	5,200	5,200
		통일호(특급)	-	-	-	-	32,500	42,300	42,300	42,300	42,300	42,300
	통근	비둘기(보통)	-	-	-	-	5,880	7,680	7,680	7,680	7,680	7,680
		통일호(특급)	-	-	-	-	54,600	62,400	62,400	62,400	62,400	62,400

철도여객운임률(2)

구	분		'89	'90	'91	'92	'93	'94~'95	'96	'97	'98	'99
기본임률	비둘기(보통)	임률	7.80	8.42	8.42	9.09	9.54	11.52	13.36	14.63	14.63	14.63
		최저운임	160	170	170	180	200	250	350	350	350	350
	통일호(특급)	임률	13.77	14.87	14.87	16.06	16.98	20.51	23.79	26.05	26.05	26.05
		최저운임	1,400	1,500	1,500	1,600	1,700	2,100	2,400	2,600	2,600	2,600
	무궁화(우등)	임률	18.81	20.31	20.31	22.75	24.80	29.89	34.67	37.96	40.81	40.81
		최저운임	1,900	2,000	2,000	2,300	2,500	3,000	3,500	3,800	4,100	4,100
	새마을	임률	32.13	36.95	36.95	43.49	48.27	50.20	52.71	57.72	59.28	59.28
		최저운임	3,500	4,100	4,100	4,800	5,300	5,500	5,800	6,300	6,500	6,500
침대요금	통일호(특급)	상단	7,900	8,500	8,500	9,200	9,700	11,800	13,700	15,000	15,000	15,000
		하단	10,700	11,600	11,600	12,500	13,200	16,000	18,600	20,400	20,400	20,400
	무궁화(우등)	상단	11,100	12,000	12,000	13,400	14,600	17,600	20,400	22,300	24,000	24,000
		하단	15,000	16,200	16,200	18,100	19,700	23,700	27,500	30,100	32,400	32,400
특실요금	새마을	200㎞ 까지	2,000	2,300	2,300	3,200	1,500	1,800	3,900	3,900	4,000	4,000
		400㎞ 까지	2,900	3,300	3,300	4,700	2,500	3,000	5,700	5,700	5,900	5,900
		401㎞ 이상	4,000	4,600	4,600	6,500	3,300	4,000	7,900	7,900	8,100	8,100
	무궁화(우등)	200㎞ 까지	1,600	1,700	1,700	1,900	2,100	2,500	2,900	2,900	3,100	3,100
		400㎞ 까지	2,300	2,500	2,500	2,800	3,100	3,800	4,400	4,400	4,700	4,700
		401㎞ 이상	3,000	3,200	3,200	3,600	3,900	4,700	5,500	5,500	5,900	5,900
	통일호(특급)	200㎞ 까지	1,200	1,300	1,300	1,400	2,500	3,700	2,100	2,100	2,100	2,100
		400㎞ 까지	2,000	2,200	2,200	2,400	3,600	5,400	3,500	3,500	3,500	3,500
		401㎞ 이상	2,700	2,900	2,900	3,100	5,000	7,500	4,600	4,600	4,600	4,600
정기최저여객운임	통학	비둘기(보통)	5,200	5,530	5,530	5,850	6,500	8,100	11,400	11,400	11,400	11,400
		통일호(특급)	42,300	45,500	45,500	45,500	48,800	61,800	71,500	74,800	74,800	74,800
	통근	비둘기(보통)	7,680	8,160	8,160	8,640	9,600	12,000	14,000	14,000	14,000	14,000
		통일호(특급)	62,400	67,200	67,200	67,200	72,000	91,200	88,000	92,000	92,000	92,000

구	분		2000~2001	2002	2003
기본임률	비둘기(보통)	임률	14.63	-	-
		최저운임	350	-	-
	통일호(특급)	임률	28.81	28.81	28.81
		최저운임	2,900	2,900	1,400
	무궁화(우등)	임률	47.39	51.56	56.10
		최저운임	4,700	5,200	5,600
	새마을	임률	68.84	75.72	83.29
		최저운임	7,600	8,300	9,200
침대요금	통일호(특급)	상단	16,600	-	-
		하단	22,600	-	-
	무궁화(우등)	상단	26,500	28,800	31,300
		하단	35,800	39,000	42,400
특실요금	새마을	200㎞ 까지	4,000	4,400	4,800
		400㎞ 까지	5,900	6,500	7,200
		401㎞ 이상	8,100	8,900	9,800
	무궁화(우등)	200㎞ 까지	3,100	3,400	3,700
		400㎞ 까지	4,700	5,100	5,500
		401㎞ 이상	5,900	6,400	7,000
	통일호(특급)	200㎞ 까지	2,100	-	-
		400㎞ 까지	3,500	-	-
		401㎞ 이상	4,600	-	-
정기최저여객운임	통학	비둘기(보통)	7,550	(통일호)25,900	(통일호)25,900
		통일호(특급)	54,000	(무궁화)90,700	(무궁화)97,200
	통근	비둘기(보통)	11,400	(통일호)39,000	(통일호)39,000
		통일호(특급)	81,300	(무궁화)136,500	(무궁화)146,300

구	분		2004	2005	2007~2011.11	2011.12~2023
기본임률	통근열차(통일호)	임률	28.81	28.81	31.11	31.69
		최저운임1	(어른)1,400	(좌석)1,400	1,600	1,600
		최저운임2	(어린이) 700	(자유석)1,200	-	-
	무궁화(우등)	임률	56.10	56.10	62.83	64.78
		성인	2,800	2,800	2,500	2,600
		어린이	1,400	-	-	-
	새마을	임률	83,29	83,29	93.28	96.36
		성인	6,700	6,700	4,700	4,800
		어린이	3,400	-	-	-
	KTX(고속철도)	기본임률	105.38	105.38	100.35	164.41
		특성임률	48.25	48.25	-	-
		최저운임	10,600	7,000	8,100	8,400
침대요금	무궁화(우등)	상단	31,300	31,300	35,100	-
		하단	42,400	42,400	47,500	-
특실요금	새마을(프리미엄특실)	운임비요율	25%	25%	15%	15%
		최저요금	3,000	3,000	3,500	3,600
	KTX(일반특실)	운임비요율	40%	40%	40%	40%
		최저요금	4,200	4,200	4,600	4,800

구	분		2004	2005	2007~2011.11	2011.12~2023
정기최저여객운임	통근열차(통일호)	15일용	14,500	14,000	27,000	(10일용) 45% (20일용) 45% (한달용) 50%
		1개월용	35,000	25,200	48,000	
	무궁화	15일용	35,000	26,000	42,000	
		1개월용	70,000	50,400	72,000	
	새마을	15일용	100,000	74,000	75,000	
		1개월용	200,000	142,800	132,000	
	KTX(고속철도)	15일용	112,000	74,000	135,000	
		1개월용	214,200	142,800	246,000	

철도차급화물운임(임률) (1)

등급 \ 이정		50km 까지	100km 까지	150km 까지	200km 까지	250km 까지	300km 까지	350km 까지	400km 까지	450km 까지	500km 까지	600km 까지	700km 까지	800km 까지	900km 까지	1,000km 까지
'70	1	121.30	242.60	363.90	485.20	606.50	727.80	849.10	970.40	1,091.70	-	-	-	-	-	-
	2	98.00	196.00	294.00	392.00	490.00	588.00	686.00	784.00	882.00	-	-	-	-	-	-
	3	80.75	161.50	242.25	323.00	403.75	484.50	565.25	646.00	726.75	-	-	-	-	-	-
	4	66.30	132.62	198.90	265.20	397.80	397.80	464.10	530.40	596.70	-	-	-	-	-	-
'71	1	121.30	242.60	363.90	485.20	606.50	727.80	849.10	970.40	1,091.70	-	-	-	-	-	-
	2	98.00	196.00	294.00	392.00	490.00	588.00	686.00	784.00	882.00	-	-	-	-	-	-
	3	80.75	161.50	242.25	323.00	403.75	484.50	565.25	646.00	726.75	-	-	-	-	-	-
	4	66.30	132.62	198.90	265.20	397.80	397.80	464.10	530.40	596.70	-	-	-	-	-	-
'72	1	133	266	399	532	665	798	931	1,064	1,197	1,330	1,596	1,862	2,128	2,394	2,660
	2	113	226	339	452	565	678	791	904	1,017	1,130	1,356	1,582	1,808	2,034	2,260
	3	97	194	291	388	485	582	679	776	873	970	1,164	1,358	1,552	1,746	1,940
	4	83	166	249	382	415	498	581	664	747	830	996	1,162	1,328	1,494	1,660
'73	1	133	266	399	532	665	798	931	1,064	1,197	1,330	1,596	1,862	2,128	2,394	2,660
	2	113	226	339	452	565	678	791	904	1,017	1,130	1,356	1,582	1,808	2,034	2,260
	3	97	194	291	388	485	582	679	776	873	970	1,164	1,358	1,552	1,746	1,940
	4	83	166	249	382	415	498	581	664	747	830	996	1,162	1,328	1,494	1,660
'74	1	155	310	465	620	775	930	1,085	1,240	1,395	1,550	1,860	2,170	2,480	2,790	3,100
	2	132	264	396	528	660	792	924	1,056	1,188	1,320	1,584	1,848	2,112	2,379	2,640
	3	113	226	339	452	565	678	791	904	1,017	1,130	1,356	1,582	1,808	2,034	2,260
	4	97	194	291	388	485	582	679	776	873	970	1,164	1,358	1,552	1,746	1,940
'75	1	231	462	693	924	1,155	1,386	1,617	1,848	2,077	2,310	2,772	3,234	3,996	4,158	4,620
	2	200	400	600	800	1,000	1,200	1,400	1,600	1,800	2,000	2,400	2,800	3,200	3,600	4,000
	3	175	350	525	700	875	1,050	1,225	1,400	1,575	1,750	2,100	2,450	2,800	3,150	3,500
	4	153	306	459	612	765	918	1,071	1,224	1,530	1,530	1,836	2,142	2,448	2,754	3,360
'76	1	312	571	936	1,248	1,559	1,871	2,183	2,495	2,814	3,119	3,742	3,347	5,395	5,613	6,237
	2	270	540	810	1,080	1,350	1,660	1,890	2,160	2,430	2,700	3,240	3,780	4,320	4,860	5,400
	3	237	573	709	945	1,342	1,418	1,654	1,890	2,026	2,363	2,835	3,308	3,780	4,638	4,725
	4	207	413	620	826	1,033	1,239	1,446	1,752	1,859	2,066	2,479	2,249	3,305	3,718	4,536
'77	1	312	624	936	1,247	1,560	1,872	2,184	2,496	2,808	3,120	3,744	4,368	4,992	5,616	6,240
	2	283	566	849	1,132	1,415	1,698	1,981	2,264	2,547	2,830	3,396	3,962	4,528	5,094	5,660
	3	258	516	774	1,032	1,290	1,548	1,806	2,064	2,322	2,580	3,096	3,612	4,128	4,644	5,160
	4	237	474	711	948	1,185	1,422	1,659	1,896	2,133	2,370	2,844	3,318	3,792	4,266	4,740
'78	1	359	718	1,077	1,436	1,795	2,154	1,513	2,872	3,231	3,590	4,308	5,026	5,744	6,462	7,180
	2	326	652	978	1,304	1,630	1,956	2,582	2,608	2,934	3,260	3,912	4,564	5,216	5,868	6,520
	3	297	594	891	1,188	1,485	1,782	2,079	2,376	2,673	2,970	3,564	4,158	4,752	5,346	5,940
	4	273	546	819	1,092	1,365	1,638	1,911	2,184	2,467	2,730	3,276	3,852	4,368	4,914	5,460
'79	1	395	790	1,185	1,580	1,975	2,370	2,765	3,160	3,555	3,950	4,740	5,530	6,320	7,110	7,900
	2	359	718	1,077	1,436	1,795	2,154	2,513	2,872	2,231	3,590	4,308	5,206	5,744	6,462	7,180
	3	327	654	981	1,308	1,635	1,962	2,289	2,616	2,943	3,270	3,924	4,578	5,232	5,886	6,540
	4	300	600	900	1,200	1,500	1,800	2,100	2,400	2,000	3,000	3,600	4,200	4,800	5,400	6,000
'80	1	593	1,186	1,779	2,372	2,965	3,558	4,151	4,744	5,337	5,930	7,116	8,302	9,488	10,674	11,860
	2	539	1,078	1,617	2,156	2,695	3,234	3,773	4,312	4,851	5,390	6,468	7,546	8,624	9,702	10,780
	3	490	980	1,470	1,960	2,450	2,940	3,430	3,920	4,410	4,900	5,880	6,860	7,840	8,820	9,800
	4	450	900	1,350	1,800	2,250	2,700	3,150	3,600	4,050	4,500	5,400	6,300	7,200	8,100	9,000
'81	1	652	1,304	1,956	2,608	3,260	3,912	4,564	5,216	5,868	6,520	7,824	9,128	10,432	11,736	13,040
	2	626	1,252	1,828	2,504	3,130	3,756	4,382	5,008	5,634	6,260	7,512	8,764	10,016	11,268	12,520
	3	573	1,146	1,719	2,592	2,865	3,438	4,011	4,584	5,157	5,730	6,876	8,022	9,168	10,314	11,460
	4	540	1,080	1,620	2,160	2,700	3,240	3,780	4,320	4,860	5,400	6,480	7,560	8,640	9,720	10,800

철도차급화물운임(임률) (2)

이정 / 등급		50km 까지	100km 까지	150km 까지	200km 까지	250km 까지	300km 까지	350km 까지	400km 까지	450km 까지	500km 까지	600km 까지	700km 까지	800km 까지	900km 까지	1,000km 까지
'82	1	753	1,506	2,259	3,012	3,765	4,518	5,271	6,024	6,779	7,530	9,036	10,542	12,048	13,554	15,060
	2	723	1,446	2,169	2,892	3,615	4,338	5,061	5,784	6,507	7,230	8,676	10,122	11,568	13,014	14,460
	3	662	1,324	1,986	2,648	3,310	3,972	4,634	5,296	5,958	6,620	7,944	9,268	10,592	11,916	13,240
	4	624	1,248	1,872	2,496	3,120	3,744	4,368	4,992	5,616	6,240	7,488	8,736	9,984	11,232	12,480
'83	1	903	1,806	2,709	3,612	4,515	5,418	6,321	7,224	8,172	9,030	10,836	12,642	14,448	16,254	18,060
	2	867	1,734	2,601	3,468	4,335	5,202	6,069	6,936	7,803	8,670	10,404	12,138	13,872	15,606	17,340
	3	793	1,586	2,379	3,172	3,965	4,758	5,551	6,344	7,137	7,930	9,516	11,102	12,688	14,274	15,860
	4	748	1,496	2,244	2,992	3,740	4,488	5,236	5,984	6,732	7,480	8,976	10,472	11,968	13,464	14,960
'84	1	903	1,806	2,709	3,612	4,515	5,418	6,321	7,224	8,172	9,030	10,836	12,642	14,448	16,254	18,060
	2	867	1,734	2,601	3,468	4,335	5,202	6,069	6,936	7,803	8,670	10,404	12,138	13,872	15,606	17,340
	3	793	1,586	2,379	3,172	3,965	4,758	5,551	6,344	7,137	7,930	9,516	11,102	12,688	14,274	15,860
	4	748	1,496	2,244	2,992	3,740	4,488	5,236	5,984	6,732	7,480	8,976	10,472	11,968	13,464	14,960
'85	1	903	1,806	2,709	3,612	4,515	5,418	6,321	7,224	8,127	9,030	10,836	12,642	14,448	16,254	18,060
	2	867	1,734	2,601	3,468	4,335	5,202	6,069	6,936	7,803	8,670	10,404	12,138	13,872	15,606	17,340
	3	793	1,586	2,379	3,172	3,965	4,758	5,551	6,344	7,137	7,930	9,516	11,102	12,688	14,274	15,860
'86	1	903	1,806	2,709	3,612	4,515	5,418	6,321	7,224	8,127	9,030	10,836	12,642	14,448	16,254	18,060
	2	867	1,734	2,601	3,468	4,335	5,202	6,069	6,936	7,803	8,670	10,404	12,138	13,872	15,606	17,340
	3	793	1,586	2,379	3,172	3,965	4,758	5,551	6,344	7,137	7,930	9,516	11,102	12,688	14,274	15,860
'87	1	903	1,806	2,709	3,612	4,515	5,418	6,321	7,224	8,127	9,030	10,836	12,642	14,448	16,254	18,060
	2	867	1,734	2,601	3,468	4,335	5,202	6,069	6,936	7,803	8,670	10,404	12,138	13,872	15,606	17,340
	3	793	1,586	2,379	3,172	3,965	4,758	5,551	6,344	7,137	7,930	9,516	11,102	12,688	14,274	15,860
'88	1	903	1,806	2,709	3,612	4,515	5,418	6,321	7,224	8,127	9,030	10,836	12,642	14,448	16,254	18,060
	2	867	1,734	2,601	3,468	4,335	5,202	6,069	6,936	7,803	8,670	10,404	12,138	13,872	15,606	17,340
	3	793	1,586	2,379	3,172	3,965	4,758	5,551	6,344	7,137	7,930	9,516	11,102	12,688	14,274	15,860
'89	1	903	1,806	2,709	3,612	4,515	5,418	6,321	7,224	8,127	9,030	10,836	12,642	14,448	16,254	18,060
	2	867	1,734	2,601	3,468	4,335	5,202	6,069	6,936	7,803	8,670	10,404	12,138	13,872	15,606	17,340
	3	793	1,586	2,379	3,172	3,965	4,758	5,551	6,344	7,137	7,930	9,516	11,102	12,688	14,274	15,860
'90	1	1,038	2,076	3,114	4,152	5,190	6,228	7,266	8,304	9,342	10,380	12,456	14,532	16,608	18,684	20,760
	2	997	1,994	2,991	3,988	4,985	5,982	6,979	7,976	8,973	9,970	11,964	13,958	15,952	17,946	19,940
	3	912	1,824	2,736	3,648	4,560	5,472	6,384	7,296	8,208	9,120	10,944	12,768	14,952	16,416	18,240
'91	1	1,038	2,076	3,114	4,152	5,190	6,228	7,266	8,304	9,342	10,380	12,456	14,532	16,608	18,684	20,760
	2	997	1,994	2,991	3,988	4,985	5,982	6,979	7,976	8,973	9,970	11,964	13,958	15,952	17,946	19,940
	3	912	1,824	2,736	3,648	4,560	5,472	6,384	7,296	8,208	9,120	10,944	12,768	14,952	16,416	18,240
'92	1	1,111	2,222	3,333	4,444	5,555	6,666	7,777	8,888	9,999	11,110	13,332	15,554	17,776	19,998	22,220
	2	1,067	2,134	3,201	4,268	5,335	6,402	7,469	8,536	9,603	10,670	12,804	14,938	17,072	19,206	21,340
	3	976	1,952	2,928	3,904	4,880	5,856	6,832	7,808	8,784	9,760	11,712	13,664	15,616	17,568	19,520
'93	1	1,205	2,410	3,615	4,820	6,025	7,230	8,435	9,640	10,845	12,050	14,460	16,870	19,280	21,690	24,100
	2	1,158	2,316	3,474	4,632	5,790	6,948	8,106	9,264	10,422	11,580	13,896	16,212	18,528	20,844	23,160
	3	1,059	2,118	3,177	4,236	5,295	6,354	7,413	8,472	9,531	10,590	12,708	14,826	16,944	19,062	21,180
'94	-	1,392	2,784	4,176	5,568	6,960	8,352	9,744	11,136	12,528	13,920	16,704	19,488	22,272	25,056	27,840
'95	-	1,392	2,784	4,176	5,568	6,960	8,352	9,744	11,136	12,528	13,920	16,704	19,488	22,272	25,056	27,840
'96	-	1,462	2,924	4,386	5,848	7,310	8,772	10,234	11,696	13,158	14,620	17,544	20,468	23,392	26,316	29,240

※ 1997년 4월 부터는 거리비례제로 시행되었으며, 운임의 산출 방법은 철도차급화물운임(임률) (3)를 참조.

철도차급화물운임(임률) (3)

〔1〕임률

1. 일반차급임률

구 분	임 률					비 고
	1997~2001	2002	2003~2005	2006~2012	2013~2023	
1 ton 1㎞까지 마다	35.05	36.80	38.64	42.50	45.90	

2. 컨테이너 규격별 기본임률

※부가세 면세 (단위:원/㎞)

종 류	규격별 / 연도	20피트	40피트	45피트
영 컨 테 이 너	1997~2001	370	611	722
	2002	389	642	758
	2003~2005	408	674	796
	2006~2012	449	741	876
	2013~2023	516	800	946
공 컨 테 이 너	규격별 영컨테이너임률의 74%를 적용			

*테레프탈산(T.P.A)을 적입한 20피트 영컨테이너는 40피트 임률을 적용

〔2〕계산방법

1. 운임산출 기초

① 일반화물

기본임률 × 화물영업거리 × 중량(운임계산중량) = 운임

② 컨테이너화물

규격별 기본임률 × 화물영업거리 = 운임

※ 운임·요금의계산 및 단수처리
- 화물영업거리의 1㎞ 미만의 단수는 0.5㎞ 미만은 버리고, 0.5㎞ 이상은 1㎞로 올림.
- 실중량 1톤 미만의 단수는 0.5톤 미만은 버리고, 0.5톤 이상은 1톤으로 올림.
- 운임·요금의 단수는 50원 미만은 버리고, 50원 이상은 100원으로 올림.

2. 운임계산 "예시"

① 일반화물(50톤 화차의 경우)

(단위:원)

기본임률			화물영업거리		중량			운 임
연도	품 목	톤당임률(1㎞까지마다)	구 간	실제거리	실제적재중량	최저톤수율	운임계산중량	
1997~2001	포대양회	35.05	도담~수색	194.3	45톤	60%	45톤	306,000
	유 류		온산~시흥	451.9	34톤	70%	35톤	543,400
	종 이 류		북전주~용산	265.9	28톤	60%	30톤	279,700
2006~2012	포대양회	42.50	도담~수색	194.3	45톤	60%	45톤	371,600
	유 류		온산~시흥	451.9	34톤	70%	35톤	672,200
	종 이 류		북전주~용산	265.9	28톤	60%	30톤	339,000
2013~2023	포대양회	45.90	도담~수색	194.3	45톤	60%	45톤	401,300
	유 류		온산~시흥	451.9	34톤	70%	35톤	726,000
	종 이 류		북전주~용산	265.9	28톤	60%	30톤	366,100

② 컨테이너 화물

(단위:원)

연도 구분	컨테이너 종류		구간별 거리 및 운임: 의왕 — 부산진 거 리	임 률	운 임	동익산 — 부산진 거 리	임 률	운 임
1997~2001	20피트	영컨테이너	413㎞×	370	152,800	366㎞×	370	135,400
		공컨테이너		370×74%	113,100		370×74%	100,200
	40피트	영컨테이너		611	252,300		611	223,600
		공컨테이너		611×74%	186,700		611×74%	165,500
	45피트	영컨테이너		722	298,200		722	264,300
		공컨테이너		722×74%	220,700		722×74%	195,500
2006~2012	20피트	영컨테이너	413㎞×	449	185,400	366㎞×	449	164,300
		공컨테이너		449×74%	137,200		449×74%	121,600
	40피트	영컨테이너		741	306,000		741	271,200
		공컨테이너		741×74%	226,500		741×74%	200,700
	45피트	영컨테이너		876	361,800		876	320,600
		공컨테이너		876×74%	267,700		876×74%	237,300
2013~2023	20피트	영컨테이너	413㎞×	516	213,100	366㎞×	516	188,900
		공컨테이너		516×74%	157,700		516×74%	139,800
	40피트	영컨테이너		800	330,400		800	292,800
		공컨테이너		800×74%	244,500		800×74%	216,700
	45피트	영컨테이너		946	390,700		946	346,200
		공컨테이너		946×74%	289,100		946×74%	256,200

철도소화물운임

연도	이정 \ 중량	5 kg	10 kg	15 kg	20 kg	25 kg	30 kg	35 kg	40 kg	45 kg	50 kg	60 kg	70 kg	80 kg	90 kg	100kg
'70 ~ '71	100 km까지	40(12)	50	60	80	90	100	110	120	140	150	160	170	180	200	210
	200 km	40(19)	60	80	100	120	140	150	170	190	210	230	250	270	290	310
	300 km	40(21)	60	80	100	120	150	170	190	210	230	250	270	290	310	330
'72 ~ '73	100 km	-	-	-	-	-	-	-	-	-	-	-	-	-	-	-
	200 km	-	-	-	-	-	-	-	-	-	-	-	-	-	-	-
	300 km	-	-	-	-	-	-	-	-	-	-	-	-	-	-	-
'74	100 km	50(14)	60	80	90	110	120	130	150	160	180	200	230	260	290	-
	200 km	50(22)	70	90	120	140	160	180	200	230	250	290	340	380	420	-
	300 km	50(24)	70	100	120	150	170	190	220	240	270	310	360	410	460	-
'75	100 km	60(17)	80	90	110	130	150	160	180	200	210	250	280	320	350	-
	200 km	60(26)	90	110	140	160	190	220	240	270	290	350	400	450	500	-
	300 km	60(29)	90	120	150	180	210	230	260	290	320	380	440	500	550	-
'76	100 km	60(17)	80	90	110	130	150	169	180	200	210	250	280	320	-	-
	200 km	60(26)	90	110	140	160	190	220	240	270	290	350	400	450	-	-
	300 km	60(29)	90	120	150	180	210	230	260	290	320	380	500	500	-	-
'77	100 km	60(17)	80	90	-	130	150	160	180	200	210	250	280	320	350	-
	200 km	60(26)	90	110	-	160	190	220	240	270	290	350	400	450	500	-
	300 km	60(29)	90	120	-	180	210	230	260	290	320	380	440	500	550	-
'78	100 km	80(22)	100	120	150	170	190	210	230	260	280	320	370	410	-	-
	200 km	80(34)	110	150	180	220	250	280	320	350	390	450	520	590	-	-
	300 km	80(38)	120	160	190	230	270	310	350	380	420	500	570	650	-	-
'79	100 km	100(28)	130	160	180	210	240	270	300	320	350	410	460	520	580	630
	200 km	100(48)	140	190	230	270	320	360	400	440	490	570	660	750	830	920
	300 km	100(48)	150	200	240	290	340	390	440	480	530	630	720	820	920	1,010
'80	100 km	150(43)	190	240	280	320	370	410	450	490	540	620	710	800	880	970
	200 km	150(65)	220	280	350	410	480	540	610	670	740	870	1,000	1,130	1,260	1,390
	300 km	150(73)	220	300	320	440	520	590	660	730	810	980	1,100	1,250	1,390	1,540
'81	100 km	170(49)	220	270	320	370	420	460	510	560	610	710	810	910	1,000	1,100
	200 km	170(75)	250	320	400	470	550	620	700	780	850	1,000	1,150	1,300	1,450	1,600
	300 km	170(84)	250	340	420	510	590	670	760	840	930	1,090	1,260	1,430	1,600	1,770
'82	100 km	200(57)	260	310	370	430	590	540	600	660	710	830	940	1,060	1,170	1,280
	200 km	200(87)	290	370	460	550	640	720	810	900	980	1,160	1,330	1,510	1,680	1,850
	300 km	200(97)	300	390	490	590	690	780	880	980	1,070	1,270	1,460	1,660	1,850	2,040
'83 ~ '84	100 km	210(61)	270	330	390	450	520	580	640	700	760	880	1,000	1,130	1,250	1,370
	200 km	210(93)	300	400	490	580	680	770	860	950	1,050	1,230	1,420	1,610	1,790	1,980
	300 km	210(104)	310	420	520	630	730	830	940	1,040	1,150	1,350	1,560	1,770	1,980	2,190
'85 ~ '89	100 km	250(71)	320	390	460	530	610	680	750	820	890	1,030	1,170	1,320	1,460	1,600
	200 km	250(109)	360	470	580	690	800	900	1,010	1,120	1,230	1,450	1,670	1,890	2,100	2,320
	300 km	250(122)	370	490	620	740	860	980	1,100	1,230	1,350	1,590	1,840	2,080	2,320	2,570
'90 ~ '91	100 km	300(85)	390	470	560	640	730	810	900	980	1,070	1,240	1,410	1,580	1,750	-
	200 km	300(131)	430	560	690	820	960	1,090	1,220	1,350	1,480	1,740	2,000	2,270	2,530	-
	300 km	300(146)	450	590	740	880	1,030	1,180	1,320	1,470	1,610	1,910	2,200	2,490	2,780	-

5 kg	10 kg	15 kg	20 kg	25 kg	30 kg	35 kg	40 kg	45 kg	50 kg	60 kg	70 kg	80 kg	90 kg	100kg	중량 / 이정	연도
-	430	570	720	860	1,010	1,150	1,290	1,440	1,580	1,870	2,160	2,450	2,730	3,020	200 ㎞까지	'92
-	580	740	900	1,060	1,220	1,380	1,550	1,710	1,870	2,190	2,510	2,830	3,160	3,480	300 ㎞	
-	730	910	1,080	1,260	1,430	1,610	1,790	1,960	2,140	2,490	2,840	3,190	3,550	3,900	400 ㎞	
-	880	1,070	1,270	1,460	1,660	1,850	2,040	2,240	2,430	2,820	3,210	3,600	3,980	4,370	401 ㎞이상	
-	450	600	750	900	1,100	1,250	1,400	1,550	1,700	2,000	2,300	2,650	2,950	3,250	200 ㎞까지	'93
-	600	800	950	1,100	1,300	1,500	1,650	1,800	2,000	2,350	2,700	3,050	3,400	3,750	300 ㎞	
-	800	1,000	1,200	1,400	1,550	1,750	1,950	2,150	2,300	2,700	3,100	3,450	3,850	4,200	400 ㎞	
-	950	1,150	1,400	1,600	1,800	2,000	2,200	2,400	2,650	3,050	3,500	3,900	4,300	4,750	401 ㎞이상	
-	500	700	850	1,000	1,200	1,350	1,550	1,700	1,900	2,200	2,550	2,900	3,250	3,600	200 ㎞까지	'94
-	700	900	1,100	1,300	1,450	1,650	1,850	2,050	2,250	2,600	3,000	3,400	3,800	4,150	300 ㎞	
-	900	1,100	1,300	1,550	1,750	1,950	2,150	2,400	2,600	3,000	3,400	3,850	4,250	4,700	400 ㎞	
-	1,050	1,300	1,500	1,750	2,000	2,200	2,450	2,700	2,900	3,400	3,850	4,300	4,750	5,200	401 ㎞이상	
-	500	700	850	1,000	1,200	1,350	1,550	1,700	1,900	2,200	2,550	2,900	3,250	3,600	200 ㎞까지	'95 ~ '96
-	700	900	1,100	1,300	1,450	1,650	1,850	2,050	2,250	2,600	3,000	3,400	3,800	4,150	300 ㎞	
-	900	1,100	1,300	1,550	1,750	1,950	2,150	2,400	2,600	3,000	3,400	3,850	4,250	4,700	400 ㎞	
-	1,050	1,300	1,500	1,750	2,000	2,200	2,450	2,700	2,900	3,400	3,850	4,300	4,750	5,200	401 ㎞이상	
-	600	800	1,000	1,200	1,400	1,600	1,800	2,000	2,250	2,650	3,050	3,450	3,850	4,300	200 ㎞까지	'97
-	800	1,000	1,250	1,500	1,700	1,950	2,150	2,400	2,600	3,100	3,550	4,000	4,450	4,900	300 ㎞	
-	1,100	1,350	1,600	1,850	2,100	2,350	2,600	2,850	3,100	3,600	4,100	4,600	5,100	5,600	400 ㎞	
-	1,250	1,500	1,800	2,100	2,350	2,600	2,900	3,200	3,450	4,000	4,550	5,100	5,650	6,200	401 ㎞이상	
-	650	900	1,100	1,300	1,550	1,800	2,000	2,200	2,450	2,900	3,350	3,800	4,250	4,700	200 ㎞까지	'98
-	900	1,150	1,400	1,650	1,900	2,150	2,400	2,650	2,900	3,400	3,900	4,400	4,900	5,400	300 ㎞	
-	1,200	1,500	1,750	2,000	2,300	2,600	2,850	3,100	3,100	3,950	4,500	5,050	5,600	6,150	400 ㎞	
-	1,400	1,700	2,000	2,300	2,600	2,900	3,200	3,500	3,500	4,450	5,050	5,650	6,250	6,850	401 ㎞이상	
-	650	900	1,100	1,300	1,550	1,800	2,000	2,200	2,450	2,900	3,350	3,800	4,250	4,700	200 ㎞까지	'99
-	900	1,150	1,400	1,650	1,900	2,150	2,400	2,650	2,900	3,400	3,900	4,400	4,900	5,400	300 ㎞	
-	1,200	1,500	1,750	2,000	2,300	2,600	2,850	3,100	3,400	3,950	4,500	5,050	5,600	6,150	400 ㎞	
-	1,400	1,700	1,700	2,300	2,600	2,900	3,200	3,500	3,800	4,450	5,050	5,650	6,250	6,850	401 ㎞이상	
-	800	1,000	1,250	1,500	1,750	2,000	2,300	2,500	2,800	3,300	3,800	4,300	4,800	5,300	200 ㎞까지	2000 ~ 2001
-	1,100	1,300	1,600	1,900	2,150	2,450	2,700	3,000	3,300	3,850	4,450	5,000	5,600	6,150	300 ㎞	
-	1,450	1,700	2,000	2,300	2,650	2,950	3,250	3,500	3,900	4,500	5,100	5,750	6,350	7,000	400 ㎞	
-	1,700	1,950	2,300	2,650	3,000	3,300	3,700	4,000	4,350	5,050	5,750	6,400	7,100	7,800	401 ㎞이상	
-	900	1,100	1,400	1,650	1,950	2,200	2,500	2,800	3,050	3,600	4,150	4,700	5,300	5,850	200 ㎞까지	2002
-	1,200	1,450	1,750	2,100	2,400	2,700	3,000	3,350	3,650	4,300	4,900	5,550	6,150	6,800	300 ㎞	
-	1,600	1,900	2,250	2,600	2,900	3,250	3,600	3,950	4,300	5,000	5,650	6,350	7,050	7,700	400 ㎞	
-	1,900	2,150	2,500	2,900	3,300	3,650	4,050	4,400	4,800	5,550	6,300	7,050	7,800	8,600	401 ㎞이상	
-	1,000	1,200	1,500	1,800	2,100	2,400	2,750	3,050	3,350	3,950	4,600	5,200	5,800	6,400	200 ㎞까지	2003 ~ 2004
-	1,300	1,600	1,950	2,300	2,650	3,000	3,300	3,700	4,000	4,700	5,400	6,100	6,800	7,450	300 ㎞	
-	1,750	2,100	2,500	2,850	3,200	3,600	4,000	4,350	4,750	5,500	6,250	7,000	7,750	8,500	400 ㎞	
-	2,100	2,350	2,750	3,200	3,600	4,000	4,450	4,850	5,250	6.100	6,900	7,750	8,600	9,400	401 ㎞이상	
-	1,000	1,200	1,500	1,800	2,100	2,400	2,700	3,000	3,300	4,000	4,600	5,200	5,800	6,400	200 ㎞까지	2005
-	1,300	1,600	1,900	2,300	2,600	3,000	3,300	3,700	4,000	4,700	5,400	6,100	6,800	7,500	300 ㎞	
-	1,800	2,100	2,500	2,900	3,200	3,600	4,000	4,400	4,700	5,500	6,200	7,000	7,700	8,500	400 ㎞	
-	2,100	2,400	2,800	3,200	3,600	4,100	4,500	4,900	5,300	6,100	7,000	7,800	8,600	9,500	401 ㎞이상	

㈜ 1. ( )안의 숫자는 5㎏을 더할 때마다 가산되는 임률임. ('70~'91)
2. '70~'93년도까지의 단수처리는 4사5입제이며, '94.1.15~2004.12.31까지는 30원 미만의 단수는 버리고, 30원 이상 70원 미만은 50원, 70원 이상은 100원으로 수수, 2005년 1월 1일부터 50원 미만 버림, 50원 이상 100원으로 올림.
3. 2006년 5월부로 폐지됨.

항공여객운임(1)

품명	· 규격	단위	'70	'71	'72	'73	'74	'75	'76	'77	'78	'79	'80
국내선	서울-부산	편도	4,200	4,200	4,200	4,200	6,700	6,700	8,640	7,920	10,340	11,330	18,260
	-대구	〃	3,120	3,120	3,120	3,120	5,040	5,040	6,480	5,940	7,700	8,470	13,640
	-광주	〃	3,480	3,480	3,480	3,480	5,520	5,520	6,840	6,270	8,140	8,910	14,300
	-제주	〃	5,520	5,520	5,520	5,520	8,800	8,800	11,040	10,120	13,200	14,520	23,320
	-진주	〃	-	-	-	-	6,360	6,360	9,000	8,250	10,670	11,770	18,700
	-속초	〃	-	-	-	-	4,400	4,400	5,880	5,390	7,040	7,700	12,320
	-여수	〃	-	-	-	-	7,320	7,320	-	-	-	11,550	18,480
	부산-제주	〃	3,360	3,360	3,360	3,360	5,400	5,400	7,080	6,490	8,470	9,350	14,850
	진주- 〃	〃	-	-	-	-	-	-	-	-	-	8,250	13,200
	여수- 〃	〃	-	-	-	-	-	-	-	-	-	6,660	10,560
	광주- 〃	〃	2,040	2,040	2,040	2,040	3,360	3,360	4,320	3,960	5,170	5,610	9,020
	대구- 〃	〃	-	-	-	-	7,200	7,200	-	-	8,030	10,450	11,440
	서울-부산	왕복	7,980	7,980	7,980	7,980	13,400	13,400	17,260	15,840	20,680	22,660	36,520
	-대구	〃	5,928	5,928	5,928	5,928	10.080	10,080	12,960	11,880	15,400	16,940	27,280
	-광주	〃	6,612	6,612	6,612	6,612	11,040	11,040	13,680	12,540	16,280	17,820	28,600
	-제주	〃	10,488	10,488	10,488	10,488	17,600	17,600	22,080	20,240	26,400	29,040	46,640
	-진주	〃	-	-	-	-	12,720	12,720	18,000	16,500	21,340	23,540	37,400
	-속초	〃	-	-	-	-	8,800	8,800	11,760	10,780	14,080	15,400	24,640
	-여수	〃	-	-	-	-	14,640	-	-	-	-	23,100	36,960
	부산-제주	〃	6,384	6,384	6,384	6,384	10,800	10,800	14,160	12,980	16,940	18,700	29,700
	진주- 〃	〃	-	-	-	-	-	-	-	-	-	16,500	26,400
	여수- 〃	〃	-	-	-	-	-	-	-	-	-	13,200	21,120
	광주- 〃	〃	3,876	3,876	3,876	3,876	6,720	8,640	8,640	7,920	10,340	11,220	18,040
	대구- 〃	〃	-	-	-	-	14,400	-	-	16,060	20,900	22,880	36,740

품명	· 규격	단위	'97	'98	'99	2000	2001	2002	2003	2004	2005	2006	2007
국내선	서울-부산	편도	37,400	44,300	50,500	50,500	55,500	60,900	60,900	62,400	62,400	62,400	62,400
	-대구	〃	29,400	34,800	41,000	41,000	46,000	52,900	52,900	54,400	54,400	54,400	54,400
	-광주	〃	31,300	37,000	42,000	42,000	47,000	53,400	53,400	54,900	54,900	54,900	54,900
	-제주	〃	49,900	59,100	65,500	65,500	70,000	71,900	71,900	73,400	73,400	73,400	73,400
	-진주	〃	43,300	51,300	57,500	57,500	62,000	63,900	63,900	65,400	65,400	65,400	65,400
	-속초	〃	-	32,100	38,500	38,500	43,500	-	-	-	-	-	-
	-여수	〃	41,300	48,900	55,000	55,000	59,500	61,400	61,400	62,900	62,900	62,900	62,900
	부산-제주	〃	33,200	39,200	45,500	45,500	50,500	55,400	55,400	56,900	56,900	56,900	56,900
	진주- 〃	〃	-	38,200	44,500	44,500	49,500	54,400	54,400	55,900	55,900	55,900	55,900
	여수- 〃	〃	-	29,500	36,500	36,500	41,500	49,400	49,400	50,900	50,900	50,900	50,900
	광주- 〃	〃	21,900	25,800	33,000	33,000	38,500	48,400	48,400	49,900	49,900	49,900	49,900
	대구- 〃	〃	40,900	48,400	54,500	54,500	59,000	60,900	60,900	62,400	62,400	62,400	62,400
	서울-부산	왕복	74,800	88,600	101,000	101,000	111,000	121,800	121,800	124,800	124,800	124,800	124,800
	-대구	〃	58,800	69,600	82,000	82,000	92,000	105,800	105,800	108,800	108,800	108,800	108,800
	-광주	〃	62,600	74,000	84,000	84,000	94,000	106,800	106,800	109,800	109,800	109,800	109,800
	-제주	〃	99,800	118,200	131,000	131,000	140,000	143,800	143,800	146,800	146,800	146,800	146,800
	-진주	〃	86,600	102,600	115,000	115,000	124,000	127,800	127,800	130,800	130,800	130,800	130,800
	-속초	〃	-	64,200	77,000	77,000	87,000	-	-	-	-	-	-
	-여수	〃	82,600	97,800	110,000	110,000	119,000	122,800	122,800	125,800	125,800	125,800	125,800
	부산-제주	〃	66,400	78,400	91,000	91,000	101,000	110,800	110,800	113,800	113,800	113,800	113,800
	진주- 〃	〃	-	76,400	89,000	89,000	99,000	108,800	108,800	111,800	111,800	111,800	111,800
	여수- 〃	〃	-	59,000	73,000	73,000	83,000	98,800	98,800	101,800	101,800	101,800	101,800
	광주- 〃	〃	43,800	51,600	66,000	66,000	77,000	96,800	96,800	99,800	99,800	99,800	99,800
	대구- 〃	〃	81,800	96,800	109,000	109,000	118,000	121,800	121,800	124,800	124,800	124,800	124,800

(단위:원)

'81	'82	'83	'84	'85	'86	'87	'88	'89	'90	'91	'92	'93	'94	'95	'96
24,600	24,600	25,600	25,600	26,900	25,900	25,900	25,900	25,900	25,900	25,900	36,200	36,200	36,200	36,200	36,200
18,400	18,400	19,100	19,100	20,100	19,300	19,300	19,300	19,300	19,300	19,300	27,000	27,000	27,000	27,000	27,000
19,300	19,300	20,000	20,000	21,100	20,200	20,200	20,200	20,200	20,200	20,200	28,300	28,300	28,300	28,300	28,300
31,500	31,500	32,700	32,700	34,400	33,100	33,100	33,100	33,100	33,100	33,100	46,300	46,300	46,300	46,300	46,300
25,400	25,400	26,400	26,400	27,700	26,600	26,600	26,600	26,600	26,600	26,600	37,200	37,200	37,200	37,200	37,200
16,700	16,700	17,400	17,400	18,300	17,500	17,500	17,500	17,500	17,500	17,500	24,600	24,600	24,600	24,600	24,600
25,000	25,000	25,900	25,900	27,300	26,200	26,200	26,200	26,200	26,200	26,200	36,700	36,700	36,700	36,700	36,700
20,100	20,100	20,900	20,900	22,000	21,100	21,100	21,100	21,100	21,100	21,100	29,500	29,500	29,500	29,500	29,500
17,900	17,900	18,600	18,600	19,600	18,800	18,800	18,800	18,800	18,800	18,800	26,300	26,300	26,300	26,300	26,300
14,300	14,300	14,900	14,900	15,600	15,000	15,000	15,000	15,000	15,000	15,000	21,000	21,000	21,000	21,000	21,000
12,200	12,200	12,600	12,600	13,300	12,800	12,800	12,800	12,800	12,800	12,800	17,800	17,800	17,800	17,800	17,800
18,370	24,800	25,800	25,800	27,200	26,100	26,100	26,100	26,100	26,100	26,100	36,500	36,500	36,500	36,500	36,500
49,200	49,200	51,200	51,200	53,800	51,800	51,800	51,800	51,800	51,800	51,800	72,400	72,400	72,400	72,400	72,400
36,800	36,800	38,200	38,200	40,200	38,600	38,600	38,600	38,600	38,600	38,600	54,000	54,000	54,000	54,000	54,000
38,600	38,600	40,000	40,000	42,200	40,400	40,400	40,400	40,400	40,400	40,400	55,600	55,600	55,600	55,600	56,600
63,000	63,000	65,400	65,400	68,800	66,200	66,200	66,200	66,200	66,200	66,200	92,600	92,600	92,600	92,600	92,600
50,800	50,800	50,800	50,800	55,400	53,200	53,200	53,200	53,200	53,200	53,200	74,400	74,400	74,400	74,400	74,400
33,400	33,400	33,400	33,400	36,600	35,000	35,000	35,000	35,000	35,000	35,000	49,200	49,200	49,200	49,200	49,200
50,000	50,000	51,800	51,800	54,600	52,400	52,400	52,400	52,400	52,400	52,400	73,400	73,400	73,400	73,400	73,400
40,200	40,200	41,800	41,800	44,000	42,200	42,200	42,200	42,200	42,200	42,200	59,000	59,000	59,000	59,000	59,000
35,800	35,800	37,200	37,200	39,200	37,600	37,600	37,600	37,600	37,600	37,600	52,600	52,600	52,600	52,600	52,600
28,600	28,600	29,800	29,800	31,200	30,000	30,000	30,000	30,000	30,000	30,000	42,000	42,000	42,000	42,000	42,000
24,400	24,400	25,200	25,200	26,600	25,600	25,600	25,600	25,600	25,600	25,600	35,600	35,600	35,600	35,600	35,600
49,600	49,600	51,600	51,600	54,400	52,200	52,200	52,200	52,200	52,200	52,200	73,000	73,000	73,000	73,000	73,000

2008	2009	2010	2011	2012	2013	2014	2015	2016	2017	2018	2019	2020	2021	2022	2023
62,400	62,400	62,400	62,400	62,400	70,000	70,000	76,200	76,200	76,200	76,200	78,400	80,000	82,200	93,000	87,700
54,400	54,400	54,400	68,400	68,400	79,000	79,000	86,200	86,200	86,200	86,200	81,400	63,000	-	-	-
54,900	54,900	54,900	54,900	54,900	61,000	61,000	67,200	68,200	68,200	68,200	62,000	66,000	68,000	74,400	73,700
73,400	73,400	73,400	73,400	73,400	82,000	82,000	88,200	88,200	88,200	88,200	90,400	93,000	92,200	103,000	97,700
65,400	65,400	65,400	65,400	65,400	73,000	73,000	79,200	79,200	79,200	79,200	81,400	81,000	81,000	90,600	80,700
-	-	-	-	-	-	-	-	-	-	-	-	-	-	-	-
62,900	62,900	62,900	62,900	62,900	70,000	70,000	76,200	76,200	76,200	76,200	78,400	77,000	77,000	90,600	80,700
56,900	56,900	56,900	56,900	56,900	64,000	64,000	70,200	70,200	70,200	70,200	72,400	74,000	76,200	87,000	81,700
55,900	55,900	55,900	55,900	55,900	63,000	63,000	69,200	69,200	69,200	69,200	71,400	88,000	70,000	78,000	-
50,900	50,900	50,900	50,900	50,900	57,000	57,000	63,200	63,200	63,200	63,200	65,400	82,000	64,000	71,000	-
49,900	49,900	49,900	49,900	49,900	56,000	56,000	62,200	62,200	62,200	62,200	65,400	83,000	69,400	76,000	70,700
62,400	62,400	62,400	62,400	62,400	70,000	70,000	76,200	76,200	76,200	76,200	78,400	103,000	80,000	89,600	79,700
124,800	124,800	124,800	124,800	124,800	140,000	140,000	152,400	152,400	152,400	152,400	156,800	160,000	164,400	186,000	175,400
108,800	108,800	108,800	136,800	136,800	158,000	158,000	172,400	172,400	172,400	172,400	162,800	126,000	-	-	-
109,800	109,800	109,800	109,800	109,800	122,000	122,000	134,400	136,400	136,400	136,400	124,000	132,000	136,000	148,800	147,400
146,800	146,800	146,800	146,800	146,800	164,000	164,000	176,400	176,400	176,400	176,400	180,800	186,000	184,400	206,000	195,400
130,800	130,800	130,800	130,800	130,800	146,000	146,000	158,400	158,400	158,400	158,400	162,800	162,000	162,000	181,200	161,400
-	-	-	-	-	-	-	-	-	-	-	-	-	-	-	-
125,800	125,800	125,800	125,800	125,800	140,000	140,000	152,400	152,400	152,400	152,400	156,800	154,000	154,000	181,200	161,400
113,800	113,800	113,800	113,800	113,800	128,000	128,000	140,400	140,400	140,400	140,400	144,800	148,000	152,400	174,000	163,400
111,800	111,800	111,800	111,800	111,800	126,000	126,000	138,400	138,400	138,400	138,400	142,800	176,000	140,000	156,000	-
101,800	101,800	101,800	101,800	101,800	114,000	114,000	126,400	126,400	126,400	126,400	130,800	164,000	128,000	142,000	-
99,800	99,800	99,800	99,800	99,800	112,000	112,000	124,400	124,400	124,400	124,400	130,800	166,000	138,800	152,000	141,400
124,800	124,800	124,800	124,800	124,800	140,000	140,000	152,400	152,400	152,400	152,400	156,800	206,000	160,000	179,200	159,400

항공여객운임(2)

품명	규격	단위	'70	'71	'72	'73	'74	'75	'76	'77	'78	'79
국제선 1등	서울-도쿄	편도	86.80	86.80	86.80	121.10	132.20	156.10	156.10	161	161	197
	-오사카	〃	-	-	-	-	102.30	120.80	120.80	125	125	153
	-후쿠오카	〃	-	-	-	-	70.90	83.70	83.70	86	86	106
	-나고야	〃	-	-	-	-	-	-	-	-	-	-
	-홍콩	〃	271.60	271.60	271.60	281.20	319.00	370.40	370.40	388	388	462
	-방콕	〃	373.10	373.10	373.10	422.60	479.30	565.40	565.40	583	583	687
	-싱가포르	〃	373.10	373.10	373.10	478.30	539.30	636.10	636.10	655	655	772
	-로스앤젤레스	〃	-	-	-	-	866.30	973.30	973.30	973	973	1,056
	-파리	〃	1,196.50	1,196.50	1,196.50	1,193.40	-	-	1,812.00	1,866	1,866	2,026
	-뉴욕	〃	896.20	896.20	896.20	926.00	-	-	-	-	-	1,392
	-마닐라	〃	-	-	-	-	-	-	-	-	-	-
	-프랑크푸르트	〃	-	-	-	-	-	-	-	-	-	-
	-런던	〃	-	-	-	-	-	-	-	-	-	-
	-취리히	〃	-	-	-	-	-	-	-	-	-	-
국제선 2등	서울-도쿄	편도	67.80	67.80	67.80	93.30	101.80	120.30	120.30	124	124	149
	-오사카	〃	-	-	-	-	76.30	89.80	89.80	93	93	112
	-후쿠오카	〃	-	-	-	-	49.90	59.10	59.10	61	61	74
	-나고야	〃	-	-	-	-	-	-	-	-	-	-
	-홍콩	〃	196.00	196.00	196.00	209.80	238.00	280.90	280.90	290	290	335
	-방콕	〃	271.60	271.60	271.60	306.70	347.90	410.30	410.30	423	423	489
	-싱가포르	〃	271.60	271.60	271.60	339.60	381.90	450.60	450.60	464	464	537
	-로스앤젤레스	〃	-	-	-	-	542.90	610.10	610.10	610	610	650
	-파리	〃	726.40	726.40	726.40	906.20	-	1,094.76	1,094.76	1.128	1,128	1,335
	-뉴욕	〃	574.00	574.00	574.00	595.00	-	-	-	-	-	848
	-마닐라	〃	-	-	-	-	-	-	-	-	-	-
	-프랑크푸르트	〃	-	-	-	-	-	-	-	-	-	-
	-런던	〃	-	-	-	-	-	-	-	-	-	-
	-취리히	〃	-	-	-	-	-	-	-	-	-	-

품명	규격	단위	'90	'91	'92	'93	'94	'95	'96	'97	'98	'99
국제선 1등	서울-도쿄	편도	255	273	273	330	330	2,937	2,937	3,404	3,773	3,962
	-오사카	〃	197	211	211	255	255	2,213	2,213	2,653	3,021	3,173
	-후쿠오카	〃	137	147	147	178	178	1,473	1,473	1,887	-	-
	-나고야	〃	223	-	-	289	289	2,531	2,531	2,986	-	-
	-홍콩	〃	595	637	637	637	637	5,070	5,070	5,495	6,045	6,650
	-방콕	〃	885	947	947	947	947	7,538	-	-	8,815	-
	-싱가포르	〃	995	1,065	1,065	1,065	1,065	7,394	7,394	8,798	9,678	10,646
	-로스앤젤레스	〃	1,516	1,622	1,622	1,703	1,703	14,940	14,940	15,687	20,394	23,454
	-파리	〃	2,632	2,816	2,816	3,105	3,105	27,244	27,244	28,062	30,869	32,413
	-뉴욕	〃	1,884	1,972	1,972	2,233	2,233	19,159	19,020	20,396	26,010	29,912
	-마닐라	〃	547	-	-	-	-	-	-	5,102	-	-
	-프랑크푸르트	〃	2,632	2,816	2,816	3,105	3,105	27,244	-	28,062	-	-
	-런던	〃	2,632	2,816	2,816	3,105	3,105	27,244	-	28,062	-	-
	-취리히	〃	2,327	-	-	-	-	24,092		-	-	-
국제선 2등	서울-도쿄	편도	193	207	207	234	234	-	2,547	2,965	3,286	3,451
	-오사카	〃	145	155	155	176	176	-	1,919	2,310	2,632	2,764
	-후쿠오카	〃	96	103	103	117	117	-	1,274	1,643	1,965	2,064
	-나고야	〃	166	-	-	202	202	-	2,197	2,601	-	-
	-홍콩	〃	432	462	462	462	462	3,820	4,185	4,311	4,743	5,796
	-방콕	〃	630	674	674	674	674	5,550	6,108	6,291	6,921	8,458
	-싱가포르	〃	692	740	740	740	740	5,140	6,707	6,909	7,600	9,289
	-로스앤젤레스	〃	894	946	946	869	869	8,220	8,217	8,628	11,216	14,312
	-파리	〃	1,592	1,703	1,703	1,703	1,703	15,460	-	-	19,278	22,490
	-뉴욕	〃	1,190	1,237	1,237	1,160	1,160	11,300	10,574	12,068	15,318	19,570
	-마닐라	〃	401	-	-	-	-	-	3,886	4,003	-	-
	-프랑크푸르트	〃	1,592	1,703	1,703	1,703	1,703	15,460	-	-	-	-
	-런던	〃	1,592	1,703	1,703	1,703	1,703	15,460	-	-	-	-
	-취리히	〃	1,592	1,703	1,703	1,703	1,703	15,460	-	-	-	-

㈜ 1. 단위: '70~'94까지는$, '95~2010까지는 백원.
2. 2008년부터 국제선은 인천국제공항발임.
3. 국제선은 출발일, 항공사, 경유지에 따라 가격 편차가 심해 2010년까지만 게재함.

품명 · 규격		단위	'80	'81	'82	'83	'84	'85	'86	'87	'88	'89	비고
국제선 1등	서울-도쿄	편도	222	222	243	255	255	255	255	255	255	255	
	-오사카	〃	172	172	188	197	197	197	197	197	197	197	
	-후쿠오카	〃	119	119	130	137	137	137	137	137	137	137	
	-나고야	〃	-	-	-	223	223	223	223	223	223	223	
	-홍콩	〃	518	518	545	595	595	595	595	595	595	595	
	-방콕	〃	771	771	810	885	885	885	885	885	885	885	
	-싱가포르	〃	867	867	911	995	995	995	995	995	995	995	
	-로스앤젤레스	〃	1,183	1,183	1,430	1,516	1,516	1,516	1,516	1,516	1,516	1,516	
	-파리	〃	2,457	2,457	2,507	2,632	2,632	2,632	2,632	2,632	2,632	2,632	
	-뉴욕	〃	1,420	1,420	1,780	1,884	1,884	1,884	1,884	1,884	1,884	1,884	
	-마닐라	〃	-	-	-	547	547	547	547	547	547	547	
	-프랑크푸르트	〃	-	-	-	-	-	2,632	2,632	2,632	2,632	2,632	
	-런던	〃	-	-	-	-	-	-	-	-	2,632	2,632	
	-취리히	〃	-	-	-	-	-	-	-	-	-	-	
국제선 2등	서울-도쿄	편도	168	168	183	193	193	193	193	193	193	193	
	-오사카	〃	126	126	138	145	145	145	145	145	145	145	
	-후쿠오카	〃	83	83	91	96	96	96	96	96	96	96	
	-나고야	〃	-	-	-	166	166	166	166	166	166	166	
	-홍콩	〃	376	376	395	432	432	432	432	432	432	432	
	-방콕	〃	549	549	577	630	630	630	630	630	630	630	
	-싱가포르	〃	603	603	634	692	692	692	692	692	692	692	
	-로스앤젤레스	〃	728	728	834	894	894	894	894	894	894	894	
	-파리	〃	1,487	1,487	1,517	1,592	1,592	1,592	1,592	1,592	1,592	1,592	
	-뉴욕	〃	926	926	870	1,190	1,190	1,190	1,190	1,190	1,190	1,190	
	-마닐라	〃	-	-	-	401	401	401	401	401	401	401	
	-프랑크푸르트	〃	-	-	-	-	-	1,592	1,592	1,592	1,592	1,592	
	-런던	〃	-	-	-	-	-	-	-	-	1,592	1,592	
	-취리히	〃	-	-	-	1,592	1,592	1,592	1,592	1,592	1,592	1,592	

품명 · 규격		단위	2000	2001	2002	2003	2004	2005	2006	2007	2008	2009	2010
국제선 1등	서울-도쿄	편도	4,161	5,056	5,056	4,814	5,170	5,170	5,170	5,170	5,945	5,945	5,945
	-오사카	〃	3,332	4,100	4,100	3,905	4,234	4,234	4,234	4,234	4,933	4,933	4,933
	-후쿠오카	〃	2,488	2,975	2,975	2,978	3,279	3,279	3,279	3,279	3,902	3,902	3,902
	-나고야	〃	2,350	4,305	4,305	4,308	4,649	4,649	4,649	4,649	5,382	5,382	5,382
	-홍콩	〃	6,650	6,987	6,987	6,987	6,987	7,198	7,198	7,198	8,314	8,314	8,314
	-방콕	〃	-	-	-	10,188	10,400	10,400	10,400	10,400	12,012	12,012	12,012
	-싱가포르	〃	10,646	11,186	11,186	11,186	11,397	11,397	11,397	11,397	13,164	13,164	13,164
	-로스앤젤레스	〃	24,158	28,804	28,804	28,932	32,926	32,926	32,926	32,926	35,000	35,000	35,000
	-파리	〃	33,062	32,250	32,250	35,779	35,990	35,990	35,990	35,990	40,381	40,381	40,381
	-뉴욕	〃	30,810	36,735	36,735	34,985	39,584	39,584	39,584	39,584	41,425	41,425	41,425
	-마닐라	〃	6,175	-	-	6,489	7,198	7,198	7,198	7,198	8,314	8,314	8,314
	-프랑크푸르트	〃	33,062	32,250	32,250	35,779	35,990	35,990	35,990	35,990	42,400	42,400	42,400
	-런던	〃	33,062	32,250	32,250	35,779	35,990	35,990	35,990	35,990	42,400	42,400	42,400
	-취리히	〃	33,062	32,250	32,250	35,779	35,990	35,990	35,990	35,990	42,400	42,400	42,400
국제선 2등	서울-도쿄	편도	3,624	4,430	4,430	4,219	4,558	4,558	4,558	4,558	4,926	4,926	4,926
	-오사카	〃	2,903	3,594	3,594	3,423	3,737	3,737	3,737	3,737	4,088	4,088	4,088
	-후쿠오카	〃	2,168	2,610	2,610	2,610	2,901	2,901	2,901	2,901	3,233	3,233	3,233
	-나고야	〃	3,223	3,776	3,776	3,776	4,101	4,101	4,101	4,101	4,459	4,459	4,459
	-홍콩	〃	5,796	6,090	6,090	6,090	6,090	6,302	6,302	6,302	6,933	6,933	6,933
	-방콕	〃	8,458	8,000	8,000	8,887	9,099	9,099	9,099	9,099	10,009	10,009	10,009
	-싱가포르	〃	9,289	8,800	8,800	9,760	9,971	9,971	9,971	9,971	10,969	10,969	10,969
	-로스앤젤레스	〃	14,762	19,482	19,482	19,554	22,060	22,060	22,060	22,060	24,751	24,751	24,751
	-파리	〃	22,940	22,350	22,350	24,825	25,036	25,036	25,036	25,036	29,446	29,446	29,446
	-뉴욕	〃	20,161	25,173	25,173	23,974	26,921	26,921	26,921	26,921	30,206	30,206	30,206
	-마닐라	〃	5,382	5,655	5,655	5,655	6,302	6,302	6,302	6,302	6,933	6,933	6,933
	-프랑크푸르트	〃	22,940	22,350	22,350	24,825	25,036	25,036	25,036	25,036	29,496	29,496	29,496
	-런던	〃	22,940	22,350	22,350	24,825	25,036	25,036	25,036	25,036	29,496	29,496	29,496
	-취리히	〃	22,940	22,350	22,350	24,825	25,036	25,036	25,036	25,036	29,496	29,496	29,496

항공화물운임(1)

구	간	'78	'79	'80	'81	'82	'83	'84	'85	'86	'87	'88	'89	'90	'91
20kg 미만	서울-부산	105	105	150	200	200	210	210	220	210	210	210	210	210	210
	-제주	125	125	170	220	220	230	230	240	230	230	230	230	230	230
	-대구	75	75	105	150	150	160	160	170	160	160	160	160	160	160
	-광주	75	75	105	150	150	160	160	170	160	160	160	160	160	160
	-진주	105	105	150	200	200	210	210	220	210	210	210	210	210	210
	-속초	65	65	90	120	120	130	130	130	120	120	120	120	120	120
	-여수	145	145	200	270	270	280	280	290	280	280	280	280	280	280
	-강릉	-	-	-	-	-	-	-	-	100	100	100	100	100	100
	-포항	-	-	-	-	-	-	-	-	170	170	170	170	170	170
	부산-제주	105	105	-	-	-	210	210	220	210	210	210	210	210	210
	광주-제주	75	75	-	-	-	160	160	170	160	160	160	160	160	160
	대구-제주	105	105	-	-	-	210	210	220	210	210	210	210	210	210
	여수-제주	105	105	-	-	-	210	210	220	210	210	210	210	210	210
	진주-제주	125	125	-	-	-	250	250	260	250	250	250	250	250	250
20~49kg	서울-부산	74	74	105	140	140	150	150	150	150	150	150	150	150	150
	-제주	88	88	119	150	150	160	160	170	160	160	160	160	160	160
	-대구	53	53	74	110	110	120	120	120	110	110	110	110	110	110
	-광주	53	53	74	110	110	120	120	120	110	110	110	110	110	110
	-진주	74	74	105	140	140	150	150	150	150	150	150	150	150	150
	-속초	46	46	63	80	80	90	90	90	80	80	80	80	80	80
	-여수	102	102	140	190	190	200	200	200	200	200	200	200	200	200
	-강릉	-	-	-	-	-	-	-	-	70	70	70	70	70	70
	-포항	-	-	-	-	-	-	-	-	120	120	120	120	120	120
	부산-제주	74	74	-	-	-	150	150	150	150	150	150	150	150	150
	광주-제주	53	53	-	-	-	110	110	120	110	110	110	110	110	110
	대구-제주	74	74	-	-	-	150	150	150	150	150	150	150	150	150
	여수-제주	74	74	-	-	-	150	150	150	150	150	150	150	150	150
	진주-제주	88	88	-	-	-	180	180	180	180	180	180	180	180	180
50kg 이상	서울-부산	63	63	90	120	120	130	130	130	130	130	130	130	130	130
	-제주	75	75	102	130	130	140	140	140	140	140	140	140	140	140
	-대구	45	45	63	90	90	100	100	100	100	100	100	100	100	100
	-광주	45	45	63	90	90	100	100	100	100	100	100	100	100	100
	-진주	63	63	90	120	120	130	130	130	130	130	130	130	130	130
	-속초	39	39	54	70	70	80	80	80	70	70	70	70	70	70
	-여수	87	87	120	160	160	170	170	170	170	170	170	170	170	170
	-강릉	-	-	-	-	-	-	-	-	60	60	60	60	60	60
	-포항	-	-	-	-	-	-	-	-	100	100	100	100	100	100
	부산-제주	63	63	-	-	-	130	130	130	130	130	130	130	130	130
	광주-제주	45	45	-	-	-	100	100	100	100	100	100	100	100	100
	대구-제주	63	63	-	-	-	130	130	130	130	130	130	130	130	130
	여수-제주	63	63	-	-	-	130	130	130	130	130	130	130	130	130
	진주-제주	75	75	-	-	-	150	150	150	150	150	150	150	150	150

주 1) 단위:원/kg
2) 1999~2000년은 45kg미만, 이상으로 구분.
3) 2001~2002년은 40kg미만, 이상으로 구분.

구 간		'92	'93	'94	'95	'96	'97	'98	'99	2000	2001	2002
20kg 미만	서울-부산	270	270	270	270	270	247	291	310	310	310	310
	-제주	322	322	322	322	322	337	398	460	460	460	460
	-대구	201	201	201	201	201	189	223	230	230	230	230
	-광주	211	211	211	211	211	203	239	250	250	250	250
	-진주	278	278	278	278	278	290	342	340	340	340	340
	-속초	167	167	167	167	167	173	204	200	200	200	200
	-여수	274	274	274	274	274	274	325	330	330	330	330
	-강릉	140	140	140	140	140	-	175	180	180	180	180
	-포항	219	219	219	219	219	231	273	270	270	270	270
	부산-제주	221	221	221	221	221	216	255	290	290	290	290
	광주-제주	133	133	133	133	133	133	168	190	190	190	190
	대구-제주	272	272	272	272	272	272	321	390	390	390	390
	여수-제주	156	156	156	156	156	156	185	220	220	220	220
	진주-제주	196	196	196	196	196	210	247	300	300	300	300
20kg 이상	서울-부산	189	189	189	189	189	172	203	230	230	230	230
	-제주	225	225	225	225	225	235	278	340	340	340	340
	-대구	141	141	141	141	141	132	156	170	170	170	170
	-광주	148	148	148	148	148	142	167	190	190	190	190
	-진주	195	195	195	195	195	203	239	260	260	260	260
	-속초	117	117	117	117	117	121	142	150	150	150	150
	-여수	192	192	192	192	192	192	227	250	250	250	250
	-강릉	98	98	98	98	98	98	98	140	140	140	140
	-포항	153	153	153	153	153	161	191	200	200	200	200
	부산-제주	155	155	155	155	155	151	178	220	220	220	220
	광주-제주	93	93	93	93	93	93	117	140	140	140	140
	대구-제주	190	190	190	190	190	190	224	290	290	290	290
	여수-제주	109	109	109	109	109	109	129	170	170	170	170
	진주-제주	137	137	137	137	137	147	172	230	230	230	230

항 공 화 물 운 임 (2)

구	간	2003	2004	2005	2006	2007	2008	2009	2010	2011	2012
100kg 미만	서울-부산	310	310	310	310	310	370	370	370	370	370
	-제주	460	460	460	460	460	550	550	550	550	550
	-대구	230	230	230	230	230	-	-	-	-	-
	-광주	250	250	250	250	250	300	300	300	300	300
	-진주	340	340	340	340	340	410	410	410	410	410
	-속초	-	-	-	-	-	-	-	-	-	-
	-여수	330	330	330	330	330	400	400	400	400	400
	-강릉	-	-	-	-	-	-	-	-	-	-
	-포항	270	270	270	270	270	320	320	320	320	320
	부산-제주	290	290	290	290	290	350	350	350	350	350
	광주-제주	190	190	190	190	190	230	230	230	230	230
	대구-제주	390	390	390	390	390	470	470	470	470	470
	여수-제주	220	220	220	220	220	260	260	260	260	260
	진주-제주	300	300	300	300	300	360	360	360	360	360
100kg 이상	서울-부산	230	230	230	230	230	280	280	280	280	280
	-제주	340	340	340	340	340	410	410	410	410	410
	-대구	170	170	170	170	170	-	-	-	-	-
	-광주	190	190	190	190	190	230	230	230	230	230
	-진주	260	260	260	260	260	310	310	310	310	310
	-속초	-	-	-	-	-	-	-	-	-	-
	-여수	250	250	250	250	250	300	300	300	300	300
	-강릉	-	-	-	-	-	-	-	-	-	-
	-포항	200	200	200	200	200	240	240	240	240	240
	부산-제주	220	220	220	220	220	260	260	260	260	260
	광주-제주	140	140	140	140	140	170	170	170	170	170
	대구-제주	290	290	290	290	290	350	350	350	350	350
	여수-제주	170	170	170	170	170	200	200	200	200	200
	진주-제주	230	230	230	230	230	280	280	280	280	280

구	간	2013	2014	2015	2016	2017	2018	2019	2020	2021	2022	2023
100kg 미만	서울-부산	370	440	440	440	440	440	440	440	440	440	440
	-제주	550	660	660	660	660	660	660	660	660	660	660
	-대구	-	-	-	-	-	-	-	-	-	-	-
	-광주	300	360	360	360	360	360	360	360	-	-	-
	-진주	410	490	490	490	490	490	490	490	-	-	-
	-속초	-	-	-	-	-	-	-	-	-	-	-
	-여수	400	480	480	480	480	480	480	480	-	-	-
	-강릉	-	-	-	-	-	-	-	-	-	-	-
	-포항/울산	320	380	380	380	380	380	380	380	440	440	440
	부산-제주	350	420	420	420	420	420	420	420	420	420	420
	광주-제주	230	300	300	300	300	300	300	300	-	-	-
	대구-제주	470	560	560	560	560	560	560	560	-	-	-
	여수-제주	260	310	310	310	310	310	310	310	-	-	-
	진주-제주	360	430	430	430	430	430	430	430	-	-	-
100kg 이상	서울-부산	280	340	340	340	340	340	340	340	340	340	340
	-제주	410	490	490	490	490	490	490	490	490	490	490
	-대구	-	-	-	-	-	-	-	-	-	-	-
	-광주	230	280	280	280	280	280	280	280	-	-	-
	-진주	310	370	370	370	370	370	370	370	-	-	-
	-속초	-	-	-	-	-	-	-	-	-	-	-
	-여수	300	360	360	360	360	360	360	360	-	-	-
	-강릉	-	-	-	-	-	-	-	-	-	-	-
	-포항/울산	240	290	290	290	290	290	290	290	340	340	340
	부산-제주	260	310	310	310	310	310	310	310	310	310	310
	광주-제주	170	230	230	230	230	230	230	230	-	-	-
	대구-제주	350	420	420	420	420	420	420	420	-	-	-
	여수-제주	200	240	240	240	240	240	240	240	-	-	-
	진주-제주	280	340	340	340	340	340	340	340	-	-	-

용달화물자동차운임

㈜ 화물자동차 운임은 1998년부터 자율화 시행.

구 분	거리 \ 연도	'70	'71	'72	'73	'74	'75	'76	'77
기본운임	4㎞까지	200	200	-	-	-	-	-	-
	8㎞까지	-	-	500	500	700	-	-	-
	5㎞까지	-	-	-	-	-	700	700	700
추가운임	2㎞당	100	100	-	-	-	-	-	-
	800m당	-	-	50	50	60	-	-	-
	500m당	-	-	-	-	-	40	40	40
대기운임	대기 10분당	70	70	50	50	-	-	-	-
	대기 5분당	-	-	-	-	60	70	70	70
전세운임	1시간당	650	650	850	850	1,960	-	-	-
	초과 1시간당	300	300	390	390	530	-	-	-

구 분	거리 \ 연도	'78	'79	'80	'81	'82	'83	'84	'85
기본운임	5㎞까지	850	850	1,600	1,800	1,800	1,800	1,800	1,800
추가운임	500m당	50	50	100	120	120	120	120	120
대기운임	대기 5분당	100	100	190	210	210	210	210	210

구 분	거리 \ 연도	'86	'87	'88	'89	'90	'91	'92	'93
기본운임	5㎞까지	1,800	1,800	1,800	1,800	1,800	2,200	2,200	2,200
추가운임	500m당	120	120	120	120	120	150	150	150
대기운임	대기 5분당	210	210	210	210	210	250	250	250

거리 \ 연도	'94	'95	'96	'97	'98	'99	2000	2001	2002	2003	2004	2005
5㎞까지	13,280	13,280	13,280	14,470	20,560	20,560	20,560	20,560	20,560	25,710	25,710	25,710
10㎞까지	16,280	16,280	16,280	17,740	23,280	23,280	23,280	23,280	23,280	30,000	30,000	30,000
15㎞까지	18,260	18,260	18,260	19,900	27,200	27,200	27,200	27,200	27,200	36,420	36,420	36,420
20㎞까지	20,230	20,230	20,230	22,050	30,870	30,870	30,870	30,870	30,870	42,140	42,140	42,140
25㎞까지	22,210	22,210	22,210	24,200	35,440	35,440	35,440	35,440	35,440	47,850	47,850	47,850
30㎞까지	24,190	24,190	24,190	26,360	38,200	38,200	38,200	38,200	38,200	52,140	52,140	52,140
40㎞까지	28,150	28,150	28,150	30,680	41,370	41,370	41,370	41,370	41,370	57,140	57,140	57,140
50㎞까지	32,100	32,100	32,100	34,980	46,250	46,250	46,250	46,250	46,250	60,710	60,710	60,710
60㎞까지	36,060	36,060	36,060	39,300	50,460	50,460	50,460	50,460	50,460	66,420	66,420	66,420
70㎞까지	40,020	40,020	40,020	43,620	55,380	55,380	55,380	55,380	55,380	71,420	71,420	71,420
80㎞까지	43,980	43,980	43,980	47,930	58,440	58,440	58,440	58,440	58,440	77,850	77,850	77,850
90㎞까지	47,940	47,940	47,940	52,250	63,360	63,360	63,360	63,360	63,360	85,000	85,000	85,000
100㎞까지	51,890	51,890	51,890	56,560	66,820	66,820	66,820	66,820	66,820	92,850	92,850	92,850
120㎞까지	62,850	62,850	62,850	68,500	81,050	81,050	81,050	81,050	81,050	108,570	108,570	108,570
140㎞까지(150㎞까지)	68,370	68,370	68,370	74,520	86,850	86,850	86,850	86,850	86,850	(121,420)	(121,420)	(121,420)
160㎞까지	71,620	71,620	71,620	78,060	93,030	93,030	93,030	93,030	93,030	-	-	-
180㎞까지	76,400	76,400	76,400	83,270	98,620	98,620	98,620	98,620	98,620	137,140	137,140	137,140
200㎞까지	81,070	81,070	81,070	88,360	103,740	103,740	103,740	103,740	103,740	150,000	150,000	150,000
230㎞까지(250㎞까지)	88,730	88,730	88,730	96,710	106,920	106,920	106,920	106,920	106,920	(165,710)	(165,710)	(165,710)
260㎞까지	93,680	93,680	93,680	102,110	115,040	115,040	115,040	115,040	115,040	-	-	-
290㎞까지(300㎞까지)	103,680	103,680	103,680	113,010	122,620	122,620	122,620	122,620	122,620	(180,000)	(180,000)	(180,000)
320㎞까지	108,770	108,770	108,770	118,600	130,430	130,430	130,430	130,430	130,430	-	-	-
350㎞까지	118,770	118,770	118,770	129,450	137,300	137,300	137,300	137,300	137,300	194,280	194,280	194,280
380㎞까지(400㎞까지)	123,780	123,780	123,780	134,920	145,860	145,860	145,860	145,860	145,860	(214,280)	(214,280)	(214,280)
410㎞까지(450㎞까지)	133,760	133,760	133,760	145,790	151,200	151,200	151,200	151,200	151,200	(232,850)	(232,850)	(232,850)
460㎞까지(500㎞까지)	143,580	143,580	143,580	156,500	163,620	163,620	163,620	163,620	163,620	(250,000)	(250,000)	(250,000)
510㎞까지	153,740	153,740	153,740	167,570	172,400	172,400	172,400	172,400	172,400	-	-	-
510㎞초과 50㎞마다	7,620	7,620	7,620	8,300	8,780	8,780	8,780	8,780	8,780	-	-	-
전세운임	27,680/4h	-	-	-	-	-	-	-	-	-	-	-
	51,770/8h	-	-	-	-	-	-	-	-	-	-	-

항만운송기본요금 (1)

품 목 별			1985년 2월 2일 시행			1986년 6월 30일 시행			1987년 6월 13일 시행		
			선 내	부선장적	육 상	선 내	부선장적	육 상	선 내	부선장적	육 상
규격화물	팔레트화물	합 판	696	1,512	980	734	1,512	980	756	1,512	980
		합판제외품목	762	2,055	1,326	785	2,055	1,326	793	2,055	1,326
	프 레 스 링	원 면	762	2,055	1,326	785	2,055	1,326	845	2,086	1,386
		원면제외품목	762	2,055	1,326	785	2,055	1,326	793	2,055	1,326
	백콘테이너	양 회	762	2,055	-	750	1,469	927	775	1,475	935
		양회제외품목	762	2,055	1,326	785	2,055	1,326	793	2,055	1,326
	콘테이너(20′형, 개당)		13,353	12,740	2,508	13,754	13,059	-	14,207	13,110	-
	라 쉬(찬것)		156	-	-	161	-	-	166	-	-
	자동차전용선	RO-RO PCC	521	-	-	537	-	-	537	-	-
		RO-RO CBC	521	-	-	537	-	-	537	-	-
		LO-LO	681	-	-	701	-	-	701	-	-
일반포장물	포장물	비 료	691	1,453	904	729	1,489	949	765	1,534	977
		양 회	711	1,433	883	750	1,469	927	788	1,513	955
		지(PVC)대입	818	1,835	1,106	863	1,863	1,123	906	1,872	1,129
		마(P.P 가마니)대입	661	1,434	865	697	1,463	887	732	1,478	914
		잡식품류(고추,마늘,양파 등)	-	-	-	1,045	2,194	1,330	1,079	2,203	1,342
	드럼, 통, 캔, 바렐		860	2,313	1,482	882	2,359	1,504	891	2,371	1,504
	상자물	목재(프라스틱)상자	818	1,835	1,106	863	1,835	1,106	898	1,835	1,106
		골 판 지 상 자	924	2,093	1,262	975	2,093	1,262	1,004	2,093	1,262
	다발(묶음)화물		661	1,654	1,165	697	1,679	1,194	718	1,687	1,230
	베 일 물		818	2,055	1,371	863	2,096	1,405	898	2,117	1,447
	고 무		924	2,313	1,482	975	2,348	1,519	1,014	2,360	1,565
	펄 프		843	1,899	1,208	860	1,899	1,226	864	1,899	1,232
	판 유 리		1,030	2,571	1,638	1,087	2,610	1,679	1,141	2,623	1,729
	지 류		615	1,654	1,085	633	1,679	1,085	652	1,687	1,085
	기계류 및 동부속품, 금속 전자, 전기제품, 사진, 의료기구		924	2,313	1,482	975	2,348	1,482	1,004	2,360	1,482
	냉동품, 냉장품		1,195	2,753	1,660	1,261	2,753	1,660	1,324	2,753	1,668
유능화물	차 량	승용차, 오토바이	921	2,313	1,482	949	2,313	1,504	977	2,313	1,512
		기 타 차 량	661	1,654	1,085	697	1,654	1,107	718	1,654	1,118
	케 이 블		661	1,654	1,085	697	1,654	1,101	718	1,654	1,107
	타 이 어		762	2,055	1,326	781	2,086	1,359	789	2,096	1,373
	석, 석재		959	2,571	1,638	964	2,571	1,638	964	2,571	1,638
	철재품	코일철관(외직경12인치이상)	661	1,654	1,085	681	1,654	1,085	701	1,654	1,085
		기타철재품	818	2,055	1,326	808	2,055	1,326	832	2,055	1,326
	비철금속등(반제품,선철(산),지금류(산))		959	2,571	1,638	988	2,571	1,638	998	2,571	1,638
	미송(북양재)	접 안	715	1,485	1,036	733	1,515	1,088	740	1,530	1,121
		해 상	708	1,485	1,036	810	1,515	1,088	842	1,530	1,121
	나왕(남양재)	접 안	710	1,470	962	724	1,470	981	728	1,470	991
		해 상	763	1,470	962	805	1,470	981	829	1,470	991
	전주, 침목, 갱목, 목재(산), 티크목		818	2,055	1,326	863	2,055	1,346	906	2,065	1,353
	생동물	활우마, 맹수류	1,195	2,753	1,660	1,231	2,822	1,702	1,271	2,833	1,717
		기타가축가금류	924	2,093	1,262	952	2,145	1,294	983	2,153	1,305
	고 철		1,195	2,973	1,880	1,261	2,973	1,918	1,299	2,973	1,937
산화물	광석류	분	892	1,464	975	941	1,486	975	988	1,493	975
		괴	1,132	2,313	1,482	1,194	2,313	1,482	1,254	2,313	1,482
	석 탄 류		781	1,401	955	824	1,422	955	857	1,429	955
	소 금		846	1,535	1,023	893	1,535	1,023	920	1,535	1,023
	양곡류(밀,옥수수,쌀,수수,보리,콩)		619	1,454	1,007	638	1,454	1,007	657	1,454	1,007
	사료원료(박류,부류)		869	1,654	1,085	917	1,687	1,101	963	1,704	1,107
	원 당		853	1,377	981	900	1,398	981	945	1,405	981
	기타산화물	우드칩, 골재	869	1,654	1,085	1,275	2,635	1,679	1,275	2,635	1,679
		유황, 코우크스(괴)	1,238	2,571	1,638	895	1,695	1,112	924	1,702	1,122

(단위:원/톤)

1988년 1월 29일 시행			1989년 2월 10일 시행			1990년 4월 1일 시행			품 목 별		
선 내	부선장적	육 상	선 내	부선장적	육 상	선 내	부선장적	육 상			
816	1,588	1,029	914	1,731	1,122	970	1,837	1,190	합 판	팔레트화물	규격화물
856	2,158	1,392	959	2,352	1,517	1,017	2,495	1,610	합판제외품목		
917	2,192	1,466	1,035	2,392	1,610	1,130	2,538	1,711	원 면	프 레 스 링	
856	2,158	1,392	959	2,352	1,517	1,017	2,495	1,610	원면제외품목		
841	1,550	989	949	1,692	1,086	1,036	1,795	1,154	양 회	백콘테이너	
856	2,158	1,392	959	2,352	1,517	1,017	2,495	1,610	양회제외품목		
15,415	13,779	-	17,379	15,037	-	18,978	15,954	-	콘테이너(20′형, 개당)		
180	-	-	203	-	-	222	-	-	라 쉬(찬것)		
537	-	-	537	-	-	537	-	-	PCC / RO-RO	자동차전용선	
537	-	-	537	-	-	564	-	-	CBC / RO-RO		
761	-	-	761	-	-	831	-	-	LO-LO		
841	1,657	1,055	976	1,856	1,182	1,121	1,969	1,254	비 료	포장물	일반포장물
867	1,634	1,041	1,006	1,830	1,166	1,103	1,942	1,278	양 회		
997	1,966	1,185	1,157	2,143	1,292	1,298	2,274	1,371	지(PVC)대입		
805	1,552	987	934	1,692	1,076	1,073	1,795	1,142	마(P.P 가마니)대입		
1,171	2,315	1,420	1,322	2,526	1,559	1,444	2,680	1,657	잡식품류(고추,마늘,양파 등)		
936	2,490	1,579	1,020	2,714	1,721	1,082	2,880	1,826	드럼, 통, 캔, 바렐		
979	1,927	1,161	1,096	2,100	1,265	1,201	2,228	1,342	목재(프라스틱)상자	상자물	
1,084	2,198	1,325	1,214	2,396	1,444	1,331	2,542	1,532	골 판 지 상 자		
783	1,771	1,328	877	1,930	1,487	961	2,048	1,578	다발(묶음)화물		
979	2,223	1,563	1,096	2,423	1,751	1,201	2,571	1,858	베 일 물		
1,105	2,478	1,690	1,260	2,701	1,893	1,381	2,866	2,008	고 무		
907	1,944	1,294	989	2,173	1,410	1,049	2,306	1,496	펄 프		
1,255	2,754	1,867	1,456	3,002	2,091	1,673	3,185	2,219	판 유 리		
704	1,771	1,139	788	1,930	1,242	836	2,048	1,318	지 류		
1,094	2,478	1,556	1,225	2,701	1,696	1,343	2,866	1,799	기계류 및 동부속품, 금속 전자, 전기제품, 사진, 의료기구		
1,456	2,891	1,751	1,689	3,151	1,909	1,941	3,343	2,025	냉동품, 냉장품		
1,055	2,429	1,588	1,182	2,648	1,779	1,254	2,810	1,888	승용차, 오토바이	차 량	유능화물
783	1,737	1,174	877	1,893	1,280	930	2,008	1,358	기 타 차 량		
775	1,737	1,162	868	1,893	1,267	921	2,008	1,344	케 이 블		
828	2,201	1,483	903	2,399	1,661	958	2,545	1,762	타 이 어		
1,012	2,700	1,720	1,103	2,943	1,875	1,170	3,123	1,989	석, 석재		
757	1,737	1,139	848	1,893	1,242	900	2,008	1,318	코일철관(외직경12인치이상)	철재품	
899	2,158	1,392	1,007	2,352	1,517	1,068	2,495	1,610	기타철재품		
1,078	2,700	1,720	1,207	2,943	1,875	1,281	3,123	1,989	비철금속등(반제품,선철(산),지금류(산))		
777	1,606	1,222	847	1,751	1,369	899	1,858	1,500	접 안	미송(북양재)	
918	1,606	1,222	1,028	1,751	1,369	1,127	1,858	1,500	해 상		
764	1,543	1,041	833	1,682	1,135	884	1,785	1,204	접 안	나왕(남양재)	
895	1,543	1,041	1,002	1,682	1,135	1,063	1,785	1,204	해 상		
997	2,168	1,421	1,137	2,363	1,549	1,246	2,507	1,643	전주, 침목, 갱목, 목재(산), 티크목		
1,379	2,977	1,817	1,556	3,249	1,995	1,699	3,447	2,121	활우마, 맹수류	생동물	
1,067	2,263	1,381	1,204	2,470	1,516	1,315	2,621	1,612	기타가축가금류		
1,416	3,122	2,034	1,586	3,403	2,217	1,683	3,611	2,352	고 철		
1,087	1,568	1,024	1,261	1,709	1,116	1,415	1,813	1,184	분	광석류	산화물
1,379	2,429	1,556	1,600	2,648	1,696	1,795	2,810	1,799	괴		
943	1,500	1,003	1,075	1,635	1,093	1,178	1,735	1,160	석 탄 류		
1,003	1,612	1,074	1,123	1,757	1,171	1,231	1,864	1,242	소 금		
710	1,527	1,057	795	1,664	1,152	843	1,766	1,222	양곡류(밀,옥수수,쌀,수수,보리,콩)		
1,059	1,789	1,162	1,207	1,950	1,267	1,354	2,069	1,344	사료원료(박류,부류)		
1,039	1,475	1,030	1,205	1,608	1,123	1,352	1,706	1,192	원 당		
1,383	2,769	1,776	1,561	3,022	1,950	1,705	3,206	2,073	우드칩, 골재	기타산화물	
1,003	1,789	1,187	1,132	1,952	1,303	1,236	2,071	1,385	유황, 코우크스(괴)		

항만운송기본요금 (2)

품목별			1991년 4월 1일 시행			1992년 3월 20일 시행			1993년 4월 1일 시행			1994년 4월 30일 시행		
			선내	부선양적	육상	선내	부선양적	육상	선내	부선양적	육상	선내	부선양적	육상
규격화물	팔레트화물	합 판	1,063	2,021	1,309	1,127	2,142	1,388	1,175	2,234	1,448	1,223	2,326	1,507
		기 타 품 목		2,545	1,642		2,596	1,675		2,708	1,747		2,819	1,819
	프레스링, 백컨테이너		1,107	2,424	1,443	1,173	2,521	1,558	1,223	2,629	1,625	1,273	2,737	1,692
	컨테이너(20형, 개당)		19,737	16,592	-	20,171	16,957	-	21,038	17,686	-	21,901	18,411	-
	라 쉬(찬것)		239	-	-	253	-	-	264	-	-	275	-	-
일반포장물	포 장 물		1,713	3,198	1,914	2,141	3,454	2,067	2,233	3,603	2,156	2,436	3,931	2,352
	상 자 물		1,599	3,101	1,799	1,839	3,349	1,943	1,918	3,493	2,027	2,093	3,811	2,211
	베 일 물		1,249	2,674	2,044	1,324	2,781	2,208	1,381	2,901	2,303	1,438	3,020	2,397
	다발화물		1,028	2,191	1,688	1,090	2,322	1,789	1,137	2,422	1,866	1,184	2,521	1,943
	냉동품, 냉장품, 어선, 생피, 생동물		2,523	4,346	2,633	2,901	4,694	2,844	3,026	4,896	2,966	3,150	5,097	3,088
	잡화류 (고무, 펄프, 지류, 케이블, 타이어, 드럼류, 판유리, 비철금속 등)		1,098	2,519	1,587	1,164	2,670	1,682	1,214	2,785	1,754	1,264	2,899	1,826
유능화물	차량, 오토바이		1,279	2,866	1,926	1,305	2,923	1,965	1,361	3,049	2,049	1,417	3,174	2,133
	중장비, 주정		1,023	2,209	1,494	1,105	2,386	1,614	1,153	2,489	1,683	1,200	2,591	1,752
	석, 석 재		1,287	3,185	2,069	1,390	3,249	2,110	1,450	3,389	2,201	1,509	3,528	2,291
	기계류 및 동 부속품, 금속, 전자, 전기제품, 사진, 의료기구		1,397	2,923	1,871	1,481	2,981	1,908	1,545	3,109	1,990	1,608	3,236	2,072
	철재품	코일, 철관(외직경12인치이상)	990	2,209	1,410	1,069	2,342	1,495	1,115	2,443	1,559	1,161	2,543	1,623
		기 타 철 재 품	1,143	2,595	1,642	1,212	2,647	1,675	1,264	2,761	1,747	1,316	2,874	1,819
	미송(북양재)		975	2,044	1,560	1,034	2,617	1,591	1,078	2,260	1,659	1,122	2,353	1,727
	나왕(남양재)		993	1,964	1,288	1,053	2,121	1,365	1,098	2,212	1,424	1,143	2,303	1,482
	제재, 전주, 침목, 항목, 티크목, 묘목류		1,333	2,557	1,758	1,413	2,608	1,863	1,474	2,720	1,943	1,534	2,832	2,023
	고 철		1,851	3,755	2,446	1,999	3,905	2,495	2,085	4,073	2,602	2,170	4,240	2,709
산화물	광석류, 비료, 코우크스		1,514	1,886	1,208	1,605	1,961	1,232	1,674	2,045	1,285	1,743	2,129	1,338
	석 탄 류		1,260	1,856	1,183	1,336	1,930	1,207	1,393	2,013	1,259	1,450	2,096	1,311
	소 금		1,317	1,939	1,267	1,396	1,978	1,292	1,456	2,063	1,348	1,516	2,148	1,403
	양곡류(밀, 옥수수, 쌀, 수수, 보리, 콩)		902	1,890	1,246	956	2,003	1,271	997	2,089	1,326	1,038	2,175	1,380
	사료부원료(박류, 분류, 파쇄옥수수), 원당		1,488	2,020	1,348	1,607	2,141	1,375	1,676	2,233	1,434	1,745	2,325	1,493
	기타 산화물		1,323	2,154	1,440	1,402	2,240	1,498	1,462	2,336	1,562	1,522	2,432	1,626

(단위:원/톤)

1995년 4월 1일 시행			1996년 4월 17일 시행			1997년 2월 22일 시행			1999년 3월 16일 시행		
선내	부선양적	육상	선내	부선양적	육상	선내	부선양적	육상	선내	부선양적	육상
1,272	2,419	1,567	1,348	2,564	1,661	1,409	2,679	1,736	1,432	2,772	1,764
	2,932	1,892		3,108	2,006		3,248	2,096		3,300	2,130
1,324	2,846	1,760	1,403	3,017	1,866	1,466	3,153	1,950	1,498	3,203	1,981
22,777	19,147	-	24,144	20,296	-	25,230	21,209	-	25,634	21,548	-
286	-	-	303	-	-	311	-	-	316	-	-
2,582	4,167	2,493	2,737	4,417	2,643	2,860	4,616	2,762	2,906	4,690	2,806
2,177	3,963	2,299	2,308	4,201	2,437	2,412	4,390	2,547	2,451	4,460	2,588
1,496	3,141	2,493	1,586	3,329	2,643	1,657	3,479	2,762	1,684	3,535	2,806
1,231	2,622	2,201	1,305	2,779	2,142	1,364	2,904	2,238	1,386	2,950	2,274
3,276	5,301	3,212	3,473	5,619	3,405	3,699	5,984	3,626	3,758	6,080	3,684
1,315	3,015	1,899	1,394	3,196	2,013	1,457	3,340	2,104	1,480	3,393	2,138
1,474	3,301	2,218	1,562	3,499	2,351	1,632	3,656	2,457	1,658	3,714	2,496
1,248	2,695	1,822	1,323	2,857	1,931	1,383	2,986	2,018	1,405	3,034	2,050
1,569	3,669	2,383	1,663	3,889	2,526	1,738	4,064	2,640	1,766	4,129	2,682
1,672	3,365	2,155	1,772	3,567	2,284	1,852	3,728	2,387	1,882	3,788	2,425
1,207	2,645	1,688	1,279	2,804	1,789	1,337	2,930	1,870	1,358	2,977	1,900
1,369	2,989	1,892	1,451	3,168	2,006	1,516	3,311	2,096	1,540	3,364	2,130
1,167	2,447	1,796	1,237	2,594	1,904	1,293	2,711	1,990	1,314	2,754	2,022
1,189	2,395	1,541	1,260	2,539	1,633	1,317	2,653	1,706	1,338	2,695	1,733
1,595	2,945	2,104	1,691	3,122	2,230	1,767	3,262	2,330	1,795	3,314	2,367
2,257	4,410	2,817	2,392	4,675	2,986	2,500	4,885	3,120	2,540	4,963	3,170
1,813	2,214	1,392	1,922	2,347	1,476	2,008	2,453	1,542	2,040	2,492	1,567
1,508	2,180	1,363	1,598	2,311	1,445	1,670	2,415	1,510	1,697	2,454	1,534
1,577	2,234	1,459	1,672	2,368	1,547	1,747	2,475	1,617	1,775	2,515	1,643
1,080	2,262	1,435	1,145	2,398	1,521	1,197	2,506	1,589	1,216	2,546	1,614
1,815	2,418	1,553	1,924	2,563	1,646	2,011	2,678	1,720	2,043	2,721	1,748
1,583	2,529	1,691	1,678	2,681	1,792	1,754	2,802	1,873	1,782	2,847	1,903

항만운송기본요금 (3)

품목별			2000년 5월 15일 시행			2002년 3월 20일 시행			2003년 3월 16일 시행			2004년 3월 17일 시행		
			선내	부선양적	육상	선내	부선양적	육상	선내	부선양적	육상	선내	부선양적	육상
규격화물	팔레트화물	합 판	1,511	2,872	1,861	1,679	3,191	2,067	1,763	3,351	2,170	1,842	3,502	2,268
		기 타 품 목		3,482	2,247		3,868	2,496		4,061	2,621		4,244	2,739
	프레스링, 백컨테이너		1,571	3,379	2,090	1,746	3,754	2,322	1,833	3,942	2,438	1,915	4,119	2,548
	컨테이너(20형, 개당)		27,044	22,733	-	30,043	25,254	-	31,545	26,517	-	32,965	27,710	-
	라 쉬(찬것)		333	-	-	370	-	-	389	-	-	407	-	-
일반포장물	포 장 물		3,066	4,948	2,960	3,406	5,496	3,288	3,576	5,771	3,452	3,737	6,031	3,607
	상 자 물		2,586	4,705	2,730	2,872	5,227	3,033	3,016	5,488	3,185	3,152	5,735	3,328
	베 일 물		1,777	3,729	2,960	194	4,142	3,288	2,073	4,349	3,452	2,166	4,545	3,607
	다발화물		1,462	3,112	2,399	1,624	3,458	2,665	1,705	3,631	3,798	1,782	3,794	3,924
	냉동품(2015년부터 별도 분리)/ 냉장품, 어선, 생피, 생동물		3,965	6,414	3,887	4,468	7,126	4,318	4,691	7,482	4,534	4,902	7,819	4,738
	잡화류 (고무, 펄프, 지류, 케이블, 타이어, 드럼류, 판유리, 비철금속 등)		1,561	3,580	2,256	1,734	3,977	2,506	1,821	4,176	2,631	1,903	4,364	2,749
유능화물	차량, 오토바이		1,749	3,918	2,633	1,942	4,353	2,925	2,039	4,571	3,071	2,131	4,777	3,209
	중장비, 주정		1,482	3,201	2,163	1,646	3,556	2,403	1,728	3,734	2,523	1,806	3,902	2,637
	석, 석 재		1,863	4,356	2,830	2,069	4,839	3,144	2,172	5,081	3,301	2,270	5,310	3,450
	기계류 및 동 부속품, 금속, 전자, 전기제품, 사진, 의료기구		1,986	3,996	2,558	2,206	4,439	2,842	2,316	4,661	2,984	2,420	4,871	3,118
	철재품	코일, 철관(외직경12인치이상)	1,433	3,141	2,005	1,592	3,489	2,227	1,672	3,663	2,338	1,747	3,828	2,443
		기 타 철 재 품	1,625	3,549	2,247	1,805	3,942	2,496	1,895	4,139	2,621	1,980	4,325	2,739
	미송(북양재)		1,386	2,905	2,133	1,562	3,227	2,370	1,640	3,388	2,489	1,714	3,540	2,601
	나왕(남양재)		1,412	2,843	1,828	1,591	3,158	2,030	1,671	3,316	2,132	1,746	3,465	2,228
	제재, 전주, 침목, 항목, 티크목, 묘목류		1,894	3,496	2,497	2,104	3,884	2,774	2,209	4,078	2,913	2,308	4,262	3,044
	고 철		2,680	5,236	3,344	2,977	5,817	3,715	3,126	6,108	3,901	3,267	6,383	4,077
산화물	광석류, 비료, 코우크스		2,152	2,629	1,653	2,391	2,920	1,837	2,511	3,066	1,929	2,624	3,204	2,016
	석 탄 류		1,790	2,589	1,618	1,989	2,876	1,798	2,088	3,020	1,888	2,182	3,156	1,973
	소 금		1,873	2,653	1,733	2,081	2,948	1,926	2,185	3,095	2,022	2,283	3,234	2,113
	양곡류(밀, 옥수수, 쌀, 수수, 보리, 콩)		1,283	2,686	1,703	1,425	2,984	1,892	1,496	3,133	1,987	1,563	3,274	2,076
	사료부원료(박류, 분류, 파쇄옥수수), 원당		2,155	2,871	1,844	2,394	3,190	2,048	2,514	3,350	2,150	2,627	3,501	2,247
	기타 산화물		1,880	3,004	2,008	2,088	3,337	2,230	2,192	3,504	2,342	2,291	3,662	2,447

(단위:원/톤)

2005년 3월 16일 시행			2007년 3월 17일 시행			2008년 3월 21일 시행			2010년 3월 22일 시행			2011년 4월 2일 시행		
선내	부선양적	육상	선내	부선양적	육상	선내	부선양적	육상	선내	부선양적	육상	선내	부선양적	육상
1,925	3,660	2,370	2,084	3,963	2,566	2,084	4,042	2,617	2,183	4,151	2,688	2,255	4,288	2,777
	4,435	2,862		4,802	3,099		4,898	3,161		5,030	3,246		5,196	3,353
2,001	4,304	2,663	2,166	4,660	2,883	2,166	4,753	2,941	2,269	4,881	3,020	2,344	5,042	3,120
34,448	28,957	-	35,688	29,999	-	35,688	30,599	-	37,385	31,425	-	38,619	32,462	-
425	-	-	460	-	-	460	-	-	482	-	-	498	-	-
3,905	6,302	3,769	4,228	6,823	4,081	4,228	6,959	4,163	4,429	7,147	4,275	4,575	7,383	4,416
3,294	5,993	3,478	3,566	6,488	3,766	3,566	6,618	3,841	3,735	6,797	3,945	3,858	7,021	4,075
2,263	4,750	3,769	2,450	5,143	4,081	2,450	5,246	4,163	2,566	5,388	4,275	2,651	5,566	4,416
1,864	3,965	3,056	2,016	4,292	3,309	2,016	4,378	3,375	2,112	4,496	3,466	2,182	4,644	3,580
5,123	8,171	4,951	5,547	8,846	5,360	5,547	9,023	5,467	5,811	9,267	5,615	6,003	9,573	5,800
1,989	4,560	2,873	2,154	4,937	3,110	2,154	5,036	3,172	2,256	5,172	3,258	2,330	5,343	3,366
2,227	4,992	3,353	2,411	5,405	3,630	2,411	5,513	3,703	2,525	5,662	3,803	2,608	5,849	3,928
1,887	4,078	2,756	2,043	4,415	2,984	2,043	4,503	3,044	2,140	4,625	3,126	2,211	4,778	3,229
2,372	5,549	3,605	2,568	6,008	3,903	2,568	6,128	3,981	2,690	6,293	4,088	2,779	6,501	4,223
2,529	5,090	3,258	2,738	5,510	3,528	2,738	5,620	3,599	2,868	5,772	3,696	2,963	5,962	3,818
1,826	4,000	2,553	1,977	4,330	2,764	1,977	4,417	2,819	2,071	4,536	2,895	2,139	4,686	2,991
2,069	4,520	2,862	2,240	4,893	3,099	2,240	4,991	3,161	2,347	5,126	3,246	2,424	5,295	3,353
1,791	3,699	2,718	1,939	4,004	2,942	1,939	4,084	3,001	2,031	4,194	3,082	2,098	4,332	3,184
2,008	3,983	2,561	2,174	4,312	2,772	2,174	4,398	2,827	2,277	4,517	2,903	2,352	4,666	2,999
2,412	4,454	3,181	2,612	4,822	3,444	2,612	4,918	3,513	2,736	5,051	3,608	2,826	5,218	3,727
3,414	6,670	4,260	3,696	7,221	4,612	3,696	7,365	4,704	3,872	7,564	4,831	4,000	7,814	4,990
2,742	3,348	2,107	2,968	3,625	2,281	2,968	3,698	2,327	3,109	3,798	2,390	3,212	3,923	2,469
2,280	3,298	2,062	2,469	3,570	2,233	2,469	3,641	2,278	2,586	3,739	2,340	2,671	3,862	2,417
2,386	3,380	2,208	2,583	3,659	2,390	2,583	3,732	2,438	2,706	3,833	2,504	2,795	3,959	2,587
1,633	3,421	2,169	1,767	3,704	2,349	1,767	3,778	2,396	1,851	3,880	2,461	1,912	4,008	2,542
2,745	3,659	2,348	2,972	3,962	2,542	2,972	4,041	2,593	3,113	4,150	2,663	3,216	4,287	2,751
2,394	3,827	2,557	2,592	4,143	2,768	2,592	4,226	2,823	2,715	4,340	2,899	2,805	4,483	2,995

항만운송기본요금 (4)

품목별			2012년 3월 14일 시행			2013년 3월 13일 시행			2014년 3월 18일 시행			2015년 3월 19일 시행		
			선내	부선양적	육상	선내	부선양적	육상	선내	부선양적	육상	선내	부선양적	육상
규격화물	팔레트화물	합판	2,334	4,438	2,874	2,399	4,562	2,954	2,459	4,676	3,028	2,528	4,807	3,113
		기타품목		5,378	3,470		5,529	3,567		5,667	3,656		5,826	3,758
	프레스링, 백컨테이너		2,426	5,218	3,229	2,494	5,364	3,319	2,556	5,498	3,402	2,628	5,652	3,497
	컨테이너(20형, 개당)		39,971	33,598	-	41,090	34,539	-	42,117	35,402	-	43,296	36,393	-
	라쉬(찬것)		515	-	-	529	-	-	542	-	-	557	-	-
일반포장물	포장물		4,735	7,641	4,571	4,868	7,855	4,699	4,990	8,051	4,816	5,130	8,276	4,951
	상자물		3,993	7,267	4,218	4,105	7,470	4,336	4,208	7,657	4,444	4,326	7,871	4,568
	베일물		2,744	5,761	4,571	2,821	5,922	4,699	2,892	6,070	4,816	2,973	6,240	4,951
	다발화물		2,258	4,807	3,705	2,321	4,942	3,809	2,379	5,066	3,904	2,446	5,208	4,013
	냉동품(2015년부터 별도 분리)/ 냉장품, 어선, 생피, 생동물		6,213	9,908	6,003	6,418	10,235	6,201	6,611	10,542	6,387	6,809 / 6,796	10,858 / 10,837	6,579 / 6,566
	잡화류 (고무, 펄프, 지류, 케이블, 타이어, 드럼류, 판유리, 비철금속 등)		2,412	5,530	3,484	2,480	5,685	3,582	2,542	5,827	3,672	2,613	5,990	3,775
유능화물	차량, 오토바이		2,699	6,054	4,065	2,775	6,224	4,179	2,844	6,380	4,283	2,924	6,559	4,403
	중장비, 주정		2,288	4,945	3,342	2,352	5,083	3,436	2,411	5,210	3,522	2,479	5,356	3,621
	석, 석재		2,876	6,729	4,371	2,957	6,917	4,493	3,031	7,090	4,605	3,116	7,289	4,734
	기계류 및 동 부속품, 금속, 전자, 전기제품, 사진, 의료기구		3,067	6,171	3,952	3,153	6,344	4,063	3,232	6,503	4,165	3,322	6,685	4,282
	철재품	코일, 철관(외직경12인치이상)	2,214	4,850	3,096	2,276	4,986	3,183	2,333	5,111	3,263	2,398	5,254	3,354
		기타철재품	2,509	5,480	3,470	2,579	5,633	3,567	2,643	5,774	3,656	2,717	5,936	3,758
	미송(북양재)		2,171	4,484	3,295	2,232	4,610	3,387	2,288	4,725	3,472	2,352	4,857	3,569
	나왕(남양재)		2,434	4,829	3,104	2,502	4,964	3,191	2,565	5,088	3,271	2,637	5,230	3,363
	제재, 전주, 침목, 항목, 티크목, 묘목류		2,925	5,401	3,857	3,007	5,552	3,965	3,082	5,691	4,064	3,168	5,850	4,178
	고철		4,140	8,087	5,165	4,256	8,313	5,310	4,362	8,521	5,443	4,484	8,760	5,595
산화물	광석류, 비료, 코우크스		3,324	4,060	2,555	3,417	4,174	2,627	3,502	4,278	2,693	3,600	4,398	2,768
	석탄류		2,764	3,997	2,502	2,841	4,109	2,572	2,912	4,212	2,636	2,994	4,330	2,710
	소금		2,893	4,098	2,678	2,974	4,213	2,753	3,048	4,318	2,822	3,133	4,439	2,901
	양곡류(밀, 옥수수, 쌀, 수수, 보리, 콩)		1,979	4,148	2,631	2,034	4,264	2,705	2,085	4,371	2,773	2,143	4,493	2,851
	사료부원료(박류, 분류, 파쇄옥수수), 원당		3,329	4,437	2,847	3,422	4,561	2,927	3,508	4,675	3,000	3,606	4,806	3,084
	기타 산화물		2,903	4,640	3,100	2,984	4,770	3,187	3,059	4,889	3,267	3,145	5,026	3,358

(단위:원/톤)

2016년 3월 31일 시행			2017년 3월 31일 시행			2018년 3월 31일 시행			2019년 3월 20일 시행			2020년 7월 1일 시행		
선 내	부선양적	육 상	선 내	부선양적	육 상	선 내	부선양적	육 상	선 내	부선양적	육 상	선 내	부선양적	육 상
2,558	4,865	3,150	2,596	4,938	3,197	2,653	5,047	3,267	2,711	5,158	3,339	2,752	5,235	3,389
	5,896	3,803		5,984	3,860		6,116	3,945		6,251	4,032		6,345	4,092
2,660	5,720	3,539	2,700	5,806	3,592	2,759	5,934	3,671	2,820	6,065	3,752	2,862	6,156	3,808
43,816	36,830	-	44,473	37,382	-	45,451	38,204	-	46,451	39,044	-	47,148	39,660	-
564	-	-	572	-	-	585	-	-	598	-	-	607	-	-
5,192	8,375	5,010	5,270	8,501	5,085	5,386	8,688	5,197	5,504	8,879	5,311	5,587	9,012	5,391
4,378	7,965	4,623	4,444	8,084	4,692	4,542	8,262	4,795	4,642	8,444	4,900	4,712	8,571	4,974
3,009	6,315	5,010	3,054	6,410	5,085	3,121	6,551	5,197	3,190	6,695	5,311	3,238	6,795	5,391
2,475	5,270	4,061	2,512	5,349	4,122	2,567	5,467	4,213	2,623	5,587	4,306	2,662	5,671	4,371
6,898 / 6,878	10,999 / 10,967	6,665 / 6,645	7,036 / 6,981	11,219 / 11,132	6,798 / 6,745	7,226 / 7,135	11,522 / 11,377	6,982 / 6,893	7,421 / 7,292	11,833 / 11,627	7,171 / 7,045	7,569 / 7,401	12,070 / 11,801	7,314 / 7,151
2,644	6,062	3,820	2,684	6,153	3,877	2,743	6,288	3,962	2,803	6,426	4,049	2,845	6,522	4,110
2,959	6,638	4,456	3,003	6,738	4,523	3,069	6,886	4,623	3,137	7,037	4,725	3,184	7,143	4,796
2,509	5,420	3,664	2,547	5,501	3,719	2,603	5,622	3,801	2,660	5,746	3,885	2,700	5,832	3,943
3,153	7,376	4,791	3,200	7,487	4,863	3,270	7,652	4,970	3,342	7,820	5,079	3,392	7,937	5,155
3,362	6,765	4,333	3,412	6,866	4,398	3,487	7,017	4,495	3,564	7,171	4,594	3,617	7,279	4,663
2,427	5,317	3,394	2,463	5,397	3,445	2,517	5,516	3,521	2,572	5,637	3,598	2,611	5,722	3,652
2,750	6,007	3,803	2,791	6,097	3,860	2,852	6,231	3,945	2,915	6,368	4,032	2,959	6,464	4,092
2,380	4,915	3,612	2,416	4,989	3,666	2,469	5,099	3,747	2,523	5,211	3,829	2,561	5,289	3,886
2,669	5,293	3,403	2,709	5,372	3,454	2,769	5,490	3,530	2,830	5,611	3,608	2,872	5,695	3,662
3,206	5,920	4,228	3,254	6,009	4,291	3,326	6,141	4,385	3,399	6,276	4,481	3,450	6,370	4,548
4,538	8,865	5,662	4,606	8,998	5,747	4,707	9,196	5,873	4,811	9,398	6,002	4,883	9,539	6,092
3,643	4,451	2,801	3,698	4,518	2,843	3,779	4,617	2,906	3,862	4,719	2,970	3,920	4,790	3,015
3,030	4,382	2,743	3,075	4,448	2,784	3,143	4,546	2,845	3,212	4,646	2,908	3,260	4,716	2,952
3,171	4,492	2,936	3,219	4,559	2,980	3,290	4,659	3,046	3,362	4,761	3,113	3,412	4,832	3,160
2,169	4,547	2,885	2,202	4,615	2,928	2,250	4,717	2,992	2,300	4,821	3,058	2,335	4,893	3,104
3,649	4,864	3,121	3,704	4,937	3,168	3,785	5,046	3,238	3,868	5,157	3,309	3,926	5,234	3,359
3,183	5,086	3,398	3,231	5,162	3,449	3,302	5,276	3,525	3,375	5,392	3,603	3,426	5,473	3,657

항만운송기본요금 (5)

(단위:원/톤)

품 목 별			2021년 4월 1일 시행			2022년 4월 1일 시행			2023년 4월 1일 시행			비 고
			선내	부선양적	육상	선내	부선양적	육상	선내	부선양적	육상	
규격화물	팔레트화물	합 판	2,796	5,319	3,443	2,897	5,510	3,567	2,969	5,648	3,656	
		기 타 품 목		6,447	4,157		6,679	4,307		6,846	4,415	
	프레스링, 백컨테이너		2,908	6,254	3,869	3,013	6,479	4,008	3,088	6,641	4,108	
	컨테이너(20형, 개당)		47,902	40,264	-	49,626	41,714	-	50,867	42,757	-	
	라 쉬(찬것)		617	-	-	639	-	-	655	-	-	
일반포장물	포 장 물		5,676	9,156	5,477	5,880	9,486	5,674	6,027	9,723	5,816	
	상 자 물		4,787	8,708	5,054	4,959	9,021	5,236	5,083	9,247	5,367	
	베 일 물		3,290	6,904	5,477	3,408	7,153	5,674	3,493	7,332	5,816	
	다발화물		2,705	5,762	4,441	2,802	5,969	4,601	2,872	6,118	4,716	
	냉동품(2015년부터 별도 분리)/ 냉장품, 어선, 생피, 생동물		7,728 / 7,519	12,323 / 11,990	7,468 / 7,265	8,083 / 7,790	12,890 / 12,422	7,812 / 7,527	8,285 / 7,985	13,212 / 12,733	8,007 / 7,715	
	냉동품(적출작업이 필요한 통조림용 다랑어 등)		-	-	-	-	-	-	9,134	14,566	8,828	
	잡화류 (고무, 펄프, 지류, 케이블, 타이어, 드럼류, 판유리, 비철금속 등)		2,891	6,626	4,176	2,995	6,865	4,326	3,070	7,037	4,434	
유능화물	차량, 오토바이		3,235	7,257	4,873	3,351	7,518	5,048	3,435	7,706	5,174	
	중장비, 주정		2,743	5,925	4,006	2,842	6,138	4,150	2,913	6,291	4,254	
	석, 석 재		3,446	8,064	5,237	3,570	8,354	5,426	3,659	8,563	5,562	
	기계류 및 동 부속품, 금속, 전자, 전기제품, 사진, 의료기구		3,675	7,395	4,738	3,807	7,661	4,909	3,902	7,853	5,032	
	철재품	코일, 철관(외직경12인치이상)	2,603	5,814	3,710	2,749	6,023	3,844	2,818	6,174	3,940	
		기 타 철 재 품	3,006	6,567	4,157	3,114	6,803	4,307	3,192	6,973	4,415	
	미송(북양재)		2,602	5,374	3,948	2,696	5,567	4,090	2,763	5,706	4,192	
	나왕(남양재)		2,918	5,786	3,721	3,023	5,994	3,855	3,099	6,144	3,951	
	제재, 전주, 침목, 항목, 티크목, 묘목류		3,505	6,472	4,621	3,631	6,705	4,787	3,722	6,873	4,907	
	고 철		4,961	9,692	6,189	5,140	10,041	6,412	5,269	10,292	6,572	
산화물	광석류, 비료, 코우크스		3,983	4,867	3,063	4,126	5,042	3,173	4,229	5,168	3,252	
	석 탄 류		3,312	4,791	2,999	3,431	4,963	3,107	3,517	5,087	3,185	
	소 금		3,467	4,909	3,211	3,592	5,086	3,327	3,682	5,213	3,410	
	양곡류(밀, 옥수수, 쌀, 수수, 보리, 콩)		2,372	4,971	3,154	2,457	5,150	3,268	2,518	5,279	3,350	
	사료부원료(박류, 분류, 파쇄옥수수), 원당		3,989	5,318	3,413	4,133	5,509	3,536	4,236	5,647	3,624	
	기타 산화물		3,481	5,561	3,716	3,606	5,761	3,850	3,696	5,905	3,946	

컨테이너운임요금 (1)

주 행선지는 1998년 2월 21일 시행된 기준을 토대로 한것임.(부산기점기준)

연월 / 구분 / 행선지	1980년 4월 1일 시행		1981년 4월 6일 시행		1982년 7월 15일 시행		1984년 12월 10일 시행	
	구 분		구 분		구 분		구 분	
	40F/T	20F/T	40F/T	20F/T	40F/T	20F/T	40F/T	20F/T
인천,부천/김포	419,000	315,000	482,000	362,000	516,000	387,000	526,000	395,000
구리,남양주시								
양평,광주								
서 울	403,000	302,000	464,000	348,000	496,000	372,000	506,000	380,000
의왕,수원,오산,평택	403,000	302,000	464,000	348,000	496,000	372,000	506,000	380,000
안산,안양,성남,광명	403,000	302,000	464,000	348,000				
여 주	323,000	242,000	371,000	278,000	397,000	298,000	405,000	304,000
이천,용인	317,000	238,000	365,000	274,000	391,000	293,000	399,000	299,000
가평,춘천	472,000	355,000	543,000	408,000	581,000	436,000	593,000	445,000
평창,영월,철원								
속초,고성								
강 릉	485,000	364,000	558,000	419,000	597,000	448,000	609,000	457,000
원 주 시	359,000	270,000	413,000	310,000	442,000	332,000	451,000	338,000
동 해								
태 백								
삼 척			371,000	278,000	397,000	298,000	405,000	304,000
단 양								
충 주	292,000	219,000	336,000	252,000	360,000	270,000	367,000	275,000
진천,음성,괴산,청원	282,000	211,000	324,000	243,000	347,000	260,000	354,000	266,000
청주,보은	270,000	202,000	311,000	233,000	333,000	250,000	340,000	255,000
영동,옥천								
당진,서산								
청 양								
예 산	298,000	224,000	343,000	257,000	367,000	275,000	374,000	281,000
천 안	279,000	210,000	321,000	241,000	343,000	257,000	350,000	263,000
금산,논산,공주,부여	273,000	205,000	314,000	236,000	336,000	252,000	343,000	257,000
연 기								
대 전	256,000	193,000	294,000	221,000	315,000	236,000	321,000	241,000
완주,군산	292,000	219,000	336,000	252,000	360,000	270,000	367,000	275,000
김제,전주	288,000	216,000	331,000	248,000	354,000	266,000	361,000	271,000
부 안								
순 창								
무안,목포,영암			321,000	241,000	343,000	257,000	350,000	263,000
나 주			314,000	236,000	336,000	252,000	343,000	257,000
장 흥								
담양,광주/곡성	253,000	189,000	291,000	218,000	311,000	233,000	317,000	238,000
여천,여수	218,000	164,000	251,000	188,000	269,000	202,000	274,000	206,000
광양,순천	198,000	149,000	228,000	171,000	244,000	183,000	249,000	187,000
울 진					347,000	260,000	354,000	266,000
영주,봉화								
상주,문경								
김 천	231,000	174,000	266,000	200,000	285,000	214,000	291,000	218,000
안 동	244,000	183,000	281,000	211,000	301,000	226,000	307,000	230,000
성주,칠곡								
영 덕								
구 미	203,000	152,000	233,000	175,000	249,000	187,000	254,000	191,000
대 구	184,000	139,000	212,000	159,000	227,000	170,000	232,000	174,000
포 항	175,000	132,000	201,000	151,000	215,000	161,000	219,000	164,000
경주시(군)	131,000	98,000	151,000	113,000	162,000	122,000	165,000	124,000
거 창								
거 제								
하 동								
진 주	159,000	120,000	183,000	137,000	196,000	147,000	200,000	150,000
밀 양 시			151,000	113,000	162,000	122,000	165,000	124,000
울 산 시	115,000	86,000	132,000	99,000	141,000	106,000	144,000	108,000
창원/함안	104,000	78,000	120,000	90,000	128,000	96,000	131,000	98,000
김 해	67,000	50,000	77,000	58,000	82,000	62,000	84,000	63,000
부산시내	59,000	44,000	68,000	51,000	73,000	55,000	74,000	56,000

㈜ 행선지는 1998년 2월 21일 시행된 기준을 토대로 한것임.(부산기점기준)

연월 / 구분 / 행선지	1990년 10월 1일 시행		1992년 5월 1일 시행		1994년 11월 1일 시행		1995년 9월 1일 시행	
	구 분		구 분		구 분		구 분	
	40F/T	20F/T	40F/T	20F/T	40F/T	20F/T	40F/T	20F/T
인천,부천/김포	562,820	422,650	602,200	452,200	644,000	547,000	707,000	601,000
구리,남양주시	562,820	422,650	602,200	452,200	644,000	547,000	707,000	601,000
양평,광주	562,820	422,650	602,200	452,200	644,000	547,000	707,000	601,000
서 울	541,420	406,600	579,300	435,100	619,000	526,000	680,000	578,000
의왕,수원,오산,평택	541,420	406,600	579,300	435,100	619,000	526,000	680,000	578,000
안산,안양,성남,광명	541,420	406,600	579,300	435,100	619,000	526,000	680,000	578,000
여 주	433,350	325,280	463,700	348,000	496,000	422,000	545,000	463,000
이천,용인	426,930	319,930	456,800	342,300	488,000	415,000	536,000	456,000
가평,춘천	634,510	476,150	678,900	509,500	726,000	617,000	797,000	677,000
평창,영월,철원	651,630	488,990	697,200	523,200	697,000	592,000	765,000	650,000
속초,고성	248,240	186,180	265,600	199,200	697,000	592,000	765,000	650,000
강 릉	651,630	488,990	651,630	488,990	652,000	564,000	716,000	609,000
원 주 시	482,570	361,660	516,300	387,000	516,000	439,000	567,000	482,000
동 해	438,700	329,560	469,400	352,600	502,000	427,000	551,000	468,000
태 백	438,700	329,560	469,400	352,600	469,000	399,000	515,000	438,000
삼 척	433,350	325,280	463,700	348,000	464,000	394,000	509,000	433,000
단 양	537,140	403,390	574,700	431,600	614,000	522,000	674,000	573,000
충 주	392,690	294,250	420,200	314,800	449,000	382,000	493,000	419,000
진천,음성,괴산,청원	378,780	284,620	405,300	304,500	433,000	368,000	475,000	404,000
청주,보은	363,800	272,850	389,300	291,900	416,000	354,000	457,000	388,000
영동,옥천	343,470	257,870	367,500	275,900	393,000	334,000	432,000	367,000
당진,서산	466,520	349,890	499,200	374,400	534,000	454,000	586,000	498,000
청 양	455,820	342,400	487,000	366,400	521,000	443,000	572,000	486,000
예 산	400,180	300,670	428,200	321,700	458,000	389,000	503,000	428,000
천 안	374,500	281,410	400,700	301,100	428,000	364,000	470,000	400,000
금산,논산,공주,부여	367,010	274,990	392,700	294,200	420,000	357,000	461,000	392,000
연 기	363,800	272,850	389,300	291,900	416,000	354,000	457,000	388,000
대 전	343,470	257,870	367,500	275,900	393,000	334,000	432,000	367,000
완주,군산	392,690	294,250	420,200	314,800	449,000	382,000	493,000	419,000
김제,전주	386,270	289,970	413,300	310,300	442,000	376,000	485,000	412,000
부 안	365,940	274,990	391,600	294,200	419,000	356,000	460,000	391,000
순 창	386,270	289,970	413,300	313,300	413,000	351,000	453,000	385,000
무안,목포,영암	374,500	281,410	400,700	301,100	428,000	364,000	470,000	400,000
나 주	367,010	274,990	392,700	294,200	420,000	357,000	461,000	392,000
장 흥	374,500	281,410	400,700	301,100	401,000	341,000	440,000	374,000
담양,광주/곡성	339,190	254,660	362,900	272,500	388,000	330,000	426,000	362,000
여천,여수	293,180	220,420	313,700	235,800	335,000	285,000	368,000	313,000
광양,순천	266,430	200,090	285,100	214,000	305,000	259,000	335,000	285,000
울 진			405,300	304,500	433,000	368,000	475,000	404,000
영주,봉화	328,490	246,100	351,500	263,300	376,000	320,000	413,000	351,000
상주,문경	328,490	246,100	341,500	263,300	376,000	320,000	413,000	351,000
김 천	311,370	233,260	333,200	249,600	356,000	303,000	391,000	332,000
안 동	328,490	246,100	351,500	263,300	352,000	299,000	386,000	328,000
성주,칠곡	311,370	233,260	311,370	233,260	333,000	283,000	366,000	311,000
영 덕	328,490	246,100	328,490	246,100	328,000	279,000	360,000	306,000
구 미	271,780	204,370	290,800	218,700	311,000	264,000	341,000	290,000
대 구	248,240	186,180	265,600	199,200	284,000	241,000	312,000	265,000
포 항	234,330	175,480	250,700	187,000	251,000	213,000	276,000	235,000
경주시(군)	176,550	132,680	188,900	142,000	202,000	172,000	222,000	189,000
거 창	298,530	223,630	319,400	239,300	319,000	271,000	350,000	298,000
거 제	285,690	214,000	305,700	229,000	306,000	260,000	336,000	286,000
하 동	253,590	190,460	271,300	203,800	271,000	230,000	298,000	253,000
진 주	214,000	160,500	229,000	171,700	229,000	195,000	251,000	213,000
밀 양 시	176,550	132,680	188,900	142,000	189,000	161,000	208,000	177,000
울 산 시	154,080	115,660	164,900	123,600	165,000	140,000	181,000	154,000
창원/함안	140,170	104,360	150,000	112,200	160,000	136,000	176,000	150,000
김 해	89,880	67,410	96,200	72,100	103,000	88,000	113,000	96,000
부산시내	79,180	59,920	84,700	64,100	91,000	77,000	100,000	85,000

컨테이너운임요금 (2)

㈜ 행선지는 1998년 2월 21일 시행된 기준을 토대로 한것임.(부산기점기준)

연월 / 구분 / 행선지	1996년 11월 1일 시행		1998년 2월 21일 시행		2003년 11월 23일 시행		2005년 11월 21일 시행	
	구 분		구 분		구 분		구 분	
	40F/T	20F/T	40F/T	20F/T	40F/T	20F/T	40F/T	20F/T
인천,부천/김포	776,000	698,000	898,000	808,000	961,000/987,000	865,000/888,000	1,047,000/1,076,000	942,000/968,000
구리,남양주시	776,000	698,000	897,000	807,000	960,000	864,000	1,046,000	941,000
양평,광주	770,000	693,000	891,000	802,000	953,000	858,000	1,039,000	935,000
서 울	746,000	671,000	863,000	777,000	923,000	831,000	1,006,000	905,000
의왕,수원,오산,평택	741,000	667,000	857,000	771,000	917,000	825,000	1,000,000	900,000
안산,안양,성남,광명	746,000	671,000	863,000	777,000	923,000	831,000	1,006,000	905,000
여 주	598,000	538,000	692,000	623,000	823,000	741,000	968,000	871,000
이천,용인	588,000	529,000	680,000	612,000	810,000	729,000	968,000	871,000
가평,춘천	868,000	781,000	1,004,000	904,000	1,074,000	967,000	1,171,000	1,054,000
평창,영월,철원	839,000	755,000	971,000	874,000	1,039,000	935,000	1,133,000	1,020,000
속초,고성	826,000	743,000	956,000	860,000	1,023,000	921,000	1,115,000	1,004,000
강 릉	740,000	666,000	856,000	770,000	916,000	824,000	998,000	898,000
원 주 시	622,000	560,000	720,000	648,000	770,000	693,000	839,000	755,000
동 해	600,000	540,000	694,000	625,000	743,000	669,000	810,000	729,000
태 백	556,000	500,000	643,000	579,000	688,000	619,000	750,000	675,000
삼 척	554,000	499,000	641,000	577,000	686,000	617,000	748,000	673,000
단 양	740,000	666,000	856,000	776,000	916,000	824,000	998,000	898,000
충 주	541,000	487,000	626,000	563,000	670,000	603,000	730,000	657,000
진천,음성,괴산,청원	521,000	469,000	603,000	543,000	645,000	581,000	703,000	633,000
청주,보은	501,000	451,000	580,000	522,000	621,000	559,000	677,000	609,000
영동,옥천	474,000	427,000	548,000	493,000	586,000	527,000	639,000	575,000
당진,서산	643,000	579,000	744,000	670,000	796,000	716,000	868,000	781,000
청 양	628,000	565,000	727,000	654,000	778,000	700,000	848,000	763,000
예 산	552,000	497,000	639,000	575,000	684,000	616,000	746,000	671,000
천 안	516,000	464,000	597,000	537,000	639,000	575,000	697,000	627,000
금산,논산,공주,부여	506,000	455,000	585,000	527,000	626,000	563,000	682,000	614,000
연 기	501,000	451,000	580,000	522,000	621,000	559,000	677,000	609,000
대 전	474,000	427,000	548,000	493,000	586,000	527,000	639,000	575,000
완주,군산	541,000	487,000	626,000	563,000	670,000	603,000	730,000	657,000
김제,전주	528,000	475,000	611,000	550,000	654,000	589,000	713,000	642,000
부 안	505,000	455,000	584,000	526,000	625,000	563,000	681,000	613,000
순 창	453,000	408,000	524,000	472,000	561,000	505,000	611,000	550,000
무안,목포,영암	512,000	461,000	592,000	533,000	633,000	570,000	690,000	621,000
나 주	502,000	452,000	581,000	523,000	622,000	560,000	678,000	610,000
장 흥	479,000	431,000	554,000	499,000	593,000	534,000	646,000	581,000
담양,광주/곡성	464,000	418,000	537,000	483,000	575,000/569,000	518,000/512,000	627,000/620,000	564,000/558,000
여천,여수	401,000	361,000	464,000	418,000	496,000	446,000	541,000	487,000
광양,순천	365,000	329,000	422,000	380,000	452,000	407,000	493,000	444,000
울 진	513,000	462,000	594,000	535,000	636,000	572,000	693,000	624,000
영주,봉화	450,000	405,000	521,000	469,000	557,000	501,000	607,000	546,000
상주,문경	453,000	408,000	524,000	472,000	561,000	505,000	611,000	550,000
김 천	429,000	386,000	496,000	446,000	531,000	478,000	579,000	521,000
안 동	420,000	378,000	486,000	437,000	520,000	468,000	567,000	510,000
성주,칠곡	398,000	358,000	460,000	414,000	492,000	443,000	536,000	482,000
영 덕	392,000	353,000	454,000	409,000	486,000	437,000	530,000	477,000
구 미	386,000	347,000	447,000	402,000	478,000	430,000	521,000	469,000
대 구	340,000	306,000	393,000	354,000	421,000	379,000	459,000	413,000
포 항	300,000	270,000	347,000	312,000	371,000	334,000	404,000	364,000
경주시(군)	241,000	217,000	279,000	251,000	299,000	269,000	326,000	293,000
거 창	378,000	340,000	437,000	393,000	468,000	421,000	510,000	459,000
거 제	362,000	326,000	419,000	377,000	448,000	403,000	488,000	439,000
하 동	324,000	292,000	375,000	338,000	401,000	361,000	437,000	393,000
진 주	273,000	246,000	316,000	284,000	338,000	304,000	368,000	331,000
밀 양 시	208,000	187,000	241,000	217,000	258,000	232,000	281,000	253,000
울 산 시	203,000	183,000	235,000	212,000	251,000	226,000	274,000	247,000
창원/함안	193,000	174,000	223,000	201,000	239,000/267,000	215,000/240,000	261,000/291,000	235,000/262,000
김 해	124,000	112,000	143,000	129,000	153,000	138,000	167,000	150,000
부산시내	124,000	112,000	126,000	113,000	153,000	138,000	147,000	132,000

㈜ 행선지는 1998년 2월 21일 시행된 기준을 토대로 한것임.(부산기점기준)

연월 / 구분 / 행선지	2008년 6월 1일 시행		2011년 6월 10일 시행		2012년 8월 1일 시행		비 고
	구 분		구 분		구 분		
	40F/T	20F/T	40F/T	20F/T	40F/T	20F/T	
인천,부천/김포	1,141,000/1,173,000	1,027,000/1,056,000	1,244,000/1,279,000	1,120,000/1,151,000	1,356,000/1,394,000	1,220,000/1,255,000	
구리,남양주시	1,140,000	1,026,000	1,243,000	1,119,000	1,355,000	1,220,000	
양평,광주	1,133,000	1,020,000	1,235,000	1,112,000	1,346,000	1,211,000	
서 울	1,097,000	987,000	1,196,000	1,076,000	1,304,000	1,174,000	
의왕,수원,오산,평택	1,090,000	981,000	1,188,000	1,069,000	1,295,000	1,166,000	
안산,안양,성남,광명	1,097,000	987,000	1,196,000	1,076,000	1,304,000	1,174,000	
여 주	1,055,000	950,000	1,150,000	1,035,000	1,254,000	1,129,000	
이천,용인	1,055,000	950,000	1,150,000	1,035,000	1,254,000	1,129,000	
가평,춘천	1,276,000	1,148,000	1,391,000	1,252,000	1,516,000	1,364,000	
평창,영월,철원	1,235,000	1,112,000	1,346,000	1,211,000	1,467,000	1,320,000	
속초,고성	1,215,000	1,094,000	1,324,000	1,192,000	1,443,000	1,299,000	
강 릉	1,088,000	979,000	1,186,000	1,067,000	1,293,000	1,164,000	
원 주 시	915,000	824,000	997,000	897,000	1,087,000	978,000	
동 해	883,000	795,000	962,000	866,000	1,049,000	944,000	
태 백	818,000	736,000	892,000	803,000	972,000	875,000	
삼 척	815,000	734,000	888,000	799,000	968,000	871,000	
단 양	1,088,000	979,000	1,186,000	1,067,000	1,293,000	1,164,000	
충 주	796,000	716,000	868,000	781,000	946,000	851,000	
진천,음성,괴산,청원	766,000	689,000	835,000	752,000	910,000	819,000	
청주,보은	738,000	664,000	804,000	724,000	876,000	788,000	
영동,옥천	697,000	627,000	760,000	684,000	828,000	745,000	
당진,서산	946,000	851,000	1,031,000	928,000	1,124,000	1,012,000	
청 양	924,000	832,000	1,007,000	906,000	1,098,000	988,000	
예 산	813,000	732,000	886,000	797,000	966,000	869,000	
천 안	760,000	684,000	828,000	745,000	903,000	813,000	
금산,논산,공주,부여	743,000	669,000	810,000	729,000	883,000	795,000	
연 기	738,000	664,000	804,000	724,000	876,000	788,000	
대 전	697,000	627,000	760,000	684,000	828,000	745,000	
완주,군산	796,000	716,000	868,000	781,000	946,000	851,000	
김제,전주	777,000	699,000	847,000	762,000	923,000	831,000	
부 안	742,000	668,000	809,000	728,000	882,000	794,000	
순 창	666,000	599,000	726,000	653,000	791,000	712,000	
무안,목포,영암	752,000	677,000	820,000	738,000	894,000	805,000	
나 주	739,000	665,000	806,000	725,000	879,000	791,000	
장 흥	704,000	634,000	767,000	690,000	836,000	752,000	
담양,광주/곡성	683,000/676,000	615,000/608,000	744,000/737,000	670,000/663,000	811,000/803,000	730,000/723,000	
여천,여수	590,000	531,000	643,000	579,000	701,000	631,000	
광양,순천	537,000	483,000	585,000	527,000	638,000	574,000	
울 진	755,000	680,000	823,000	741,000	897,000	807,000	
영주,봉화	662,000	596,000	722,000	650,000	787,000	708,000	
상주,문경	666,000	599,000	726,000	653,000	791,000	712,000	
김 천	631,000	568,000	688,000	619,000	750,000	675,000	
안 동	618,000	556,000	674,000	607,000	735,000	662,000	
성주,칠곡	584,000	526,000	637,000	573,000	694,000	625,000	
영 덕	578,000	520,000	630,000	567,000	687,000	618,000	
구 미	568,000	511,000	619,000	557,000	675,000	608,000	
대 구	500,000	450,000	545,000	491,000	594,000	535,000	
포 항	440,000	396,000	480,000	432,000	523,000	471,000	
경주시(군)	355,000	320,000	387,000	348,000	422,000	380,000	
거 창	556,000	500,000	606,000	545,000	661,000	595,000	
거 제	532,000	479,000	580,000	522,000	632,000	569,000	
하 동	476,000	428,000	519,000	467,000	566,000	509,000	
진 주	401,000	361,000	437,000	393,000	476,000	428,000	
밀 양 시	306,000	275,000	334,000	301,000	364,000	328,000	
울 산 시	299,000	269,000	326,000	293,000	355,000	320,000	
창원/함안	284,000/317,000	256,000/285,000	310,000/346,000	279,000/311,000	338,000/377,000	304,000/339,000	
김 해	182,000	164,000	198,000	178,000	216,000	194,000	
부산시내	160,000	144,000	174,000	157,000	190,000	171,000	

컨테이너운임요금 (3)

㈜ 특수자동차로 운송되는 수출입 컨테이너 품목 안전운임(왕복)(부가세 별도)(50㎞까지만 표시)

연 월		2022년 7월 1일 시행					
구 분		40FT 컨테이너			20FT 컨테이너		
구간거리(㎞)	운송(왕복)거리(㎞)	안전위탁운임(원)	운수사업자 간 운임(원)	안전운송운임(원)	안전위탁운임(원)	운수사업자 간 운임(원)	안전운송운임(원)
1	2	103,500	109,400	119,100	90,000	95,000	103,200
2	4	107,100	113,100	123,000	93,200	98,300	106,500
3	6	111,000	117,200	127,300	96,400	101,600	110,100
4	8	114,600	120,900	131,200	99,700	105,000	113,500
5	10	118,100	124,500	134,800	102,800	108,200	116,900
6	12	121,800	128,300	138,800	106,100	111,600	120,400
7	14	125,500	132,100	142,800	109,200	114,800	123,700
8	16	129,100	135,800	146,700	112,300	118,000	127,100
9	18	132,700	139,500	150,500	115,500	121,200	130,400
10	20	136,200	143,100	154,400	118,600	124,500	134,000
11	22	139,900	146,900	158,300	121,700	127,600	137,200
12	24	143,500	150,700	162,300	124,900	130,900	140,600
13	26	147,000	154,200	165,900	128,000	134,200	144,100
14	28	150,600	157,900	169,900	131,100	137,300	147,300
15	30	154,100	161,600	173,700	134,200	140,500	150,700
16	32	157,600	165,200	177,500	137,900	144,300	154,700
17	34	161,100	168,700	181,200	141,700	148,200	158,700
18	36	164,700	172,500	185,100	145,500	152,000	162,600
19	38	168,200	176,000	188,800	149,400	156,000	166,700
20	40	171,600	179,600	192,600	153,100	159,800	170,700
21	42	175,200	183,300	196,400	156,900	163,700	174,800
22	44	178,500	186,700	200,100	160,600	167,500	178,600
23	46	182,000	190,300	203,800	164,300	171,300	182,700
24	48	186,200	194,600	208,400	168,200	175,300	186,800
25	50	190,300	198,800	212,700	171,800	179,000	190,700
26	52	193,100	201,700	215,800	174,400	181,600	193,400
27	54	195,900	204,600	218,900	176,900	184,200	196,100
28	56	199,200	208,000	222,300	179,400	186,800	198,900
29	58	202,500	211,400	226,000	181,800	189,300	201,500
30	60	205,800	214,800	229,600	184,300	191,900	204,300
31	62	209,200	218,300	233,300	186,700	194,400	206,800
32	64	212,600	221,800	236,900	189,200	197,000	209,600
33	66	216,000	225,300	240,600	191,600	199,500	212,300
34	68	219,300	228,700	244,200	194,100	202,000	215,000
35	70	222,700	232,200	247,900	196,500	204,500	217,600
36	72	226,000	235,600	251,400	198,800	207,000	220,300
37	74	229,300	239,100	255,100	201,200	209,500	223,000
38	76	232,700	242,500	258,700	203,700	212,000	225,500
39	78	235,900	245,900	262,200	206,100	214,500	228,300
40	80	239,100	249,200	265,700	208,500	217,000	230,900
41	82	242,500	252,600	269,300	211,300	219,900	233,900
42	84	245,700	256,000	272,800	214,200	222,900	237,000
43	86	249,100	259,400	276,400	217,000	225,800	240,100
44	88	252,300	262,700	279,900	219,900	228,700	243,200
45	90	255,500	266,000	283,300	222,700	231,600	246,200
46	92	258,900	269,600	287,100	225,500	234,500	249,200
47	94	262,000	272,800	290,500	228,400	237,500	252,400
48	96	265,200	276,100	294,100	231,100	240,300	255,300
49	98	268,500	279,500	297,500	233,900	243,200	258,400
50	100	271,700	282,800	301,100	236,900	246,200	261,500

교육비(각급학교 납입금)

구분 / 연도별	중학교				고등학교							
					일반계				실업계			
	국·공립		사립		국·공립		사립		국·공립		사립	
	최고	최저	최고	최저	최고	최저	최고	최저	최고	최저	최고	최저
1970년	20,700	9,900	26,100	13,740	27,320	14,470	31,400	16,720	24,960	13,150	32,520	16,510
1971	30,170	12,900	30,170	12,900	32,190	15,910	37,430	18,070	26,670	13,390	37,430	18,310
1972	35,830	15,760	35,830	15,760	37,820	19,840	44,900	23,320	29,820	16,360	44,900	23,320
1973	35,830	15,760	35,830	15,760	37,820	19,840	44,900	23,320	29,820	16,360	44,900	23,320
1974	-	-	-	-	-	-	-	-	-	-	-	-
1975	56,310	34,720	56,310	34,720	78,100	49,240	78,100	57,640	78,460	43,000	78,460	57,640
1976	72,290	37,660	72,290	37,660	108,240	67,440	108,240	67,440	108,600	55,720	108,600	55,720
1977	84,050	48,640	84,050	48,640	126,600	76,800	126,600	93,960	126,960	62,080	126,960	94,360
1978	96,890	54,220	96,890	54,220	145,320	86,280	145,320	106,920	145,680	68,560	145,680	107,320
1979	109,680	59,640	109,680	59,640	160,800	92,560	160,800	117,280	161,840	71,240	161,840	117,680
1980	125,880	68,640	125,880	68,640	196,360	113,500	196,360	143,140	196,360	88,360	196,360	144,040
1981	160,560	88,560	160,560	88,560	252,640	148,360	252,640	186,880	252,640	114,520	252,640	186,880
1982	180,240	97,440	180,240	97,440	304,480	174,760	304,480	222,880	304,480	132,400	304,480	222,880
1983	189,360	102,360	189,360	102,360	319,480	183,400	319,480	233,920	319,480	138,880	319,480	233,920
1984	196,800	108,000	196,800	108,000	324,000	186,000	324,000	238,800	324,000	140,400	324,000	238,800
1985	202,300	106,200	202,800	106,200	334,200	192,000	334,200	246,600	334,200	144,600	334,200	246,600
1986	211,400	110,640	211,440	110,640	348,720	199,920	348,720	256,920	348,720	150,720	348,720	256,920
1987	211,400	110,640	211,440	110,640	348,720	199,920	348,720	256,920	348,720	150,720	348,720	256,920
1988	246,600	113,280	246,600	113,280	415,800	231,240	415,800	299,040	415,800	173,040	415,800	299,040
1989	266,800	126,600	266,800	126,600	458,640	265,800	458,640	342,200	458,640	202,200	458,640	340,200
1990	302,400	142,800	302,400	142,800	516,000	295,200	516,000	366,000	516,000	224,400	516,000	347,400
1991	318,000	129,000	318,000	129,000	543,000	293,400	543,000	219,600	543,000	367,800	543,000	348,300
1992	355,200	141,600	355,200	141,600	609,600	326,400	609,600	400,800	609,600	243,600	609,600	364,800
1993	392,400	157,200	392,400	157,200	668,520	356,160	668,520	434,160	668,520	268,560	668,520	380,160
1994	433,500	169,200	433,500	169,200	756,000	412,500	756,000	488,700	756,000	312,300	756,000	425,700
1995	500,400	183,600	500,400	183,600	883,200	471,600	883,200	561,600	883,200	358,400	883,200	492,000
1996	549,120	195,600	549,120	195,600	969,200	498,000	969,200	525,600	969,200	384,000	969,200	418,800
1997	580,800	75,600	580,800	75,600	1,023,600	456,000	1,023,600	484,800	1,023,600	336,000	1,023,600	372,000
1998	580,800	75,600	580,800	75,600	1,023,600	456,000	1,023,600	484,800	1,023,600	336,000	1,023,600	372,000
1999	673,200	79,200	637,200	79,200	1,124,400	541,200	1,124,400	562,800	1,124,400	409,200	1,124,400	439,200
2000	694,000	210,000	694,800	210,000	1,226,400	573,600	1,226,400	573,600	1,226,400	434,400	1,226,400	464,400
2001	694,800	217,200	694,800	217,200	1,226,400	586,800	1,226,400	586,800	1,226,400	440,440	1,226,400	464,400
2002	759,600	217,200	759,600	217,200	1,345,200	631,200	1,345,200	631,200	1,226,400	472,800	1,226,400	474,000
2003	802,800	92,400	802,800	92,400	1,459,200	655,200	1,459,200	655,200	1,459,200	537,600	1,459,200	547,200
2004	210,000	97,200	210,000	108,000	1,561,200	693,600	1,561,200	693,600	1,561,200	526,800	1,561,200	526,800
2005	216,000	111,600	216,000	111,600	1,636,800	709,200	1,636,800	709,200	1,636,800	571,200	1,636,800	571,200
2006	228,000	116,400	228,000	111,600	1,689,600	726,000	1,689,600	726,000	1,689,600	541,200	1,689,600	540,000
2007	237,600	102,000	237,600	116,400	1,772,400	788,400	1,772,400	791,520	1,772,400	597,200	1,772,400	600,720
2008	240,000	104,500	237,600	116,400	1,772,400	764,900	1,772,400	796,800	1,772,400	592,800	1,772,400	600,720
2009	249,600	124,000	249,600	124,000	1,786,800	760,800	1,786,800	796,800	1,786,800	600,720	1,786,800	600,720
2010	249,600	124,000	249,600	124,000	1,786,800	760,800	1,786,800	796,800	1,786,800	600,720	1,786,800	600,720
2011	-	-	-	-	-	-	-	-	-	-	-	-
2012	207,240	84,600	249,600	84,600	1,792,000	347,100	2,148,760	347,100	1,792,000	219,600	1,792,000	219,600
2013	-	-	-	-	1,796,870	347,100	1,793,700	347,100	1,911,100	219,600	1,967,200	219,600
2014	-	-	-	-	1,807,660	760,800	1,828,940	804,720	1,924,060	585,600	1,902,360	584,400
2015	-	-	-	-	1,450,800	595,200	1,450,800	595,200	1,450,800	391,200	1,450,800	391,200
2016	-	-	-	-	1,450,800	595,200	1,450,800	595,200	1,450,800	391,200	1,450,800	391,200
2017	-	-	-	-	1,450,800	595,200	1,450,800	595,200	1,450,800	391,200	1,450,800	391,200
2018	-	-	-	-	1,450,800	595,200	1,450,800	595,200	1,450,800	391,200	1,450,800	391,200
2019	-	-	-	-	1,450,800	595,200	1,450,800	595,200	1,450,800	391,200	1,450,800	391,200
2020	-	-	-	-	1,450,800	595,200	1,450,800	595,200	1,450,800	391,200	1,450,800	391,200
2021	-	-	-	-	-	-	-	-	-	-	-	-
2022	-	-	-	-	-	-	-	-	-	-	-	-

주 1) 1971~1972년 전문대학은 초급대학기준.
2) 1973~1978년 전문대학은 전문학교(Junior Vocational College) 기준.
3) 학생회비(학도호국단비)는 제외금액임.
4) '-'는 자료 없음.
5) 중학교 학교운영지원비 2012년 9월부터 폐지.
6) 실업계 고등학교는 2012년 부터 특성화고교로 이름 변경.
7) 국·공립 고등학교는 2021부터 무상교육이 전면 시행됨에 따라 징수액이 없음.

(1인당 연액)

전문대학				대학교(4년제)								구분
				인문계				자연계				
국·공립		사립		국립		사립		국립		사립		
최고	최저	최고	최저	최고	최저	최고	최저	최고	최저	최고	최저	연도별
-	-	92,500	61,450	33,000	-	111,000	70,400	45,400	-	126,400	82,400	1970년
-	-	126,000	85,100	57,200	29,400	131,180	61,000	73,600	294,00	149,180	69,000	1971
-	-	131,800	-	65,200	-	153,600	92,800	73,600	-	172,600	92,800	1972
44,600	36,710	154,080	39,000	76,300	49,140	155,920	64,000	84,400	48,000	194,800	93,600	1973
-	-	-	-	-	-	-	-	-	-	-	-	1974
108,400	64,000	235,000	116,800	178,100	97,000	409,200	81,000	203,500	103,000	431,200	164,200	1975
131,400	85,300	243,000	187,200	199,900	102,400	344,400	282,800	180,800	102,400	380,000	321,200	1976
132,660	72,200	285,000	144,520	207,200	138,520	468,000	193,500	212,800	149,800	461,200	304,800	1977
154,460	109,200	316,400	138,800	-	-	-	-	-	-	-	-	1978
166,400	-	401,800	-	210,000	176,000	570,000	424,000	250,000	184,000	616,000	434,000	1979
260,000	207,500	490,000	-	280,500	243,000	672,000	502,000	301,500	268,000	732,000	548,000	1980
300,000	-	607,000	-	388,000	336,000	810,000	614,000	422,000	386,000	880,000	660,000	1981
514,000	-	685,000	-	722,000	396,000	1,140,000	614,000	820,000	671,000	1,188,000	636,000	1982
51,4000	-	685,000	-	777,000	432,000	1,260,000	940,000	876,000	469,000	1,314,000	976,000	1983
514,000	-	685,000	-	-	-	1,107,000	940,000	-	-	1,114,000	976,000	1984
528,000	-	718,000	-	788,000	745,000	1,146,000	1,000,000	893,000	850,000	1,148,000	1,048,000	1985
560,000	-	762,000	-	812,000	767,000	1,180,000	1,048,000	920,000	875,000	1,184,000	1,087,000	1986
586,000	-	797,000	-	844,000	798,000	1,189,000	1,118,000	957,000	911,000	1,474,000	1,168,000	1987
586,000	-	797,000	-	884,000	836,000	1,267,000	1,209,000	1,003,000	955,000	1,547,000	1,258,000	1988
673,000	652,000	1,005,800	837,000	940,000	851,000	1,498,000	1,232,000	1,193,000	970,000	2,012,000	1,264,000	1989
667,000	667,000	1,134,000	920,000	953,000	851,000	1,585,000	1,123,000	1,508,000	987,000	2,288,000	1,294,000	1990
719,000	719,000	1,394,000	1,122,000	1,049,000	921,000	1,777,000	1,377,000	1,217,000	1,069,000	2,598,000	1,618,000	1991
782,000	782,000	1,648,000	1,244,900	1,153,000	1,011,000	2,200,000	1,690,000	1,357,000	1,206,000	3,179,000	2,089,000	1992
878,000	878,000	2,054,000	1,667,000	1,272,000	1,150,000	2,678,000	1,624,000	2,090,000	1,827,000	4,906,000	2,072,000	1993
1,986,000	992,000	2,533,000	1,902,000	1,430,00	1,330,000	3,309,000	1,650,000	2,660,000	1,999,000	6,102,000	1,796,000	1994
2,215,000	1,141,000	3,213,000	2,110,000	1,849,000	1,468,000	3,607,000	1,900,000	2,828,000	1,949,000	6,878,000	2,206,000	1995
2,476,000	928,000	4,442,000	2,585,000	1,874,000	1,543,000	4,590,000	1,340,000	2,557,000	2,114,000	6,912,000	2,301,000	1996
2,945,000	1,118,000	4,540,000	2,694,000	3,052,000	1,637,000	5,290,000	600,000	3,118,000	2,373,000	7,579,000	3,062,000	1997
2,945,000	1,118,000	4,540,000	2,694,000	3,052,000	1,637,000	5,290,000	600,000	3,118,000	2,373,000	7,579,000	3,062,000	1998
2,989,000	1,016,000	4,603,000	2,458,000	2,168,000	1,281,400	5,496,000	600,000	3,364,900	2,565,500	8,992,000	2,500,000	1999
3,223,000	1,016,000	5,100,000	2,984,000	3,158,000	1,383,400	4,547,000	600,000	4,775,300	1,414,000	6,697,500	2,046,000	2000
3,512,000	1,511,000	5,500,000	2,154,000	3,632,000	1,828,000	5,508,000	600,000	4,215,000	1,828,000	6,990,000	2,686,000	2001
3,892,000	740,000	5,700,000	1,678,000	3,094,000	1,931,000	5,040,000	1,680,000	5,572,000	2,291,000	7,592,000	3,526,000	2002
4,152,000	754,000	6,100,000	2,374,000	3,996,100	2,034,400	5,743,000	1,680,000	6,070,600	2,449,400	8,195,500	3,072,400	2003
4,062,000	800,000	6,128,000	3,607,000	4,534,700	2,288,700	5,930,000	1,680,000	6,776,300	2,687,000	8,964,000	3,300,000	2004
5,290,000	826,000	6,563,000	3,590,000	4,883,000	2,505,500	6,170,000	1,680,000	6,530,600	2,911,200	9,680,000	3,663,000	2005
4,381,000	835,000	7,322,000	3,525,000	5,494,000	2,768,000	6,852,000	1,836,000	7,024,000	2,764,000	10,924,000	4,181,000	2006
4,415,448	1,036,000	7,576,000	3,500,000	6,127,000	2,997,000	7,393,000	1,836,000	7,675,000	3,040,000	11,744,000	4,724,000	2007
4,522,000	1,036,000	8,602,000	3,580,000	6,540,000	3,008,000	7,752,000	1,680,000	8,190,000	3,475,000	11,318,000	5,368,000	2008
6,537,200	1,136,000	8,709,900	4,382,500	9,764,100	2,350,000	7,840,300	1,680,000	11,803,800	2,616,100	12,208,000	5,029,400	2009
6,914,000	1,149,000	8,745,000	4,537,000	9,900,000	2,857,000	8,225,000	1,680,000	8,240,000	3,164,000	9,857,000	5,418,000	2010
-	-	-	-	-	-	-	-	-	-	-	-	2011
4,495,180	1,076,090	8,116,430	4,133,330	9,794,870	1,744,560	10,581,420	788,000	11,392,020	2,105,540	9,359,000	3,424,000	2012
4,464,140	1,076,091	8,116,177	4,144,444	9,715,450	1,744,577	7,943,000	1,680,000	11,470,952	2,105,444	9,200,000	5,580,000	2013
4,447,967	1,076,091	8,104,177	4,088,889	9,700,450	1,745,202	7,911,000	1,740,000	11,688,000	2,105,612	9,100,000	5,580,000	2014
3,604,000	726,700	7,316,300	2,089,000	4,540,100	2,669,800	8,074,300	1,740,000	5,540,000	3,474,400	9,188,600	4,749,600	2015
3,604,000	738,800	7,288,200	2,088,000	4,539,800	2,669,800	8,213,100	1,760,000	5,540,000	3,474,000	9,323,100	5,580,000	2016
3,604,000	749,900	7,273,900	2,090,000	4,565,900	2,692,100	8,351,500	1,760,000	5,526,700	3,473,500	9,110,900	5,580,000	2017
3,604,000	754,600	7,286,800	2,091,800	4,594,200	2,874,000	8,438,400	1,760,000	5,512,400	3,473,100	9,130,600	5,580,000	2018
3,604,000	755,600	7,292,800	2,089,400	3,821,000	2,874,000	8,464,600	1,760,000	4,614,300	3,473,100	9,172,100	5,580,000	2019
3,604,000	756,111	7,291,448	2,122,446	4,704,033	2,874,000	8,463,780	1,760,000	5,497,480	3,865,856	9,215,987	5,580,000	2020
2,890,000	1,652,000	8,928,000	1,500,000	9,000,000	2,044,000	13,738,000	1,760,000	9,038,000	2,060,000	13,738,000	4,608,000	2021
2,890,000	1,642,000	9,000,000	1,000,000	9,000,000	2,044,000	13,738,000	1,760,000	8,962,000	2,060,000	13,738,000	4,700,000	2022

※ 2019년도 학생수 초등학생:2,747,219명 중학생:1,294,559명
고등학생:1,411,027명 대학생/대학원생:2,966,955명

※ 2019년도 학교수 초등학교:6,087개소 중학교:3,214개소
고등학교:2,356개소 대학교/대학원:1,521개소

교 통 범 칙 금(1)

(보통:16인승 이상/승용:보통,소형/화물:보통,소형,특수/2륜:원동기장치자전차)

범칙행위구분 \ 연도구분	1973.11~1977.3				1997.3~1979.7				1979.7~1981.4			
	보통	승용	화물	2륜	보통	승용	화물	2륜	보통	승용	화물	2륜
신호 또는 지시위반	3,000	2,000	2,000	2,000	10,000	10,000	10,000	5,000	20,000	20,000	20,000	10,000
통행금지 또는 제한 위반	3,000	2,000	2,000	1,000	5,000	5,000	5,000	3,000	10,000	10,000	10,000	5,000
중앙선침범등 통행구분 위반	5,000	4,000	3,000	2,000	13,000	13,000	13,000	10,000	20,000	20,000	20,000	10,000
지정차선 통행위반	5,000	4,000	3,000	2,000	8,000	8,000	8,000	5,000	-	-	-	-
-6대도시	-	-	-	-	-	-	-	-	15,000	15,000	15,000	10,000
-기타지역	-	-	-	-	-	-	-	-	10,000	10,000	10,000	5,000
버스전용차선 통행위반(일반도로)	-	-	-	-	-	-	-	-	-	-	-	-
-6대도시	-	-	-	-	-	-	-	-	-	-	-	-
-기타지역	-	-	-	-	-	-	-	-	-	-	-	-
통행 우선순위 위반	1,000	1,000	1,000	1,000	3,000	3,000	3,000	3,000	5,000	5,000	5,000	3,000
제한속도 위반	-	-	-	-	-	-	-	-	-	-	-	-
-최고속도위반	-	-	-	-	-	-	-	-	-	-	-	-
--속도위반 10km/h 미만	2,000	1,000	1,000	1,000	5,000	5,000	5,000	3,000	7,000	7,000	7,000	5,000
--속도위반 30km/h 미만	5,000	4,000	4,000	2,000	13,000	13,000	13,000	5,000	20,000	20,000	20,000	10,000
--속도위반 30km/h 이상	-	-	-	-	-	-	-	-	-	-	-	-
--속도위반 20km/h 이하	-	-	-	-	-	-	-	-	-	-	-	-
--속도위반 20km/h 초과	-	-	-	-	-	-	-	-	-	-	-	-
--속도위반 40km/h 초과	-	-	-	-	-	-	-	-	-	-	-	-
-최저속도위반	-	-	-	-	-	-	-	-	-	-	-	-
횡단.회전(유턴).후진위반	3,000	2,000	2,000	1,000	5,000	5,000	5,000	3,000	10,000	10,000	10,000	5,000
안전거리 미확보	2,000	2,000	2,000	1,000	-	-	-	-	-	-	-	-
-일반도로	-	-	-	-	3,000	3,000	3,000	3,000	5,000	5,000	5,000	3,000
-고속도로	-	-	-	-	10,000	10,000	10,000	-	20,000	20,000	20,000	-
앞지르기 방법 위반	5,000	4,000	4,000	2,000	10,000	10,000	10,000	5,000	20,000	20,000	20,000	10,000
앞지르기금지위반	-	-	-	-	10,000	10,000	10,000	5,000	20,000	20,000	20,000	10,000
교차로 통행방법 위반	1,000	1,000	1,000	1,000	5,000	5,000	5,000	3,000	10,000	10,000	10,000	5,000
직행 및 우회전차의 진행방해	3,000	3,000	2,000	1,000	5,000	5,000	5,000	3,000	10,000	10,000	10,000	5,000
보행자 보호의무 불이행	5,000	4,000	2,000	1,000	10,000	10,000	10,000	5,000	20,000	20,000	20,000	10,000
서행 일시(일단)정지 위반	2,000	2,000	2,000	1,000	10,000	10,000	10,000	5,000	15,000	15,000	15,000	5,000
정차위반	2,000	2,000	2,000	1,000	3,000	3,000	3,000	3,000	-	-	-	-
-6대도시	-	-	-	-	-	-	-	-	5,000	5,000	5,000	3,000
-기타지역	-	-	-	-	-	-	-	-	3,000	3,000	3,000	3,000
주차위반	2,000	2,000	2,000	1,000	3,000	3,000	3,000	3,000	-	-	-	-
-6대도시	-	-	-	-	-	-	-	-	10,000	10,000	10,000	5,000
-기타지역	-	-	-	-	-	-	-	-	5,000	5,000	5,000	3,000
주차.정차 방법 위반	4,000	3,000	3,000	1,000	5,000	3,000	3,000	3,000	-	-	-	-
-6대도시	-	-	-	-	-	-	-	-	10,000	5,000	5,000	3,000
-기타지역	-	-	-	-	-	-	-	-	5,000	3,000	3,000	3,000
정차 및 주차위반에 대한 조치 불응	-	-	-	-	-	-	-	-	-	-	-	-
-6대도시	-	-	-	-	-	-	-	-	-	-	-	-
-기타지역	-	-	-	-	-	-	-	-	-	-	-	-
제차의 등화 점등 또는 조작 불이행	1,000	1,000	1,000	1,000	-	-	-	-	-	-	-	-
-일반도로	-	-	-	-	3,000	3,000	3,000	3,000	10,000	10,000	10,000	10,000
-고속도로	-	-	-	-	10,000	10,000	10,000	-	20,000	20,000	20,000	-
제차의 신호 불이행	2,000	2,000	2,000	2,000	-	-	-	-	-	-	-	-
-일반도로	-	-	-	-	5,000	5,000	5,000	3,000	10,000	10,000	10,000	10,000
-고속도로	-	-	-	-	15,000	15,000	15,000	-	20,000	20,000	20,000	-
경음기 불사용	1,000	1,000	1,000	1,000	3,000	3,000	3,000	3,000	5,000	5,000	5,000	3,000
경음기 사용제한 위반	3,000	3,000	2,000	1,000	3,000	3,000	3,000	3,000	5,000	5,000	5,000	3,000
승차 및 적재 제한 위반	-	-	-	-	-	-	-	-	-	-	-	-
-정원초과 1/10미만	2,000	1,500	1,000	1,000	-	-	-	-	-	-	-	-
-정원초과 1/10이상	5,000	3,000	1,000	1,000	-	-	-	-	-	-	-	-
-적재위반 1/10미만	1,000	1,000	2,000	1,000	-	-	-	-	-	-	-	-
-적재위반 1/10이상	1,000	1,000	3,000	1,000	-	-	-	-	-	-	-	-
-정원초과 1/10초과	-	-	-	-	8,000	5,000	5,000	3,000	15,000	10,000	10,000	5,000
-적재위반 1/10초과	-	-	-	-	-	-	10,000	5,000	-	-	15,000	5,000
-승차인원초과	-	-	-	-	-	-	-	-	-	-	-	-
-적재제한위반	-	-	-	-	-	-	-	-	-	-	-	-
견인 제한 위반	2,000	2,000	2,000	1,000	3,000	3,000	3,000	3,000	5,000	5,000	5,000	3,000
도장 및 표지제한 위반	1,000	1,000	1,000	1,000	5,000	5,000	5,000	3,000	5,000	5,000	5,000	3,000
안전운전의무 위반	2,000	1,500	1,500	1,000	5,000	5,000	5,000	3,000	10,000	10,000	10,000	5,000
횡단보도보행자통행방해	-	-	-	-	-	-	-	-	-	-	-	-
안전지대에서 서행 위반	1,000	1,000	1,000	1,000	3,000	3,000	3,000	3,000	5,000	5,000	5,000	3,000
적재화물의 추락방지 위반	-	-	-	-	-	-	-	-	-	-	-	-
운행정지시 조치 위반	3,000	2,000	2,000	1,000	5,000	5,000	5,000	3,000	10,000	10,000	10,000	5,000
승객의 승하차시 안전조치 위반	-	-	-	-	-	-	-	-	-	-	-	-
승객의 추락방지조치 위반	-	-	-	-	-	-	-	-	-	-	-	-
승객의 차내소란행위를 방치하고 운행하는 행위	-	-	-	-	-	-	-	-	-	-	-	-
2륜자동차의 인명보호장구 미착용운행	-	-	-	-	-	-	-	-	-	-	-	-
일반도로운행시 좌선안전띠 미착용 운전자	-	-	-	-	-	-	-	-	-	-	-	-
주, 정차금지위반(고속도로 및 자동차전용도로)	-	-	-	-	10,000	10,000	10,000	-	20,000	20,000	20,000	-
고속도로 진입위반	-	-	-	-	8,000	8,000	8,000	-	15,000	15,000	15,000	-
적성검사 미필	2,000	2,000	2,000	2,000	3,000	3,000	3,000	3,000	3,000	3,000	3,000	3,000
적성검사 기간 경과	-	-	-	-	-	-	-	-	-	-	-	-
-단기간(3개월 미만)	-	-	-	-	-	-	-	-	-	-	-	-
-장기간(3개월 이상)	-	-	-	-	-	-	-	-	-	-	-	-
면허증 반납 불이행	-	-	-	-	-	-	-	-	-	-	-	-
고속도로 갓길통행, 버스전용차선(다인승전용차선) 통행위반	-	-	-	-	-	-	-	-	-	-	-	-
운전중 휴대전화 사용	-	-	-	-	-	-	-	-	-	-	-	-

(차종구분 변경:보통:16인승 이상→9인승이상('85~)/화물:중기('85~)추가/기타('82~):자전거,손수레,경운기,우마차) (단위:원)

1981.4~1982.6				1982.6~1985.6					1985.6~1986.4				
보통	승용	화물	2륜	보통	승용	화물	2륜	기타	보통	승용	화물	2륜	기타
20,000	20,000	20,000	10,000	30,000	30,000	30,000	15,000	5,000	30,000	30,000	30,000	15,000	5,000
10,000	10,000	10,000	5,000	15,000	15,000	15,000	7,000	3,000	15,000	15,000	15,000	7,000	3,000
20,000	20,000	20,000	10,000	30,000	30,000	30,000	15,000	5,000	30,000	30,000	30,000	15,000	5,000
–	–	–	–	–	–	–	–	–	–	–	–	–	–
15,000	15,000	15,000	10,000	20,000	20,000	20,000	15,000	5,000	20,000	20,000	20,000	15,000	5,000
10,000	10,000	10,000	5,000	15,000	15,000	15,000	7,000	3,000	15,000	15,000	15,000	7,000	3,000
–	–	–	–	–	–	–	–	–	–	–	–	–	–
–	–	–	–	–	–	–	–	–	–	–	–	–	–
–	–	–	–	–	–	–	–	–	–	–	–	–	–
5,000	5,000	5,000	3,000	7,000	7,000	7,000	5,000	–	7,000	7,000	7,000	5,000	–
–	–	–	–	–	–	–	–	–	–	–	–	–	–
–	–	–	–	–	–	–	–	–	–	–	–	–	–
7,000	7,000	7,000	5,000	10,000	10,000	10,000	7,000	–	10,000	10,000	10,000	7,000	–
15,000	15,000	15,000	10,000	20,000	20,000	20,000	15,000	–	20,000	20,000	20,000	15,000	–
20,000	20,000	20,000	15,000	30,000	30,000	30,000	20,000	–	30,000	30,000	30,000	20,000	–
–	–	–	–	–	–	–	–	–	–	–	–	–	–
–	–	–	–	–	–	–	–	–	–	–	–	–	–
–	–	–	–	–	–	–	–	–	–	–	–	–	–
–	–	–	–	–	–	–	–	–	10,000	10,000	10,000	7,000	–
10,000	10,000	10,000	5,000	15,000	15,000	15,000	7,000	3,000	15,000	15,000	15,000	7,000	3,000
–	–	–	–	–	–	–	–	–	–	–	–	–	–
5,000	5,000	5,000	3,000	7,000	7,000	7,000	5,000	–	7,000	7,000	7,000	5,000	–
20,000	20,000	20,000	–	30,000	30,000	30,000	–	–	30,000	30,000	30,000	–	–
20,000	20,000	20,000	10,000	30,000	30,000	30,000	15,000	–	30,000	30,000	30,000	15,000	–
20,000	20,000	20,000	10,000	–	–	–	–	–	30,000	30,000	30,000	15,000	–
10,000	10,000	10,000	5,000	15,000	15,000	15,000	7,000	–	15,000	15,000	15,000	7,000	5,000
10,000	10,000	10,000	5,000	15,000	15,000	15,000	7,000	–	15,000	15,000	15,000	7,000	5,000
20,000	20,000	20,000	10,000	30,000	30,000	30,000	15,000	5,000	30,000	30,000	30,000	15,000	5,000
15,000	15,000	15,000	5,000	20,000	20,000	20,000	7,000	–	20,000	20,000	20,000	7,000	–
–	–	–	–	–	–	–	–	–	–	–	–	–	–
5,000	5,000	5,000	3,000	10,000	10,000	10,000	5,000	–	10,000	10,000	10,000	5,000	–
3,000	3,000	3,000	3,000	5,000	5,000	5,000	5,000	–	5,000	5,000	5,000	5,000	–
–	–	–	–	–	–	–	–	–	–	–	–	–	–
10,000	10,000	10,000	5,000	15,000	15,000	15,000	7,000	3,000	15,000	15,000	15,000	7,000	3,000
5,000	3,000	3,000	3,000	7,000	5,000	5,000	5,000	3,000	7,000	5,000	5,000	5,000	3,000
–	–	–	–	–	–	–	–	–	–	–	–	–	–
10,000	5,000	5,000	3,000	15,000	7,000	7,000	5,000	–	15,000	7,000	7,000	5,000	–
5,000	3,000	3,000	3,000	7,000	5,000	5,000	5,000	–	7,000	5,000	5,000	5,000	–
–	–	–	–	–	–	–	–	–	–	–	–	–	–
15,000	15,000	15,000	10,000	20,000	20,000	20,000	15,000	5,000	20,000	20,000	20,000	15,000	5,000
10,000	10,000	10,000	5,000	15,000	15,000	15,000	7,000	5,000	15,000	15,000	15,000	7,000	5,000
–	–	–	–	–	–	–	–	–	–	–	–	–	–
10,000	10,000	10,000	10,000	15,000	15,000	15,000	15,000	5,000	15,000	15,000	15,000	15,000	5,000
20,000	20,000	20,000	–	30,000	30,000	30,000	–	–	30,000	30,000	30,000	–	–
–	–	–	–	–	–	–	–	–	–	–	–	–	–
10,000	10,000	10,000	10,000	15,000	15,000	15,000	15,000	–	15,000	15,000	15,000	15,000	5,000
20,000	20,000	20,000	–	30,000	30,000	30,000	–	–	30,000	30,000	30,000	–	–
5,000	5,000	5,000	3,000	7,000	7,000	7,000	5,000	–	7,000	7,000	7,000	5,000	–
5,000	5,000	5,000	3,000	7,000	7,000	7,000	5,000	–	7,000	7,000	7,000	5,000	–
–	–	–	–	–	–	–	–	–	–	–	–	–	–
–	–	–	–	–	–	–	–	–	–	–	–	–	–
–	–	–	–	–	–	–	–	–	–	–	–	–	–
–	–	–	–	–	–	–	–	–	–	–	–	–	–
–	–	–	–	–	–	–	–	–	–	–	–	–	–
15,000	10,000	10,000	5,000	20,000	15,000	15,000	7,000	–	20,000	15,000	15,000	7,000	–
–	–	15,000	5,000	–	–	20,000	7,000	–	–	–	20,000	7,000	–
–	–	–	–	–	–	–	–	–	–	–	–	–	–
–	–	–	–	–	–	–	–	–	–	–	–	–	–
5,000	5,000	5,000	3,000	7,000	7,000	7,000	5,000	–	7,000	7,000	7,000	5,000	–
5,000	5,000	5,000	3,000	7,000	7,000	7,000	5,000	–	7,000	7,000	7,000	5,000	–
15,000	15,000	15,000	10,000	20,000	20,000	20,000	15,000	5,000	20,000	20,000	20,000	15,000	5,000
–	–	–	–	–	–	–	–	–	–	–	–	–	–
5,000	5,000	5,000	3,000	7,000	7,000	7,000	5,000	–	7,000	7,000	7,000	5,000	–
–	–	–	–	–	–	–	–	–	–	–	–	–	–
10,000	10,000	10,000	5,000	15,000	15,000	15,000	7,000	–	15,000	15,000	15,000	7,000	–
15,000	15,000	15,000	–	20,000	20,000	20,000	–	–	20,000	20,000	20,000	–	–
–	–	–	–	–	–	–	–	–	–	–	–	–	–
–	–	–	–	–	–	–	–	–	–	–	–	–	–
–	–	–	3,000	–	–	–	5,000	–	–	–	–	5,000	–
–	–	–	–	–	–	–	–	–	–	–	–	–	–
20,000	20,000	20,000	–	30,000	30,000	30,000	–	–	30,000	30,000	30,000	–	–
15,000	15,000	15,000	–	20,000	20,000	20,000	–	–	20,000	20,000	20,000	–	–
3,000	3,000	3,000	3,000	5,000	5,000	5,000	5,000	–	5,000	5,000	5,000	5,000	–
–	–	–	–	–	–	–	–	–	–	–	–	–	–
–	–	–	–	–	–	–	–	–	–	–	–	–	–
–	–	–	–	–	–	–	–	–	–	–	–	–	–
10,000	10,000	10,000	10,000	15,000	15,000	15,000	15,000	–	15,000	15,000	15,000	15,000	–
–	–	–	–	–	–	–	–	–	–	–	–	–	–
–	–	–	–	–	–	–	–	–	–	–	–	–	–

교 통 범 칙 금(2)

(보통:9인승 이상/승용:보통,소형,고급추가('87~)/화물:보통,소형,특수,대형('87~)추가중기/2륜:원동기장치자전차/기타:자전거,손수레,경운기,우마차) (단위:원)

연도구분 / 범칙행위구분	1986.4~1989.10					1989.10~1990.10					1990.10~1992.3				
	보통	승용	화물	2륜	기타	보통	승용	화물	2륜	기타	보통	승용	화물	2륜	기타
신호 또는 지시위반	30,000	30,000	30,000	15,000	5,000	30,000	30,000	30,000	15,000	5,000	30,000	30,000	30,000	15,000	5,000
통행금지 또는 제한 위반	15,000	15,000	15,000	7,000	3,000	15,000	15,000	15,000	7,000	3,000	15,000	15,000	15,000	7,000	3,000
중앙선침범등 통행구분 위반	30,000	30,000	30,000	15,000	5,000	30,000	30,000	30,000	15,000	5,000	30,000	30,000	30,000	15,000	5,000
지정차선 통행위반	-	-	-	-	-	-	-	-	-	-	-	-	-	-	-
-6대도시	20,000	20,000	20,000	15,000	5,000	20,000	20,000	20,000	15,000	5,000	20,000	20,000	20,000	15,000	5,000
-기타지역	15,000	15,000	15,000	7,000	3,000	15,000	15,000	15,000	7,000	3,000	15,000	15,000	15,000	7,000	3,000
버스전용차선 통행위반(일반도로)	-	-	-	-	-	-	-	-	-	-	-	-	-	-	-
-6대도시	-	-	-	-	-	-	-	-	-	-	20,000	20,000	20,000	15,000	5,000
-기타지역	-	-	-	-	-	-	-	-	-	-	15,000	15,000	15,000	7,000	3,000
통행 우선순위 위반	7,000	7,000	7,000	5,000	-	7,000	7,000	7,000	5,000	-	7,000	7,000	7,000	5,000	-
제한속도 위반	-	-	-	-	-	-	-	-	-	-	-	-	-	-	-
-최고속도위반	-	-	-	-	-	-	-	-	-	-	-	-	-	-	-
--속도위반 10km/h 미만	10,000	10,000	10,000	7,000	-	10,000	10,000	10,000	7,000	-	10,000	10,000	10,000	7,000	-
--속도위반 30km/h 미만	20,000	20,000	20,000	15,000	-	20,000	20,000	20,000	15,000	-	20,000	20,000	20,000	15,000	-
--속도위반 30km/h 이상	30,000	30,000	30,000	20,000	-	30,000	30,000	30,000	20,000	-	30,000	30,000	30,000	20,000	-
--속도위반 20km/h 이하	-	-	-	-	-	-	-	-	-	-	-	-	-	-	-
--속도위반 20km/h 초과	-	-	-	-	-	-	-	-	-	-	-	-	-	-	-
--속도위반 40km/h 초과	-10,000	-10,000	-10,000	-	-	-	-	-	-	-	-	-	-	-	-
-최저속도위반	15,000	15,000	15,000	7,000	-	10,000	10,000	10,000	7,000	-	10,000	10,000	10,000	7,000	-
횡단.회전(유턴).후진위반	-	-	-	7,000	3,000	15,000	15,000	15,000	7,000	3,000	15,000	15,000	15,000	7,000	3,000
안전거리 미확보	7,000	7,000	7,000	-	-	-	-	-	-	-	-	-	-	-	-
-일반도로	30,000	30,000	30,000	5,000	-	7,000	7,000	7,000	5,000	-	7,000	7,000	7,000	5,000	-
-고속도로	30,000	30,000	30,000	-	-	30,000	30,000	30,000	-	-	30,000	30,000	30,000	-	-
앞지르기 방법 위반	30,000	30,000	30,000	15,000	-	30,000	30,000	30,000	15,000	-	30,000	30,000	30,000	15,000	-
앞지르기금지위반	15,000	15,000	15,000	15,000	-	30,000	30,000	30,000	15,000	-	30,000	30,000	30,000	15,000	-
교차로 통행방법 위반	15,000	15,000	15,000	7,000	5,000	15,000	15,000	15,000	7,000	5,000	15,000	15,000	15,000	7,000	5,000
직행 및 우회전차의 진행방해	30,000	30,000	30,000	7,000	5,000	15,000	15,000	15,000	7,000	5,000	15,000	15,000	15,000	7,000	5,000
보행자 보호의무 불이행	20,000	20,000	20,000	15,000	5,000	30,000	30,000	30,000	15,000	5,000	30,000	30,000	30,000	15,000	5,000
서행 일시(일단)정지 위반	-	-	-	7,000	-	20,000	20,000	20,000	7,000	-	20,000	20,000	20,000	7,000	-
정차위반	10,000	10,000	10,000	-	-	-	-	-	-	-	-	-	-	-	-
-6대도시	5,000	5,000	5,000	5,000	-	20,000	20,000	20,000	5,000	-	20,000	20,000	20,000	5,000	-
-기타지역	-	-	-	5,000	-	10,000	10,000	10,000	5,000	-	10,000	10,000	10,000	5,000	-
주차위반	15,000	15,000	15,000	-	-	-	-	-	-	-	-	-	-	-	-
-6대도시	7,000	5,000	5,000	7,000	3,000	30,000	30,000	30,000	7,000	3,000	30,000	30,000	30,000	7,000	3,000
-기타지역	-	-	-	5,000	3,000	20,000	20,000	20,000	5,000	3,000	20,000	20,000	20,000	5,000	3,000
주차.정차 방법 위반	15,000	7,000	7,000	-	-	-	-	-	-	-	-	-	-	-	-
-6대도시	7,000	5,000	5,000	5,000	-	30,000	30,000	30,000	5,000	-	30,000	30,000	30,000	5,000	-
-기타지역	-	-	-	5,000	-	20,000	20,000	20,000	5,000	-	20,000	20,000	20,000	5,000	-
정차 및 주차위반에 대한 조치 불응	20,000	20,000	20,000	-	-	-	-	-	-	-	-	-	-	-	-
-6대도시	15,000	15,000	15,000	15,000	5,000	30,000	30,000	30,000	15,000	5,000	30,000	30,000	30,000	15,000	5,000
-기타지역	-	-	-	7,000	5,000	20,000	20,000	20,000	7,000	5,000	20,000	20,000	20,000	7,000	5,000
제차의 등화 점등 또는 조작 불이행	15,000	15,000	15,000	-	-	-	-	-	-	-	-	-	-	-	-
-일반도로	30,000	30,000	30,000	15,000	5,000	15,000	15,000	15,000	15,000	5,000	15,000	15,000	15,000	15,000	5,000
-고속도로	-	-	-	-	-	30,000	30,000	30,000	-	-	30,000	30,000	30,000	-	-
제차의 신호 불이행	15,000	15,000	15,000	-	-	-	-	-	-	-	-	-	-	-	-
-일반도로	30,000	30,000	30,000	15,000	5,000	15,000	15,000	15,000	15,000	5,000	15,000	15,000	15,000	15,000	5,000
-고속도로	7,000	7,000	7,000	-	-	30,000	30,000	30,000	-	-	30,000	30,000	30,000	-	-
경음기 불사용	7,000	7,000	7,000	5,000	-	7,000	7,000	7,000	5,000	-	7,000	7,000	7,000	5,000	-
경음기 사용제한 위반	-	-	-	5,000	-	7,000	7,000	7,000	5,000	-	7,000	7,000	7,000	5,000	-
승차 및 적재 제한 위반	-	-	-	-	-	-	-	-	-	-	-	-	-	-	-
-정원초과 1/10미만	-	-	-	-	-	-	-	-	-	-	-	-	-	-	-
-정원초과 1/10이상	-	-	-	-	-	-	-	-	-	-	-	-	-	-	-
-적재위반1/10미만	-	-	-	-	-	-	-	-	-	-	-	-	-	-	-
-적재위반1/10이상	20,000	15,000	15,000	-	-	-	-	-	-	-	-	-	-	-	-
-정원초과 1/10초과	-	-	20,000	7,000	-	20,000	15,000	15,000	7,000	-	20,000	15,000	15,000	7,000	-
-적재위반 1/10초과	-	-	-	7,000	-	-	-	20,000	7,000	-	-	-	20,000	7,000	-
-승차인원초과	-	-	-	-	-	-	-	-	-	-	-	-	-	-	-
-적재제한위반	7,000	7,000	7,000	-	-	-	-	-	-	-	-	-	-	-	-
견인 제한 위반	7,000	7,000	7,000	5,000	-	7,000	7,000	7,000	5,000	-	7,000	7,000	7,000	5,000	-
도장 및 표지제한 위반	20,000	20,000	20,000	5,000	-	7,000	7,000	7,000	5,000	-	7,000	7,000	7,000	5,000	-
안전운전의무 위반	-	-	-	15,000	5,000	20,000	20,000	20,000	15,000	5,000	20,000	20,000	20,000	15,000	5,000
횡단보도보행자통행방해	7,000	7,000	7,000	-	-	-	-	-	-	-	-	-	-	-	-
안전지대에서 서행 위반	-	-	-	5,000	-	7,000	7,000	7,000	5,000	-	7,000	7,000	7,000	5,000	-
적재화물의 추락방지 위반	15,000	15,000	15,000	-	-	-	-	-	-	-	-	-	-	-	-
운행정지시 조치 위반	20,000	20,000	20,000	7,000	-	15,000	15,000	15,000	7,000	-	15,000	15,000	15,000	7,000	-
승객의 승하차시 안전조치 위반	-	-	-	-	-	20,000	20,000	20,000	-	-	20,000	20,000	20,000	-	-
승객의 추락방지조치 위반	-	-	-	-	-	-	-	-	-	-	-	-	-	-	-
승객의 차내소란행위를 방치하고 운행하는 행위	-	-	-	-	-	-	-	-	-	-	-	-	-	-	-
2륜자동차의 인명보호장구 미착용운행	-	-	-	5,000	-	-	-	-	5,000	-	-	-	-	5,000	-
일반도로운행시 좌선안전띠 미착용 운전자	30,000	30,000	30,000	-	-	-	-	-	-	-	10,000	10,000	10,000	-	-
주, 정차금지위반(고속도로 및 자동차전용도로)	20,000	20,000	20,000	-	-	30,000	30,000	30,000	-	-	30,000	30,000	30,000	-	-
고속도로 진입위반	5,000	5,000	5,000	-	-	20,000	20,000	20,000	-	-	20,000	20,000	20,000	-	-
적성검사 미필	-	-	-	5,000	-	5,000	5,000	5,000	5,000	-	5,000	5,000	5,000	5,000	-
적성검사 기간 경과('95.7 기준기간 변경)															
-단기간(3개월 미만→6개월미만)	-	-	-	-	-	-	-	-	-	-	-	-	-	-	-
-장기간(3개월 이상→6개월이상)	15,000	15,000	15,000	-	-	-	-	-	-	-	-	-	-	-	-
면허증 반납 불이행	-	-	-	15,000	-	15,000	15,000	15,000	15,000	-	15,000	15,000	15,000	15,000	-
고속도로 갓길통행, 버스전용차선(다인승전용차선) 통행위반	-	-	-	-	-	-	-	-	-	-	-	-	-	-	-
운전중 휴대전화 사용	-	-	-	-	-	-	-	-	-	-	-	-	-	-	-

(차종구분 변경:보통:9인승 이상/승용:고급추가('87~),대형('87~)추가
(차종구분변경('95. 2~): 승합:승합자동차,4톤초과화물자동차/승용:승용자동차,4톤이하화물자동차,특수자동차,건설기계/이륜:이륜자동차,원동기장치자전거/자전거등:자전거,손수레,경운기,우마차) (단위:원)

1992.3~1993.7					1993.7~1995.2					1995.2~1995.7			
보통	승용	화물	2륜	기타	보통	승용	화물	2륜	기타	보통	승용	이륜	자전거등
30,000	30,000	30,000	15,000	5,000	30,000	30,000	30,000	15,000	5,000	70,000	60,000	40,000	30,000
15,000	15,000	15,000	7,000	3,000	15,000	15,000	15,000	7,000	3,000	50,000	40,000	30,000	20,000
30,000	30,000	30,000	20,000	5,000	30,000	30,000	30,000	20,000	5,000	70,000	60,000	40,000	30,000
–	–	–	–	–	–	–	–	–	–	30,000	30,000	20,000	10,000
20,000	2,000	2,000	15,000	5,000	20,000	20,000	20,000	15,000	5,000	–	–	–	–
15,000	15,000	15,000	7,000	3,000	15,000	15,000	15,000	7,000	3,000	–	–	–	–
–	–	–	–	–	–	–	–	–	–	50,000	40,000	30,000	20,000
20,000	2,000	2,000	15,000	5,000	30,000	30,000	30,000	15,000	5,000	–	–	–	–
15,000	15,000	15,000	7,000	3,000	15,000	15,000	15,000	7,000	3,000	–	–	–	–
10,000	10,000	10,000	5,000	–	10,000	10,000	10,000	5,000	–	20,000	20,000	10,000	10,000
–	–	–	–	–	–	–	–	–	–	–	–	–	–
–	–	–	–	–	–	–	–	–	–	–	–	–	–
–	–	–	–	–	–	–	–	–	–	–	–	–	–
–	–	–	–	–	–	–	–	–	–	–	–	–	–
–	–	–	–	–	–	–	–	–	–	–	–	–	–
10,000	10,000	10,000	7,000	–	10,000	10,000	10,000	7,000	–	30,000	30,000	20,000	10,000
30,000	30,000	30,000	20,000	–	30,000	30,000	30,000	20,000	–	70,000	60,000	40,000	30,000
-10,000	-10,000	-10,000	–	–	–	–	–	–	–	–	–	–	–
30,000	30,000	30,000	7,000	–	10,000	10,000	10,000	7,000	–	20,000	20,000	10,000	10,000
–	–	–	10,000	3,000	30,000	30,000	30,000	10,000	3,000	70,000	60,000	40,000	30,000
5,000	5,000	5,000	–	–	–	–	–	–	–	–	–	–	–
30,000	30,000	30,000	5,000	–	5,000	5,000	5,000	5,000	–	20,000	20,000	10,000	10,000
30,000	30,000	30,000	–	–	30,000	30,000	30,000	–	–	50,000	40,000	30,000	20,000
30,000	30,000	30,000	15,000	–	30,000	30,000	30,000	15,000	–	70,000	60,000	40,000	30,000
15,000	15,000	15,000	15,000	–	30,000	30,000	30,000	15,000	–	70,000	60,000	40,000	30,000
15,000	15,000	15,000	7,000	5,000	15,000	15,000	15,000	7,000	5,000	50,000	40,000	30,000	20,000
30,000	30,000	30,000	7,000	5,000	15,000	15,000	15,000	7,000	5,000	50,000	40,000	30,000	20,000
20,000	20,000	20,000	15,000	5,000	30,000	30,000	30,000	15,000	5,000	50,000	40,000	30,000	20,000
–	–	–	7,000	–	20,000	20,000	20,000	7,000	–	30,000	30,000	20,000	10,000
30,000	30,000	30,000	–	–	–	–	–	–	–	50,000	40,000	30,000	20,000
20,000	20,000	20,000	7,000	–	30,000	30,000	30,000	7,000	–	–	–	–	–
–	–	–	5,000	–	20,000	20,000	20,000	5,000	–	–	–	–	–
30,000	30,000	30,000	–	–	–	–	–	–	–	50,000	40,000	30,000	20,000
20,000	20,000	20,000	7,000	3,000	30,000	30,000	30,000	7,000	3,000	–	–	–	–
–	–	–	5,000	3,000	20,000	20,000	20,000	5,000	3,000	–	–	–	–
30,000	30,000	30,000	–	–	–	–	–	–	–	50,000	40,000	30,000	20,000
20,000	20,000	20,000	5,000	–	30,000	30,000	30,000	5,000	–	–	–	–	–
–	–	–	5,000	–	20,000	20,000	20,000	5,000	–	–	–	–	–
30,000	30,000	30,000	–	–	–	–	–	–	–	50,000	40,000	30,000	20,000
20,000	20,000	20,000	15,000	5,000	30,000	30,000	30,000	15,000	5,000	–	–	–	–
–	–	–	7,000	5,000	20,000	20,000	20,000	7,000	5,000	–	–	–	–
15,000	15,000	15,000	–	–	–	–	–	–	–	20,000	20,000	10,000	10,000
30,000	30,000	30,000	15,000	5,000	15,000	15,000	15,000	15,000	5,000	–	–	–	–
–	–	–	–	–	30,000	30,000	30,000	–	–	–	–	–	–
15,000	15,000	15,000	–	–	–	–	–	–	–	30,000	30,000	20,000	10,000
30,000	30,000	30,000	15,000	5,000	15,000	15,000	15,000	15,000	5,000	–	–	–	–
5,000	5,000	5,000	–	–	30,000	30,000	30,000	–	–	–	–	–	–
5,000	5,000	5,000	5,000	–	5,000	5,000	5,000	5,000	–	20,000	20,000	10,000	10,000
–	–	–	5,000	–	5,000	5,000	5,000	5,000	–	20,000	20,000	10,000	10,000
–	–	–	–	–	–	–	–	–	–	–	–	–	–
–	–	–	–	–	–	–	–	–	–	–	–	–	–
–	–	–	–	–	–	–	–	–	–	–	–	–	–
–	–	–	–	–	–	–	–	–	–	–	–	–	–
20,000	15,000	15,000	–	–	–	–	–	–	–	–	–	–	–
–	–	20,000	7,000	–	20,000	15,000	15,000	7,000	–	–	–	–	–
–	–	–	7,000	–	–	–	20,000	7,000	–	–	–	–	–
–	–	–	–	–	–	–	–	–	–	70,000	60,000	40,000	30,000
10,000	10,000	10,000	–	–	–	–	–	–	–	50,000	40,000	30,000	20,000
10,000	10,000	10,000	5,000	–	10,000	10,000	10,000	5,000	–	30,000	30,000	20,000	10,000
20,000	20,000	20,000	5,000	–	10,000	10,000	10,000	5,000	–	30,000	30,000	20,000	10,000
–	–	–	15,000	5,000	20,000	20,000	20,000	15,000	5,000	50,000	40,000	30,000	20,000
10,000	10,000	10,000	–	–	–	–	–	–	–	70,000	60,000	40,000	30,000
–	–	–	5,000	–	10,000	10,000	10,000	5,000	–	20,000	20,000	10,000	10,000
15,000	15,000	15,000	–	–	–	–	–	–	–	50,000	40,000	30,000	20,000
20,000	20,000	20,000	7,000	–	15,000	15,000	15,000	7,000	–	30,000	30,000	20,000	10,000
–	–	–	–	–	20,000	20,000	20,000	–	–	30,000	30,000	20,000	10,000
–	–	–	–	–	–	–	–	–	–	50,000	40,000	30,000	20,000
–	–	–	–	–	20,000	20,000	–	–	–	50,000	40,000	30,000	20,000
10,000	10,000	10,000	5,000	–	–	–	–	5,000	–	30,000	30,000	20,000	10,000
30,000	30,000	30,000	–	–	10,000	10,000	10,000	–	–	30,000	30,000	20,000	10,000
20,000	20,000	20,000	–	–	30,000	30,000	30,000	–	–	50,000	40,000	30,000	20,000
–	–	–	–	–	20,000	20,000	20,000	–	–	50,000	40,000	30,000	20,000
–	–	–	–	–	–	–	–	–	–	–	–	–	–
15,000	15,000	15,000	–	–	–	–	–	–	–	–	–	–	–
30,000	30,000	30,000	15,000	–	15,000	15,000	15,000	15,000	–	20,000	20,000	10,000	10,000
15,000	15,000	15,000	30,000	–	30,000	30,000	30,000	30,000	–	30,000	30,000	20,000	10,000
–	–	–	15,000	–	15,000	15,000	15,000	15,000	–	30,000	30,000	20,000	10,000
–	–	–	–	–	–	–	–	–	–	70,000	60,000	40,000	30,000
			–	–	–	–	–	–	–	–	–	–	–

교 통 범 칙 금(3)

(차종구분변경('97.12~): 승합:승합자동차,4톤초과화물자동차,특수자동차,건설기계/승용:승용자동차,4톤이하화물자동차/,이륜:이륜자동차,원동기장치자전거/자전거등:자전거,손수레,경운기,우마차) (단위:원)

연도구분 / 범칙행위구분	1995.7~1999.4				1999.4~2001.6				2001.6~2002.6			
	보통	승용	이륜	자전거등	보통	승용	이륜	자전거등	보통	승용	이륜	자전거등
신호 또는 지시위반	70,000	60,000	40,000	30,000	70,000	60,000	40,000	30,000	70,000	60,000	40,000	30,000
통행금지 또는 제한 위반	50,000	40,000	30,000	20,000	50,000	40,000	30,000	20,000	50,000	40,000	30,000	20,000
중앙선침범등 통행구분 위반	70,000	60,000	40,000	30,000	70,000	60,000	40,000	30,000	70,000	60,000	40,000	30,000
지정차선 통행위반	30,000	30,000	20,000	10,000	30,000	30,000	20,000	10,000	30,000	30,000	20,000	10,000
-6대도시	-	-	-	-	-	-	-	-	-	-	-	-
-기타지역	-	-	-	-	-	-	-	-	-	-	-	-
버스전용차선 통행위반	50,000	40,000	30,000	20,000	50,000	40,000	30,000	20,000	50,000	40,000	30,000	20,000
-6대도시	-	-	-	-	-	-	-	-	-	-	-	-
-기타지역	-	-	-	-	-	-	-	-	-	-	-	-
통행 우선순위 위반	20,000	20,000	10,000	10,000	20,000	20,000	10,000	10,000	20,000	20,000	10,000	10,000
제한속도 위반												
속도위반 10km/h 미만	-	-	-	-	-	-	-	-	-	-	-	-
속도위반 30km/h 미만	-	-	-	-	-	-	-	-	-	-	-	-
속도위반 30km/h 이상	-	-	-	-	-	-	-	-	-	-	-	-
속도위반 20km/h 이하	-	-	-	-	-	-	-	-	-	-	-	-
속도위반 20km/h 초과	30,000	30,000	20,000	10,000	30,000	30,000	20,000	10,000	30,000	30,000	20,000	10,000
속도위반 40km/h 초과	70,000	60,000	40,000	30,000	70,000	60,000	40,000	30,000	70,000	60,000	40,000	30,000
속도위반 60km/h 초과	-	-	-	-	-	-	-	-	-	-	-	-
최저속도위반	20,000	20,000	20,000	10,000	20,000	20,000	20,000	10,000	20,000	20,000	20,000	10,000
횡단,회전(유턴),후진위반	70,000	60,000	40,000	30,000	70,000	60,000	40,000	30,000	70,000	60,000	40,000	30,000
안전거리 미확보												
-일반도로	20,000	20,000	10,000	10,000	20,000	20,000	10,000	10,000	20,000	20,000	10,000	10,000
-고속도로	50,000	40,000	30,000	20,000	50,000	40,000	30,000	20,000	50,000	40,000	30,000	20,000
앞지르기 방법 위반	70,000	60,000	40,000	30,000	70,000	60,000	40,000	30,000	70,000	60,000	40,000	30,000
앞지르기 금지위반	70,000	60,000	40,000	30,000	70,000	60,000	40,000	30,000	70,000	60,000	40,000	30,000
교차로 통행방법 위반	50,000	40,000	30,000	20,000	50,000	40,000	30,000	20,000	50,000	40,000	30,000	20,000
직행 및 우회전차의 진행방해	50,000	40,000	30,000	20,000	50,000	40,000	30,000	20,000	50,000	40,000	30,000	20,000
보행자 보호의무 불이행	50,000	40,000	30,000	20,000	50,000	40,000	30,000	20,000	50,000	40,000	30,000	20,000
서행 일시(일단)정지 위반	30,000	30,000	20,000	10,000	30,000	30,000	20,000	10,000	30,000	30,000	20,000	10,000
정차위반	50,000	40,000	30,000	20,000	50,000	40,000	30,000	20,000	50,000	40,000	30,000	20,000
-6대도시	-	-	-	-	-	-	-	-	-	-	-	-
-기타지역	-	-	-	-	-	-	-	-	-	-	-	-
주차위반	50,000	40,000	30,000	20,000	50,000	40,000	30,000	20,000	50,000	40,000	30,000	20,000
-6대도시	-	-	-	-	-	-	-	-	-	-	-	-
-기타지역	-	-	-	-	-	-	-	-	-	-	-	-
주차,정차 방법 위반	50,000	40,000	30,000	20,000	50,000	40,000	30,000	20,000	50,000	40,000	30,000	20,000
-6대도시	-	-	-	-	-	-	-	-	-	-	-	-
-기타지역	-	-	-	-	-	-	-	-	-	-	-	-
정차 및 주차위반에 대한 조치 불응	50,000	40,000	30,000	20,000	50,000	40,000	30,000	20,000	50,000	40,000	30,000	20,000
-6대도시	-	-	-	-	-	-	-	-	-	-	-	-
-기타지역	-	-	-	-	-	-	-	-	-	-	-	-
제차의 등화 점등 또는 조작 불이행	20,000	20,000	10,000	10,000	20,000	20,000	10,000	10,000	20,000	20,000	10,000	10,000
-6대도시	-	-	-	-	-	-	-	-	-	-	-	-
-기타지역	-	-	-	-	-	-	-	-	-	-	-	-
제차의 신호 불이행	30,000	30,000	20,000	10,000	30,000	30,000	20,000	10,000	30,000	30,000	20,000	10,000
-6대도시	-	-	-	-	-	-	-	-	-	-	-	-
-기타지역	-	-	-	-	-	-	-	-	-	-	-	-
경음기 불사용	20,000	20,000	10,000	10,000	-	-	-	-	-	-	-	-
경음기 사용제한 위반	20,000	20,000	10,000	10,000	-	-	-	-	-	-	-	-
승차 및 적재 제한 위반												
-정원초과 1/10미만	-	-	-	-	-	-	-	-	-	-	-	-
-정원초과 1/10이상	-	-	-	-	-	-	-	-	-	-	-	-
-적재위반1/10미만	-	-	-	-	-	-	-	-	-	-	-	-
-적재위반1/10이상	-	-	-	-	-	-	-	-	-	-	-	-
-정원초과 1/10초과	-	-	-	-	-	-	-	-	-	-	-	-
-적재위반 1/10초과	-	-	-	-	-	-	-	-	-	-	-	-
-승차인원초과	70,000	60,000	40,000	30,000	70,000	60,000	40,000	30,000	70,000	60,000	40,000	30,000
-적재제한위반	50,000	40,000	30,000	20,000	50,000	40,000	30,000	20,000	50,000	40,000	30,000	20,000
견인 제한 위반	30,000	30,000	20,000	10,000	-	-	-	-	-	-	-	-
도장 및 표지제한 위반	-	-	-	-	-	-	-	-	-	-	-	-
안전운전의무 위반	50,000	40,000	30,000	20,000	50,000	40,000	30,000	20,000	50,000	40,000	30,000	20,000
횡단보도보행자통행방해	70,000	60,000	40,000	30,000	70,000	60,000	40,000	30,000	70,000	60,000	40,000	30,000
안전지대에서 서행위반	-	-	-	-	-	-	-	-	-	-	-	-
적재화물의 추락방지 위반	50,000	40,000	30,000	20,000	50,000	40,000	30,000	20,000	50,000	40,000	30,000	20,000
운행정지시 조치 위반	-	-	-	-	-	-	-	-	-	-	-	-
승객의 승하차시 안전조치 위반	30,000	30,000	20,000	10,000	30,000	30,000	20,000	10,000	30,000	30,000	20,000	10,000
승객의 추락방지조치 위반	70,000	60,000	40,000	30,000	70,000	60,000	40,000	30,000	70,000	60,000	40,000	30,000
승객의 차내소란행위를 방치하고 운행하는 행위	50,000	40,000	30,000	20,000	50,000	40,000	30,000	20,000	50,000	40,000	30,000	20,000
2륜 자동차의 인명보호장구 미착용운행	-	-	20,000	-	-	-	20,000	-	-	-	20,000	-
일반도로운행시 좌석안전띠 미착용 운전자	30,000	30,000	20,000	10,000	30,000	30,000	20,000	10,000	30,000	30,000	20,000	10,000
주, 정차금지위반	50,000	40,000	30,000	20,000	50,000	40,000	30,000	20,000	50,000	40,000	30,000	20,000
고속도로 진입위반	50,000	40,000	30,000	20,000	50,000	40,000	30,000	20,000	50,000	40,000	30,000	20,000
적성검사 미필	-	-	-	-	-	-	-	-	-	-	-	-
적성검사 기간 경과												
-3월이하	-	-	-	-	-	-	-	-	-	-	-	-
-6월미만	50,000	50,000	50,000	-	50,000	50,000	50,000	-	50,000	50,000	50,000	-
-6월이상	70,000	70,000	70,000	-	70,000	70,000	70,000	-	70,000	70,000	70,000	-
-9월초과	-	-	-	-	-	-	-	-	-	-	-	-
면허증 반납 불이행	30,000	30,000	30,000	30,000	30,000	30,000	30,000	30,000	30,000	30,000	30,000	30,000
고속도로 갓길통행, 버스전용차선 통행위반	70,000	60,000	40,000	30,000	70,000	60,000	40,000	30,000	70,000	60,000	40,000	30,000
운전중 휴대전화 사용	-	-	-	-	-	-	-	-	70,000	60,000	40,000	30,000

(승합:승합자동차,4톤초과화물자동차,특수자동차,건설기계/승용:승용자동차,4톤이하화물자동차/,이륜:이륜자동차,원동기장치자전거/자전거등:자전거,손수레,경운기,우마차) (단위:원)

2002.6~2004.5				2004.5~2006.5				2006.6~2009.12				2010.1~2018.8				2018.9~2023.8			
보통	승용	이륜	자전거등	보통	승용	이륜	자전거등	보통	승용	이륜	자전거등	보통	승용	이륜	자전거등	보통	승용	이륜	자전거등
70,000	60,000	40,000	30,000	70,000	60,000	40,000	30,000	70,000	60,000	40,000	30,000	70,000	60,000	40,000	30,000	70,000	60,000	40,000	30,000
50,000	40,000	30,000	20,000	50,000	40,000	30,000	20,000	50,000	40,000	30,000	20,000	50,000	40,000	30,000	20,000	50,000	40,000	30,000	20,000
70,000	60,000	40,000	30,000	70,000	60,000	40,000	30,000	70,000	60,000	40,000	30,000	70,000	60,000	40,000	30,000	70,000	60,000	40,000	30,000
30,000	30,000	20,000	10,000	30,000	30,000	20,000	10,000	30,000	30,000	20,000	10,000	30,000	30,000	20,000	10,000	30,000	30,000	20,000	10,000
-	-	-	-	-	-	-	-	-	-	-	-	-	-	-	-	-	-	-	-
-	-	-	-	-	-	-	-	-	-	-	-	-	-	-	-	-	-	-	-
50,000	40,000	30,000	20,000	50,000	40,000	30,000	20,000	50,000	60,000	40,000	30,000	70,000	60,000	40,000	30,000	70,000	60,000	40,000	30,000
-	-	-	-	-	-	-	-	-	-	-	-	-	-	-	-	-	-	-	-
-	-	-	-	-	-	-	-	-	-	-	-	-	-	-	-	-	-	-	-
20,000	20,000	10,000	10,000	20,000	20,000	10,000	10,000	20,000	-	-	-	-	-	-	-	-	-	-	-
-	-	-	-	-	-	-	-	-	-	-	-	-	-	-	-	-	-	-	-
-	-	-	-	-	-	-	-	-	-	-	-	-	-	-	-	-	-	-	-
-	-	-	-	-	-	-	-	-	-	-	-	-	-	-	-	-	-	-	-
-	-	-	-	-	-	-	-	-	-	-	-	30,000	30,000	20,000	-	30,000	30,000	20,000	10,000
30,000	30,000	20,000	10,000	30,000	30,000	20,000	10,000	30,000	20,000	20,000	10,000	70,000	60,000	40,000	-	70,000	60,000	40,000	30,000
70,000	60,000	40,000	30,000	70,000	60,000	40,000	30,000	70,000	60,000	40,000	30,000	100,000	90,000	60,000	-	100,000	90,000	60,000	-
100,000	90,000	60,000	-	100,000	90,000	60,000	-	100,000	90,000	60,000	-	130,000	120,000	80,000	-	130,000	120,000	80,000	-
20,000	20,000	20,000	10,000	20,000	20,000	20,000	10,000	20,000	20,000	10,000	10,000	20,000	20,000	10,000	10,000	20,000	20,000	10,000	10,000
70,000	60,000	40,000	30,000	70,000	60,000	40,000	30,000	70,000	60,000	40,000	30,000	70,000	60,000	40,000	30,000	70,000	60,000	40,000	30,000
20,000	20,000	10,000	10,000	20,000	20,000	10,000	10,000	20,000	20,000	10,000	10,000	20,000	20,000	10,000	10,000	20,000	20,000	10,000	10,000
50,000	40,000	30,000	20,000	50,000	40,000	30,000	20,000	50,000	40,000	30,000	20,000	50,000	40,000	30,000	20,000	50,000	40,000	30,000	20,000
70,000	60,000	40,000	30,000	70,000	60,000	40,000	30,000	70,000	60,000	40,000	30,000	70,000	60,000	40,000	30,000	70,000	60,000	40,000	30,000
70,000	60,000	40,000	30,000	70,000	60,000	40,000	30,000	70,000	60,000	40,000	30,000	70,000	60,000	40,000	30,000	70,000	60,000	40,000	30,000
50,000	40,000	30,000	20,000	50,000	40,000	30,000	20,000	50,000	40,000	30,000	20,000	50,000	40,000	30,000	20,000	50,000	40,000	30,000	20,000
50,000	40,000	30,000	20,000	50,000	40,000	30,000	20,000	50,000	-	-	-	50,000	40,000	30,000	20,000	50,000	40,000	30,000	20,000
50,000	40,000	30,000	20,000	50,000	40,000	30,000	20,000	50,000	40,000	30,000	20,000	70,000	60,000	40,000	30,000	50,000	40,000	30,000	20,000
30,000	30,000	20,000	10,000	30,000	30,000	20,000	10,000	30,000	30,000	20,000	10,000	30,000	30,000	20,000	10,000	30,000	30,000	20,000	10,000
50,000	40,000	30,000	20,000	50,000	40,000	30,000	20,000	50,000	40,000	30,000	20,000	50,000	40,000	30,000	20,000	50,000	40,000	30,000	20,000
-	-	-	-	-	-	-	-	-	-	-	-	-	-	-	-	-	-	-	-
-	-	-	-	-	-	-	-	-	-	-	-	-	-	-	-	-	-	-	-
50,000	40,000	30,000	20,000	50,000	40,000	30,000	20,000	50,000	40,000	30,000	20,000	50,000	40,000	30,000	20,000	50,000	40,000	30,000	20,000
-	-	-	-	-	-	-	-	-	-	-	-	-	-	-	-	-	-	-	-
-	-	-	-	-	-	-	-	-	-	-	-	-	-	-	-	-	-	-	-
50,000	40,000	30,000	20,000	50,000	40,000	30,000	20,000	50,000	40,000	30,000	20,000	50,000	40,000	30,000	20,000	50,000	40,000	30,000	20,000
-	-	-	-	-	-	-	-	-	-	-	-	-	-	-	-	-	-	-	-
-	-	-	-	-	-	-	-	-	-	-	-	-	-	-	-	-	-	-	-
50,000	40,000	30,000	20,000	50,000	40,000	30,000	20,000	50,000	40,000	30,000	20,000	50,000	40,000	30,000	20,000	50,000	40,000	30,000	20,000
-	-	-	-	-	-	-	-	-	-	-	-	-	-	-	-	-	-	-	-
-	-	-	-	-	-	-	-	-	-	-	-	-	-	-	-	-	-	-	-
20,000	20,000	10,000	10,000	20,000	20,000	10,000	10,000	20,000	20,000	10,000	10,000	20,000	20,000	20,000	10,000	20,000	20,000	10,000	10,000
-	-	-	-	-	-	-	-	-	-	-	-	-	-	-	-	-	-	-	-
-	-	-	-	-	-	-	-	-	-	-	-	-	-	-	-	-	-	-	-
30,000	30,000	20,000	10,000	30,000	30,000	20,000	10,000	30,000	30,000	20,000	10,000	30,000	30,000	20,000	10,000	-	-	-	-
-	-	-	-	-	-	-	-	-	-	-	-	-	-	-	-	-	-	-	-
-	-	-	-	-	-	-	-	-	-	-	-	-	-	-	-	-	-	-	-
-	-	-	-	-	-	-	-	-	-	-	-	20,000	20,000	10,000	10,000	20,000	20,000	10,000	10,000
-	-	-	-	-	-	-	-	-	-	-	-	20,000	20,000	10,000	10,000	20,000	20,000	10,000	10,000
-	-	-	-	-	-	-	-	-	-	-	-	-	-	-	-	-	-	-	-
-	-	-	-	-	-	-	-	-	-	-	-	-	-	-	-	-	-	-	-
-	-	-	-	-	-	-	-	-	-	-	-	-	-	-	-	-	-	-	-
-	-	-	-	-	-	-	-	-	-	-	-	-	-	-	-	-	-	-	-
-	-	-	-	-	-	-	-	-	-	-	-	-	-	-	-	-	-	-	-
-	-	-	-	-	-	-	-	-	-	-	-	-	-	-	-	-	-	-	-
70,000	60,000	40,000	30,000	70,000	60,000	40,000	30,000	70,000	60,000	40,000	30,000	70,000	60,000	40,000	30,000	70,000	60,000	40,000	30,000
50,000	40,000	30,000	20,000	50,000	40,000	30,000	20,000	50,000	40,000	30,000	20,000	50,000	40,000	30,000	20,000	50,000	40,000	30,000	20,000
-	-	-	-	-	-	-	-	-	-	-	-	30,000	30,000	20,000	10,000	30,000	30,000	20,000	10,000
-	-	-	-	-	-	-	-	-	-	-	-	-	-	-	-	-	-	-	-
50,000	40,000	30,000	20,000	50,000	40,000	30,000	20,000	50,000	40,000	30,000	20,000	50,000	40,000	30,000	20,000	50,000	40,000	30,000	20,000
70,000	60,000	40,000	30,000	70,000	60,000	40,000	30,000	70,000	60,000	40,000	30,000	70,000	60,000	40,000	30,000	70,000	60,000	40,000	30,000
-	-	-	-	-	-	-	-	-	-	-	-	-	-	-	-	-	-	-	-
50,000	40,000	30,000	20,000	50,000	40,000	30,000	20,000	50,000	40,000	30,000	20,000	50,000	40,000	30,000	20,000	50,000	40,000	30,000	20,000
-	-	-	-	-	-	-	-	-	-	-	-	-	-	-	-	-	-	-	-
30,000	30,000	20,000	10,000	30,000	30,000	20,000	10,000	30,000	30,000	20,000	10,000	30,000	30,000	20,000	10,000	30,000	30,000	20,000	10,000
70,000	60,000	40,000	30,000	70,000	60,000	40,000	30,000	70,000	60,000	40,000	30,000	50,000	40,000	30,000	20,000	70,000	60,000	40,000	30,000
50,000	40,000	30,000	20,000	100,000	90,000	60,000	-	50,000	90,000	60,000	-	50,000	40,000	30,000	20,000	100,000	90,000	60,000	-
-	-	20,000	-	-	-	20,000	-	-	-	20,000	-	-	-	20,000	-	-	-	20,000	-
30,000	30,000	20,000	10,000	30,000	30,000	20,000	10,000	30,000	30,000	20,000	10,000	30,000	30,000	20,000	10,000	30,000	30,000	20,000	10,000
50,000	40,000	30,000	20,000	50,000	40,000	30,000	20,000	50,000	40,000	30,000	20,000	50,000	40,000	30,000	20,000	50,000	40,000	30,000	20,000
50,000	40,000	30,000	20,000	50,000	40,000	30,000	20,000	50,000	40,000	30,000	20,000	50,000	40,000	30,000	20,000	50,000	40,000	30,000	20,000
-	-	-	-	-	-	-	-	-	-	-	-	-	-	-	-	-	-	-	-
-	-	-	-	-	-	-	-	-	30,000	30,000	30,000	-	-	-	-	30,000	30,000	30,000	-
50,000	50,000	50,000	-	50,000	50,000	50,000	-	50,000	40,000	40,000	40,000	50,000	50,000	50,000	50,000	40,000	40,000	40,000	-
70,000	70,000	70,000	-	70,000	70,000	70,000	-	70,000	50,000	50,000	50,000	70,000	70,000	70,000	70,000	50,000	50,000	50,000	-
-	-	-	-	-	-	-	-	-	60,000	60,000	60,000	-	-	-	-	60,000	60,000	60,000	-
30,000	30,000	30,000	30,000	30,000	30,000	30,000	30,000	30,000	30,000	30,000	30,000	30,000	30,000	30,000	30,000	30,000	30,000	30,000	30,000
70,000	60,000	40,000	30,000	70,000	60,000	40,000	30,000	70,000	40,000	30,000	20,000	70,000	60,000	40,000	-	70,000	60,000	40,000	-
70,000	60,000	40,000	30,000	70,000	60,000	40,000	30,000	70,000	60,000	40,000	30,000	70,000	60,000	40,000	30,000	70,000	60,000	40,000	30,000

금 리(1)

(1) 주요여신금리

(단위:연리 %)

항 목	시 중 은 행			지 방 은 행			특 수 은 행		
	프라임레이트연동	당좌대출금리	연체대출금리	지방프라임연동	당좌대출금리	연체대출금리	프라임레이트연동	당좌대출금리	연체대출금리
1991	10~12.5	12~15.0	21.0	10~13.0	12~15.5	21.0	10.5~12.5	12~15.0	21.0
1992	10~12.5	10.25~14.75	21.0	10~13.0	11.25~15	21.0	10.5~12.5	11~14.25	21.0
1993	8.5~12	9.5~13	17~18.0	9~12.5	10~13.5	18~20.0	9~11.5	10~12.75	17~19.0
1994	8.5~12.5	10~14.0	17~18.0	9~12.5	10.25~14.5	18~19.0	9~11.5	10~13.5	17~19.0
1995	9~12.5	12.8~15	18~19.0	9.25~12.5	12.5~15	18~19.0	9~11.5	11.7~14.8	18~19.0
1996	11.1	14.69	17~19.0	11.33	14.8	18~19.0	11.07	13.97	18~19.0
1997	15.32	37.48	18~27.0	13.83	33.22	19~25.0	13.05	20.18	20~25.0
1998	11.11	12.24	20~22.0	11.52	12.06	21~22.0	11.83	11.55	18~22.0
1999	8.52	10.48	18~20.0	8.64	10.8	18~19.0	8.82	9.8	17~18.0

(2) 상품별수신금리

(단위:연리 %)

항 목	가 계 당좌예금	저 축 예 금	기업자유 예 금 (80일이상)	정 기 예 금							정기적금 (3년~ 4년미만)	상호부금 (3년~ 4년미만)
				6개월 미만	6개월~ 1년미만	1~2년 미만	2~3년 미만	3~4년 미만	4~5년 미만	5년		
1990	4	5		6	6	10	12	-	-	-	10	10
1991	4	5		6	6	10	12	13	-	-	10	10
1992	4	5	5	6	6	10	12	13	-	-	10	10
1993	1	3	4	5	5	8.5	10.5	11	-	-	8.5	8
1994	1	3	4	5	5	8.5	10.5	11	-	-	8.5	8
1995	1	3	4	5	7	8.5	9	9.5	10	9.55	8.5	8
1996	1	3	2.11	7.46	9.35	9.53	9.91	10.52	10.97	10.32	10.44	12.87
1997	1	5.13	6.11	14.94	13.92	12.08	12.61	10.69	10.46	10.79	10.26	9.94
1998	1	4.33	4.68	7.68	8.64	9.06	9.55	9.72	8.84	9.49	9.97	9.64
1999	1	3.07	4.11	6.43	7.44	7.94	8.27	8.14	7.01	7.18	8.72	8.12

항 목	금 융 채 (3년)	표지어음 (91~ 120일)	정 기 예 금							상호금융 정기예탁금 (1년)	비 고
			기업금전 신 탁	가계금전 신 탁	적 립 식 금전신탁	개 발 신 탁	개발신탁 (2년)	기업어음 구좌(180일)	기업어음 91일가중평균		
1990	11.5	-	12.56	13.13	10.9	12.1	-	-	-	-	
1991	13.1	-	12.8	13.74	13	12.1	-	-	-	-	
1992	13.1	-	12.77	14.17	13	12.1	12.1	-	-	-	
1993	11.5	-	11.07	13.09	11.26	10.6	12.1	-	-	-	
1994	13.3	9.5	11.53	12.65	11.74	10.5	10.6	-	-	-	
1995	10.8	7.5	11.12	12.28	10.93	10	10.5	-	-	-	
1996	9.83	12.12	11.31	12.53	12	10.77	-	-	-	-	
1997	8.6	13.84	11.74	12.5	13.95	13.24	5	12.65	16.89	11.22	
1998	6.87	8.38	10.37	10.38	10.7	8.82	-	14.41	9.93	9.97	
1999	7.68	7.17	7.46	6.82	7.37	-	-	7.61	7.4	8.14	

(3) 시장금리①

(단위:연리 %)

항 목	콜 금 리				양도성예금증서 유통수익률		중 개 어 음 금 리	채 권 수 익 율			회 사 채	
	1일물	1일물 은행간거래	1일물 비은행	1~15일물 평 균	CD유통수익률 (91일물)	CD유통수익률 (180일물)		국 채	통화안정	금융채 (3년)	장 내	장 외
1986	-	-	-	-	-	-	-	-	-	-	12.8	-
1987	-	-	-	-	-	-	-	12.32	13.23	12.81	12.9	12.74
1988	-	-	-	-	-	-	-	12.21	12.86	13.2	13.7	13.58
1989	-	-	-	-	-	-	-	14.76	14.63	15.35	15.2	15.38
1990	-	-	-	-	-	-	-	16.04	16.8	18.27	15.8	18.51
1991	16.84	16.34	17.18	17.44	18.38	18.46	19.11	16.79	17.6	18.45	19.1	18.98
1992	13.51	13	13.76	13.52	15.19	15.24	14.69	13.17	14.11	13.87	-	14
1993	11.5	11.3	11.65	11.55	12.27	12.49	11.64	11.96	12.01	12.26	-	12.21
1994	14.05	13.29	14.54	14	14.85	14.96	12.03	13.46	13.67	14.38	-	14.22
1995	10.96	10.57	11.18	10.98	11.73	11.88	11.82	9.24	11.65	11.65	-	11.65
1996	12.48	12.42	12.5	12.51	13.53	13.68	11.84	11.44	12.8	12.77	-	12.57
1997	21.29	23	20.66	21.58	18.55	18.87	18.43	15.32	14.83	16.8	-	24.31
1998	7.0	6.66	7.04	6.96	7.7	7.2	-	7.59	7.49	7.41	-	8.3
1999	4.77	4.62	4.79	4.77	7.16	7.11	-	10.07	8.83	9.83	-	9.85

(3) 시장금리[1] ② (단위:연리 %)

연 월 중	무담보콜금리					CD 유통수익률(91일)	CP 유통수익률(91일)	채권수익률	
	1일물				전 체			통안증권	
		은행간 직거래	중개거래						
				연계콜제외[2]				1년물[3]	2년물
2000	5.13	4.99	5.14	5.06	5.16	7.08	7.44	7.81	8.24
2001	4.68	4.55	4.70	4.64	4.69	5.32	5.60	5.45	5.74
2002	4.18	4.16	4.19	4.17	4.20	4.81	4.93	5.19	5.72
2003	3.98	4.00	3.98	3.96	4.00	4.31	4.62	4.42	4.59
2004	3.62	3.66	3.62	3.62	3.64	3.79	3.97	3.92	4.09
2005	3.32	3.35	3.32	-	3.33	3.65	3.81	3.97	4.24
2006	4.18	4.14	4.19	-	4.19	4.48	4.65	4.67	4.83
2007	4.77	4.65	4.77	-	4.77	5.16	5.40	5.21	5.33
2008	4.78	4.77	4.78	-	4.78	5.49	6.28	5.33	5.47
2009	1.98	1.92	1.98	-	1.98	2.63	3.18	2.98	3.84
2010	2.16	2.03	2.16	-	2.16	2.67	2.87	3.03	3.67
2011	3.09	3.01	3.09	-	3.09	3.44	3.59	3.55	3.71
2012	3.08	3.02	3.08	-	3.08	3.30	3.39	3.14	3.16
2013	2.59	2.56	2.59	-	2.59	2.72	2.81	2.66	2.75
2014	2.34	2.32	2.34	-	2.34	2.49	2.60	2.45	2.53
2015	1.65	-	1.65	-	1.65	1.76	1.86	1.63	1.65(3년)
2016	1.34	-	1.34	-	1.34	1.49	1.62	1.56	1.64(3년)
2017	1.26	-	1.26	-	1.26	1.44	1.64	1.88	2.10(3년)
2018	1.52	-	1.52	-	1.52	1.68	1.83	1.84	1.85(3년)
2019	1.59	-	1.59	-	1.59	1.69	1.84	1.37	1.38(3년)
2020	0.70	-	0.70	-	0.70	0.92	1.50	0.83	0.94(3년)
2021	0.61	-	0.61	-	0.61	0.85	1.10	0.93	1.23(3년)
2022	2.02	-	2.02	-	2.03	2.49	2.90	2.64	3.12(3년)
2023.1	3.27	-	3.27	-	3.30	3.80	4.91	3.56	3.52(3년)
2023.2	3.43	-	3.43	-	3.39	3.52	4.23	3.54	3.55(3년)
2023.3	3.43	-	3.43	-	3.39	3.61	4.05	3.48	3.53(3년)
2023.4	3.47	-	3.47	-	3.45	3.50	4.01	3.26	3.30(3년)
2023.5	3.57	-	3.57	-	3.58	3.64	4.01	3.40	3.42(3년)
2023.6	3.57	-	3.57	-	3.56	3.75	4.01	3.54	3.62(3년)
2023.7	3.51	-	3.51	-	3.51	3.75	4.03	3.60	3.69(3년)

연 월 중	채권수익률								
	국 채					산금채		회사채(장외3년)	
	국민주택채권 1종(5년)	국고채권							
		1 년물	3 년물	5 년물	10 년물	1 년물	3 년물	AA- 등급[4]	BBB- 등급[5]
2000	8.50	7.69	8.30	8.67	7.76	7.92	8.69	9.35	11.74
2001	6.66	5.45	5.68	6.21	6.86	5.55	6.35	7.05	11.38
2002	6.47	5.19	5.78	6.26	6.59	5.29	6.11	6.56	10.44
2003	4.93	4.42	4.55	4.76	5.05	4.53	4.83	5.43	8.88
2004	4.45	3.92	4.11	4.35	4.73	3.98	4.27	4.73	9.16
2005	4.66	3.97	4.27	4.52	4.95	4.06	4.44	4.68	8.71
2006	5.07	4.68	4.83	4.96	5.15	4.75	4.98	5.17	8.19
2007	5.42	5.19	5.23	5.28	5.35	5.33	5.50	5.70	8.40
2008	5.79	5.12	5.27	5.36	5.57	5.92	6.19	7.02	9.86
2009	5.10	2.91	4.04	4.64	5.17	3.37	4.77	5.81	11.76
2010	4.59	2.95	3.72	4.31	4.77	3.27	4.24	4.66	10.68
2011	4.11	3.42	3.62	3.90	4.20	3.65	4.01	4.41	10.38
2012	3.43	3.12	3.13	3.24	3.45	3.23	3.45	3.77	9.34
2013	3.16	2.66	2.79	3.00	3.28	2.72	2.44	3.19	8.84
2014	2.98	2.44	2.59	2.84	3.18	2.49	-	2.98	8.71
2015	2.07	1.62	1.66	1.81	2.08	1.71	-	2.11	8.06
2016	2.14	1.57	1.64	1.80	2.07	1.66	-	2.13	8.27
2017	2.63	1.87	2.14	2.34	2.47	1.96	-	2.69	8.96
2018	2.07	1.75	1.82	1.88	1.95	1.95	-	2.29	8.36
2019	1.70	1.34	1.37	1.49	1.68	1.49	-	1.94	8.05
2020	1.37	0.84	0.99	1.23	1.45	0.97	-	2.13	8.41
2021	1.86	0.92	1.39	1.72	2.07	1.21	-	2.08	8.33
2022	3.48	2.65	3.20	3.32	3.37	1.12	-	4.16	10.00
2023.1	3.64	3.58	3.46	3.42	3.41	3.77	-	4.70	10.79
2023.2	3.61	3.53	3.47	3.47	3.45	3.64	-	4.27	10.63
2023.3	3.60	3.45	3.46	3.45	3.45	3.67	-	4.18	10.60
2023.4	3.40	3.25	3.26	3.25	3.32	3.49	-	4.07	10.46
2023.5	3.54	3.42	3.33	3.32	3.40	3.66	-	4.14	10.52
2023.6	3.76	3.51	3.55	3.55	3.61	3.80	-	4.36	10.74
2023.7	3.86	3.57	3.64	3.64	3.68	3.83	-	4.44	10.83

1) 월 평균(영업일 기준)기준.
2) 중개거래, 투신사연계콜을 제외한 1일물 거래 기준. 단 2004. 12월부터는 연계콜이 해소.
3) 2011.5월부터 364일물(할인채)에서 1년물(이표채)로 고시기준 변경.
4) 2000년 9월까지는 A+ 무보증사채, 2000년 10월이후에는 AA- 무보증사채 기준.
5) 무보증사채 기준.

금 리(2)

(4) 예금은행 예금금리①

(단위:연리 %)

항 목	저축성예금										
	정기예금				저축예금	자유저축예금			정기적금		
	1월~3월미만	3월~1년미만	1년~2년미만	2년이상		3월이내	3월이상	6월이상	1년	2년	3년
1969. 6. 1	-	12.0	22.8	-	-	-	-	-	19.0	23.0	23.0
71. 6.28	-	10.2	20.4	-	-	-	-	-	17.0	20.0	21.0
72. 1.17	-	8.4	16.8	-	-	-	-	-	15.0	16.0	17.0
8. 3	-	6.0	12.0	-	-	-	-	-	10.0	11.0	12.0
73. 8. 6	-	6.0	12.0	-	-	-	-	-	10.0	11.0	12.0
74. 1.24	-	12.0	15.0	-	-	-	-	-	11.2	12.2	13.2
12. 9	-	15.0	15.0	-	-	-	-	-	11.2	12.2	13.2
75.11. 1	-	12.6	15.0	-	-	-	-	-	11.2	12.2	13.2
76. 8. 2	-	15.0	16.2	-	-	-	-	-	12.2	13.2	14.2
77. 7. 1	-	15.0	16.2	-	15.0	-	-	-	12.2	13.2	14.2
10. 1	-	15.0	16.2	-	15.0	-	-	-	12.2	13.2	14.2
78. 6.13	-	15.0	18.6	-	12.6	-	-	-	13.2	14.2	15.2
79. 4.20	-	15.0	18.6	-	12.6	-	-	-	16.2	17.2	18.2
80. 1.12	-	19.2	24.0	-	12.6	-	-	-	20.6	22.6	25.0
8. 1	-	19.2	24.0	-	[5]16.8	-	-	-	20.6	22.6	25.0
9.16	-	17.22	21.9	-	14.8	-	-	-	17.6	19.6	22.0
11. 8	-	14.82	19.5	-	12.3	-	-	-	15.1	17.1	19.5
81. 7. 1	-	14.82	19.5	19.5	[6]14.4	-	-	-	15.1	17.1	19.5
11. 9	-	14.82	18.6	18.6	14.4	-	-	-	14.1	16.1	18.5
11.30	-	14.82	17.4	17.4	14.4	-	-	-	12.9	14.9	17.3
12.29	-	14.4	16.2	16.2	14.4	-	-	-	13.8	14.4	16.2
82. 1.14	-	14.4	15.0	15.0	14.4	-	-	-	13.8	14.4	15.0
3.29	-	12.0	12.6	12.6	12.0	-	-	-	11.4	12.0	12.6
6.28	-	7.6	8.0	8.0	8.0	-	-	-	7.6	8.0	8.0
83. 4. 1	6.0	7.6	8.0	8.0	8.0	-	-	-	7.6	8.0	8.0
84. 1.23	4.0	6.0	9.0	9.0	6.0	-	-	-	9.0	9.0	9.0
11. 5	4.0	6.0	10.0	10.0	6.0	-	-	-	10.0	10.0	10.0
85. 4.19	4.0	6.0	10.0	10.0	6.0	6.0	9.0	12.0	10.0	10.0	10.0
88.12. 5	4.0	6.0	10.0	[9]12.0	5.0	5.0	8.0	11.0	10.0	10.0	10.0

항 목	저축성예금									요구불예금		
	상호부금					목돈마련저축				보통예금	별단예금	가계종합예금
	1년	2년	3년	4년	5년	1년	2년	3년	5년			
1969. 6. 1	18.0	21.0	-	-	-	-	-	-	-	1.8	1.0	-
71. 6.28	17.0	20.0	21.0	-	-	-	-	-	-	1.8	1.0	-
72. 1.17	15.0	16.0	17.0	-	-	-	-	-	-	1.8	1.0	-
8. 3	10.0	11.0	12.0	-	-	-	-	-	-	1.8	1.0	-
73. 8. 6	10.0	11.0	12.0	12.0	12.0	-	-	-	-	1.8	1.0	-
74. 1.24	11.2	12.2	13.2	13.2	13.2	-	-	-	-	1.8	1.0	-
12. 9	11.2	12.2	13.2	13.2	13.2	-	-	-	-	1.8	1.0	-
75.11. 1	11.2	12.2	13.2	13.2	13.2	-	-	[1]23.2	[1]27.2	1.8	1.0	-
76. 8. 2	12.2	13.2	14.2	14.2	14.2	-	[2]23.8	[2]24.2	[2]28.2	1.8	1.0	-
77. 7. 1	12.2	13.2	14.2	14.2	14.2	-	[3]23.8	[3]22.0	[3]26.0	1.8	1.0	6.0
10. 1	12.2	13.2	14.2	14.2	14.2	-	21.8	22.0	26.0	1.8	1.0	6.0
78. 6.13	13.2	14.2	15.2	15.2	15.2	-	22.8	23.0	27.0	1.8	1.0	6.0
79. 4.20	16.2	17.2	18.2	18.2	18.2	[4]25.3	[4]27.6	[4]30.1	[4]33.1	1.8	1.0	-
80. 1.12	20.6	22.6	25.0	26.5	27.5	27.4	30.3	33.5	36.5	1.8	1.0	-
8. 1	20.6	22.6	25.0	26.5	27.5	27.4	30.3	33.5	36.5	1.8	1.0	-
9.16	17.6	19.6	22.0	23.5	24.5	27.4	30.3	33.5	36.5	1.8	1.0	-
11. 8	15.1	17.1	19.5	21.0	22.0	27.4	30.3	33.5	36.5	1.8	1.0	-
81. 7. 1	15.1	17.1	19.5	21.0	22.0	27.4	30.3	33.5	36.5	1.8	[6]1.8	[7]14.4
11. 9	14.1	16.1	18.5	20.0	21.0	27.4	30.3	33.5	36.5	1.8	1.8	14.4
11.30	14.1	14.9	17.3	18.8	19.8	27.4	30.3	33.5	36.5	1.8	1.8	14.4
12.29	14.1	14.9	17.3	18.8	19.8	27.4	30.3	33.5	36.5	1.8	1.8	14.4
82. 1.14	13.8	14.4	15.0	15.9	16.5	27.4	30.3	33.5	36.5	1.8	1.8	14.4
3.29	11.4	12.0	12.6	13.5	14.1	[8]27.4	[8]30.3	[8]33.5	[8]36.5	1.8	1.8	12.0
6.28	7.6	7.8	8.0	8.2	8.4	19.6	21.4	22.9	23.9	1.8	1.8	8.0
83. 4. 1	7.6	7.8	8.0	8.2	8.4	19.6	21.4	22.9	23.9	1.8	1.8	8.0
84. 1.23	8.6	8.8	9.0	9.2	9.4	19.6	21.4	22.9	23.9	1.0	1.0	6.0
11. 5	9.6	9.8	10.0	10.4	10.4	19.6	21.4	22.9	23.9	1.0	1.0	6.0
85. 4.19	9.6	9.8	10.0	10.4	10.4	19.6	21.4	22.9	23.9	1.0	1.0	6.0
88.12. 5	10.0	10.0	10.0	11.0	11.0	16.4	17.2	18.2	18.9	1.0	1.0	4.0

1) 1976년 4월 1일부터 실시
2) 1976년 7월 31일부터 실시
3) 1977년 9월 30일부터 실시
4) 1979년 9월 1일부터 실시
5) 1980년 4월 18일부터 실시
6) 1981년 2월 20일부터 실시
7) 1981년 5월 6일부터 실시
8) 1982년 5월 6일부터 실시
9) 1988년 12월 5일 이후 자유화(외환은행 기준)
10) *는 자유화된 금리임(93.11.1)

(4) 예금은행[1] 가중평균수신금리(신규취급액기준)② (단위:연리 %)

연 월 중	저축성 수 신[2] (A+B)	저축성 수 신[2] (금융채제외)	순수저축성예금(A)					
				정 기 예 금[3]				
					6개월 미만	6개월~1년 미만	1~2년 미만	2~3년 미만
2000	7.01	7.00	7.09	7.08	6.42	7.48	7.94	7.84
2001	5.43	5.43	5.47	5.46	5.21	5.61	5.79	5.98
2002	4.73	4.70	4.71	4.71	4.38	4.85	4.95	5.22
2003	4.15	4.13	4.15	4.15	3.89	4.25	4.25	4.48
2004	3.75	3.72	3.75	3.75	3.37	3.79	3.87	4.07
2005	3.62	3.56	3.56	3.57	3.17	3.60	3.72	3.99
2006	4.41	4.34	4.35	4.36	3.80	4.38	4.50	4.85
2007	5.07	5.01	5.01	5.01	4.50	5.01	5.17	5.25
2008	5.71	5.66	5.67	5.67	5.00	5.69	5.87	6.22
2009	3.26	3.21	3.23	3.23	2.69	3.33	3.48	4.20
2010	3.19	3.16	3.19	3.18	2.78	3.26	3.86	4.19
2011	3.69	3.67	3.69	3.69	3.39	3.72	4.15	4.30
2012	3.43	3.42	3.43	3.43	3.25	3.42	3.70	3.75
2013	2.73	2.71	2.71	2.70	2.54	2.72	2.89	2.98
2014	2.43	2.42	2.42	2.42	2.29	2.46	2.54	2.62
2015	1.74	1.72	1.72	1.72	1.61	1.75	1.81	1.85
2016	1.48	1.47	1.47	1.47	1.34	1.52	1.56	1.56
2017	1.56	1.52	1.52	1.51	1.29	1.60	1.67	1.76
2018	1.87	1.84	1.84	1.84	1.60	1.92	2.03	2.12
2019	1.75	1.75	1.74	1.74	1.62	1.76	1.85	1.89
2020	1.05	1.04	1.05	1.04	0.88	1.07	1.16	1.20
2021	1.08	1.05	1.05	1.05	0.84	1.12	1.20	1.31
2022	2.77	2.72	2.73	2.73	2.36	2.91	3.12	3.20
2023. 1	3.83	3.83	3.87	3.87	3.61	3.95	4.15	3.99
2023. 2	3.54	3.52	3.53	3.53	3.37	3.57	3.72	3.89
2023. 3	3.56	3.53	3.53	3.53	3.41	3.57	3.68	3.69
2023. 4	3.43	3.41	3.41	3.41	3.31	3.45	3.51	3.48
2023. 5	3.56	3.52	3.50	3.50	3.41	3.58	3.59	3.40

연 월 중	순수저축성예금(A)			시 장 형 금 융 상 품(B)				
	정기적금	상호부금	주택부금		양 도 성 예금증서	환매조건 부채권매도	표지어음	금 융 채[4]
2000	7.73	8.05	8.63	6.73	6.88	6.45	6.67	7.81
2001	6.00	5.97	6.53	5.30	5.23	5.29	5.22	5.65
2002	5.10	4.91	5.34	4.81	4.79	4.49	4.78	5.39
2003	4.42	4.28	4.36	4.16	4.22	3.90	4.21	4.55
2004	3.90	3.81	3.71	3.74	3.78	3.46	3.74	4.03
2005	3.39	3.36	3.29	3.70	3.72	3.35	3.57	4.14
2006	3.80	3.83	3.58	4.48	4.52	4.04	4.29	4.87
2007	4.14	4.15	3.82	5.14	5.19	4.70	4.92	5.46
2008	4.83	4.61	4.16	5.77	5.76	5.34	5.43	6.19
2009	3.30	3.29	3.08	3.29	3.25	2.78	3.13	3.88
2010	3.46	3.30	3.17	3.21	3.07	2.85	2.83	3.61
2011	3.72	3.52	3.19	3.69	3.67	3.37	3.42	3.93
2012	3.65	3.47	3.24	3.44	3.45	3.28	3.25	3.52
2013	3.06	3.01	3.16	2.82	2.75	2.64	2.59	2.92
2014	2.66	2.58	2.87	2.49	2.46	2.22	2.31	2.57
2015	1.99	1.86	2.33	1.81	1.75	1.68	1.54	1.87
2016	1.67	1.55	1.95	1.54	1.50	1.40	1.18	1.58
2017	1.62	1.51	1.82	1.70	1.57	1.50	1.14	1.76
2018	1.84	1.94	2.13	1.99	1.94	1.73	1.38	2.03
2019	1.93	1.90	2.19	1.76	1.79	1.83	1.39	1.75
2020	1.44	1.14	1.39	1.07	1.04	1.07	0.74	1.08
2021	1.24	1.09	1.15	1.18	1.13	1.06	0.70	1.19
2022	2.72	2.66	1.71	2.91	2.99	2.16	2.19	3.06
2023. 1	3.65	3.66	2.25	3.70	3.82	3.24	3.23	3.89
2023. 2	3.68	3.46	2.25	3.57	3.61	3.34	3.05	3.69
2023. 3	3.60	3.51	2.25	3.70	3.67	3.24	3.22	3.79
2023. 4	3.59	3.44	2.25	3.50	3.53	3.28	3.10	3.59
2023. 5	3.53	3.43	2.25	3.71	3.75	3.56	3.26	3.71

1) 외국은행 국내지점 제외.

2) 수시입출식저축성예금을 제외한 순수저축성예금 및 시장형금융상품 수신금리.

3) 회전식정기예금의 만기 재분류(계약만기 기준 → 회전기간 기준)에 따라 2009.12월부터 시계열 비연속.

4) 후순위채, 전환사채 등을 제외한 일반 금융채 기준.

금 리(3)

(5) 예금은행 대출금리①

(단위:연리 %)

실시일	상업어음할인		무역어음	기타어음							
				1년 이내		1~3년 이내		3~8년 이내		8~10년 이내	
	우량업체	기타업체		우량업체	기타업체	우량업체	기타업체	우량업체	기타업체	우량업체	기타업체
1970. 6.18	24.0		6.0	24.0		–		–		–	
71. 6.28	22.0		6.0	22.0		22.5		23.0		–	
72. 1.17	19.0		6.0	19.0		19.5		20.0		–	
10. 2	15.5		6.0	15.5		16.0		16.5		16.5	
73. 2. 9	15.5		6.0	15.5		15.5		15.5		15.5	
5.14	15.5		7.0	15.5		15.5		15.5		15.5	
74. 1.24	15.5		9.0	15.5		15.5		15.5		15.5	
12. 7	15.5		9.0	15.5		15.5		15.5		15.5	
75. 4.17	15.0		7.0	15.5		15.5		15.5		15.5	
12. 7	15.5		7.0	15.5		15.5		15.5		15.5	
76. 8. 2	17.8	18.0	8.0	17.0	18.0	17.0		18.0		19.0	
77. 7. 1	15.0~18.0	16.0~19.0	8.0	16.0	17.0	16.0		17.0		18.0	
10. 4	15.0~18.0	16.0~19.0	8.0	15.0	16.0	15.0		16.0		17.0	
78. 6.13	18.5	19.0	9.0	18.5	19.0	18.5		19.5		20.5	
79. 9. 7	18.5	19.0	9.0	18.5	19.0	18.5	19.0	19.5	20.0	20.5	21.0
80. 1.12	24.5	25.0	15.0	24.5	25.0	24.5	25.0	25.5	26.0	26.5	27.0
6. 5	23.5	24.0	15.0	23.5	24.0	23.5	24.0	24.5	25.0	25.5	26.0
8. 1	23.5	24.0	15.0	23.5	24.0	23.5	24.0	24.5	25.0	25.5	26.0
9.16	21.5	22.0	15.0	21.5	22.0	21.5	22.0	22.5	23.0	23.5	24.0
11.18	19.5	22.0	15.0	19.5	20.0	19.5	20.0	20.5	21.0	21.5	22.0
81. 4. 4	19.5	20.0	15.0	19.5	20.0	19.5	20.0	20.5	21.5	21.5	22.0
11. 9	18.5	19.0	15.0	18.5	19.0	18.5	19.0	19.5	20.0	20.5	21.0
11.30	17.5	18.0	15.0	17.5	18.0	17.5	18.0	18.5	19.0	19.5	20.5
12.29	16.6	17.0	[4]15.0	16.5	17.0	16.5	17.0	17.5	18.0	18.5	19.0
82. 1.14	15.5	16.0	12.0	15.5	16.0	15.5	16.0	16.5	17.0	17.5	18.0
3.29	13.5	14.0	11.0	13.5	14.0	13.5	14.0	14.5	15.0	15.5	16.0
6.28	10.0		10.0	10.0		10.0		10.0		10.0	
84. 1.23	10.0~10.5		10.0	10.0~10.5		10.0~10.5		10.0~10.5		10.0~10.5	
7.23	10.0~10.5		10.0	10.0~10.5		10.0~10.5		10.0~10.5		10.0~10.5	
11. 5	10.0~11.5		10.0	10.0~11.5		10.0~11.5		10.0~11.5		10.0~11.5	
85. 4.19	10.0~11.5		10.0	10.0~11.5		10.0~13.5		10.0~13.5		10.0~13.5	
10.11	10.0~11.5		10.0	10.0~11.5		10.0~13.0		10.0~13.0		10.0~13.0	
86. 3.24	10.0~11.5		10.0	10.0~11.5		10.0~12.0		10.0~12.0		10.0~12.0	
88.12. 5	*		*	*		*		*		*	

실시일	당좌대출		적금대출		콜론[3]	상호부금				상호부금 담보대출	
	우량업체	기타업체	우량업체	기타업체		1차체감	2차체감	3차체감	4차체감	우량업체	기타업체
1970. 6.18	26.0		24.0		21.0	24.0	22.8	19.2	–	18.8	
71. 6.28	24.0		22.0		19.0	22.0	20.8	17.2	15.2	16.8	
72. 1.17	22.0		19.0		19.0	19.0	17.8	16.1	14.2	14.5	
10. 2	17.5		15.5		15.0	15.5	14.4	13.3	12.2	12.0	
73. 2. 9	17.5		15.5		15.0	15.5	14.4	13.3	12.2	12.0	
5.14	17.5		15.5		15.0	15.5	14.4	13.3	12.2	12.0	
74. 1.24	17.5		15.5		15.0	15.5	14.4	13.3	12.2	12.0	
12. 7	17.5		15.5		15.0	15.5	14.4	13.3	12.2	12.0	
75. 4.17	17.5		15.5		15.0	15.5	14.4	13.3	12.2	13.5	
10. 1	17.5		15.5		15.0	[1]15.48	[1]14.52	[1]13.59	[1]12.48	13.5	
76. 8. 2	18.0	19.0	17.0	18.0	20.0	17.04	15.98	14.93	13.74	15.5	
77. 8. 2	17.0	18.0	16.0	17.0	20.0	16.08	15.98	14.09	12.97	15.0	
10. 4	17.0	18.0	15.0	16.0	20.0	15.08	14.14	13.21	12.16	15.9	
78. 6.13	20.5	21.0	18.5	19.0	22.0	18.08	17.14	16.21	15.16	16.0	
79. 9. 7	20.5	21.0	18.5	19.0	19.0	19.08	17.14	16.21	15.16	18.5	19.0
80. 1.12	26.5	27.0	24.5	25.0	25.0	24.08	23.14	22.21	21.16	24.5	25.0
6. 5	25.5	26.0	23.5	24.0	24.0	24.08	23.14	22.21	21.16	24.5	25.0
8. 1	25.5	26.0	21.5	22.0	24.0	22.08	21.72	21.36	21.00	[2]23.5	24.0
9.16	23.5	24.0	19.5	20.0	22.0	21.08	20.72	20.36	20.00	21.5	22.0
11.18	21.5	22.0	17.5	18.0	20.0	19.08	18.72	18.36	18.00	17.5	18.0
81. 4. 4	20.5	21.0	17.5	18.0	20.0	19.08	18.72	18.36	18.00	17.5	18.0
11. 9	19,5	20.0	16.5	17.0	19.0	18.60	18.24	17.88	17.52	16.5	17.0
11.30	18.5	19.0	15.5	16.0	18.0	18.00	17.64	17.28	16.92	15.5	16.0
12.29	16.5	17.0	15.5	16.0	17.0	18.00	17.64	17.28	16.92	15.5	16.0
82. 1.14	15.5	16.0	15.5	16.0	16.0	16.80	16.40	16.10	15.70	16.0	
3.29	14.0		13.5	14.0	16.0	15.24	14.76	13.44	11.76	14.0	
6.28	10.0		10.0		[3]*	11.04	10.68	9.24	8.40	10.0	
84. 1.23	10.0~10.5		10.0~10.5		[3]*	11.64	11.28	9.84	9.00	10.0~10.5	
7.23	10.0~10.5		10.0~10.5		[3]*	11.64	11.28	9.84	9.00	10.0~10.5	
11. 5	10.0~11.5		10.0~11.5		[3]*	12.64	12.28	10.84	10.00	10.0~11.5	
85. 4.19	10.0~11.5		10.0~11.5		[3]*	12.64	12.28	10.84	10.00	10.0~11.5	
10.11	10.0~11.5		10.0~11.5		[3]*	12.64	12.28	10.84	10.00	10.0~11.5	
86. 3.24	10.0~11.5		10.0~11.5		[3]*	12.64	12.28	10.84	10.00	10.0~12.0	
88.12. 5	*		*		[3]*	12.64	12.28	10.84	10.00	*	
90. 8. 7	*		*		[3]*	*	*	*	*	*	

1) 1975년 11월 1일부터 실시　　4) 잠정금리 12.0% 적용
2) 1980년 6월 5일부터 실시　　5) *는 자유화된 금리
3) 1982년 6월 28일부터는 그 영업일 전의 신종 기업어음 평균 매출금리이며, 1984년 11월 5일부터는 자유화됨.

(5) 예금은행 가중평균대출금리(신규취급액기준[1])②

(단위:연리 %)

연 월 중	대출평균 (A+B+C)	기 업 대 출(A)					가 계 대 출(B)	
			대 기 업	중소기업	운전자금	시설자금		소액대출 (500만원 이하)
2000	8.55	8.18	8.75	7.95	8.15	9.34	9.88	-
2001	7.70	7.49	7.69	7.38	7.46	8.25	8.20	10.15
2002	6.70	6.50	6.17	6.56	6.44	7.16	6.92	9.60
2003	6.24	6.17	5.98	6.21	6.13	6.89	6.50	8.03
2004	5.90	5.92	5.72	5.97	5.89	6.60	5.88	6.25
2005	5.59	5.65	5.20	5.76	5.64	6.07	5.49	5.99
2006	5.99	6.08	5.56	6.20	6.06	6.40	5.80	6.27
2007	6.55	6.60	6.09	6.72	6.59	6.75	6.48	6.57
2008	7.17	7.17	6.79	7.31	7.16	7.36	7.19	7.28
2009	5.65	5.65	5.61	5.65	5.61	6.11	5.73	6.85
2010	5.51	5.56	5.25	5.68	5.54	5.84	5.38	6.55
2011	5.76	5.86	5.50	6.00	5.87	5.74	5.47	6.67
2012	5.40	5.49	5.18	5.66	5.52	5.22	5.22	6.60
2013	4.64	4.74	4.46	4.92	4.78	4.48	4.35	5.95
2014	4.26	4.39	4.10	4.60	4.42	4.20	3.87	5.17
2015	3.53	3.69	3.40	3.87	3.74	3.45	3.22	4.43
2016	3.37	3.48	3.14	3.69	3.51	3.31	3.14	4.31
2017	3.48	3.49	3.13	3.71	3.50	3.46	3.46	4.46
2018	3.66	3.66	3.33	3.88	3.68	3.60	3.68	4.61
2019	3.45	3.54	3.34	3.67	3.60	3.30	3.24	4.51
2020	2.80	2.84	2.64	2.97	2.86	2.76	2.75	4.25
2021	2.88	2.81	2.57	2.98	2.84	2.74	3.10	4.61
2022	4.29	4.22	3.97	4.44	4.20	4.33	4.60	6.07
2023. 1	5.46	5.47	5.30	5.67	5.46	5.55	5.47	7.15
2023. 2	5.32	5.36	5.24	5.45	5.40	5.23	5.22	6.94
2023. 3	5.17	5.25	5.19	5.28	5.31	5.07	4.96	6.99
2023. 4	5.01	5.09	5.01	5.14	5.18	4.86	4.82	7.10
2023. 5	5.12	5.20	5.17	5.23	5.29	4.95	4.83	6.61

연 월 중	담보별가계대출					공공 및 기타부문대출 (c)	상업어음할인	기업일반 자금대출
	주택담보 대 출	집단대출	예·적금 담보대출	보증대출	일반신용대출			
2000	-	-	-	-	-	8.24	7.41	8.91
2001	6.31	-	7.21	7.62	-	7.35	7.01	7.90
2002	6.67	-	6.98	7.18	-	6.34	6.45	6.86
2003	6.21	-	6.45	6.54	-	5.62	6.34	6.50
2004	5.86	-	5.93	5.90	-	5.51	6.25	6.24
2005	5.39	4.94	5.53	5.66	6.32	4.91	6.19	5.90
2006	5.64	5.43	5.64	5.59	6.89	5.42	6.60	6.32
2007	6.34	5.88	6.11	6.10	7.46	5.65	7.11	6.75
2008	7.00	6.48	6.84	7.03	8.44	6.70	7.69	7.38
2009	5.54	5.01	6.07	5.67	7.09	5.21	6.01	5.76
2010	5.00	4.83	5.36	5.38	7.19	5.10	6.30	5.61
2011	4.92	4.96	5.38	5.47	7.82	5.20	6.61	5.83
2012	4.63	4.77	5.11	5.24	7.43	4.56	6.27	5.37
2013	3.86	3.94	4.54	4.31	6.28	4.31	5.66	4.64
2014	3.55	3.57	4.05	3.76	5.45	4.10	5.37	4.29
2015	3.03	3.03	3.49	3.07	4.55	3.26	4.74	3.61
2016	2.91	2.93	3.06	2.93	4.40	3.08	4.46	3.43
2017	3.27	3.23	2.95	3.30	4.34	3.29	4.46	3.46
2018	3.39	3.44	3.15	3.59	4.49	3.52	4.72	3.65
2019	2.74	2.99	3.14	3.30	4.17	3.35	4.67	3.49
2020	2.50	2.60	2.66	2.75	3.26	2.47	3.91	2.83
2021	2.94	3.26	2.40	2.85	4.06	2.41	3.84	2.81
2022	4.24	4.54	3.31	4.34	6.27	3.75	5.29	4.24
2023. 1	4.58	4.79	4.49	5.94	7.21	5.20	6.46	5.48
2023. 2	4.56	4.58	4.67	5.46	6.55	5.41	6.34	5.33
2023. 3	4.40	4.57	4.78	5.38	6.44	4.88	6.34	5.19
2023. 4	4.24	4.35	4.79	5.17	6.30	4.70	6.15	5.02
2023. 5	4.21	4.25	4.85	5.10	6.44	5.49	6.17	5.15

1) 금융자금대출 가중평균금리로서 당좌대출 및 마이너스통장대출 제외(마이너스통장대출은 2001.9월부터 제외)

조 세 수 입

조세수입	1971	1972	1973	1974	1975	1976	1977	1978	1979	1980	1981
내국세	355,496	374,340	439,121	717,976	1,012,291	1,370,532	1,675,180	2,252,546	3,037,510	3,675,795	4,595,782
소득세	107,615	104,697	123,710	164,660	198,619	319,021	352,715	467,759	614,679	661,374	886,150
법인세	56,699	54,824	49,779	110,291	130,480	171,172	234,955	358,715	493,207	485,206	594,062
상속세	1,036	955	877	1,601	4,234	5,687	4,917	3,799	6,582	9,623	11,975
증여세	931	573	951	1,224	6,561	4,218	5,824	4,944	4,343	6,710	14,240
자산재평가세	1,315	1,429	1,041	2,421	5,077	7,881	7,746	6,763	10,389	22,418	40,178
부당이득세	-	-	-	833	226	85	553	55	107	214	56
부가가치세	-	-	-	-	-	-	241,573	838,907	1,088,675	1,471,194	1,804,760
개별소비세	-	-	-	-	-	-	99,865	327,021	484,627	582,471	665,204
주세	27,536	28,115	34,039	53,245	81,422	93,020	123,249	193,989	265,848	297,717	374,761
증권거래세	63	-	-	-	-	-	-	-	3,317	2,579	5,377
전화세	-	-	-	5,261	9,764	13,829	20,328	22,920	30,972	49,996	66,739
인지세	2,400	7,855	8,293	13,709	12,772	14,603	19,328	24,897	37,317	33,890	49,678
과년도수입	-	-	-	-	-	-	21,127	2,776	1,789	59,113	82,601
교통·에너지·환경세	-	-	-	-	-	-	-	-	-	-	-
방위세	-	-	-	-	31,900	179,353	224,039	308,778	402,524	541,935	712,024
교육세	-	-	-	-	-	-	-	-	-	-	-
농어촌특별세	-	-	-	-	-	-	-	-	-	-	-

조세수입	1995	1996	1997	1998	1999	2000	2001	2002	2003	2004	2005
내국세	44,381,993	49,202,309	52,153,147	51,237,792	56,393,091	71,106,081	74,027,342	82,225,915	92,231,159	95,276,356	104,427,868
소득세	13,618,190	14,766,882	14,867,893	17,194,021	15,854,601	17,508,873	18,662,955	19,160,496	20,787,302	23,434,004	24,650,520
법인세	8,662,631	9,356,104	9,424,669	10,775,797	9,365,392	17,878,435	16,975,148	19,243,149	25,632,684	24,678,343	29,805,494
상속세	605,644	565,773	604,660	309,488	480,670	448,711	429,955	397,819	485,302	588,328	701,964
증여세	423,730	400,757	556,487	370,143	420,506	540,162	518,437	458,344	829,756	1,119,918	1,170,863
자산재평가세	89,105	216,674	167,214	457,208	1,017,263	537,219	173,462	1,886	-399	-13,671	-1,670
부당이득세	-	-	-	-	-	-	-	-	-	-	-
부가가치세	14,636,893	16,789,539	19,487,991	15,706,805	20,369,037	23,212,042	25,834,726	31,608,756	33,447,038	34,571,755	36,118,641
개별소비세	2,617,110	3,119,253	3,036,442	2,211,453	2,713,271	2,984,560	3,633,613	4,288,222	4,732,985	4,574,032	4,399,528
주세	1,824,513	2,083,863	1,789,791	1,814,408	2,077,975	1,962,493	2,468,163	2,655,001	2,726,181	2,588,795	2,595,099
증권거래세	502,636	289,573	261,872	242,494	1,353,726	2,735,942	1,797,919	2,035,805	1,606,461	1,301,580	2,370,525
전화세	543,051	661,012	788,624	921,887	1,191,414	1,458,176	1,346,195	17,845	1,361	581	-299
인지세	319,829	355,970	390,105	303,533	370,929	387,560	476,559	482,179	456,513	435,828	499,962
과년도수입	510,691	583,220	778,240	925,461	1,178,250	1,451,854	1,710,296	1,876,415	1,525,975	1,996,863	2,117,241
교통·에너지·환경세	3,375,401	4,826,009	5,547,139	6,504,046	7,255,772	8,405,207	10,587,760	9,495,683	10,130,251	10,200,462	10,336,940
방위세	62,008	13,633	-9,248	1,268	1,552	-3,008	-1,035	730	2,198	57,051	-8,591
교육세	2,993,104	4,124,152	5,398,538	5,203,132	5,296,940	5,798,300	3,782,501	3,531,575	3,651,326	3,529,520	3,526,591
농어촌특별세	939,859	1,035,643	556,360	585,341	1,529,670	1,296,316	928,029	1,379,104	1,163,482	1,289,033	1,748,764

조세수입	2019	2020	2021
내국세	259,308,648	249,995,573	299,118,410
소득세	83,561,998	93,108,723	114,112,339
법인세	72,174,278	55,513,201	70,396,282
상속세	3,154,216	3,904,234	6,944,742
증여세	5,174,942	6,471,066	8,061,411
자산재평가세	-	-	-
부당이득세	-	-	-
부가가치세	70,828,268	64,882,907	71,204,565
개별소비세	9,719,127	9,218,115	9,363,810
주세	3,504,110	3,008,381	2,673,378
증권거래세	4,473,313	8,758,656	10,255,631
전화세	-	-	-
인지세	845,588	965,206	959,756
과년도수입	5,872,808	4,165,084	5,146,496
교통·에너지·환경세	14,562,708	13,937,883	16,598,390
방위세	267	174	282
교육세	5,109,935	4,692,746	5,102,900
농어촌특별세	2,759,822	5,048,265	7,521,239

(단위:백만원)

1982	1983	1984	1985	1986	1987	1988	1989	1990	1991	1992	1993	1994
5,250,666	6,188,424	6,697,373	7,496,925	8,463,984	10,011,971	12,540,239	15,208,394	19,130,227	24,089,183	30,080,065	34,174,562	38,449,032
1,005,516	1,136,116	1,229,093	1,481,558	1,784,559	2,158,867	2,964,061	3,556,892	4,723,114	6,459,371	8,008,357	9,462,850	11,207,767
781,303	863,691	923,535	1,126,731	1,191,401	1,682,444	2,247,429	3,107,894	3,226,128	4,585,547	5,941,051	5,862,329	7,387,568
17,889	18,107	19,946	17,821	33,382	32,724	36,007	39,472	71,033	104,372	175,030	346,337	523,570
17,565	24,555	27,119	28,566	30,987	36,971	73,253	103,499	224,900	221,829	258,243	320,830	383,850
57,629	50,293	35,032	16,686	6,049	13,452	32,723	89,671	95,282	65,899	68,876	98,505	86,406
1	1	-	6	-	-	-	-	-	87	-	-	-
2,094,383	2,559,277	2,704,272	2,901,197	3,272,210	3,650,479	4,205,215	5,260,229	6,964,419	8,252,627	10,076,296	11,687,506	13,057,973
664,874	793,315	898,110	980,807	1,085,500	1,189,665	1,333,176	1,256,966	1,911,791	2,246,526	3,068,615	3,606,917	2,445,573
394,708	441,027	493,393	501,187	555,805	581,501	780,470	893,033	1,022,417	1,145,342	1,329,041	1,367,588	1,545,787
4,594	4,760	6,482	7,253	18,936	78,369	249,946	415,512	224,010	129,325	165,825	306,905	684,030
101,574	123,775	153,936	166,551	195,463	235,737	283,462	237,437	261,552	311,387	360,431	399,722	458,696
54,227	64,212	68,840	75,670	83,529	99,772	120,692	162,305	193,077	224,223	214,983	242,619	275,300
56,403	109,295	137,614	192,891	206,163	251,990	213,805	85,484	212,534	152,477	291,541	149,828	336,427
-	-	-	-	-	-	-	-	-	-	-	-	2,459,132
766,160	838,999	982,714	1,123,505	1,262,637	1,592,614	2,031,307	2,446,178	3,026,308	1,364,126	182,919	121,258	75,227
197,870	263,060	284,827	321,144	372,407	411,337	512,282	423,432	521,262	1,532,107	1,822,297	2,078,903	2,539,578
-	-	-	-	-	-	-	-	-	-	-	-	169,509

2006	2007	2008	2009	2010	2011	2012	2013	2014	2015	2016	2017	2018
113,879,497	132,508,138	136,556,310	136,476,881	143,506,090	159,601,755	169,771,343	168,845,809	174,111,888	185,240,338	209,401,319	230,803,590	258,031,118
31,004,340	38,855,971	36,355,129	34,423,256	37,461,850	42,287,703	45,766,953	48,383,352	54,101,721	62,439,751	70,119,368	76,834,542	84,461,613
29,362,222	35,417,342	39,154,491	35,251,404	37,268,222	44,872,821	45,931,750	43,854,825	42,650,317	45,029,483	52,115,420	59,176,597	70,937,351
867,649	1,058,963	1,181,718	1,220,673	1,202,808	1,258,637	1,718,540	1,586,535	1,696,147	1,943,658	1,994,918	2,341,875	2,831,509
1,521,643	1,782,954	1,595,343	1,209,640	1,873,336	2,074,062	2,301,983	2,703,224	2,929,099	3,099,952	3,355,142	4,443,276	4,527,368
38,456	4	-	-	3	66	-	-	-	-	-	-	-
7	-	-	-	-	-	-	-	-	-	-	-	-
38,092,857	40,941,908	43,819,769	46,991,507	49,121,210	51,906,874	55,667,634	55,962,553	57,138,799	54,159,097	61,828,203	67,086,975	70,937,351
4,903,453	5,161,140	4,499,380	3,642,025	5,065,791	5,537,255	5,335,516	5,484,283	5,624,103	8,000,762	8,881,274	9,860,807	10,451,028
2,405,598	2,262,282	2,829,350	2,764,092	2,878,235	2,529,303	2,998,922	2,946,973	2,851,961	3,227,471	3,208,747	3,034,595	3,260,915
2,525,685	3,468,795	2,787,538	3,533,932	3,667,144	4,278,696	3,680,579	3,077,101	3,121,044	4,669,870	4,468,083	4,508,316	6,241,198
542	26	16	15	2	4	-	-	-	-	-	-	-
587,901	587,969	572,888	543,700	521,915	623,948	601,439	636,558	726,297	953,446	905,795	895,764	881,254
2,569,144	2,970,784	3,760,688	6,896,637	4,445,574	4,232,386	5,768,027	4,774,121	4,048,903	3,434,837	4,146,690	4,389,625	4,429,774
9,617,804	11,510,946	11,941,971	10,092,007	13,970,114	11,545,953	13,809,143	13,247,770	13,440,270	14,054,594	15,303,016	15,552,612	15,334,854
806	304	294	161	469	231	350	-59,219	239	170	256	323	263
3,420,417	3,857,076	4,175,650	3,751,168	4,642,687	4,244,527	4,633,853	4,509,096	4,605,236	4,869,079	4,879,230	5,007,139	5,097,573
2,038,881	2,819,498	2,757,180	2,803,221	2,866,582	3,658,843	2,746,800	2,467,502	3,390,300	2,598,309	2,451,409	2,577,552	3,198,948

인 지 세 액(1)

과 세 문 건	기 재 금 액	인지액 '73~'77	인지액 '78~'92.6
• 부동산, 선박, 항공기의 소	5,000원 이하	10	10
유권이전에 관한 증서	1만원 이하	20	20
광업권, 무체재산권 또는	5만원 이하	80	80
영업의 양도에 관한 증서	10만원 이하	150	150
• 소비대차에 관한 증서	25만원 이하	350	350
도급에 관한 증서	50만원 이하	700	700
• 용선계약서(항공기의 경우를	100만원 이하	1,300	1,300
포함)	250만원 이하	3,000	3,000
• 동산 또는 유가증권의 양도에	500만원 이하	5,500	5,500
관한 증서(전기공급에 관한	1,000만원 이하	10,000	10,000
것을 포함)	2,500만원 이하	22,500	22,500
	5,000만원 이하	40,000	40,000
	1억원 이하	70,000	70,000
	1억원 초과	150,000	150,000
• 지상권·지역권 또는 전세권에	1만원 이하	-	10
관한 증권	5만원 이하	-	50
	10만원 이하	-	100
	25만원 이하	-	250
	50만원 이하	-	450
	100만원 이하	-	850
	250만원 이하	-	2,000
	500만원 이하	-	3,500
	1,000만원 이하	-	6,500
	2,500만원 이하	-	15,000
	5,000만원 이하	-	25,000
	1억원 이하	-	45,000
	1억원 초과	-	100,000
• 약속어음 또는 환어음		300	300
• 상품권		30	50
• 출자증권		30	30
• 보험증권		30	30
• 주권		30	30
• 채권		30	30
• 예금 또는 저금증서		30	50
• 예금 또는 적금통장		30	50
• 위임장		30	50
• 사용대차, 임대차, 고용 또는 임차에 관한 증서		30	50
• 관인 또는 승인에 관한 증서		30	50
• 신탁에 관한 증서		30	50
• 상호신용부금의 증서 또는 상호신용적금의 증서		30	50
• 질권, 저당권 또는 전당권에 관한 증서		30	50
• 정관 또는 조합계약서		30	50
• 권리의 설정, 이전 및 변경에 관한 증서		30	50
• 상호보험회사가 작성하는 기금증권		30	30
• 채무의 보증에 관한 증권		30	50
• 입금장(100장 이하를 1권으로 함)		30	50
• 수금장		-	250
• 수표장(20장 이하를 1권으로 함)		300	500

과 세 문 건	기 재 금 액	인지액 '92.7~2002.12
• 부동산, 선박, 항공기의	500만원 초과 1,000만원 이하	10,000
소유권 이전에	1,000 〃 2,000 〃	20,000
관한 증서		
• 소비대차에	2,000 〃 3,000 〃	30,000
관한 증서		
• 도급에 관한 증서	3,000 〃 5,000 〃	40,000
• 용선계약서(항공	5,000 〃 1억원 이하	70,000
기의 경우포함)	1억원 초과 5 〃	150,000
	5 〃 10 〃	250,000
	10 〃	350,000
• 종교 또는 조합계약서 또는 합병계약서		30,000
• 부동산에 대한 전세권 또는 부동산임대차에 관한 증서		10,000
• 시설대여업법에 의한 시설대여 또는 연불판매에 관한 계약서 기타 이와 유사한 것으로 대통령령이 정하는 것		10,000
• 대통령령이 정하는 시설물 이용권에 관한 증서		5,000
• 소유권에 관하여 법률에 의하여 등록을 요하는 동산으로서 대통령령이 정하는 자산양도에 관한 증서		3,000
• 지상권 또는 지역권에 관한 증서		3,000
• 광업권, 무체재산권, 어업권, 출판권, 저작인접권 또는 상호권의 양동 관한 증서		3,000
• 계속 반복적 거래에 관한 증서로서 대통령령이 정하는 것		300
• 상품권		200
• 주권, 채권, 출자증권, 수익증권, 상호보험회사가 작성하는 기금증권		200
• 보험증권		100
• 예금 또는 저금증서, 예금 또는 적금통장, 상호신용부금증서 또는 상호신용계금증서, 환매조건부채권 매도약정서		100
• 임차에 관한 증서 또는 통장		100
• 신탁에 〃		100
〈채무의 보증에 관한 증서〉		
• 사채보증에 관한 증서 기타 이와 유사한 것으로 대통령령에 정하는 채무의 보증에 관한 증서		10,000
• 신용보증기금법에 의한 신용보증기금이 발행하는 채무의 보증에 관한 증서 기타 이와 유사한 것으로 대통령령이 정하는 채무의 보증에 관한 증서		1,000
• 보험업법에 관한 보험사업자가 발행하는 보증보험증권, 농림수산업자 신용보증법에 의한 농림수산업자 신용보증기금이 발행하는 채무의 보증에 관한 증서, 기타 이와 유사한 것으로 대통령령이 정하는 채무의 보증에 관한 증서		200

과 세 문 건 · 기 재 금 액	인 지 액	
	'02.12~'04.12	'05.1~'09.12
• 부동산, 선박, 항공기의 소유권 이전에 관한 증서		
1,000만원 초과 3,000만원 이하인 경우	20,000	20,000
3,000만원 초과 5,000만원 이하인 경우	40,000	40,000
5,000만원 초과 1억원 이하인 경우	70,000	70,000
1억원 초과 10억원 이하인 경우	150,000	150,000
10억원을 초과하는 경우	350,000	350,000
• 대통령령이 정하는 금융·보험기관과의 금전소비대차에 관한 증서		
1,000만원 초과 3,000만원 이하인 경우	20,000	20,000
3,000만원 초과 5,000만원 이하인 경우	40,000	40,000
5,000만원 초과 1억원 이하인 경우	70,000	70,000
1억원 초과 10억원 이하인 경우	150,000	150,000
10억원을 초과하는 경우	350,000	350,000
• 도급 또는 위임에 관한 증서중 법률에 의하여 작성하는 문서로서 대통령령이 정하는 것		
1,000만원 초과 3,000만원 이하인 경우	20,000	20,000
3,000만원 초과 5,000만원 이하인 경우	40,000	40,000
5,000만원 초과 1억원 이하인 경우	70,000	70,000
1억원 초과 10억원 이하인 경우	150,000	150,000
10억원을 초과하는 경우	350,000	350,000
• 부동산 전세권에 관한 증서	10,000	10,000
• 소유권에 관하여 법률에 의하여 등록 등을 요하는 동산으로서 대통령령이 정하는 자산의 양도에 관한 증서	3,000	3,000
• 지상권 또는 지역원에 관한 증서	3,000	3,000
• 광업권, 무체재산권, 어업권, 출판권, 저작인접권 또는 상호권의 양도에 관한 증서	3,000	3,000
• 시설물이용권에 관한 증서로서 다음 각목의 1에 해당하는 것 가. 체육시설의 설치·이용에 관한 법률에 의한 회원제 골프장을 이용할 수 있는 회원권에 관한 증서 나. 관광진흥법에 의한 휴양콘도미니엄을 이용할 수 있는 회원권에 관한 증서	10,000	10,000
• 계속적, 반복적 거래에 관한 증서로서 다음 각목의 1에 해당하는 것		
가. 여신전문금융업법에 의한 신용카드회원(직불카드회원을 포함한다)으로 가입하기 위한 신청서	1,000	1,000
나. 전기통신업무법 제4조제2항의 규정에 의한 기간통신역무중 대통령령이 정하는 역무를 이용하기 위하여 작성하는 계약서 또는 가입신청서	1,000	1,000
다. 여긴전문금융업법에 의한 신용카드가맹점으로 가입하기 위한 신청서 그밖에 대통령령이 정하는 것.	300	300
• 상품권	400	
권면금액이 1만원 초과 5만원 이하인 경우		200
권면금액이 5만원 초과하는 경우		400
• 주권·채권·출자증권·수익증권·증권거래법 제2조제1항제9호의 규정에 의하여 발행하는 기업어음	400	400
• 예금·적금에 관한 증서 또는 통장, 환매조건 부채상황 매도약정서, 보험증권 및 신탁에 관한 증서 또는 통장	100	100
• 여신전문금융업법에 의한 시설대여계약서	10,000	10,000
• 채무의 보증에 관한 증서		
가. 사채보증에 관한 증서 그밖에 이와 유사한 것으로서 대통령령이 정하는 채무의 보증에 관한 증서	10,000	10,000
나. 신용보증기금법에 의한 신용보증기금이 발행하는 채무의 보증에 관한 증서 그밖에 이와 유사한 것으로서 대통령령이 정하는 채무의 보증에 관한 증서	1,000	1,000
다. 보험업법에 관한 보험사업자가 발행하는 보증보험증권, 농림수산업자 신용보증법에 의한 농림수산업자 신용보증기금이 발행하는 채무의 보증에 관한 증서, 그밖에 이와 유사한 것으로서 대통령령이 정하는 채무의 보증에 관한 증서	200	200

인 지 세 액(2)

과 세 문 건 · 기 재 금 액	인 지 액			
	'10.1~'13.12	'14.1~'17.11	'17.12~'20.9	'20.10~'23.1
• 부동산, 선박, 항공기의 소유권 이전에 관한 증서				
1,000만원 초과 3,000만원 이하인 경우	20,000	20,000	20,000	20,000
3,000만원 초과 5,000만원 이하인 경우	40,000	40,000	40,000	40,000
5,000만원 초과 1억원 이하인 경우	70,000	70,000	70,000	70,000
1억원 초과 10억원 이하인 경우	150,000	150,000	150,000	150,000
10억원을 초과하는 경우	350,000	350,000	350,000	350,000
• 대통령령으로 정하는 금융·보험기관과의 금전소비대차에 관한 증서				
1,000만원 초과 3,000만원 이하인 경우	20,000	20,000	20,000	20,000
3,000만원 초과 5,000만원 이하인 경우	40,000	40,000	40,000	40,000
5,000만원 초과 1억원 이하인 경우	70,000	70,000	70,000	70,000
1억원 초과 10억원 이하인 경우	150,000	150,000	150,000	150,000
10억원을 초과하는 경우	350,000	350,000	350,000	350,000
• 도급 또는 위임에 관한 증서 중 법률에 따라 작성하는 문서로서 대통령령으로 정하는 것				
1,000만원 초과 3,000만원 이하인 경우	20,000	20,000	20,000	20,000
3,000만원 초과 5,000만원 이하인 경우	40,000	40,000	40,000	40,000
5,000만원 초과 1억원 이하인 경우	70,000	70,000	70,000	70,000
1억원 초과 10억원 이하인 경우	150,000	150,000	150,000	150,000
10억원을 초과하는 경우	350,000	350,000	350,000	350,000
• 소유권에 관하여 법률에 따라 등록 등을 하여야하는 동산으로서 대통령령으로 정하는 자산의 양도에 관한 증서	3,000	3,000	3,000	3,000
• 광업권, 무체재산권, 어업권, 출판권, 저작인접권 또는 상호권의 양도에 관한 증서				
1,000만원 초과 3,000만원 이하인 경우	20,000	20,000	20,000	20,000
3,000만원 초과 5,000만원 이하인 경우	40,000	40,000	40,000	40,000
5,000만원 초과 1억원 이하인 경우	70,000	70,000	70,000	70,000
1억원 초과 10억원 이하인 경우	150,000	150,000	150,000	150,000
10억원을 초과하는 경우	350,000	350,000	350,000	350,000
• 다음 각 목의 어느 하나에 해당하는 시설물 이용권의 입회 또는 양도에 관한 증서				
가. 체육시설의 설치·이용에 관한 법률에 따른 회원제골프장이나 종합체육시설 또는 승마장을 이용할 수 있는 회원권에 관한 증서				
나. 관광진흥법에 따른 휴양 콘도미니엄을 이용할 수 있는 회원권에 관한 증서				
1,000만원 초과 3,000만원 이하인 경우	20,000	20,000	20,000	20,000
3,000만원 초과 5,000만원 이하인 경우	40,000	40,000	40,000	40,000
5,000만원 초과 1억원 이하인 경우	70,000	70,000	70,000	70,000
1억원 초과 10억원 이하인 경우	150,000	150,000	150,000	150,000
10억원을 초과하는 경우	350,000	350,000	350,000	350,000
• 계속적, 반복적 거래에 관한 증서로서 다음 각 목의 어느 하나에 해당하는 것				
가. 여신전문금융업법 제2조 또는 전자금융 거래법에 따른 신용카드회원(직불카드회원을 포함한다)으로 가입하기 위한 신청서	1,000	1,000	300	300
나. 전기통신사업법 제4조제2항에 따른 기간통신역무 중 대통령령으로 정하는 역무를 이용하기 위하여 작성하는 계약서 또는 가입신청서	1,000	1,000	-	-
다. 여신전문금융업법 제2조제5호에 따른 신용카드가맹점으로 가입하기 위한 신청서와 그 밖에 대통령령으로 정하는 것.	300	300	300	300
• 대통령령으로 정하는 상품권 및 선불카드				
권면금액이 1만원인 경우	-	50	50	50
권면금액이 1만원 초과 5만원 이하인 경우	200	200	200	200
권면금액이 5만원을 초과하는 경우	400	-	-	-
권면금액이 5만원 초과 10만원 이하인 경우	-	400	400	400
권면금액이 10만원을 초과하는 경우	-	800	800	800
• 자본시장과 금융투자업에 관한 법률 제4조제2항에 따른 채무증권, 지분증권 및 수입증권	400	400	400	400
• 예금·적금에 관한 증서 또는 통장, 환매조건부채권 매도약정서, 보험증권 및 신탁에 관한 증서 또는 통장	100	100	100	100
• 여신전문금융업법 제2조제10호에 따른 시설대여를 위한 계약서	10,000	10,000	10,000	10,000
• 채무의 보증에 관한 증서				
가. 사채보증에 관한 증서 또는 그 밖에 이와 유사한 것으로서 대통령령으로 정하는 채무의 보증에 관한 증서	10,000	10,000	10,000	10,000
나. 신용보증기금법에 따른 신용보증기금이 발행하는 채무의 보증에 관한 증서 또는 그 밖에 이와 유사한 것으로서 대통령령으로 정하는 채무의 보증에 관한 증서	1,000	1,000	1,000	1,000
다. 보험업법에 따른 보험업을 영위하는 자가 발행하는 보증보험증권, 농림수산업자 신용보증법 제4조에 따른 농림수산업자신용보증기금이 발행하는 채무의 보증에 관한 증서 또는 그 밖에 이와 유사한 것으로서 대통령령으로 정하는 채무의 보증에 관한 증서	200	200	200	200

화 폐 발 행 액

(단위:백만원)

화폐발행액	1970	1971	1972	1973	1974	1975	1976	1977	1978	1979
화폐발행액	158,915	186,798	245,022	353,644	454,581	560,898	736,260	1,033,960	1,491,773	1,817,500
증감(-)	29,012	27,883	58,224	108,622	100,937	106,317	175,362	297,700	457,813	325,727
평균	127,637	152,067	182,979	264,303	335,721	430,532	554,898	756,269	1,112,623	1,459,275
최고	158,915	186,798	245,022	353,644	454,581	560,898	736,260	1,033,960	1,491,773	1,817,500
최저	112,517	137,490	156,079	230,138	287,787	366,176	472,156	644,510	967,164	1,268,170
합계	158,915	186,798	245,022	353,644	454,581	560,898	736,260	1,033,960	1,491,773	1,817,500
은행권	155,433	180,832	237,336	343,055	436,339	538,912	708,246	999,329	1,446,090	1,762,422
주화	3,482	5,966	7,686	10,589	18,242	21,986	28,014	34,631	45,683	55,078

화폐발행액	1980	1981	1982	1983	1984	1985	1986	1987	1988	1989
화폐발행액	2,038,520	2,205,445	2,792,910	3,099,431	3,392,752	3,569,468	4,001,575	4,843,159	5,629,552	6,793,667
증감(-)	221,020	166,925	587,465	306,521	293,321	176,716	432,107	841,584	786,393	1,164,115
평균	1,717,022	1,954,272	2,221,037	2,565,255	2,759,304	2,917,133	3,184,149	3,696,793	4,477,288	5,289,338
최고	2,143,700	2,401,185	2,843,025	3,207,758	3,392,752	3,569,468	4,203,516	5,000,061	5,961,160	6,793,667
최저	1,549,131	1,783,841	1,905,067	2,290,329	2,464,385	2,620,185	2,866,157	3,283,480	3,948,847	4,756,529
합계	2,038,520	2,205,445	2,792,910	3,099,431	3,392,752	3,569,468	4,001,575	4,843,159	5,629,552	6,793,667
은행권	1,976,899	2,131,410	2,693,940	2,953,631	3,233,845	3,397,796	3,793,483	4,580,477	5,303,442	6,423,534
주화	61,621	74,035	98,970	145,800	158,908	171,673	208,092	262,683	326,110	370,133

화폐발행액	1990	1991	1992	1993	1994	1995	1996	1997	1998	1999
화폐발행액	8,228,098	9,102,275	9,807,735	13,883,530	15,088,910	17,323,827	17,907,333	17,786,051	15,934,082	22,573,352
증감(-)	1,434,431	874,177	705,460	4,075,795	1,205,380	2,234,917	583,506	-121,282	-1,851,969	6,639,270
평균	6,393,641	7,547,412	8,353,242	10,849,001	12,971,188	14,588,783	15,853,292	16,146,322	14,813,388	15,685,678
최고	8,480,000	9,879,001	10,450,407	15,712,437	16,619,846	18,059,243	19,931,441	19,649,159	19,324,829	22,573,352
최저	5,829,308	6,843,624	7,689,503	8,731,239	12,039,231	13,680,355	14,896,071	15,091,027	13,707,687	14,460,732
합계	8,228,098	9,102,275	9,807,735	13,883,530	15,088,910	17,323,827	17,907,333	17,786,051	15,934,082	22,573,352
은행권	7,793,493	8,588,087	9,234,618	13,237,238	14,375,426	16,522,996	17,029,335	16,839,903	15,055,336	21,570,320
주화	434,605	514,188	573,118	646,292	713,484	800,831	877,998	946,148	878,746	1,003,033

화폐발행액	2000	2001	2002	2003	2004	2005	2006	2007	2008	2009
화폐발행액	21,424,888	22,335,993	24,174,077	24,490,853	24,882,334	26,135,776	27,843,113	29,321,854	30,758,260	37,346,212
증감(-)	-1,148,464	911,105	1,838,084	316,776	391,482	1,253,441	1,707,339	1,478,741	1,436,406	6,587,952
평균	17,966,613	19,777,823	22,376,388	23,319,286	23,969,412	25,026,485	26,732,790	28,118,673	29,332,668	32,658,194
최고	22,383,741	24,020,331	26,142,988	27,224,321	27,975,003	28,832,420	30,289,912	31,981,225	33,292,076	37,837,111
최저	16,606,523	18,580,951	20,990,741	22,251,606	22,873,426	23,879,115	25,432,642	26,763,300	28,195,189	29,981,240
합계	21,424,888	22,335,993	24,174,077	24,490,853	24,882,334	26,135,776	27,843,113	29,321,854	30,758,260	37,346,212
은행권	21,424,888	22,335,993	24,174,077	24,490,853	24,882,334	24,552,470	26,183,604	27,540,872	28,915,163	35,414,582
주화	1,019,728	1,123,037	1,246,695	1,283,283	1,360,204	1,487,303	1,562,544	1,683,037	1,742,640	1,830,209

화폐발행액	2010	2011	2012	2013	2014	2015	2016	2017	2018	2019
화폐발행액	43,307,163	48,657,565	54,334,430	63,365,910	74,944,785	86,631,368	97,254,271	107,773,475	115,254,361	125,557,365
증감(-)	5,960,951	5,350,402	5,676,865	9,031,480	11,578,875	11,686,583	10,622,903	10,519,204	7,480,886	10,303,004
평균	39,761,721	45,733,238	51,194,204	58,916,464	68,684,323	80,818,782	92,462,447	103,028,570	111,562,544	120,185,419
최고	44,521,813	49,670,624	55,644,310	63,994,619	74,944,785	86,631,368	97,254,271	107,773,475	115,254,361	125,557,365
최저	36,777,124	43,121,752	48,657,565	53,895,809	63,365,910	74,944,785	86,757,133	97,382,263	107,895,457	115,389,473
합계	43,307,163	48,657,565	54,334,430	63,365,910	74,944,785	86,631,368	97,254,271	107,773,475	115,254,361	125,557,365
은행권	41,280,991	46,557,716	52,176,316	61,135,221	72,643,797	84,361,977	94,908,354	105,415,405	112,878,894	123,177,141
주화	1,921,737	1,992,219	2,046,545	2,114,726	2,179,879	2,269,391	2,345,917	2,358,070	2,375,467	2,380,224

화폐발행액	2020	2021	2022
화폐발행액	147,556,869	167,571,891	174,862,272
증감(-)	21,999,504	20,015,022	7,290,381
평균	137,178,676	157,902,077	175,385,395
최고	147,556,869	167,583,627	181,252,715
최저	125,698,872	147,556,869	167,571,891
합계	147,556,869	167,571,891	174,862,272
은행권	145,056,450	165,096,229	172,387,726
주화	2,357,455	2,332,172	2,328,447

자 동 차 등 록 대 수

(단위:대)

연도 \ 차종별	총등록대수	승용차	화물차	승합차	이륜차	특수차
1970	126,506	60,677	48,901	15,831	2,865	1,097
1971	140,269	67,582	53,405	17,411	4,068	1,871
1972	145,637	70,244	55,116	17,550	4,297	2,727
1973	165,307	78,334	64,584	18,871	5,407	3,518
1974	177,505	76,462	76,833	20,060	6,039	4,150
1975	193,927	84,212	82,862	21,818	6,594	5,035
1976	218,978	96,099	93,885	23,643	7,342	5,351
1977	275,312	125,613	118,150	26,710	7,440	4,839
1978	384,536	184,886	161,886	30,597	12,020	7,167
1979	494,378	241,422	206,822	37,697	181,976	8,437
1980	527,729	249,102	226,940	42,463	216,498	9,224
1981	571,754	267,605	243,828	50,595	276,335	9,726
1982	646,996	305,811	263,939	66,326	410,286	10,920
1983	785,316	380,993	304,158	87,282	528,803	12,883
1984	948,319	465,149	360,364	108,018	640,297	14,788
1985	1,113,430	556,659	412,739	128,309	711,439	15,723
1986	1,309,434	664,226	472,601	154,627	812,349	17,980
1987	1,611,375	844,350	546,450	200,456	924,187	20,119
1988	2,035,448	1,117,999	635,445	259,600	1,066,841	22,404
1989	2,660,212	1,558,660	768,943	323,402	1,187,766	9,207
1990	3,394,803	2,074,922	924,647	383,738	1,385,247	11,496
1991	4,247,816	2,727,852	1,077,467	427,650	1,576,404	14,847
1992	5,230,894	3,461,057	1,261,522	483,575	1,763,045	24,740
1993	6,274,008	4,271,253	1,448,634	527,958	1,936,345	26,163
1994	7,404,347	5,148,713	1,644,646	582,069	2,109,489	28,919
1995	8,468,901	6,006,290	1,816,582	612,584	2,270,898	33,445
1996	9,553,092	6,893,633	1,962,564	663,011	2,437,790	33,884
1997	10,413,427	7,586,474	2,072,256	719,127	2,552,669	35,570
1998	10,469,599	7,580,926	2,104,683	749,320	2,613,280	34,670
1999	11,163,728	7,837,206	2,298,116	993,169	1,894,030	35,237
2000	12,059,276	8,083,926	2,510,992	1,427,221	1,828,529	37,137
2001	12,914,115	8,889,327	2,728,405	1,257,008	1,700,600	39,375
2002	13,949,440	9,737,428	2,894,412	1,275,319	1,708,457	42,281
2003	14,586,795	10,278,923	3,016,407	1,246,629	1,730,193	44,836
2004	14,934,092	10,620,557	3,062,314	1,204,313	1,728,463	46,908
2005	15,396,715	11,122,199	3,102,171	1,124,645	1,726,825	47,700
2006	15,895,234	11,606,971	3,133,201	1,105,636	1,747,925	49,426
2007	16,428,177	12,099,779	3,171,351	1,104,949	1,785,051	52,098
2008	16,794,219	12,483,809	3,160,338	1,096,698	1,814,399	53,374
2009	17,325,210	13,023,819	3,166,512	1,080,687	1,820,729	54,192
2010	17,941,356	13,631,769	3,203,808	1,049,725	1,825,474	56,054
2011	18,437,373	14,136,478	3,226,421	1,015,391	1,828,312	59,083
2012	18,870,533	14,577,193	3,243,924	986,833	2,093,466	62,583
2013	19,400,864	15,078,354	3,285,707	970,805	2,117,035	65,998
2014	20,117,955	15,747,171	3,353,683	947,012	2,136,085	70,089
2015	23,151,659	16,561,665	3,432,937	920,320	2,161,774	74,963
2016	23,984,039	17,338,160	3,492,173	892,539	2,180,688	80,479
2017	24,724,770	18,034,540	3,540,323	867,522	2,196,475	85,910
2018	25,410,979	18,676,924	3,590,939	843,794	2,208,424	90,898
2019	25,914,261	19,177,517	3,592,586	811,799	2,236,895	95,464
2020	26,654,988	19,860,955	3,615,245	783,842	2,289,009	105,937
2021	27,124,938	20,410,648	3,631,975	749,968	2,213,837	118,510
2022	27,700,841	20,952,759	3,696,317	723,961	2,197,763	130,041
2023. 6	27,964,089	21,196,531	3,718,129	708,484	2,206,888	134,057

사업종류별산재보험요율 (1)

산업분류	적용사업구분	'70	'71	'72	'73	'74	'75	'76	'77	'78	'79
광업	석탄 광업	67	67	58	58	58	90	82	80	76	81
	금속 및 비금속 광업	37	37	46	46	46	46	41	39	33	37
	채석업	37	48	52	62	81	81	87	76	43	37
	석회석광업	–	–	–	–	–	–	–	–	79	58
	제염업	4	3	3	2	3	3	3	3	3	2
	기타 광업	33	30	27	27	27	27	17	19	26	24
제조업	식료품제조업	5	5	6	6	6	6	7	7	7	6
	담배제조업	–	–	–	–	–	–	–	–	–	–
	섬유 또는 섬유제품 제조업(갑)	3	3	3	3	3	4	3	3	3	3
	섬유 또는 섬유제품 제조업(을)	–	–	–	–	–	–	–	–	–	–
	제재 및 베니어판 제조업	–	–	–	–	–	–	–	–	–	–
	목재 및 나무제품 제조업	12	9	7	9	12	16	2	20	18	18
	펄프·지류제조업	10	10	12	12	16	16	17	17	17	17
	신문·화폐발행, 출판업	–	–	–	–	–	–	–	–	–	–
	인쇄업	–	–	–	–	–	–	–	–	5	5
	경인쇄업	–	–	–	–	–	–	–	–	–	–
	제본 또는 인쇄물 가공업	–	–	–	–	–	–	–	–	5	5
	화학제품 제조업	5	5	6	6	8	8	7	7	7	8
	의약품 및 화장품 향료 제조업	–	–	–	4	3	2	2	2	2	3
	코크스 및 석탄가스 제조업	13	14	18	18	18	18	19	15	17	16
	연탄 및 응집고체 연료생산업	–	–	–	–	–	–	–	–	–	–
	코크스, 연탄 및 석유정제품 제조업	–	–	–	–	–	–	–	–	–	–
	고무제품 제조업	–	–	–	–	–	–	9	7	7	6
	도자기제품 제조업	–	–	–	–	–	–	–	–	–	–
	유리 제조업	3	3	4	4	5	5	6	5	4	4
	기타 요업제품 제조업	11	12	13	13	13	13	12	10	9	9
	시멘트 제조업	12	9	10	10	10	7	8	7	6	12
	시멘트원료채굴 및 제조업	11	11	11	11	11	14	19	19	17	15
	비금속광물제품제조업	9	9	11	11	14	14	19	16	–	–
	금속제련업	15	10	7	7	7	7	7	6	6	5
	금속재료품 제조업	34	34	37	37	37	37	31	26	26	24
	금속제품 제조업 또는 금속가공업	16	16	16	16	16	21	20	21	20	20
	도금업	–	–	–	–	–	–	–	22	15	19
	기계기구 제조업	13	12	12	12	13	13	13	12	13	13
	전기기계기구 제조업	5	5	5	5	5	5	5	6	6	6
	전자제품 제조업	–	–	–	–	–	–	–	–	–	–
	선박건조 및 수리업	11	11	14	14	14	18	20	18	17	15
	수송용 기계기구 제조업(갑)	10	18	7	9	9	12	12	11	11	11
	수송용 기계기구 제조업(을)	–	–	–	–	–	–	–	–	–	–
	자동차 및 모터사이클 수리업	–	–	–	–	–	–	–	–	–	–
	계량기·광학기계·기타 정밀기구 제조업	5	3	3	3	2	3	2	3	5	4
	수제품제조업	3	2	2	2	2	2	2	2	2	4
	기타 제조업	4	4	5	5	5	7	6	6	5	5
전기·가스	전기·가스·증기 및 수도사업	4	4	5	7	7	7	7	8	8	8
건설업	일반건설공사(갑)	–	–	–	–	–	–	–	–	15	16
	일반건설공사(을)	–	–	–	–	–	–	–	–	–	–
	중건설공사	–	–	–	–	–	–	–	–	61	47
	철도 또는 궤도신설공사	31	34	35	47	61	79	60	64	52	36
운수창고및통신업	철도 궤도 및 삭도운수업	–	–	–	–	–	–	–	2	4	3
	여객자동차운수업	20	17	14	14	14	14	13	11	11	7
	소형화물운수업 및 택배업·퀵서비스업	–	–	–	13	13	13	20	9	7	6
	화물자동차운수업	21	19	19	19	25	25	34	32	30	29
	수상운수업	7	7	8	10	13	17	20	14	12	10
	항만하역 및 화물 취급사업	18	21	21	21	21	21	21	20	20	21
	항공운수업	4	5	7	7	5	4	2	5	4	5
	운수관련서비스업	–	–	–	–	–	–	–	–	–	–
	창고업	23	19	23	23	16	11	8	6	5	8
	통신업	3	3	2	2	2	2	2	2	2	2
임업	벌목업	–	–	–	–	–	–	–	–	–	–
	기타의 임업	–	–	–	–	–	–	–	–	–	–
어업	어업	–	–	–	–	–	–	–	–	–	–
	양식어업 및 어업관련 서비스업	–	–	–	–	–	–	–	–	–	–
농업	농업	–	–	–	–	–	–	–	–	–	–
기타의사업	농수산물위탁판매업	–	–	–	–	–	–	–	–	–	–
	건물등의 종합관리사업	–	–	–	–	–	–	–	3	2	2
	위생 및 유사서비스업	–	–	–	–	–	–	–	–	–	–
	건설기계관리사업	–	–	–	–	–	–	–	6	5	6
	골프장 및 경마장운영업	–	–	–	–	–	–	–	–	–	–
	기타의 각종 사업	–	–	–	–	–	–	–	–	–	–
	전문기술서비스업	–	–	–	–	–	–	–	–	–	–
	보건 및 사회복지사업	–	–	–	–	–	–	–	–	–	–
	교육서비스업	–	–	–	–	–	–	–	–	–	–
	도 · 소매 및 소비자용품수리업	–	–	–	–	–	–	–	–	–	–
	부동산업 및 임대업	–	–	–	–	–	–	–	–	–	–
	오락 · 문화 및 운동관련 사업	–	–	–	–	–	–	–	–	–	–
	국가 및 지방자치단체의 행정	–	–	–	–	–	–	–	–	–	–
	해외파견업	–	–	–	–	–	–	–	–	–	–
금융보험	금융보험업	–	–	–	–	–	–	–	–	–	–

사업종류별산재보험요율 (2)

산업분류	적 용 사 업 구 분	'80	'81	'82	'83	'84	'85	'86	'87	'88	'89
광업	석탄 광업	81	86	97	109	118	143	170	183	178	177
	금속 및 비금속 광업	37	40	41	46	50	67	83	115	135	160
	채석업	43	47	50	54	59	52	60	68	65	73
	석회석광업	67	80	104	114	100	58	62	59	44	39
	제염업	2	3	4	3	3	2	3	3	3	3
	기타 광업	20	20	17	16	18	19	23	27	29	33
제조업	식료품제조업	6	6	6	7	7	8	10	11	10	9
	담배제조업	-	-	-	-	-	-	-	-	-	-
	섬유 또는 섬유제품 제조업(갑)	3	3	4	4	4	5	5	6	5	5
	섬유 또는 섬유제품 제조업(을)	-	-	-	-	-	-	-	-	-	-
	제재 및 베니어판 제조업	-	-	-	-	-	-	-	-	33	31
	목재 및 나무제품 제조업	17	17	17	17	18	21	15	24	24	23
	펄프·지류제조업	16	15	17	18	19	21	22	22	20	18
	신문·화폐발행, 출판업	-	-	-	-	-	-	-	-	-	-
	인쇄업	6	7	8	8	9	10	12	13	13	13
	경인쇄업	-	-	-	-	-	-	5	3	5	6
	제본 또는 인쇄물 가공업	6	7	8	8	9	10	12	13	13	13
	화학제품 제조업	9	9	10	11	12	16	17	19	17	17
	의약품 및 화장품 향료 제조업	2	2	2	2	2	2	2	3	3	3
	코크스 및 석탄가스 제조업	17	16	18	19	19	20	23	27	23	21
	연탄 및 응집고체 연료생산업	-	-	-	-	-	-	-	-	-	-
	코크스, 연탄 및 석유정제품 제조업	-	-	-	-	-	-	-	-	-	-
	고무제품 제조업	7	7	7	7	7	7	8	8	8	8
	도자기제품 제조업	-	-	-	-	-	-	-	-	-	-
	유리 제조업	5	5	5	6	7	8	7	8	8	7
	기타 요업제품 제조업	9	9	9	10	11	14	18	19	19	19
	시멘트 제조업	11	10	13	12	9	14	12	12	8	6
	시멘트원료채굴 및 제조업	15	15	13	13	13	15	15	16	14	16
	비금속광물제품제조업	-	-	-	-	-	-	-	-	36	35
	금속제련업	5	6	6	6	6	6	7	6	5	5
	금속재료품 제조업	21	22	22	24	25	29	32	30	29	25
	금속제품 제조업 또는 금속가공업	21	22	24	24	25	30	29	34	33	31
	도금업	12	15	13	14	14	14	19	21	19	16
	기계기구 제조업	13	12	12	12	13	15	16	18	17	16
	전기기계기구 제조업	6	6	6	7	8	9	9	10	9	9
	전자제품 제조업	-	-	-	-	-	-	-	-	-	-
	선박건조 및 수리업	15	15	15	15	17	20	24	25	21	22
	수송용 기계기구 제조업(갑)	10	10	11	12	13	14	15	15	13	13
	수송용 기계기구 제조업(을)	-	-	-	-	-	-	-	-	-	-
	자동차 및 모터사이클 수리업	-	-	-	-	-	-	-	-	-	-
	계량기·광학기계·기타 정밀기구 제조업	5	5	5	6	7	9	9	9	-	-
	수제품제조업	4	5	4	4	5	6	7	7	7	6
	기타 제조업	6	7	7	7	7	9	11	12	12	13
전기·가스	전기·가스·증기 및 수도사업	6	8	7	8	2	5	5	2	2	2
건설업	일반건설공사(갑)	15	15	16	17	17	21	24	27	27	27
	일반건설공사(을)	-	-	-	-	-	-	-	-	-	-
	중건설공사	46	37	27	28	37	48	58	65	56	47
	철도 또는 궤도신설공사	22	17	24	23	25	35	38	43	35	43
운수창고및통신업	철도 궤도 및 삭도운수업	3	3	5	3	2	2	2	2	2	2
	여객자동차운수업	8	7	7	7	7	8	8	8	8	7
	소형화물운수업 및 택배업·퀵서비스업	7	8	9	9	9	10	11	11	9	8
	화물자동차운수업	26	25	24	24	25	29	32	35	33	33
	수상운수업	11	12	22	21	25	38	51	44	40	30
	항만하역 및 화물 취급사업	20	20	20	20	20	22	24	24	22	21
	항공운수업	2	2	5	5	5	7	11	8	5	7
	운수관련서비스업	-	-	-	-	2	2	2	2	2	2
	창고업	7	6	4	5	7	9	9	9	8	8
	통신업	2	2	2	2	2	2	2	3	3	3
임업	벌목업	-	-	22	103	26	60	107	178	176	169
	기타의 임업	-	-	-	-	-	-	-	-	-	-
어업	어업	-	-	-	-	-	-	-	-	-	-
	양식어업 및 어업관련 서비스업	-	-	-	-	-	-	-	-	-	-
농업	농업	-	-	-	-	-	-	-	-	-	-
기타의사업	농수산물위탁판매업	-	-	-	4	9	7	7	7	8	7
	건물등의 종합관리사업	3	2	2	2	3	3	3	5	5	5
	위생 및 유사서비스업	-	-	-	-	11	14	16	20	21	24
	건설기계관리사업	7	9	9	11	12	15	16	20	19	21
	골프장 및 경마장운영업	-	-	-	-	-	-	-	-	-	-
	기타의 각종 사업	-	-	-	-	-	-	-	-	-	-
	전문기술서비스업	-	-	-	-	-	-	-	-	-	-
	보건 및 사회복지사업	-	-	-	-	-	-	-	-	-	-
	교육서비스업	-	-	-	-	-	-	-	-	-	-
	도 · 소매 및 소비자용품수리업	-	-	-	-	-	-	-	-	-	-
	부동산업 및 임대업	-	-	-	-	-	-	-	-	-	-
	오락 · 문화 및 운동관련 사업	-	-	-	-	-	-	-	-	-	-
	국가 및 지방자치단체의 행정	-	-	-	-	-	-	-	-	-	-
	해외파견업	-	-	-	-	-	-	-	-	-	-
금융보험	금융보험업	-	-	-	-	-	-	-	-	-	-

(단위:천분율)

산업분류	적용사업구분	'90	'91	'92	'93	'94	'95	'96	'97	'98	'99
광업	석탄 광업	212	227	286	335	335	272	303	288	244	271
	금속 및 비금속 광업	195	146	182	175	178	109	142	178	258	197
	채석업	73	66	79	85	88	71	77	91	85	111
	석회석광업	36	66	53	67	64	50	55	59	58	74
	제염업	3	6	8	8	7	7	9	12	14	18
	기타 광업	44	42	46	48	43	36	38	44	42	55
제조업	식료품제조업	10	11	13	14	13	11	12	14	13	16
	담배제조업	3	4	6	8	7	6	6	7	6	7
	섬유 또는 섬유제품 제조업(갑)	5	6	8	9	6	5	6	7	7	8
	섬유 또는 섬유제품 제조업(을)	–	–	–	14	12	10	13	17	12	15
	제재 및 베니어판 제조업	34	33	38	40	36	29	31	34	32	41
	목재 및 나무제품 제조업	26	26	29	34	31	25	25	27	25	32
	펄프·지류제조업	18	19	21	23	20	16	17	18	16	20
	신문·화폐발행, 출판업	2	3	4	5	5	4	5	6	5	6
	인쇄업	12	12	14	17	14	11	12	13	12	14
	경인쇄업	7	7	7	7	8	6	8	8	7	8
	제본 또는 인쇄물 가공업	12	12	14	17	20	15	15	16	15	18
	화학제품 제조업	17	16	17	18	16	13	14	15	14	16
	의약품 및 화장품 향료 제조업	3	4	5	6	6	6	6	7	6	7
	코크스 및 석탄가스 제조업	24	24	24	23	15	12	16	22	26	34
	연탄 및 응집고체 연료생산업	–	–	26	30	31	26	30	35	35	39
	코크스, 연탄 및 석유정제품 제조업	–	–	–	–	–	–	–	–	–	–
	고무제품 제조업	8	9	11	12	11	10	12	14	13	15
	도자기제품 제조업	7	9	11	14	13	11	12	15	14	18
	유리 제조업	8	8	10	12	11	9	10	12	12	14
	기타 요업제품 제조업	21	22	25	27	23	18	19	22	21	25
	시멘트 제조업	7	10	13	17	17	13	15	16	15	18
	시멘트원료채굴 및 제조업	16	17	23	29	28	21	22	23	20	24
	비금속광물제품제조업	37	33	36	39	36	28	30	32	30	39
	금속제련업	5	5	6	8	8	7	7	8	7	8
	금속재료품 제조업	26	25	28	–	29	23	24	27	24	30
	금속제품 제조업 또는 금속가공업	35	35	39	38	33	26	28	31	29	37
	도금업	19	21	26	27	24	17	18	20	18	22
	기계기구 제조업	17	17	20	23	21	16	17	19	18	21
	전기기계기구 제조업	10	10	11	12	10	8	9	11	10	11
	전자제품 제조업	3	2	4	6	5	4	5	5	5	6
	선박건조 및 수리업	25	28	34	34	27	19	20	24	24	29
	수송용 기계기구 제조업(갑)	13	13	15	16	9	8	9	12	12	14
	수송용 기계기구 제조업(을)	–	–	–	28	21	15	17	19	17	21
	자동차 및 모터사이클 수리업	–	–	–	–	–	–	–	–	–	–
	계량기·광학기계·기타 정밀기구 제조업	8	9	10	10	9	7	8	9	8	9
	수제품제조업	6	7	8	8	9	8	9	11	10	12
	기타 제조업	15	16	19	20	19	15	17	19	18	22
전기·가스	전기·가스·증기 및 수도사업	2	4	4	6	6	5	6	8	7	8
건설업	일반건설공사(갑)	29	28	34	40	34	28	28	32	29	36
	일반건설공사(을)	–	–	–	74	39	27	28	31	29	38
	중건설공사	45	44	44	57	49	38	42	45	39	46
	철도 또는 궤도신설공사	54	46	47	69	46	39	37	39	31	34
운수창고및통신업	철도 궤도 및 삭도운수업	2	3	4	5	4	4	5	6	5	6
	여객자동차운수업	8	9	13	15	13	10	11	13	12	14
	소형화물운수업 및 택배업·퀵서비스업	9	11	13	15	14	12	13	16	14	17
	화물자동차운수업	36	35	40	44	38	29	32	36	33	43
	수상운수업	25	20	28	26	24	17	19	21	18	23
	항만하역 및 화물 취급사업	22	23	30	33	32	24	26	28	26	30
	항공운수업	6	6	5	7	7	6	6	7	6	8
	운수관련서비스업	2	3	4	6	5	4	5	6	5	6
	창고업	10	13	17	18	16	12	13	15	13	15
	통신업	3	4	5	6	5	5	6	7	7	8
임업	벌목업	244	218	272	182	292	351	320	299	258	319
	기타의 임업	–	3	4	6	8	9	12	16	18	19
어업	어업	–	17	19	29	28	35	46	63	60	78
	양식어업 및 어업관련 서비스업	–	–	–	–	–	–	–	–	–	–
농업	농업	–	3	4	9	9	8	10	13	14	16
기타의사업	농수산물위탁판매업	10	10	16	18	14	09	9	11	10	13
	건물등의 종합관리사업	7	8	9	11	10	8	9	11	10	12
	위생 및 유사서비스업	27	26	29	31	27	20	21	22	21	25
	건설기계관리사업	25	25	27	30	27	22	29	40	41	50
	골프장 및 경마장운영업	–	8	8	12	10	9	9	9	8	9
	기타의 각종 사업	2	3	4	5	5	4	5	6	5	6
	전문기술서비스업	–	–	–	–	–	–	–	–	–	–
	보건 및 사회복지사업	–	–	–	–	–	–	–	–	–	–
	교육서비스업	–	–	–	–	–	–	–	–	–	–
	도 · 소매 및 소비자용품수리업	–	–	–	–	–	–	–	–	–	–
	부동산업 및 임대업	–	–	–	–	–	–	–	–	–	–
	오락 · 문화 및 운동관련 사업	–	–	–	–	–	–	–	–	–	–
	국가 및 지방자치단체의 행정	–	–	–	–	–	–	–	–	–	–
	해외파견업	–	–	–	–	–	–	–	–	–	–
금융보험	금융보험업	–	–	–	–	–	–	–	–	–	–

사업종류별산재보험요율 (3)

산업분류	적 용 사 업 구 분	2000	2001	2002	2003	2004	2005	2006	2007	2008	2009
광업	석탄 광업	283	297	311	317	377	436	459	522	553	360
	금속 및 비금속 광업	226	237	248	266	278	313	316	304	230	206
	채석업	121	116	121	121	143	155	167	184	201	208
	석회석광업	85	88	82	74	60	56	68	76	79	69
	제염업	21	22	23	23	27	32	37	41	37	33
	기타 광업	60	59	61	55	64	60	71	81	80	70
제조업	식료품제조업	16	15	15	15	17	20	24	27	25	22
	담배제조업	8	8	7	6	7	8	10	12	11	10
	섬유 또는 섬유제품 제조업(갑)	8	8	8	7	8	9	11	13	16	14
	섬유 또는 섬유제품 제조업(을)	16	15	16	15	17	20	24	28	27	24
	제재 및 베니어판 제조업	42	44	46	48	57	59	65	77	77	72
	목재 및 나무제품 제조업	35	35	37	35	41	43	47	55	54	50
	펄프·지류제조업	21	20	17	17	20	23	26	29	27	25
	신문·화폐발행, 출판업	6	6	6	5	5	6	7	8	10	9
	인쇄업	15	15	15	13	15	18	19	21	19	17
	경인쇄업	8	8	6	5	5	6	7	8	10	9
	제본 또는 인쇄물 가공업	18	17	17	17	20	23	26	29	27	25
	화학제품 제조업	17	15	16	14	16	19	21	23	21	18
	의약품 및 화장품 향료 제조업	8	8	8	7	8	9	11	13	11	10
	코크스 및 석탄가스 제조업	39	33	30	26	22	26	32	38	38	33
	연탄 및 응집고체 연료생산업	45	41	43	43	51	61	76	91	98	90
	코크스, 연탄 및 석유정제품 제조업	-	-	-	-	-	-	-	-	-	-
	고무제품 제조업	16	15	16	16	19	22	27	32	32	28
	도자기제품 제조업	19	20	21	19	22	26	32	38	35	32
	유리 제조업	14	14	15	15	17	20	24	27	25	23
	기타 요업제품 제조업	27	27	27	26	30	31	33	37	34	31
	시멘트 제조업	21	22	23	22	26	26	28	31	31	27
	시멘트원료채굴 및 제조업	24	-	-	-	-	-	-	-	-	-
	비금속광물제품제조업	42	43	43	39	46	45	51	56	54	49
	금속제련업	8	7	7	6	7	8	10	12	14	12
	금속재료품 제조업	33	32	33	30	35	36	39	42	40	37
	금속제품 제조업 또는 금속가공업	40	40	43	39	46	45	51	56	54	49
	도금업	24	21	20	18	21	24	26	28	26	23
	기계기구 제조업	23	22	22	21	24	28	30	33	30	26
	전기기계기구 제조업	11	11	11	10	11	13	16	18	15	13
	전자제품 제조업	6	5	5	5	5	6	7	8	9	8
	선박건조 및 수리업	29	26	26	27	32	38	47	56	57	49
	수송용 기계기구 제조업(갑)	14	13	14	14	16	19	23	27	33	29
	수송용 기계기구 제조업(을)	22	20	21	20	23	27	29	31	27	23
	자동차 및 모터사이클 수리업	-	-	-	-	-	-	-	-	-	29
	계량기·광학기계·기타 정밀기구 제조업	9	9	9	8	9	10	12	14	13	12
	수제품제조업	13	12	12	12	14	16	20	23	20	18
	기타 제조업	23	22	23	22	26	29	31	35	33	31
전기·가스	전기·가스·증기 및 수도사업	8	7	7	6	7	8	10	12	11	10
건설업	일반건설공사(갑)	37	34	33	29	33	31	34	38	36	34
	일반건설공사(을)										
	중건설공사										
	철도 또는 궤도신설공사										
운수창고및통신업	철도 궤도 및 삭도운수업	6	6	6	5	5	6	7	8	10	9
	여객자동차운수업	14	15	16	15	17	20	25	27	25	22
	소형화물운수업 및 택배업·퀵서비스업	17	-	-	-	-	-	-	-	-	-
	화물자동차운수업	49	51	55	48	57	61	68	71	71	67
	수상운수업	26	27	28	27	32	32	35	38	36	33
	항만하역 및 화물 취급사업	30	29	28	27	32	32	35	38	36	33
	항공운수업	9	9	8	7	8	7	8	9	9	8
	운수관련서비스업	6	6	6	5	5	6	7	8	10	9
	창고업	16	15	16	15	17	19	21	23	21	18
	통신업	8	8	8	7	8	9	11	13	12	11
임업	벌목업	304	319	319	343	408	489	611	42	54	62
	기타의 임업	19	20	21	21	24	28	35			
어업	어업	90	95	99	105	124	148	185	222	288	249
	양식어업 및 어업관련 서비스업	-	-	-	-	-	-	-	-	-	11
농업	농업	17	15	16	14	16	19	23	27	28	26
기타의사업	농수산물위탁판매업	15	16	16	16	19	22	27	31	35	31
	건물등의 종합관리사업	13	13	13	13	15	18	22	26	24	21
	위생 및 유사서비스업	26	26	27	24	28	31	35	38	36	33
	건설기계관리사업	47	49	51	54	64	76	92	110	119	-
	골프장 및 경마장운영업	10	11	11	10	11	13	16	19	20	17
	기타의 각종 사업	6	6	6	5	5	6	7	8	10	10
	전문기술서비스업	-	-	-	4	4	4	5	6	7	7
	보건 및 사회복지사업	-	-	-	-	4	4	5	6	7	7
	교육서비스업	-	-	-	-	-	7	8	9	10	9
	도·소매 및 소비자용품수리업	-	-	-	-	-	-	-	-	-	-
	부동산업 및 임대업	-	-	-	-	-	-	-	-	-	-
	오락·문화 및 운동관련 사업	-	-	-	-	-	-	-	-	-	-
	국가 및 지방자치단체의 행정	-	-	-	-	-	-	-	-	-	-
	해외파견업	-	14	14	14	14	16	17	19	19	18
금융보험	금융보험업	-	4	4	4	4	4	5	6	7	7

(단위:천분율)

산업분류	적용사업구분	2010	2011	2012	2013	2014	2015	2016	2017	2018	2019
광업	석탄 광업	360	354	354	340	340	340	340	323	281	225
	금속 및 비금속 광업	236	201	161	129	104	84	77	71	71	57
	채석업	233	234	246	238	285	338	325	323	281	225
	석회석광업	68	67	76	77	87	83	76	71	71	57
	제염업	29	–	–	–	–	–	–	–	–	–
	기타 광업	72	72	72	67	71	69	71	71	71	57
제조업	식료품제조업	23	22	22	20	20	19	19	19	19	16
	담배제조업	9	9	9	8	8	8	8	8	8	7
	섬유 또는 섬유제품 제조업(갑)	15	14	14	13	13	13	13	13	13	11
	섬유 또는 섬유제품 제조업(을)	25	25	25	23	22	21	20	20	20	–
	제재 및 베니어판 제조업	76	84	89	–	–	–	–	–	–	–
	목재 및 나무제품 제조업	50	51	51	47	49	46	44	42	42	20
	펄프·지류제조업	27	26	26	25	25	24	24	24	24	20
	신문·화폐발행, 출판업	9	10	10	10	12	12	12	11	11	9
	인쇄업	17	16	16	10	12	12	12	11	11	10
	경인쇄업	9	10	10	–	–	–	–	–	–	–
	제본 또는 인쇄물 가공업	27	26	26	25	25	24	24	24	11	10
	화학제품 제조업	18	18	18	17	17	17	17	16	16	13
	의약품 및 화장품 향료 제조업	10	9	9	9	9	9	9	9	8	7
	코크스 및 석탄가스 제조업	29	33	27	–	–	–	–	–	–	–
	연탄 및 응집고체 연료생산업	84	87	85	–	–	–	–	–	–	–
	코크스, 연탄 및 석유정제품 제조업	–	–	–	17	14	13	12	11	11	9
	고무제품 제조업	26	26	24	22	23	22	21	21	21	13
	도자기제품 제조업	32	31	32	31	31	30	29	29	26	13
	유리 제조업	24	22	20	17	16	15	15	15	15	13
	기타 요업제품 제조업	32	32	32	31	31	30	29	29	26	13
	시멘트 제조업	25	27	26	27	28	29	29	26	26	13
	시멘트원료채굴 및 제조업	–	–	–	–	–	–	–	–	–	–
	비금속광물제품제조업	49	47	46	42	41	39	37	32	19	13
	금속제련업	12	12	12	11	11	10	11	11	11	10
	금속재료품 제조업	37	37	37	34	33	33	33	–	19	13
	금속제품 제조업 또는 금속가공업	49	47	46	42	41	39	33	32	19	13
	도금업	23	23	23	21	20	19	18	17	17	–
	기계기구 제조업	26	25	24	22	21	20	19	19	19	–
	전기기계기구 제조업	13	13	13	12	12	11	11	11	7	6
	전자제품 제조업	7	7	7	7	7	7	7	7	7	6
	선박건조 및 수리업	42	36	31	27	26	26	25	26	26	24
	수송용 기계기구 제조업(갑)	25	22	20	18	17	16	16	16	16	13
	수송용 기계기구 제조업(을)	22	21	–	–	–	–	–	–	–	–
	자동차 및 모터사이클 수리업	25	22	21	18	18	17	17	17	16	13
	계량기·광학기계·기타 정밀기구 제조업	11	11	11	10	9	9	9	9	7	6
	수제품제조업	18	18	17	16	16	16	16	15	15	12
	기타 제조업	32	33	33	31	30	29	28	27	27	12
전기·가스	전기·가스·증기 및 수도사업	10	10	10	9	9	10	10	10	9	8
건설업	일반건설공사(갑) 일반건설공사(을) 중건설공사 철도 또는 궤도신설공사	37	36	37	37	38	38	38	39	39	36
운수창고및통신업	철도 궤도 및 삭도운수업	8	9	9	8	8	8	9	9	9	8
	여객자동차운수업	22	21	20	19	19	19	19	20	20	18
	소형화물운수업 및 택배업·퀵서비스업	–	–	20	24	23	25	28	20	20	18
	화물자동차운수업	74	73	73	71	71	69	66	20	20	18
	수상운수업	34	33	32	30	31	30	29	28	28	18
	항만하역 및 화물 취급사업	34	33	32	30	31	30	29	28	28	8
	항공운수업	7	7	7	7	7	8	9	9	9	8
	운수관련서비스업	9	9	9	9	9	9	9	9	9	8
	창고업	18	17	16	15	15	14	14	13	13	8
	통신업	11	11	12	11	12	12	11	11	11	9
임업	벌목업 기타의 임업	66	65	72	80	87	89	89	90	90	72
어업	어업	286	328	314	252	202	162	130	36	35	28
	양식어업 및 어업관련 서비스업	12	13	15	18	21	25	30	–	–	–
농업	농업	28	28	29	27	27	27	27	26	25	20
기타의사업	농수산물위탁판매업	29	31	–	–	–	–	–	–	–	–
	건물등의 종합관리사업	21	20	20	18	18	17	17	16	16	13
	위생 및 유사서비스업	33	31	32	31	32	32	32	31	30	13
	건설기계관리사업	–	–	–	–	–	–	–	–	–	–
	골프장 및 경마장운영업	17	18	18	–	–	–	–	–	–	–
	기타의 각종 사업	10	10	10	10	10	10	10	10	10	9
	전문기술서비스업	6	6	6	6	7	7	7	7	7	6
	보건 및 사회복지사업	7	7	7	7	7	7	7	7	7	6
	교육서비스업	8	8	8	7	7	7	7	7	7	6
	도·소매 및 소비자용품수리업	–	–	–	10	10	9	9	9	9	8
	부동산업 및 임대업	–	–	–	9	9	9	9	8	8	7
	오락·문화 및 운동관련 사업	–	–	–	10	11	11	10	10	10	8
	국가 및 지방자치단체의 행정	–	–	–	10	9	9	8	8	9	9
	해외파견업	18	17	17	17	17	17	17	17	16	15
금융보험	금융보험업	7	6	7	6	6	7	7	7	7	6

사업종류별산재보험요율 (4)

산업분류	적용사업구분	2020	2021	2022	2023						
광업	석탄 광업	185	185	185	185						
	금속 및 비금속 광업	57	57	57	57						
	채석업	185	185	185	185						
	석회석광업	57	57	57	57						
	제염업	-	-	-	-						
	기타 광업	57	57	57	57						
제조업	식료품제조업	16	16	16	16						
	담배제조업	-	-	-	-						
	섬유 또는 섬유제품 제조업(갑)	11	11	11	11						
	섬유 또는 섬유제품 제조업(을)										
	제재 및 베니어판 제조업	-	-	-	-						
	목재 및 나무제품 제조업	20	20	20	20						
	펄프·지류제조업	-	-	-	-						
	신문·화폐발행, 출판업	10	10	10	10						
	인쇄업	10	10	10	10						
	경인쇄업	-	-	-	-						
	제본 또는 인쇄물 가공업	10	10	10	10						
	화학제품 제조업	13	13	13	13						
	의약품 및 화장품 향료 제조업	7	7	7	7						
	코크스 및 석탄가스 제조업	-	-	-	-						
	연탄 및 응집고체 연료생산업	-	-	-	-						
	코크스, 연탄 및 석유정제품 제조업	7	7	7	7						
	고무제품 제조업	13	13	13	13						
	도자기제품 제조업	-	-	-	-						
	유리 제조업	-	-	-	-						
	기타 요업제품 제조업	-	-	-	-						
	시멘트 제조업	-	-	-	-						
	시멘트원료채굴 및 제조업	-	-	-	-						
	비금속광물제품제조업	13	13	13	13						
	금속제련업	10	10	10	10						
	금속재료품 제조업	-	-	-	-						
	금속제품 제조업 또는 금속가공업	13	13	13	13						
	도금업	-	-	-	-						
	기계기구 제조업	13	13	13	13						
	전기기계기구 제조업	6	6	6	6						
	전자제품 제조업	6	6	6	6						
	선박건조 및 수리업	24	24	24	24						
	수송용 기계기구 제조업(갑)	-	-	-	-						
	수송용 기계기구 제조업(을)	-	-	-	-						
	자동차 및 모터사이클 수리업	-	-	-	-						
	계량기·광학기계·기타 정밀기구 제조업	6	6	6	6						
	수제품제조업	12	12	12	12						
	기타 제조업	12	12	12	12						
전기·가스	전기·가스·증기 및 수도사업	8	8	8	8						
건설업	일반건설공사(갑)										
	일반건설공사(을)	36	36	36	36						
	중건설공사										
	철도 또는 궤도신설공사										
운수창고및통신업	철도 궤도 및 삭도운수업	8	8	8	8						
	여객자동차운수업	18	18	18	18						
	소형화물운수업 및 택배업·퀵서비스업	18	18	18	18						
	화물자동차운수업	18	18	18	18						
	수상운수업	18	18	18	18						
	항만하역 및 화물 취급사업	-	-	-	-						
	항공운수업	8	8	8	8						
	운수관련서비스업	8	8	8	8						
	창고업	8	8	8	8						
	통신업	9	9	9	9						
임업	벌목업	58	58	58	58						
	기타의 임업										
어업	어업	28	28	28	28						
	양식어업 및 어업관련 서비스업										
농업	농업	20	20	20	20						
기타의사업	농수산물위탁판매업	-	-	-	-						
	건물등의 종합관리사업	-	-	-	-						
	위생 및 유사서비스업	-	-	-	-						
	건설기계관리사업	-	-	-	-						
	골프장 및 경마장운영업	-	-	-	-						
	기타의 각종 사업	9	9	9	9						
	전문기술서비스업	6	6	6	6						
	보건 및 사회복지사업	6	6	6	6						
	교육서비스업	6	6	6	6						
	도 · 소매 및 소비자용품수리업	8	8	8	8						
	부동산업 및 임대업	7	7	7	7						
	오락 · 문화 및 운동관련 사업	-	-	-	-						
	국가 및 지방자치단체의 행정	9	9	9	9						
	해외파견업	14	14	14	14						
금융보험	금융보험업	6	6	6	6						

곡 물 수 매 가 (1)

1. 추곡수매가격

(정곡 2등급 기준)

연도 \ 품목	쌀(80kg)		옥수수(75kg)		콩(75kg)	
	가격(원)	인상률(%)	가격(원)	인상률(%)	가격(원)	인상률(%)
1970	5,150	-	2,625	22.8	5,060	22.7
1971	7,000	35.9	3,284	25.1	6,327	25.0
1972	8,750	25.0	3,710	13.0	8,750	38.3
1973	9,888	13.0	4,081	10.0	9,625	10.0
1974	11,377	15.1	5,655	38.6	13,331	38.5
1975	15,760	38.5	6,995	23.7	16,490	23.7
1976	19,500	23.7	(8,324)	(19.0)	19,624	19.0
1977	23,200	19.0	(10,950)	(31.5)	24,380	24.2
1978	26,000	12.1	(12,640)	(15.4)	28,130	15.4
1979	30,000	15.4	(13,275)	(5.0)	32,350	15.0
1980	36,600	22.0	(15,300)	(15.3)	(40,500)	(25.2)
1981	45,750	25.0	(17,475)	(14.2)	(52,160)	(28.8)
1982	52,160	14.0	(18,750)	(7.3)	(55,970)	(7.3)
1983	55,970	7.3	(18,750)	(-)	(55,970)	(-)
1984	55,970	-	(19,313)	(3.0)	(57,675)	(3.0)
1985	57,650	3.0	(20,288)	(5.0)	(60,563)	(5.0)
1986	60,530	5.0	(21,510)	(6.0)	(64,200)	(6.0)
1987	64,160	6.0	(24,520)	(14.0)	(76,900)	(10.0)
1988	73,140	14.0	(27,975)	(14.0)	(84,600)	(10.0)
1989	84,840	16.0	31,050	(11.0)	(93,075)	(10.0)
1990	96,720	14.0	31,050	(-)	(93,075)	(-)
1991	106,390	10.0	32,606	(5.0)	97,725	(5.0)
1992	113,840	7.0	34,125	5.0	102,375	5.0
1993	120,670	6.0	34,125	-	102,375	-
1994	126,700	5.0	34,125	-	102,375	-
1995	126,700	-	34,125	-	102,375	-
1996	126,700	-	35,850	5.1	107,475	5.0
1997	131,770	4.0	35,850	-	107,475	-
1998	131,770	-	37,800	5.4	113,400	5.5
1999	139,020	5.5	39,675	5.0	130,425	15.0
2000	154,000	10.8	41,850	5.5	156,525	20.0
2001	-	-	43,500	3.9	172,200	10.0
2002	160,160	4.0	43,500	-	172,200	-
2003	160,160	-	43,500	-	172,200	-
2004	160,160	-	43,500	-	172,200	-
2005	134,267	-16.2	43,500	-	215,775	25.3
2006	148,075	10.3	43,500	-	215,775	-
2007	150,196	1.4	45,675	5.0	215,775	-
2008	162,416	8.1	48,375	5.9	215,775	-
2009	142,852	-12.0	48,375	-	226,575	5.0
2010	137,416	-3.8	48,375	-	226,575	-
2011	166,068	20.9	-	-	226,575	-
2012	173,692	4.6	-	-	258,750	14.2
2013	175,280	0.9	-	-	276,675	6.9
2014	167,347	-5.0	-	-	276,675	-
2015	158,148	-5.4	-	-	307,500	11.1
2016	139,715	-11.6	-	-	290,100	-5.6
2017	134,922	-3.4	-	-	300,825	3.7
2018	175,431	30.0	-	-	315,000	4.7
2019	190,312	8.4	-	-	337,500	7.1
2020	192,292	1.0	-	-	337,500	0.0
2021	142,000	-26.2	-	-	352,500	-
2022	123,340	-13.1	-	-	352,500	0.0
2023	-	-	-	-	360,000	2.0

주 1.( )는 농협수매가격임.
2.쌀은 '92년부터 일반계임.
3.옥수수 수매는 농가참여 저조로 '10년까지만 시행.
4.2021년부터 농림축산식품부 자료인용. (쌀은 포대벼 2등급, 콩은 대립종 특등 기준)

곡 물 수 매 가(2)

2. 하곡수매가격

(조곡 2등급 기준)

연도 \ 품목	겉보리(50㎏)		쌀보리(50㎏)		맥주보리(50㎏)	
	가격(원)	인상률(%)	가격(원)	인상률(%)	가격(원)	인상률(%)
1970	1,686	15.0	1,995	15.0	2,050	17.1
1971	2,141	27.0	2,794	40.0	2,563	25.0
1972	2,783	30.0	3,632	30.0	3,845	50.0
1973	3,062	10.0	3,996	10.0	4,344	13.0
1974	3,980	30.0	5,193	30.0	5,765	32.7
1975	4,860	22.0	6,341	22.0	7,195	24.8
1976	5,691	17.0	6,577	3.7	8,425	17.0
1977	6,790	19.3	9,320	41.7	10,040	19.2
1978	8,110	19.4	11,130	19.4	11,992	19.4
1979	9,640	18.9	13,230	18.9	13,822	15.3
1980	11,570	20.0	15,880	20.0	15,752	14.0
1981	13,020	12.5	17,870	12.5	17,720	12.5
1982	14,810	13.7	20,330	13.7	19,770	11.6
1983	14,810	-	20,330	-	19,940	0.9
1984	15,110	2.0	20,740	2.0	20,340	2.0
1985	15,940	5.5	21,880	5.5	21,460	5.5
1986	17,130	7.5	23,510	7.5	22,820	6.3
1987	17,990	5.0	24,690	5.0	23,800	4.3
1988	15,830	10.0	18,110	10.0	20,690	8.7
1989	17,410	10.0	19,920	10.0	22,500	8.7
1990	19,150	10.0	21,910	10.0	24,490	8.8
1991	21,070	10.0	24,100	10.0	26,940	10.0
1992	22,540	7.0	25,790	7.0	28,830	7.0
1993	23,670	5.0	27,080	5.0	30,270	5.0
1994	24,850	5.0	28,430	5.0	31,780	5.0
1995	24,850	-	28,430	-	31,780	-
1996	24,850	-	28,430	-	31,780	-
1997	24,850	-	28,430	-	31,780	-
1998	26,220	5.5	29,990	5.5	33,530	5.5
1999	27,530	5.0	31,490	5.0	35,210	5.0
2000	28,630	4.0	32,750	5.5	36,620	5.5
2001	29,780	4.0	34,060	4.0	38,080	4.0
2002	29,780	-	34,060	-	38,080	-
2003	29,780	-	34,060	-	38,080	-
2004	29,780	-	34,060	-	38,080	-
2005	29,180	-2.0	33,380	-2.0	38,080	-
2006	29,780	2.0	34,060	2.0	38,080	-
2007	29,180	-2.0	32,700	-4.0	36,560	-4.0
2008	28,590	-2.0	31,390	-4.0	35,100	-4.0
2009	27,730	-3.0	29,510	-6.0	31,010	-6.0
2010	26,900	-3.0	27,740	-6.0	29,150	-6.0
2011	26,900	-	26,070	-6.0	29,150	-

㈜ 1. 1988년부터는 40㎏ 기준임. 2. 맥주보리는 농협에서 조곡으로 매입하는 가격임. 3. 2012년부터 하곡수매 폐지.

인 구 추 이

연도 \ 구분	인구추이			연도 \ 구분	인구추이		
	총인구	남자	여자		총인구	남자	여자
1925	19,020,030	9,726,150	9,293,880	2000	45,985,289	23,068,181	22,917,108
1930	20,438,108	10,398,889	10,039,219	2005	47,041,434	23,465,650	23,575,784
1935	22,208,102	11,271,005	10,937,097	2010	48,874,539	24,540,316	24,334,223
1940	23,547,465	11,839,295	11,708,170	2011	50,734,284	25,406,934	25,327,350
1944	25,120,174	12,521,173	12,599,001	2012	50,948,272	25,504,060	25,444,212
1949	20,166,756	10,188,238	9,978,518	2013	51,141,463	25,588,336	25,553,127
1955	21,502,386	10,752,973	10,749,413	2014	51,327,916	25,669,296	25,658,620
				2015	51,482,816	25,738,014	25,744,802
1960	24,989,241	12,543,968	12,445,273	2016	51,220,000	25,670,000	25,550,000
1966	29,159,640	14,684,147	14,475,493	2017	51,370,000	25,740,000	25,630,000
1970	31,435,252	15,779,615	15,655,637	2018	51,600,000	25,860,000	25,740,000
1975	34,678,972	17,445,246	17,233,726	2019	51,710,000	25,910,000	25,800,000
1980	37,406,815	18,749,306	18,657,509	2020	51,780,000	25,950,000	25,830,000
1985	40,419,652	20,227,564	20,192,088	2021	51,638,809	25,746,684	25,892,125
1990	43,390,374	21,770,919	21,619,455	2022	51,439,038	25,636,951	25,802,087
1995	44,553,710	22,357,352	22,196,358	2023	51,558,034	25,749,708	25,808,326

㈜ 2023년도는 확정치가 아닌 추계인구 자료임.

평 균 연 령

연도＼구분	평균연령 전체	남자	여자	연도＼구분	평균연령 전체	남자	여자	연도＼구분	평균연령 전체	남자	여자
1960	23.1	22.3	23.9	1986	27.9	27.0	28.8	2006	36.0	34.8	37.2
1961	23.0	22.2	23.7	1987	28.3	27.4	29.2	2007	36.5	35.3	37.7
1962	22.9	22.1	23.7	1988	28.7	27.7	29.6	2008	37.0	35.8	38.2
1963	22.9	22.1	23.7	1989	29.0	28.1	30.0	2009	37.5	36.3	38.7
1964	22.9	22.1	23.7	1990	29.5	28.5	30.6	2010	38.0	36.8	39.2
1965	23.0	22.2	23.8	1991	29.9	28.8	30.9	2011	38.4	37.2	39.6
1966	23.1	22.3	23.9	1992	30.2	29.1	31.3	2012	38.9	37.7	40.1
1967	23.1	22.4	23.9	1993	30.5	29.4	31.6	2013	39.4	38.1	40.6
1968	23.2	22.5	24.0	1994	30.9	29.8	32.0	2014	39.8	38.6	41.0
1969	23.4	22.7	24.1	1995	31.2	30.1	32.3	2015	40.3	39.0	41.5
1970	23.6	22.9	24.3	1996	31.6	30.4	32.7	2016	40.7	39.5	41.9
1971	23.8	23.0	24.6	1997	31.9	30.8	33.1	2017	41.2	40.0	42.4
1972	23.8	23.0	24.6	1998	32.3	31.1	33.4	2018	41.7	40.5	42.9
1973	23.9	23.1	24.8	1999	32.7	31.5	33.8	2019	42.2	41.0	43.4
1974	24.1	23.2	25.0	2000	33.1	31.9	34.3	2020	42.8	41.6	43.9
1975	24.5	23.5	25.4	2001	33.5	32.3	34.7	2021	43.5	42.3	44.7
1976	24.8	23.8	25.7	2002	34.0	32.8	35.2	2022	44.0	42.8	45.2
1977	25.1	24.2	26.0	2003	34.5	33.3	35.6	2023	44.5	43.3	45.7
1978	25.4	24.5	26.3	2004	35.0	33.8	36.1				
1979	25.7	24.8	26.6	2005	35.5	34.3	36.6				
1980	25.9	25.0	26.9								
1981	26.2	25.3	27.1								
1982	26.5	25.6	27.4								
1983	26.8	25.9	27.7								
1984	27.1	26.2	28.0								
1985	27.5	26.7	28.4								

[주] 2023년도는 확정치가 아닌 추계인구 자료임.

토지 개별공시지가

(단위:원/㎡)

연도＼구분	최고 개별공시지가 번지	최고 개별공시지가 공시지가	최저 개별공시지가 번지	최저 개별공시지가 공시지가
1994. 1. 1	서울시 중구 명동2가 33-2(토지)	40,300,000	서울시 도봉구 도봉동 산50-1(임야)	3,070
1995. 1. 1	〃	40,000,000	〃	3,100
1996. 1. 1	〃	40,000,000	〃	3,100
1997. 1. 1	〃	40,000,000	〃	3,100
1998. 1. 1	〃	40,000,000	〃	3,100
1999. 1. 1	〃	33,000,000	〃	2,820
2000. 1. 1	〃	33,800,000	〃	2,820
2001. 1. 1	〃	33,000,000	〃	2,820
2002. 1. 1	〃	33,300,000	〃	2,820
2003. 1. 1	〃	36,000,000	〃	2,820
2004. 1. 1	서울시 중구 충무로1가 24-2(토지)	41,900,000	〃	2,820
2005. 1. 1	〃	42,000,000	〃	3,760
2006. 1 .1	〃	51,000,000	〃	3,940
2007. 1 .1	〃	59,400,000	〃	4,230
2008. 1 .1	〃	64,000,000	〃	4,510
2009. 1 .1	〃	62,300,000	〃	4,510
2010. 1 .1	〃	62,300,000	〃	4,700
2011. 1 .1	〃	62,300,000	〃	4,790
2012. 1 .1	〃	65,000,000	〃	5,170
2013. 1 .1	〃	70,000,000	〃	5,350
2014. 1 .1	〃	77,000,000	〃	5,350
2015. 1 .1	〃	80,700,000	〃	5,620
2016. 1 .1	〃	83,100,000	〃	5,910
2017. 1 .1	〃	86,000,000	〃	6,300
2018. 1 .1	〃	91,300,000	〃	6,400
2019. 1 .1	〃	183,000,000	〃	6,740
2020. 1 .1	〃	199,000,000	〃	6,740
2021. 1 .1	〃	206,500,000	〃	7,270
2022. 1 .1	〃	189,000,000	〃	7,760
2023. 1 .1	〃	174,100,000	〃	7,230

통계로 보는 생활물가정보 2023

생활물가총람

초판 1쇄 인쇄 | 2023년 11월 22일
초판 1쇄 발행 | 2023년 11월 29일

발행인 | 노승권
발행처 | (사)한국물가정보

주소 | (10881)경기도 파주시 회동길 354
전화 | 1577-7200(代)
팩스 | 031-870-1097

등록 | 1980년 3월 29일
홈페이지 | www.kpi.or.kr

값은 뒤표지에 있습니다.